U0114505

日本儒學研究書目

上冊

林慶彰
連清吉　編
金培懿

臺灣學生書局印行

編　序

　　儒家文化影響所及的地域，至少應包括臺灣、韓國、日本、越南等地。各地的儒學都有很悠久的歷史，也逐漸形成其獨自的儒學思想體系。如從儒學母國的立場來看，研究韓國、日本、越南等地的儒學，正是形成儒學文化圈的奠基工作。

　　就日本儒學的發展來說，自三世紀博士王仁傳入《論語》、《千字文》以來，至十二世紀末平安時代結束，可說是學習漢唐古注的時期；自十三世紀起至十六世紀的鎌倉、室町時代，是宋學傳入，新舊注並行的時期；自十六、七世紀之交起，是所謂的江戶時代，儒學發展成朱子學、陽明學、古學、折衷學、考證學等學派，在各學派爭奇鬥艷的過程中，也逐漸形成自己的儒學傳統。根據關儀一郎、關義直所編《近世漢學者著述目錄大成》（東京：東洋圖書刊行會，昭和16年4月），當時漢學家即有2898人之多，其中十之八九是儒學家。自十九世紀中葉起，進入所謂的明治時代。儒學復古失敗。此後儒學的研究，也逐漸與政治分離，而變爲純粹典籍的研究，儒學家和儒學經典的研究著作，仍源源不斷的出版，絲毫看不出儒學中衰的痕跡。

　　從上古至近、現代，可稱爲儒學家者，可能有三、四千人之多，所留下的著作，不論存佚，至少有數萬種。如此多的儒學者，和汗牛充棟的著作，可說是研究儒學發展，最寶貴的文化資源。

　　自儒學東傳以來，中國一直以儒學文化母國自居，對儒學在日、韓等國的發展狀況，很少有學者認眞加以研究。近年來，有學者對日本儒學稍作關注，除語言所形成的隔閡外，對有哪些重要儒學家？有何重要儒學著作？如何找到這些著作，都不甚了解。筆者以爲要研究日本儒學，就應先有一部簡便的日本儒學書目。1993年時，曾主編《日本研究經學論著目錄》（臺北：中央研究院中國文哲研究所，1994年11月），收1900—1992年間，日本等地研究經學之相關條目七千餘條。但此書是依儒學經典的十三經分類，並非爲儒學的發展而編。是以儒學在各時代的發展演變，及各儒學家旳著作如何，也無法有效的反

映出來。

《日本研究經學論著目錄》完成以後，筆者一直期盼有學者願意花費一兩年的時間，編輯一部《日本儒學研究文獻目錄》，此事，筆者曾於1994年7—9月間，在九州大學作爲期三個月的研究時，作〈編纂「日本儒學史研究文獻目錄」芻議〉（《經學研究論叢》第2輯，1994年10月）一文呼籲過。事隔三年，學界並未有任何回應。去年9月起，承行政院國家科學委員會贊助，以〈清乾嘉學派與日本考證學派之比較研究〉爲題，作爲期近一年的訪問研究，除蒐集、閱讀此一論題的相關文獻外，又興起編輯日本儒學研究書目的念頭。

要編輯此一書目，最先要考慮的是藏書條件和工作人員。九州大學中國哲學研究室這數十年間，先後任教過的，有楠本正繼、岡田武彥、荒木見悟、佐藤仁、町田三郎、福田殖等先生，再加分布在九州各大學的弟子，已逐漸形成儒學研究的「九州學派」。有關中國和日本儒學的資料，不但收藏豐富，也作過仔細的整理。

在工作人員方面，邀請來自臺灣的連清吉教授和金培懿小姐一起合作編輯。連先生爲九州大學文學博士，現任長崎大學副教授。近數年來，一直專研江戶、明治期之儒學，著有《日本江戶時代的考證學家及其學問》（印刷中），譯有《日本幕末以來之漢學家及其著述》（臺北：文史哲出版社，1992年3月）。金小姐，現爲九州大學大學院博士候選人，專研江戶時代古學派儒學，著譯論文有十餘篇。邀請兩位來合作，主要是著眼於臺灣學者研究日本儒學的貢獻這一點上。

我們從1997年10月起開始工作。大抵按下列工作程序來進行：

其一，確定應收入的儒學家：主要的參考資料有關儀一郎、關義直編《近世漢學者著述目錄大成》，森銑三等編《近世文藝家資料綜覽》（東京：東京堂，昭和49年3月）、近藤春雄編《日本漢文學大事典》（東京：明治書院，昭和60年3月）。將應收的儒學家按學派分類，並依生年先後排列。

其二，收集儒學家的著作和後人研究成果：主要利用《國書總目錄》、《古典籍總目錄》、《國會圖書館藏書目錄》、近藤春雄《日本漢文學大事典》、筆者編《日本研究經學論著目錄》、東北大學文學部日本思想史學研究室編《日本思想史關係研究文獻要目》、《日本中國學會報》之學界展望等，和各書店之出版目錄。在圖書館方面，除九州大學中央圖書館、文學部書庫外，也

利用了福岡縣立圖書館、福岡市立綜合圖書館的藏書。

其三，確定應收入之叢書，並將各叢書子目作成分析片：主要利用《全集叢書細目總覽・古典篇》（東京：紀伊國屋書店，1973年8月）、《古典篇續》（同上，1989年11月）和《國會圖書館藏書目錄》等。有必要時，再調出原書覆按。

根據上述數個步驟所抄錄來的資料條目，按預先訂好的分類表，將資料逐條納入，並剔除重覆之條目，編輯工作於1998年5月全部完成，計花費整整八個月的時間。這是有日本儒學以來第一本研究書目。個人以爲此一書目，至少有下列兩個特點：

一是合儒者著作和後人研究成果爲一書：歷來要檢查儒學著作和後人研究成果，必須利用不同的工具書，森銑三的《近世文藝家資料綜覽》、近藤春雄的《日本漢文學大事典》，雖有合著作和研究成果爲一書的雛形，但所錄著作大部分未注明板本，所收後人研究也太少。且是字典體裁，未能呈現儒學發展的整體面貌。本書目完成後，某儒學家有多少著作，後人研究成果如何，一目了然，爲讀者省卻不少蒐集資料的時間。

二是立叢書類，並將各子目納入儒學家著作中：日本編輯叢書的風氣特盛，自江戶時代以來，與日本儒學直接相關的叢書，即有三十多種。本書目將這三十多種叢書編入第六編，各叢書皆列出子目。並將各子目納入各儒學家著作中。讀者不但可從各叢書中得知子目如何，也可得知某儒學家之著作，收入那一部叢書中。協助讀者充分利用叢書來治學。

本書目雖有上數兩大特點，並非表示已十全十美。由於時間的限制，又缺乏補助經費，人力嚴重不足。所以，未能將《國書總目錄》和《古典籍總目錄》中之古刊本和寫本著作條目全數納入，後人研究成果也祇能收專著，和部分單篇論文。好在這祇是整理日本儒學文獻的開端，將來在客觀條件更好的情況下，一定有機會完成一部較完善的文獻目錄。

編輯期間，除我們三人日以繼夜的工作外，也麻煩九州大學中國文學系碩士生王毓雯學棣，抄錄部分資料。內人陳美雪女士帶領幼子愷胤（十一歲）、愷葳（九歲）、茜雯（七歲）三人，協助剪貼資料，編排卡片。某日愷葳來問：「爸爸，我們有幫忙，能不能把我們的名字也寫上去。」特將他們的名字表出，以誌那段令人懷念的日子。

　　在臺灣東吳大學中文研究所博士班就讀的馮曉庭、許維萍學棣，碩士班就讀的黃智信學棣，擔任全書一、二校；在九州大學文學科博士班就讀的蕭燕婉學棣，碩士班就讀的王毓雯學棣，協助校對部分三校稿。彰化師範大學黃文吉教授，六月二十日來九州大學文學科作為期三個月之研究，也請他協助校對部分文稿。在臺灣學生書局工作的游均晶學棣，負責一切印務，本書目才能順利出版。茲一併申謝。

林慶彰誌於九州大學中國哲學研究室

一九九八年六月三十日

編輯説明

1. 本書目收上古至1998年6月間，日本儒學之原典，和日本本土及世界各地研究日本儒學之專門著作，和部分單篇論文。

2. 本書目分六編，第一編總論，第二編古代至中世，第三編近世，第四編近代，第五編現代，第六編叢書。

3. 本書目所收儒學家，收錄標準如下：

   ①對中國儒學經典有譯注研究者。

   ②對中國歷代儒學有專門研究者。

   ③對日本儒學典籍有譯注研究者。

   ④對日本歷代儒學有專門研究者。

   ⑤有符合儒學條件之專著者。

4. 自第二編起，所列儒學家先依學派分類，再按生年先後編排。第四編近代、第五編現代，不分學派，僅依生年先後編排。每一儒學家下所收資料條目，分著作和後人研究兩部分。

5. 江戶時代及其以前之儒學家著作，大抵收近、現代以來之刊本，讀者如欲知古刊本之存藏狀況，可檢閱《國書總目錄》和《古典籍總目錄》。

6. 儒學與思想、哲學等密不可分，爲免讀者另行檢索之苦，本書目也兼錄部分思想史、哲學史和教育史之著作。

7. 爲呈現儒學家治學的整體面貌，各儒學家之著作，不論是否與儒學直接相關，大抵全部收錄。

8. 各儒學之「後人研究」部分，以收專著爲主。部份儒學家，後人研究專著數量不多者，兼錄重要論文條目。

9. 各論著條目之著錄項如下：

   ①古刊本專著：作者（註者、譯者等）、書名、卷冊數、出版項。

   ②近現代印本專著：作者（註者、譯者等）、書名、出版地、出版年月、頁數。

③叢書中之專著：作者（註者、譯者等）、書名、叢書名、卷數、出版項。

④雜誌論文：作者、篇名、雜誌名、卷號、頁數、出版年月。

⑤論文集論文：作者、篇名、論文集名、頁數、出版地、出版者、出版年月。

各著錄項目有缺項者，亦不留空格。

10.各條目中之頁數，如為和裝本，以「××丁」表示；現代洋裝本，則作「×
　　×頁」。

11.出版者和作者、編者相同時，出版者部分著錄作「作者印行」、
　　「編者印行」。

12.本書目所收論著條目，內容涉及兩類以上者，為方便檢索，以
　　互見方式著錄。

日本儒學研究書目

目　　次

上　冊

編　序

編輯說明

下　冊

第五編　現　代……………………………………………… 701

壹、總　論……………………………………………………… 701

貳、儒學家各論…………………………………………………… 703

第一編　總　　論

壹、思想通論

一、哲學、思想史

0001　田口卯吉　　日本開化小史
　　　　　　　　　東京　岩波書店　昭和25年（1950）11月

0002　市川鶴吉　　日本哲學
　　　　　　　　　岐阜　淺野宗八印行　明治21年（1888）6月　26頁

0003　島津義禎　　日本哲學
　　　　　　　　　東京　作者印行　明治27年（1894）　78頁

0004　有馬祐政　　日本哲學要論
　　　　　　　　　東京　光融館　明治35年（1902）4月　296頁

0005　清原貞雄　　日本國民思想史
　　　　　　　　　東京　寶文館　大正14年（1925）　756頁

0006　勝俣忠幸　　日本古來の國民思想史
　　　　　　　　　東京　東山書房　昭和11年（1936）　267頁

0007　三枝博音　　日本の思想文化
　　　　　　　　　①東京　第一書房　昭和12年（1937）7月　373頁
　　　　　　　　　②東京　第一書房　昭和17年（1942）增補改訂版　274頁
　　　　　　　　　③東京　中央公論社　昭和53年（1978）2月　289頁

0008　永田廣志　　日本封建制イデオロギー
　　　　　　　　　東京　白揚社　昭和13年（1938）4月　425頁

0009　永田廣志　　日本哲學思想史
　　　　　　　　　東京　三笠書房　昭和13年（1938）6月　325頁

0010　永田廣志著，陳應年、姜晚成、高永清譯　日本哲學思想史
　　　　　　　　　北京　商務印書館　昭和58年（1983）12月　311頁

0011　平原北堂　　大日本思想史
　　　　　　　　　東京　敕語御下賜記念事業部　昭和15年（1940）7月　733,
　　　　　　　　　7頁

0012　村岡典嗣　　日本思想史研究
　　　　　　　　　①東京　岩波書店　昭和15年（1940）

②東京　岩波書店　昭和50年（1975）增訂本　492頁

0013　村岡典嗣　日本思想史研究（續）
　　　　　　　　東京　岩波書店　昭和14年（1939）

0014　澤島正治　日本哲學
　　　　　　　　東京　見神會　昭和16年（1941）　559頁

0015　清原貞雄　日本思想史
　　　　　　　　東京　地人書店　昭和17年（1942）6月　249頁（大觀日本
　　　　　　　　文化史薦書）

0016　家永三郎　日本思想史の諸問題
　　　　　　　　東京　齋藤書店　昭和23年（1948）　239頁

0017　村岡典嗣　日本思想史研究（第3）
　　　　　　　　東京　岩波書店　昭和23年（1948）

0018　村岡典嗣　日本思想史研究（第4）
　　　　　　　　東京　岩波書店　昭和24年（1949）

0019　古川哲史編　日本思想史
　　　　　　　　東京　角川書店　昭和29年（1954）　294頁

0020　村岡典嗣　日本思想史上の諸問題
　　　　　　　　東京　創文社　昭和32年（1957）

0021　丸山眞男　日本の思想
　　　　　　　　東京　岩波書店　昭和36年（1961）　192頁

0022　石田一良編　日本思想史概論
　　　　　　　　東京　吉川弘文館　昭和38年（1963）　354頁

0023　家永三郎　日本思想史に於ける否定の論理の發達
　　　　　　　　東京　新泉社　昭和44年（1969）　358頁

0024　Nakamura, Hazime,（中村元）　A history of the development of Japanese
　　　　　　　　thought, from A.D.592 to 1868.〔2d ed.〕Tokoyo, Kokusai
　　　　　　　　Bunka Shinkokai, 1969〔c1967〕2v.
　　　　　　　　（Japanese life and culture series）

0025　森田康之助　外國思想の受容と日本——思想史的考察
　　　　　　　　東京　學術書出版會　昭和45年（1970）　469頁

0026　田村丹澄等編　日本思想史の基礎知識——古代から明治維新まで
　　　　　　　　東京　有斐閣　昭和49年（1974）　511, 15頁

0027　守本順一郎　日本思想史の課題と方法
　　　　　　　　東京　新日本出版社　昭和49年（1974）　366頁

0028　守本順一郎　日本思想史
　　　　　　　　東京　新日本出版社　3冊（新日本新書）

東京　東京大學出版會

第1冊　自然　昭和58年（1983）10月　349頁

第2冊　知性　昭和58年（1983）11月　373頁

第3冊　秩序　昭和58年（1983）12月　408頁

第4冊　時間　昭和59年（1984）3月　349頁

第5冊　美　昭和59年（1984）3月　319頁

0038　大多和明彦等　日本文化の基調──「道」の觀念

東京　文化書房博文社　昭和61年（1986）6月　353頁

0039　森田康之助　日本思想の構造

東京　國書刊行會　昭和63年（1988）2月　558頁

0040　中村元著、春日屋伸昌編譯　日本思想史──中村元英文論集

大阪　東方出版　昭和63年（1988）4月　293頁

0041　相良　亨　日本の思想──理、自然、道、天、心、傳統

東京　ぺりかん社　平成元年（1989）2月　251頁

0042　大嶋　仁　日本思想を解く──神話の思惟の展開

東京　北樹出版　平成元年（1989）7月　136頁

0043　新保　哲　日本思想史

京都　晃洋書房　平成元年（1989）3月　370，10頁

0044　岩崎允胤　日本思想史序說

東京　新日本出版社　平成3年（1991）　547頁

0045　西山　德　日本思想の源流と展開

伊勢　皇學館大學出版部　平成4年（1992）10月　512，12頁

0046　森田康之助　日本思想のかたち

東京　錦正社　平成4年（1992）4月　288頁（國學研究叢書第17編）

0047　家永三郎　日本思想史學の方法

東京　名著刊行會　平成5年（1993）3月　223頁（歷史學叢書）

0048　野口武彦　日本思想史入門

東京　筑摩書房　平成5年（1993）5月　258頁

0049　內藤　酬　日本革命の思想的系譜

東京　北樹出版　平成6年（1994）2月　363頁

0050　源了圓、嚴紹璗編　思想

東京　大修館書店　平成7年（1995）10月　514頁（日中文化交流史叢書　第3卷）

0051　古田光、子安宣邦編　日本思想史讀本
　　　　　　　東京　東洋經濟新報社　平成8年（1996）6月
0052　大嶋　仁　　　こころの變遷──日本思想をたどる
　　　　　　　靜岡縣　增進會出版社　平成9年（1997）5月　243頁
0053　玉懸博之編　日本思想史：その普通と特殊
　　　　　　　東京　ぺりかん社　平成9年（1997）7月　554, 2頁
0054　內藤虎次郎　先哲の學問
　　　　　　　東京　弘文堂書房　昭和21年（1946）　334頁
0055　奈良本辰也　日本の思想家
　　　　　　　東京　毎日新聞社　昭和29年（1954）　373頁（毎日ライブ
　　　　　ラリー）
0056　朝日ジャーナル編　日本の思想家
　　　　　　　東京　朝日新聞社　昭和50年（1975）新版
　　　　　　（上）300頁（朝日選書44）
　　　　　　（中）290頁（朝日選書45）
　　　　　　（下）323頁（朝日選書46）

二、精神史

0057　大川周明　　日本精神研究
　　　　　　　東京　社會教育研究所　大正13年（1924）　8冊
0058　安岡正篤　　日本精神の研究
　　　　　　　東京　玄黃社　大正13年（1924）3月　8,384,9頁
0059　安岡正篤　　日本精神の本質
　　　　　　　大正14年（1924）
0060　和辻哲郎　　日本精神史研究
　　　　　　　①東京　岩波書店　大正15年（1926）10月　430頁
　　　　　　　②東京　岩波書店　昭和45年（1970）改版　271頁
　　　　　　　③東京　岩波書店　平成4年（1992）　401頁（岩波文庫）
0061　大川周明　　日本精神研究
　　　　　　　東京　行地社出版部　昭和2年（1927）5月　355頁
0062　宮西一積　　日本精神史
　　　　　　　東京　新生閣　昭和3年（1928）　451頁
0063　河野省三　　日本精神發達史
　　　　　　　東京　大岡山書店　昭和7年（1932）4月　354頁

0064　鹿子木員信　日本精神の哲學
　　　　　　　　　①大阪　騣騣堂　昭和8年（1933）
　　　　　　　　　②東京　國民思想研究所　昭和9年（1934）訂正版　173，
　　　　　　　　　　18頁
　　　　　　　　　③東京　文川堂書房　昭和17年（1942）4月　171頁
0065　清原貞雄　日本精神概說
　　　　　　　　　東京　東洋圖書　昭和8年（1933）11月　361頁
0066　田制佐重　日本精神思想概說
　　　　　　　　　東京　文教書院　昭和8年（1933）　425頁
0067　日本文化研究會編　日本精神論
　　　　　　　　　東京　東洋書院　昭和9年（1934）　364頁（日本精神研究
　　　　　　　　　第1輯）
0068　雄山閣編　日本精神の研究
　　　　　　　　　東京　雄山閣　昭和9年（1934）　3,385頁
0069　河野省三　日本精神の研究
　　　　　　　　　東京　大岡山書店　昭和9年（1934）9月　404頁
0070　井上哲次郎　日本精神の本質
　　　　　　　　　東京　廣文堂　昭和9年（1934）　411頁
0071　鈴木重雄　日本精神生成史論　中世、近世篇
　　　　　　　　　東京　理想社　昭和11、12年（1936、1937）　2冊
0072　伊藤　裕　日本精神原論
　　　　　　　　　東京　大勢出版社　昭和12年（1937）　584頁
0073　伊藤千眞三　日本精神史論
　　　　　　　　　東京　進教社　昭和12年（1937）　320頁
0074　高階順治　日本精神の哲學的解釋
　　　　　　　　　東京　第一書房　昭和12年（1937）　386頁
0075　加藤仁平　三種の神器觀より見たる日本精神史
　　　　　　　　　東京　第一書房　昭和14年（1939）3月　334頁
0076　高須芳次郎　日本精神の傳統
　　　　　　　　　東京　富士書店　昭和16年（1941）2月　203頁
0077　鈴木重雄　日本精神史要論
　　　　　　　　　東京　理想社　昭和17年（1942）7月　363頁
0078　關根文之助　日本精神史要
　　　　　　　　　東京　教文館　昭和19年（1944）　170頁
0079　宮川　透　日本精神史への序論
　　　　　　　　　東京　紀伊國屋書店　昭和41年（1966）　200頁

0080　田村芳朗、源了圓編　日本における生と死の思想――日本人の精神史入門
　　　　　　　　　　　　東京　有斐閣　昭和52年（1977）2月　309頁

0081　森田康之助　　　　やまと心――日本の精神史
　　　　　　　　　　　　東京　錦正社　昭和62年（1987）9月　283頁（國學研究叢
　　　　　　　　　　　　書　第10編）

0082　石田一良編　　　　日本精神史
　　　　　　　　　　　　東京　ぺりかん社　昭和63年（1988）3月　381頁

0083　藤田健治　　　　　光と影ろい――日本精神史における理念の形態
　　　　　　　　　　　　東京　紀伊國屋書店　平成元年（1989）4月　203頁

0084　南原一博　　　　　日本精神史序説
　　　　　　　　　　　　東京　御茶の水書房　平成2年（1990）10月　345, 4頁

三、倫理思想史

0085　井上圓了　　　　　日本倫理學案
　　　　　　　　　　　　①東京　哲學館　明治26年（1893）1月　203頁
　　　　　　　　　　　　②東京　哲學書院　明治27年（1894）4月訂正版　212頁

0086　井上圓了　　　　　日本倫理學
　　　　　　　　　　　　東京　哲學館　明治27年（1894）　131頁（哲學館第6學年
　　　　　　　　　　　　講義録）

0087　本朝子（飯山正秀）　日本倫理談
　　　　　　　　　　　　東京　藤井庄一郎印行　明治28年（1895）2月　66頁

0088　湯本武比古、石川岩吉編　日本倫理史稿
　　　　　　　　　　　　東京　開發社　明治34年（1901）7月　926頁

0089　齋藤　木　　　　　日本倫理原論
　　　　　　　　　　　　東京　青槐書院　明治35年（1902）5月　120頁

0090　有馬祐政　　　　　日本倫理要論
　　　　　　　　　　　　東京　富山房　明治36年（1903）2月　176頁

0091　高賀詵三郎　　　　日本倫理史略
　　　　　　　　　　　　東京　目黒書店　明治36年（1903）7月　61頁

0092　足立栗園　　　　　日本倫理史綱
　　　　　　　　　　　　東京　大日本圖書　明治41年（1908）5月　194, 26頁

0093　有馬祐政　　　　　日本倫理史
　　　　　　　　　　　　東京　博文館　明治42年（1909）4月　290頁（帝國百科全
　　　　　　　　　　　　書　第192編）

0094　湯本武比古、石川岩吉　日本倫理史要
　　　　　　　　　東京　開發社　明治42年（1909）12月　640頁
0095　岩橋遵成　　大日本倫理發達史
　　　　　　　　　東京　目黑書店　大正4年（1915）
0096　三浦藤作　　日本倫理學史
　　　　　　　　　東京　中興館　大正11年（1922）　10,541頁
0097　和辻哲郎　　日本倫理思想史
　　　　　　　　　東京　岩波書店
　　　　　　　　　上卷　昭和27年（1952）1月　432頁
　　　　　　　　　下卷　昭和27年（1952）12月　813頁
0098　家永三郎　　日本道德思想史
　　　　　　　　　①東京　岩波書店　昭和29年（1954）4月　312頁
　　　　　　　　　②東京　岩波書店　昭和52年（1977）1月　252,16頁（岩
　　　　　　　　　波全書）
0099　筧泰彦、小澤富夫編　日本人の倫理思想
　　　　　　　　　東京　東宣出版　昭和45年（1970）　326頁
0100　金子武藏　　日本における理法の問題
　　　　　　　　　東京　理想社　昭和45年（1970）　288頁
0101　古川哲史　　日本的求道心
　　　　　　　　　東京　理想社　昭和49年（1974）　384頁
0102　石川正一　　日本の倫理思想
　　　　　　　　　東京　杉山書店　昭和54年（1979）4月　210頁
0103　下出積與編　日本における倫理と宗教
　　　　　　　　　東京　吉川弘文館　昭和55年（1980）5月　303,2頁
0104　壺井秀生　　日本人の道德思想
　　　　　　　　　東京　文化總合出版　昭和56年（1981）9月　343頁
0105　佐藤正英、野崎守英編　日本倫理思想史研究
　　　　　　　　　東京　ぺりかん社　昭和58年（1983）7月　381,15頁
0106　相良亨編　　超越の思想——日本倫理思想史研究
　　　　　　　　　東京　東京大學出版會　平成5年（1993）2月　306頁

四、政治、經濟思想史

0107　丸山眞男　　日本政治思想史研究
　　　　　　　　　東京　東京大學出版社　昭和28年（1953）；昭和58年

（1983）6月新裝版　406，5頁

0108　松本三之介　　日本政治思想史概論
　　　　　　　　　　東京　勁草書房　昭和50年（1975）　200頁

0109　長尾龍一　　　日本國家思想史研究
　　　　　　　　　　東京　創文社　昭和57年（1982）6月　277，9頁

0110　河原　宏　　　傳統思想と民衆——日本政治思想史研究(1)
　　　　　　　　　　東京　成文堂　昭和62年（1987）10月　338頁

0111　平石直昭　　　日本政治思想史——近世を中心に
　　　　　　　　　　東京　放送大學教育振興會　平成9年（1997）　182頁

0112　本庄榮治郎　　日本經濟思想史研究
　　　　　　　　　　東京　日本評論社　昭和17年（1942）9月　466頁

五、教育思想史

0113　高橋俊乘　　　日本教育史
　　　　　　　　　　①京都　教育研究會　昭和4年（1929）
　　　　　　　　　　②京都　臨川書店　昭和46年（1971）增訂改版　485頁

0114　石川　謙　　　日本學校史の研究
　　　　　　　　　　①東京　小學館　昭和35年（1960）5月　555頁
　　　　　　　　　　②東京　日本圖書センター　昭和52年（1977）12月
　　　　　　　　　　　555，33，24頁

0115　尾形裕康　　　日本教育通史
　　　　　　　　　　東京　早稻田大學出版部　昭和46年（1971）　331，28頁

0116　佐藤誠實著，仲新、酒井豐校訂　日本教育史
　　　　　　　　　　東京　平凡社　昭和48年（1973）
　　　　　　　　　　第1冊　234頁（東洋文庫231）
　　　　　　　　　　第2冊　245頁（東洋文庫236）

0117　結城陸郎　　　日本教育文化史
　　　　　　　　　　東京　明玄書房　昭和50年（1975）　272頁

0118　石川松太郎　　日本教育史
　　　　　　　　　　世界教育史大系　第1冊　東京　講談社　昭和51年（1976）
　　　　　　　　　　430頁

0119　唐澤富太郎　　增補日本教育史（近代以前）
　　　　　　　　　　東京　誠文堂新光社　昭和53年（1978）3月　297，18頁

0120　海後宗臣　　　日本教育小史

　　　　　　　　　東京　講談社　昭和53年（1978）8月　211頁（講談社學術
　　　　　　　　　文庫）
0121　井上義巳　　日本教育思想史の研究
　　　　　　　　　東京　勁草書房　昭和53年（1978）8月　674頁
0122　教育思潮研究會編　日本教育思研究
　　　　　　　　　東京　雄松堂書店　昭和54年（1979）7月　262頁
0123　春山作樹　　日本教育史論
　　　　　　　　　東京　國土社　昭和54年（1979）10月　421,1頁
0124　尾形裕康　　日本教育通史研究
　　　　　　　　　東京　早稻田大學出版部　昭和55年（1980）1月　336,28頁
0125　仲新先生古稀記念論文集刊行會編　日本教育史の論究──仲新先生古稀紀
　　　　　　　　　念論文集
　　　　　　　　　東京　編者印行　昭和58年（1983）11月　199頁
0126　森　秀夫　　日本教育制度史
　　　　　　　　　東京　學藝圖書　昭和59年（1984）7月　190頁
0127　本山幸彦教授退官記念論文集刊行會編　日本教育史論叢──本山幸彦教授
　　　　　　　　　退官記念論文集
　　　　　　　　　京都　思文閣　昭和63年（1988）3月　576頁
0128　文部省編　　日本教育史資料
　　　　　　　　　①東京　富山房　明治23─25年（1890─1892）
　　　　　　　　　②京都　臨川書店　昭和44年（1969）　10冊
0129　國民精神文化研究所編　日本教育史資料書
　　　　　　　　　①東京　北海出版社　昭和12年（1937）
　　　　　　　　　②東京　臨川書店　昭和48年（1973）　5冊

貳、漢學、儒學史

一、漢學史

0130　伊知地季安　　漢學紀源5卷
　　　　　　　　　　①續續群書類從　第10冊　教育部　東京　國書刊行會　明
　　　　　　　　　　治38年（1905）
　　　　　　　　　　②薩藩叢書　第2編　鹿兒島　薩藩叢書刊行會　明治41年
　　　　　　　　　　（1908）

0131　芳賀矢一　　　日本漢文學史
　　　　　　　　　　東京　富山房　昭和3年（1928）10月　354,8頁

0132　山岸德平　　　日本漢文學史(1)
　　　　　　　　　　東京　共立社　昭和8年（1933）（漢文學講座　第2卷）

0133　牧野謙次郎　　日本漢學史
　　　　　　　　　　東京　世界堂書店　昭和13年（1938）　336頁

0134　安井小太郎　　日本漢學史
　　　　　　　　　　東京　富山房　昭和14年（1939）4月　172,24頁（與《日本
　　　　　　　　　　儒學史》合冊）

0135　岡田正之　　　日本漢文學史
　　　　　　　　　　①東京　吉川弘文館　昭和29年（1954）12月　458,10頁
　　　　　　　　　　②東京　吉川弘文館　昭和35年（1960）　458, 10頁

0136　戶田浩曉　　　日本漢文學通史
　　　　　　　　　　東京　武藏野書院　昭和32年（1957）3月　161頁

0137　水田紀久、賴惟勤編　日本漢學
　　　　　　　　　　中國文化叢書(9)　東京　大修館書店　昭和43年（1968）2
　　　　　　　　　　月　396頁

0138　猪口篤志　　　日本漢文學史
　　　　　　　　　　東京　角川書店　昭和59年（1984）5月　691頁

0139　緒方惟精著、丁策譯　日本漢文學史
　　　　　　　　　　臺北　正中書局　昭和43年（1968）4月　247頁

0140　吉川幸次郎　　日本漢學小史
　　　　　　　　　　吉川幸次郎全集　第17卷　頁3—62　東京　筑摩書房　昭

和44年（1969）3月

0141　吉川幸次郎著、侯靜遠譯　日本漢學小史
　　　臺北　臺灣書店　昭和45年（1970）8月　112頁

二、儒學史

0142　安井小太郎　　本邦儒學史
　　　東京　漢文書院　明治27年（1894）

0143　久保天隨　　日本儒學史
　　　東京　博文館　明治37年（1904）　286頁（帝國百科全書
　　　第117編）

0144　岩橋遵成　　日本儒教概論
　　　東京　寶文館　大正14年（1924）

0145　日本文化研究會　日本儒教
　　　東京　東洋書院　昭和9年（1934）

0146　日本儒教宣揚會　日本之儒教
　　　東京　編者印行　昭和9年（1934）

0147　中山久四郎　　日本文化と儒教
　　　東京　刀江書院　昭和10年（1935）　150頁（歷史教育叢書）

0148　安井小太郎　　日本儒學史
　　　東京　富山房　昭和14年（1939）4月　296頁（與《日本漢
　　　文學史》合冊）

0149　萬羽正朋　　日本儒教論
　　　東京　三笠書房　昭和14年（1939）　328頁（日本歷史全書
　　　18）

0150　高田眞治　　日本儒學史
　　　東京　三笠書房　昭和16年（1941）　278頁（大觀日本文化
　　　史薦書）

0151　大江文城　　本邦儒學史論考
　　　大阪　全國書房　昭和19年（1944）　572頁

0152　吉川幸次郎　　古典について
　　　東京　筑摩書房　昭和41年（1966）　237頁

0153　武內義雄　　日本の儒教
　　　武內義雄全集　第4卷　頁85—135　東京　角川書店　昭和
　　　55年（1980）1月

0154　阿部吉雄等著、許政雄譯註　　日本儒學史概論
　　　　　　　臺北　文津出版社　平成5年（1993）年4月　166頁
0155　市川本太郎　　日本儒教史
　　　　　　　長野　東亞學術研究會　東京　汲古書院發賣
　　　　　　　第1冊　上古篇　平成元年（1989）7月　498頁
　　　　　　　第2冊　中古篇　平成3年（1991）5月　633頁
　　　　　　　第3冊　中世篇　平成4年（1992）9月　554頁
　　　　　　　第4冊　近世篇（上）　平成6年（1994）4月　548頁
　　　　　　　第5冊　近世篇（下）　平成7年（1995）10月　590頁
0156　諸橋轍次　　日本精神と儒教
　　　　　　　東京　帝國漢學普及會　昭和9年（1934）10月　235頁
0157　齋藤　毅　　儒學と國學
　　　　　　　東京　春陽堂　昭和19年（1944）　147頁（新國學叢書　第
　　　　　　　8卷第1）
0158　宇田　尚　　日本文化に及ぼせる儒教の影響
　　　　　　　東京　東洋思想研究所　昭和10年（1935）
0159　王　家驊　　日中儒學の比較
　　　　　　　東京　六興出版　昭和63年（1988）6月　354,11頁（東ア
　　　　　　　ジアのなかの日本歷史　5）
0160　王　家驊　　儒家思想與日本文化
　　　　　　　①杭州　浙江人民出版社　平成2年（1990）3月　432頁
　　　　　　　②臺北　淑馨出版社　平成6年（1994）　400頁
0161　樊　和平　　儒學と日本模式
　　　　　　　臺北　五南圖書公司　平成7年（1995）7月　325頁

三、各經流傳史

0162　大江文城　　本邦四書訓點並に注解の史的研究
　　　　　　　東京　關書院　昭和10年（1935）9月
0163　瀧川龜太郎　　我邦に於ける論語の傳播
　　　　　　　東亞研究　第2卷2號　頁13—21　明治45年（1912）2月
0164　林　泰輔　　我邦における論語の實行と研究
　　　　　　　孔子祭典會會報　第10號　頁14—30　大正6年（1917）4月
0165　梁　容若　　千七百年中日本傳習研究論語的綜合研究
　　　　　　　①孔孟月刊　第4卷5號　頁23—26　昭和41年（1966）1月

②現代日本漢學研究概觀　頁73—82　臺北　藝文印書館
昭和47（1972）9月

0166　黃　錦鋐　日本之論語學
文史季刊　第2卷3、4期合刊　頁100—115　昭和47（1972）
7月

0167　武內義雄　日本に於ける論語の學
武內義雄全集　第4卷　儒學篇3　頁429—437　東京　角川
書店　昭和54年（1979）8月

0168　顏　錫雄　論語的東傳及其對日本的影響
中日漢籍交流史論　頁53—59　杭州　杭州大學出版社　平
成4年（1992）12月

0169　町田三郎著、金培懿譯　日本之論語研究
中國文哲研究通訊　第7卷3期　頁1—15　平成9年（1997）9月

0170　井上順理　本邦中世までにおける孟子受容史の研究
東京　風間書房　昭和47年（1972）5月

0171　劉　起釪　日本的尚書學與其文獻
北京　商務印書館　平成9年（1997）6月　245頁

參、文獻資料

一、傳　記

0172　竹林貫一　　漢學者傳記集成
　　　　　　　　　東京　關書院　昭和3年（1928）
0173　小川貫道　　漢學者傳記及著述集覽
　　　　　　　　　東京　關書院　昭和10年（1935）
0174　關儀一郎　　近世漢學者著述目錄大成
　　　　　　　　　東京　東洋圖書刊行會　昭和16年（1941）
0175　關儀一郎、關義直　近世漢學者傳記著作大事典
　　　　　　　　　①東京　井田書店　昭和18年（1943）
　　　　　　　　　②東京　琳瑯閣書店　昭和46年（1971）
0176　森　銑三　　近世文藝家資料集覽
　　　　　　　　　東京　東京堂　昭和48年（1973）2月
0177　近藤春雄　　日本漢文學大事典
　　　　　　　　　東京　明治書院　昭和60年（1985）3月　894頁

二、年表

0178　斯文會編　　日本儒學年表
　　　　　　　　　東京　斯文會　大正11年（1922）　449頁
0179　斯文會編　　日本漢學年表
　　　　　　　　　東京　大修館書店　昭和52年（1977）7月　512,22頁
0180　近藤春雄　　日本漢文學年表
　　　　　　　　　日本漢文學大事典　頁755—806　東京　明治書院　昭和60
　　　　　　　　　年（1985）3月
0181　市古貞次等　日本文化總合年表
　　　　　　　　　東京　岩波書店　平成2年（1990）3月　596頁

三、解題、資料集

0182 大倉精神文化研究所編　日本思想史文獻解題
　　　　　　　　①東京　角川書店　昭和40年（1965）　432頁
　　　　　　　　②東京　角川書店　平成4年（1992）6月新版　605頁

0183 小田寅二郎編　日本思想の系譜——文獻資料集
　　　　　　　　東京　國民文化研究會
　　　　　　　　上冊　昭和42年（1967）3月
　　　　　　　　中冊（その1）　昭和42年（1967）3月
　　　　　　　　中冊（その2）　昭和43年（1968）　409頁
　　　　　　　　下冊（その1）　昭和44年（1969）　403頁
　　　　　　　　下冊（その2）　昭和44年（1969）　381頁

0184 小田寅二郎編　新輯日本思想の系譜——文獻資料集
　　　　　　　　東京　時事通信社　昭和46年（1971）8月
　　　　　　　　上冊　古代、中世、近世　857頁
　　　　　　　　下冊　近世、近代　912頁

0185 笠原一男編　日本思想の名著（12選）
　　　　　　　　東京　學陽書房　昭和48年（1973）　303頁（名著入門ライ
　　　　　　　　ブラリー）

0186 笠原一男、下出積與編　原典日本思想史
　　　　　　　　東京　評論社　昭和49年（1974）　229頁（評論社の教養叢
　　　　　　　　書　35）

0187 相良亨編　日本思想史入門
　　　　　　　　東京　ぺりかん社　昭和59年（1984）　384頁；昭和61年
　　　　　　　　（1986）5月第2版　379頁

四、目　錄

0188 林慶彰主編　日本研究經學論著目錄（1900—1993）
　　　　　　　　臺北　中央研究院中國文哲研究所　平成7年（1995）11月
　　　　　　　　878頁

0189 陳　瑋芬　「日本儒學史」の著述に關する一考察——德川時代から一
　　　　　　　　九四五年まで
　　　　　　　　中國哲學論集　第23號　頁66—86　平成9年（1997）10月

0190 瀨尾邦雄編　孔子、孟子に關する文獻目錄
　　　　　　　　東京　白帝社　平成4年（1992）4月　247頁

0191 欠端實編　孔子傳邦文文獻目錄

　　　　　　　　　柏　モラロジー研究所研究部　昭和62年（1987）3月　107，
　　　　　　　　　2頁

0192　村山吉廣、江口尚純編　詩經研究文獻目録
　　　　　　　　　東京　汲古書院　平成4年（1992）10月　278頁

0193　齋木哲郎　　禮學關係文獻目録
　　　　　　　　　東京　東方書店　昭和60年（1985）10月　166頁

0194　上野賢知　　日本左傳研究著述年表並分類目録
　　　　　　　　　東京　財團法人無窮會　東洋文化研究所　昭和32年（1957）

0195　武內義雄　　本邦舊抄本論語の二系統
　　　　　　　　　①東北帝國大學法文學部十週年記念史學文學論集　頁149
　　　　　　　　　　―192　東京　岩波書店　昭和10年（1935）6月
　　　　　　　　　②武內義雄全集　第2卷　儒教篇1　頁402―445　東京　角
　　　　　　　　　　川書店　昭和53年（1978）6月

0196　阿部隆一　　室町以前邦人撰述論語孟子註釋書考
　　　　　　　　　（上）斯道文庫論集　第2輯　頁31―98　昭和38年（1963）
　　　　　　　　　　　3月
　　　　　　　　　（下）斯道文庫論集　第3輯　頁1―90　昭和39年（1964）3
　　　　　　　　　　　月

0197　林　秀一　　日本孝經未刊本目録
　　　　　　　　　孝經學論集　頁423―452　東京　明治書院　昭和51年
　　　　　　　　　（1976）11月

0198　東北大學文學部日本思想史學研究室編　日本思想史關係研究文獻要目
　　　　　　　　　仙台　東北大學文學部
　　　　　　　　　(1)昭和40年日本思想史關係研究文獻要目
　　　　　　　　　　日本思想史研究　第1號　昭和42年（1967）3月
　　　　　　　　　(2)昭和41年日本思想史關係研究文獻要目
　　　　　　　　　　日本思想史研究　第2號　昭和43年（1968）3月
　　　　　　　　　(3)昭和42年日本思想史關係研究文獻要目
　　　　　　　　　　日本思想史研究　第3號　昭和44年（1969）3月
　　　　　　　　　(4)昭和43年日本思想史關係研究文獻要目
　　　　　　　　　　日本思想史研究　第4號　昭和45年（1970）8月
　　　　　　　　　(5)昭和44年日本思想史關係研究文獻要目
　　　　　　　　　　日本思想史研究　第5號　昭和46年（1971）5月
　　　　　　　　　(6)昭和45年日本思想史關係研究文獻要目
　　　　　　　　　　日本思想史研究　第6號　昭和47年（1972）12月
　　　　　　　　　(7)昭和46年日本思想史關係研究文獻要目

日本思想史研究　第7號　昭和50年（1975）3月
(8)昭和47年日本思想史關係研究文獻要目
　　日本思想史研究　第7號　昭和50年（1975）3月
(9)昭和48年日本思想史關係研究文獻要目
　　日本思想史研究　第8號　昭和51年（1976）3月
(10)昭和49年日本思想史關係研究文獻要目
　　日本思想史研究　第9號　昭和52年（1977）3月
(11)昭和50年日本思想史關係研究文獻要目
　　日本思想史研究　第10號　昭和53年（1978）3月
(12)昭和51年日本思想史關係研究文獻要目
　　日本思想史研究　第11號　昭和54年（1979）3月
(13)昭和52年日本思想史關係研究文獻要目
　　日本思想史研究　第12號　昭和55年（1980）3月
(14)昭和53年日本思想史關係研究文獻要目
　　日本思想史研究　第13號　昭和56年（1981）3月
(15)昭和54年日本思想史關係研究文獻要目
　　日本思想史研究　第14號　昭和57年（1982）3月
(16)昭和55年日本思想史關係研究文獻要目
　　日本思想史研究　第15號　昭和58年（1983）3月
(17)昭和56年日本思想史關係研究文獻要目
　　日本思想史研究　第16號　昭和59年（1984）3月
(18)昭和57年日本思想史關係研究文獻要目
　　日本思想史研究　第17號　昭和60年（1985）3月
(19)昭和58年日本思想史關係研究文獻要目
　　日本思想史研究　第18號　昭和61年（1986）3月
(20)昭和59年日本思想史關係研究文獻要目
　　日本思想史研究　第19號　昭和62年（1987）3月
(21)昭和60年日本思想史關係研究文獻要目
　　日本思想史研究　第20號　昭和63年（1988）3月
(22)昭和61年日本思想史關係研究文獻要目
　　日本思想史研究　第21號　平成元年（1989）3月
(23)昭和62年日本思想史關係研究文獻要目
　　日本思想史研究　第22號　平成2年（1990）3月
(24)昭和63年日本思想史關係研究文獻要目
　　日本思想史研究　第23號　平成3年（1991）3月
(25)平成元年日本思想史關係研究文獻要目

　　　　　日本思想史研究　第24號　平成4年（1992）3月
　　㉖平成2年日本思想史關係研究文獻要目
　　　　　日本思想史研究　第25號　平成5年（1993）3月
　　㉗平成3年日本思想史關係研究文獻要目
　　　　　日本思想史研究　第26號　平成6年（1994）3月
　　㉘平成4年日本思想史關係研究文獻要目
　　　　　日本思想史研究　第27號　平成7年（1995）3月
　　㉙平成5年日本思想史關係研究文獻要目
　　　　　日本思想史研究　第28號　平成8年（1996）3月
　　㉚平成6年日本思想史關係研究文獻要目
　　　　　日本思想史研究　第29號　平成9年（1997）3月
　　㉛平成7年日本思想史關係研究文獻要目
　　　　　日本思想史研究　第30號　平成10年（1998）3月

五、期　刊

0199　東北大學日本思想史研究室編　日本思想史研究
　　　　　昭和42年（1967）3月創刊　仙台　東北大學日本思想史研
　　　　　究室　每期有「日本思想史關係研究文獻要目」
0200　日本思想史學會編　日本思想史學
　　　　　昭和44年（1969）創刊　仙台　日本思想史學會
0201　日本思想史懇話會編　季刊日本思想史
　　　　　昭和51年（1976）7月創刊　東京　ぺりかん社
　　　　　創刊號　昭和51年（1976）7月
　　　　　　轉換期の思想
　　　　　第2號　昭和51年（1976）10月
　　　　　　江戸後期の思想的狀況
　　　　　第3號　昭和52年（1977）5月
　　　　　　日本思想史上の中央と地方
　　　　　第4號　昭和52年（1977）8月
　　　　　　日本思想史上の課題と法方
　　　　　第5號　昭和52年（1977）10月
　　　　　　神道史
　　　　　第6號　昭和53年（1978）1月
　　　　　　キリスト教と神、儒、佛の衝突と融和

第7號　昭和53年（1978）5月
　明治の政治と教育思想
第8號　昭和53年（1978）8月
　古學と國學
第9號　昭和53年（1978）11月
　日本人の美意識
第10號　昭和54年（1979）2月
　武士の思想
第11號　昭和54年（1979）7月
　本居宣長の思想
第12號　昭和54年（1979）10月
　日本人の罪意識
第13號　昭和55年（1980）4月
　尊王攘夷思想
第14號　昭和55年（1980）7月
　日本人の經營理念
第15號　昭和55年（1980）12月
　日本思想史の諸問題①
第16號　昭和56年（1981）5月
　日本人の歴史思想①
第17號　昭和56年（1981）7月
　無常觀と生生觀
第18號　昭和57年（1982）3月
　日本思想史の諸問題②
第19號　昭和58年（1983）1月
　廣瀬淡窗の思想
第20號　昭和58年（1983）3月
　懷德堂の思想
第21號　昭和58年（1983）9月
　詩歌にあらわれた思想①
第22號　昭和59年（1984）3月
　外來思想の日本的展開
第23號　昭和59年（1984）7月
　美術の思想
第24號　昭和59年（1984）10月
　謠曲の思想①

第25號　昭和60年（1985）7月
日本思想史の諸問題③
第26號　昭和61年（1986）5月
明六社の思想
第27號　昭和61年（1986）9月
伊藤仁齋
第28號　昭和62年（1987）8月
謠曲の思想②
第29號　昭和62年（1987）12月
地域からの思想
第30號　昭和63年（1988）8月
民友社と政教社
第31號　昭和63年（1988）12月
外國人の日本研究①
第32號　平成元年（1989）6月
運命觀①
第33號　平成元年（1989）11月
日本人の歷史思想②
第34號　平成2年（1990）3月
外國人の日本研究②
第35號　平成2年（1990）7月
運命觀②
第36號　平成2年（1990）11月
日本思想史の諸問題④
第37號　平成3年（1991）5月
橫井小楠の思想
第38號　平成4年（1992）2月
熊澤蕃山
第39號　平成4年（1992）6月
謠曲の思想③
第40號　平成5年（1993）1月
末法思想と終末論
第41號　平成5年（1993）5月
東アジアの儒教と近代
第42號　平成5年（1993）10月
小林秀雄①

　　　　　　　　第43號　平成6年（1994）6月
　　　　　　　　　幕末改革の思想
　　　　　　　　第44號　平成6年（1994）10月
　　　　　　　　　對外觀
　　　　　　　　第45號　平成7年（1995）7月
　　　　　　　　　小林秀雄②
　　　　　　　　第46號　平成7年（1995）12月
　　　　　　　　　新井白石
　　　　　　　　第47號　平成8年（1996）3月
　　　　　　　　　近世の神道思想
　　　　　　　　第48號　平成8年（1996）6月
　　　　　　　　　近世の佛教思想
　　　　　　　　第49號　平成8年（1996）10月
　　　　　　　　　朝鮮通信史
　　　　　　　　第50號　平成9年（1997）5月
　　　　　　　　　宮澤賢治
　　　　　　　　第51號　平成9年（1997）9月
　　　　　　　　　家訓
　　　　　　　　第52號　平成10年（1998）2月
　　　　　　　　　宗教と藝術
0202　有斐閣雜誌店編　朱子學
　　　　　　　　明治30年（1897）創刊　東京　有斐閣雜誌店
0203　吉本襄編　　　陽明學
　　　　　　　　明治29年（1896）7月創刊，東京　鐵華書院發行；明治33年
　　　　　　　　（1900）5月停刊，全部79冊。昭和59年（1984）9月，東京
　　　　　　　　木耳社有重印本，合訂成4冊。
0204　石崎酉之允編　陽明
　　　　　　　　明治43年（1910）創刊，大阪　大阪陽明學會發行；自大正
　　　　　　　　8年（1919）第84號起，改名爲《陽明主義》。
0205　石崎酉之允編　陽明主義
　　　　　　　　前身爲《陽明》　自大正8年（1919）1月第84號起改爲本名
0206　東敬治編　　　王學雜誌
　　　　　　　　明治39年（1906）3月創刊，東京　明善學社發行；明治41年
　　　　　　　　（1908）9月出版第3卷7號後停刊。平成4年（1992）10月，
　　　　　　　　東京　文言社有重印本。
0207　東敬治編　　　陽明學

　　　　　　　　明治41年（1908）11月創刊，東京　明善學社發行，自第2號
　　　　　　　　起改由東京陽明學會發行。
0208　二松學舍大學陽明學研究所編　陽明學
　　　　　　　　平成元年（1989）創刊，東京　二松學舍大學陽明學研究所
　　　　　　　　發行，每期有陽明學家的特集。
0209　境武男編　　　　詩經學
　　　　　　　　昭和33年（1958）7月創刊，秋田　三島書房發行，共出版7
　　　　　　　　輯。
0210　村山吉廣編　　　詩經研究
　　　　　　　　昭和49年（1974）10月創刊，東京　早稻田大學文學部詩經
　　　　　　　　學會發行。

第二編　古代—中世

壹、總　論

0211　渡部正一　　日本古代中世の思想と文化
　　　　　　　　　東京　大明堂　昭和55年（1980）1月　295頁
0212　望月兼次郎　日本思想史の研究——王朝より中世
　　　　　　　　　東京　文化書房博文社　昭和61年（1986）9月　278頁
0213　岩崎允胤　　日本思想史序說
　　　　　　　　　東京　新日本出版社　平成3年（1991）9月　547頁

貳、古　代

一、概　論

㈠哲學、思想

0214　津田左右吉　　日本上代史の研究
　　　　　　　　　　津田左右吉全集　第3卷　東京　岩波書店　昭年38年
　　　　　　　　　　（1963）12月　529頁

0215　清原貞雄　　　日本思想史平安朝國民の精神生活
　　　　　　　　　　東京　中文館書店　昭和10年（1935）10月　299,12頁

0216　津田左右吉　　日本シナ思想の研究
　　　　　　　　　　津田左右吉全集　第28卷　東京　岩波書店　昭和41年
　　　　　　　　　　（1966）1月　592頁

0217　家永三郎、桃裕行　日本上代思潮藝術
　　　　　　　　　　東京　三笠書房　昭和14年（1939）7月　200頁

0218　大森志朗　　　上代日本と支那思想
　　　　　　　　　　東京　拓文堂　昭和19年（1944）220頁

0219　中挾弘夫　　　日本古代の哲學
　　　　　　　　　　京都　三光社　昭和24年（1949）　314頁

0220　草野正名　　　日本古代文化思想
　　　　　　　　　　東京　麗澤短期大學　昭和30年（1955）　45頁（麗澤短期
　　　　　　　　　　大學研究叢書　第3）

0221　平野仁啓　　　古代日本人の精神構造
　　　　　　　　　　東京　未來社　昭和41年（1966）　316,39頁

0222　上田正昭編　　講座：日本の古代信仰──神神の思想
　　　　　　　　　　東京　學生社　昭和45年（1970）

0223　原田敏明　　　日本古代思想
　　　　　　　　　　東京　中央公論社　昭和47年（1972）

0224　渡部正一　　　日本古代、中世の思想と文化
　　　　　　　　　　東京　大明堂　昭和52年（1977）　295頁

0225　重松信宏　　　古代思想の研究
　　　　　　　　　　伊勢　皇學館大學出版部　昭和53年（1978）4月　381頁

0226　永藤　靖　　時間の思想——古代人の生活感情
　　　　　　　　　東村山　教育社　昭和54年（1979）1月　240頁

0227　川副武胤　　日本古代王朝の思想と文化
　　　　　　　　　東京　吉川弘文館　昭和55年（1980）

0228　中西　進　　古代日本人の心
　　　　　　　　　富山　富山縣教育委員會　昭和55年（1980）3月　72頁（精
　　　　　　　　　神開發叢書　70）

0229　湯淺泰雄　　古代人の精神世界
　　　　　　　　　京都　ミネヴァ書房　昭和55年（1980）11月　251，5頁
　　　　　　　　　（歴史と日本人　1）

0230　井上光貞　　日本古代思想史の研究
　　　　　　　　　東京　岩波書店　昭和57年（1982）

0231　芝　烝　　　古代日本人の意識
　　　　　　　　　大阪　創元社　昭和60年（1985）4月　196頁

0232　亀井勝一郎　古代知識階級の形成——日本人の精神史
　　　　　　　　　東京　講談社　昭和60年（1985）4月　341頁（講談社學術
　　　　　　　　　文庫）

0233　望月兼次郎　日本思想史の研究——王朝より中世
　　　　　　　　　東京　文化書房博文社　昭和61年（1986）9月　278頁

0234　田村圓澄　　日本古代の宗教と思想
　　　　　　　　　東京　山喜房佛書林　昭和62年（1986）10月　423頁

0235　福井康順　　日本上代思想研究
　　　　　　　　　福井康順著作集　第4卷　京都　法藏館　昭和62年（1987）4
　　　　　　　　　月

0236　笠井昌昭　　古代日本の精神風土
　　　　　　　　　東京　ぺりかん社　平成元年（1989）2月　223頁

0237　平野仁啓　　古代日本精神史への視座
　　　　　　　　　東京　未來社　平成元年（1989）7月　441，49頁

0238　伊藤　益　　ことばと時間——古代日本人の思想
　　　　　　　　　東京　大和書房　平成2年（1990）4月　240，14頁

0239　湯淺泰雄　　日本古代の精神世界——歴史心理學的研究の挑戦
　　　　　　　　　東京　名著刊行會　平成2年（1990）10月　414頁

0240　山岸德平等校注　古代政治社會思想
　　　　　　　　　日本思想大系　第8冊　東京　岩波書店　昭和54年（1979）3
　　　　　　　　　月　546頁

(二)儒　學

1.傳　入

0241　近藤　杢　　江戶初期以前に於ける儒典の將來と刊行について（1、2）
　　　　　　　　　(1)斯文　第17編4號　頁24—37　昭和10年（1935）4月
　　　　　　　　　(2)斯文　第17編7號　頁24—30　昭和10年（1935）7月

0242　林　泰輔　　周代書籍の文字及び其の傳來に就て（1、2）
　　　　　　　　　(1)史學雜誌　第18編5號　頁25—37　明治40年（1907）5月
　　　　　　　　　(2)史學雜誌　第18編8號　頁68—78　明治40年（1907）8月

0243　島田重禮　　百濟所獻論語考
　　　　　　　　　史學雜誌　第6編1號　頁14—27　明治28年（1895）1月

0244　緒方惟精　　王仁と其の所傳の論語
　　　　　　　　　國語研究（千葉縣國語國文學研究會）第2號　頁64—67
　　　　　　　　　昭和28年（1953）4月

0245　黃　得時　　論語與千字文——最早傳入日本的兩部中國典籍
　　　　　　　　　孔孟月刊　第1卷3期　頁9—11　昭和37年（1962）11月

0246　高橋　均　　日本における論語義疏の受容
　　　　　　　　　高校通信東書國語　第293號　頁5—8　平成1年（1989）6月

0247　尾關富太郎　孟子の傳來とその普及
　　　　　　　　　漢文教室　第43號　頁1—9　昭和34年（1959）7月

0248　井上順理　　孟子傳來考
　　　　　　　　　①鳥取大學學藝學部研究報告（人文・社會科學）　第15卷
　　　　　　　　　　頁211—249　昭和39年（1964）12月
　　　　　　　　　②中國關係論說資料　第3號　第1分冊　（左）頁55—66
　　　　　　　　　　昭和40年（1965）

0249　井上順理　　本邦中世までにおける孟子受容史の研究
　　　　　　　　　東京　風間書房　昭和47（1972）5月　690頁

0250　小林俊雄　　孟子傳來とその周邊——井上順理著「本邦中世までにおけ
　　　　　　　　　る孟子受容史の研究」を讀みて——
　　　　　　　　　就實論叢　第3號　頁1—12　昭和48（1973）11月

0251　丸井圭次郎　尚書の傳來を辨じて古代支那學の研究難に及ぶ（上、中、
　　　　　　　　　下）
　　　　　　　　　（上）和融誌　第12卷1號　頁21—30　明治41年（1908）1
　　　　　　　　　　月
　　　　　　　　　（中、下）和融誌　第12卷2號　頁121—130　明治41年

（1908）2月

0252　阿部隆一　　室町時代以前に於ける御注孝經の講誦傳流について――清
　　　　　　　　　原家舊藏鎌倉鈔本開元始注本を中心として――
　　　　　　　　　斯道文庫論集　第4輯　頁1―85　昭和40年（1965）3月

2. 發　展

0253　太田兵三郎　我が國上代に於ける儒教攝取の態度
　　　　　　　　　國民精神文化　第5卷11號　昭和14年（1939）

0254　菅野覺明　　日本古代儒教における學的自覺の形態
　　　　　　　　　倫理學紀要（東大・文・倫理）　第3號　昭和61年（1986）

0255　高嶋正人　　古代日本における儒教の受容と變容
　　　　　　　　　立正史學　第74號　平成5年（1993）

0256　山本嘉太郎　續日本紀時代に於ける儒教の日本化
　　　　　　　　　⑴斯文　第25篇8號　頁14―24　昭和18年（1943）8月
　　　　　　　　　⑵斯文　第25篇9號　頁23―33　昭和18年（1943）9月

0257　須貝美香　　仁德天皇聖帝傳承の形成――漢代儒教思想との關連から
　　　　　　　　　上代文學　第69號　平成4年（1992）

0258　內野熊一郎　日本漢文學研究（內野熊一郎博士米壽記念論文集）
　　　　　　　　　東京　名著普及會　平成3年（1991）6月　320頁
　　　　　　　　　①日本古代平安初中期經書經句說學研究
　　　　　　　　　②弘決外典抄の經書學的研究⑴
　　　　　　　　　③弘決外典抄の經書學的研究⑵

0259　內野熊一郎　日本古代平安初中期經書經句說學研究
　　　　　　　　　①東京教育大學文學部紀要　第2號　頁1―192　昭和30年
　　　　　　　　　　（1955）6月
　　　　　　　　　②日本漢文學研究　頁3―192　東京　名著普及會　平成3
　　　　　　　　　　年（1991）6月

0260　大江文城　　平安朝後期に於ける家外の經學
　　　　　　　　　懷德　第17號　昭和14年（1939）10月

0261　新美保秀　　日本文學に讀みとられた論語、經本、注解の系統考察の數
　　　　　　　　　例
　　　　　　　　　漢文學會會報（東京教育大學漢文學會）　第17號　頁22―
　　　　　　　　　27　昭和32年（1957）6月

0262　遠藤光正　　平安時代の論語觀
　　　　　　　　　漢字漢文　第2卷2號　頁8―10　昭和45年（1970）6月

0263　新美保秀　　日本文學に影響した論語
　　　　　　　　東京學藝大學研究報告　第6集（國語國文學、漢文學）
　　　　　　　　頁17—29　昭和30年（1955）1月
0264　原　卓志　　古文尚書平安中期點における朱聲點、點發について
　　　　　　　　廣島大學文學部紀要　　第46卷　頁32—61　昭和62年
　　　　　　　　（1987）1月
0265　內野熊一郎　日本上代に於ける禮說の二三
　　　　　　　　內野台嶺先生追悼論文集　頁29—36　東京　內野台嶺先生
　　　　　　　　追悼論文集刊行會　昭和29年（1954）12月
0266　阿部隆一　　室町以前邦人撰述論語、孟子注釋書考（上、下）
　　　　　　　　（上）斯道文庫論集　第2輯　頁31—98　昭和38年（1963）3
　　　　　　　　　　　月
　　　　　　　　（下）斯道文庫論集　第3輯　頁1—90　昭和39年（1964）3月

(三)漢文學

0267　柿村重松著、山岸德平校訂　上代日本漢文學史
　　　　　　　　東京　日本書院　昭和22年（1947）7月　279頁
0268　岡田正之　　近江奈良期の漢文學
　　　　　　　　東京　養德社　昭和21年（1946）10月
0269　緒方惟精　　奈良平安兩朝における漢學史の研究
　　　　　　　　作者印行　昭和33年（1958）8月　390頁
0270　川口久雄　　平安朝日本漢文學史の研究
　　　　　　　　東京　明治書院　2冊
　　　　　　　　上冊　昭和34年（1959）3月
　　　　　　　　下冊　昭和36年（1961）3月
0271　川口久雄　　三訂平安朝日本漢文學史の研究
　　　　　　　　東京　明治書院　3冊
　　　　　　　　上冊　昭和50年（1975）
　　　　　　　　中冊　昭和57年（1982）9月
　　　　　　　　下冊　昭和63年（1988）12月
0272　川口久雄　　平安朝の漢文學
　　　　　　　　東京　吉川弘文館　昭和56年（1981）11月　314，10頁（日
　　　　　　　　本歷史叢書　36）
0273　後藤昭雄　　平安朝漢文學論考
　　　　　　　　東京　櫻楓社　昭和56年（1981）9月　460頁

0274　金　原理　　　平安朝漢詩文の研究

　　　　　　　　　　福岡　九州大學出版會　昭和56年（1981）10月　464頁

0275　菅野禮行　　　平安初期における日本漢詩の比較文學的研究

　　　　　　　　　　東京　大修館書店　昭和63年（1988）10月　709, 39頁

0276　波戸岡旭　　　上代漢詩文と中國文學

　　　　　　　　　　東京　笠間書院　平成元年（1989）11月　354,10頁（笠間
　　　　　　　　　　叢書　227）

0277　築島　裕　　　平安時代の漢文訓讀につきての研究

　　　　　　　　　　東京　東京大學出版會　昭和38年（1963）

0278　小林芳規　　　平安鎌倉時代に於ける漢籍訓讀の國語史的研究

　　　　　　　　　　東京　東京大學出版會　昭和43年（1968）

0279　平安朝漢文學研究會編　平安朝漢文學總合索引

　　　　　　　　　　東京　吉川弘文館　昭和62年（1987）6月　338頁

㈣學校教育

0280　桃　裕行　　　上代學制の研究

　　　　　　　　　　①東京　目黑書店　昭和22年（1947）

　　　　　　　　　　②東京　吉川弘文館　昭和58年（1983）3月　476, 8頁

　　　　　　　　　　③京都　思文閣　平成6年（1994）修訂重印本

0281　高　明士　　　日本古代學校教育的興衰與中國的關係

　　　　　　　　　　臺北　學海出版社　昭和52年（1977）　282,16頁

0282　志賀　匡　　　日本古代教育史——教育の源流を求めて

　　　　　　　　　　東京　千代田書房　昭和52年（1977）5月　235頁

0283　久木幸男　　　日本古代學校の研究

　　　　　　　　　　町田　玉川大學出版社　平成2年（1990）7月　512頁

0284　久木幸男　　　大學寮と古代儒教

　　　　　　　　　　東京　サイマル出版會　317, 18頁　昭和43年（1968）3月

0285　中野高行　　　八、九世紀における大學明經科教官の特質

　　　　　　　　　　史學　第54卷4期　昭和60年（1985）

二、各　論

1.聖　德　太　子（574—622）

著 作

0286　聖德太子　　　憲法十七條
　　　　　　　　　　日本哲學思想全書　第17卷　東京　平凡社　昭和31年
　　　　　　　　　　（1956）

0287　聖德太子　　　聖德太子全集
　　　　　　　　　　東京　龍吟社　昭和17—19年（1942—1944）　4冊
　　　　　　　　　　第1卷
　　　　　　　　　　　十七條憲法（坂本太郎編）
　　　　　　　　　　　　古註釋
　　　　　　　　　　　　聖德太子十七憲章并序註
　　　　　　　　　　　　聖德太子十七ヶ條之憲法并註
　　　　　　　　　　　　聖德太子平氏傳雜勘文下一抄
　　　　　　　　　　　　上宮太子拾遺記第4抄
　　　　　　　　　　　　聖德太子憲法
　　　　　　　　　　　　太子傳玉林抄卷第11抄
　　　　　　　　　　　　聖德太子御憲法玄惠註抄
　　　　　　　　　　　　聖德太子十七憲法註
　　　　　　　　　　　　十七憲法和解俗評
　　　　　　　　　　　　日本書紀通證卷27抄
　　　　　　　　　　　　書紀集解卷第22抄
　　　　　　　　　　　　聖德太子十七憲法弁義
　　　　　　　　　　第3卷
　　　　　　　　　　　聖德太子傳（上）（藤原猶雪編）
　　　　　　　　　　　　上宮記逸文
　　　　　　　　　　　　上宮聖德法王帝說知恩院本
　　　　　　　　　　　　推古天皇紀日本書紀卷第22　東洋文庫本
　　　　　　　　　　　　上宮太子菩薩傳東大寺本
　　　　　　　　　　　　上宮聖德太子傳補闕記彰考館本
　　　　　　　　　　　　聖德太子傳逸文
　　　　　　　　　　　　聖德太子傳曆藤原猶雪復原本
　　　　　　　　　　　　上宮太子傳廣島文理科大學本
　　　　　　　　　　　　上宮太子御記本願寺本
　　　　　　　　　　　　聖德太子傳私記古今月錄抄
　　　　　　　　　　　　聖德太子傳記東大寺本
　　　　　　　　　　　　聖德太子傳記殘闕　金剛寺本

太子御傳銘記集

解題

第4卷

　聖德太子傳（下）（藤原猶雪編）

　　聖德太子

　　聖德太子實錄

　　聖德太子傳

　　聖德太子御傳

第5卷

　太子關係藝術（石田茂作編）

　　太子和讚

　　太子講式

　　太子關係の歌謠

　　解題

0288　家永三郎等校注　聖德太子集

　　　日本思想大系　第2冊　東京　岩波書店　昭和50年（1975）

後人研究

0289　新村出編　　　聖德太子御年譜

　　　東京　山口書店　昭和18年（1943）

0290　古典刊行會編　聖德太子傳記集

　　　東京　古典刊行會　昭和47年（1972）　1冊

　　　上宮皇太子菩薩傳（思詫撰）

　　　上宮聖德太子傳補闕記

　　　聖德太子傳曆（平氏撰）

　　　太子傳古今目錄抄（顯眞撰）

　　　聖德太子平氏傳雜勘文（法空撰）

0291　白石　重　　　聖德太子

　　　東京　動向社　昭和52年（1977）

0292　大野達之助　　聖德太子の研究

　　　東京　吉川弘文館　昭和53年（1978）

0293　梅原　猛　　　聖德太子

　　　東京　小學館　昭和56年（1981）

0294　福井康順　　　聖德太子の傳記についてのシナ學的考察

　　　日本中國學會報　第2集　昭和26年（1951）

0295　松尾清明　　　聖德太子古憲法明弁
　　　　　　　　　　東京　六盟館　昭和4年（1929）

0296　田中義能　　　十七條憲法
　　　　　　　　　　井上先生喜壽紀念文集　東京　富山房　昭和6年（1931）

0297　辻善之助　　　聖德太子十七條憲法
　　　　　　　　　　東京　文部省社會教育局　昭和7年（1932）（日本思想叢
　　　　　　　　　　書　1）

0298　小林一郎　　　聖德太子の御事蹟並に十七條憲法に就て
　　　　　　　　　　東京　清明文庫　昭和8年（1933）

0299　白井成允　　　聖德太子の十七條憲法
　　　　　　　　　　東京　日本文化協會　昭和12年（1937）（日本精神叢書
　　　　　　　　　　16）

0300　五十嵐祐宏　　聖德太子と十七條憲法
　　　　　　　　　　東京　日本放送出版協會　昭和16年（1941）

0301　花山信勝　　　憲法十七條の精神
　　　　　　　　　　東京　厚德書院　昭和18年（1943）

0302　行元自忍　　　聖德太子と憲法十七條
　　　　　　　　　　東京　嚴松堂　昭和18年（1943）

0303　村岡典嗣　　　憲法十七條の研究
　　　　　　　　　　日本思想史上の諸問題　頁7—71　東京　創文社　昭和32
　　　　　　　　　　年（1957）11月

0304　藤田　清　　　憲法十七條の聖德太子親撰に關する研究
　　　　　　　　　　印度學佛教學研究　第17卷1號　昭和43年（1968）

0305　岩崎允胤　　　聖德太子と憲法十七條の思想——「和」の思想の批判的檢
　　　　　　　　　　討を含む
　　　　　　　　　　大阪經濟法科大學論叢　第37號　平成元年（1989）

0306　大庭　脩　　　漢籍輸入の文化史——聖德太子から吉宗へ
　　　　　　　　　　東京　研文出版　平成9年（1997）

0307　鄭　樑生　　　漢籍之東傳對日本古代政治的影響——以聖德太子爲例
　　　　　　　　　　中日關係史研究論集(二)　頁1—22　臺北　文史哲出版社
　　　　　　　　　　平成4年（1992）1月

0308　岡部長章　　　日支交涉史上の太子
　　　　　　　　　　宗教公論　第25卷4號　昭和30年（1955）

0309　古賀友太　　　聖德太子の十七條憲法に現れたる儒教精神
　　　　　　　　　　日本精神研究　第3冊　東京　東洋書院　昭和9年（1934）

0310　中山久四郎　　太子憲法と儒教

宗教公論　第25卷4號　昭和30年（1955）

0311　淺川政太郎　十七條憲法に於ける儒教思想

漢文學　第10號　昭和37年（1962）

0312　阿部隆一　近世初期以前十七條憲法諸本解題並校勘記

斯道文庫論集　第10集　昭和47年（1972）

2.古事記、日本書紀

0313　松本行夫　詩經と記紀の歌謠における詩的形象

日本文藝研究　第2號　昭和26年（1951）2月

0314　松本雅明　紀記歌謠における中國詩の影響

東方學論集　第1冊　昭和29年（1954）2月

0315　松本雅明　日本古代歌謠の原初形——大陸文化の影響よりみた紀記研

究の一章——

東方古代研究　第8號　昭和32年（1957）2月

0316　田所義行　儒家思想から見た古事記の研究

東京　櫻楓社　昭和41年（1966）

0317　河野勝行　記紀構成原理の一つとしての「聖君王」觀

歷史學研究　第389號　昭和47年（1972）

0318　田所義行　古事記と儒家を主とした中國思想の關係交涉について（1

—4）

比較文化研究所紀要　第2—5號　昭和31年（1956）3月—昭

和33年（1958）12月

0319　王　家驊　試論儒家思想對日本《古事記》的影響

南開學報（哲學社會科學版）　1986年第2期　頁48—58　昭

和61年（1986）3月

0320　笠井昌昭　《古事記》と儒教思想——最近の《古事記》研究にふれて

文化史學　第45號　平成元年（1989）

0321　市川本太郎　日本書紀の詔勅に見える儒教思想

斯文　第95號　頁81—92　昭和63年（1988）4月

3.萬葉集

0322　土岐善麿　萬葉集研究の一課題——中國文學との交涉について

		短歌俳句研究　第4號　昭和24年（1949）6月
0323	小島憲之	萬葉集の庖廚に漢籍あり
		國語國文　第22卷7號　昭和28年（1953）7月
0324	山岸德平	萬葉集と上代詩
		萬葉集大成VII　東京　平凡社　昭和29年（1954）10月
0325	杉本行夫	萬葉集と中國韻文
		萬葉集大成VII　東京　平凡社　昭和29年（1954）10月
0326	吉田精一	萬葉集の比較文學の研究
		萬葉集大成VII　東京　平凡社　昭和29年（1954）10月
0327	土居光知	比較文學と萬葉集
		萬葉集大成VII　東京　平凡社　昭和29年（1954）10月
0328	小島憲之	萬葉集と中國文學との交流
		萬葉集大成VII　東京　平凡社　昭和29年（1954）10月
0329	小島憲之	萬葉人の戲歌——中國文學との關連に於て
		早稻田大學漢文學研究　第10號　昭和27年（1962）10月
0330	小島憲之	萬葉集と中國文學との交流——その概觀
		上代日本文學と中國文學（中）　東京　塙書房　昭和39年（1964）
0331	藤　國雄	萬葉集の形成と中國文學の影響
		漢文學會會報　第24號　昭和40年（1965）11月
0332	緒方惟精	懷風藻、萬葉集共通作者における中國文學の影響
		千葉大學文化科學紀要　第8號　昭和41年（1966）3月
0333	中西　進	萬葉集と中國文學
		大東急記念文庫文化講座講演錄　第2集・萬葉集2　昭和47年（1972）5月
0334	小島憲之	中國文學と萬葉集
		國文學　第17卷6號　昭和47年（1972）5月
0335	吳　哲男	中國文學の影響——響きあう古代——古代歌謠と萬葉
		國文學解釋と鑑賞　昭和55年（1980）2月
0336	白川　靜	中國文學と萬葉集
		解釋と鑑賞　第46卷9號　昭和56年（1981）9月
0337	諸橋轍次	詩經と萬葉集
		①詩經研究　東京　目黑書店　大正1年（1912）11月
		②諸橋轍次著作集　第2卷　東京　大修館書店　昭和51年（1976）
0338	松本雅明	國風および萬葉集に見える渡河——詩經における新古の層

の辨別について——

①和田博士還曆記念東洋史論叢　頁653—670　東京　講談社　昭和26年（1951）11月

②松本雅明著作集　第9冊　東アジアにおける文化の交流　頁134—147　東京　弘生書林　昭和63年（1988）6月

0339　久松潛一　萬葉集と詩經文選

上代文學　第5號　昭和30年（1955）5月.

0340　蒲池歡一　詩經と萬葉集之間

日本文學論究　第20冊　昭和36年（1961）10月

0341　久松潛一　萬葉集の二樣式——詩經的と文選的と——

短歌研究　第26卷1號　昭和44年（1969）1月

0342　藤野岩友　家持の歌に見える詩經の影響

國學院雜誌　第70卷11號　昭和44年（1969）

0343　松本雅明　詩經と萬葉集

①文學　第39卷9號　頁88—100　昭和46年（1971）9月

②中國關係論說資料　第13號　第2分冊（上）　頁288—234　昭和46年（1971）

0344　白川　靜　古代歌謠の世界——詩經と萬葉集

講座比較文學(1)　東京　東京大學出版會　昭和48年（1973）6月

0345　網代長利　詩經「王事靡鹽」考——萬葉集「大君のみことかしこみ」との對比について——

漢文學會會報（國學院大學漢文學會）　第20輯　頁12—25　昭和50年（1975）2月

0346　古澤未知男　萬葉集と詩經

古典の受害と新生　東京　明治書院　昭和59年（1984）11月

0347　徐　送迎　詩經與萬葉集——美學思想的比較觀照

學術交流　1992年第1期（總第40期）　頁124—127　平成4年（1992）1月

0348　東野治之　論語、千字文と藤原宮木簡——萬葉人の漢籍利用に關連して

萬葉集研究（五味智英、小島憲之編）第5集　頁289—309　東京　塙書房　昭和51年（1976）7月

4. 伊勢物語

0349　山本登朗　　伊勢物語と尚書──三條西家における伊勢物語理解の一面
　　　　　　　　　中世文學と漢文學　第1冊　東京　汲古書院　昭和62年
　　　　　　　　　（1987）7月

5. 具平親王（964—1009）

0350　內野熊一郎　　弘決外典抄の經書學的研究（1、2）
　　　　　　　　　①日本學士院紀要　第8卷1、2號　昭和25年（1950）3、6月
　　　　　　　　　②日本漢文學研究（內野熊一郎博士米壽記念論文集）　頁
　　　　　　　　　　195—305　東京　名著普及會　平成3年（1991）6月
0351　尾崎　康　　弘法外典鈔引書考並索引
　　　　　　　　　斯道文庫　第3輯　頁299—328　昭和39年（1964）3月

6. 大江匡房（1041—1111）

0352　川口久雄　　大江匡房
　　　　　　　　　①東京　吉川弘文館　昭和43年（1968）　375頁　（人物叢
　　　　　　　　　　書）
　　　　　　　　　②東京　吉川弘文館　平成元年（1989）　375頁　（人物
　　　　　　　　　　叢書新裝版）
0353　川口久雄　　大江匡房における世界認識
　　　　　　　　　國書逸文研究　第12冊　昭和58年（1983）
0354　木本好信　　大江匡房と《江記》の基礎的考察
　　　　　　　　　米澤史學　第1期　昭和60年（1985）
0355　小原　仁　　大江匡房の思想と信仰
　　　　　　　　　研究紀要（名古屋藝大）　第8號　昭和61年（1986）

7. 清原賴業（1122—1189）

0356　龍　肅　　局務の大器明經の名士清原賴業

　　　　　　　　　　　歴史地理　第33卷2、4、5號　大正8年（1919）

0357　植田　彰　　　長寛勘文について──清原賴業論の一節としての予備考察
　　　　　　　　　　　史學雜誌　第52卷8號　昭和16年（1941）

0358　植田　彰　　　清原賴業と其の時代
　　　　　　　　　　　建武　第7卷3號　昭和17年（1942）

0359　向居淳郎　　　清原賴業傳
　　　　　　　　　　　日本史研究　第3號　昭和23年（1948）

0360　中村　宏　　　平安末期にぉける稽古思想の展開──清原賴業の大外記活
　　　　　　　　　　　動を通じて
　　　　　　　　　　　歴史研究（茨城大學）　第29號　昭和35年（1960）

0361　和島芳男　　　清原賴業論
　　　　　　　　　　　大手前女子大學論集　第5號　昭和46年（1971）

0362　足利衍述　　　清原賴業の學庸表章
　　　　　　　　　　　東洋文化　第46號　昭和3年（1928）

0363　米山寅太郎　　閱書余錄──賴業の學庸表章說について
　　　　　　　　　　　書陵部紀要　第8號　昭和32年（1957）3月

0364　鎌田　正　　　舊鈔卷子本春秋經傳集解における賴業の訓說とその傳授に
　　　　　　　　　　　ついて
　　　　　　　　　　　書陵部紀要　第8號　昭和32年（1957）3月

參、中 世

一、概 論

(一)哲學、思想

0365 高瀨重雄編　　中世文化史研究
　　　　　　　　　京都　星野書店　昭和19年（1944）4月　472頁

0366 平泉　澄　　　中世における精神生活
　　　　　　　　　東京　至文堂　大正15年（1926）

0367 前田一良　　　中世思想史に關する一考察
　　　　　　　　　中世文化史研究　頁165—186　京都　星野書店　昭和19年
　　　　　　　　　（1944）4月

0368 櫻井好朗　　　中世日本人の思惟と表現
　　　　　　　　　東京　未來社　昭和45年（1970）　367頁

0369 西田正好　　　亂世の精神史——中世日本の思想と文化
　　　　　　　　　東京　櫻楓社　昭和45年（1970）

0370 櫻井好朗　　　中世日本の精神史的景觀
　　　　　　　　　東京　塙書房　昭和47年（1974）　380頁

0371 西田正好　　　中世のこころ——日本精神史の先覺者たち
　　　　　　　　　東京　現代文化社　昭和50年（1975）　271頁

0372 永原慶二　　　中世成立期の社會と思想
　　　　　　　　　東京　吉川弘文館　昭和52年（1977）

0373 渡部正一　　　日本古代、中世の思想と文化
　　　　　　　　　東京　大明堂　昭和52年（1977）　295頁

0374 宮井義雄　　　日本の中世思想
　　　　　　　　　東京　成甲書房　昭和56年（1981）12月　525頁

0375 吉田　究　　　中世の思想——風狂と漂泊の系譜
　　　　　　　　　東村山　教育社　昭和56年（1981）11月　224頁（教育社歷
　　　　　　　　　史新書　日本史182）

0376 山本七平　　　日本的革命の哲學——日本人を動かす原理
　　　　　　　　　京都　PHP研究所　昭和57年（1982）12月　338頁

0377 大隅和雄　　　中世思想史への構想——歷史・文學・宗教

東京　名著刊行會　昭和59年（1984）10月　247頁（さみっ
と叢書）

0378　新川哲雄　「生きたるもの」の思想——日本の美論とその基調
東京　ぺりかん社　昭和60年（1985）　363頁

0379　桶谷秀昭　中世のこころ
東京　小澤書店　昭和60年（1985）12月　192頁

0380　福井康順　日本中世思想研究
福井康順著作集　第6卷　京都　法藏館　昭和63年（1988）
12月　453頁

(二)儒　學

1.概　述

0381　足利衍述　鎌倉室町時代之儒教
①東京　日本古典全集刊行會　昭和7年（1932）　875頁
②東京　有明書房　昭和45年（1970）5月　875頁

0382　和島芳男　中世の儒學
①東京　吉川弘文館　昭和40年（1965）　292頁（日本歷史
叢書　11）
②東京　吉川弘文館　平成8年（1996）7月　（日本歷史叢
書新裝版）

0383　藤谷俊雄　中世日本における儒佛一致觀の發展
支那佛教史學　第7卷1號　昭和18年（1943）

0384　藤谷俊雄　儒佛思想分離の傾向
中世文化史研究　頁187—228　京都　星野書店　昭和19年
（1944）4月

0385　太田兵三郎　鎌倉時代の儒風とその思想文學への反映
法政大學教養部研究報告　第2號　昭和32年（1957）7月

0386　井澤彌州男　室町，公家社會の儒學の教養に就いて——易學をとして五
山禪林との比較——
哲學會誌　第8號　昭和32年（1957）12月

0387　板野　哲　室町時代初期における儒教的教養の展開
新居濱工業高專紀要（人文科學編）　11　昭和50年（1975）

2.宋學傳入

| 0388 | 西村時彥 | 宋學傳來の淵源 |

作者印行　出版年月不詳　51頁

| 0389 | 西村時彥 | 日本宋學史 |

①大阪　杉本梁江堂　明治42年（1909）　421頁

②東京　朝日新聞社　昭和26年（1951）　279（朝日文庫第12）

| 0390 | 和島芳男 | 日本宋學史の研究 |

①東京　吉川弘文館　昭和37年（1962）　365頁

②東京　吉川弘文館　昭和63年（1988）5月增補版　514,17頁

| 0391 | 森　克己 | 日宋文化交流の諸問題 |

東京　刀江書院　昭和25年（1950）3月　323頁

| 0392 | 森　克己 | 增補日宋文化交流の諸問題 |

東京　國書刊行會　昭和50年（1975）

| 0393 | 鄭　樑生 | 元明時代東傳日本的文獻 |

臺北　文史哲出版社　180頁　昭和59年（1984）8月

| 0394 | 鄭　樑生 | 元明時代東傳日本的經史集 |

中日關係史研究論集㈡　頁85—130　臺北　文史哲出版社　平成4年（1992）1月

| 0395 | 大江文城 | 新注初傳當時の我國の經學 |

斯文　第13編11號　頁963—973　昭和6年（1931）11月

| 0396 | 和島芳男 | 中世に於ける宋學の受容について |

日本學士院紀要　第5卷2、3期　昭和22年（1947）11月

| 0397 | 佐佐木素夫 | 中世初期宋學受容について |

論集（大手前高校）　第1號　昭和27年（1952）12月

| 0398 | 和島芳男 | 中世宋學史の諸問題 |

神戶女學院創立九十周年紀念論文集　西宮　神戶女學院大學研究所　昭和40年（1965）

| 0399 | 和島芳男 | 中世宋學史の展望——問題點と舊說批判 |

日本歷史　第262號　昭和45年（1970）

| 0400 | 新美保秀 | 朱註の傳來とその訓讀について |

漢文教室　第35號　昭和33年（1958）3月

| 0401 | 鄭　樑生 | 宋代理學之東傳及其發展 |

中日關係史研究論集㈢　頁1─51　臺北　文史哲出版社
平成5年（1993）2月

3.經書注解

0402	足利衍述	室町時代の經書講抄書目解題
		東洋文化（東洋文化學會）　第51─54號　昭和3年（1928）8─11月
0403	阿部隆一	大東急記念文庫藏室町時代邦人撰述漢籍注釋書類について
		かがみ　第4號　昭和35年（1960）10月
0404	阿部隆一	天理圖書館藏室町時代邦人撰述漢籍注釋書類について
		天理圖書館ビブリア　第6號　昭和35年（1960）6月
0405	大江文城	本邦四書訓點并に註解の史的研究
		東京　關書院　昭和10年（1935）9月　367頁
0406	阿部隆一	室町以前邦人撰述論語孟子注釋書考（上、下）
		（上）斯道文庫論集　第2輯　頁31─98　昭和38年（1963）3月
		（下）斯道文庫論集　第3輯　頁1─90　昭和39年（1964）3月
0407	阿部隆一	室町抄本論語三種
		慶應義塾大學圖書館月報　第14號　昭和31年（1956）3月
0408	武內義雄	本邦舊鈔本論語の二系統
		東北帝國大學法文學部十周年記念史學文學論集　頁149─192　東京　岩波書店　昭和10年（1935）6月
0409	青木　要	論語鈔について
		漢文教室　第40號　頁35─36　昭和34年（1959）1月
0410	中田祝夫編	足利本論語鈔
		東京　勉誠堂　昭和47年（1972）5月　430頁
0411	坂詰力治	論語抄の國語學的研究（影印篇、研究索引篇）
		東京　武藏野書院　昭和62年（1987）2月
0412	井上順理	本邦中世までにおける孟子受容史の研究
		東京　風間書房　昭和47年（1972）
0413	阿部隆一	本邦中世における大學中庸の講誦傳流について──學庸の古鈔本並に邦人撰述注釋書より見たる
		斯道文庫　第1輯　頁3─84　昭和37年（1962）3月
0414	柳田征司	慶應義塾圖書館藏「中庸抄」について

安田女子大學紀要　第3號　昭和48年（1973）10月

0415　京都大學文學部國學國文學研究室編　周易抄
　　　京都　臨川書店　昭和53年（1978）7月　178頁（京都大學
　　　國語國文資料叢書　9號）

0416　鈴木　博　周易秘抄について
　　　滋賀大學教育學部紀要　第21號　昭和47年（1972）2月

0417　阿部隆一　柏舟の「周易抄」
　　　慶應義塾大學圖書館月報　第16號　昭和31年（1956）5月

0418　鈴木　博　周易抄の國語學の研究
　　　東京　清文堂　昭和47年（1972）　2卷　1200頁

0419　和島芳男　中世における周易の研究について——南朝宋學說批判——
　　　神戶女學院大學論集　第5卷1號　昭和33年（1958）6月

0420　坂本良太郎　我が國に於ける孝經古鈔本の系統
　　　文化　第7卷9號　昭和15年（1940）9月

4.經書的刊刻

正平版論語

0421　何　晏　正平版論語集解
　　　大阪　正平版論語刊行會　昭和8年（1933）11月　線裝5冊

0422　市野迷庵　正平本論語札記1卷
　　　日本名家四書注釋全書　論語部2　東京　東洋圖書刊行會
　　　大正14年（1925）7月

0423　足利衍述　正平板論語考
　　　斯文　第13編1號　頁1—22　昭和6年（1931）1月

0424　下村三四吉　正平版論語に就きて
　　　考古學會雜誌　第1編2號　明治30年（1897）1月

0425　川瀨一馬　正平版論語考
　　　①斯文　第13編9號　頁1—61　昭和6年（1931）9月
　　　②日本書誌學之研究　頁1609—1695　東京　大日本雄辯會
　　　　　講談社　1943年（昭和18）6月

0426　木代修一　評「正平版論語攷」（川瀨一馬著）
　　　史潮　第1年3號　頁159—160　昭和6年（1931）10月

0427　長田富作　正平版論語源流考
　　　奈良　長田富作印行　昭和8年（1933）11月

0428　武內義雄　　　正平版論語源流考——本邦舊鈔本論語の二系統——
　　　　　　　　　　①東北帝國大學法文學部十周年記念史學文學論集　昭和10
　　　　　　　　　　年（1935）
　　　　　　　　　　②武內義雄全集　第2卷　儒教篇1　頁402—445　東京　角
　　　　　　　　　　川書店　昭和53年（1979）6月
0429　今井貫一編　　正平版論語集解考
　　　　　　　　　　大阪　正平版論語刊行會　昭和8年（1933）11月　58頁
　　　　　　　　　　①正平版論語源流考（武內義雄）
　　　　　　　　　　②正平版論語研究之梗概（長田富作）
　　　　　　　　　　③正平版論語影印に就て（今井貫一）
0430　新美保秀　　　正平版論語源流の一考察
　　　　　　　　　　東京學藝大學研究報告　第9集（歷史學）　頁37—47　昭
　　　　　　　　　　和33年（1958）3月
0431　劉　昌潤　　　日本正平本論語版本源流考
　　　　　　　　　　學林漫錄　第7集　頁153—157　北京　中華書局　昭和58年
　　　　　　　　　　（1983）3月

天文版論語

0432　梅山玄秀　　　天文版論語
　　　　　　　　　　大阪　南宗寺　1冊　大正5年（1916）
0433　內藤虎次郎　　天文版論語序
　　　　　　　　　　東亞研究　第7卷3號　頁51　大正6年（1917）5月
0434　未署名　　　　評「天文版論語」
　　　　　　　　　　東亞研究　第6卷9、10合併號　頁81—82　大正5年（1916）
　　　　　　　　　　11月

㈢足利學校

0435　結城陸郎　　　中世學校の一考察
　　　　　　　　　　皇學館論叢　第9卷4號　昭和51年（1976）
0436　未署名　　　　足利學校記1卷
　　　　　　　　　　寫本（慶長4年（1599）跋）
0437　廣瀨旭莊　　　足利學校見聞記
　　　　　　　　　　刊本　大正12年（1923）（倉石武四郎識語）
0438　川上廣樹　　　足利學校事蹟考

刊本　明治13年（1880）

0439　足利學校遺蹟圖書館　足利學校沿革誌
　　　栃木縣足利市　編者印行　大正6年（1917）

0440　須永　弘　足利學校に關する文獻の研究
　　　栃木縣足利市　岩下書店　昭和12年（1937）

0441　川瀨一馬　足利學校の研究
　　　①東京　講談社　昭和23年（1948）
　　　②東京　講談社　昭和49年（1974）增補新訂　圖58頁，295
　　　　頁

0442　結城陸郎　金澤文庫と足利學校
　　　東京　至文堂　昭和34年（1959）10月　256頁

0443　長野多美子　足利學校の教育史的意義
　　　教育雜誌　第6號　昭和47年（1972）

0444　藤岡繼平　足利學校の研究
　　　（上）國學院雜誌　第16卷1號　頁10—23　明治43年
　　　　（1910）1月
　　　（中）國學院雜誌　第16卷2號　頁78—89　明治43年
　　　　（1910）2月
　　　（下の一）國學院雜誌　第16卷5號　頁9—24　明治43年
　　　　（1910）5月
　　　（下の二）國學院雜誌　第16卷8號　頁46—61　明治43年
　　　　（1910）8月

0445　結城隆郎　初期の足利學校（上、下）
　　　皇學館論叢　第10卷4、5期　昭和52年（1977）

0446　齋藤勝雄　足利學校の研究について
　　　淑德短期大學研究紀要　第16號　昭和52年（1977）3月

0447　結城陸郎　足利學校の研究（上）
　　　皇學館論叢　第12卷4期　昭和54年（1979）

0448　和島芳男　足利學校新論
　　　（上）神戶女學院大學論集　第8卷1號　頁1—20　昭和36年
　　　　（1961）6月
　　　（下）神戶女學院大學論集　第8卷2號　頁1—17　昭和36年
　　　　（1961）10月

0449　川瀨一馬　室町時代における足利學校の意義
　　　書誌學　復刊第29號　昭和57年（1982）

0450　橋本芳和　永享之亂と足利學校の再興——關東管領上杉憲實の出所進

退と「五經注疏」寄進の契機

政治經濟史學　第238期　昭和61年（1986）

0451　結城陸郎　　　足利學校の教育史的研究

東京　第一法規出版　昭和62年（1987）4月　700, 25頁

0452　新樂　定　　　足利學校藏書目録

寫本（寬政9年（1797）9月凡例）

0453　足利學校遺蹟圖書館　足利學校珍書目録

栃木縣足利市　該館　大正8年（1919）12月

0454　長澤規矩也、川瀨一馬　足利學校貴重特別書目解題

足利　足利學校遺蹟圖書館　昭和12年（1937）

0455　長澤規矩也　　足利學校秘本書目

東京　日本書誌學會　昭和48年（1973）

0456　長澤規矩也　　足利學校善本圖録

足利學校遺蹟圖書館後援會　昭和48年（1973）

㈣金澤文庫

0457　近藤正齋　　　金澤文庫考

神奈川縣　金澤文庫　明治44年（1911）

0458　關　靖　　　　金澤文庫研究

東京　講談社　昭和26年（1893）4月

0459　結城陸郎　　　金澤文庫の成立とその意義

國民生活史研究　第3冊　昭和33年（1958）9月

0460　結城陸郎　　　金澤文庫と足利學校

東京　至文堂　昭和34年（1959）10月　256頁

0461　結城陸郎　　　金澤文庫の教育史的研究

東京　吉川弘文館　昭和37年（1962）3月

0462　乾　克己　　　金澤文庫の教化について

金澤文庫研究　第276號　昭和61年（1986）

0463　關靖編　　　　金澤文庫本圖録

幽學社　昭和10年（1935）

0464　關靖編　　　　金澤文庫古文書第1、2輯

幽學社　昭和12年（1937）

0465　熊原政男　　　金澤文庫書誌の研究

金澤文庫研究紀要　第1期　昭和36年（1961）

0466　關　靖　　　　金澤文庫書誌論考

金澤文庫研究紀要　第2期　昭和39年（1964）

0467　阿部隆一　　金澤文庫の漢籍
　　　　　　　　　金澤文庫研究　第18卷8期　昭和47年（1972）

0468　關靖等　　　金澤文庫本之研究
　　　　　　　　　東京　青裳堂　昭和56年（1981）

0469　納富常天　　金澤文庫資料の研究
　　　　　　　　　法藏館　昭和57年（1982）　712頁

0470　金澤文庫編　彙報金澤文庫
　　　　　　　　　昭和30年（1955）5月創刊，自昭和33年（1958）1月第34號
　　　　　　　　　起，改名爲《金澤文庫研究》。

0471　金澤文庫編　金澤文庫研究
　　　　　　　　　前身爲《彙報金澤文庫》，自昭和33年（1958）1月第34號起
　　　　　　　　　改爲本名

0472　金澤文庫編　金澤文庫研究紀要
　　　　　　　　　昭和36年（1961）創刊，發表與金澤文庫有關之論文

二、禪林的儒學

1.概　述

0473　上村觀光　　五山文學小史
　　　　　　　　　①東京　裳華房　明治39年（1906）
　　　　　　　　　②五山文學全集　第5卷　東京　帝國教育會出版部　昭和
　　　　　　　　　　10、11年（1935、1936）
　　　　　　　　　③五山文學全集　別卷　京都　思文閣　昭和48年（1973）

0474　北村澤吉　　五山文學史稿
　　　　　　　　　東京　富山房　昭和16年（1941）

0475　玉村竹二　　五山文學——大陸文化紹介者としての五山禪僧の活動
　　　　　　　　　東京　至文堂　昭和34年（1959）5月　290頁（日本歷史新
　　　　　　　　　書）

0476　瀧澤精一　　禪林文學——林下水邊の系譜
　　　　　　　　　東京　大學教育社　昭和59年（1984）4月　356頁

0477　朝倉　尙　　禪林の文學——中國文學受容の樣相
　　　　　　　　　大阪　清文堂　昭和60年（1985）5月　550頁

0478　玉村竹二等　五山の學藝
　　　　　　　　　東京　大東急記念文庫　昭和60年（1985）3月　189頁

0479　上村觀光　　　五山詩僧傳
　　　　　　　　　　①東京　民友社　明治45年（1912）
　　　　　　　　　　②五山文學全集　第5卷　東京　帝國教育會出版部　昭和
　　　　　　　　　　　10、11年（1935、1936）
　　　　　　　　　　③五山文學全集　別卷　京都　思文閣　昭和48年（1973）
0480　荻須純道　　　五山に投影したる中國文化——特に思想について——
　　　　　　　　　　禪學研究　第42期　昭和26年（1951）3月
0481　芳賀幸四郎　　中世禪林の學問および文學に關する研究
　　　　　　　　　　東京　至文堂　昭和31年（1956）3月　290頁
0482　和島芳男　　　中世禪林の宋學觀
　　　　　　　　　　魚澄先生古稀記念國史學論叢　吹田　魚澄先生古稀記念會
　　　　　　　　　　昭和33年（1958）
0483　嚴　紹璗　　　中日禪僧の交流と日本宋學の淵源
　　　　　　　　　　中國哲學　第3輯　1980年8月
0484　久須本文雄　　日本中世禪林の儒學
　　　　　　　　　　東京　山喜房佛書林　平成4年（1992）6月　287,9頁
0485　鄭　樑生　　　日本五山禪僧之《論語》研究及其發展
　　　　　　　　　　①第七、八屆中國域外漢籍國際學術會議論文集　臺北　聯
　　　　　　　　　　　合報文化基金會國學文獻館　平成7年（1995）10月
　　　　　　　　　　②中日關係史研究論集㈥　頁1—28　臺北　文史哲出版社
　　　　　　　　　　　平成8年（1996）2月
0486　鄭　樑生　　　日本五山禪僧之《孟子》研究
　　　　　　　　　　①第七、八屆中國域外漢籍國際學術會議論文集　臺北　聯
　　　　　　　　　　　合報文化基金會國學文獻館　平成7年（1995）10月
　　　　　　　　　　②中日關係史研究論集㈥　頁29—61　臺北　文史哲出版社
　　　　　　　　　　　平成8年（1996）2月
0487　鄭　樑生　　　日本五山禪僧對宋元理學的理解及其發展——以《大學》爲
　　　　　　　　　　例
　　　　　　　　　　中日關係史研究論集㈢　頁53—89　臺北　文史哲出版社
　　　　　　　　　　平成8年（1996）2月
0488　鄭　樑生　　　日本五山禪僧接受新儒學的心路歷程
　　　　　　　　　　中日關係史研究論集㈣　臺北　文史哲出版社　平成6年
　　　　　　　　　　（1994）3月
0489　鄭　樑生　　　日本五山禪僧的儒釋二教一致論
　　　　　　　　　　中日關係史研究論集㈣　臺北　文史哲出版社　平成6年
　　　　　　　　　　（1994）3月

0490　鄭　樑生　　　　日本五山禪僧的仁義論
　　　　　　　　　　中日關係史研究論集㈣　臺北　文史哲出版社　平成6年
　　　　　　　　　　（1994）3月

0491　鄭　樑生　　　　日本五山禪僧的中國史書研究
　　　　　　　　　　中日關係史研究論集㈢　頁91—128　臺北　文史哲出版社
　　　　　　　　　　平成8年（1996）2月

2.全　集

0492　上村觀光編　　　五山文學全集
　　　　　　　　　　東京　裳華房　明治39—大正4年（1906—1915）　4冊
　　　　　　　　　　第1卷
　　　　　　　　　　　東歸集1卷（天岸惠廣）
　　　　　　　　　　　濟北集20卷（虎關師鍊）
　　　　　　　　　　　鈍鐵集1卷（鐵庵道生）
　　　　　　　　　　　禪居集1卷（清拙正澄）
　　　　　　　　　　　雜著1卷
　　　　　　　　　　　岷峨集2卷（雪村友梅）
　　　　　　　　　　　雪村大和尙行道記1卷
　　　　　　　　　　　松山集1卷（龍泉令淬）
　　　　　　　　　　　天柱集1卷（竺仙梵僊）
　　　　　　　　　　　南游集1卷（別源圓旨）
　　　　　　　　　　　東歸集1卷（別源圓旨）
　　　　　　　　　　　旱霖集2卷（夢巖祖應）
　　　　　　　　　　第2卷
　　　　　　　　　　　東海一漚集5卷（中巖圓月）
　　　　　　　　　　　東海一漚集別集1卷（中巖圓月）
　　　　　　　　　　　東海一漚余滴1卷（中巖圓月）
　　　　　　　　　　　若木集1卷（此山妙在）
　　　　　　　　　　　若木集拾遺1卷
　　　　　　　　　　　若木集附錄1卷
　　　　　　　　　　　隨得集1卷（龍湫周澤）
　　　　　　　　　　　性海靈見遺稿1卷（性海靈見）
　　　　　　　　　　　閻浮集1卷（鐵舟德濟）
　　　　　　　　　　　空華集20卷（義堂周信）
　　　　　　　　　　　蕉堅稿1卷（絕海中津）

第3卷

　明極楚俊遺稿2卷（明極楚俊）

　夢窗明極唱和篇1卷

　了幻集2卷（古劍妙快）

　業鏡臺1卷（心華元棣）

　鴉臭集2卷（太白眞玄）

　草余集3卷（愚中周及）

　雲壑猿吟1卷（惟忠通恕）

　懶室漫稿3卷（仲方圓伊）

　南游稿1卷（愕隱慧奯）

　眞愚稿1卷（西胤俊承）

　竹居清事1卷（翱之惠鳳）

　竹居西游集1卷（翱之惠鳳）

　投贈和答等諸詩小序1卷（翱之惠鳳）

　不二遺稿3卷（岐陽方秀）

第4卷

　翰林葫蘆集（景徐周麟）

0493　上村觀光編　五山文學全集

東京　帝國教育會出版部　昭和10、11年（1935、1936）

5冊

第1卷

　東歸集1卷（天岸惠廣）

　濟北集20卷（虎關師鍊）

　鈍鐵集1卷（鐵庵道生）

　禪居集1卷（清拙正澄）

　雜著1卷

　岷峨集2卷（雪村友梅）

　雪村大和尚行道記1卷

　松山集1卷（龍泉令淬）

　天柱集1卷（竺仙梵僊）

　南游集1卷（別源圓旨）

　東歸集1卷（別源圓旨）

　旱霖集2卷（夢巖祖應）

第2卷

　東海一漚集5卷（中巖圓月）

　東海一漚集別集1卷（中巖圓月）

東海一漚余滴1卷（中巖圓月）

若木集1卷（此山妙在）

若木集拾遺1卷

若木集附錄1卷

隨得集1卷（龍湫周澤）

性海靈見遺稿1卷（性海靈見）

閻浮集1卷（鐵舟德濟）

空華集20卷（義堂周信）

蕉堅稿1卷（絕海中津）

第3卷

明極楚俊遺稿2卷（明極楚俊）

夢窗明極唱和篇1卷

了幻集2卷（古劍妙快）

業鏡臺1卷（心華元棣）

鴉臭集2卷（太白眞玄）

草余集3卷（愚中周及）

雲壑猿吟1卷（惟忠通恕）

懶室漫稿3卷（仲方圓伊）

南游稿1卷（愕隱慧奯）

眞愚稿1卷（西胤俊承）

竹居清事1卷（翱之惠鳳）

竹居西游集1卷（翱之惠鳳）

投贈和答等諸詩小序1卷（翱之惠鳳）

不二遺稿3卷（岐陽方秀）

第4卷

翰林葫蘆集（景徐周麟）

第5卷

五山文學小史（上村觀光編）

五山詩僧傳（上村觀光編）

0494　上村觀光編　五山文學全集

京都　思文閣　昭和48年（1973）　5冊

第1卷　詩文部第1輯

東歸集1卷（天岸惠廣）

濟北集20卷（虎關師鍊）

鈍鐵集1卷（鐵庵道生）

禪居集1卷（清拙正澄）

雜著1卷

岷峨集2卷（雪村友梅）

雪村大和尙行道記1卷

松山集1卷（龍泉令淬）

天柱集1卷（竺仙梵僊）

南游集1卷（別源圓旨）

東歸集1卷（別源圓旨）

旱霖集2卷（夢巖祖應）

第2卷　詩文部第2輯

東海一漚集5卷（中巖圓月）

東海一漚集別集1卷（中巖圓月）

東海一漚余滴1卷（中巖圓月）

若木集1卷（此山妙在）

若木集拾遺1卷

若木集附錄1卷

隨得集1卷（龍湫周澤）

性海靈見遺稿1卷（性海靈見）

閻浮集1卷（鐵舟德濟）

空華集20卷（義堂周信）

蕉堅稿1卷（絕海中津）

第3卷　詩文部第3輯

明極楚俊遺稿2卷（明極楚俊）

夢窗明極唱和篇1卷

了幻集2卷（古劍妙快）

業鏡臺1卷（心華元棣）

鴉臭集2卷（太白眞玄）

草余集3卷（愚中周及）

雲壑猿吟1卷（惟忠通恕）

懶室漫稿3卷（仲方圓伊）

南游稿1卷（愕隱慧奯）

眞愚稿1卷（西胤俊承）

竹居清事1卷（翺之惠鳳）

竹居西游集1卷（翺之惠鳳）

投贈和答等諸詩小序1卷（翺之惠鳳）

不二遺稿3卷（岐陽方秀）

第4卷

　　　　　　　　　　翰林葫蘆集（景徐周麟）
　　　　　　　　別卷
　　　　　　　　　　五山文學小史（上村觀光編）
　　　　　　　　　　五山詩僧傳（上村觀光編）
　　　　　　　　　　禪林文藝史譚
0495　玉村竹二編　　五山文學新集
　　　　　　　　東京　東京大學出版社　昭和42—56年（1967—1981）　8冊
　　　　　　　　第1卷
　　　　　　　　　　橫川景三集
　　　　　　　　　　　小補集〈補庵絕句前半〉享德3年——寬正5年
　　　　　　　　　　　補庵集〈補庵絕句後半〉寬正5年——文正2年
　　　　　　　　　　　小補東遊集文正2年——應仁2年
　　　　　　　　　　　小補東遊後集文明元年
　　　　　　　　　　　小補東遊續集文明2年——文明4年
　　　　　　　　　　　補庵京華前集文明4年——文明8年
　　　　　　　　　　　補庵京華後集文明9年——文明12年
　　　　　　　　　　　補庵京華續集文明12年——文明14年
　　　　　　　　　　　補庵京華別集文明15年——文明17年
　　　　　　　　　　　補庵京華新集文明17年——長享元年
　　　　　　　　　　　補庵京華外集上　長享2年——延德2年
　　　　　　　　　　　補庵京華外集下　延德2年——明應元年
　　　　　　　　　　　蒼蔔集
　　　　　　　　　　　拾遺
　　　　　　　　　　　附錄1諸賢雜文
　　　　　　　　　　　附錄2曇仲遺藁
　　　　　　　　第2卷
　　　　　　　　　　友山士偲集
　　　　　　　　　　　友山錄上・中・下
　　　　　　　　　　希世靈彥集
　　　　　　　　　　　村庵藁上・中・下
　　　　　　　　　　　希世靈彥集拾遺
　　　　　　　　　　惟肖得嚴集
　　　　　　　　　　　東海璚華集1—3
　　　　　　　　　　　東海瓊華集（律詩絕句）
　　　　　　　　　　　類聚東海璚花集（律詩部）
　　　　　　　　　　　東海璚華集（七言絕句）

3.道　元（1200—1253）

0496　野村瑞峰　　　道元禪師の論語解
　　　　　　　　　　東海佛教　第8輯　頁11—20　昭和37（1962）6月

4.日　蓮（1222—1282）

0497　川添昭二　　　日蓮の儒教思想に關する二三の問題
　　　　　　　　　　文化史學　第10期　昭和31年（1956）5月

5.虎關師鍊（1278—1346）

0498　虎關師鍊　　　濟北集20卷
　　　　　　　　　　①五山文學全集　第1卷　東京　裳華房　明治39年（1906）
　　　　　　　　　　②五山文學全集　第1卷　東京　帝國教育會出版部　昭和
　　　　　　　　　　　10年（1935）
　　　　　　　　　　③五山文學全集　第1卷　京都　思文閣　昭和48年（1973）
0499　福嶋俊翁　　　虎關禪師と其の學
　　　　　　　　　　禪學研究　第22期　昭和9年（1934）
0500　高居昌一　　　虎關師鍊に於ける日本的思維
　　　　　　　　　　日本諸學振興委員會研究報告　第4篇　歷史學　東京　文
　　　　　　　　　　部省教學局　昭和13年（1938）
0501　高瀨重雄　　　虎關師鍊的國家意識
　　　　　　　　　　中世文化史研究　頁313—350　京都　星野書店　昭和19年
　　　　　　　　　　（1944）4月
0502　福島俊翁　　　虎關
　　　　　　　　　　東京　雄山閣　昭和19年（1944）（禪哲叢書）
0503　久須本文雄　　虎關師鍊の儒道觀
　　　　　　　　　　禪文化研究所紀要　第11期　昭和54年（1979）
0504　市川浩史　　　虎關師鍊の思想
　　　　　　　　　　日本思想史學　第19期　昭和62年（1987）
0505　鄭　樑生　　　日僧虎關師鍊的華學研究
　　　　　　　　　　①慶祝建館八十周年論文集　頁357—396　臺北　國立中央

圖書館臺灣分館　平成7年（1995）10月

②中日關係史研究論集㈥　頁93─148　臺北　文史哲出版社　平成8年（1996）2月

6.雪村友梅（1290─1346）

0506　雪村友梅　　岷峨集2卷

①五山文學全集　第1卷　東京　裳華房　明治39年（1906）

②五山文學全集　第1卷　東京　帝國教育會出版部　昭和10年（1935）

③五山文學全集　第2卷　京都　思文閣　昭和48年（1973）

7.中巖圓月（1300─1375）

0507　中巖圓月　　東海一漚集5卷、東海一漚別集1卷、東海一漚余滴1卷

①五山文學全集　第2卷　東京　裳華房　明治39年（1906）

②五山文學全集　第2卷　東京　帝國教育會出版部　昭和10年（1935）

③五山文學全集　第2卷　東京　思文閣　昭和48年（1973）

0508　中巖圓月　　中巖圓月集

五山文學新集　第4卷　東京　東京大學出版會　昭和42年─56年（1967─1981）

0509　玉村竹二　　東海一漚集雜感──五山禪宗中巖圓月の評傳

文學　第15卷11期　昭和22年（1947）11月

0510　古澤未知男　僧中巖の學的要素

熊本女子大學學術紀要　第5卷1期　昭和28（1953）2月

0511　蔭木英雄　　中巖圓月の思想

漢文教室　第87期　昭和43年（1968）7月

0512　久須本文雄　中巖圓月の儒學思想

禪文化研究所紀要　第5期　昭和48年（1973）10月

0513　鄭　樑生　　日僧中巖圓月有關政治的言論

①淡江史學　第6期　平成6年（1994）6月

②中日關係史研究論集㈥　頁63─92　臺北　文史哲出版社　平成8年（1996）2月

8.義堂周信（1325—1388）
<small>ぎ どうしゅうしん</small>

0514　義堂周信　　　空華集20卷
　　　　　　　　　　①五山文學全集　第2卷　東京　裳華房　明治39年（1906）
　　　　　　　　　　②五山文學全集　第2卷　東京　帝國教育會出版部　昭和
　　　　　　　　　　　10年（1935）
　　　　　　　　　　③五山文學全集　第2卷　京都　思文閣　昭和48年（1973）
0515　古澤未知男　　僧義堂の學術と其の傾向
　　　　　　　　　　熊本女子大學學術紀要　第5卷2期　昭和28年（1953）3月
0516　寺田　透　　　義堂周信
　　　　　　　　　　日本詩人選24　東京　筑摩書房　昭和52年（1977）7月（與
　　　　　　　　　　絕海中津合冊）
0517　鄭　樑生　　　日僧義堂周信的佛學研究
　　　　　　　　　　中日關係史研究論集㈥　頁149—184　臺北　文史哲出版社
　　　　　　　　　　平成8年（1996）2月

9.絕海中津（1336—1405）
<small>ぜっ かい ちゅう しん</small>

0518　絕海中津　　　蕉堅稿1卷
　　　　　　　　　　①五山文學全集　第2卷　東京　裳華房　明治39年（1906）
　　　　　　　　　　②五山文學全集　第2卷　東京　帝國教育會出版部　昭和
　　　　　　　　　　　10年（1935）
　　　　　　　　　　③五山文學全集　第2卷　京都　思文閣　昭和48年（1973）
0519　寺田　透　　　絕海中津
　　　　　　　　　　日本詩人選24　東京　筑摩書房　昭和52年（1977）7月（與
　　　　　　　　　　義堂周信合冊）

10.惟肖得巖（1360—1437）
<small>い しょう とく がん</small>

0520　惟肖得巖　　　惟肖得巖集
　　　　　　　　　　五山文學新集　第2卷　東京　東京大學出版社　昭和42年
　　　　　　　　　　（1967）

11.岐陽方秀（1361—1427）

0521　岐陽方秀　　　不二遺稿3卷
　　　　　　　　　　①五山文學全集　　第3卷　東京　裳華房　明治39年（1906）
　　　　　　　　　　②五山文學全集　　第3卷　東京　帝國教育會出版部　昭和
　　　　　　　　　　　10年（1935）
　　　　　　　　　　③五山文學全集　　第3卷　京都　思文閣　昭和48年（1973）

12.桂庵玄樹（1427—1508）

0522　桂庵玄樹　　　桂庵和尙家法倭點1卷
　　　　　　　　　　明應10年（1501）完成
0523　川田鐵彌　　　日本程朱學派に於ける桂庵和尙
　　　　　　　　　　帝國文學　　第5卷10期　明治32年（1899）
0524　山田　準　　　釋桂庵と藤原惺窩
　　　　　　　　　　禪宗　　第119期　明治38年（1905）
0525　武藤長平　　　桂庵禪師と薩藩の學風
　　　　　　　　　　①禪宗　　第219期　大正2年（1913）
　　　　　　　　　　②歷史地理　　第21卷2期　大正2年（1913）
0526　山田　琢　　　薩摩の儒學——桂菴の入薩
　　　　　　　　　　近世日本の儒學　頁731—749　東京　岩波書店　昭和14年
　　　　　　　　　　（1939）8月
0527　裏善一郎　　　薩藩文教の開祖桂庵
　　　　　　　　　　鹿兒島大學教育學部研究紀要　　第3期　昭和26年（1951）

13.柏舟宗趙（1414—1495）

0528　柏舟宗趙　　　周易抄
　　　　　　　　　　①寫本（天理圖書館藏）
　　　　　　　　　　②寫本（國會圖書館藏）
　　　　　　　　　　③寫本（京都大學國語學國文學研究室藏）
　　　　　　　　　　④寫本（お茶の水圖書館成簣堂文庫藏）
　　　　　　　　　　⑤寫本（斯道文庫藏）

0529　柏舟宗趙　　　周易抄
　　　　　　　　　寬永年間（1624—1644）活字本
0530　京都大學文學部國語學國文學研究主編　周易抄
　　　　　　　　　京都　臨川書店　昭和53年（1978）7月　178頁　（京都大
　　　　　　　　　學國語國文資料　9）

おう せん けい さん
14.橫川景三（1429—1493）

0531　橫川景三　　　橫川景三集
　　　　　　　　　五山文學新集　第1卷　東京　東京大學出版會　昭和42年
　　　　　　　　　（1967）
0532　蔭木英雄　　　橫川景三の人と作品——東山時代漢文學の一斷面
　　　　　　　　　相愛女子、相愛女子短大研究論集　第21期　昭和48年
　　　　　　　　　（1973）12月
0533　大桑　齊　　　戰國思想史における原理と秩序——五山僧橫川景三の思想
　　　　　　　　　から
　　　　　　　　　中世佛教と眞宗　東京　吉川弘文館　昭和60年（1985）12
　　　　　　　　　月

けい じょ しゅう りん
15.景徐周麟（1440—1518）

0534　景徐周麟　　　翰林葫蘆集
　　　　　　　　　①五山文學全集　第4卷　東京　裳華房　明治39年（1906）
　　　　　　　　　②五山文學全集　第4卷　東京　帝國教育會出版部　昭和
　　　　　　　　　10年（1935）
　　　　　　　　　③五山文學全集　第4卷　京都　思文閣　昭和48年（1973）

さく げん しゅう りょう
16.策彦周良（1501—1579）

0535　牧田諦亮　　　策彦入明記の研究
　　　　　　　　　東京　法藏館
　　　　　　　　　上冊　昭和30年（1955）
　　　　　　　　　下冊　昭和34年（1959）

17.文之玄昌（1555—1620）

0536	文之玄昌	南浦文集3卷 新薩藩叢書　第4卷　東京　歷史圖書社　昭和46年（1971）
0537	武藤長之	桂庵と文之 東亞之光　第13卷11期　大正7年（1918）
0538	大江文城	近世初期における儒學勃興の狀態（文之及びその徒） 斯文　第13卷3期　昭和6年（1931）3月
0539	神谷成三	文之和尙の生涯 鹿兒島大學文科報告　第4、5期　昭和43年（1968）10月、 昭和44年（1969）10月
0540	村上雅孝	論語元龜四年吳と文之點 佐藤喜代治教授退官記念國語學論集　頁211—229　東京 櫻楓社　昭和51年（1976）6月
0541	村上雅孝	文之玄昌と周易傳義大全 日本文化研究所研究報告　仙台　東北大學日本文化研究所 平成元年（1989）

三、宮廷的儒學

1.北畠親房（1293—1354）

0542	北畠親房	神皇正統記 ①大日本文庫　第31冊　東京　大日本文庫　昭和9年 　（1934） ②日本哲學全書　第10卷　東京　第一書房　昭和11年 　（1936） ③日本哲學思想全書　第3卷　東京　平凡社　昭和31年 　（1956）
0543	津下有道	北畠親房の哲學 神道宗教　第86號　昭和52年（1977）
0544	平田俊春	神皇正統記の基礎的研究 東京　雄山閣　昭和54年（1979）
0545	我妻建治	神皇正統記論考

　　　　　　　　　東京　吉川弘文館　昭和56年（1981）
0546　白山芳太郎　北畠親房の研究
　　　　　　　　　東京　ぺりかん社　平成3年（1991）6月　227頁
0547　福井康順　　日光本神皇正統記とその學問的意義
　　　　　　　　　フィロソフィア　第18號　昭和25年（1950）6月
0548　福井康順　　神皇正統記の形成と儒佛二教
　　　　　　　　　東洋思想の研究　東京　理想社　昭和30年（1955）3月
0549　高橋公義　　神皇正統記に見る北畠親房の政治思想
　　　　　　　　　文化史研究　第20號　昭和43年（1968）
0550　我妻建治　　北畠親房の儒教思想——その宋學說について
　　　　　　　　　成城大學文藝學部、短期大學部創立二十周年紀念論集　昭
　　　　　　　　　和49年（1974）
0551　玉懸博之　　南北朝期の公家の政治思想の一側面——北畠親房、二條良
　　　　　　　　　基における儒教的德治論への對策をめぐって
　　　　　　　　　日本思想史學　第8號　昭和51年（1976）
0552　下川玲子　　北畠親房と宋學——大學、中庸の受容をめぐって
　　　　　　　　　日本思想史學　第26號　平成6年（1994）
0553　高橋美由紀　神皇正統記における神道と儒教
　　　　　　　　　日本宗教への視角（岡田重精編）　東京　東方出版　平成
　　　　　　　　　6年（1994）

2.一 條 兼 良（1402—1481）

0554　一條兼良　　大學童子訓
　　　　　　　　　寫本（陽明文庫藏）
0555　永島福太郎　一條兼良
　　　　　　　　　①東京　吉川弘文館　昭和34年（1959）　200頁　（人物叢
　　　　　　　　　　書）
　　　　　　　　　②東京　吉川弘文館　昭和63年（1988）12月　200頁（人物
　　　　　　　　　　叢書新裝版）
0556　阿部隆一　　一條兼良撰四書童子訓
　　　　　　　　　慶應義塾大學圖書館月報　第11號　昭和30年（1955）10月
0557　板野　哲　　一條兼良の社會觀とその思想的傾向
　　　　　　　　　紀要（新居濱工業高專）人文科學編　第13號　昭和52年
　　　　　　　　　（1977）

0558　住吉昭彦　　　四書童子訓の經學とその淵源
　　　　　　　　　　中世文學　第39號　平成6年（1994）

四、博士的儒學

(一)概　　述

0559　緒方惟精　　　明經家學の成立と鎌倉期における清中二家
　　　　　　　　　　千葉大學文理學部紀要（文化科學）　第2卷1號　昭和31年
　　　　　　　　　　（1956）2月
0560　鈴木理惠　　　明經博士家中原、清原氏による局務請負と教育
　　　　　　　　　　日本の教育史學　第30號　昭和62年（1987）
0561　新美保秀　　　我國古傳寫本論語における中原、清原二家學の究明
　　　　　　　　　　漢文學會會報（東京教育大學漢文學會）　第19號　頁5─
　　　　　　　　　　10　昭和 35年（1960）6月

(二)中原家

0562　中原氏　　　　論語中原本卷第4
　　　　　　　　　　高山寺古訓點資料第1　頁53─72　東京　東京大學出版會
　　　　　　　　　　昭和55年（1980）2月（高山寺資料叢書　第9冊）
0563　中原氏　　　　論語中原本卷第8
　　　　　　　　　　高山寺古訓點資料第1　頁73─92　東京　東京大學出版會
　　　　　　　　　　昭和55年（1980）2月（高山寺資料叢書　第9冊）
0564　沼本克明　　　 中原本論語卷第4、8に引用された論語釋文の性格と論語訓
　　　　　　　　　　讀に於る影響について
　　　　　　　　　　高山寺古訓點資料第1　頁500─509　東京　東京大學出版
　　　　　　　　　　會　昭和55年（1980）2月(高山寺資料叢書　第9冊）

(三)清原家

1.概　　說

0565　清原氏　　　　論語清原本卷第7
　　　　　　　　　　高山寺古訓點資料第1　頁21─34　東京　東京大學出版會

昭和55年（1980）2月　（高山寺資料叢書　第9冊）

0566　清原氏　　　　論語清原本卷第8
　　　　　　　　　　高山寺古訓點資料第1　頁35—51　東京　東京大學出版會
　　　　　　　　　　昭和55年（1980）2月　（高山寺資料叢書　第9冊）

0567　和島芳男　　　清家の點本とその家學（上、下）
　　　　　　　　　　（上）神戸女學院大學論叢　第9卷3號　昭和38年（1963）2
　　　　　　　　　　　月
　　　　　　　　　　（下）神戸女學院大學論叢　第10卷1號　昭和38年（1963）
　　　　　　　　　　　6月

0568　新美保秀　　　清原家傳正和、嘉曆、建武抄本書入れに殘存する論語鄭注
　　　　　　　　　　の新資料
　　　　　　　　　　漢魏文化　第1號　頁7—13　昭和35年（1960）6月

0569　內野熊一郎　　清原家相傳論語抄本にあらわれた論語釋文の一考察
　　　　　　　　　　漢學研究　復刊第5號　頁1—12　昭和42年（1967）5月

0570　內野熊一郎　　清原家相傳論語抄三本「書キ入レ」の「オ本」の實態と性
　　　　　　　　　　格
　　　　　　　　　　漢學研究　復刊第6號　頁1—20　昭和43年（1968）6月

0571　立石廣男　　　經典釋文の綜合研究——清原家相傳論語三本書キ入レ反切
　　　　　　　　　　對照表——（微子第18、子張第19、堯曰第20）
　　　　　　　　　　漢學研究　復刊第6號　頁37—42　昭和43年（1968）6月

0572　坂井健一　　　論語釋文の「書キ入レ」音について——清原家相傳論語抄
　　　　　　　　　　本を中心とせる
　　　　　　　　　　日本中國學會報　第21集　頁81—99　昭和44年（1969）12
　　　　　　　　　　月

0573　阿部隆一　　　新收清家系學庸二種について
　　　　　　　　　　慶應義塾大學圖書館月報　第12號　昭和30年（1955）12月

0574　鎌田　正　　　清家に於ける左傳の傳授とその學問について
　　　　　　　　　　漢文教室　第29號　昭和32年（1957）3月

2.清原 良 賢（?—?）

0575　和島芳男　　　義堂周信と清原良賢——清家學成立の契機
　　　　　　　　　　大手前女子大學論集　第11號　昭和52年（1977）

きよ はらの なり ただ
3.清 原 業 忠（?—1467）

0576	清原業忠	論語聞書
		鈔本（國會圖書館藏）
0577	柳田征司	清原業忠の論語抄に就いて
		抄物の研究　第1號　頁1—47　昭和45年（1970）6月
0578	坂詰力治	國立國會圖書館藏《論語聞書》について
		文學論藻　第47號　頁144—163　昭和48年（1973）1月

きよ はらの のぶ かた
4.清 原 宣 賢（1475—1550）

著　作

0579	清原宣賢	論語聽塵5冊
		鈔本（大阪府立大學藏）
0580	清原宣賢	論抄冠冕6冊
		鈔本（京都兩足院藏）
0581	清原宣賢	論語抄5冊
		鈔本（米澤圖書館藏）
0582	清原宣賢	論語抄5冊
		鈔本（書陵部圖書館藏）
0583	清原宣賢	論語抄4冊
		慶長8年鈔本（久原文庫藏）
0584	清原宣賢	魯論抄3冊
		集雲禪師手抄本（京都靈雲院藏）
0585	清原宣賢	論語口義3冊
		古鈔本（京都兩足院藏）
0586	清原宣賢	論語抄10冊
		寬永刊本（書陵部圖書館藏）
0587	清原宣賢	孟子抄14冊
		作者自筆本（京都大學圖書館藏）
0588	清原宣賢	孟子聞書
		寫本（京都大學圖書館藏）
		寫本（龍谷大學圖書館藏）

0589	清原宣賢	大學章句抄
		鈔本（京都大學圖書館藏）
		鈔本（穗久邇文庫藏）
0590	清原宣賢	大學章句抄
		元和刊本
0591	清原宣賢	大學章句抄
		寬永刊本
0592	清原宣賢	大學聽塵
		作者自筆本（大東急記念文庫藏）
0593	清原宣賢	中庸章句抄
		慶長3年寫本（東洋文庫藏）
0594	清原宣賢	中庸章句抄
		慶長19年寫本（學習院大學圖書館藏）
0595	清原宣賢	中庸章句抄
		天文19年寫本（龍谷大學藏）
0596	清原宣賢	中庸章句抄
		天文22年寫本（京都大學圖書館藏）
0597	清原宣賢	中庸章句抄
		元和刊本
0598	清原宣賢	中庸章句抄
		寬永刊本
0599	清原宣賢	周易抄9卷9冊
		自筆寫本（天理大學圖書館藏）
0600	清原宣賢	毛詩聽塵20卷10冊
		作者自筆本（京都大學圖書館藏）
0601	清原宣賢	毛詩抄20卷10冊
		鈔本（京都大學圖書館藏）
0602	清原宣賢	毛詩抄20卷10冊
		鈔本（京都大學圖書館藏）
0603	清原宣賢	毛詩抄20卷13冊
		鈔本（龍谷大學圖書館藏）
0604	清原宣賢	毛詩抄20卷
		鈔本（蓬左文庫藏）
0605	清原宣賢	毛詩抄20卷
		鈔本（國會圖書館藏）
0606	清原宣賢	毛詩抄20卷

　　　　　　　　　鈔本（足利學校遺蹟圖書館藏）
0607　清原宣賢　　　毛詩抄20卷
　　　　　　　　　寬永活字本（京都大學、龍谷大學、書陵部圖書館藏）
0608　三ヶ尻浩校訂　校訂毛詩抄
　　　　　　　　　東京　朋文堂　昭和21年（1937）9月
0609　清原宣賢講述，小川環樹、高馬三良校訂　毛詩抄（1—2）
　　　　　　　　　東京　岩波書店　2冊
　　　　　　　　　第1冊　昭和15年（1940）3月　425頁（岩波文庫）
　　　　　　　　　第2冊　昭和17年（1942）6月　407頁（岩波文庫）
0610　清原宣賢講述，中田視夫編，外山映次解說　毛詩抄
　　　　　　　　　抄物大系　東京　勉誠社　2冊
　　　　　　　　　上冊　昭和46年（1971）8月
　　　　　　　　　下冊　昭和47年（1972）2月　846頁
0611　清原宣賢　　　毛詩抄
　　　　　　　　　抄物資料集成　第6卷　大阪　清文堂　昭和46年（1971）
　　　　　　　　　（據書陵部圖書館藏本影印）

後人研究

0612　麻生津村役場編　朝倉時代の鴻儒清原宣賢卿略歷
　　　　　　　　　編者印行　昭和16年（1941）
0613　山田英雄　　　清原宣賢について
　　　　　　　　　國語と國文學　第35卷10號　昭和32年（1957）
0614　和島芳男　　　清原宣賢とその家學
　　　　　　　　　日本歷史　第185號　昭和38年（1963）10月
0615　和島芳男　　　宋學の地方傳播──北陸における清原宣賢の活動
　　　　　　　　　神戶女學院大學論集　第11卷2期　昭和39年（1964）
0616　太田善磨　　　清原宣賢の書簡一通
　　　　　　　　　中世文學論叢　第1冊　東京　東京學藝大學　昭和51年
　　　　　　　　　（1976）7月
0617　大戶安弘　　　清原宣賢の教育活動と朝倉政權
　　　　　　　　　東京學藝文學紀要（第1部門・教育科學）　第36號　昭和
　　　　　　　　　60年（1985）
0618　岡田芳幸　　　清原宣賢の研究序說──清原家の地位と環境をめぐって
　　　　　　　　　皇學館史學　第2號　昭和62年（1987）
0619　中村　光　　　儒學者清原宣賢の學問及び思想の事蹟について

歴史公論　第7卷2號　昭和12年（1937）

0620　緒方惟精　清原宣賢の經學

千葉大學文理學部紀要（文化科學）　第1卷2期　昭和29年
（1954）2月

0621　近藤春雄　清原宣賢の抄について

長恨哥琵琶行の研究　東京　明治書院　昭和56年（1981）

0622　緒方惟精　清原宣賢の經學と家藏《論語抄》、《孟子抄》

國語研究（千葉縣國語國文學研究會）　第3號　頁65—68

0623　坂詰力治　清原宣賢講「論語抄」における文末表現について――指定

辭「リ」「ナリ」を中心にして――

國語學研究　第11號　頁49—64　昭和49年（1972）9月

0624　坂詰力治　「國語資料としての書陵部藏魯論抄」――本文の考察を中

心に

文學論藻　第40號　頁26—36　昭和43年（1968）12月

0625　坂詰力治　國語史料しての抄物――書陵部藏「魯論抄」をめぐって

東洋大學大學院紀要　第6集　頁85—113　昭和45年（1970）3
月

0626　小林賢次　清原宣賢系論抄について――書陵部「論語抄」の本文の格

をめぐって――

近代語研究　第5集　頁71—102　昭和52年（1977）3月

0627　今中寬司　清原宣賢の孟子抄について

京都女子大學文學部紀要　第14號　頁1—16　昭和32年
（1957）3月

0628　小林俊雄　清家本孟子テキスト考

日本中國學會報　第31集　頁239—263　昭和54年（1979）
10月

0629　中出　惇　穂久邇文庫本大學抄における「マイ」系の助動詞

文學・語學　第3號　昭和32年（1957）3月

0630　米山寅太郎　清原宣賢加點「毛詩鄭箋」複製について

日本歴史　第43號　昭和26年（1951）12月

0631　小川環樹　清原宣賢の毛詩抄について

文化　第10卷11號　頁29　昭和18年（1943）11月

0632　土井洋一　本能寺門前版の版式――毛詩抄をめぐって

研究年報（學習院大學文學部）　第20輯　頁207—247　昭
和49年（1974）3月

0633　山內洋一郎　毛詩抄の二部構造について――建仁寺兩足院藏林宗二寫本

による
國文學論考　第72、73輯合併號　昭和51年（1976）12月

0634　林　秀一　　清原宣賢の孝經秘抄について
①かがみ　第2期　昭和34年（1959）8月
②孝經學論集　頁264—272　東京　明治書院　昭和51年
　（1976）11月

0635　出雲朝子　　清原宣賢の孝經抄諸本について——清家抄物の性格
國語學　第45號　昭和36年（1961）6月

五、謠曲的儒學

<ruby>太平記<rt>たいへいき</rt></ruby>

0636　增田　欣　　太平記の比較文學的研究
東京　角川書店　昭和51年（1976）

0637　高橋貞一　　太平記の出典に關する研究
西京高校研究紀要　昭和34年（1959）8月・

0638　增田　欣　　太平記と論語
富山大學教育學部紀要（A文科系）　第20號　頁1—12　昭
和47年（1972）2月

0639　增田　欣　　太平記と古文孝經
國文學攷　第53輯　頁11—20　昭和45年（1970）3月
中國關係論説資料　第12號　第2分冊（上）　頁78—83
昭和45(1970)

0640　增田　欣　　太平記と孟子
駒澤大學軍記と語り物　第9冊　昭和47年（1972）3月

第三編　近　世

壹、總　論

一、哲學、思想史

0641	麻生義輝	近代日本哲學史
		①東京　近藤書店　昭和18年（1943）
		②東京　宗高書房　昭和49年（1974）　384,4頁
0642	肥後和男	近世思想史研究
		東京　ふたら書房　昭和18年(1943)2月　401頁
0643	民主教育協會編	德川時代における人間尊重思想の系譜
		東京　福村書店　昭和36年（1961）　2冊
0644	奈良本辰也編	近世日本思想史研究
		東京　河出書房新社　昭和40年（1965）
0645	田原嗣郎	德川思想史研究
		東京　未來社　昭和42年（1967）8月　528頁；平成4年
		（1992）7月重印本
0646	平　重道	近世日本思想史研究
		東京　吉川弘文館　昭和44年（1969）484頁
0647	奈良本辰也	變革者の思想──時代の壁を打ち破るもの
		東京　講談社　昭和45年（1970）　184頁（講談社現代新書）
0648	藤原　暹	日本近世思想の研究
		京都　法律文化社　昭和46年（1971）　237, 2頁
0649	源　了圓	德川合理思想の系譜
		東京　中央公論社　昭和47年（1972）　382頁（中公叢書）
0650	源　了圓	德川思想小史
		東京　中央公論社　昭和48年（1973）　259頁（中公新書）
0651	奈良本辰也	日本近世の思想と文化
		東京　岩波書店　昭和53年（1978）1月　6,444頁
0652	Najita, Tetsuo, ed. Japanese thought in the Tokugawa period, 1600—1868; methods and metaphors.（德川思想史研究）Edited by Tetsuo Najita and Irwin Scheiner. Chicago, University of

Chicago Press［1978］209 p.

0653　野崎守英　　　道──近世日本の思想
　　　　　　　　　　東京　東京大學出版社　昭和54年（1979）2月　282頁

0654　庄司吉之助　　近世民衆思想の研究
　　　　　　　　　　東京　校倉書房　昭和54年（1979）3月　252頁（歷史科學
　　　　　　　　　　叢書）

0655　中村幸彦等　　近世の思想──大東急記念文庫公開講座講演錄
　　　　　　　　　　東京　大東急記念文庫　昭和54年（1979）8月　148頁
　　　　　　　　　　1.伊藤仁齋（中村幸彦）
　　　　　　　　　　2.荻生徂徠（尾藤正英）
　　　　　　　　　　3.石田梅岩（柴田　實）
　　　　　　　　　　4.闇齋と素行（阿部隆一）
　　　　　　　　　　5.盤　珪（古田紹欽）
　　　　　　　　　　6.安藤昌益（安永壽延）

0656　黑田俊輝編　　思想史（前近代）
　　　　　　　　　　東京　校倉書房　昭和54年（1979）8月　379頁

0657　山本七平　　　勤勉の哲學──日本人を動かす原理
　　　　　　　　　　京都　PHP研究　昭和54年（1979）10月　261頁

0658　相良亨編　　　江戶の思想家たち
　　　　　　　　　　東京　研究社出版　昭和54年（1979）11月　2冊

0659　ラードリ・ザトロフスキー著、翻譯委員會譯　江戶期日本の先覺者たち──
　　　　　　　　　　──唯物論思想の夜明け
　　　　　　　　　　東京　東研　昭和54年（1979）11月　279頁

0660　市井三郎　　　近世革新思想の系譜
　　　　　　　　　　東京　日本放送出版協會　昭和55年（1980）5月　226頁
　　　　　　　　　　（新NHK市民大學叢書）

0661　前田一良　　　日本近世思想史研究
　　　　　　　　　　東京　文一總合出版　昭和55年（1980）9月　356頁

0662　源　了圓　　　近世初期實學思想の研究
　　　　　　　　　　東京　創文社　昭和55年（1980）2月　598, 32頁

0663　本鄉隆盛、深谷克己編　近世思想論
　　　　　　　　　　講座日本近世史　第9冊　東京　有斐閣　昭和56年（1981）
　　　　　　　　　　10月　417頁

0664　藤原　暹　　　日本生活思想史序説
　　　　　　　　　　東京　ぺりかん社　昭和57年（1982）6月　264, 6頁

0665　布川清司　　　近世町人思想史研究──江戶、大阪、京都町人の場合

　　　　　　　　　　東京　吉川弘文館　昭和58年（1983）11月　294頁

0666　安永壽延著、高崎哲學堂設立の會編　近世日本の哲學──安藤昌益、平賀
　　　　源內、三浦梅園
　　　　　　　　　　高崎　あさを社　昭和59年（1984）6月　134頁

0667　宮崎道生　　　近世、近代の思想と文化──日本文化の確立と連續性
　　　　　　　　　　東京　ぺりかん社　昭和60年（1985）5月　286頁

0668　大桑　齊　　　日本近世の思想と佛教
　　　　　　　　　　京都　法藏館　平成元年（1989）3月　444頁

0669　高崎哲學堂設立の會　江戸の思想　論集
　　　　　　　　　　高崎　編者印行　平成元年（1989）5月　301頁

0670　杉浦明平、別所興一編　江戸期の開明思想
　　　　　　　　　　東京　社會評論社　平成2年（1990）　322頁

0671　野口武彦　　　江戸の兵學思想
　　　　　　　　　　東京　中央公論社　平成3年（1991）2月　217頁

0672　源了圓、末中哲夫編　日中實學史研究
　　　　　　　　　　京都　思文閣　平成3年（1991）3月　461, 14頁

0673　柴田　純　　　思想史における近世
　　　　　　　　　　京都　思文閣　平成3年（1991）6月　290, 11頁

0674　河原　宏　　　「江戸」の精神史──美と志の心身關係
　　　　　　　　　　東京　ぺりかん社　平成4年（1992）5月　270頁

0675　野口武彦　　　江戸思想史の地形
　　　　　　　　　　東京　ぺりかん社　平成5年（1993）9月　306, 8頁

0676　「江戸の思想」編集委員會編　江戸の思想
　　　　　　　　　　東京　ぺりかん社
　　　　　　　　　　第1號　救濟と信仰　平成7年（1995）6月　184頁
　　　　　　　　　　第2號　言語論の位相　平成7年（1995）　178頁
　　　　　　　　　　第3號　儒教とは何か　平成8年（1996）　198頁
　　　　　　　　　　第4號　国家（自己）像の形成　平成8年（1996）　182頁
　　　　　　　　　　第5號　讀書の社會史　平成8年（1996）　196頁
　　　　　　　　　　第6號　身體／女性論　平成9年（1997）5月　178頁
　　　　　　　　　　第7號　思想史の十九世紀　平成9年（1997）11月　213頁

0677　衣笠安喜　　　近世思想史研究の現在
　　　　　　　　　　京都　思文閣　平成7年（1995）　530頁

0678　岩崎允胤　　　日本近世思想史序說
　　　　　　　　　　東京　新日本出版社　平成9年（1997）6月　上冊　481, 11
　　　　　　　　　　頁；下冊　563, 11頁

0679　子安宣邦　　　江戶思想史講義
　　　　　　　　　東京　岩波書店　平成10年（1998）6月　362,8頁

0680　伊東多三郎　　近世國體思想史論
　　　　　　　　　東京　同文館　昭和18年（1943）9月　306頁

0681　守本順一郎　　德川政治思想史研究
　　　　　　　　　東京　未來社　昭和56年（1981）3月　184頁

0682　本庄榮治郎　　近世の經濟思想
　　　　　　　　　東京　日本評論社
　　　　　　　　　正編　昭和6年（1931）
　　　　　　　　　續編　昭和13年（1938）

0683　東晉太郎　　　近世日本經濟倫理思想史
　　　　　　　　　東京　慶應出版社　昭和19年（1944）

0684　本庄榮治郎　　江戶、明治時代の經濟學者
　　　　　　　　　東京　至文堂　昭和37年（1962）6月　231頁

0685　藤田貞一郎　　近世經濟思想の研究——國益思想と幕藩体制
　　　　　　　　　東京　吉川弘文館　昭和41年（1966）5月　225頁

0686　川口　浩　　　江戶時代の經濟思想——「經濟主体」の生成——
　　　　　　　　　名古屋　中京大學經濟學部　平成4年（1992）3月　363, 4
　　　　　　　　　頁（中京大學經濟學研究叢書　第3輯）

0687　北京大學哲學系東方哲學教研組編　日本哲學(2)——德川時代之部
　　　　　　　　　北京　商務印書館　昭和38年（1963）2月　230頁（東方哲
　　　　　　　　　學史資料選集）

0688　野口武彦　　　江戶の歷史家——歷史という名の毒
　　　　　　　　　①東京　筑摩書房　昭和54年（1979）12月　331頁
　　　　　　　　　②東京　筑摩書房　平成5年（1993）10月　381頁　（ちく
　　　　　　　　　ま學藝文庫）

0689　Kang, Thomas Hosuck, The making of Confucian societies in Tokugawa Japan
　　　　　and Yi Korea; a comparative analysis of the behavior
　　　　　patterns in accepting the foreign ideology, neo-
　　　　　Confucianism. [n.p., 1971] 328 1. illus.

0690　每日放送編　　大阪の學問と教育
　　　　　　　　　吹田　每日放送　昭和48年（1973）　449頁　（每日放送文
　　　　　　　　　化叢書9）

二、儒學、漢學史

(一)概　述

0691　服部栗齋　　　　先儒三子評4卷
　　　　　　　　　　　日本儒林叢書　第1卷　東京　鳳出版　昭和2年（1927）；
　　　　　　　　　　　昭和46年（1971）重印本

0692　廣瀨淡窗　　　　儒林評1卷
　　　　　　　　　　　日本儒林叢書　第1卷　東京　鳳出版　昭和2年（1927）；
　　　　　　　　　　　昭和46年（1971）重印本

0693　佚　名　　　　　當代名家評判記前編1卷
　　　　　　　　　　　日本儒林叢書　第1卷　東京　鳳出版　昭和2年（1927）；
　　　　　　　　　　　昭和46年（1971）重印本

0694　內藤虎次郎　　　近世文學史論
　　　　　　　　　　　東京　政教社　明治30年（1897）　146, 32頁

0695　內藤湖南　　　　近世文學史論
　　　　　　　　　　　東京　創元社　昭和14年（1939）　232頁（日本文化名著選）

0696　並木栗水　　　　宋學源流質疑
　　　　　　　　　　　千葉縣久賀村　並木讓之助印行　明治36年（1903）12月
　　　　　　　　　　　28, 23, 15丁

0697　久保天隨　　　　近世儒學史
　　　　　　　　　　　東京　博文館　明治40年（1907）

0698　岩橋遵成　　　　近世日本儒學史
　　　　　　　　　　　東京　寶文館　昭和2年（1927）

0699　德川公繼宗七十年祝賀記念會編　近世日本の儒學
　　　　　　　　　　　東京　岩波書店　昭和16年（1941）　1149頁　圖版42枚

0700　高須芳次郎　　　近世日本儒學史
　　　　　　　　　　　東京　越後屋書房　昭和18年（1943）9月

0701　齋藤惠太郎　　　近世儒林編年誌
　　　　　　　　　　　大阪　全國書房　昭和18年（1943）　474頁

0702　相良　亨　　　　近世日本儒教運動の系譜
　　　　　　　　　　　東京　弘文堂　昭和30年（1955）　205頁（アテネ新書）

0703　相良　亨　　　　近世日本における儒教運動の系譜
　　　　　　　　　　　東京　理想社　昭和40年（1965）　255頁（哲學全書）

0704　相良　亨　　　　近世の儒教思想

東京　塙書房　昭和41年（1966）　235頁（塙選書）

0705　相良　亨　　　江戸時代の儒教
　　　　　　　　　　講座東洋思想　第10冊　東洋思想の日本的展開　東京　東
　　　　　　　　　　京大學出版會　昭和42年（1967）

0706　衣笠安喜　　　近世儒學思想史の研究
　　　　　　　　　　東京　法政大學出版局　昭和51年（1976）10月　303頁（叢
　　　　　　　　　　學・歴史學研究）

0707　岡田武彦　　　江戸期の儒學——朱王學の日本的展開
　　　　　　　　　　東京　木耳社　昭和57年（1982）11月　440頁

0708　三浦　叶　　　近世漢文雜考
　　　　　　　　　　岡山　作者印行　昭和58年（1983）8月　112頁

0709　Peter Nosco.　Confucianism and Tokugawa culture. edited by Peter Nosco.
　　　　　　　　　　Princeton, N.J.: Princeton University Press, 1984. x, 290 p.

0710　渡邊　浩　　　近世日本社會と宋學
　　　　　　　　　　東京　東京大學出版會　昭和60年（1985）10月　252, 9頁；
　　　　　　　　　　平成8年（1996）

0711　大月　明　　　近世日本の儒學と洋學
　　　　　　　　　　京都　思文閣　昭和63年（1988）9月　349, 16頁

0712　太田青丘　　　国學興起の背景としての近世日本儒學
　　　　　　　　　　太田青丘著作選集　第3卷　東京　櫻楓社　平成元年
　　　　　　　　　　（1989）8月

0713　衣笠安喜　　　近世日本の儒教と文化
　　　　　　　　　　京都　思文閣　平成2年（1990）12月　413, 14頁（思文閣
　　　　　　　　　　史學叢書）

0714　相良　亨　　　日本の儒教(1)
　　　　　　　　　　相良亨著作集　第1冊　東京　ぺりかん社　平成4年
　　　　　　　　　　（1992）1月　373, 9頁
　　　　　　　　　　近世日本における儒教運動の系譜
　　　　　　　　　　近世の儒教思想
　　　　　　　　　　解題

0715　鈴木淳編　　　近世學藝論考——羽倉敬尚論文集
　　　　　　　　　　東京　明治書院　平成4年（1992）6月　422頁

0716　賴祺一編　　　儒學・國學・洋學
　　　　　　　　　　日本の近世　第13卷　東京　中央公論社　平成5年（1993）7
　　　　　　　　　　月　390頁

0717　王　中田　　　江戸時代日本儒學研究

北京　中國社會科學出版社　平成6年（1994）12月　144頁

0718　相良　亨　日本の儒教(2)

相良亨著作集　第2冊　東京　ぺりかん社　平成8年（1996）
6月　588，30頁

日本儒教の概觀

德川時代の儒教

儒教の基本的概念

儒者の個別研究

0719　前田　勉　近世日本の儒學と兵學

東京　ぺりかん社　平成8年（1996）　492頁

0720　町田三郎　江戶の漢學者たち

東京　研文出版　平成10年（1998）6月　242頁

(二)經典解釋

0721　內野台嶺　日本經解に就いて

近世日本の儒學　頁1127－1149　東京　岩波書店　昭和14
年（1939）8月

0722　大江文城　本邦四書訓點並仁注解の史的研究

東京　關書院　昭和10年（1935）9月　370頁

0723　黃　錦鋐　日本江戶時期的論語注

第二屆中國域外漢籍國際學術會議論文集　頁455—471　臺
北　聯合報文化基金會國學文獻館　平成元年（1989）2月

0724　栂野守雄　近世日本思想と倭論語

富山　富山縣護國神社　昭和45年（1970）　78頁

0725　勝部眞長　「和論語」の研究

東京　至文堂　昭和45年（1970）　351頁

0726　河村義昌　江戶時代における尊孟、非孟の論爭について

都留文科大學研究紀要　第5集　頁21—40　昭和43年（1968）
6月

0727　野口武彥　王道と革命の間——日本思想と孟子の問題

東京　筑摩書房　昭和61年（1986）3月

0728　井上順理　近世邦人撰述孟子注釋書目稿

池田末利博士古稀記念東洋學論集　頁903—941　廣島　池
田博士古稀記念事業會　昭和55年　（1980）9月

0729 吉澤義則　　　　我が國に於ける學庸朱註の二分派
　　　　　　　　　　藝文　第10年1號　大正8年（1919）

0730 源　了圓　　　　江戶の儒學——《大學》受容の歷史
　　　　　　　　　　京都　思文閣　昭和63年（1988）9月　240, 8頁

0731 田中佩刀　　　　近世邦儒の中庸の解釋と中庸欄外書
　　　　　　　　　　明治大學敎養論集　第33號（日本文學特集）　頁122—141
　　　　　　　　　　昭和41年（1966）1月

0732 藤川正數　　　　荀子注釋史上における邦儒の活動
　　　　　　　　　　東京　風間書房　昭和55年（1980）1月　606, 11頁

0733 藤川正數　　　　荀子注釋史上における邦儒の活動續編
　　　　　　　　　　東京　風間書房　平成2年（1990）2月　338, 8頁

(三)傳記、著述

0734 中根肅治　　　　慶長以來諸家著述目錄（漢學家之部）
　　　　　　　　　　①東京　八尾書店　明治27年（1894）8月　356頁
　　　　　　　　　　②東京　クレス出版株式會社重印本　平成6年（1994）11
　　　　　　　　　　月　356頁（近世文藝研究叢書　第1期　文學篇3　通史3）

0735 竹林貫一　　　　漢學者傳記集成
　　　　　　　　　　①東京　關書院　昭和3年（1928）　1409頁
　　　　　　　　　　②東京　名著刊行會　昭和44年（1969）　1381, 37頁

0736 小川貫道　　　　漢學者傳記及著述集覽
　　　　　　　　　　①東京　關書院　昭和10年（1935）　837頁
　　　　　　　　　　②東京　名著刊行會　昭和45年（1970）　781頁

0737 關儀一郎、關義直　近世漢學者著述目錄大成
　　　　　　　　　　東京　東洋圖書刊行會　昭和16年（1941）　673頁

0738 關儀一郎、關義直　近世漢學者傳記著作大事典
　　　　　　　　　　東京　井田書店　昭和18年（1943）　717頁

0739 矢島玄亮　　　　漢學者傳記索引
　　　　　　　　　　仙臺　東北大學附屬圖書館　昭和45年（1970）　451頁（東
　　　　　　　　　　北大學附屬圖書館參考資料　第78　總合傳記索引　1）

0740 長澤孝三　　　　漢文學者總覽
　　　　　　　　　　東京　汲古書院　昭和54年（1979）12月　338, 127頁

0741 森銑三等　　　　近世文藝家資料集覽
　　　　　　　　　　東京　東京堂　昭和48年（1973）2月

0742 森　銑三　　　　近世人物研究資料綜覽

　　　　　　　　　森銑三著作集別集　東京　中央公論社　昭和47年（1972）
0743　永田忠原輯　　熙朝儒林姓名錄
　　　　　　　　　平安　西村市郎右衛門、林伊兵衛印行　明和6年（1769）
　　　　　　　　　40丁
0744　伴　蒿蹊　　　近世畸人傳5卷
　　　　　　　　　寬政2年（1790）刊本
0745　伴蒿蹊著、三熊花顚畫　近世畸人傳
　　　　　　　　　京都　文求堂　明治20年（1887）　190頁（與《續近世畸人
　　　　　　　　　傳》合刻）
0746　伴蒿蹊著、三熊花顚畫　近世畸人傳
　　　　　　　　　大阪　青木嵩山堂　明治42年（1909）　2冊（與《續近世畸
　　　　　　　　　人傳》合刻）
0747　伴蒿蹊著、三熊花顚畫、佐藤仁之助校註　近世畸人傳
　　　　　　　　　東京　青山堂書房　明治44年（1911）　570頁（與《續近世
　　　　　　　　　畸人傳》合刻）
0748　伴蒿蹊著、三熊花顚畫　近世畸人傳
　　　　　　　　　日本古典全集　第3期　東京　日本古典全集刊行會　大正
　　　　　　　　　14年（1925）
0749　伴蒿蹊著、森銑三校註　近世畸人傳
　　　　　　　　　東京　岩波書店　昭和15年（1940）　271頁（岩波文庫）
0750　伴蒿蹊著、三熊花顚畫　近世畸人傳
　　　　　　　　　東京　平凡社　昭和47年（1972）　512頁　（東洋文庫）（與
　　　　　　　　　《續近世畸人傳》合冊）
0751　伴蒿蹊著、村上護譯　近世畸人傳
　　　　　　　　　東村山　教育社　昭和56年（1981）6月　426頁
0752　三熊花顚稿、伴蒿蹊補　續近世畸人傳
　　　　　　　　　京都　文求堂　明治20年（1887）　190頁（與《近世畸人傳》
　　　　　　　　　合刻）
0753　三熊花顚稿、伴蒿蹊補　續近世畸人傳
　　　　　　　　　大阪　青木嵩山堂　明治42年（1909）6月　2冊（與《近世畸
　　　　　　　　　人傳》合刻）
0754　三熊花顚稿、伴蒿蹊補、佐藤仁之助校註　續近世畸人傳
　　　　　　　　　東京　青山堂書房　明治44年（1911）　570頁（與《近世畸
　　　　　　　　　人傳》合刻）
0755　三熊花顚稿、伴蒿蹊補　續近世畸人傳
　　　　　　　　　日本古典全集　第3期　東京　日本古典全集刊行會　大正

14年（1925）

0756　三熊花顚稿、伴蒿蹊補、宗政五十緒校注　續近世畸人傳
　　　　　東京　平凡社　昭和47年（1972）512頁　（東洋文庫）（與
　　　　　《近世畸人傳》合冊）

0757　原念齋、東條琴台　先哲叢談
　　　　　東京　松田幸助等　明治13年（1880）12月　6冊（前編8卷，
　　　　　後編8卷，年表1卷）

0758　原念齋、東條琴台　先哲叢談
　　　　　東京　東學堂　明治25年（1892）10月　2冊（前編194頁，
　　　　　後編62頁）

0759　原善、東條耕　先哲叢談
　　　　　東京　松榮堂書店　明治25年（1892）2版　2冊（前編8卷，
　　　　　後編8卷，附年表）

0760　原　念齋　　　先哲叢談
　　　　　文化13年（1816）刊本

0761　原公道著、大町桂月譯　新譯先哲叢談
　　　　　東京　至誠堂　明治44年（1911）9月　260頁　（學生文庫
　　　　　第13編）

0762　原　念齋　　　先哲叢談
　　　　　日本偉人言行資料　第7冊　東京　國史研究會　大正5年
　　　　　（1916）

0763　原　念齋　　　先哲叢談
　　　　　漢文叢書　第40冊　東京　有朋堂　大正12年（1923）

0764　原善著，小柳司氣太校訂　先哲叢談
　　　　　大日本文庫　第1冊　東京　大日本文庫刊行會　昭和9年
　　　　　（1934）

0765　原　善　　　　先哲叢談
　　　　　日本哲學思想全書　第20卷　東京　平凡社　昭和31年
　　　　　（1956）

0766　原　念齋　　　先哲叢談
　　　　　近世文藝者傳記叢書　第1、2卷　東京　ゆまに書房　昭和
　　　　　63年（1988）

0767　原念齋著，源了圓、前田勉譯注　先哲叢談
　　　　　東京　平凡社　平成6年（1994）2月　472頁（東洋文庫574）

0768　東條琴台　　　先哲叢談後編8卷
　　　　　文政13年（1830）刊本

0769　東條琴台　　　先哲叢談後編
　　　　　　　　　　日本偉人言行資料　第8、9冊　東京　國史研究會　大正5
　　　　　　　　　　年（1916）

0770　東條　耕　　　先哲叢談後編
　　　　　　　　　　漢文叢書　第40冊　東京　有朋堂　大正12年（1923）

0771　東條耕著、小柳司氣太校訂　先哲叢談後編
　　　　　　　　　　大日本文庫　第1冊　東京　大日本文庫刊行會　昭和9年
　　　　　　　　　　（1934）

0772　東條琴台　　　先哲叢談後編
　　　　　　　　　　近世文藝者傳記叢書　第2、3卷　東京　ゆまに書房　昭和
　　　　　　　　　　63年（1988）

0773　東條琴台　　　先哲叢談　續編12卷
　　　　　　　　　　東京　千鍾房北畠茂兵衛刊本　明治17年（1884）1月　3冊
　　　　　　　　　　（1—6合本）

0774　東條琴台　　　先哲叢談續編
　　　　　　　　　　近世文藝者傳記叢書　第4、5卷　東京　ゆまに書房　昭和
　　　　　　　　　　63年（1988）

0775　松村　操　　　近世先哲叢談（正、續）
　　　　　　　　　　東京　巖巖堂　明治13—15年（1880—1882）　4冊

0776　松村　操　　　近世先哲叢談
　　　　　　　　　　近世文藝者傳記叢書　第6卷　東京　ゆまに書房　昭和63
　　　　　　　　　　年（1988）

0777　松村　操　　　續近世先哲叢談
　　　　　　　　　　近世文藝者傳記叢書　第6卷　東京　ゆまに書房　昭和63
　　　　　　　　　　年（1988）

0778　原　德齋　　　先哲像傳　第1集1卷
　　　　　　　　　　弘化元年（1844）刊本

0779　原　德齋　　　先哲像傳　第1集
　　　　　　　　　　東京　裳華房　明治30年（1897）11月　77丁

0780　原德齋著，田中佩刀注　先哲像傳
　　　　　　　　　　東京　文化書房博文社　昭和55年（1980）6月　271頁

0781　原　德齋　　　先哲像傳
　　　　　　　　　　近世文藝者傳記叢書　第7卷　東京　ゆまに書房　昭和63
　　　　　　　　　　年（1988）

0782　角田九華　　　近世叢語
　　　　　　　　　　近世文藝者傳記叢書　第8卷　東京　ゆまに書房　昭和63

　　　　　　　　　　年（1988）

0783　角田九華　　　續近世叢語
　　　　　　　　　　近世文藝者傳記叢書　第9卷　東京　ゆまに書房　昭和63
　　　　　　　　　　年（1988）

0784　內藤燦聚　　　近世大儒列傳
　　　　　　　　　　東京　博文館　明治26年（1893）12月　2冊　（218頁，170
　　　　　　　　　　頁）（通俗教育全書　第87、88編）

0785　千河岸貫一　　先哲百家傳
　　　　　　　　　　大阪　青木嵩山堂　明治43年（1910）　2冊（正編332頁，
　　　　　　　　　　續編351頁）

0786　富岡鐵齋　　　近古賢哲像傳繪
　　　　　　　　　　東京　耕心學堂　昭和19年（1944）3月　1冊

0787　村松志孝　　　近世儒家人物誌
　　　　　　　　　　東京　顯光閣　大正3年（1914）6月　529頁

0788　安西安周　　　日本儒醫研究
　　　　　　　　　　①東京　龍吟社　昭和18年（1943）
　　　　　　　　　　②東京　青史社　昭和56年（1981）

0789　中村幸彦　　　漢學者紀事
　　　　　　　　　　中村幸彦著述集　第11冊　東京　中央公論社　昭和57年
　　　　　　　　　　（1982）

0790　杉田幸三　　　江戶學者おもしろ史話
　　　　　　　　　　東京　毎日新聞社　平成4年（1992）10月　254頁

0791　山田三川著，小出昌洋編　想古錄(1)
　　　　　　　　　　東京　平凡社　平成10年（1998）4月　337頁（東洋文庫632）

0792　山田三川著，小出昌洋編　想古錄(2)
　　　　　　　　　　東京　平凡社　平成10年（1998）5月　326頁（東洋文庫634）

0793　谷田迴瀾　　　島根儒林傳
　　　　　　　　　　東京　迴瀾書屋　昭和15年（1940）9月

0794　石濱純太郎　　浪華儒林傳
　　　　　　　　　　大阪　全國書房　昭和17年（1942）7月　190頁

0795　西村天囚著、菰口治注　九州の儒者たち——儒者の系譜を訪ねて
　　　　　　　　　　福岡　海鳥社　平成3年（1991）6月　200頁

0796　楠本正繼等著　九州儒學思想の研究
　　　　　　　　　　福岡　楠本正繼印行　昭和32年（1957）　2冊

(四)系譜、年表

0797　松下見林　　　本朝學源
　　　　　　　　　　寬文11年（1671）吉田權兵衛刊本
0798　河口子深　　　斯文源流1卷
　　　　　　　　　　寬延3年（1750）王海堂刊本
0799　那波魯堂　　　學問源流1卷
　　　　　　　　　　寬政11年（1799）泉本八兵衛刊本
0800　林　秀直　　　淵源紀聞3卷
　　　　　　　　　　寫本
0801　伊地知季安　　漢學紀源4卷
　　　　　　　　　　①寫本
　　　　　　　　　　②新薩藩叢書　第5冊　東京　歷史圖書社　昭和46年
　　　　　　　　　　　（1971）
0802　大塚觀瀾　　　日本道學淵源錄
　　　　　　　　　　寫本
0803　渡邊豫齋　　　吾學源流1卷
　　　　　　　　　　①寫本
　　　　　　　　　　②日本儒林叢書　第3卷　東京　鳳出版　昭和2年（1927）
　　　　　　　　　　　12月；昭和46年（1971）12月重印本
0804　西島　醇　　　儒林源流
　　　　　　　　　　①東京　東洋圖書刊行會　昭和9年（1934）1月
　　　　　　　　　　②東京　飯塚書房　昭和51年（1976）12月　38，323，2頁
　　　　　　　　　　　（東京　鳳出版發賣）
0805　日置昌一　　　儒學系圖
　　　　　　　　　　日本系譜總覽　頁501—527　東京　名著刊行會　昭和48年
　　　　　　　　　　　（1973）4月
0806　東條　耕　　　先哲叢談年表
　　　　　　　　　　①文政10年（1827）河內茂兵衛刊本
　　　　　　　　　　②先哲叢談後編　附　東京　松田幸助等刊本　明治13年
　　　　　　　　　　　（1880）12月
0807　內野皎亭　　　近世儒林年表
　　　　　　　　　　①東京　吉川弘文館　明治43年（1910）12月　124頁
　　　　　　　　　　②東京　松雲堂書店　大正5年（1916）
0808　森　銑三　　　偉人曆
　　　　　　　　　　森銑三著作集　續編別卷　東京　中央公論社　平成7年
　　　　　　　　　　　（1995）12月　465頁

㈤漢文學

0809　岡井愼吾　　　漢字の訓解と校勘の學
　　　　　　　　　　近世日本の儒學　頁1085－1104　東京　岩波書店　昭和14
　　　　　　　　　　年（1939）8月

0810　佐久　節　　　德川時代の漢文學（其一）──德川時代漢學者の文章
　　　　　　　　　　近世日本の儒學　頁815－830　東京　岩波書店　昭和14年
　　　　　　　　　　（1939）8月

0811　前川三郎　　　德川時代の漢文學（其二）──詩之變遷
　　　　　　　　　　近世日本の儒學　頁831－868　東京　岩波書店　昭和14年
　　　　　　　　　　（1939）8月

0812　齋藤護一　　　德川時代の漢文學（其三）──支那語學、支那俗文學
　　　　　　　　　　近世日本の儒學　頁869－904　東京　岩波書店　昭和14年
　　　　　　　　　　（1939）8月

0813　松下　忠　　　江戸時代の詩風詩論
　　　　　　　　　　東京　明治書院　昭和44年（1969）3月　1146頁

0814　德田　武　　　江戸詩人傳
　　　　　　　　　　東京　ぺりかん社　昭和61年（1986）　320頁

0815　中村幸彦　　　近世の漢詩
　　　　　　　　　　東京　汲古書院　昭和61年（1986）4月　220頁

0816　山岸德平　　　近世漢文學史
　　　　　　　　　　東京　汲古書院　昭和62年（1987）1月

0817　德田　武　　　江戸漢學の世界
　　　　　　　　　　東京　ぺりかん社　平成2年（1990）7月　300頁

0818　三浦　叶　　　近世備前漢學史
　　　　　　　　　　作者印行　昭和33年（1958）7月

0819　竹治貞夫　　　近世阿波漢學史の研究
　　　　　　　　　　東京　風間書房　平成1年（1989）8月　572, 19頁

三、教育史

㈠概　述

0820　橫山達三　　　日本近世教育史
　　　　　　　　　　①東京　同文館　明治37年（1904）5月　912, 10, 13頁

②京都　臨川書店　昭和48年（1973）10月　912, 10, 13頁

0821　石川　謙　　近世日本社會教育史の研究

①東京　東洋圖書　昭和13年（1938）

②千葉　青史社；東京　合同社發売　昭和51年（1976）
774, 18頁

0822　高橋俊乘　　近世學校教育の源流

①京都　永澤金港堂　昭和18年（1943）4月　626頁

②京都　臨川書店　昭和46年（1971）　626, 10頁

0823　石川　謙　　近世の學校

東京　高陵社書店　昭和32年（1957）5月　283頁

0824　武田勘治　　近世日本學習方法の研究

東京　講談社　昭和44年（1969）　525頁

0825　R.P.ドーア著、松居弘道譯　江戸時代の教育

東京　岩波書店　昭和45年（1970）　321頁

0826　中泉哲俊　　日本近世學校論の研究

東京　風間書房　昭和51年（1976）　573頁

0827　海原　徹　　近世の學校と教育

京都　思文閣　昭和63年（1988）2月　355, 11頁

0828　久保田信之　江戸時代の人づくり――胎教から寺子屋、藩校まで

東京　日本教文社　昭和63年（1988）3月　279頁

0829　尾形利雄　　日本近世教育史の諸問題

東京　校倉書房　昭和63年（1988）12月　288頁

0830　江森一郎　　「勉強」時代の幕あけ――子どもと教師の近世史

東京　平凡社　平成2年（1990）1月　287頁

0831　辻本雅史　　近世教育思想史の研究――日本における「公教育」思想の
源流

京都　思文閣　平成2年（1990）2月　349, 9頁

0832　多田建次　　近世教育史料の研究

町田　玉川大學出版部　平成2年（1990）5月　278頁

0833　多田建次　　學び舍の誕生――近世日本の學習諸相

町田　玉川大學出版部　平成4年（1992）8月　207頁

0834　橋本昭彦　　江戸幕府試驗制度史の研究

東京　風間書房　平成5年（1993）2月　318頁

0835　日本教育史資料研究會編　《日本教育史資料》の研究

町田　玉川大學出版部　昭和61年（1986）11月　549頁

(二)昌平校

0836 重野安繹　德川幕府昌平黌の教育に就て
　　　　　　　①早稻田學報　第3號　明治30年（1897）5月
　　　　　　　②増訂重野博士史學論集　上卷　頁371—389　東京　名著
　　　　　　　　普及會　平成元年（1989）11月

0837 近藤鑛造　昌平坂學問所
　　　　　　　史學界　第1卷3號　明治32年（1899）

0838 今泉雄作　昌平坂學問所に就いて
　　　　　　　斯文　第2編4號　頁41—46　大正9年（1920）8月

0839 近藤正治　聖堂と昌平坂學問所
　　　　　　　近世日本の儒學　頁199—217　東京　岩波書店　昭和14年
　　　　　　　（1939）8月

0840 石川　謙　昌平坂學問所の發達經過とその樣式
　　　　　　　お茶の水女子大學人文科學紀要　第7卷3號　昭和30年
　　　　　　　（1955）10月

0841 石川　謙　林家塾ならびに昌平黌が藩立學校に與えた影響
　　　　　　　お茶の水女子大學人文科學紀要　第8卷1號　昭和31年
　　　　　　　（1956）3月

0842 和島芳男　昌平校と藩學
　　　　　　　東京　至文堂　昭和39年（1964）4月　（日本歷史新書）

0843 坂田筑母　儒者の時代——幕末昌平校の詩人たち　第1卷
　　　　　　　東京　明石書房　昭和60年（1985）

(三)藩　校

0844 重原慶信　朱子と我が藩學
　　　　　　　斯文　第13編11號　頁975—997　昭和6年（1931）10月

0845 大江文城　諸藩の文教一般
　　　　　　　近世日本の儒學　頁239—258　東京　岩波書店　昭和14年
　　　　　　　（1939）8月

0846 乙竹岩造　藩學史談
　　　　　　　東京　文松堂書店　昭和18年（1943）

0847 齋藤惠太郎　二十六大藩の藩學と士風
　　　　　　　東京　全國書房　昭和19年（1944）4月　758頁

0848　笠井助治　　　近世藩校の總合的研究
　　　　　　　　　　東京　吉川弘文館　昭和35年（1960）5月　291頁
0849　笠井助治　　　近世藩校に於ける出版書の研究
　　　　　　　　　　東京　吉川弘文館　昭和37年（1962）3月　693頁
0850　笠井助治　　　近世藩校に於ける學統學派の研究
　　　　　　　　　　東京　吉川弘文館
　　　　　　　　　　上冊　昭和44年（1969）　779頁
　　　　　　　　　　下冊　昭和45年（1970）　2104，36頁
0851　奈良本辰也編　日本の藩校
　　　　　　　　　　京都　淡交社　昭和45年（1970）　319頁
0852　城戶久、高橋宏之　藩校遺構
　　　　　　　　　　東京　相模書局　昭和50年（1975）7月
0853　齋藤惠太郎　　史談藩學と士風——二十六大藩
　　　　　　　　　　東京　東洋書院　昭和51年（1976）　811頁（《二十六大藩
　　　　　　　　　　の藩學と士風》改名）
0854　石川松太郎　　藩校と寺子屋
　　　　　　　　　　東村山　教育社　昭和53年（1978）　246頁（教育社　歷史
　　　　　　　　　　新書　日本史87）
0855　名倉英三郎校注　諸藩學制書（上）
　　　　　　　　　　武藏野　名倉英三郎　昭和60年（1985）9月　130頁

東北地方

0856　小川　涉　　　會津藩教育考
　　　　　　　　　　①東京　井田書店　昭和16年（1941）12月　673頁
　　　　　　　　　　②東京　東京大學出版會　昭和53年（1978）5月　680頁
　　　　　　　　　　（續日本史籍協會叢書）
0857　石川　謙　　　近世教育における近代化的傾向——會津藩教育を例として
　　　　　　　　　　東京　講談社　昭和41年（1966）8月　375頁
0858　未署名　　　　會津日新館志
　　　　　　　　　　會津史料大系　第7冊　東京　吉川弘文館　昭和59年
　　　　　　　　　　（1984）
0859　平　重道　　　仙臺藩學史
　　　　　　　　　　仙臺　地域社會研究會　昭和37年（1962）　139頁（地域
　　　　　　　　　　社會研究會資料　21）
0860　仙臺市博物館編　仙臺藩の學問、思想の系譜展
　　　　　　　　　　仙臺　編者印行　昭和54年（1979）9月　52頁

0861　長岡高人　　　盛岡藩日新堂物語
　　　　　　　　　　盛岡　熊谷印刷出版部　昭和57年（1982）8月　227頁

關東地方

0862　瀨谷義彦　　　水戶藩鄉校の史的研究
　　　　　　　　　　東京　山川出版社　昭和51年（1976）　302頁
0863　鈴木暎一　　　水戶藩學問・教育史の研究
　　　　　　　　　　東京　吉川弘文館　昭和62年（1987）3月　526, 13頁
0864　田中嘉彦　　　笠間の藩校時習館
　　　　　　　　　　土浦　筑波書林　昭和62年（1987）6月　102頁（ふるさと
　　　　　　　　　　文庫）

中部地方

0865　千原勝美　　　信州の藩學──近世の藩學全研究
　　　　　　　　　　松本　鄉土出版社　昭和61年（1986）7月　288頁

近畿地方

0866　松下　忠　　　紀州の藩學
　　　　　　　　　　東京　鳳出版　昭和49年（1974）3月　338頁
0867　岡本靜心　　　尼崎藩學史
　　　　　　　　　　尼崎　尼崎市教育委員會　昭和29年（1954）6月　247頁
0868　竹下喜久男　　播州龍野藩儒家日記──幽蘭室年譜
　　　　　　　　　　大阪　清文堂出版　平成7年（1995）6月　上、下卷　（清
　　　　　　　　　　文堂史料叢書）

中國地方

0869　佐野正巳　　　松江藩學史の研究──漢學篇
　　　　　　　　　　東京　明治書院　昭和56年（1981）2月　590頁

四國地方

0870　高知縣編　　　高知藩教育沿革取調
　　　　　　　　　　①高知　青楓會　昭和7年（1932）
　　　　　　　　　　②高知　土佐史談會　昭和61年（1986）12月　288頁
0871　櫻井久次郎　　伊予大洲藩新谷藩教學の研究
　　　　　　　　　　松山　大洲藩史料研究所　昭和46年（1971）　153頁（伊予
　　　　　　　　　　大洲藩論叢　第7編）

九州地方

0872　木原七郎　　臼杵藩教育史
　　　　　　　　　臼杵　作者印行　昭和60年（1985）10月　111頁

0873　石川正雄編　明倫堂紀錄
　　　　　　　　　宮崎縣高鍋町　高鍋町　昭和58年（1983）3月　1147, 23頁

0874　林　吉彥　　薩藩の教育並軍備
　　　　　　　　　①鹿兒島　鹿兒島市役所　昭和14年（1939）　1冊
　　　　　　　　　②東京　第一書房　昭和57年（1982）11月　408, 117, 11頁
　　　　　　　　　　（日本教育史文獻集成　第1部　地方教育史の部　14）

0875　東英壽等　　薩摩藩所藏の漢籍に關する總合的研究
　　　　　　　　　文部省科學研究費補助金研究成果報告書　平成10年（1998）
　　　　　　　　　2月

0876　新薩藩叢書刊行會編　新薩藩叢書
　　　　　　　　　東京　歷史圖書社　昭和46年（1971）　7冊

(四)私　塾

0877　高成田忠風　漢學を主としての私塾
　　　　　　　　　近世日本の儒學　頁1035－1062　東京　岩波書店　昭和14
　　　　　　　　　年（1939）8月

0878　奈良本辰也編　日本の私塾
　　　　　　　　　①京都　淡交社　昭和44年（1969）　267頁
　　　　　　　　　②東京　角川書店　昭和49年（1974）　243頁　（角川文庫）
　　　　　　　　　　　1.松下村塾——吉田松陰（奈良本辰也）
　　　　　　　　　　　2.藤樹書院——中江藤樹（楢林忠男）
　　　　　　　　　　　3.古義堂——伊藤仁齋（楢林忠男）
　　　　　　　　　　　4.廉塾——菅茶山（高野　澄）
　　　　　　　　　　　5.咸宜園——廣瀨淡窗（高野　澄）
　　　　　　　　　　　6.鈴の屋——本居宣長（楢林忠男）
　　　　　　　　　　　7.改心樓——大原幽學（高野　澄）
　　　　　　　　　　　8.韮山塾——江川英龍（高野　澄）
　　　　　　　　　　　9.鳴瀧塾——シーボルト（駒　敏郎）
　　　　　　　　　　　10.適塾——緒方洪庵（駒　敏郎）
　　　　　　　　　　　11.懷德堂——中井甃庵（師岡佑行）

0879　海原　徹　　近世私塾の研究
　　　　　　　　　京都　思文閣　昭和58年（1983）6月　610, 26頁

0880　幸田成友編　　懷德堂舊記
　　　　　　東京　作者印行　明治44年（1911）10月　26頁
0881　大阪大學　　　懷德堂の過去と現在
　　　　　　大阪　編著印行　昭和28年（1953）11月　51頁
0882　懷德堂記念會　懷德堂要覽
　　　　　　大阪　編著印行　昭和43年（1968）10月　56頁
0883　宮本又次　　　町人社會の學藝と懷德堂
　　　　　　東京　文獻出版　昭和57年（1982）2月　274頁
0884　大阪市立博物館　懷德堂——近世大阪の學校
　　　　　　大阪　編者印行　昭和61年（1986）　76頁　（展覽會目錄
　　　　　　100號）
0885　中島市三郎　　咸宜園教育發達史
　　　　　　日田　中島國夫印行　昭和58年（1973）　280頁
0886　廣瀨淡窗輯　　宜園百家詩三編　6卷3冊
　　　　　　嘉永7年（1854）大阪河內屋茂兵衛刊本
0887　廣瀨宗家、高倉芳男解說　咸宜園入門簿抄
　　　　　　日田　古田克巳印行　昭和43年（1968）　23, 67頁
0888　中野　範　　　咸宜園出身八百名略傳集
　　　　　　日田　廣瀨先賢顯彰會　昭和49年（1974）　286頁
0889　中野　範　　　咸宜園出身二百名略傳集
　　　　　　日田　廣瀨先賢顯彰會　昭和50年（1975）　114頁
0890　中島市三郎　　廣瀨淡窗咸宜園と日本文化
　　　　　　東京　第一出版協會　昭和17年（1942）8月　355頁
0891　廣瀨正雄　　　廣瀨淡窗と咸宜園
　　　　　　歷史殘花　第4冊　東京　時事通信社　昭和46年（1971）
0892　奈良本辰也、松浦玲　松下村塾の人人
　　　　　　日本人物史大系　第5冊　東京　朝倉書店　昭和35年
　　　　　　（1960）
0893　海原　徹　　　吉田松陰と松下村塾
　　　　　　京都　ミネルヴァ書房　平成2年（1990）12月　278頁
0894　海原　徹　　　松下村塾の人びと——近世私塾の人間形成
　　　　　　京都　ミネルヴァ書房　平成5年（1993）10月　448頁
0895　古川　薰　　　松下村塾
　　　　　　東京　新潮社　平成7年（1995）8月　205頁
0896　恒遠俊輔　　　幕末の私塾・藏春園——教育の源流をたずねて
　　　　　　福岡　葦書房　平成3年（1991）12月　166頁

貳、近世前期

一、通　論

(一)概　述

0897　石原道博　　明末清初日中交涉史の一面
　　　　　　　　　歴史教育　第6卷8號　昭和33年（1958）8月

0898　阿部吉雄　　日本近世初期の儒學と朝鮮
　　　　　　　　　東京大學教養學部人文科學紀要　第7號　昭和30年（1955）7
　　　　　　　　　月

0899　阿部吉雄　　江戶初期の儒學研究序説
　　　　　　　　　東京支那學報　第1號　昭和30年（1955）6月

0900　木下一雄　　江戶時代初期の一つの考え方
　　　　　　　　　斯文　復刊第14號　昭和31年（1956）1月

0901　和島芳男　　近世初期儒學史における二三の問題
　　　　　　　　　大手前女子大學論集　第7號　昭和48年（1973）

0902　渡邊　浩　　德川前期儒學史の一條件(1)――宋學と近世日本社會――
　　　　　　　　　國家學會雜誌　第94卷1、2期　昭和56年（1981）

0903　高橋文博　　近世の心身論――德川前期儒教の三つの型
　　　　　　　　　東京　ぺりかん社　平成2年（1990）5月　293頁

(二)赤穗事件

0904　林　鳳岡　　復讐論
　　　　　　　　　日本思想大系　第27冊　近世武家思想　東京　岩波書店
　　　　　　　　　昭和49年（1974）

0905　佐藤直方　　四十六士論
　　　　　　　　　日本思想大系　第27冊　近世武家思想　東京　岩波書店
　　　　　　　　　昭和49年（1974）

0906　淺見絅齋　　四十六士論
　　　　　　　　　日本思想大系　第27冊　近世武家思想　東京　岩波書店
　　　　　　　　　昭和49年（1974）

0907　室　鳩巢　　　　赤穂義人錄
　　　　　　　　　　　大阪　秋田屋市兵衛等刊本　明治6年（1873）刊　2冊（34
　　　　　　　　　　　丁，25丁）

0908　室鳩巢著、佃清太郎譯註　赤穂義人錄
　　　　　　　　　　　東京　如山堂　明治43年（1910）5月　115頁

0909　室　鳩巢　　　　赤穂義人錄
　　　　　　　　　　　日本思想大系　第27冊　近世武家思想　東京　岩波書店
　　　　　　　　　　　昭和49年（1974）

0910　荻生徂徠　　　　四十七士論
　　　　　　　　　　　日本思想大系　第27冊　近世武家思想　東京　岩波書店
　　　　　　　　　　　昭和49年（1974）

0911　太宰春臺　　　　赤穂四十六士論
　　　　　　　　　　　日本思想大系　第27冊　近世武家思想　東京　岩波書店
　　　　　　　　　　　昭和49年（1974）

0912　松宮觀山　　　　讀四十六士論
　　　　　　　　　　　日本思想大系　第27冊　近世武家思想　東京　岩波書店
　　　　　　　　　　　昭和49年（1974）

0913　五井蘭洲　　　　駁太宰純赤穂四十六士論
　　　　　　　　　　　日本思想大系　第27冊　近世武家思想　東京　岩波書店
　　　　　　　　　　　昭和49年（1974）

0914　横井也有　　　　野夫談
　　　　　　　　　　　日本思想大系　第27冊　近世武家思想　東京　岩波書店
　　　　　　　　　　　昭和49年（1974）

0915　伊勢貞丈　　　　淺野家忠臣
　　　　　　　　　　　日本思想大系　第27冊　近世武家思想　東京　岩波書店
　　　　　　　　　　　昭和49年（1974）

0916　伊奈忠賢　　　　四十六士論
　　　　　　　　　　　日本思想大系　第27冊　近世武家思想　東京　岩波書店
　　　　　　　　　　　昭和49年（1974）

0917　平山兵原　　　　赤穂義士報讐論
　　　　　　　　　　　日本思想大系　第27冊　近世武家思想　東京　岩波書店
　　　　　　　　　　　昭和49年（1974）

0918　荻生徂徠、太宰春臺著、足立栗園譯注、五井蘭洲等駁論　赤穂四十六士論
　　　　　　　　　　　東京　如山堂　明治43年（1910）5月　112，52頁

0919　青山佩弦　　　　赤穂四十七士傳
　　　　　　　　　　　①大阪　眞部武助　明治16年（1883）7月　1冊　（珮弦齋

雜著卷1）

②水戶學全集　第6編　東京　日東書院　昭和8年（1933）

③水戶學大系　第8卷　東京　水戶學大系刊行會　昭和15
年（1940）

0920　岡田霞船編　　赤穗義士傳
東京　翰箋堂　明治12年（1879）10月　24丁

0921　未署名　　赤穗精義參考內侍所
①東京　榮泉社　明治15年（1882）7月　2冊
②東京　金松堂　明治18年（1885）11月　465頁
③東京　三好守雄　明治19年（1886）11月　413頁
④東京　村上眞助　明治20年（1887）3月　377頁

0922　中內蝶二校、鍾美堂編輯部編　赤穗義士參考內侍所下編
東京　鍾美堂　明治44年（1911）6月　263頁　（今古文學
第7編）

0923　岡謙藏編　　赤穗義士事蹟
東京　九春堂　明治20年（1887）5月　398頁

0924　山崎美成　　赤穗義士一夕話
大阪　岡島寶文館　明治21年（1888）1月　556頁

0925　重野安繹述、西村天囚記　赤穗義士實話
東京　大成館　明治22年（1889）12月　259頁

0926　小野辰太郎　　赤穗義士眞實談
大阪　石塚豬男藏　明治29年（1896）6月　164頁

0927　信夫恕軒　　赤穗義士談
東京　談叢社　明治30年（1897）10月　372頁

0928　福地櫻痴　　赤穗義士
東京　勝山堂　明治35年（1902）3月　228頁

0929　東溪隱士皚皚子編　赤穗義士復讐譚
東京　萩原新陽館　明治35年（1902）6月　223頁

0930　佐藤直太郎　　赤穗浪士の復讐
京都　東枝律書房　明治35年（1902）10月　150頁

0931　元祿山人　　赤穗義士四十七士譚
東京　盛陽堂　明治41年（1908）4月　220頁

0932　青山延光著、杉原子幸補　補正赤穗四十七士傳
東京　松山堂　明治43年（1910）1月　184, 23頁

0933　室鳩巢著、杉原夷山補　赤穗義人錄
東京　扶桑文社　明治43年（1910）5月　上、下合本（118

頁，142頁）

0934　西村　豐　　　赤穗義士修養實話
　　　　　　　　　　東京　不朽堂　明治43年（1910）12月　280頁
0935　熊田葦城　　　日本史蹟赤穗義士
　　　　　　　　　　東京　昭文堂　明治44年（1911）1月　720頁
0936　植田　均　　　赤穗義舉錄
　　　　　　　　　　熊本　青年新聞社　明治44年（1911）12月　249頁
0937　中島菫畝　　　赤穗義士
　　　　　　　　　　東京　修文館　明治45年（1912）1月　136頁
0938　講談倶樂部　　赤穗義士銘名傳
　　　　　　　　　　東京　中村惣次郎　明治44年（1911）7月　299頁（講談文庫）
0939　田原嗣郎　　　赤穗四十六士論
　　　　　　　　　　東京　吉川弘文館　昭和53年（1978）
0940　齋藤半藏編　　赤穗義士大高源五傳
　　　　　　　　　　東京　講談社出版サービスセンター　昭和55年（1980）8月　185頁
0941　西　康雄　　　赤穗精義三考
　　　　　　　　　　岡山　手帖舍　平成3年（1991）2月　568頁
0942　石井紫郎校注　赤穗事件
　　　　　　　　　　日本思想大系　第27冊　近世武家思想　東京　岩波書店昭和49年（1974）
　　　　　　　　　　多門傳八郎覺書
　　　　　　　　　　堀部武庸筆記
　　　　　　　　　　赤穗義人錄（室　鳩巢）
　　　　　　　　　　復讐論（林　鳳岡）
　　　　　　　　　　四十六士論（佐藤直方ほか）
　　　　　　　　　　　佐藤直方四十六人之筆記
　　　　　　　　　　　重固問目先生朱批
　　　　　　　　　　　淺野吉良非喧嘩論
　　　　　　　　　　　四十六士非義士論
　　　　　　　　　　　一武人四十六士論
　　　　　　　　　　四十六士論（淺見絅齋）
　　　　　　　　　　四十七士論（荻生徂徠）
　　　　　　　　　　赤穗四十六士論（太宰春臺）
　　　　　　　　　　讀四十六士論（松宮觀山）

駁太宰純赤穗四十六士論（五井蘭洲）

野夫談（橫井也有）

淺野家忠臣（伊勢貞丈）

四十六士論（伊奈忠賢）

赤穗義士報讐論（平山兵原）

0943　日本圖書センター編　赤穗義士論

日本教育思想大系　第16冊　近世武家教育思想(1)　東京

日本圖書センタ　昭和51年（1976）

鳩巢先生義人錄後語（大地昌言）

烈士報讐錄（三宅觀瀾）

太宰德夫赤穗四十六士論評　附：漢譯大高忠雄寄母書（赤

松國鸞）

復讐論（林　信篤）

義士行（伊藤東涯）

赤穗四十六士論（荻生徂徠）

赤穗四十六士論（太宰春臺）

讀春臺四十六士論（松宮俊仍）附：右和譯

駁太宰純四十六士論（五井純禎）

大石良雄復君讐論（野　公台）

四十七子論（河口光遠）

四十七子論說（藤沼仁內）

四十六士論（伊奈忠賢）

復讐論（佐藤直方）

三宅重固問目佐藤直方朱批

三宅重固問目稻葉正義朱批

再論四十六士（三宅重固）

一武人四十六士論

四十六士批判

奧氏問目佐藤直方朱批

淺野吉良非喧嘩論

或人論淺野之臣討吉良

赤穗四十六士論（淺見絅齋）

大石論七章（牧野直友）

義士雪冤（山本北山）

斷復讐論（佐久間大華）

四十六士論（伊良子大洲）

赤穗義士論（澤　熊山）

柳橋詩話抄錄（加藤善庵）

五美談

野夫談（橫井也有）

赤穗四十七義士碑（龜田鵬齋）

大石氏寓邸碑（龍　公美）

村松三太夫高直事蹟（苗村春暢）

萱野三平傳（伊藤東涯）

天野屋利兵衛傳（賴　惟寬）

記小島喜兵衛（加藤善庵）

鳩巢小說評論抄錄（平山兵原）

忠義碑（栗山　愿）

寺坂信行逸事碑記（內田叔明）

淚襟集序目（清水正德）

赤穗義士復仇論（平　子龍）

四十六士論評（伊勢貞丈）

石良雄論（僧大我）

赤城盟傳（前原伊助・神崎與五郎）

魚躍傳（內野正方）

附上州耻景

　　林信篤詩

　　船談義

　　泉岳寺法會の時の歌

　　前原爲助死後の反古

　　其角沾德寺の誹諧

　　小野寺十內妻辭世

義人遺草（青山延光）

赤城士話（東城守拙）

多門傳八郎筆記

堀內傳右衛門覺書

大石良雄贈僧惠光等書

大高源五臨東下贈母氏之書

吉田忠左衛門兼亮妻之文

淺吉一亂記

淺野內匠頭分限牒

義士文章

　　　　　　附：誹諧行（半　明菴）
　　　　　　　小野寺十内與妻書
　　　　　　　原惣右衛門老母義信錄
　　　　　　泉岳寺書上（廣岳院承天）
　　　　　　泉岳寺酬山讓狀
　　　　　　吉良氏首級請取狀
　　　　　　義士親類書
　　　　　　義士切腹圖
　　　　　　堀部武庸筆記
　　　　　　義人錄
0944　日本シェル出版編　赤穂義士資料大成
　　　　　東京　日本シェル出版　昭和50、51年（1975、1976）
　　　　　3冊
　　　　　第1冊
　　　　　　赤穂義人纂書1（鍋田晶山編）
　　　　　　　細川邸處刑繪圖
　　　　　　　赤穂義士纂書由來書1
　　　　　　　難波常雄例言
　　　　　　　安井息軒序
　　　　　　　復讐論（林　信篤）
　　　　　　　義士行（伊藤東涯）
　　　　　　　徂徠赤穂四十六士論（荻生徂徠）
　　　　　　　赤穂四十六士論（太宰春臺）
　　　　　　　讀四十六士論（松宮俊仍）
　　　　　　　附：讀四十六士論和譯（松宮俊仍）
　　　　　　　駁太宰純四十六士論（五井純禎）
　　　　　　　大石良雄復君讐論（野　公台）
　　　　　　　四十七子論（河口光遠）
　　　　　　　四十七子論說（藤沼仁內）
　　　　　　　四十六士論（伊奈忠賢）
　　　　　　　復讐論（佐藤直方）
　　　　　　　三宅重固問目佐藤直方朱批
　　　　　　　三宅重固問目稻葉正義朱批
　　　　　　　再論四十六士（三宅重固）
　　　　　　　一武人四十六士論（或云荻野重祐所述）
　　　　　　　四十六士批判（恐佐藤直方門人所記）

奧氏問目佐藤直方朱批
淺野吉良非喧嘩論（恐佐藤直方或其門人所記）
或人論淺野之臣討吉良
赤穗四十六士論（淺見絅齋）
斷復讐論（佐久間大華）
四十六士論（伊良子大洲）
五美談（著者未詳）
野夫談（橫井也有）
赤穗四十七義士碑（龜田鵬齋）
大石氏寓邸碑（龍　公美）
村松三太夫高直事蹟（苗村春暢）
萱野三平傳（伊藤東涯）
天野屋利兵衛傳（賴　惟寬）
記小島喜兵衛（譯明良洪範・加藤善庵）
鳩巢小說評論抄錄（平山兵原）
忠義碑（栗山　愿）
寺坂信行逸事碑記（內田叔明）
淚襟集序目（清水正德）
赤穗義士復仇論（平　子龍）
四十六士論評（伊勢貞丈）
石良雄論（僧大我）
赤城盟傳（前原伊助・神崎與五郎）
国字赤城盟傳
魚躍傳（內野正方）
附上州恥景他6件
義人遺草（青山延光）
赤城士話（東城守拙）
多門傳八郎筆記
堀內傳右衛門覺書
大石良雄贈僧惠光等書
大高源吾臨東下贈母氏之書
吉田忠左衛門兼亮妻之文
淺吉一亂記
淺野內匠頭分限牒
書捨て「うき」文章
原惣右衛門老母義信錄

泉岳寺書上（廣岳院承天）

泉岳寺酬山讓狀

吉良氏首級請取狀

義士親類書水野監物預9人、細川越中守預17人

大石論七章

義士雪冤

鳩巢先生義人錄後語

　　跋　赤穗義人錄（奧村脩運）他10件

烈士報讐錄（三宅緝明）

太宰德夫赤穗四十六士論評

大高忠雄寄母書（赤松鴻）

赤穗義士論（澤　熊山）

八切止夫附記

第2冊

　赤穗義人纂書2（鍋田晶山編）

　　松の廊下繪圖

　　赤穗義士纂書由來書2

　　田村右京太夫殿え淺野內匠頭御預一件

　　赤穗浪人御預之記毛利家記錄

　　赤穗義士親類書毛利家預10人分

　　義士亡身胆心精義錄抄

　　赤水鄉談（河野通綸輯・柳田直校）

　　淺野內匠殿家來ども松平隱岐守（毛利）御預け一件

　　淺野仇討記

　　妙海語（佐治爲綱）

　　附：妙海願書

　　譚海抄（津村正恭）

　　玄同放言抄（瀧澤馬琴）

　　赤穗書翰實錄（山村富竹輯・大藏謙齋評）

　　寺坂信行筆記（大藏謙齋評）

　　妙海語評（大藏謙齋評）

　　異本淺野報讐記

　　梶川氏筆記（梶川賴照）

　　水野監物淺野義士御預古文書

　　近世畸人傳抄（伴　蒿蹊）

　　駿台逸話抄（室　鳩巢）

二老略傳抄（大和永年）

異説區抄

烈士肥後藩大川源兵衛が事（鈴木白藤）

耳袋抄（根岸信佐）

昔咄抄（近松茂矩）

橘窗自語抄（橋本經亮）

閑散余筆抄

復讐弁（藤澤東咳）

遠州見附驛淺野宿割帳

大石良雄自畫像略

大石良雄妻石束氏書箏譜

大石良雄所藏小刀

夜討の翌朝芝邊にて見懸たる義人之圖

大高子葉烟管筒

堀部氏笄

妙海尼自造摩姑之手

義士夜討之節起請文前書

義士五人家內書九通

大石良雄與三坊書

堀部安兵衛贈福村平左衛門書

片岡高房贈大石良雄書

中村正辰贈大石良雄書

大石良雄贈寺井玄達書

大石良雄贈寺井玄溪書2通

近松門左衛門其角に贈る書

奥平藩士櫻井惣右衛門正朝書翰

大石良雄後室青林院答村尾書

晉子其角贈文麟手簡

大石良雄與藤田作太夫書

大石良雄室石束氏與瀨尾休眞書

大石良雄贈三尾氏書

橫川勘平贈彌三右衛門等書

萱野三平贈大石良雄書

大高子葉贈水間沾德書

吉田忠左衛門贈堀部安兵衛等書

堀部武庸贈乃父金丸書

　　　堀部武庸贈徒弟書置
　　　堀部武庸贈母氏書置
　　　上野介邸手負口上書等
　　　佐倉新助贈松山藩士書
　　　無名氏書翰宛所亦欠
　　　肥後藩堀部氏略系
　　　閑田耕筆同次筆抄（伴　蒿蹊）
　　　清凡尼の手實（瀧澤馬琴）
　　　俳家奇人譚抄（竹内蓬廬）
　　　鍾木町笹櫻（橘　南溪）
　　　肥後藩堀部家所藏古文書
　　　赤穂四十七士傳序（青山延光）
　　　間重次郎号笛記（片山　某）
　　　桑名藩所傳覺書
　　　横川勘平贈浦山仲右衛門書
　　　原惣右衛門與中川助左衛門書外2種
　　　鶴汀樗園詩
　　　遺聞三則
　　　大石良雄贈田中清兵衛書
　　　間喜兵衛與權太夫書
　　　大石良雄妻石束氏贈神護寺書
　　　寺坂吉右衛門書捨之寫
　　　安井彦右衛門藤井又左衛門贈大石良雄書
　　　介石記
　　　赤穂鍾秀記（杉本義郎）
　　　赤穂城引渡一件
　　　梶川本藏飛檄帖抄
　　　三島氏隨筆抄
　　第3冊
　　　赤穂義士纂書補遺
　　　　堀部武庸筆記
　　　　波賀清太夫覺書
　　　　白明話録
　　　　大河原文書抄
　　　　大石良雄金銀請払帳
　　　　德川實記抄

評定所一座存寄書

徂徠擬律書

松山叢談抄

丁丑紀行

大高源吾詫證文

淺野內匠頭宿割帳

義人不破數右衛門襯衣記

湖山常清公行實並哀辭

江赤見聞記

義人錄

忠誠後鑑錄

忠誠後鑑錄或說

0945　新人物往來社編　赤穂義士史料集

東京　新人物往來社　昭和54—57年（1979—1982）　3冊

1.大石家外戚枝葉傳（佐佐木杜太郎校注·譯文）

2.大石家系圖正纂（佐佐木杜太郎校注·譯文）

3.大石家義士文書（佐佐木杜太郎校注·譯文）

付：義士江戶宿所并到着

附：播州赤穂城主淺野內匠頭侍帳

元祿6年淺野家分限帳

元祿7年2月赤穂淺野家軍列帳

0946　中央義士會編　未刊新修赤穂義士史料

東京　新人物往來社　昭和59年（1984）　1冊

備中松山城請取並在番之覺

淺野長矩傳抄

細川家譜·綱利公傳抄

吉良懷中抄一名吉良覺書

柳澤吉保年譜抄

永廟御實錄抄

綱吉公初めて柳澤邸へお成りの記

赤穂義士親類書

義士關係書狀

二、朱子學派

(一)概　述

0947　井上哲次郎　　日本朱子學派之哲學
　　　　　　　　　　　東京　富山房　明治38年（1905）12月　700頁

0948　朱　謙之　　　日本的朱子學
　　　　　　　　　　　上海　三聯書店　昭和28年（1958）8月　457頁

0949　尾藤正英　　　日本封建思想史研究──幕藩體制の原理と朱子學的思惟
　　　　　　　　　　　東京　青木書店　昭和36年（1961）　307頁　（歷史學研究
　　　　　　　　　　　叢書）

0950　和島芳男　　　江戶幕府と朱子學
　　　　　　　　　　　大阪　大阪倶樂部　昭和42年（1967）

0951　山下龍二　　　朱子學と反朱子學──日本における朱子學批判
　　　　　　　　　　　東京　研文社　平成3年（1991）5月　364頁

0952　平坂謙二　　　朱子の白鹿洞書院掲示は日本にどう受入れられたか
　　　　　　　　　　　岡山　作者印行　平成3年（1991）3月　20頁

0953　阿部吉雄　　　日本朱子學と朝鮮
　　　　　　　　　　　東京　東京大學出版會　昭和40年（1965）　563頁

0954　渭川健三　　　日本と朝鮮における朱子學
　　　　　　　　　　　大阪　作者印行　昭和63年（1988）11月　75頁

0955　安井小太郎　　日本朱子學派學統表
　　　　　　　　　　　東京　斯文會　昭和6年（1931）

0956　諸橋轍次、安岡正篤監修　　日本の朱子學
　　　　　　　　　　　朱子學大系第12、13卷　東京　明德出版社　上、下冊
　　　　　　　　　　　上冊（朱子學大系第12卷）　昭和52年（1977）3月
　　　　　　　　　　　　解說
　　　　　　　　　　　　山崎闇齋（伊東倫厚譯註）
　　　　　　　　　　　　淺見絅齋（俁野太郎譯註）
　　　　　　　　　　　　佐藤直方（山崎道夫譯註）
　　　　　　　　　　　　三宅尚齋（翠川文子譯註）
　　　　　　　　　　　　谷秦山（高田博成譯註）
　　　　　　　　　　　　附：原文
　　　　　　　　　　　下冊（朱子學大系第13卷）　昭和50年（1975）3月
　　　　　　　　　　　　解說
　　　　　　　　　　　　藤原惺窩（俁野太郎譯註）
　　　　　　　　　　　　林羅山（中川太郎譯註）

　　　　　木下順庵（松下忠譯註）
　　　　　雨森芳洲（鬼頭有一譯註）
　　　　　安東省菴（山室三良譯註）
　　　　　室鳩巢（市川任三譯註）
　　　　　尾藤二洲（白木豐譯註）
　　　　　藤田東湖（田中佩刀譯註）
　　　　　會澤正志齋（田中佩刀譯註）
　　　　　元田東野（麓保孝譯註）
　　　　　西山拙齋（廣常人世譯註）
　　　　　附：原文

(二)惺窩學派

ふじ わら せい か
1.藤原惺窩（1561—1619）

著　作

0957	藤原惺窩	大學要略
		日本思想大系　第28冊　東京　岩波書店　昭和50年（1975）
0958	藤原惺窩訓點	春秋經
		和刻本經書集成　第1冊　東京　汲古書院　昭和51年（1976）
0959	舊題藤原惺窩	假名性理
		大日本思想全集　第1卷　東京　大日本思想全集刊行會　昭和6年（1931）
0960	舊題藤原惺窩	假名性理
		日本の思想　第17冊　東京　筑摩書房　昭和44年（1969）
0961	舊題藤原惺窩	假名性理
		日本教育思想大系　第19冊　藤原惺窩　東京　日本圖書センター　昭和51年（1976）
0962	藤原惺窩	寸鐵錄
		大日本思想全集　第1卷　東京　大日本思想全集刊行會　昭和6年（1931）
0963	藤原惺窩	寸鐵錄
		日本思想大系　第28冊　東京　岩波書店　昭和50年（1975）

0964　藤原惺窩　　　寸鐵錄
　　　　　　　　　日本教育思想大系　第19冊　藤原惺窩　東京　日本圖書セ
　　　　　　　　　ンター　昭和51年（1976）

0965　藤原惺窩　　　寸鐵錄（寫本）
　　　　　　　　　日本教育思想大系　第19冊　藤原惺窩　東京　日本圖書セ
　　　　　　　　　ンター　昭和51年（1976）

0966　藤原惺窩　　　千代もと草
　　　　　　　　　日本倫理彙編　第3冊　東京　育成會　明治34年（1901）；
　　　　　　　　　京都　臨川書店　昭和45年（1970）

0967　藤原惺窩　　　千代もと草
　　　　　　　　　國民思想叢書　第5冊　儒教篇　東京　大東出版社　昭和4
　　　　　　　　　年（1929）

0968　藤原惺窩　　　千代もと草
　　　　　　　　　日本精神文獻叢書　儒教篇上　昭和13年（1938）

0969　藤原惺窩　　　天下國家之要錄
　　　　　　　　　日本教育思想大系　第19冊　藤原惺窩　東京　日本圖書セ
　　　　　　　　　ンター　昭和51年（1976）

0970　藤原惺窩　　　明國講和使に對する質疑草稿
　　　　　　　　　日本教育思想大系　第19冊　藤原惺窩　東京　日本圖書セ
　　　　　　　　　ンター　昭和51年（1976）

0971　藤原惺窩　　　逐鹿評
　　　　　　　　　日本教育思想大系　第19冊　藤原惺窩　東京　日本圖書セ
　　　　　　　　　ンター　昭和51年（1976）

0972　藤原惺窩　　　惺窩問答
　　　　　　　　　日本教育思想大系　第19冊　藤原惺窩　東京　日本圖書セ
　　　　　　　　　ンター　昭和51年（1976）

0973　藤原惺窩　　　姜沆筆談
　　　　　　　　　日本教育思想大系　第19冊　藤原惺窩　東京　日本圖書セ
　　　　　　　　　ンター　昭和51年（1976）

0974　藤原惺窩　　　朝鮮役捕虜との筆談
　　　　　　　　　日本教育思想大系　第19冊　藤原惺窩　東京　日本圖書セ
　　　　　　　　　ンター　昭和51年（1976）

0975　藤原惺窩　　　南航日記殘簡
　　　　　　　　　日本教育思想大系　第19冊　藤原惺窩　東京　日本圖書セ
　　　　　　　　　ンター　昭和51年（1976）

0976　藤原惺窩　　　竹馬抄1卷

刊本

0977　藤原惺窩　　　文章達德錄6卷
　　　　　　　　　　寬永16年（1639）堀杏庵序刊本

0978　藤原惺窩　　　文章達德綱領
　　　　　　　　　　日本教育思想大系　第19冊　藤原惺窩　東京　日本圖書セ
　　　　　　　　　　ンター　昭和51年（1976）

0979　藤原惺窩　　　惺窩先生倭歌集12卷
　　　　　　　　　　刊本

0980　藤原惺窩　　　倭文二篇
　　　　　　　　　　日本教育思想大系　第19冊　藤原惺窩　東京　日本圖書セ
　　　　　　　　　　ンター　昭和51年（1976）

0981　藤原惺窩　　　惺窩文集4卷　序目1卷
　　　　　　　　　　刊本

0982　藤原惺窩　　　惺窩文集抄錄
　　　　　　　　　　日本倫理彙編　第7冊　東京　育成會　明治34年（1901）；
　　　　　　　　　　京都　臨川書店　昭和45年（1970）

0983　藤原惺窩　　　惺窩文集
　　　　　　　　　　大日本思想全集　第1卷　東京　大日本思想全集刊行會
　　　　　　　　　　昭和6年（1931）

0984　藤原惺窩　　　惺窩先生文集抄
　　　　　　　　　　日本思想大系　第28冊　東京　岩波書店　昭和50年（1975）

0985　藤原惺窩　　　惺窩先生文集
　　　　　　　　　　日本教育思想大系　第19冊　藤原惺窩　東京　日本圖書セ
　　　　　　　　　　ンター　昭和51年（1976）

0986　藤原惺窩　　　惺窩文集
　　　　　　　　　　日本教育思想大系　第19冊　藤原惺窩　東京　日本圖書セ
　　　　　　　　　　ンター　昭和51年（1976）

0987　俣野太郎譯註　藤原惺窩
　　　　　　　　　　朱子學大系　第13卷　日本の朱子學（下）　東京　明德出
　　　　　　　　　　版社　昭和50年（1975）3月

0988　大日本思想全集刊行會編　藤原惺窩集
　　　　　　　　　　大日本思想全集　第1卷　東京　大日本思想全集刊行會
　　　　　　　　　　昭和6年（1931）
　　　　　　　　　　惺窩文集
　　　　　　　　　　假名性理
　　　　　　　　　　寸鐵錄

0989　石田一良、金谷治校注　藤原惺窩
　　　　　　　　日本思想大系　第28冊　東京　岩波書店　昭和50年（1975）
　　　　　　　　寸鐵錄
　　　　　　　　大學要略
　　　　　　　　惺窩先生全集　抄
0990　日本圖書センター編　藤原惺窩
　　　　　　　　日本教育思想大系　第19冊　東京　日本圖書センター　昭
　　　　　　　　和51年（1976）
　　　　　　　　惺窩先生文集
　　　　　　　　惺窩文集
　　　　　　　　倭文二篇
　　　　　　　　寸鐵錄
　　　　　　　　寸鐵錄（寫本）
　　　　　　　　逐鹿評
　　　　　　　　文章達德綱領
　　　　　　　　明國講和使に對する質疑草稿
　　　　　　　　姜沆筆談
　　　　　　　　朝鮮役捕虜との筆談
　　　　　　　　南航日記殘簡
　　　　　　　　惺窩問答
　　　　　　　　假名性理
　　　　　　　　天下國家之要錄
0991　國民精神文化研究所編　藤原惺窩全集
　　　　　　　　①東京　編者印行　昭和13、14年（1938、1939）　2冊
　　　　　　　　②京都　思文閣　昭和53年（1978）　2冊
　　　　　　　　卷上
　　　　　　　　　藤原惺窩略傳
　　　　　　　　　藤原惺窩の人と學藝
　　　　　　　　　藤原惺窩集卷上解題
　　　　　　　　　惺窩先生文集
　　　　　　　　　惺窩文集
　　　　　　　　　倭文二篇
　　　　　　　　　寸鐵錄
　　　　　　　　　寸鐵錄寫本
　　　　　　　　　逐鹿評
　　　　　　　　卷下

藤原惺窩集卷下解題
藤原惺窩大事表
文章達德綱領
明国講和使に對する質疑草稿
姜沆筆談
朝鮮役捕虜との筆談
南航日記殘簡
惺窩問答
假名性理
天下國家之要錄

後人研究

0992	池田龜鑑	藤原惺窩と國文學
		近世文學の研究　東京　至文堂　昭和11年（1936）
0993	太田兵三郎	藤原惺窩の學の態度
		近世日本の儒學　頁261—278　東京　岩波書店　昭和14年
		（1939）8月
0994	細川中學校編	惺窩先生と細川の荘
		編者印行　昭和28年（1953）
0995	森　銑三	藤原惺窩遺事
		森　銑三著作集　第8卷　東京　中央公論社　昭和46年
		（1971）
0996	今中寛司	近世日本政治思想の成立——惺窩學と羅山學
		東京　創文社　昭和47年（1972）　407, 11頁
0997	猪口篤志	藤原惺窩
		叢書日本の思想家　第1冊　東京　明德出版社　昭和57年
		（1982）10月　（與松永尺五合冊）
0998	太田青丘	藤原惺窩
		東京　吉川弘文館　昭和60年（1985）10月　185頁　（人物
		叢書新装版）

附：姜　沆（1567—1618）

0999	藤原惺窩	姜沆筆談
		日本教育思想大系　第19冊　藤原惺窩　東京　日本圖書セ

　　　　　　　　　　　ンター　昭和51年（1976）
1000　藤原惺窩　　　朝鮮役捕虜との筆談
　　　　　　　　　　　日本教育思想大系　第19冊　藤原惺窩　東京　日本圖書セ
　　　　　　　　　　　ンター　昭和51年（1976）
1001　松田　甲　　　內鮮儒學關係藤原惺窩と姜睡隱
　　　　　　　　　　　朝鮮　第118號　大正14年（1925）
1002　松田　甲　　　藤原惺窩と姜睡隱の關係
　　　　　　　　　　　歷史地理　第53卷1、3、4期　昭和4年（1929）
1003　阿部吉雄　　　藤原惺窩の儒學と朝鮮──姜沆の彙抄十六種の新調査にち
　　　　　　　　　　　なんで
　　　　　　　　　　　朝鮮學報　第12期　昭和33年（1958）
1004　辛基秀、村上恒夫　儒者姜沆と日本
　　　　　　　　　　　明石書房　平成3年（1991）　328頁
1005　村上恒夫、辛基秀　儒者姜沆と日本──儒教を日本に傳えた朝鮮人──
　　　　　　　　　　　明石書房　平成4年（1992）
1006　姜　在彥　　　日本の江戸儒學と姜沆
　　　　　　　　　　　コリアナ　第5卷1號　平成4年（1992）
1007　李　東英　　　睡隱姜沆先生の生涯と日本での儒學傳授
　　　　　　　　　　　第七回韓日中退溪學國際學會論文集　頁37－44　福岡　九
　　　　　　　　　　　州退溪學研究會　平成6年（1994）8月6日
1008　村上恒夫　　　儒學者姜沆の足蹟をたず收る
　　　　　　　　　　　第七回韓日中退溪學國際學會論文集　頁45－51　福岡　九
　　　　　　　　　　　州退溪學研究會　平成6年（1994）8月6日

2.林　羅山（1583—1657）
はやし　　らざん

著　作

1009　林　羅山　　　經典題說
　　　　　　　　　　　文化13年（1816）大阪多田勘兵衛刊本
1010　林　羅山　　　經典題說
　　　　　　　　　　　嘉永3年（1850）藤屋九兵衛刊本
1011　林　羅山　　　經典題說
　　　　　　　　　　　漢書解題集成　第1冊　東京　漢書解題集成發行所　明治
　　　　　　　　　　　33年（1900）7月

1012　林羅山訓點　　春秋公羊傳
　　　　　　　　　　①東京　榮根出版社　昭和50年（1975）　2冊
　　　　　　　　　　②和刻本經書集成　第2冊　頁235—346　昭和50年（1975）
　　　　　　　　　　12月

1013　林　羅山　　　儒門思問錄
　　　　　　　　　　日本儒林叢書　第8卷　東京　鳳出版　昭和2年（1927）；
　　　　　　　　　　昭和46年（1971）

1014　林　羅山　　　儒門思問錄
　　　　　　　　　　大日本思想全集　第1卷　東京　大日本思想全集刊行會
　　　　　　　　　　昭和6年（1931）

1015　林　羅山　　　理氣辨
　　　　　　　　　　國民思想叢書　第5冊　儒教篇　東京　大東出版社　昭和4
　　　　　　　　　　年（1929）

1016　林　羅山　　　理氣辨
　　　　　　　　　　日本精神文獻叢書　第9卷　東京　大東出版社　昭和13年
　　　　　　　　　　（1938）

1017　林　羅山　　　理氣辨
　　　　　　　　　　日本教育思想大系　第24冊　林羅山、室鳩巢　東京　日本
　　　　　　　　　　圖書センター　昭和51年（1976）

1018　林　羅山　　　道統小傳
　　　　　　　　　　大日本思想全集　第1卷　東京　大日本思想全集刊行會
　　　　　　　　　　昭和6年（1931）

1019　林　道春　　　童觀抄
　　　　　　　　　　國民思想叢書　第5冊　儒教篇　東京　大東出版社　昭和4
　　　　　　　　　　年（1929）

1020　林　羅山　　　童觀抄
　　　　　　　　　　日本精神文獻叢書　第9卷　儒教篇上　東京　大東出版社
　　　　　　　　　　昭和13年（1938）

1021　林　羅山　　　童觀抄
　　　　　　　　　　日本教育思想大系　第24冊　林羅山、室鳩巢　東京　日本
　　　　　　　　　　圖書センター　昭和51年（1976）

1022　林　羅山　　　三德抄
　　　　　　　　　　國民思想叢書　第5冊　儒教篇　東京　大東出版社　昭和4
　　　　　　　　　　年（1929）

1023　林　道春　　　三德抄
　　　　　　　　　　日本精神文獻叢書　第9卷　儒教篇上　東京　大東出版社

昭和13年（1938）

1024 林 羅山 三德抄
日本哲學思想全書 第14卷 東京 平凡社 昭和31年
（1956）

1025 林 羅山 三德抄
日本思想大系 第28冊 東京 岩波書店 昭和50年（1975）

1026 林 羅山 三德抄
日本教育思想大系 第24冊 林羅山、室鳩巢 東京 日本
圖書センター 昭和51年（1976）

1027 林 羅山 春鑑抄
日本思想大系 第28冊 東京 岩波書店 昭和50年（1975）

1028 林 羅山 春鑑抄
日本教育思想大系 第24冊 林羅山、室鳩巢 東京 日本
圖書センター 昭和51年（1976）

1029 林 羅山 敵戒說
日本教育思想大系 第24冊 林羅山、室鳩巢 東京 日本
圖書センター 昭和51年（1976）

1030 林羅山著、石毛忠校注 本佐錄
日本思想大系 第28冊 東京 岩波書店 昭和45年（1970）

1031 林 羅山 梅村載筆3卷
日本隨筆集成 第1期 第1冊 東京 吉川弘文館 昭和2
年（1927）

1032 林 羅山 丙辰紀行
日本儒林叢書 第3卷 東京 鳳出版 昭和2年（1927）；
昭和46年（1971）重印本

1033 林 羅山 神道傳授
日本哲學思想全書 第10卷 東京 平凡社 昭和31年
（1956）

1034 林 羅山 神道傳授
日本思想大系 第39冊 東京 岩波書店 昭和47年（1972）

1035 林 羅山 神道傳授
日本教育思想大系 第24冊 林羅山、室鳩巢 東京 日本
圖書センター 昭和51年（1976）

1036 林 羅山 本朝神社考
國民思想叢書 第8冊 神道篇 東京 大東出版社 昭和4
年（1929）

1037	林　羅山	本朝神社考
		大日本思想全集　第1卷　東京　大日本思想全集刊行會
		昭和6年（1931）

1037　林　羅山　　本朝神社考
　　　　　　　　大日本思想全集　第1卷　東京　大日本思想全集刊行會
　　　　　　　　昭和6年（1931）

1038　林　羅山　　神道秘訣
　　　　　　　　大日本思想全集　第1卷　東京　大日本思想全集刊行會
　　　　　　　　昭和6年（1931）

1039　林　羅山　　排耶穌
　　　　　　　　大日本思想全集　第1卷　東京　大日本思想全集刊行會
　　　　　　　　昭和6年（1931）

1040　林　羅山　　排耶穌
　　　　　　　　日本教育思想大系　第24冊　林羅山、室鳩巢　東京　日本
　　　　　　　　圖書センター　昭和51年（1976）

1041　林　羅山　　庖丁書錄1卷
　　　　　　　　日本隨筆大成　第1期　第23冊　東京　吉川弘文館　昭和2
　　　　　　　　年（1927）

1042　林　羅山　　古文眞寶後集諺解大成
　　　　　　　　漢籍國字解全書　第12卷　東京　早稻田大學出版部　明治
　　　　　　　　42年（1909）

1043　林　羅山　　羅山先生詩文集150卷
　　　　　　　　①寬文2年（1662）刊本
　　　　　　　　②京都　平安考古學會話字本　大正7年（1918）

1044　林　羅山　　羅山文集抄
　　　　　　　　大日本思想全集　第1卷　東京　大日本思想全集刊行會
　　　　　　　　昭和6年（1931）

1045　林　羅山　　羅山林先生文集抄
　　　　　　　　日本思想大系　第28冊　東京　岩波書店　昭和50年（1975）

1046　中川太郎譯註　林羅山
　　　　　　　　朱子學大系　第13卷　日本の朱子學（下）　東京　明德出
　　　　　　　　版社　昭和50年（1975）3月

1047　大日本思想全集刊行會編　林羅山集
　　　　　　　　大日本思想全集　第1卷　東京　大日本思想全集刊行會
　　　　　　　　昭和6年（1931）
　　　　　　　　本朝神社考
　　　　　　　　神道秘訣
　　　　　　　　羅山文集抄
　　　　　　　　道統小傳

　　　　　　　儒門思問錄
　　　　　　　排耶穌
1048　石田一良、金谷治校註　林羅山
　　　　　　　日本思想大系　第28冊　東京　岩波書店　昭和50年（1975）
　　　　　　　春鑑抄
　　　　　　　三德抄
　　　　　　　羅山林先生文集抄
　　　　　　　假名性理（舊題藤原惺窩）
　　　　　　　本佐錄
1049　日本圖書センター編　林羅山
　　　　　　　日本教育思想大系　第24冊　東京　日本圖書センター　昭
　　　　　　　和51年（1976）
　　　　　　　排耶穌
　　　　　　　神道傳授
　　　　　　　三德抄
　　　　　　　理氣辨
　　　　　　　童觀抄
　　　　　　　敵戒說
　　　　　　　春鑑抄
　　　　　　　羅山先生行狀
　　　　　　　尺五先生全集
　　　　　　　儒門思問錄
1050　京都史蹟會編　林羅山文集
　　　　　　　平安考古學會　大正7年（1918）
　　　　　　　京都　弘文社　昭和5年（1930）
　　　　　　　東京　ぺりかん社　昭和54年（1979）　2冊
　　　　　　　上卷
　　　　　　　　賦
　　　　　　　　書1―10
　　　　　　　　啓札
　　　　　　　　外國書上、中、下
　　　　　　　　記1―6
　　　　　　　　記事上、中、下
　　　　　　　　論上、下
　　　　　　　　辨
　　　　　　　　說上、中、下

解

原

問對1—6

傳上、下

下卷

小傳

行狀

祭文

碑誌

銘

贊

序

題跋

雜著1—10

隨筆1—11

後人研究

1051　小林安司　　林羅山と神道

日本精神研究　第2輯　東京　東洋書院　昭和9年（1934）

1052　平野彦次郎　林羅山と本朝通鑑

近世日本の儒學　頁279—296　東京　岩波書店　昭和14年

（1939）8月

1053　奈良本辰也　林羅山

日本の思想家　東京　毎日新聞社　昭和29年（1954）

1054　今中寬司　　林羅山の教學思想

國民生活史研究　第3冊　東京　吉川弘文館　昭和33年

（1958）

1055　堀　勇雄　　林羅山

①東京　吉川弘文館　昭和39年（1964）　465頁　（人物叢

書）

②東京　吉川弘文館　平成2年（1990）　2月　465頁（人物

叢書新裝版）

1056　今中寬司　　近世日本政治思想の成立——惺窩學と羅山學

東京　創文社　昭和47年（1972）　407, 11頁

1057　宇野茂彦　　林羅山

1057　宇野茂彦　　　林羅山
　　　　　　　　　　叢書日本の思想家　第2冊　東京　明德出版社　平成4年
　　　　　　　　　　（1992）5月（與林鵞峰合冊）

1058　和島芳男　　　林羅山──近世儒學史の開幕
　　　　　　　　　　歴史教育　第5卷10號　昭和32年（1957）

1059　阿部吉雄　　　林羅山の儒學と朝鮮
　　　　　　　　　　朝鮮學報　第10號　昭和31年（1956）

1060　內閣文庫編　　林羅山關係展示書目
　　　　　　　　　　①東京　內閣文庫　昭和32年（1957）11月　18頁
　　　　　　　　　　②斯文　復刊第20號　頁38─48　昭和33年（1958）2月

1061　李　威周　　　日本朱子學家林羅山思想述要
　　　　　　　　　　中日哲學思想論集　頁102─129　濟南　齊魯書社　平成4
　　　　　　　　　　年（1992）4月

3.松永尺五（1592—1657）
まつ　なが　せき　ご

著　作

1062　松永尺五　　　彝倫抄
　　　　　　　　　　日本思想大系　第28冊　東京　岩波書店　昭和50年（1975）

1063　松永貞德　　　長頭丸隨筆
　　　　　　　　　　日本文庫　第10編　東京　博文館　明治24年（1891）

1064　松永尺五著、柴田純編　尺五先生全書
　　　　　　　　　　近世儒家文集集成　第11卷　東京　ぺりかん社　平成3年
　　　　　　　　　　（1991）

後人研究

1065　俁野太郎　　　松永尺五
　　　　　　　　　　叢書日本の思想家　第1冊　東京　明德出版社　昭和57年
　　　　　　　　　　（1982）10月（與藤原惺窩合冊）

4.那波活所（1595—1648）
な　ば　かっしょ

著　作

1066	那波活所	四書註者考1冊
		寬文7年（1630）刊本
1067	那波活所	四書註者考1冊
		寬文18年（1641）刊本
1068	那波活所	活所備忘錄28卷2冊
		寫本
1069	那波活所	櫻譜1冊
		元文3年（1738）寫本
1070	那波活所	鬼簿便覽4冊
		寫本
1071	那波活所	活所詩文1冊
		寫本
1072	那波活所	活所稿1冊
		寫本
1073	那波活所	活所遺稿3冊
		寫本
1074	那波活所	活所遺稿10卷
		寬文6年（1666）刊本

後人研究

1075	松下　忠	那波活所
		江戶時代の詩風詩論　東京　明治書院　昭和44年（1969）
1076	松下　忠	那波活所の學風と詩文論
		和歌山大學學藝學部紀要（人文）　第13號　昭和38年
		（1963）

5. 林　鵞峰（1618—1680）
はやし　が　ほう

著　作

1077	林　鵞峰	周易訓點異同　1卷
		延寶5年（1677）自序本
1078	林　鵞峰	周易程傳私考　18冊
		延寶5年（1677）自序本
1079	林　春齋	本朝言行錄

　　　　　　　　東京　以文會社　明治15年（1882）7月　2冊
1080　林　鵝峰　　　鵝峰林學士全集　240卷
　　　　　　　　　　元禄2年（1689）刊本
1081　林鵝峰著、日野龍夫編　鵝峰林學士文集
　　　　　　　　　　近世儒家文集集成　第12卷　東京　ぺりかん社　平成3年
　　　　　　　　　　（1991）　2冊

後人研究

1082　宮崎道生　　　林鵝峰と新井白石
　　　　　　　　　　國史研究　第22號　昭和35年（1960）
1083　村上雅孝　　　林鵝峰の「詩經正文」と「特訓異同」について
　　　　　　　　　　共立女子大學文藝學部紀要　第24號　昭和53年（1978）2月
1084　小澤榮一　　　近世史學の形成と林鵝峰
　　　　　　　　　　東洋學藝大學紀要（社會科學）　第3號　昭和45年（1970）9
　　　　　　　　　　月
1085　村上雅孝　　　近世易學史における鵝峯點《易經本義》の意義
　　　　　　　　　　文藝研究（日本文藝研究會）　第100集　頁79－88　昭和57
　　　　　　　　　　年（1982）5月
1086　宇野茂彦　　　林鵝峰
　　　　　　　　　　叢書日本の思想家　第2冊　東京　明德出版社、平成4年
　　　　　　　　　　（1992）5月（與林羅山合冊）

6.木　下　順　庵（1621—1698）

き　の　した　じゅん　あん

著　作

1087　木下順庵　　　錦里先生文集19卷
　　　　　　　　　　寬政元年（1798）刊本
1088　木下順庵著、木下一雄校譯　錦里文集19卷
　　　　　　　　　　東京　國書刊行會　昭和57年（1982）5月　2冊
1089　松下忠譯註　　木下順庵
　　　　　　　　　　朱子學大系　第13卷　日本の朱子學（下）　東京　明德出
　　　　　　　　　　版社　昭和50年（1975）3月
1090　諸　家　　　　木門十四家詩集
　　　　　　　　　　甘雨亭叢書　第5編　弘化2年（1845）江戶北畠茂兵衛等活

字本

後人研究

1091　澤田總清　　　木下順庵と新井白石
　　　　　　　　　　近世日本の儒學　頁375－396　東京　岩波書店　昭和14年
　　　　　　　　　　（1939）8月
1092　木下一雄　　　木下順庵について
　　　　　　　　　　斯文　復刊第71、72合併號　昭和48年（1973）3月
1093　松下　忠　　　木門の活躍と順庵先生の教育
　　　　　　　　　　斯文　復刊第71、72合併號　昭和48年（1973）3月
1094　木下一雄　　　木下順庵評傳
　　　　　　　　　　東京　國書刊行會　昭和57年（1982）5月（《錦里文集》
　　　　　　　　　　別冊）
1095　竹內弘行　　　木下順庵
　　　　　　　　　　叢書日本の思想家　第7冊　東京　明德出版社　平成3年
　　　　　　　　　　（1991）11月　（與雨森芳洲合冊）

7. 林　鳳岡（1644—1732）

著　作

1096　林　鳳岡　　　周易程傳私考補10卷10冊
　　　　　　　　　　寫本
1097　林　鳳岡　　　書經蔡傳重考15冊
　　　　　　　　　　自筆稿本
1098　林鳳岡等　　　淺野長矩家臣四十六士之諸論1冊
　　　　　　　　　　寫本
1099　林　鳳岡　　　復讎論
　　　　　　　　　　日本思想大系　第27冊　近世武家思想
　　　　　　　　　　東京　岩波書店　昭和49年（1974）
1100　林　鳳岡　　　鳳岡林先生全集120卷　目錄6卷　年譜、行狀、碑銘各1卷
　　　　　　　　　　67冊
　　　　　　　　　　延享元年（1744）刊本

後人研究

1101　池田雪雄　　　盛期林家學の構造──林信篤の學問
　　　　　　　　　史潮　第12卷3號　昭和18年（1943）

8.新井白石（1657─1725）

<ruby>新<rt>あら</rt></ruby><ruby>井<rt>い</rt></ruby><ruby>白<rt>はく</rt></ruby><ruby>石<rt>せき</rt></ruby>

著　作

1102　新井白石著、竹中邦香校　折たく柴の記
　　　　　　　　　東京　白石社　明治14年（1881）7月　3冊　（上55丁，中
　　　　　　　　　80丁，下81丁）

1103　新井白石著、內藤耻叟標註校正　折たく柴の記
　　　　　　　　　東京　青山清吉　明治14年（1881）7月

1104　新井白石著、鈴木弘恭校　折たく柴の記
　　　　　　　　　東京　青山堂　明治26、27年（1893、1894）　6版　3冊

1105　林甕臣述　　　折焚く柴の記
　　　　　　　　　東京　大日本中學會　出版年不明　259頁　（大日本中學
　　　　　　　　　會29年度第2學級講義錄）

1106　新井白石著、佐藤仁之助校註　折たく柴の記
　　　　　　　　　東京　青山堂　明治44年（1911）6月　423頁

1107　新井白石　　　折たく柴の記（上、中）
　　　　　　　　　大日本思想全集　第6卷　東京　大日本思想全集刊行會
　　　　　　　　　昭和6年（1931）

1108　新井白石　　　折たく柴の記
　　　　　　　　　近世社會經濟學說大系　第13冊　東京　誠文堂　新光社
　　　　　　　　　昭和10年（1935）

1109　新井白石著、羽仁五郎校　折たく柴の記
　　　　　　　　　東京　岩波書店　昭和14年（1939）（岩波文庫）；昭和24
　　　　　　　　　年（1949）改訂版　278頁

1110　新井白石著、松村明校注　折たく柴の記
　　　　　　　　　日本古典文學大系　第95冊　東京　岩波書店　昭和41年
　　　　　　　　　（1966）

1111　新井白石　　　折たく柴の記（上）
　　　　　　　　　日本の思想　第13冊　新井白石集　東京　筑摩書房　昭和
　　　　　　　　　44年（1969）

1112　新井白石著、桑原武夫譯　折りたく柴の記

		東京　中央公論社　昭和49年（1974）　341頁（中公文庫）
1113	新井白石	折たく柴の記
		日本教育思想大系　第20冊　新井白石　上卷　東京　日本 圖書センター　昭和51年（1976）
1114	新井白石	折たく柴の記
		日本人の自傳　別卷1　東京　平凡社　昭和57年（1982）9 月　494頁
1115	新井白石著、桑原武夫譯　折りたく柴の記	
		日本の名著　第15冊　東京　中央公論社　昭和44年（1969）
1116	新井白石著、宮崎道生釋義　定本折たく柴の記釋義	
		①東京　至文堂　昭和39年（1964）　628, 23頁
		②東京　近藤出版社　昭和60年（1985）1月　630, 24頁
1117	新井白石	鬼神論1卷
		寫本
1118	新井白石	鬼神論3卷
		日本思想鬥爭史料　第3卷　東京　東方書院　昭和5年 （1930）
1119	新井白石	鬼神論
		大日本思想全集　第6卷　新井白石集　東京　大日本思想 全集刊行會　昭和6年（1931）
1120	新井白石	鬼神論
		日本哲學全書　第12卷　東京　第一書房　昭和11年（1936）
1121	新井白石	鬼神論　四集
		日本哲學思想全書　第8卷　東京　平凡社　昭和31年 （1956）
1122	新井白石	鬼神論
		日本思想大系　第35冊　東京　岩波書店　昭和50年（1975）
1123	新井白石	鬼神論
		日本教育思想大系　第21冊　新井白石　下卷　東京　日本 圖書センター　昭和51年（1976）
1124	新井白石	東雅20卷
		新井白石自筆本（內閣文庫藏）
1125	新井白石	東雅20卷
		明治36年（1903）大槻如電編活字本
1126	新井白石	東雅總論
		日本の思想　第13冊　新井白石集　東京　筑摩書房　昭和

44年（1969）

1127　新井白石　　　東雅抄
　　　　　　　　　　日本思想大系　第35冊　東京　岩波書店　昭和50年（1975）
1128　新井白石　　　東雅
　　　　　　　　　　日本教育思想大系　第20冊　新井白石　上卷　東京　日本
　　　　　　　　　　圖書センター　昭和51年（1976）
1129　新井白石　　　東音譜
　　　　　　　　　　日本教育思想大系　第20冊　新井白石　上卷　東京　日本
　　　　　　　　　　圖書センター　昭和51年（1976）
1130　新井白石　　　同文通考4卷
　　　　　　　　　　寶暦10年（1760）刊本
1131　新井白石　　　同文通考
　　　　　　　　　　日本教育思想大系　第20冊　新井白石　上卷　東京　日本
　　　　　　　　　　圖書センター　昭和51年（1976）
1132　新井白石　　　白石建議
　　　　　　　　　　近世社會經濟學說大系　第13冊　新井白石集　東京　誠文
　　　　　　　　　　堂新光社　昭和10年（1935）
1133　新井白石　　　白石先生學訓
　　　　　　　　　　日本教育思想大系　第21冊　新井白石　下卷　東京　日本
　　　　　　　　　　圖書センター　昭和51年（1976）
1134　新井白石　　　白石先生紳書10卷
　　　　　　　　　　日本隨筆大成　第3期　第12冊　東京　吉川弘文館　昭和2
　　　　　　　　　　年（1927）
1135　新井白石　　　白石先生紳書
　　　　　　　　　　日本教育思想大系　第21冊　新井白石　下卷　東京　日本
　　　　　　　　　　圖書センター　昭和51年（1976）
1136　新井白石　　　進呈之案
　　　　　　　　　　日本教育思想大系　第21冊　新井白石　下卷　東京　日本
　　　　　　　　　　圖書センター　昭和51年（1976）
1137　新井白石　　　樂對
　　　　　　　　　　日本教育思想大系　第21冊　新井白石　下卷　東京　日本
　　　　　　　　　　圖書センター　昭和51年（1976）
1138　新井白石　　　采覽異言
　　　　　　　　　　日本教育思想大系　第21冊　新井白石　下卷　東京　日本
　　　　　　　　　　圖書センター　昭和51年（1976）
1139　新井白石著、竹中邦香校　五事略

　　　　　　　　　　東京　白石社　明治16年（1883）5月　上、下合本（52丁，
　　　　　　　　　　29丁）

1140　新井白石　　　本佐錄考
　　　　　　　　　　日本教育思想大系　第21冊　新井白石　下卷　東京　日本
　　　　　　　　　　圖書センター　昭和51年（1976）

1141　新井白石　　　古史通
　　　　　　　　　　大日本思想全集　第6卷　新井白石集　東京　大日本思想
　　　　　　　　　　全集刊行會　昭和6年（1931）

1142　新井白石　　　古史通(1—4)
　　　　　　　　　　日本教育思想大系　第21卷　新井白石　上卷　東京　日本
　　　　　　　　　　圖書センター　昭和51年（1976）

1143　新井白石　　　古史通或問（上、下）
　　　　　　　　　　日本教育思想大系　第20冊　新井白石上卷　東京　日本圖
　　　　　　　　　　書センター　昭和51年（1976）

1144　新井白石著、上田正昭譯　古史通
　　　　　　　　　　日本の名著　第15冊　東京　中央公論社　昭和44年（1969）

1145　新井白石著、上田正昭譯　古史通或問
　　　　　　　　　　日本の名著　第15冊　東京　中央公論社　昭和44年（1969）

1146　新井白石　　　讀史餘論
　　　　　　　　　　大日本思想全集　第6卷　新井白石集　東京　大日本思想
　　　　　　　　　　全集刊行會　昭和6年（1931）

1147　新井白石　　　讀史餘論（公武治亂考）
　　　　　　　　　　日本思想大系　第35冊　東京　岩波書店　昭和50年（1975）

1148　新井白石　　　讀史餘論
　　　　　　　　　　日本の思想名著　東京　學陽書房　昭和48年（1973）

1149　新井白石　　　讀史餘論（卷1—3）
　　　　　　　　　　日本教育思想大系　第20冊　新井白石　上卷　東京　日本
　　　　　　　　　　圖書センター　昭和51年（1976）

1150　新井白石著，桑原武夫，橫井　清譯　讀史餘論
　　　　　　　　　　日本の名著　第15冊　東京　中央公論社　昭和44年（1969）

1151　新井白石　　　藩翰譜抄
　　　　　　　　　　日本の思想　第13冊　新井白石集　東京　筑摩書房　昭和
　　　　　　　　　　44年（1969）

1152　新井白石　　　畿內治河記
　　　　　　　　　　甘雨亭叢書　第3編　弘化2年（1845）江戶北畠茂兵衛等活
　　　　　　　　　　字本

1153　新井白石　　　　奥羽海運記
　　　　　　　　　　甘雨亭叢書　第3編　弘化2年（1845）江戸北畠茂兵衛等活
　　　　　　　　　　字本

1154　新井白石　　　　南島志
　　　　　　　　　　甘雨亭叢書　第4編　弘化2年（1845）江戸北畠茂兵衛等活
　　　　　　　　　　字本

1155　新井白石　　　　奥州五十四郡考
　　　　　　　　　　甘雨亭叢書　第4編　弘化2年（1845）江戸北畠茂兵衛等活
　　　　　　　　　　字本

1156　新井白石　　　　人名考
　　　　　　　　　　甘雨亭叢書　別集　弘化2年（1845）江戸北畠茂兵衛等活
　　　　　　　　　　字本

1157　新井白石　　　　准后准三后考
　　　　　　　　　　甘雨亭叢書　別集　弘化2年（1845）江戸北畠茂兵衛等活
　　　　　　　　　　字本

1158　新井白石　　　　西洋紀聞
　　　　　　　　　　大日本思想全集　第6巻　新井白石集　東京　大日本思想
　　　　　　　　　　全集刊行會　昭和6年（1931）

1159　新井白石　　　　西洋紀聞
　　　　　　　　　　日本思想大系　第35冊　東京　岩波書店　昭和50年（1975）

1160　新井白石　　　　西洋紀聞
　　　　　　　　　　日本教育思想大系　第21冊　新井白石　下巻　東京　日本
　　　　　　　　　　圖書センター　昭和51年（1976）

1161　新井白石　　　　退私録
　　　　　　　　　　日本教育思想大系　第21冊　新井白石　下巻　東京　日本
　　　　　　　　　　圖書センター　昭和51年（1976）

1162　新井白石　　　　退私録附言
　　　　　　　　　　日本教育思想大系　第21冊　新井白石　下巻　東京　日本
　　　　　　　　　　圖書センター　昭和51年（1976）

1163　新井白石　　　　白石拾遺
　　　　　　　　　　甘雨亭叢書　初編　弘化2年（1845）江戸北畠茂兵衛等活
　　　　　　　　　　字本

1164　新井白石　　　　白石遺文
　　　　　　　　　　甘雨亭叢書　初編　弘化2年（1845）江戸北畠茂兵衛等活
　　　　　　　　　　字本

1165　新井白石　　　　白石先生遺文

　　　　　　　　　日本教育思想大系　　第21冊　新井白石　下卷　東京　日本
　　　　　　　　　圖書センター　昭和51年（1976）

1166　東京大學史料編纂所編　新井白石日記2卷
　　　　　　　　　大日本古記錄第2　東京　岩波書店　昭和27、28年（1952、
　　　　　　　　　1953）　2冊

1167　新井白石　　　書簡
　　　　　　　　　日本の思想　第13冊　新井白石集　東京　筑摩書房　昭和
　　　　　　　　　44年（1969）

1168　新井白石　　　白石先生手翰
　　　　　　　　　日本思想大系　第35冊　東京　岩波書店　昭和50年（1975）

1169　大日本思想全集刊行會　新井白石集
　　　　　　　　　大日本思想全集　第6卷　東京　大日本思想全集刊行會
　　　　　　　　　昭和6年（1931）
　　　　　　　　　鬼神論
　　　　　　　　　折たく柴の記（上、中）
　　　　　　　　　古史通
　　　　　　　　　讀史餘論
　　　　　　　　　西洋紀聞

1170　猪谷善一解題　新井白石集
　　　　　　　　　近世社會經濟學說大系　第13冊　東京　誠文堂新光社　昭
　　　　　　　　　和10年（1935）
　　　　　　　　　折たく柴の記
　　　　　　　　　白石建議

1171　桑原武夫編　　新井白石集
　　　　　　　　　日本の思想　第13冊　東京　筑摩書房　昭和44年（1969）
　　　　　　　　　新井白石の先驅性（桑原武夫）
　　　　　　　　　藩翰譜（抄）
　　　　　　　　　折たく柴の記（上）
　　　　　　　　　東雅（總論）
　　　　　　　　　書簡
　　　　　　　　　藩翰譜關係譜家系圖
　　　　　　　　　新井白石關係略年表
　　　　　　　　　參考文獻

1172　松村明等校注　新井白石
　　　　　　　　　日本思想大系　第35冊　東京　岩波書店　昭和50年（1975）
　　　　　　　　　西洋紀聞

　　　　　　　東雅（抄）
　　　　　　　鬼神論
　　　　　　　讀史餘論（公武治亂考）
　　　　　　　白石先生手翰（一名新室手簡）
　　　　　　　解說
　　　　　　　　新井白石の世界（加藤周一）
　　　　　　　　新井白石の歷史思想（尾藤正英）
　　　　　　　　解題
　1173　日本圖書センター編　新井白石
　　　　　　　日本教育思想大系　第20、21冊　東京　日本圖書センター
　　　　　　　昭和51年（1976）
　　　　　　　上卷
　　　　　　　　折たく柴の記
　　　　　　　　新井家系
　　　　　　　　古史通（1—4）
　　　　　　　　古史通或問（上、下）
　　　　　　　　讀史餘論（卷1—3）
　　　　　　　　東雅
　　　　　　　　東音譜
　　　　　　　　同文通考
　　　　　　　下卷
　　　　　　　　西洋紀聞
　　　　　　　　釆覽異言
　　　　　　　　白石先生遺文
　　　　　　　　白石先生手簡
　　　　　　　　退私錄
　　　　　　　　退私錄附言
　　　　　　　　白石先生紳書
　　　　　　　　鬼神論
　　　　　　　　樂對
　　　　　　　　進呈之案
　　　　　　　　本佐錄考
　　　　　　　　白石先生學訓
　　　　　　　　白石先生年譜
　　　　　　　　白石先生著述書目
　1174　桑原武夫編　新井白石

日本の名著　第15冊　東京　中央公論社　昭和44年（1969）

　日本の百科全書家新井白石（桑原武夫）

　折りたく柴の記（桑原武夫譯）

　古史通（上田正昭譯）

　古史通或問（上田正昭譯）

　讀史餘論（桑原武夫、横井清譯）

　補注

　附錄

　年譜

1175　國書刊行會編　新井白石全集

東京　國書刊行會　明治38―40年（1905―1907）　6冊（國書刊行會叢書）

東京　國書刊行會　昭和52年（1977）6月重印本　6冊

第1冊

　藩翰譜

　　附：系圖

第2冊

　藩翰譜續編（近藤吉兵衛門等）

第3冊

　折たく柴の記

　新井家系

　岩松家系附錄序說

　古史通

　古史通或問

　讀史餘論

　畿內治河記

　奥羽海運記

　五十四郡考

　五事略

　　殊號事略

　　外國通信事略

　　琉球國事略

　　本朝寶貨通用事略

　　高野山事略

　蝦夷志

　南島志

第4冊
　　東雅
　　東音譜
　　同文通考
　　朝鮮聘禮事
　　朝鮮信使進見儀注
　　朝鮮信使賜饗儀注
　　朝鮮信使辭見儀注
　　奉命教諭朝鮮使客
　　朝鮮國信書之式の事
　　朝鮮信使議
　　朝鮮聘使後議
　　朝鮮應接記及抄釋
　　朝鮮冠服の事
　　國書復號紀事
　　以酊菴事議草
　　坐問筆語一名歡樂筆談　內殿燕樂筆談
　　江關筆談
　　白雉帖
　　西洋紀聞（陋錄及邏媽入款狀共）
　　采覽異言
第5冊
　　白石先生遺文附白石新井先生傳
　　白石先生遺文拾遺
　　白石詩草
　　白石先生餘稿
　　高子觀游記
　　白石先生手簡
　　退私錄
　　退私錄附言
　　白石先生紳書
第6冊
　　鬼神論
　　孫武兵法擇
　　孫武兵法擇副言
　　那須國造碑釋文竝跋

樂對

正德年號辨

經邦典例卷之六

白石建議

將軍宣下三十一度儀不同次第

進呈之案

決獄考

本朝軍器考

本朝軍器考集古圖說

人名考

准后考

武家官位裝束考

祭祀考

聖像考

國郡名考

日東行程考

地名河川兩字通用考

玉考

樂考

俳優考

品革威考

鎧直垂考

木瓜考

本佐錄考

新野問答一名黃白問答

車服制度手記

新近問答

文廟遺命

白石先生學訓

停雲集

室新詩評

天爵堂壽言

天爵堂壽詩

附錄

白石先生年譜（三田葆光）

白石先生著述書目並附錄（堤　朝風）

後人研究

1176　未署名　　　　新井家系
　　　　　　　　　　日本教育思想大系　第20冊　新井白石　上卷　東京　日本
　　　　　　　　　　圖書センター　昭和51年（1976）

1177　三田葆光　　　白石先生年譜
　　　　　　　　　　①東京　白石社　明治14年（1881）6月　30丁
　　　　　　　　　　②日本教育思想大系　第20冊　新井白石　上卷　東京　日
　　　　　　　　　　　本圖書センター　昭和51年（1976）

1178　渡邊修二　　　新井白石先生言行錄
　　　　　　　　　　東京　內外出版協會　明治41年（1908）3月　284頁（偉人
　　　　　　　　　　研究　第18編）

1179　藤森花影　　　新井白石言行錄
　　　　　　　　　　修養史傳　第6冊　東京　東亞堂　大正5年（1916）

1180　略崎圭介　　　新井白石言行錄
　　　　　　　　　　東京　三省堂　昭和15年（1940）

1181　山路愛山　　　新井白石
　　　　　　　　　　東京　民友社　明治27年（1894）12月　188頁（拾二文豪
　　　　　　　　　　第8卷）

1182　足立四郎吉　　新井白石
　　　　　　　　　　東京　裳華房　明治30年（1897）5月　328頁（偉人史叢
　　　　　　　　　　第12卷）

1183　高桑駒吉等述　新井白石先生誕辰紀念講話
　　　　　　　　　　出版者不明　明治37年（1904）　69頁

1184　上田萬年　　　興國の偉人新井白石
　　　　　　　　　　東京　廣文堂　大正6年（1917）

1185　藤森花影　　　新井白石
　　　　　　　　　　東京　邦光堂　大正11年（1922）

1186　羽仁五郎　　　新井白石
　　　　　　　　　　岩波講座世界思潮　第10冊　東京　岩波書店　昭和3年
　　　　　　　　　　（1928）

1187　岩井　薫　　　新井白石と切支丹屋敷の夷人——西洋紀聞による
　　　　　　　　　　東京　粒社　昭和9年（1934）

1188　羽仁五郎　　　白石・諭吉
　　　　　　　　　　大教育家文庫　第7冊　東京　岩波書店　昭和12年（1937）

1189　伊豆公夫　　　新井白石

東京　白揚社　昭和13年（1938）　285頁　（人物再檢討叢書5）

1190　澤田總清　木下順庵と新井白石
近世日本の儒學　頁375—396　東京　岩波書店　昭和14年（1939）8月

1191　中村孝也　史家としての新井白石
本邦史學史論叢（下）　東京　富山房　昭和14年（1939）

1192　勝田勝年　新井白石の歷史學
東京　厚生閣　昭和14年（1939）

1193　池田雪雄　新井白石
日本思想史研究　東京　ふたら書房　昭和16年（1941）

1194　野村政夫　白石行狀記
東京　天祐書房　昭和17年（1942）

1195　中村孝也　白石と徂徠と春臺
東京　萬里閣　昭和17年（1942）

1196　尾崎憲三　新井白石
東京　青梧堂　昭和17年（1942）　305頁　（日本文學者評傳全書）

1197　鮎澤信太郎　新井白石の世界地理研究
京成社出版部　昭和18年（1943）

1198　多賀義憲　晚年の新井白石
北光書房　昭和18年（1943）

1199　羽仁五郎　新井白石、福澤諭吉斷片——日本における教育の世界的進步に對する先驅者の寄與
東京　岩波書店　昭和21年（1946）　427頁

1200　板澤武雄　江戸時代の知識人の生活——新井白石の場合
東京　羽田書店　昭和23年（1948）

1201　栗田元次　新井白石の文治政治
東京　石崎書店　昭和27年（1952）

1202　古川哲史　新井白石
東京　弘文堂　昭和28年（1953）　276頁

1203　宮崎道生　新井白石序論
①京都　藝林會　昭和29年（1954）　194頁
②東京　吉川弘文館　昭和51年（1976）增訂版　251頁

1204　宮崎道生　新井白石の研究
東京　吉川弘文館　昭和33年（1958）　844頁；昭和59年

　　　　　　　　　　　　（1984）6月増訂版　867, 20頁

1205　宮崎道生　　　　新井白石
　　　　　　　　　　　東京　至文堂　昭和34年（1959）3月　192頁（日本歴史新
　　　　　　　　　　　書）

1206　吉川幸次郎　　　鳳鳥不至——論語雑記、新井白石逸事
　　　　　　　　　　　東京　新潮社　昭和46年（1971）　237頁

1207　Kemper, Ulrich.　Arai Hakuseki und seine Geschichtsauf-fassung; ein
　　　　　　　　　　　Beitrag zur Historiographie Japan's in der Tokugawa-Zeit.
　　　　　　　　　　　Wiesbaden, O. Harrassowitz, 1967.
　　　　　　　　　　　105 p. (Studien zur Japanologie, Bd. 9)

1208　宮崎道生　　　　新井白石の洋學と海外知識
　　　　　　　　　　　東京　吉川弘文館　昭和48年（1973）　458, 10頁

1209　勝田勝年　　　　新井白石の學問と思想
　　　　　　　　　　　東京　雄山閣　昭和48年（1973）　473頁

1210　宮崎道生　　　　新井白石の時代と世界
　　　　　　　　　　　東京　吉川弘文館　昭和50年（1975）　224頁

1211　宮崎道生　　　　新井白石の人物と政治
　　　　　　　　　　　東京　吉川弘文館　昭和52年（1977）11月　255頁

1212　內山善一　　　　シドチ神父と新井白石——切支丹屋敷の出會い稿本
　　　　　　　　　　　東京　作者印行　昭和53年（1978）4月　234, 20頁

1213　入江隆則　　　　新井白石闘いの肖像
　　　　　　　　　　　東京　新潮社　昭和54年（1979）8月　306頁

1214　Arai, Hakuseki, 1657-1725.（新井白石）　Told round a brushwood fire;
　　　　　　　　　　　the auto biography of Arai Hakuseki. Translated and with
　　　　　　　　　　　an introd. and notes by Joyce Ackroyd. [Tokyo] University
　　　　　　　　　　　of Tokyo Press [1979] 347 p.

1215　森　原章　　　　新井白石研究論考
　　　　　　　　　　　名古屋　森原章研究論考編集出版委員會　昭和58年（1983）
　　　　　　　　　　　12月　224頁

1216　進藤英幸　　　　新井白石
　　　　　　　　　　　叢書日本の思想家　第14冊　東京　明德出版社　昭和59年
　　　　　　　　　　　（1984）　10月（與三宅觀瀾合冊）

1217　宮崎道生　　　　新井白石と思想家文人
　　　　　　　　　　　東京　吉川弘文館　昭和60年（1985）3月　335頁

1218　宮崎道生　　　　新井白石の現代的考察
　　　　　　　　　　　東京　吉川弘文館　昭和60年（1985）6月　292頁

1219　荒川久壽男　　新井白石の學問思想の研究——特仁晩年を中心として
　　　　　　　　　　伊勢　皇學館大學出版部　昭和62年（1987）3月　319頁
1220　宮崎道生　　　新井白石斷想
　　　　　　　　　　東京　近藤出版社　昭和62年（1987）10月　188頁
1221　宮崎道生　　　新井白石の史學と地理學
　　　　　　　　　　東京　吉川弘文館　昭和63年（1988）3月　384, 6頁
1222　宮崎道生　　　新井白石
　　　　　　　　　　東京　吉川弘文館　平成元年（1989）10月　326頁（人物叢
　　　　　　　　　　書　新裝版）
1223　季刊日本思想史編輯部　新井白石特集
　　　　　　　　　　季刊日本思想史　第46號　平成7年（1995）12月
1224　堤　朝風　　　白石先生著述書目
　　　　　　　　　　日本教育思想大系　第21卷　新井白石　下卷　昭和51年
　　　　　　　　　　（1976）
1225　東京市立日比谷圖書館編　新井白石關係文獻總覽
　　　　　　　　　　東京　編者印行　大正15年（1926）3月　46頁
1226　宮崎道生　　　新井白石關係文獻總目
　　　　　　　　　　新井白石の研究　頁735—810　東京　吉川弘文館　昭和33
　　　　　　　　　　年（1958）1月

9.室　鳩巢（1658—1734）
むろ　きゅう　そう

著　作

1227　室　鳩巢　　　大學章句新疏2卷
　　　　　　　　　　天明6年（1786）刊本
1228　室　鳩巢　　　中庸章句新疏2卷
　　　　　　　　　　文政7年（1824）刊本
1229　室　鳩巢　　　周易鳩巢先生講義7卷
　　　　　　　　　　寫本
1230　室　鳩巢　　　太極圖述
　　　　　　　　　　日本儒林叢書　第8卷　東京　鳳出版　昭和2年（1927）：
　　　　　　　　　　昭和46年（1971）重印本
1231　室　鳩巢　　　西銘評義
　　　　　　　　　　日本儒林叢書　第11卷　東京　鳳出版　昭和2年（1927）：

　　　　　　　　　　昭和46年（1971）重印本

1232　室　鳩巢　　文公家禮通考
　　　　　　　　　　甘雨亭叢書　初編　弘化2年（1845）江戶北畠茂兵衞等活
　　　　　　　　　　字本

1233　室　鳩巢　　五倫名義
　　　　　　　　　　國民思想叢書　第2冊　民衆篇　東京　大東出版社　昭和4
　　　　　　　　　　年（1929）

1234　室　鳩巢　　五倫名義
　　　　　　　　　　日本教育思想大系　第24冊　林羅山、室鳩巢　東京　日本
　　　　　　　　　　圖書センター　昭和51年（1976）

1235　室　鳩巢　　五常名義
　　　　　　　　　　國民思想叢書　第2冊　民衆篇　東京　大東出版社　昭和4
　　　　　　　　　　年（1929）

1236　室　鳩巢　　五常名義
　　　　　　　　　　日本教育思想大系　第24冊　林羅山、室鳩巢　東京　日本
　　　　　　　　　　圖書センター　昭和51年（1976）

1237　室　鳩巢　　六諭衍義大意
　　　　　　　　　　國民思想叢書　第2冊　民衆篇　東京　大東出版社　昭和4
　　　　　　　　　　年（1929）

1238　室　鳩巢　　六諭衍義大意
　　　　　　　　　　日本教育思想大系　第24冊　林羅山、室鳩巢　東京　日本
　　　　　　　　　　圖書センター　昭和51年（1976）

1239　室　鳩巢　　室鳩巢自警條目
　　　　　　　　　　日本教育思想大系　第24冊　林羅山、室鳩巢　東京　日本
　　　　　　　　　　圖書センター　昭和51年（1976）

1240　室　鳩巢　　士說
　　　　　　　　　　日本教育思想大系　第24冊　林羅山、室鳩巢　東京　日本
　　　　　　　　　　圖書センター　昭和51年（1976）

1241　室　鳩巢　　獻可錄
　　　　　　　　　　日本教育思想大系　第24冊　林羅山、室鳩巢　東京　日本
　　　　　　　　　　圖書センター　昭和51年（1976）

1242　室　鳩巢　　不亡鈔
　　　　　　　　　　日本教育寶典　第7冊　東京　玉川大學出版部　昭和40年
　　　　　　　　　　（1965）

1243　室　鳩巢　　不亡鈔
　　　　　　　　　　日本教育思想大系　第24冊　林羅山、室鳩巢　東京　日本

　　　　　　　　　　　圖書センター　昭和51年（1976）

1244　室　鳩巢　　駿臺雜話5卷
　　　　　　　　　①享保17年（1732）自序刊本
　　　　　　　　　②大阪　河內屋喜兵衛等刊本　　5冊

1245　室　鳩巢　　駿臺雜話5卷
　　　　　　　　　寬延3年（1750）刊本

1246　室　鳩巢　　駿臺雜話
　　　　　　　　　東京　尙榮堂　明治27年（1894）8月　　260頁

1247　室　鳩巢　　駿臺雜話
　　　　　　　　　日本倫理彙編　第7冊　東京　育成會　明治34年（1901）；
　　　　　　　　　京都　臨川書店　昭和45年（1970）

1248　室鳩巢著、城井壽章校補、關儀一郎編　駿台雜話注釋　2卷
　　　　　　　　　東京　誠之堂書店　明治35年（1902）　　300頁

1249　室　鳩巢　　駿臺雜話
　　　　　　　　　大阪　積善館　明治40年（1907）　14版　237頁

1250　室　鳩巢　　駿臺雜話
　　　　　　　　　名家隨筆集（上）　東京　有朋堂書店　大正2年（1913）4
　　　　　　　　　月（有朋堂文庫）

1251　室　鳩巢　　駿臺雜話　5卷
　　　　　　　　　日本隨筆全集　第3卷　東京　國民圖書刊行會　昭和2年
　　　　　　　　　（1927）

1252　室　鳩巢　　駿臺雜話5卷
　　　　　　　　　日本隨筆大成　第3期　第6冊　東京　吉川弘文館　昭和2
　　　　　　　　　年（1927）

1253　室　鳩巢　　駿臺雜話
　　　　　　　　　大日本思想全集　第6卷　東京　大日本思想全集刊行會
　　　　　　　　　昭和6年（1931）

1254　室鳩巢著、森銑三校　駿臺雜話5卷
　　　　　　　　　東京　岩波書店　昭和13年（1938）（岩波文庫）

1255　室鳩巢著、竹下直之等校訂　駿臺雜話
　　　　　　　　　東京　いてふ本刊行會　昭和28年（1953）　274頁

1256　室　鳩巢　　駿臺雜話
　　　　　　　　　日本教育思想大系　第24冊　林羅山、室鳩巢　東京　日本
　　　　　　　　　圖書センター　昭和51年（1976）

1257　室　鳩巢　　病中須佐美
　　　　　　　　　甘雨亭叢書　別集　弘化2年（1845）江戶北畠茂兵衛等活

　　　　　　　　　　　字本

1258　室　　鳩巣　　論土屋主税所置
　　　　　　　　　　　甘雨亭叢書　別集　弘化2年（1845）江戸北畠茂兵衛等活
　　　　　　　　　　　字本

1259　室　　鳩巣　　讀續大意錄
　　　　　　　　　　　日本思想大系　第34冊　東京　岩波書店　昭和45年（1970）

1260　室　　鳩巣　　駿臺秘書1卷
　　　　　　　　　　　寫本

1261　室　　鳩巣　　赤穗義人錄
　　　　　　　　　　　甘雨亭叢書　第3編　弘化2年（1845）江戸北畠茂兵衛等活
　　　　　　　　　　　字本

1262　室　　鳩巣　　赤穗義人錄
　　　　　　　　　　　國民思想叢書　第3冊　士道篇　東京　大東出版社　昭和4
　　　　　　　　　　　年（1929）

1263　室　　鳩巣　　赤穗義人錄
　　　　　　　　　　　大日本思想全集　第6卷　東京　大日本思想全集刊行會
　　　　　　　　　　　昭和6年（1931）

1264　室　　鳩巣　　赤穗義人錄
　　　　　　　　　　　日本思想大系　第27冊　東京　岩波書店　昭和49年（1974）

1265　室　　鳩巣　　鳩巣小說3卷
　　　　　　　　　　　寫本

1266　室　　鳩巣　　鳩巣小說
　　　　　　　　　　　大日本思想全集　第6卷　東京　大日本思想全集刊行會
　　　　　　　　　　　昭和6年（1931）

1267　室　　鳩巣　　書簡
　　　　　　　　　　　日本思想大系　第34冊　東京　岩波書店　昭和45年（1970）

1268　室　　鳩巣　　前編鳩巣先生文集13卷序目1卷
　　　　　　　　　　　寶曆13年（1763）刊本

1269　室　　鳩巣　　後編鳩巣先生文集20卷序目1卷
　　　　　　　　　　　寶曆14年（1764）刊本

1270　室鳩巣著、杉下元明編　鳩巣先生文集
　　　　　　　　　　　近世儒家文集集成　第13卷　東京　ぺりかん社　平成8年
　　　　　　　　　　　（1996）

1271　大日本思想全集刊行會　室鳩巣集
　　　　　　　　　　　大日本思想全集　第6卷　東京　大日本思想全集刊行會
　　　　　　　　　　　昭和6年（1931）

　　　　　　　　　　駿臺雜話
　　　　　　　　　　赤穗義人錄
　　　　　　　　　　鳩巣小說
1272　玉川大學出版部　室鳩巣集
　　　　　　　　　　日本教育寶典　第7冊　東京　玉川大學出版部　昭和40年
　　　　　　　　　　（1965）
　　　　　　　　　　不亡鈔
　　　　　　　　　　室鳩巣略年譜
1273　荒木見悟、井上忠校注　室鳩巣
　　　　　　　　　　日本思想大系　第34冊　東京　岩波書店　昭和45年（1970）
　　　　　　　　　　（與貝原益軒合冊）
　　　　　　　　　　書簡
　　　　　　　　　　讀續大意錄
1274　市川任三譯註　室鳩巣
　　　　　　　　　　朱子學大系　第13卷　日本の朱子學（下）　東京　明德出
　　　　　　　　　　版社　昭和50年（1975）3月
1275　日本圖書センター　室鳩巣
　　　　　　　　　　日本教育思想大系　第24冊　林羅山、室鳩巣　東京　日本
　　　　　　　　　　圖書センター　昭和51年（1976）
　　　　　　　　　　不亡鈔
　　　　　　　　　　獻可錄
　　　　　　　　　　駿臺雜話
　　　　　　　　　　士說
　　　　　　　　　　室鳩巣自警條目
　　　　　　　　　　五常名義
　　　　　　　　　　五倫名義
　　　　　　　　　　六諭衍義大意

後人研究

1276　平塚益德　　　近世教育史上に於ける室鳩巣
　　　　　　　　　　國民精神文化　第5卷5號　昭和14年（1939）
1277　鈴木直治　　　室鳩巣と朱子學
　　　　　　　　　　近世日本の儒學　頁427—452　東京　岩波書店　昭和14年
　　　　　　　　　　（1939）8月
1278　石川　謙　　　經學の鳩巣と心學の梅岩

理想　第218號　昭和26年（1951）
1279　邊土名朝邦　室鳩巢
　　　　　　　　叢書日本の思想家　第11冊　東京　明德出版社　昭和58年
　　　　　　　　（1983）12月（與中村惕齋合冊）

10.雨　森　芳　洲（1668—1755）

著　作

1280　雨森芳洲著、筱應道校　橘窗茶話
　　　　　　　　①天明6年（1786）大阪高橋喜助等刊本
　　　　　　　　②大阪堺屋定七等刊本
1281　雨森芳洲　橘窗茶話
　　　　　　　　日本倫理彙編　第7冊　東京　育成會　明治34年（1901）；
　　　　　　　　京都　臨川書店　昭和45年（1970）
1282　雨森芳洲　橘窗茶話3卷
　　　　　　　　日本隨筆全集　第9卷　東京　國民圖書刊行會　昭和2年
　　　　　　　　（1927）
1283　雨森芳洲　橘窗茶話3卷
　　　　　　　　日本隨筆大成　第2期　第7冊　東京　吉川弘文館　昭和2
　　　　　　　　年（1927）
1284　雨森芳洲　橘窗茶話
　　　　　　　　大日本思想全集　第7卷　東京　大日本思想全集刊行會
　　　　　　　　昭和6年（1931）
1285　雨森俊良　橘窗茶話
　　　　　　　　日本隨筆集成　第2輯　東京　古典研究會　昭和53年
　　　　　　　　（1978）
1286　雨森芳洲　芳洲口授
　　　　　　　　甘雨亭叢書　第3編　弘化2年（1845）江戶北畠茂兵衛等活
　　　　　　　　字本
1287　雨森芳洲　多波禮草3卷
　　　　　　　　日本隨筆大成　第2期　第13冊　東京　吉川弘文館　昭和2
　　　　　　　　年（1927）
1288　雨森芳洲　一字訓2卷
　　　　　　　　續日本隨筆大成　第4冊　東京　吉川弘文館　昭和54年

（1979）

1289 雨森芳洲　　**たはれぐさ**
　　　　　　　名家隨筆集（下）　東京　有朋堂書店　大正3年（1914）9
　　　　　　　月（有朋堂文庫）

1290 雨森芳洲　　**たはれぐさ2卷**
　　　　　　　日本隨筆全集　第5卷　東京　國民圖書刊行會　昭和2年
　　　　　　　（1927）

1291 雨森芳洲　　**たはれぐさ**
　　　　　　　大日本思想全集　第7卷　東京　大日本思想全集刊行會
　　　　　　　昭和6年（1931）

1292 雨森芳洲　　**橘窗文集6卷**
　　　　　　　天明6年（1786）刊本

1293 雨森芳洲　　縞紵風雅集
　　　　　　　吹田　關西大學出版、廣報部　昭和54年（1979）3月　388
　　　　　　　頁（關西大學東西學術研究所資料集刊　11-1）

1294 雨森芳洲著、關西大學東西學術研究所「日中文化交流の研究」歷史班編
　　　　　　　芳洲文集
　　　　　　　吹田　關西大學出版、廣報部　昭和55年（1980）3月　272
　　　　　　　頁（關西大學東西學術研究所資料集刊　11-2　雨森芳洲全
　　　　　　　書2）

1295 雨森芳洲　　芳洲外交關係資料、書翰集
　　　　　　　吹田　關西大學出版部　昭和57年（1982）6月　346頁（關
　　　　　　　西大學東西學術研究所資料集刊　11-3）

1296 大日本思想全集刊行會　雨森芳洲集
　　　　　　　大日本思想全集　第7冊　東京　大日本思想全集刊行會
　　　　　　　昭和6年（1931）
　　　　　　　橘窗茶話
　　　　　　　たはれぐさ

1297 鬼頭有一譯註　雨森芳洲
　　　　　　　朱子學大系　第13卷　日本の朱子學（下）　東京　明德出
　　　　　　　版社　昭和50年（1975）3月

1298 雨森芳洲著　雨森芳洲全書
　　　　　　　吹田　關西大學出版部　昭和61年（1986）　4冊
　　　　　　　第1冊　縞紵風雅集
　　　　　　　第2冊　芳洲文集
　　　　　　　第3冊　芳洲外交關係資料、書翰集

第4冊　續芳洲外交關係資料集

後人研究

1299　森　銑三　　　雨森芳洲
　　　　　　　　　森銑三著作集　第8卷　東京　中央公論社　昭和46年
　　　　　　　　　（1971）
1300　上垣外憲一　　雨森芳洲——元祿、享保の國際人
　　　　　　　　　東京　中央公論社　平成元年（1989）10月　224頁（中公新
　　　　　　　　　書）
1301　上野日出刀　　雨森芳洲
　　　　　　　　　叢書日本の思想家　第7冊　東京　明德出版社　平成3年
　　　　　　　　　（1991）11月（與木下順庵合冊）
1302　滋賀縣教育委員會會務局文化財保護課編　雨森芳洲
　　　　　　　　　關係資料調查報告書　大津　滋賀縣教育委員會　平成6年
　　　　　　　　　（1994）3月　232頁

11.三宅觀瀾（1674—1718）

著　作

1303　三宅觀瀾　　　中興鑑言
　　　　　　　　　國民思想叢書　第10冊　東京　大東出版社　昭和4年
　　　　　　　　　（1929）
1304　三宅緯明　　　中興鑑言
　　　　　　　　　大日本文庫　第8冊　東京　大日本文庫刊行會　昭和9年
　　　　　　　　　（1934）
1305　三宅觀瀾　　　中興鑑言
　　　　　　　　　①水戶學全集　第5編　東京　日東書院　昭和8年（1933）
　　　　　　　　　②水戶學大系　第7卷　東京　水戶學大系刊行會　昭和15
　　　　　　　　　年（1940）
1306　三宅觀瀾　　　觀瀾抄集
　　　　　　　　　①水戶學全集　第5編　東京　日東書院　昭和8年（1933）
　　　　　　　　　②水戶學大系　第7卷　東京　水戶學大系刊行會　昭和15
　　　　　　　　　年（1940）
1307　三宅觀瀾　　　論贊駁語
　　　　　　　　　水戶學大系　第7卷　東京　水戶學大系刊行會　昭和15年

（1940）

1308　三宅觀瀾　　助字雜
　　　　　　　　　甘雨亭叢書　　第4編　　弘化2年（1845）江戸北畠茂兵衛等活
　　　　　　　　　字本

1309　三宅觀瀾　　烈士報讎錄
　　　　　　　　　甘雨亭叢書　　第3編　　弘化2年（1845）江戸北畠茂兵衛等活
　　　　　　　　　字本

1310　三宅觀瀾　　烈士報讎錄
　　　　　　　　　①水戸學全集　　第5編　　東京　　日東書院　　昭和8年（1933）
　　　　　　　　　②水戸學大系　　第7卷　　東京　　水戸學全集刊行會　　昭和15
　　　　　　　　　年（1940）

1311　三宅觀瀾　　烈士報讎錄
　　　　　　　　　日本教育思想大系　　第16冊　　近世武家教育思想(1)　　東京
　　　　　　　　　日本圖書センター　　昭和51年（1976）

後人研究

1312　人見傳藏　　三宅觀瀾に就いて
　　　　　　　　　斯文　　第14卷10號　　昭和7年（1932）

1313　溝口駒造　　水戸學に於ける三宅觀瀾の位置とその影響
　　　　　　　　　日本精神研究　　第5冊　　東京　　東洋書院　　昭和10年（1935）

1314　進藤英幸　　三宅觀瀾
　　　　　　　　　叢書日本の思想家　　第14冊　　東京　　明德出版社　　昭和59年
　　　　　　　　　（1984）10月（與新井白石合冊）

(三)南學派

1.概　述

1315　大高坂芝山　南學傳
　　　　　　　　　①日本儒林叢書　　第3卷　　東京　　鳳出版　　昭和2年（1927）
　　　　　　　　　12月；昭和46年（1971）12月重印本
　　　　　　　　　②近世儒家史料　　中冊　　東京　　井田書店　　昭和18年（1943）

1316　大高坂芝山　南學遺訓
　　　　　　　　　①日本儒林叢書　　第3卷　　東京　　鳳出版
　　　　　　　　　昭和2年（1927）12月；昭和46年（1971）12月重印本
　　　　　　　　　②近世儒家史料　　中冊　　東京　　井田書店　　昭和18年（1943）

| 1317 | 寺石正路 | 南學史 |
東京　富山房　昭和9年（1934）　1291頁
| 1318 | 糸賀國次郎 | 海南朱子學發達の研究 |
東京　成美堂書店　昭和10年（1935）　572頁
| 1319 | 中島鹿吉編 | 南學讀本 |
高知縣　高知縣學務部　昭和12年（1937）
| 1320 | 小林信明 | 南學の特質 |
近世日本の儒學　頁751—768　東京　岩波書店　昭和14年
（1939）8月
| 1321 | 松澤卓郎 | 南學と南學徒たち |
東京　東京講演會出版部　昭和17年（1942）　267頁
| 1322 | 溝淵忠廣 | 南學と師道——谷秦山と南學の人人 |
東京　明德出版社　昭和33年（1958）　216頁
| 1323 | 土佐南學會編 | 南學會報 |
昭和10年（1935）9月創刊，自昭和12年（1937）8月第11號
起，改名《南學》。
| 1324 | 土佐南學會編 | 南學 |
原名《南學會報》，自昭和12年（1937）8月第11號起，改爲
本名。

2.谷　時中（1598—1649）

著　作

1325　谷　時中　二條家和歌作法
天明2年（1782）寫本

後人研究

1326　山根三芳　谷時中
叢書日本の思想家　第3冊　東京　明德出版社　印刷中
（與谷秦山合冊）

3.野中兼山（1615—1663）

著　作

1327　野中兼山　　室戶港記
　　　　　　　　　寬文元年（1661）寫本

後人研究

1328　細川潤次郎　野中兼山傳（附：軼事二十則）
　　　　　　　　　東京　作者刊本　明治18年（1885）10月　20丁
1329　松野尾儀行　南海之偉業（一名野中兼山一世記）
　　　　　　　　　開成社　明治26年（1893）
1330　北村澤吉　　野中兼山
　　　　　　　　　東京　博文館　明治34年（1901）（少年讀本37）
1331　塚越芳太郎　野中兼山
　　　　　　　　　東京　民友社　明治34年（1901）5月　190頁
1332　伊藤猛吉　　兼山先生八田堰功德錄
　　　　　　　　　高知縣伊野町　作者刊本　明治38年（1905）3月　39丁
1333　辻重忠、小關豐吉　野中兼山
　　　　　　　　　東京　富山房　明治44年（1911）3月　290頁
1334　西內青藍　　南海偉業史論（別名偉人野中兼山）
　　　　　　　　　東京　野中兼山出版祭典專務所　明治44年（1911）　424頁
1335　川添陽　　　野中兼山
　　　　　　　　　高知縣教育會　昭和10年（1935）
1336　松澤卓郎　　野中兼山
　　　　　　　　　東京　講談社　昭和16年（1941）
1337　鯱城一郎　　野中兼山
　　　　　　　　　東京　東和出版社　昭和17年（1942）
1338　吉田喜市郎　統制經濟の先覺者野中兼山良繼──その思想と行實
　　　　　　　　　東京　神田書房　昭和18年（1943）
1339　大井田正行　野中兼山
　　　　　　　　　作者印行　昭和27年（1952）
1340　橫川末吉　　野中兼山
　　　　　　　　　東京　吉川弘文館　昭和37年（1962）　297頁（人物叢書）
　　　　　　　　　東京　吉川弘文館　平成2年（1990）3月　297頁（人物叢書
　　　　　　　　　新裝版）
1341　高知縣文教協會　野中兼山關係文書

　　　　　　　　　高知縣　該會　昭和40年（1965）　655頁
1342　平尾道雄　　野中兼山と其の時代
　　　　　　　　　高知縣　高知縣文教協會　昭和45年（1970）　250頁

4.谷　秦山（1663—1718）

著　作

1343　谷　秦山　　秦山集49卷
　　　　　　　　　明治43年（1910）刊本
1344　谷秦山著、關敦校註　保健大記打聞（1、2）
　　　　　　　　　日本學叢書第12卷　東京　雄山閣　昭和13年（1938）
1345　谷秦山著、高木成助校　保健大記打聞（下）
　　　　　　　　　日本學叢書　第12卷　東京　雄山閣　昭和13年（1938）
1346　稻毛實編　　秦山先生手簡
　　　　　　　　　高知　青楓會　昭和14年（1939）
1347　高田博成　　谷秦山
　　　　　　　　　朱子學大系　第12卷　日本の朱子學（上）　東京　明德出
　　　　　　　　版社　昭和52年（1977）3月

後人研究

1348　西　內雅　　谷秦山の神道
　　　　　　　　　高原社　昭和18年（1943）
1349　西　內雅　　谷秦山の學——皇國學の規範
　　　　　　　　　東京　富山房　昭和20年（1945）
1350　溝淵忠廣　　南學と師道——谷秦山と南學の人人
　　　　　　　　　東京　明德出版社　昭和33年（1958）　216頁
1351　山根三芳　　谷秦山
　　　　　　　　　叢書日本の思想家　第3冊　東京　明德出版社　印刷中
　　　　　　　　（與谷時中合冊）

5.大高阪芝山（1647—1713）

著　作

1352　大高阪芝山　芝山會稿4卷目錄1卷
　　　　　　　　　元祿10年（1697）刊本

1353　大高阪芝山　南學傳
　　　　　　　　　①日本儒林叢書　第3卷　東京　鳳出版　昭和2年（1927）
　　　　　　　　　　12月；昭和46年（1971）12月重印本
　　　　　　　　　②近世儒家史料　中册　東京　井田書店　昭和18年（1943）

1354　大高阪芝山　南學遺訓
　　　　　　　　　①日本儒林叢書　第3卷　東京　鳳出版　昭和2年（1927）
　　　　　　　　　　12月；昭和46年（1971）12月重印本
　　　　　　　　　②近世儒家史料　中册　東京　井田書店　昭和18年（1943）

1355　大高阪芝山　適從錄
　　　　　　　　　日本儒林叢書　第4卷　東京　鳳出版　昭和2年（1927）12
　　　　　　　　　月；昭和 46年（1971）12月重印本

(四)前期水戶學派

1.概　述

1356　立林官太郎　水戶學研究
　　　　　　　　　東京　國史研究會　大正8年（1919）

1357　松岡梁太郎　水戶學の指導原理
　　　　　　　　　東京　啓文社　昭和9年（1934）

1358　大內地山　水戶學要義
　　　　　　　　　東京　協文社　昭和10年（1935）

1359　高須芳次郎　水戶學の新研究
　　　　　　　　　東京　明治書院　明治10年（1935）

1360　大野　愼　皇道精神と水戶學
　　　　　　　　　東京　ヤミマ書房　昭和11年（1936）

1361　大內地山　水戶學讀本
　　　　　　　　　東京　第一出版社　昭和14年（1939）

1362　德川慶光　水戶學（初期）——大日本史の紀傳編纂に就いて
　　　　　　　　　近世日本の儒學　頁95—119　東京　岩波書店　昭和14年
　　　　　　　　　（1939）8月

1363　大野　愼　水戶學講話
　　　　　　　　　東京　一路書院　昭和14年（1939）

1364　高須芳次郎　水戶學派の尊皇及び經論

　　　　　　　　　　　東京　雄山閣　昭和15年（1940）

1365　江幡弘道　　　皇道精神の水戸學
　　　　　　　　　　　東京　文淵閣　昭和16年（1941）

1366　高須芳次郎　　水戶學徒列傳—水戶學入門
　　　　　　　　　　　東京　誠文堂　昭和16年（1941）

1367　大內地山　　　水戶學講義案
　　　　　　　　　　　東京　水戶學研究會　昭和16年（1941）

1368　關山　延　　　水戶學精髓
　　　　　　　　　　　東京　誠文堂新光社　昭和16年（1941）8月　716頁

1369　高須芳次郎　　水戶學の心髓を語る
　　　　　　　　　　　東京　井田書店　昭和16年（1941）

1370　深作安文　　　水戶學要義
　　　　　　　　　　　東京　目黑書店　昭和16年（1941）

1371　高須芳次郎　　水戶學の人人
　　　　　　　　　　　東京　大東出版社　昭和17年（1942）

1372　立林官太郎　　水戶學研究法
　　　　　　　　　　　東京　新興亞社　昭和18年（1943）

1373　高須芳次郎　　水戶學講話
　　　　　　　　　　　東京　今日の問題社　昭和18年（1943）

1374　菊地謙三郎　　水戶學論叢
　　　　　　　　　　　東京　誠文堂　昭和18年（1943）11月

1375　名越漠然　　　水戶弘道館大觀
　　　　　　　　　　　茨城出版　昭和19年（1944）

1376　高瀬武次郎　　水戶學
　　　　　　　　　　　東京　皇教會　昭和19年（1944）

1377　岡村利平　　　水戶藩皇道史
　　　　　　　　　　　東京　明治書院　昭和19年（1944）

1378　清水正健、栗田勤　水戶學講話
　　　　　　　　　　　東京　明文社　昭和19年（1944）

1379　松本純郎　　　水戶學の源流
　　　　　　　　　　　東京　朝倉書店　昭和20年（1945）

1380　名越時正　　　水戶學の道統
　　　　　　　　　　　水戶　鶴屋書店　昭和46年（1971）　206頁

1381　名越時正　　　水戶學の研究
　　　　　　　　　　　東京　神道史學會　昭和50年（1975）　507頁　（神道史研
　　　　　　　　　　　究叢書　9）

1382　Webb, Herschel F.　The thought and work of the early Mito School. [Ann Arbor, Mich., University Microfilms International, 1979] 294 P.Thesis　Columbia University, 1958. "Authorized facsimile..produced by microfilm-xerography." Incl. bibliography.

1383　小林健三、照沼好文　水戶史學の傳統
　　　　　　　水戶　水戶史學會　昭和58年（1983）6月　207頁（水戶史學選書）

1384　名越時正監修　水戶史學先賢傳
　　　　　　　水戶　水戶史學會　昭和59年（1984）7月（水戶史學選書）

1385　長久保赤水著、長久保片雲譯注　儒佛辨――水戶藩排佛論の源流
　　　　　　　東京　曉印書館　昭和61年（1986）1月　84頁

1386　荒川久壽男　水戶史學の現代的意義
　　　　　　　水戶　水戶史學會　昭和62年（1987）2月　290頁（水戶史學選書）

1387　Koschmann, J. Victor.　The Mito ideology: discourse, reform, and insurrection in late Tokugawa Japan, 1790-1864 / J. Victor Koschmann. Berkeley: University of California Press, c1987. ix, 190 p.

1388　名越時正　水戶學の達成と展開
　　　　　　　東京　錦正社　平成4年（1992）

1389　芳賀　登　近代水戶學研究史
　　　　　　　東京　教育出版センター　平成8年（1996）　418頁

1390　清水正健　改訂水戶文籍考
　　　　　　　須原屋書店　大正12年（1923）

1391　高須芳次郎　水戶學辭典
　　　　　　　東京　井田書店　昭和18年（1943）

1392　高須芳次郎編　水戶學全集
　　　　　　　東京　日東書院　昭和8、9年（1933、1934）　6冊
　　　　　　　第1編
　　　　　　　　　藤田東湖集
　　　　　　　　　弘道館記述義
　　　　　　　　　回天詩史
　　　　　　　　　見聞偶筆
　　　　　　　　　常陸帶
　　　　　　　　　青山總裁に與ふるの書

　　　　　　　北條早雲
　　　　　　　毛利元就
　　　　　　　織田右府
　　　　　　　豊臣太閤
　　　　　　　蒲生氏郷
　　　　　　　佐佐成政
　　　　　　　小早川隆景
　　　　　　　加藤清正
　　　　　　　加藤嘉明
　　　　　　　黑田如水
　　　　　　　前田利家
　　　　　　　伊達政宗
　　　　　　赤穂四十七士傳（青山佩弦）
　　　　　　櫻史新編（青山佩弦）
　　　　　　學校興廢考（青山佩弦）
　　　　　　皇朝史略卷1—3（青山拙齋）
　　　　　　　神武——稱德天皇
　　　　　　文苑遺談抄
　　　　　　　安積覺
　　　　　　　栗山愿
　　　　　　　三宅緝明
　　　　　　　立原萬
　　　　　　　小宮山昌秀
　　　　　　　藤田一正
　　　　　　　岡井瑛
　　　　　　三才究理頌（鶴峰海西）
1393　高須芳次郎編　水戶學大系
　　　　　　東京　水戶學大系刊行會（井田書店內）　昭和15—17年
　　　　　　（1940—1942）　10冊
　　　　　　第1卷
　　　　　　　藤田東湖集
　　　　　　　　弘道館記述義
　　　　　　　　回天詩史
　　　　　　　　見聞偶筆
　　　　　　　　常陸帶
　　　　　　　　青山總裁に與ふるの書

2.朱　舜　水（1600—1682）

著　作

1394　朱　舜水　　　舜水先生文集28卷、序目1卷、附錄1卷
　　　　　　　　　　正德5年（1715）刊本
1395　朱　舜水　　　朱舜水文集抄
　　　　　　　　　　①水戶學全集　第4編　東京　日東書院　昭和8年（1933）
　　　　　　　　　　②水戶學大系　第6卷　東京　水戶學大系刊行會　昭和15
　　　　　　　　　　　年（1940）
1396　稻葉岩吉編　　朱舜水全集
　　　　　　　　　　東京　文會堂　明治45年（1912）4月　776頁
　　　　　　　　　　朱舜水先生文集（德川光圀編）
　　　　　　　　　　朱徵君集（五十川剛伯編）
　　　　　　　　　　泊舟稿（朱之嶼）
1397　朱　舜水　　　朱舜水集
　　　　　　　　　　①北京　中華書局　昭和56年（1981）8月　2冊　840頁
　　　　　　　　　　②臺北　漢京文化事業公司　昭和59年（1984）5月　840頁
1398　徐興慶編注　　朱舜水集補遺
　　　　　　　　　　臺北　臺灣學生書局　平成4年（1992）5月　338頁

後人研究

1399　中山久四郎　　朱舜水先生年譜
　　　　　　　　　　斯文　復刊第24號　昭和34年（1959）
1400　朱舜水紀念會編　朱舜水
　　　　　　　　　　東京　朱舜水記念會事務所　明治45年（1912）　104頁
　　　　　　　　　　湊川碑と朱舜水（德川賴倫）
　　　　　　　　　　朱舜水と第一高等學校（德川達孝）
　　　　　　　　　　水戶義公の賓師朱舜水（國府種德）
　　　　　　　　　　朱舜水の學風と精神（稻葉君山）
　　　　　　　　　　時代思潮と湊川建碑（後藤肅堂）
　　　　　　　　　　朱舜水と安東省庵（國府犀東）
1401　彰考館編　　　朱舜水記事纂錄
　　　　　　　　　　編者印行　大正3年（1914）
1402　雨谷毅編　　　義公と朱舜水關係資料
　　　　　　　　　　彰考館　昭和13年（1938）
1403　中山久四郎　　朱舜水と日本文化
　　　　　　　　　　東京支那學報　第3號　昭和32年（1957）
1404　石原道博　　　朱舜水

①東京　吉川弘文館　昭和36年（1961）　300頁（人物叢書）

②東京　吉川弘文館　平成元年（1989）12月　303頁（人物
叢書新裝版）

1405　藤澤　誠　　朱舜水の古學思想と我が古學派との關係
東洋支那學報　卷期、出版年待考

1406　戴　瑞坤　　一代儒宗朱舜水先生
逢甲學報　第20期　頁1─25　昭和62年（1987）11月

1407　梁　容若　　朱舜水與日本文化
中國文化東漸研究　頁43─65　臺北　中華文化出版事業委
員會　昭和31年（1956）10月

3.德川光圀（1628─1700）
とく　がわ　みつ　くに

著　作

1408　德川光圀修　大日本史（卷1─27）
大日本文庫　第32冊　東京　大日本文庫刊行會　昭和9年
（1934）

1409　德川光圀　　西山公隨筆1卷
日本隨筆大成　第2期　第14冊　東京　吉川弘文館　昭和2
年（1927）

1410　德川光圀　　西山公隨筆
大日本思想全集　第18卷　東京　大日本思想全集刊行會
昭和6年（1931）

1411　德川光圀　　西山公隨筆
①水戶學全集　第4編　東京　日東書院　昭和8年（1933）
②水戶學大系　第5卷　東京　水戶學大系刊行會　昭和15
年（1940）

1412　德川光圀　　常山文集抄
①水戶學全集　第4編　東京　日東書院　昭和8年（1933）
②水戶學大系　第5卷　東京　水戶學大系刊行會　昭和15
年（1940）

1413　德川光圀　　常山詠草抄
水戶學大系　第5卷　東京　水戶學大系刊行會　昭和15年
（1940）

1414　大日本思想全集刊行會編　德川光圀集
　　　　　　大日本思想全集　第18冊　東京　大日本思想全集刊行會
　　　　　　昭和6年（1931）
　　　　　　西山公隨筆
1415　高須芳次郎編　水戶義公集
　　　　　　水戶學全集　第4編　東京　日東書院　昭和8年（1933）
　　　　　　西山公隨筆
　　　　　　常山文集抄
1416　高須芳次郎編　水戶義公集
　　　　　　水戶學大系　第5卷　東京　水戶學大系刊行會　昭和15年
　　　　　　（1940）
　　　　　　西山公隨筆
　　　　　　常山文集抄
　　　　　　常山詠草抄
1417　德川圀順編　水戶義公全集
　　　　　　東京　角川書店　昭和45年（1970）　3冊
　　　　　　上卷
　　　　　　　常山文集
　　　　　　　常山文集拾遺
　　　　　　　常山文集補遺
　　　　　　　常山聯句
　　　　　　　常山聯句補遺
　　　　　　　西山左傳系
　　　　　　　西山過去帳
　　　　　　　附錄義公行實
　　　　　　中卷
　　　　　　　常山詠草
　　　　　　　常山詠草補遺
　　　　　　　西山隨筆
　　　　　　　甲寅紀行
　　　　　　　鎌倉日記
　　　　　　　水戶義公元祿九年御書草案
　　　　　　下卷
　　　　　　　水戶義公書簡集
　　　　　　　水戶義公公卿御書留

後人研究

1418　渡邊修二郎　　德川光圀言行錄
　　　　　　　　　　內外出版協會　明治41年（1908）

1419　中澤寬一郎編　德川光圀
　　　　　　　　　　假名插入皇朝名臣傳　第5冊　溝口嘉助印行　明治13年
　　　　　　　　　　（1880）

1420　奧田源三　　　德川光圀
　　　　　　　　　　普及舍　明治27年（1894）

1421　齋藤德寬　　　西山偉績3卷
　　　　　　　　　　高木知新堂　明治32年（1899）

1422　峽北隱士　　　水戶義公と烈公
　　　　　　　　　　東京　富士書店　明治33年（1900）3月　78, 49頁

1423　野口勝一　　　德川光圀、齊昭
　　　　　　　　　　久彰館　明治36年（1903）

1424　塚原　靖　　　水戶光圀卿
　　　　　　　　　　左久良書房　明治41年（1908）

1425　山口松濤　　　水戶光圀
　　　　　　　　　　一書堂　明治42年（1909）

1426　坂本辰之助　　水戶黃門（付德川家系圖）
　　　　　　　　　　如山堂　明治43年（1910）

1427　小久保喜七　　水戶義公の人格と其の感化
　　　　　　　　　　作者印行　明治44年（1911）

1428　佐藤　進　　　水戶義公傳
　　　　　　　　　　東京　博文館　明治44年（1911）8月　301頁

1429　坂本辰之助　　水戶黃門
　　　　　　　　　　東京　民友社　大正2年（1913）

1430　野口勝一　　　水戶義烈兩公傳
　　　　　　　　　　東京　日本文化協會　大正15年（1926）

1431　鳥居龍藏　　　水戶光圀とアイヌ研究
　　　　　　　　　　東京　亞細亞學術研究會　昭和2年（1927）

1432　菊地謙二郎　　義公略傳
　　　　　　　　　　義公生誕三百年記念會　昭和3年（1928）

1433　矢田　勇　　　水戶義公
　　　　　　　　　　義公記念會　昭和3年（1928）

1434　義公生誕三百年記念會編　義公行實

		編者印行　昭和3年（1928）
1435	三崎巳之太郎	水戶光圀卿
		東京　樂天社　昭和3年（1928）
1436	弓野國之介	義公史蹟行腳
		作者印行　昭和4年（1929）
1437	義公生誕三百年記念會編	義公生誕三百年記念講演集
		編者印行　昭和6年（1931）
1438	中山久四郎	水戶學と義公烈公の精神
		日本精神研究　第4輯　東京　東洋書院　昭和10年（1935）
1439	菊地謙二郎	水戶義公略傳
		日本精神研究　第5輯　東京　東洋書院　昭和10年（1935）
1440	西村保治郎	水戶光圀公の事蹟を敍し大日本史編纂のことに及ぶ
		日本精神研究　第5輯　東京　東洋書院　昭和10年（1935）
1441	大久保一龍	德川光圀と水戶學
		東京　大同館　昭和10年（1935）
1442	稻垣國三郎	義公論語
		東京　八光社　昭和11年（1936）
1443	豐田重光	義公遺蹟西山餘光
		東京　協文社　昭和12年（1937）
1444	大內地山	人間義公、水戶黃門一代記
		東京　水戶學研究會、第一出版社　昭和13年（1938）
1445	菊地謙二郎	義烈兩公行實並義公略傳
		著者印行　昭和13年（1938）
1446	小瀧　淳	水戶光圀を語る
		東京　崇文社　昭和14年（1939）
1447	菊地謙二.郎	義公略傳
		東京　常總新聞社　昭和14年（1939）
1448	蔭山秋穗	水戶義公と烈公
		東京　三教書院　昭和15年（1940）
1449	高須芳次郎	德川光圀
		東京　新潮社　昭和16年（1941）（新傳記叢書）
1450	高須芳次郎	水戶義公を語る
		東京　井田書店　昭和17年（1942）　248頁
1451	稻垣國三郎	水戶光圀正傳桃源遺事
		東京　清水書房　昭和18年（1943）
1452	南楓溪編	義公及び水戶學

先賢遺德顯彰會　昭和18年（1943）

1453　高須芳次郎　　光圀と齊昭
　　　　　　　　　東京　潮文閣　昭和18年（1943）

1454　奥田源三　　　德川光圀
　　　　　　　　　東京　普及舍　昭和27年（1952）

1455　齋藤新一郎編　義公行實
　　　　　　　　　水戶學振興會　昭和29年（1954）

1456　照沼好文　　　釋萬葉集と德川光圀の思想──水戶藩に於ける萬葉集の研
　　　　　　　　　究
　　　　　　　　　作者印行　昭和31年（1956）

1457　茨城縣之西山研修所編　新生活運動より見たる義公の業績
　　　　　　　　　編者印行　昭和32年（1957）

1458　茨城縣立西山研修所編　梅里先生碑陰銘解說
　　　　　　　　　編者印行　昭和33年（1958）

1459　茨城縣立西山研修所編　德川光圀史料による人と業績
　　　　　　　　　編者印行　昭和34年（1959）

1460　山本秋廣　　　水戶光圀公
　　　　　　　　　作者印行　昭和36年（1961）

1461　勝又胞吉　　　水戶黃門を敬慕して
　　　　　　　　　針勝商店　昭和37年（1962）

1462　名越時正　　　水戶光圀
　　　　　　　　　東京　日本教文社　昭和41年（1966）

1463　野口武彦　　　德川光圀
　　　　　　　　　東京　朝日新聞社　昭和51年（1976）

1464　常盤神社水戶史學會編　水戶義公傳記逸話集
　　　　　　　　　東京　吉川弘文館　昭和53年（1978）

1465　名越時正　　　水戶光圀とその餘光
　　　　　　　　　水戶　水戶史學會　昭和60年（1985）5月　320頁　（水戶
　　　　　　　　　史學選書）

1466　名越時正　　　水戶光圀
　　　　　　　　　水戶　水戶史學會　昭和61年（1986）（水戶史學選書）

4.安積澹泊（1656—1737）

著　作

1467　安積澹泊　　　澹泊史考
　　　　　　　　　　甘雨亭叢書　第2編　弘化2年（1845）江戶北畠茂兵衛等活字本
1468　安積澹泊　　　大日本史贊藪
　　　　　　　　　　日本思想大系　第48冊　東京　岩波書店　昭和49年（1974）
1469　安積澹泊　　　大日本史贊藪
　　　　　　　　　　①水戶學全集　第3編　東京　日東書院　昭和8年（1933）
　　　　　　　　　　②水戶學大系　第6卷　東京　水戶學大系刊行會　昭和15年（1940）
1470　安積澹泊　　　史論史傳
　　　　　　　　　　①水戶學全集　第3編　東京　日東書院　昭和8年（1933）
　　　　　　　　　　②水戶學大系　第6卷　東京　水戶學大系刊行會　昭和15年（1940）
1471　安積　覺　　　澹泊先生史論
　　　　　　　　　　大日本文庫　第8冊　東京　大日本文庫刊行會　昭和9年（1934）
1472　安積澹泊　　　湖亭涉筆4卷
　　　　　　　　　　享保12年（1845）刊本
1473　安積澹泊　　　湖亭涉筆
　　　　　　　　　　日本儒林叢書　第12卷　東京　鳳出版　昭和2年（1927）；昭和46年（1971）重印本
1474　安積澹泊　　　湖亭涉筆4卷
　　　　　　　　　　日本隨筆全集　第4卷　東京　國民圖書刊行會　昭和2年（1927）
1475　安積澹泊　　　老圃詩賸1卷
　　　　　　　　　　日本詩話叢書　第7卷　東京　文會堂　大正9年（1920）
1476　高須芳次郎編　安積澹泊集
　　　　　　　　　　水戶學全集　第3編　東京　日東書院　昭和8年（1933）
　　　　　　　　　　大日本史贊藪
　　　　　　　　　　史論史傳
1477　高須芳次郎編　安積澹泊集
　　　　　　　　　　水戶學大系　第6卷　東京　水戶學大系刊行會　昭和15年（1940）
　　　　　　　　　　大日本史贊藪
　　　　　　　　　　史論史傳

後人研究

1478　龜山聿三編　　滄泊齋安積先生碑文集
　　　　　　　　　　近代先哲碑文集　第45集　東京　夢硯堂　昭和51年（1976）
1479　松本純郎　　　安積滄泊に就いて
　　　　　　　　　　日本諸學振興委員會研究報告特㈣　東京　文部省教學局
　　　　　　　　　　昭和17年（1942）

<ruby>安<rt>あん</rt></ruby><ruby>東<rt>どう</rt></ruby><ruby>省<rt>せい</rt></ruby><ruby>庵<rt>あん</rt></ruby>

5.安東省庵（1622—1701）

著　作

1480　安東省庵　　　省菴手簡1卷附錄1卷
　　　　　　　　　　刊本
1481　安東省庵　　　省菴先生文集12卷
　　　　　　　　　　刊本
1482　山室山良譯註　安東省庵
　　　　　　　　　　朱子學大系　第13卷　日本の朱子學（下）　東京　明德出
　　　　　　　　　　版社　昭和50年（1975）3月

後人研究

1483　柳川山門三池教育會編　柳川人から見た安東省庵とその著三忠傳楠正成公
　　　　　　　　　　傳世子正行公附よみ下し文
　　　　　　　　　　柳川　編者印行　昭和52年（1977）9月　200頁（鄉土資料
　　　　　　　　　　解說　第13編　柳川學問の祖の卷）
1484　菰口　治　　　安東省庵
　　　　　　　　　　叢書日本の思想家　第9冊　東京　明德出版社　昭和60年
　　　　　　　　　　（1985）12月　235頁（與貝原益軒合冊）
1485　松野一郎　　　安東省庵
　　　　　　　　　　福岡　西日本新聞社　平成7年（1995）11月　221頁（西日
　　　　　　　　　　本人物誌　6）
1486　山室三良　　　安東省菴の著書——その人物を中心として
　　　　　　　　　　圖書館學　第2號　頁47—55　昭和30年（1955）6月
1487　山室三良　　　安東省菴關係資料覺書
　　　　　　　　　　九州儒學思想の研究　福岡　九州大學　中國哲學研究室

昭和32年（1957）

1488　福岡縣立傳習館高等學校同窓會　安東家藏書

傳習館文庫藏書分類總目錄　頁52—71　東京　文獻出版

昭和59年（1984）9月

1489　柳川古文書館編　安東家史料目錄

柳州　編者印行　昭和61年（1986）12月　124頁

<ruby>栗<rt>くり</rt></ruby><ruby>山<rt>やま</rt></ruby><ruby>潛<rt>せん</rt></ruby><ruby>鋒<rt>ぼう</rt></ruby>
6.栗山潛鋒（1671—1706）

著　作

1490　栗山潛鋒　　　保健大記

①水戶學全集　第5編　東京　日東書院　昭和8年（1933）

②水戶學大系　第7卷　東京　水戶學大系刊行會　昭和15年（1940）

1491　栗山　愿　　　保健大記

大日本文庫　第8冊　東京　大日本文庫刊行會　昭和9年（1934）

1492　栗山潛鋒著、關敦校註　保健大記（上、下）

日本學叢書　第2、12卷　東京　雄山閣　昭和13年（1938）

1493　栗山潛鋒　　　保健大記

日本思想大系　第48冊　東京　岩波書店　昭和49年（1974）

1494　栗山潛鋒　　　倭史後編

甘雨亭叢書　第2編　弘化2年（1845）江戶北畠茂兵衛等活字本

1495　栗山　愿　　　弊帚集

甘雨亭叢書　第5編　弘化2年（1845）江戶北畠茂兵衛等活字本

1496　栗山潛鋒　　　弊帚集抄

①水戶學全集　第5編　東京　日東書院　昭和8年（1933）

②水戶學大系　第7卷　東京　水戶學大系刊行會　昭和15年（1940）

(五)崎門學派

1.概　述

1497　大塚觀瀾　　　日本道學淵源錄2卷、續錄4卷、增補2卷
　　　　　　　　　　昭和9年（1934）刊本
1498　大塚觀瀾　　　日本道學淵源錄
　　　　　　　　　　楠本端山、碩水全集　頁505—581　福岡　葦書房　昭和55
　　　　　　　　　　年（1980）8月
1499　南　一郎　　　全譯日本道學淵源錄
　　　　　　　　　　作者印行　昭和12年（1937）
1500　楠本謙三郎　　訂正增補崎門學脈系譜
　　　　　　　　　　三重縣　清光本舍　明治36年（1903）6月
1501　山崎闇齋等　　諸先生說1卷（闇齋、絅齋、強齋、尙齋）
　　　　　　　　　　寫本
1502　未署名　　　　崎門雜著1卷
　　　　　　　　　　寫本
1503　龜山聿三編　　崎門社中名家碑文集
　　　　　　　　　　近代先哲碑文集　第47集　東京　夢硯堂　昭和51年（1976）
1504　龜山聿三編　　崎門社中名家碑文集續編
　　　　　　　　　　近代先哲碑文集　第48集　東京　夢硯堂　昭和52年（1977）
1505　法貴慶次郎編　山崎闇齋學派之學說
　　　　　　　　　　東京　佐藤政二郎　明治35年（1902）6月　93, 106頁
1506　西順藏等校注　山崎闇齋學派
　　　　　　　　　　日本思想大系　第31冊　東京　岩波書店　昭和55年（1980）
　　　　　　　　　　大學垂加先生講義（山崎闇齋）
　　　　　　　　　　本然氣質性講說（山崎闇齋）
　　　　　　　　　　敬齋箴（山崎闇齋編）
　　　　　　　　　　敬齋箴講義（山崎闇齋）
　　　　　　　　　　　附：闇齋敬齋箴講說
　　　　　　　　　　敬說筆記（佐藤直方）
　　　　　　　　　　　附：直方敬齋箴講義
　　　　　　　　　　絅齋先生敬齋箴講義（淺見絅齋）
　　　　　　　　　　敬齋箴筆記（三宅尙齋）
　　　　　　　　　　拘幽操（山崎闇齋編）
　　　　　　　　　　拘幽操附錄（淺見絅齋編）
　　　　　　　　　　拘幽操辨（傳佐藤直方）

　　　　　　　參考湯武論（佐藤直方・三宅尙齋）
　　　　　拘幽操師說（淺見絅齋）
　　　　　拘幽操筆記（三宅尙齋）
　　　　　仁說問答（山崎闇齋編）
　　　　　仁說問答師說（淺見絅齋）
　　　　　絅齋先生仁義禮智筆記（淺見絅齋）
　　　　　箚錄（淺見絅齋）
　　　　　　參考
　　　　　　　中國辨（淺見絅齋）
　　　　　　　中國論集（佐藤直方）
　　　　　學談雜錄（佐藤直方）
　　　　　雜話筆記（若林強齋）
　　　　　解說
　　　　　　解題（阿部隆一）
　　　　　　崎門學派諸家の略傳と學風（阿部隆一）
　　　　　　闇齋學と闇齋學派（丸山眞男）
1507　阿部隆一　　　大倉山文化科學研究所所藏崎門學派著作文獻解題
　　　　　　　　　横濱　大倉山文化科學研究所　昭和32年（1957）　89頁
1508　九洲大學中國哲學研究室　崎門文庫目錄
　　　　　　　　　福岡　編者印行　昭和60年（1985）8月

2.山崎闇齋（1618—1682）
やま ざき あん さい

著　作

1509　山崎闇齋　　　經名考
　　　　　　　　　日本倫理彙編　第7冊　東京　育成會　明治34年（1901）；
　　　　　　　　　京都　臨川書店　昭和45年（1970）
1510　山崎闇齋　　　大學商量集
　　　　　　　　　寫本
　　　　　　　　　大學垂加先生講義
　　　　　　　　　日本思想大系　第31冊　東京　岩波書店　昭和55年（1980）
1511　山崎闇齋　　　仁說問答1卷
　　　　　　　　　刊本
1512　山崎闇齋　　　仁說問答

日本倫理彙編　第7冊　東京　育成會　明治34年（1901）；
京都　臨川書店　昭和45年（1970）

1513　山崎闇齋　　　　仁說問答
　　　　　　　　　　　大日本思想全集　第4卷　東京　大日本思想全集刊行會
　　　　　　　　　　　昭和6年（1931）

1514　山崎闇齋　　　　仁說問答
　　　　　　　　　　　日本教育思想大系　第10冊　山崎闇齋　上卷　東京　日本
　　　　　　　　　　　圖書センター　昭和51年（1976）

1515　山崎闇齋　　　　仁說問答
　　　　　　　　　　　日本思想大系　第31冊　東京　岩波書店　昭和55年（1980）

1516　山崎闇齋　　　　白鹿洞學規
　　　　　　　　　　　日本教育寶典　第6冊　東京　玉川大學出版部　昭和40年
　　　　　　　　　　　（1965）

1517　山崎闇齋　　　　白鹿洞書院揭示
　　　　　　　　　　　日本精神文獻叢書　第10卷　儒教篇下　東京　大東出版社
　　　　　　　　　　　昭和13年（1938）

1518　山崎闇齋　　　　白鹿洞書院揭示
　　　　　　　　　　　日本教育寶典　第6冊　東京　玉川大學出版部　昭和40年
　　　　　　　　　　　（1965）

1519　山崎闇齋　　　　中和集說1卷
　　　　　　　　　　　刊本

1520　山崎闇齋　　　　敬齋箴1卷
　　　　　　　　　　　刊本

1521　山崎闇齋　　　　敬齋箴
　　　　　　　　　　　日本教育寶典　第6冊　東京　玉川大學出版部　昭和40年
　　　　　　　　　　　（1965）

1522　山崎闇齋　　　　敬齋箴
　　　　　　　　　　　日本思想大系　第31冊　東京　岩波書店　昭和55年（1980）

1523　山崎闇齋　　　　敬齋箴講義
　　　　　　　　　　　日本思想大系　第31冊　東京　岩波書店　昭和55年（1980）

1524　山崎闇齋　　　　拘幽操
　　　　　　　　　　　日本教育寶典　第6冊　東京　玉川大學出版部　昭和40年
　　　　　　　　　　　（1965）

1525　山崎闇齋　　　　拘幽操
　　　　　　　　　　　日本思想大系　第31冊　東京　岩波書店　昭和55年（1980）

1526　山崎闇齋　　　　本然氣質性講說

		日本思想大系　第31冊　東京　岩波書店　昭和55年（1980）
1527	山崎闇齋	倭鑑目錄
		日本教育寶典　第6冊　東京　玉川大學出版部　昭和40年（1965）
1528	山崎闇齋	大和小學（抄）
		日本教育寶典　第6冊　東京　玉川大學出版部　昭和40年（1965）
1529	山崎闇齋	大和小學
		日本教育思想大系　第10冊　山崎闇齋　上卷　東京　日本圖書センター　昭和51年（1976）
1530	山崎闇齋	藤森弓兵政所記
		日本教育寶典　第6冊　東京　玉川大學出版部　昭和40年（1965）
1531	山崎闇齋	垂加翁神道教傳
		日本教育寶典　第6冊　東京　玉川大學出版部　昭和40年（1965）
1532	山崎闇齋	持受抄
		日本教育寶典　第6冊　東京　玉川大學出版部　昭和40年（1965）
1533	山崎闇齋	持受抄
		日本思想大系　第39冊　東京　岩波書店　昭和47年（1972）
1534	山崎闇齋	垂加社語
		日本哲學思想全書　第9卷　東京　平凡社　昭和31年（1956）
1535	山崎闇齋	垂加社語
		日本教育寶典　第6冊　東京　玉川大學出版部　昭和40年（1965）
1536	山崎闇齋	垂加社語
		日本教育思想大系　第11冊　山崎闇齋　下卷　昭和51年（1976）
1537	山崎闇齋	垂加社語
		日本思想大系　第39冊　東京　岩波書店　昭和47年（1972）
1538	山崎闇齋	神代卷講義
		日本教育思想大系　第10冊　山崎闇齋　上卷　東京　日本圖書センター　昭和51年（1976）
1539	山崎闇齋	神代卷風葉集

日本教育思想大系　第10冊　山崎闇齋　上卷　東京　日本
圖書センター　昭和51年（1976）

1540　山崎闇齋　　　　神代卷講義
日本思想大系　第39冊　東京　岩波書店　昭和55年（1980）

1541　山崎闇齋　　　　中臣祓風水草
大日本文庫　第17冊　東京　大日本文庫刊行會　昭和9年
（1934）

1542　山崎闇齋　　　　中臣祓風水草
日本教育思想大系　第10冊　山崎闇齋　上卷　東京　日本
圖書センター　昭和51年（1976）

1543　山崎闇齋　　　　闢異1卷
刊本

1544　山崎闇齋　　　　闢異
日本倫理彙編　第7冊　東京　育成會　明治34年（1901）；
京都　臨川書店　昭和45年（1970）

1545　山崎闇齋　　　　闢異1卷
日本思想鬥爭史料　第1卷　東京　東方書院　昭和5年
（1930）

1546　山崎闇齋　　　　闢異
大日本思想全集　第4卷　東京　大日本思想全集刊行會
昭和6年（1931）

1547　山崎闇齋　　　　闢異
日本の思想　第17冊　東京　筑摩書房　昭和44年（1969）

1548　山崎闇齋　　　　闢異
日本教育思想大系　第10冊　山崎闇齋　上卷　東京　日本
圖書センター　昭和51年（1976）

1549　山崎闇齋　　　　文會筆錄　20卷
天和3年（1683）刊本

1550　山崎闇齋　　　　文會筆錄
日本教育思想大系　第11冊　山崎闇齋　下卷　東京　日本
圖書センター　昭和51年（1976）

1551　山崎闇齋　　　　垂加文集（抄）
日本教育寶典　第6冊　東京　玉川大學出版部　昭和40年
（1965）

1552　山崎闇齋　　　　垂加文集
日本教育思想大系　第11冊　山崎闇齋　下卷　東京　日本

圖書センター　昭和51年（1976）

1553　山崎闇齋　　　續垂加文集
　　　　　　　　　　日本教育思想大系　第11冊　山崎闇齋　下卷　東京　日本
　　　　　　　　　　圖書センター　昭和51年（1976）

1554　山崎闇齋　　　垂加文集拾遺
　　　　　　　　　　日本教育思想大系　第11冊　山崎闇齋　下卷　東京　日本
　　　　　　　　　　圖書センター　昭和51年（1976）

1555　山崎闇齋　　　垂加草30卷、附錄3卷
　　　　　　　　　　刊本

1556　山崎闇齋　　　垂加草
　　　　　　　　　　日本教育思想大系　第11冊　山崎闇齋　下卷　東京　日本
　　　　　　　　　　圖書センター　昭和51年（1976）

1557　伊東倫厚譯註　山崎闇齋
　　　　　　　　　　朱子學大系　第12卷　日本の朱子學（上）　東京　明德出
　　　　　　　　　　版社　昭和52年（1977）3月

1558　大日本思想全集刊行會　山崎闇齋集
　　　　　　　　　　大日本思想全集　第4卷　東京　大日本思想全集刊行會
　　　　　　　　　　昭和6年（1931）
　　　　　　　　　　闢異
　　　　　　　　　　仁說問答

1559　玉川大學出版部　山崎闇齋集
　　　　　　　　　　日本教育寶典　第6冊　東京　玉川大學出版部　昭和40年
　　　　　　　　　　（1965）
　　　　　　　　　　儒學
　　　　　　　　　　　　大和小學抄
　　　　　　　　　　　　白鹿洞學規
　　　　　　　　　　　　敬齋箴
　　　　　　　　　　　　垂加文集抄
　　　　　　　　　　　　倭鑑目錄
　　　　　　　　　　　　拘幽操
　　　　　　　　　　神道
　　　　　　　　　　　　垂加文集抄
　　　　　　　　　　　　垂加社語
　　　　　　　　　　　　藤森弓兵政所記
　　　　　　　　　　　　持授抄正親町家本
　　　　　　　　　　　　垂加翁神道教傳河野家本

　　　　　　師說
　　　　　　　拘幽操師說
　　　　　　　白鹿洞書院揭示_{出雲路家本}
　　　　　　山崎闇齋略年譜
1560　日本圖書センター編　山崎闇齋集
　　　　　　日本教育思想大系　第10、11冊　東京　日本圖書センター
　　　　　　昭和51年（1976）
　　　　　　上卷
　　　　　　　闇齋先生年譜
　　　　　　　大和小學
　　　　　　　闢異
　　　　　　　仁說問答
　　　　　　　神代卷風葉集
　　　　　　　中臣祓風水草
　　　　　　　神代卷講義
　　　　　　下卷
　　　　　　　垂加社語
　　　　　　　垂加草
　　　　　　　文會筆錄
　　　　　　　垂加文集
　　　　　　　續垂加文集
　　　　　　　垂加文集拾遺
1561　日本古典學會編　山崎闇齋全集
　　　　　　日本古典學會　昭和11、12年（1936、1937）2冊
　　　　　　上卷
　　　　　　　垂加草全集
　　　　　　　　卷1　垂加社語
　　　　　　　　卷2・3　詩
　　　　　　　　卷4　紀
　　　　　　　　卷5　銘贊
　　　　　　　　卷6　記
　　　　　　　　卷7　論
　　　　　　　　卷8　辨
　　　　　　　　卷9　說
　　　　　　　　卷10　序
　　　　　　　　卷11　跋

卷12—25　文會筆錄1—10の1

卷26　碑

卷27　碑

卷28　墓誌

卷29　傳

卷30　譜

附錄　考、書、辭、行狀、雜著

下卷

垂加草全集

文會筆錄10の2—20　碑、墓誌、傳、附錄（考・書・
辭・行狀・雜著）

垂加文集上・中・下

續垂加文集上・中・下・附錄

垂加文集拾遺上・中・下・附錄

1562　日本古典學會編　續山崎闇齋全集

日本古典學會　昭和12年（1937）3冊

上卷

風葉集

風水草

中卷

蒙養啓發集

孝經外傳

朱易衍義

洪範全書

周子書

中和集說

孟子要略

闢異

大家商量集

朱子社倉法

下卷

白鹿洞學規集註

敬齋箴

感興詩考註

武銘

仁說

　　　　　仁說問答
　　　　　性論明備錄
　　　　　沖漠無朕說
　　　　　朱子訓蒙詩
　　　　　朱子訓子帖
　　　　　薛文清公策目
　　　　　拘幽操
　　　　　責沈文
　　　　　朱子行宮便殿奏箚
　　　　　山北紀行
　　　　　著卦考誤
　　　　　大和小學
　　　　　神代卷講義
　　　　　口授持授合編
　　　　　附錄
　　　　　會津風土記
　　　　　吾學紀年
1563　日本古典學會編　新編山崎闇齋全集
　　　　東京　ぺりかん社　昭和53年（1978）　5冊
　　　　第1卷
　　　　　肖像
　　　　　筆蹟大學啓發集序
　　　　　垂加草
　　　　　文會筆錄
　　　　第2卷
　　　　　文會筆錄
　　　　　垂加文集
　　　　　續垂加文集
　　　　　垂加文集拾遺
　　　　第3卷
　　　　　蒙養啓發集
　　　　　孝經外傳
　　　　　朱易衍義
　　　　　洪範全書
　　　　　周子書
　　　　　中和集說

後人研究

1564　龜山聿三編　　闇齋山崎先生碑文集
　　　　　　　　　　近代先哲碑文集　第46集　東京　夢硯堂　昭和51年（1976）

1565　山田思叔　　　山崎闇齋年譜
　　　　　　　　　　日本儒林叢書　第3卷　東京　鳳出版　昭和2年（1927）；
　　　　　　　　　　昭和46年（1971）重印本

1566　大橋長一郎　　山崎闇齋言行錄
　　　　　　　　　　東京　內外出版協會　明治42年（1909）5月　119頁（偉人
　　　　　　　　　　研究第58編）

1567　谷　干城　　　山崎闇齋先生並に澀川助左衛門に就て六大先哲
　　　　　　　　　　東京　弘道館　明治42年（1909）

1568　出雲路通次郎　山崎闇齋先生
　　　　　　　　　　下御靈神社　大正元年（1912）

1569　修養文庫刊行會編　山崎闇齋先生事業大概
　　　　　　　　　　賢哲傳（下）　編者印行　大正8年（1919）

1570　平泉澄編　　　闇齋先生と日本精神
　　　　　　　　　　東京　至文堂　昭和7年（1932）

1571　前田恒治　　　會津藩に於ける山崎闇齋
　　　　　　　　　　東京　西澤書店　昭和10年（1935）

1572　傳記學會編　　山崎闇齋と其門流
　　　　　　　　　　東京明治書院　昭和13年（1938）；昭和18年（1943）增補
　　　　　　　　　　版

1573　阿部吉雄　　　山崎闇齋と其の教育
　　　　　　　　　　近世日本の儒學　頁335—356　東京　岩波書店　昭和14年
　　　　　　　　　　（1939）8月

1574　スメラ民文庫編輯部　山崎闇齋
　　　　　　　　　　東京　世界創造社　昭和16年（1941）

1575　阿部吉雄　　　山崎闇齋先生の學問
　　　　　　　　　　兵庫縣山崎町　のじぎく文庫　昭和37年（1962）

1576　森　銑三　　　山崎闇齋
　　　　　　　　　　森銑三著作集　第8卷　東京　中央公論社　昭和46年
　　　　　　　　　　（1971）

1577　岡田武彥　　　山崎闇齋
　　　　　　　　　　叢書日本の思想家　第6冊　東京　明德出版社　昭和60年
　　　　　　　　　　（1985）10月　199頁

1578	近藤啓吾	山崎闇齋の研究
		京都　神道史學會　昭和61年（1986）7月　542頁（神道史研究叢書13）
1579	吉岡　勲	山崎闇齋美濃國の門流覺書
		岐阜　岐阜郷土出版社　平成2年（1990）5月　231, 5頁
1580	近藤啓吾	續山崎闇齋の研究
		京都　神道史學會　平成3年（1991）2月　332頁（神道史研究叢書　15）
1581	髙島元洋	山崎闇齋――日本朱子學と垂加神道
		東京　ぺりかん社　平成4年（1992）2月　730, 16頁
1582	近藤啓吾	續續山崎闇齋の研究
		京都　神道史學會　平成7年（1995）4月　357頁（神道史研究叢書16）

3.佐藤直方（1650—1719）

著　作

1583	佐藤直方	敬説筆記
		日本思想大系　第31冊　東京　岩波書店　昭和55年（1980）
1584	佐藤直方	敬義內外考論
		日本儒林叢書　第6卷　東京　鳳出版　昭和2年（1927）；昭和46年（1971）重印本
1585	佐藤直方	拘幽操辨
		日本思想大系　第31冊　東京　岩波書店　昭和55年（1980）
1586	佐藤直方	學談雜話
		日本倫理彙編　第7冊　東京　育成會　明治34年（1901）；京都　臨川書店　昭和45年（1970）
1587	佐藤直方	學談雜錄
		日本思想大系　第31年　東京　岩波書店　昭和55年（1980）
1588	佐藤直方	韞藏錄1卷
		甘雨亭叢書　初編　弘化2年（1845）江戶北畠茂兵衛等活字本
1589	佐藤直方	韞藏錄（抄）
		日本思想鬥爭史料　第6卷　東京　東方書院　昭和5年

　　　　　　　　　　　　（1930）；東京　名著刊行會　昭和44年（1969）
1590　佐藤直方　　　　復讎論
　　　　　　　　　　　　日本教育思想大系　第16冊　近世武家教育思想(1)　東京
　　　　　　　　　　　　日本圖書センター　昭和51年（1976）
1591　佐藤直方　　　　四十六士論
　　　　　　　　　　　　日本教育思想大系　第27冊　赤穗事件　東京　岩波書店
　　　　　　　　　　　　昭和45年（1970）
1592　佐藤直方　　　　排釋錄　1卷
　　　　　　　　　　　　日本思想鬥爭史料　第1卷　東京　東方書院　昭和5年
　　　　　　　　　　　　（1930）；東京　名著刊行會　昭和44年（1969）
1593　佐藤直方　　　　辨送浮屠道香師序
　　　　　　　　　　　　日本儒林叢書　第4卷　東京　鳳出版　昭和2年（1927）；
　　　　　　　　　　　　昭和46年（1971）重印本
1594　山崎道夫譯註　　佐藤直方
　　　　　　　　　　　　朱子學大系　第12卷　日本の朱子學（上）　昭和52年
　　　　　　　　　　　　（1977）3月
1595　日本古典學會編　佐藤直方全集
　　　　　　　　　　　　日本古典學會　昭和16年（1941）1冊
　　　　　　　　　　　　韞藏錄卷1—16
　　　　　　　　　　　　韞藏錄拾遺卷1—30
　　　　　　　　　　　　韞藏錄續拾遺卷1—6
　　　　　　　　　　　　拘幽操辨
　　　　　　　　　　　　講學鞭策錄
　　　　　　　　　　　　排釋錄
　　　　　　　　　　　　鬼神集說
　　　　　　　　　　　　道學標的
　　　　　　　　　　　　冬至文並附錄
　　　　　　　　　　　　孟子盡心知性章口義
　　　　　　　　　　　　四書便講
　　　　　　　　　　　　大學全蒙擇言
　　　　　　　　　　　　王學辨集
　　　　　　　　　　　　道學標的講義
　　　　　　　　　　　　講學鞭策講義
　　　　　　　　　　　　辨伊藤仁齋送浮屠道香師序
　　　　　　　　　　　　靜坐集說
1596　日本古典學會編　增訂佐藤直方全集

東京　ぺりかん社　昭和54年（1979）11月　3冊
巻1
　韞藏錄
巻2
　韞藏錄拾遺
　韞藏錄續拾遺
　四編韞藏錄抄
巻3
　五編韞藏錄抄
　六編韞藏錄二程造道論
　拘幽操辨
　講學鞭策錄
　排釋錄
　鬼神集說
　道學標的
　冬至文
　孟子盡心知性章口義
　四書便講
　大學全蒙擇言
　王學辨集
　道學標的講義
　講學鞭策講義
　辨伊藤仁齋送浮屠道香師序
　靜坐集說
　解說（池上幸二郎）

後人研究

1597	長根禪提	佐藤直方の四十六士論及其批評
		東洋哲學　第10卷7號　明治36年（1903）
1598	田中謙藏	直方先生の大義名分論
		傳記　第4卷12期　昭和12年（1937）
1599	三吉　希	佐藤直方の學問論——朱子學的思考の一形式
		史林　第36卷1號　昭和28年（1953）
1600	吉田健舟	佐藤直方
		叢書日本の思想家　第12冊　東京　明德出版社　平成2年

（1990）10月（與三宅尙齋合冊）

4.淺見絅齋（1652—1711）
あさ み けい さい

著　作

| 1601 | 淺見絅齋 | 六經編考 |

日本倫理彙編　第7冊　東京　育成會　明治34年（1901）；
京都　臨川書店　昭和45年（1970）

| 1602 | 淺見絅齋 | 批大學辨斷1卷 |

元祿10年（1697）刊本

| 1603 | 淺見絅齋 | 辨大學非孔子之遺書辨 |

日本儒林叢書　第4卷　東京　鳳出版　昭和2年（1927）；
昭和46年（1971）重印本

| 1604 | 淺見絅齋 | 仁說問答師說 |

日本思想大系　第31冊　東京　岩波書店　昭和55年（1980）

| 1605 | 淺見絅齋 | 絅齋先生仁義禮智筆記 |

日本思想大系　第31冊　東京　岩波書店　昭和55年（1980）

| 1606 | 淺見絅齋 | 西銘參考 |

甘雨亭叢書　第2編　弘化2年（1845）江戶北畠茂兵衛等活
字本

| 1607 | 淺見絅齋 | 淺見先生小學大意講義 |

寫本

| 1608 | 淺見絅齋 | 白鹿洞學規集註講義 |

日本文庫　第8編　東京　博文館　明治24年（1891）

| 1609 | 淺見絅齋 | 敬義內外說 |

日本儒林叢書　第6卷　東京　鳳出版　昭和2年（1927）；
昭和46年（1971）重印本

| 1610 | 淺見絅齋 | 絅齋先生敬齋箴講義 |

日本思想大系　第31冊　東京　岩波書店　昭和55年（1980）
5月

| 1611 | 淺見絅齋 | 聖學圖講義 |

東京　河內屋文助印本　16丁

| 1612 | 淺見絅齋 | 聖學圖講義 |

日本倫理彙編　第7冊　東京　育成會　明治34年（1901）；

京都　臨川書店　昭和45年（1970）

1613	淺見絅齋	精一集說1卷 刊本
1614	淺見絅齋	精一集說 大阪柏原屋武助等刊本　12丁
1615	淺見絅齋	楚辭師說 漢籍國字解全書　第17卷　東京　早稻田大學出版部　明治 42年（1909）
1616	淺見絅齋	中國辨 日本思想大系　第31冊　東京　岩波書店　昭和55年（1980）
1617	淺見絅齋	氏族辨證1卷 刊本
1618	淺見絅齋	氏族辨證 近世社會經濟學說大系　第18冊　東京　誠文堂新光社　昭 和10年（1935）
1619	淺見絅齋	養子辨證 日本儒林叢書　第4卷　東京　鳳出版　昭和2年（1927）； 昭和46年（1971）重印本
1620	淺見絅齋著、佐佐木望校	靖獻遺言並講義（上） 日本學叢書　第3卷　東京　雄山閣　昭和13年（1938）
1621	淺見絅齋著、佐佐木望校	靖獻遺言並講義（中） 日本學叢書　第9卷　東京　雄山閣　昭和13年（1938）
1622	淺見絅齋著、佐佐木望校	靖獻遺言並講義（下） 日本學叢書　第13卷　東京　雄山閣　昭和13年（1938）
1623	淺見絅齋著、奧村恒次郎校訂	校訂靖獻遺言 東京　藤谷崇文館　明治44年（1911）2月　271頁
1624	淺見絅齋	靖獻遺言 大日本思想全集　第17卷　東京　大日本思想全集刊行會 昭和6年（1931）
1625	淺見絅齋	靖獻遺言 近世社會經濟學說大系　第18冊　東京　誠文堂新光社　昭 和10年（1935）
1626	淺見絅齋	靖獻遺言講義2卷 寬延元年（1748）刊本
1627	淺見絅齋	靖獻遺言講義 近世社會經濟學說大系　第18冊　東京　誠文堂新光社　昭

和10年（1935）

1628　淺見絅齋　　　拘幽操附錄1卷
　　　　　　　　　　元祿5年（1692）刊本
1629　淺見絅齋　　　拘幽操附錄
　　　　　　　　　　日本思想大系　第31冊　東京　岩波書店　昭和55年（1980）
1630　淺見絅齋　　　拘幽操師說
　　　　　　　　　　近世社會經濟學說大系　第18冊　東京　誠文堂新光社　昭
　　　　　　　　　　和10年（1935）
1631　淺見絅齋　　　拘幽操師說
　　　　　　　　　　日本教育寶典　第6冊　東京　玉川大學出版部　昭和40年
　　　　　　　　　　（1965）
1632　淺見絅齋　　　拘幽操師說
　　　　　　　　　　日本思想大系　第31冊　東京　岩波書店　昭和55年（1980）
1633　淺見絅齋　　　四十六士論
　　　　　　　　　　日本思想大系　第27冊　東京　岩波書店　昭和49年（1974）
1634　淺見絅齋　　　赤穗四十六士論
　　　　　　　　　　日本教育思想大系　第16冊　近世武家教育思想(1)　東京
　　　　　　　　　　日本圖書センター　昭和51年（1976）
1635　淺見絅齋　　　絅齋先生國字筆記1卷
　　　　　　　　　　刊本
1636　淺見絅齋　　　絅齋先生答諸子書1卷
　　　　　　　　　　寫本
1637　淺見絅齋　　　絅翁答蹟部良賢問書
　　　　　　　　　　近世社會經濟學說大系　第18冊　東京　誠文堂新光社　昭
　　　　　　　　　　和10年（1935）
1638　淺見絅齋　　　社倉法師說
　　　　　　　　　　近世社會經濟學說大系　第18冊　東京　誠文堂新光社　昭
　　　　　　　　　　和10年（1935）
1639　淺見絅齋　　　絅齋先生箚錄1卷
　　　　　　　　　　山本信義寫本
1640　淺見絅齋　　　箚錄
　　　　　　　　　　近世社會經濟學說大系　第18冊　東京　誠文堂新光社　昭
　　　　　　　　　　和10年（1935）
1641　淺見絅齋　　　箚錄
　　　　　　　　　　日本思想大系　第31冊　東京　岩波書店　昭和55年（1980）
1642　淺見絅齋著、相良亨編　絅齋先生文集

　　　　　　　　近世儒家文集集成　第2卷　東京　ぺりかん社　昭和62年
　　　　　　　　（1987）11月
1643　俁野太郎　　淺見絅齋
　　　　　　　　朱子學大系　第12卷　日本の朱子學（上）　東京　明德出
　　　　　　　　版社　昭和52年（1977）3月
1644　大日本思想全集刊行會編　淺見絅齋集
　　　　　　　　大日本思想全集　第17卷　東京　大日本思想全集刊行會
　　　　　　　　昭和6年（1931）
　　　　　　　　靖獻遺言
1645　田崎仁義解題　淺見絅齋集
　　　　　　　　近世社會經濟學說大系　第18冊　東京　誠文堂新光社　昭
　　　　　　　　和10年（1935）
　　　　　　　　靖獻遺言
　　　　　　　　靖獻遺言講義
　　　　　　　　拘幽操師說
　　　　　　　　氏族辨證
　　　　　　　　絅翁答蹟部良賢問書
　　　　　　　　社倉法師說
　　　　　　　　箚錄
1646　近藤啓吾、金本正孝編　淺見絅齋集
　　　　　　　　東京　國書刊行會　1989年7月　714頁
　　　　　　　　靖獻遺言篇
　　　　　　　　　靖獻遺言
　　　　　　　　　靖獻遺言講義
　　　　　　　　　附：正統論
　　　　　　　　　中國辨
　　　　　　　　詩文篇
　　　　　　　　　淺見絅齋先生文集
　　　　　　　　語錄篇
　　　　　　　　　常話箚記
　　　　　　　　　常話雜記
　　　　　　　　　絅齋先生語錄
　　　　　　　　　絅齋先生夜話
　　　　　　　　　淺見先生學談
　　　　　　　　　月會筆記
　　　　　　　　道義諸篇

　　　拘幽操
　　　拘幽操師說
　　　拘幽操附錄
　　　四十六士論
　　　忠孝類說
　　解題

後人研究

1647　加藤　勤　　靖獻遺言訓蒙疏義4卷
　　　　　　　　　刊本
1648　法本義弘　　靖獻遺言精義2卷
　　　　　　　　　靖獻遺言精義刊行會　昭和12年（1937）　上卷450頁，下卷
　　　　　　　　　450頁
1649　近藤啓吾　　靖獻遺言講義
　　　　　　　　　東京　國書刊行會　昭和62年（1987）9月　766頁
1650　絅齋先生二百年祭典會編　淺見絅齋先生事歷
　　　　　　　　　編者印行　明治43年（1910）
1651　小林正策　　絅齋先生遺著要略
　　　　　　　　　絅齋先生二百年祭典會　大正3年（1914）
1652　佐藤豐吉　　淺見絅齋先生と其の主張
　　　　　　　　　山本文華堂　昭和8年（1933）
1653　大久保勇市　教學眞髓──淺見絅齋の研究
　　　　　　　　　東京　第一出版協會　昭和13年（1938）
1654　坂井喚三　　淺見絅齋の大義名分論
　　　　　　　　　近世日本の儒學　頁409─425　東京　岩波書店　昭和14年
　　　　　　　　　（1939）8月
1655　近藤啓吾　　淺見絅齋の研究
　　　　　　　　　京都　神道史學會　昭和45年（1970）446頁　（神道史研究
　　　　　　　　　叢書　7）；平成2年（1990）6月增訂本　503頁
1656　森　銑三　　淺見絅齋
　　　　　　　　　森銑三著作集　第8卷　東京　中央公論社　昭和46年
　　　　　　　　　（1971）
1657　石田和夫　　淺見絅齋
　　　　　　　　　叢書日本の思想家　第13冊　東京　明德出版社　平成2年
　　　　　　　　　（1990）2月（與若林強齋合冊）

5.三宅尚齋（1662—1741）

著　作

1658　三宅尚齋、岡直養校　默識錄2卷
　　　昭和8年（1933）刊本

1659　三宅尚齋　　　　　默識錄
　　　日本倫理彙編　第7冊　東京　育成會　明治34年（1901）；
　　　京都　臨川書店　昭和45年（1970）

1660　三宅尚齋　　　　　狼疐錄3卷
　　　甘雨亭叢書　第3編　弘化2年（1845）江戶北畠茂兵衛等活
　　　字本

1661　三宅尚齋　　　　　拘幽操筆記
　　　日本思想大系　第31冊　東京　岩波書店　昭和55年（1980）

1662　三宅尚齋　　　　　敬齋箴筆記
　　　日本思想大系　第31冊　東京　岩波書店　昭和55年（1980）

1663　三宅尚齋　　　　　同姓爲後稱呼說
　　　日本儒林叢書　第4卷　東京　鳳出版　昭和2年（1927）；
　　　昭和46年（1971）重印本

1664　翠川文子譯註　　　三宅尚齋
　　　朱子學大系　第12卷　日本の朱子學（上）　東京　明德出
　　　版社　昭和52年（1977）3月

後人研究

1665　阿部吉雄　　　　　三宅尚齋の庶民小學教育說と培根達支堂——朱子小學說の
　　　一展開——
　　　漢學會雜誌　第8卷1號　昭和15年（1940）

1666　海老田輝巳　　　　三宅尚齋
　　　叢書日本の思想家　第12冊　東京　明德出版社　平成2年
　　　（1990）10月（與佐藤直方合冊）

6.若林強齋（1679—1732）

著　作

1667　若林強齋　　　強齋先生雜話筆記12卷
　　　　　　　　　　昭和12年（1937）岡彪村刊本
1668　若林強齋　　　雜話筆記
　　　　　　　　　　日本思想大系　第31冊　東京　岩波書店　昭和55年（1980）
　　　　　　　　　　3月
1669　若林強齋　　　たむけの說
　　　　　　　　　　日本文庫　第11編　東京　博文館　明治24年（1891）
1670　若林強齋　　　足土根記
　　　　　　　　　　日本文庫　第11編　東京　博文館　明治24年（1891）
1671　若林強齋　　　神道大意
　　　　　　　　　　大日本文庫　第16冊　東京　大日本文庫刊行會　昭和9年
　　　　　　　　　　（1934）

後人研究

1672　內田周平　　　強齋先生の性行望楠軒諸子の學風
　　　　　　　　　　滋賀　滋賀縣教育會　大正2年（1913）
1673　森　銑三　　　若林強齋
　　　　　　　　　　森銑三著作集　第8卷　東京　中央公論社　昭和46年
　　　　　　　　　　（1971）
1674　近藤啓吾　　　若林強齋の研究
　　　　　　　　　　京都　神道史學會　昭和54年（1979）3月　399頁（神道史
　　　　　　　　　　研究叢書　10）
1675　牛尾弘孝　　　若林強齋
　　　　　　　　　　叢書日本の思想家　第13冊　東京　明德出版社　平成2年
　　　　　　　　　　（1990）2月（與淺見絅齋合冊）

㈥貝原益軒及其門人

1.貝原益軒（1630—1714）

著　作

1676　貝原益軒　　　愼思錄
　　　　　　　　　　日本倫理彙編　第8冊　東京　育成會　明治34年（1901）；
　　　　　　　　　　京都　臨川書店　昭和45年（1970）

1677　貝原益軒　　　　慎思錄
　　　　大日本思想全集　第5卷　東京　大日本思想全集刊行會
　　　　昭和6年（1931）

1678　貝原益軒　　　　慎思錄
　　　　近世社會經濟學說大系　第12冊　東京　誠文堂新光社　昭
　　　　和10年（1935）

1679　貝原益軒　　　　慎思錄
　　　　日本教育思想大系　第4冊　貝原益軒下卷　東京　日本圖
　　　　書センター一昭和51年（1976）

1680　貝原益軒　　　　慎思錄
　　　　近世儒家資料集成　第5卷　貝原益軒資料集（上）　東京
　　　　ぺりかん社　平成元年（1989）12月

1681　貝原益軒著、伊藤友信譯　　　慎思錄
　　　　東京　講談社　平成8年（1996）（講談社學術文庫　1219）

1682　貝原益軒　　　　慎思餘錄
　　　　近世儒家資料集成　第5卷　貝原益軒資料集（上）　東京
　　　　ぺりかん社　平成元年（1989）12月

1683　貝原益軒　　　　慎思外錄
　　　　近世儒家資料集成　第6卷　貝原益軒資料集（下）　東京
　　　　ぺりかん社　平成元年（1989）12月

1684　貝原益軒　　　　格物餘話
　　　　甘雨亭叢書　初編　弘化2年（1845）江戶北畠茂兵衛等活
　　　　字本

1685　貝原益軒　　　　格物餘話
　　　　日本教育思想大系　第4冊　貝原益軒（下）　東京　日本
　　　　圖書センター　昭和51年（1976）

1686　貝原益軒　　　　大疑錄2卷
　　　　明和3年（1766）刊本

1687　貝原益軒　　　　大疑錄
　　　　日本倫理彙編　第8冊　東京　育成會　明治34年（1901）；
　　　　京都　臨川書店　昭和45年（1970）

1688　貝原益軒　　　　大疑錄
　　　　日本儒林叢書　第6卷　東京　鳳出版　昭和2年（1927）；
　　　　昭和46年（1971）重印本

1689　貝原益軒　　　　大疑錄
　　　　日本哲學思想全書　第7卷　東京　平凡社　昭和31年

（1956）

1690　貝原益軒　　　大疑録
　　　　　　　　　　日本思想大系　第34冊　東京　岩波書店　昭和45年（1970）

1691　貝原益軒　　　大疑録
　　　　　　　　　　日本教育思想大系　第4冊　貝原益軒（下）　東京　日本
　　　　　　　　　　圖書センター　昭和51年（1976）

1692　貝原益軒　　　大疑録2巻
　　　　　　　　　　日本随筆集成　第1輯　東京　古典研究會　昭和53年
　　　　　　　　　　（1978）

1693　貝原益軒著、荒井健譯　大疑録
　　　　　　　　　　日本の名著　第14冊　東京　中央公論社　昭和44年（1969）

1694　貝原益軒　　　大疑録（初稿）卷之1
　　　　　　　　　　近世儒家資料集成　第6卷　貝原益軒資料集（下）　東京
　　　　　　　　　　ぺりかん社　平成元年（1989）12月

1695　西田敬止編　　益軒十訓
　　　　　　　　　　東京　博文館　明治31年（1898）

1696　町田源太郎譯　貝原益軒修養論
　　　　　　　　　　東京　崇文館　明治45年（1912）6月　307頁

1697　貝原益軒　　　家訓
　　　　　　　　　　日本教育思想大系　第3冊　貝原益軒（上）　東京　日本
　　　　　　　　　　圖書センター　昭和51年（1976）

1698　貝原益軒　　　五常訓
　　　　　　　　　　日本倫理彙編　第8冊　東京　育成會　明治34年（1901）；
　　　　　　　　　　京都　臨川書店　昭和45年（1970）

1699　貝原益軒　　　五常訓
　　　　　　　　　　國民思想叢書　第5冊　東京　大東出版社　昭和4年（1929）

1700　貝原益軒　　　五常訓
　　　　　　　　　　大日本思想全集　第5卷　東京　大日本思想全集刊行會
　　　　　　　　　　昭和6年（1931）

1701　貝原益軒　　　五常訓
　　　　　　　　　　日本精神文獻叢書　第9卷　東京　大東出版社　昭和13年
　　　　　　　　　　（1938）

1702　貝原益軒　　　五常訓
　　　　　　　　　　日本思想大系　第34冊　東京　岩波書店　昭和45年（1970）

1703　貝原益軒　　　五常訓
　　　　　　　　　　日本教育思想大系　第3冊　貝原益軒（上）　東京　日本

		圖書センター　昭和51年（1976）
1704	貝原益軒	君子訓
		日本教育思想大系　第3冊　貝原益軒（上）　東京　日本圖書センター　昭和51年（1976）
1705	水木ひろかず註譯　君子訓——異例の書	
		東京　人と文化社　平成元件（1989）2月　173頁
1706	貝原益軒	貝原益軒家訓
		日本文庫　第7編　東京　博文館　明治24年（1891）
1707	貝原益軒	家道訓
		國民思想叢書　第2冊　東京　大東出版社　昭和4年（1929）
1708	貝原益軒	家道訓
		近世社會經濟學說大系　第12冊　東京　誠文堂新光社　昭和10年（1935）
1709	貝原益軒	家道訓
		日本教育思想大系　第3冊　貝原益軒（上）　東京　日本圖書センター　昭和51年（1976）
1710	貝原益軒著、松田道雄譯　家道訓	
		日本の名著　第14冊　東京　中央公論社　昭和44年（1969）
1711	貝原益軒	養生訓
		大日本思想全集　第5卷　東京　大日本思想全集刊行會昭和6年（1931）
1712	貝原益軒	養生訓
		日本教育思想大系　第3冊　貝原益軒（上）　東京　日本圖書センター　昭和51年（1976）
1713	貝原益軒	養生訓
		日本哲學思想全書　第16卷　東京　平凡社　昭和31年（1956）
1714	貝原益軒著、松田道雄譯　養生訓	
		日本の名著　第14冊　東京　中央公論社　昭和44年（1969）
1715	貝原益軒著、石川謙校訂　養生訓、和俗童子訓	
		東京　岩波書店　平成3年（1991）6月　309頁（ワイド版岩波文庫）
1716	貝原益軒	大和俗訓
		大日本思想全集　第5卷　東京　大日本思想全集刊行會昭和6年（1931）
1717	貝原益軒	大和俗訓

日本教育思想大系　第3冊　貝原益軒（上）　東京　日本
圖書センター　昭和51年（1976）

1718　貝原益軒著、松田道雄譯　大和俗訓
　　　　　　　日本の名著　第14冊　東京　中央公論社　昭和44年（1969）

1719　貝原益軒　　　　樂訓
　　　　　　　大日本思想全集　第5卷　東京　大日本思想全集刊行會
　　　　　　　昭和6年（1931）

1720　貝原益軒著、松田道雄譯　樂訓
　　　　　　　日本の名著　第14冊　東京　中央公論社　昭和44年（1969）

1721　貝原益軒　　　　樂訓
　　　　　　　日本教育思想大系　第3冊　貝原益軒（上）　東京　日本
　　　　　　　圖書センター　昭和51年（1976）

1722　貝原益軒　　　　克明抄
　　　　　　　躬行會叢書　第1集　東京　躬行會　明治35年（1902）4月

1723　貝原益軒　　　　克明抄
　　　　　　　日本教育思想大系　第3冊　貝原益軒（上）　東京　日本
　　　　　　　圖書センター　昭和51年（1976）

1724　貝原益軒　　　　自警編
　　　　　　　日本教育思想大系　第3冊　貝原益軒（上）東京　日本圖
　　　　　　　書センター　昭和51年（1976）

1725　貝原益軒　　　　心畫規範
　　　　　　　日本教育思想大系　第3冊　貝原益軒（上）　東京　日本
　　　　　　　圖書センター　昭和51年（1976）

1726　貝原益軒　　　　朱文公童蒙須知1卷
　　　　　　　元禄16年（1703）刊本

1727　貝原益軒著、小野次敏註釋　本朝千字文
　　　　　　　福岡　貝原眞吉印行　昭和57年（1982）12月　21頁

1728　貝原益軒　　　　和俗童子訓
　　　　　　　日本教育寶典　第7冊　東京　玉川大學出版部　昭和40年
　　　　　　　（1965）

1729　貝原益軒　　　　和俗童子訓
　　　　　　　日本教育思想大系　第3冊　貝原益軒（上）東京　日本圖
　　　　　　　書センター　昭和51年（1976）

1730　貝原益軒、松田道雄譯　和俗童子訓
　　　　　　　日本の名著　第14冊　東京　中央公論社　昭和44年（1969）

1731　貝原益軒著、早川光藏校　初學訓

東京　青黎閣　明治17年（1884）9月　2冊（上41丁，下40丁）

1732　貝原益軒　　　初學訓
　　　　　　　　　　日本教育思想大系　第3冊　貝原益軒（上）　東京　日本圖書センター　昭和51年（1976）

1733　貝原益軒　　　初學訓
　　　　　　　　　　日本教育寶典　第7冊　東京　玉川大學出版部　昭和40年（1965）

1734　貝原益軒　　　初學知要
　　　　　　　　　　東京　中近堂　明治17年（1884）9月　3冊（上32丁，中29丁，下36丁）

1735　貝原益軒　　　初學知要
　　　　　　　　　　大阪　岡田群玉堂　明治17年（1884）12月　3冊（上32丁，中29丁，下37丁）

1736　貝原益軒　　　初學知要
　　　　　　　　　　神戸　船井弘文堂　明治17年（1884）12月　3冊（上32丁，中29丁，下37丁）

1737　貝原益軒　　　初學知要
　　　　　　　　　　山形　有斐堂　明治18年（1885）1月　3冊（上32丁，中29丁，下36丁）

1738　貝原益軒　　　初學知要
　　　　　　　　　　日本教育思想大系　第4冊　貝原益軒（下）　東京　日本圖書センター　昭和51年（1976）

1739　貝原益軒著、服部北溟編、下田歌子注　ポケット女大學
　　　　　　　　　　東京　誠文館出版部　明治43年（1910）7月　117頁

1740　貝原益軒　　　女大學
　　　　　　　　　　日本思想大系　第34冊　東京　岩波書店　昭和45年（1970）

1741　貝原益軒　　　女大學
　　　　　　　　　　日本教育思想大系　第3冊　貝原益軒（上）　東京　日本圖書センター　昭和51年（1976）

1742　貝原益軒　　　武訓
　　　　　　　　　　大日本文庫　第14冊　東京　大日本文庫刊行會　昭和9年（1934）

1743　貝原益軒　　　武訓
　　　　　　　　　　日本教育思想大系　第3冊　貝原益軒（上）　東京　日本圖書センター　昭和51年（1976）

1744　貝原益軒　　　　神祇訓
　　　　　　　　　　　日本教育思想大系　第3冊　貝原益軒（上）　東京　日本
　　　　　　　　　　　圖書センター　昭和51年（1976）
1745　貝原益軒　　　　自娯集7卷
　　　　　　　　　　　正德4年（1714）刊本
1746　貝原益軒　　　　自娯集
　　　　　　　　　　　日本教育思想大系　第4冊　貝原益軒（下）　東京　日本
　　　　　　　　　　　圖書センター　昭和51年（1976）
1747　貝原益軒　　　　點例2卷
　　　　　　　　　　　江戸時代支那學入門書解題集成　第4集　東京　汲古書院
　　　　　　　　　　　昭和50年（1975）
1748　貝原益軒　　　　文訓
　　　　　　　　　　　日本教育思想大系　第3冊　貝原益軒（上）　東京　日本
　　　　　　　　　　　圖書センター　昭和51年（1976）
1749　貝原益軒　　　　初學詩法1卷
　　　　　　　　　　　日本詩話叢書　第3卷　東京　文會堂　大正9年（1920）；
　　　　　　　　　　　東京　鳳出版　昭和47年（1972）
1750　貝原益軒　　　　諺草
　　　　　　　　　　　日本教育思想大系　第3冊　貝原益軒（上）　東京　日本
　　　　　　　　　　　圖書センター　昭和51年（1976）
1751　貝原益軒　　　　書學答書
　　　　　　　　　　　日本教育思想大系　第3冊　貝原益軒（上）　東京　日本
　　　　　　　　　　　圖書センター　昭和51年（1976）
1752　貝原益軒　　　　益軒先生與宰臣書
　　　　　　　　　　　近世社會經濟學說大系　第12冊　東京　誠文堂新光社　昭
　　　　　　　　　　　和10年（1935）
1753　史學研究會編　　貝原益軒の書翰
　　　　　　　　　　　史學研究講演集　史學研究會　明治41年（1908）
1754　貝原益軒　　　　書簡
　　　　　　　　　　　日本思想大系　第34冊　東京　岩波書店　昭和45年（1970）
1755　武田勘治編　　　貝原益軒教育說選集
　　　　　　　　　　　日本教育文庫　第3冊　東京　第一出版協會　昭和12年
　　　　　　　　　　　（1937）
1756　大日本思想全集刊行會　貝原益軒集
　　　　　　　　　　　大日本思想全集　第5卷　東京　大日本思想全集刊行會
　　　　　　　　　　　昭和6年（1931）

養生訓
樂訓
大和俗訓
五常訓
愼思錄

1757　瀧川政次郎解題　貝原益軒集
近世社會經濟學說大系　第12冊　東京　誠文堂新光社　昭
和10年（1935）
家道訓
益軒先生與宰臣書
愼思錄

1758　玉川大學出版部　貝原益軒集
日本教育寶典　第7冊　東京　玉川大學出版部　昭和40年
（1965）
和俗童子訓
初學訓
貝原益軒略年譜

1759　荒木見悟、井上忠校注　貝原益軒
日本思想大系　第34冊　東京　岩波書店　昭和45年（1970）
大疑錄
五常訓
書簡
付錄女大學
貝原益軒の思想（荒木見悟）
貝原益軒の生涯とその科學的業績（井上　忠）
女大學について（石川松太郎）

1760　日本圖書センター　貝原益軒
日本教育思想大系　第3、4冊　東京　日本圖書センター
昭和51年（1976）
上卷（第3冊）
初學訓
大和俗訓
和俗童子訓
五常訓
文訓
武訓

　　　　　　　　　　君子訓
　　　　　　　　　　家道訓
　　　　　　　　　　養生訓
　　　　　　　　　　養生訓附錄（杉本義篤撰）
　　　　　　　　　　樂訓
　　　　　　　　　　神祇訓
　　　　　　　　　　女大學
　　　　　　　　　　益軒先生與宰臣書
　　　　　　　　　　克明抄
　　　　　　　　　　書學答書
　　　　　　　　　　心畫規範
　　　　　　　　　　諺草
　　　　　　　　　　家訓
　　　　　　　　　下卷
　　　　　　　　　　愼思錄（附：自己編）
　　　　　　　　　　大疑錄
　　　　　　　　　　自娛集
　　　　　　　　　　格物餘話
　　　　　　　　　　自警編
　　　　　　　　　　初學知要
　　　　　　　　　　益軒先生年譜
　　　　　　　　　　著述年表
　　　　　　　　　　益軒先生傳
1761　松田道雄編　貝原益軒
　　　　　　　　日本の名著　第14冊　東京　中央公論社　昭和44年（1969）
　　　　　　　　貝原益軒の儒學（松田道雄）
　　　　　　　　大和俗訓（松田道雄譯）
　　　　　　　　和俗童子訓（松田道雄譯）
　　　　　　　　樂訓（松田道雄譯）
　　　　　　　　家道訓（松田道雄譯）
　　　　　　　　養生訓（松田道雄譯）
　　　　　　　　大疑錄（荒井健譯）
　　　　　　　　補注
　　　　　　　　年譜
1762　九州史料刊行會編　益軒資料
　　　　　　　　福岡　九州史料刊行會　7冊　昭和30年（1955）10月—36年

（1961）12月（九州史料叢書）

第1冊　昭和30年（1955）10月

損軒日記略

寬文日記

第2冊　昭和31年（1956）2月

延寶七年日記

日記五號

日記六號

玩古目錄

第3冊　昭和31年（1956）11月

居家日記

雜記（陰）

雜記（陽）

第4冊　昭和32年（1957）9月

書翰集（上）

第5冊　昭和34年（1959）7月

書翰集（下）

第6冊　昭和35年（1960）9月

雜

貝原益軒宛書翰

竹田定直宛書翰

園圃備忘

贐行訓語

大疑錄初稿本

第7冊　昭和36年（1961）12月

補遺

篤信編輯著述目錄

玩古目錄

家藏書目錄

養生說

1763　井上忠等編　貝原益軒資料集

近世儒家資料集成　第5、6卷　東京　ぺりかん社　平成元
年（1989）

上卷（第5卷）

愼思錄　卷7—12

愼思餘錄

損軒先生年譜
下卷（第6卷）
　大疑錄（初稿）卷之1
　愼思外錄
　附：易說反證
　　　徂徠古學辨
　　　辨辨道
解說：貝原益軒と竹田春庵（井上　忠等）

1764　益軒會編　益軒全集
益軒全集刊行部　昭和43、44年（1968、1969）　8冊；東京
國書刊行會　昭和48年（1973）8冊
卷之1
　益軒先生年譜
　著述年表
　益軒先生傳
　日本釋名3卷
　點例2卷
　和字解
　花譜3卷
　菜譜3卷
　三禮口訣（書・食・茶）5卷
　萬寶鄙事記8卷
　和漢古諺2卷
　日本歲時記7卷
　中華事始6卷
　大和事始6卷
　大和事始正誤2卷
卷之2
　愼思錄6卷
　大疑錄2卷
　自娛集7卷
　格物餘話
　自警編
　初學知要3卷
　小學句讀備考6卷
　近思錄備考14卷

和漢名數

續和漢名數3卷

卷之3

初學訓5卷

大和俗訓8卷

和俗童子訓5卷

五常訓5卷

文訓4卷

武訓2卷

君子訓3卷

家道訓6卷

養生訓8卷　附錄1卷

樂訓3卷

神祇訓

女大學

益軒先生與宰臣書

克明抄

書學答書

心畫軌範

諺草7卷

家訓

卷之4

筑前國續風土記30卷

筑前名寄2卷

筑前國諸社緣起2卷

卷之5

黑田家譜16卷

黑田記略3卷

黑田先公忠義傳

黑田家臣傳3卷

八幡宮本紀6卷　附錄1卷

太宰府天滿宮故實2卷

筑前國續諸社緣起

卷之6

大和本草16卷　　附錄2卷

諸品圖2卷　批正5卷

　　　本草綱目品目
　　　本草名物附錄
　　　本草和名抄
　　卷之7
　　　京城勝覽
　　　京城勝覽拾遺
　　　和州巡覽記
　　　諸州めぐり西北紀行2巻
　　　諸州めぐり南遊紀行3巻
　　　續諸州めぐり2巻
　　　吾妻路之記
　　　日光名勝記
　　　木曾路之記2巻
　　　有馬山溫泉記
　　　有馬山溫泉記追加
　　　扶桑記勝8巻
　　　和爾雅8巻
　　　頤生輯要5巻
　　　存齋遺集
　　　和軒吟草
　　　和軒續吟草
　　卷之8
　　　朝野雜載15巻
　　　農業全書11巻　附錄1巻
　　　孝經釋義便蒙2巻
　　　孝經釋義便蒙附纂2巻

後人研究

1765　秋山悟庵　　　貝原益軒言行錄
　　　　　　　　　①東京　內外出版協會　明治40年（1907）12月　205頁（偉
　　　　　　　　　　人研究　第11編）
　　　　　　　　　②大享堂　出版部　昭和9年（1934）
1766　上田良一　　　貝原益軒言行錄
　　　　　　　　　東京　東亞堂　大正5年（1916）
1767　小田和武紀　　愼思錄新釋

東京　明治書院　昭和15年（1940）　370頁

1768　貝原益軒著、川瀨知由己講述　愼思錄講話

東京　文榮堂書店　昭和6年（1931）12月　506頁

1769　久須本文雄　　貝原益軒處世訓——「愼思錄」88のおしえ

東京　講談社　平成元年（1989）9月　197，6頁

1770　久須本文雄　　江戶學のすすめ——貝原益軒の「愼思錄」を讀む

東京　佼成出版社　平成4年（1992）11月　297頁

1771　齋藤茂太譯、解說　人生訓——貝原益軒《家道訓》を讀む

東京　三笠書房　昭和59年（1984）4月　208頁

1772　並木專二　　　貝原益軒の養生訓

東京　日本文藝社　昭和39年（1964）　236頁

1773　齋藤茂太譯、解說　人間　この樂しきもの——貝原益軒《樂訓》を讀む

東京　三笠書房　昭和59年（1984）5月　197頁

1774　井上　忠　　　貝原益軒の《童子問批語》について

九州儒學思想の研究　福岡　九州大學中國哲學研究室　昭和32年（1957）

1775　西村隆夫　　　旅する益軒《西北紀行》

大阪　和泉書院　平成9年（1997）12月　206頁

1776　三宅米吉　　　益軒ノ教育法

東京　金港堂　明治23年（1890）

1777　沖野辰之助　　貝原益軒

東京　護國新報社　明治32年（1899）1月　118頁

1778　浩然齋主人　　貝原益軒百話

東京　大學館　明治43年（1910）1月　165頁

1779　柴竹屛山　　　貝原益軒

本朝醫人傳　東京　青木嵩山堂　明治43年（1910）

1780　伊東尾四郎　　家庭における貝原益軒

東京　丸善　大正3年（1914）

1781　伴　蒿蹊　　　貝原益軒傳

賢哲傳（下）　東京　修養文庫刊行會　大正8年（1919）

1782　三田谷啓　　　貝原益軒と兒童教育

東京　大日本兒童協會　大正10年（1921）（兒童教養叢書7）

1783　田制佐重　　　貝原益軒の家庭教育論

先哲餘影教育夜話　東京　文教書院　昭和2年（1927）

1784　入澤宗壽　　　貝原益軒

世界教育文庫　第2部傳記編1　東京　世界教育文庫刊行會
昭和9年（1934）（與山鹿素行、吉田松陰合冊）

1785　入澤宗壽　　　貝原益軒
　　　　　　　　　　東京　春秋社　昭和11年（1936）（春秋文庫）

1786　津田左右吉　　蕃山・益軒
　　　　　　　　　　東京　岩波書店　昭和13年（1938）（大教育家文庫　4）

1787　前野喜代治　　益軒とその教育思想
　　　　　　　　　　東京　培風館　昭和14年（1939）

1788　入澤宗壽　　　貝原益軒
　　　　　　　　　　東京　文教書院　昭和18年（1943）　214頁（日本教育先哲
　　　　　　　　　　叢書　第8卷）

1789　井上　忠　　　貝原益軒
　　　　　　　　　　①東京　吉川弘文館　昭和38年（1963）　370頁（人物叢書）
　　　　　　　　　　②東京　吉川弘文館　平成元年（1989）2月　371頁　（人
　　　　　　　　　　　物叢書　新裝版）

1790　岡田武彥　　　貝原益軒
　　　　　　　　　　叢書日本の思想家　第9冊　東京　明德出版社　昭和60年
　　　　　　　　　　（1985）12月（與安東省庵合冊）

1791　Tucker, Mary Evelyn.　Moral and spiritual cultivation in Japanese Neo-
　　　　　　　　　　Confucianism: the life and thought of Kaibara Ekken (1630
　　　　　　　　　　-1714).Mary Evelyn Tucker. Ann Arbor, Mich.: University
　　　　　　　　　　Microfilms International, 1986, c1985. 436 p.

1792　岡田武彥　　　貝原益軒
　　　　　　　　　　臺北　東大圖書公司　昭和62年（1987）3月　225頁

1793　Tucker, Mary Evelyn.　Moral and spiritual cultivation in Japanese Neo-
　　　　　　　　　　Confucianism: the life and thought of Kaibara Ekken, 1630
　　　　　　　　　　-1714.Mary Evelyn Tucker. Albany: State University of New
　　　　　　　　　　York Press, c1989. xv. 451 p.

1794　ふくおか人物誌編集委員會編　貝原益軒
　　　　　　　　　　福岡　西日本新聞社　平成5年（1993）7月　190頁

1795　橫山俊夫　　　貝原益軒——天地和樂の文明學
　　　　　　　　　　東京　平凡社　平成7年（1995）12月　388頁

1796　福岡縣文化會館　貝原益軒書翰目錄
　　　　　　　　　　福岡　編者印行　昭和45年（1970）5月

<ruby>中<rt>なか</rt></ruby><ruby>村<rt>むら</rt></ruby><ruby>惕<rt>てき</rt></ruby><ruby>齋<rt>さい</rt></ruby>

2.中村惕齋 (1629—1702)

著 作

1797	中村惕齋著、西村豐校　ポケット論語句解
	東京　杉本書房、明誠館　明治43年（1910）5月　393頁
1798	中村惕齋　　論語示蒙句解
	漢籍國字解全書　第1卷　東京　早稻田大學出版部　大正元年（1912）
1799	中村惕齋　　孟子示蒙句解
	漢籍國字解全書　第2卷　東京　早稻田大學出版部　大正15年（1926）
1800	中村惕齋　　大學示蒙句解
	漢籍國字解全書　第1卷　東京　早稻田大學出版部　大正元年（1912）
1801	中村惕齋　　中庸示蒙句解
	漢籍國字解全書　第1卷　東京　早稻田大學出版部　大正元年（1912）
1802	中村惕齋　　讀易要領4卷
	刊本
1803	中村惕齋　　筆記周易本義16卷
	享保15年（1730）室鳩巢序刊本
1804	中村惕齋　　詩經示蒙句解
	漢籍國字解全書　第5卷　東京　早稻田大學出版部　大正15年（1926）7月
1805	中村惕齋　　筆記詩集傳14卷
	享保15年（1730）室鳩巢序刊本
1806	中村惕齋　　筆記禮記集說15卷
	安政4年（1857）安積艮齋序刊本
1807	中村惕齋　　小學示蒙句解
	漢籍國字解全書　第7卷　東京　早稻田大學出版部　大正15年（1926）
1808	中村惕齋　　近思錄示蒙句解
	漢籍國字解全書　第8卷　東京　早稻田大學出版部　大正15年（1926）

1809　中村惕齋　　　讀學筆記
　　　　　　　　　日本倫理彙編　第7冊　東京　育成會　明治34年（1901）；
　　　　　　　　　京都　臨川書店　昭和45年（1970）
1810　中村惕齋　　　讀學筆記
　　　　　　　　　日本儒林叢書　第11卷　東京　鳳出版　昭和2年（1927）；
　　　　　　　　　昭和46年（1971）重印本
1811　中村惕齋　　　比賣鑑前編12卷
　　　　　　　　　日本教育思想大系　第28冊　近世女子教育思想　東京　日
　　　　　　　　　本圖書センター　昭和51年（1976）
1812　中村惕齋　　　比賣鑑後編19卷
　　　　　　　　　日本教育思想大系　第28冊　近世女子教育思想　東京　日
　　　　　　　　　本圖書センター　昭和51年（1976）

後人研究

1813　柴田　篤　　　中村惕齋
　　　　　　　　　叢書日本の思想家　第11冊　東京　明德出版社　昭和58年
　　　　　　　　　（1983）12月（與室鳩巢合冊）

(七)其他朱子學家

1.大塚退野（1677—1750）
おお つか たい や

著　作

1814　大塚退野　　　君子重習錄1冊
　　　　　　　　　寫本
1815　大塚退野編　　紫陽言仁要錄1冊
　　　　　　　　　寬保元年（1741）寫本
1816　大塚退野　　　大塚退野翁語錄1冊
　　　　　　　　　天保3年（1832）刊本
1817　大塚退野　　　退野先生語錄手簡1冊
　　　　　　　　　寫本
1818　大塚退野　　　退野翁上銀臺侯學意1冊
　　　　　　　　　弘化元年（1844）寫本
1819　大塚退野　　　退野先生遺事遺文1冊

寫本

1820　大塚退野　　　退野先生遺集1冊
　　　　　　　　　　寫本
1821　大塚退野　　　退野先生書翰
　　　　　　　　　　寫本
1822　大塚退野　　　孚齋存稿3卷3冊
　　　　　　　　　　寫本
1823　大塚退野　　　孚齋存稿3卷
　　　　　　　　　　肥後文獻叢書　第4卷　東京　隆文館　明治42年（1909）
1824　大塚退野撰、岡田康治編　孚齋存稿拾遺
　　　　　　　　　　肥後文獻叢書　第4卷　東京　隆文館　明治42年（1909）
1825　大塚退野　　　孚齋遺書2冊
　　　　　　　　　　寫本

後人研究

1826　今村孝三　　　大塚退野の生涯とその著書
　　　　　　　　　　史林　第7卷1號　大正11年（1922）
1827　楠本正繼　　　大塚退野と其亞流の思想——熊本實學思想の研究
　　　　　　　　　　九州儒學思想の研究　福岡　九州大學中國哲學研究室　昭
　　　　　　　　　　和32年（1957）

2.松宮觀山（1686—1780）

著　作

1828　松宮觀山　　　學論2卷
　　　　　　　　　　、寶曆5年（1955）刊本
1829　松宮觀山　　　學論
　　　　　　　　　　日本儒林叢書　第5卷　東京　鳳出版　昭和2年（1927）；
　　　　　　　　　　昭和46年（1971）重印本
1830　松宮觀山　　　學論二編
　　　　　　　　　　日本儒林叢書　第5卷　東京　鳳出版　昭和2年（1927）；
　　　　　　　　　　昭和46年（1971）重印本
1831　松宮觀山　　　學脈辨解
　　　　　　　　　　日本儒林叢書　第5卷　東京　鳳出版　昭和2年（1927）；

　　　　　　　　　　昭和46年（1971）重印本
1832　松宮觀山　　　辨道斷論
　　　　　　　　　　刊本
1833　松宮觀山　　　讀四十六士論
　　　　　　　　　　日本思想大系　第27冊　赤穗事件　東京　岩波書店　昭和
　　　　　　　　　　45年（1970）
1834　松宮觀山　　　三教要論
　　　　　　　　　　日本儒林叢書　第6卷　東京　鳳出版　昭和2年（1927）；
　　　　　　　　　　昭和46年（1971）重印本
1835　松宮觀山　　　續三教要論
　　　　　　　　　　日本儒林叢書　第12卷　東京　鳳出版　昭和2年（1927）；
　　　　　　　　　　昭和46年（1971）重印本
1836　松宮觀山　　　松宮觀山集
　　　　　　　　　　東京　國民精神文化研究所　3卷
　　　　　　　　　　第1卷　昭和10年（1935）3月　344頁
　　　　　　　　　　　三教要論
　　　　　　　　　　　神樂舞面白草
　　　　　　　　　　　異說辨解
　　　　　　　　　　第2卷　昭和11年（1936）3月　468頁
　　　　　　　　　　　學論
　　　　　　　　　　　學論二編
　　　　　　　　　　　學脈辨解
　　　　　　　　　　　和學論
　　　　　　　　　　　天地開闢推星考辨
　　　　　　　　　　　國學正義
　　　　　　　　　　　武學答問書
　　　　　　　　　　　武學爲初入門說
　　　　　　　　　　　北條流乙中甲傳秘訣
　　　　　　　　　　　北條流大星傳口訣奧秘
　　　　　　　　　　　天地圓德卷詳解
　　　　　　　　　　第3卷　昭和15年（1940）3月　476頁
　　　　　　　　　　　士鑑用法直旨鈔（上）

後人研究

1837　伊藤武雄　　　神道史上に於ける松宮觀山

　　　　　　　神道　卷期待考　大正10年（1921）9月
1838　伊藤武雄　松宮觀山の著書に就て
　　　　　　　國學院雜誌　第29卷6號　大正12年（1923）
1839　國分剛二　松宮觀山と堀季雄
　　　　　　　傳記　第2卷7號　昭和10年（1935）

3.藪　慎庵（やぶ　しん　あん）（1688—1744）

著　作

1840　藪　慎庵　慎庵遺稿10卷5冊
　　　　　　　寶曆10年（1760）刊本

三、陽明學派

1.概　述

1841　安藤英男　日本における陽明學の系譜
　　　　　　　東京　新人物往來社　昭和46年（1971）　226，4頁
1842　大橋健二　日本陽明學奇蹟の系譜
　　　　　　　東京　叢文社　平成7年（1995）5月　445頁
1843　高瀨武次郎　日本の陽明學
　　　　　　　①東京　鐵華書院　明治31年（1898）12月　272頁
　　　　　　　②東京　榊原文盛堂　明治40年（1907）4月　274頁
1844　井上哲次郎　日本陽明學派の哲學
　　　　　　　東京　富山房　明治33年（1900）　631頁
1845　井上哲次郎　重訂日本陽明學派の哲學
　　　　　　　東京　富山房　大正13年（1924）11月訂正13版　615頁
1846　高森良人　日支王學の傳承竝に文獻
　　　　　　　渡邊翁追悼陽明學研究　頁469—494　東京　渡邊翁追悼陽
　　　　　　　明學研究刊行會　昭和13年（1938）
1847　朱　謙之　日本的古學及陽明學
　　　　　　　上海　上海人民出版社　昭和37年（1962）12月　388頁
1848　Bremen, Jan Gerhard van, The moral imperative and leverage for
　　　　　　　rebellion: an anthropological study of Wang Yang-Ming

doctrine in Japan.by Jan Gerhard Van Bremem. Ann Arbor, Mich.: University Microfilms International, 1986, c1985.

1849　木村光德　　日本陽明學派の研究——藤樹學派の思想とその資料
　　　　　　　　東京　明德出版社　昭和61年（1986）10月

1850　張　君勱　　比較中日陽明學
　　　　　　　　臺北　中華文化出版事業委員會　昭和30年（1955）2月
　　　　　　　　1,93,9頁

1851　李　威周　　日本陽明學派的哲學思想
　　　　　　　　中日哲學思想論集　頁191—224　濟南　齊魯書社　平成4
　　　　　　　　年（1992）4月

1852　井上哲次郎、蟹江義丸編　日本陽明學
　　　　　　　　東京　大鐙閣　大正11年（1922）6月　3卷
　　　　　　　　上卷
　　　　　　　　　中江藤樹
　　　　　　　　　　序說
　　　　　　　　　　翁問說
　　　　　　　　　　藤樹遺稿
　　　　　　　　　　藤樹先生學術定論
　　　　　　　　　熊澤蕃山
　　　　　　　　　　集義和書
　　　　　　　　中卷
　　　　　　　　　熊澤蕃山
　　　　　　　　　　序說
　　　　　　　　　　集義外書
　　　　　　　　　三重松庵
　　　　　　　　　　王學名義（卷上、下）
　　　　　　　　　三輪執齋
　　　　　　　　　　日用心法
　　　　　　　　　　四言教講義
　　　　　　　　　　執齋先生雜著（卷1—4）
　　　　　　　　　中根東里
　　　　　　　　　　東里遺稿
　　　　　　　　下卷
　　　　　　　　　佐藤一齋
　　　　　　　　　　序說
　　　　　　　　　　言志錄

言志後錄
言志晚錄
言志耋錄
大鹽中齋
古本大學刊目
大學古本旁註
儒林空虛聚語（卷上、下）
追鐫豬飼翁校讎之記
儒林空虛聚語附錄
增補孝經彙註（卷上、中、下）
聚序說
1853　井上哲次郎、上田萬年監修　陽明學派
大日本文庫　儒教篇　東京　春陽堂　昭和10年（1935）8
月
上卷
解題（小柳司氣太）
集義和書（熊澤蕃山）
集義和書顯非（西川季格）
中卷
解題（小柳司氣太）
翁問答（中江藤樹）
四言教講義（三輪執齋）
集義外書（熊澤蕃山）
下卷
解題（小柳司氣太）
洗心洞箚記（大鹽中齋）
言志錄（佐藤一齋）
師門問辨錄（山田方谷）
1854　宇野哲人、安岡正篤監修　日本の陽明學
陽明學大系　第8、9、10卷　上、中、下三冊　東京　明德
出版社
上冊（陽明學大系　第8卷）　昭和48年（1973年）8月
解說
中江藤樹（附：藤原惺窩、淵岡山）
熊澤蕃山
三輪執齋

大鹽中齋
中江藤樹
　大學考
　大學蒙註
　大學解
　中庸解
　書簡
　經解
　詩文
　和歌（25首）
三輪執齋
　執齋日用心法
　執齋先生雜著
　執齋和歌集
大鹽中齋
　洗心洞劄記抄
　洗心洞劄記附錄抄
　中齋文抄
　奉納書籍聚跋
熊澤蕃山
　集義外書抄
原文
中冊（陽明學大系　第9卷）　昭和47年（1972年）7月
解說
　佐藤一齋
　佐久間象山
　山田方谷（附：河井蒼龍窟）
　吉田松陰
佐藤一齋
　大學一家私言
　哀敬編
　論語欄外書
　言志錄
　小學欄外書
　愛日樓文
　愛日樓詩

　　　　　　　　　　草菴文集抄
　　　　　　　　　春日潛菴
　　　　　　　　　　淺菴遺稿抄
　　　　　　　　　吉村秋陽
　　　　　　　　　　讀我書樓遺稿抄
　　　　　　　　　東澤瀉
　　　　　　　　　　證心錄
　　　　　　　　　附：原文

1855　岡田武彦編　　シリーズ陽明學
　　　　　　　　　東京　明德出版社
　　　　　　　　　（日本陽明學部分）
　　　　　　　　　20.中江藤樹（吉川　治）　平成2年（1990）2月
　　　　　　　　　21.淵岡山（木村光德）
　　　　　　　　　22.熊澤蕃山（加地伸行）
　　　　　　　　　23.三輪執齋（大西晴隆）
　　　　　　　　　24.佐藤一齋（山崎道夫）　平成元年（1989）5月
　　　　　　　　　25.大鹽中齋（竹內弘行）
　　　　　　　　　26.吉村秋陽（石川梅次郎）
　　　　　　　　　27.林良齋（岡田武彦）
　　　　　　　　　28.山田方谷（山田　琢）
　　　　　　　　　29.春日潛庵（疋田啓佑）
　　　　　　　　　30.池田草庵（望月高明）
　　　　　　　　　31.西鄉隆盛（山口宗之）　平成5年（1993）9月
　　　　　　　　　32.吉田松蔭（倉田信靖）　平成3年（1991）1月
　　　　　　　　　33.高杉晉作（上野日出刀）
　　　　　　　　　34.三島中洲（中田　勝）　平成2年（1990）6月
　　　　　　　　　35.東澤瀉（野口善敬）　平成6年（1994）5月

2.中江藤樹（1608—1648）

著　作

1856　中江藤樹　　　經解
　　　　　　　　　陽明學大系　第8卷　日本の陽明學（上）　東京　明德出
　　　　　　　　　版社　昭和48年（1973）

1857　中江藤樹　　　經解
　　　　　　　　　　日本教育思想大系　第2冊　中江藤樹（下）　東京　日本
　　　　　　　　　　圖書センター　昭和51年（1976）

1858　中江藤樹　　　四書合一圖説
　　　　　　　　　　日本教育思想大系　第2冊　中江藤樹（下）　東京　日本
　　　　　　　　　　圖書センター　昭和51年（1976）

1859　中江藤樹　　　論語解
　　　　　　　　　　日本教育思想大系　第2冊　中江藤樹（下）　東京　日本
　　　　　　　　　　圖書センター　昭和51年（1976）

1860　中江藤樹　　　論語鄉黨啓蒙翼傳
　　　　　　　　　　日本教育思想大系　第2冊　中江藤樹（下）　東京　日本
　　　　　　　　　　圖書センター　昭和51年（1976）

1861　中江藤樹　　　大學解
　　　　　　　　　　日本哲學思想全書　第7卷　東京　平凡社　昭和31年
　　　　　　　　　　（1956）

1862　中江藤樹　　　大學解
　　　　　　　　　　陽明學大系　第8卷　日本の陽明學（上）　東京　明德出
　　　　　　　　　　版社　昭和48年（1973）

1863　中江藤樹　　　大學解
　　　　　　　　　　日本教育思想大系　第2冊　中江藤樹（下）　東京　日本
　　　　　　　　　　圖書センター　昭和51年（1976）

1864　中江藤樹著、西晉一郎編　大學解通釋
　　　　　　　　　　東京　目黑書店　昭和16年（1941）

1865　中江藤樹　　　大學考
　　　　　　　　　　陽明學大系　第8卷　日本の陽明學（上）　東京　明德出
　　　　　　　　　　版社　昭和48年（1973）

1866　中江藤樹　　　大學考
　　　　　　　　　　日本教育思想大系　第2冊　中江藤樹（下）　東京　日本
　　　　　　　　　　圖書センター　昭和51年（1976）

1867　中江藤樹　　　大學蒙註
　　　　　　　　　　日本教育寶典　第5冊　東京　玉川大學出版部　昭和40年
　　　　　　　　　　（1965）

1868　中江藤樹　　　大學蒙註
　　　　　　　　　　陽明學大系　第8卷　日本の陽明學（上）　東京　明德出
　　　　　　　　　　版社　昭和48年（1973）

1869　中江藤樹　　　大學蒙註

日本教育思想大系　第2冊　中江藤樹（下）　東京　日本
圖書センター　昭和51年（1976）

1870　中江藤樹　古本大學全解
日本教育思想大系　第2冊　中江藤樹（下）　東京　日本
圖書センター　昭和51年（1976）

1871　中江藤樹　大學序宗旨圖
日本教育思想大系　第2冊　中江藤樹（下）　東京　日本
圖書センター　昭和51年（1976）

1872　中江藤樹　大學朱子序圖說
日本教育思想大系　第2冊　中江藤樹（下）　東京　日本
圖書センター　昭和51年（1976）

1873　中江藤樹　知止小解
日本文庫　第7編　東京　博文館　明治24年（1891）

1874　中江藤樹　明德圖說
日本教育思想大系　第2冊　中江藤樹（下）　東京　日本
圖書センター　昭和51年（1976）

1875　中江藤樹　中庸解
日本哲學思想全書　第14卷　東京　平凡社　昭和31年
（1956）

1876　中江藤樹　中庸解
陽明學大系　第8卷　日本の陽明學（上）　東京　明德出
版社　昭和48年（1973）

1877　中江藤樹　中庸解
日本教育思想大系　第2冊　中江藤樹（下）　東京　日本
圖書センター　昭和51年（1976）

1878　中江藤樹　中庸續解
日本教育思想大系　第2冊　中江藤樹（下）　東京　日本
圖書センター　昭和51年（1976）

1879　中江藤樹譯、曾田文甫校　孝經
東京　靜觀書院　明治42年（1909）3月　28頁

1880　中江藤樹　國譯孝經
孝經五種　杉浦親之助刊本　大正14年（1925）

1881　中江藤樹　孝經啓蒙
甘雨亭叢書　第5編　弘化2年（1845）江戶北畠茂兵衛等活
字本

1882　中江藤樹　孝經啓蒙

　　　　　　　　　　孝經五種　杉浦親之助刊本　大正14年（1925）

1883　中江藤樹著、西晉一郎譯　孝經啓蒙略解
　　　　　　　　　　東京　目黑書店　昭和16年（1941）　192頁

1884　中江藤樹　　　孝經啓蒙
　　　　　　　　　　日本思想大系　第28冊　東京　岩波書店　昭和50年（1975）

1885　中江藤樹　　　孝經啓蒙
　　　　　　　　　　日本教育思想大系　第2冊　中江藤樹（下）　東京　日本
　　　　　　　　　　圖書センター　昭和51年（1976）

1886　曾田文甫編　　孝經集義——中江藤樹先生定本
　　　　　　　　　　東京　靜觀書院　明治42年（1909）5月　54頁

1887　中江藤樹　　　持敬圖說（抄）
　　　　　　　　　　日本教育寶典　第5冊　東京　玉川大學出版部　昭和40年
　　　　　　　　　　（1965）

1888　中江藤樹　　　持敬圖說
　　　　　　　　　　日本教育思想大系　第2冊　中江藤樹（下）　東京　日本
　　　　　　　　　　圖書センター　昭和51年（1976）

1889　中江藤樹　　　五性圖說
　　　　　　　　　　日本教育思想大系　第2冊　中江藤樹（下）　東京　日本
　　　　　　　　　　圖書センター　昭和51年（1976）

1890　尙　謙　　　　藤樹先生傳習錄講義6卷
　　　　　　　　　　寫本

1891　佐藤親良編　　藤樹先生心學錄2卷
　　　　　　　　　　寫本

1892　中江藤樹　　　藤樹規
　　　　　　　　　　日本教育寶典　第5冊　東京　玉川大學出版部　昭和40年
　　　　　　　　　　（1965）

1893　中江藤樹　　　翁問答4卷
　　　　　　　　　　慶安3年（1650）刊本

1894　中江藤樹　　　翁問答
　　　　　　　　　　日本倫理彙編　第1冊　東京　育成會　明治34年（1901）；
　　　　　　　　　　京都　臨川書店　昭和45年（1970）

1895　中江藤樹著、井上哲次郎校　翁問答
　　　　　　　　　　東京　廣文堂　明治43年（1910）9月　208頁

1896　中江藤樹　　　翁問答3卷
　　　　　　　　　　大日本思想全集　第2卷　東京　大日本思想全集刊行會
　　　　　　　　　　昭和6年（1931）

1897　中江藤樹　　　　翁問答
　　　　　　　　　　　大日本文庫　第3冊　陽明學派（中）　東京　大日本文庫
　　　　　　　　　　　刊行會　昭和9年（1934）
1898　中江藤樹　　　　翁問答
　　　　　　　　　　　日本精神文獻叢書　第10卷　儒教篇（下）　東京　大東出
　　　　　　　　　　　版社　昭和13年（1938）
1899　中江藤樹　　　　翁問答（抄）
　　　　　　　　　　　日本教育寶典　第5冊　東京　玉川大學出版部　昭和40年
　　　　　　　　　　　（1965）
1900　中江藤樹　　　　翁問答（抄）
　　　　　　　　　　　日本の思想　第17冊　東京　筑摩書房　昭和44年（1969）
1901　中江藤樹　　　　翁問答
　　　　　　　　　　　日本思想大系　第29冊　東京　岩波書店　昭和49年（1974）
1902　中江藤樹　　　　翁問答
　　　　　　　　　　　日本教育思想大系　第1冊　中江藤樹（上）　東京　日本
　　　　　　　　　　　圖書センター　昭和51年（1976）
1903　中江藤樹　　　　翁問答（改正編）
　　　　　　　　　　　日本教育思想大系　第1冊　中江藤樹（上）　東京　日本
　　　　　　　　　　　圖書センター　昭和51年（1976）
1904　中江藤樹　　　　翁問答
　　　　　　　　　　　那霸　沖繩鄉土文化研究會南島文化資料研究室　昭和51年
　　　　　　　　　　　（1976）12月　370頁
1905　中江藤樹著、山本武夫譯　翁問答
　　　　　　　　　　　日本の名著　第11冊　東京　中央公論社　昭和51年（1976）
1906　橘明志編　　　　藤樹先生精言1卷
　　　　　　　　　　　寫本
1907　中江藤樹著、橘明志編　藤樹先生精言
　　　　　　　　　　　日本教育思想大系　第1冊　中江藤樹（上）　東京　日本
　　　　　　　　　　　圖書センター　昭和51年（1976）
1908　巖井任重鈔錄　　藤樹先生文武問答1卷
　　　　　　　　　　　嘉永4年（1851）刊本
1909　中江藤樹　　　　文武問答
　　　　　　　　　　　日本教育思想大系　第1冊　中江藤樹（上）　東京　日本
　　　　　　　　　　　圖書センター　昭和51年（1976）
1910　中江藤樹　　　　鑑草（卷之1）
　　　　　　　　　　　大日本思想全集　第2卷　東京　大日本思想全集刊行會

昭和6年（1931）

1911 中江藤樹 鑑草
日本教育思想大系 第1冊 中江藤樹（上） 東京 日本
圖書センター 昭和51年（1976）

1912 中江藤樹 鑑草
日本教育思想大系 第27冊 女子教育思想(1) 東京 日本
圖書センター 昭和51年（1976）

1913 中江藤樹著、日本總合教育研究會編譯 鑑草
京都 行路社 平成2年（1990）5月2版 186，69頁

1914 中江藤樹 林氏剃髮受位辨
日本教育寶典 第5冊 東京 玉川大學出版部 昭和40年
（1965）

1915 中江藤樹 林氏剃髮受位辨
日本思想大系 第29冊 東京 岩波書店 昭和45年（1970）

1916 中江藤樹 安昌弒玄同論
日本思想大系 第29冊 東京 岩波書店 昭和45年（1970）

1917 中江藤樹 大上天尊大乙神經序
日本教育寶典 第5冊 東京 玉川大學出版部 昭和40年
（1965）

1918 中江藤樹 靈符疑解（抄）
日本教育寶典 第5冊 東京 玉川大學出版部 昭和40年
（1965）

1919 中江藤樹 春風
日本教育寶典 第5冊 東京 玉川大學出版部 昭和40年
（1965）

1920 中江藤樹 詩文
陽明學大系 第8卷 日本の陽明學（上） 東京 明德出
版社 昭和48年（1973）

1921 中江藤樹 和歌
陽明學大系 第8卷 日本の陽明學（上） 東京 明德出
版社 昭和48年（1973）

1922 中江藤樹 藤樹先生知止歌小解1卷
享保9年（1724）刊本

1923 中江藤樹 知止歌小解
日本教育思想大系 第2冊 中江藤樹（下） 東京 日本
圖書センター 昭和51年（1976）

1924　中江藤樹　　　藤樹先生書翰雜著
　　　　　　　　　　日本倫理彙編　第1冊　東京　育成會　明治34年（1901）；
　　　　　　　　　　京都　臨川書店　昭和45年（1970）
1925　中江藤樹　　　雜著抄
　　　　　　　　　　日本教育寶典　第5冊　東京　玉川大學出版部　昭和40年
　　　　　　　　　　（1965）
1926　中江藤樹　　　雜著
　　　　　　　　　　日本教育思想大系　第2冊　中江藤樹（下）　東京　日本
　　　　　　　　　　圖書センター　昭和51年（1976）
1927　中江藤樹　　　書簡
　　　　　　　　　　日本教育寶典　第5冊　東京　玉川大學出版部　昭和40年
　　　　　　　　　　（1965）
1928　中江藤樹　　　書簡
　　　　　　　　　　陽明學大系　第8卷　日本の陽明學（上）　東京　明德出
　　　　　　　　　　版社　昭和48年（1973）
1929　中江藤樹著、淵良藪識語　藤樹先生遺稿並行狀拔萃1卷
　　　　　　　　　　寫本
1930　岡田維鷹等校　藤樹先生遺稿2卷
　　　　　　　　　　寬政7年（1795）刊本
1931　中江藤樹　　　藤樹遺稿
　　　　　　　　　　日本倫理彙編　第1冊　東京　育成會　明治34年（1901）；
　　　　　　　　　　京都　臨川書店　昭和45年（1970）
1932　藤樹頌德會　　藤樹先生遺墨帖
　　　　　　　　　　天晨堂書店　昭和14年（1939）
　　　　　　　　　　中江藤樹教育說選集
1933　武田勘治編　　日本教育文庫　第1冊　東京　第一出版協會　昭和11年
　　　　　　　　　　（1936）
1934　大日本思想全集刊行會　中江藤樹集
　　　　　　　　　　大日本思想全集　第2卷　東京　大日本思想全集刊行會
　　　　　　　　　　昭和6年（1931）
　　　　　　　　　　翁問答3卷
　　　　　　　　　　鑑草卷之1
1935　玉川大學出版部　中江藤樹集
　　　　　　　　　　日本教育寶典　第5冊　東京　玉川大學出版部　昭和40年
　　　　　　　　　　（1965）
　　　　　　　　　　翁問答（抄）

　　　　　　　　林氏剃髮受位辨
　　　　　　　　持敬圖說（抄）
　　　　　　　　藤樹規
　　　　　　　　大上天尊大乙神經序
　　　　　　　　靈符疑解（抄）
　　　　　　　　春風
　　　　　　　　大學蒙註
　　　　　　　　書簡・雜著（抄）
　　　　　　　　中江氏系譜
1936　山井湧等校註　中江藤樹
　　　　　　　　日本思想大系　第29冊　東京　岩波書店　昭和49年（1974）
　　　　　　　　文集
　　　　　　　　　安昌弒玄同論
　　　　　　　　　林氏剃髮受位辨
　　　　　　　　翁問答
　　　　　　　　孝經啓蒙
　　　　　　　　藤樹先生年譜
　　　　　　　　解說
　　　　　　　　　陽明學の要點（山井　湧）
　　　　　　　　　中國思想と藤樹（山下龍二）
　　　　　　　　　「孝經啓蒙」の諸問題（加地伸行）
　　　　　　　　　中江藤樹の周邊（尾藤正英）
　　　　　　　　　解題
1937　日本圖書センター　中江藤樹
　　　　　　　　日本教育思想大系　第1、2冊　東京　日本圖書センター
　　　　　　　　昭和51年（1976）
　　　　　　　　上卷（第1冊）
　　　　　　　　　翁問答
　　　　　　　　　翁問答（改正編）
　　　　　　　　　鑑草
　　　　　　　　　藤樹先生精言（橘　明志編）
　　　　　　　　　文武問答
　　　　　　　　　書簡
　　　　　　　　　雜著
　　　　　　　　下卷（第2冊）
　　　　　　　　　大學考

　　　　　　　　大學蒙註
　　　　　　　　大學解
　　　　　　　　中庸解
　　　　　　　　論語解
　　　　　　　　中庸續解
　　　　　　　　知止歌小解
　　　　　　　　經解
　　　　　　　　雜著（68件）
　　　　　　　　孝經啓蒙
　　　　　　　　論語鄉黨啓蒙翼傳
　　　　　　　　古本大學全解
　　　　　　　　四書合一圖說
　　　　　　　　大學朱子序圖說
　　　　　　　　大學序宗旨圖
　　　　　　　　五性圖說
　　　　　　　　明德圖說
　　　　　　　　持敬圖說
　　　　　　　　藤樹先生年譜（岡田氏本）
　　　　　　　　藤樹先生年譜（川田氏本）
　　　　　　　　藤樹先生年譜（會津本）
　　　　　　　　藤樹先生行狀
　　　　　　　　藤樹先生事狀
　　　　　　　　藤夫子行狀聞傳
　　　　　　　　藤樹先生別傳
　1938　伊東多三郎編　中江藤樹
　　　　　　　　日本の名著　第11冊　東京　中央公論社　昭和51年（1976）
　　　　　　　　藤樹、蕃山の學問と思想（伊東多三郎）
　　　　　　　　翁問答（山本武夫譯）
　1939　志村巳之助編、北山政雄校　藤樹全書
　　　　　　　　京都　點林堂　明治26年（1893）　10冊
　　　　　　　　卷1
　　　　　　　　　中江氏系圖
　　　　　　　　　藤樹先生年譜
　　　　　　　　　藤樹先生行狀
　　　　　　　　　藤樹先生逸事
　　　　　　　　　諸名家寄贈詩文

翁問答下

卷10

文類＜贊類・詩類・歌類＞

1940　志村巳之助、齋藤耕三編、大木鹿之助等校訂　藤樹全書

明治32年（1899）　5冊（10卷）

第1冊　卷1・2

中江氏系圖

藤樹先生年譜

藤樹先生行狀

藤樹先生逸事

諸名家寄贈詩文

孝經心法

全孝心法

全孝圖

孝經啓蒙

第2冊　卷3・4

大學考

大學解

中庸解

論語抄解

鄉黨翼傳

爲君擴相圖

周官九命圖

公門圖

朝服圖

朝紳圖

斬囊冠經之圖

齋囊冠經之圖

その他

第3冊　卷5・6

大學十五條

中庸十一條

論語十八條

孟子三條

易五條

或問八條

　　　　　　　天道圖說
　　　　　　　その他
　　　　　　第4冊　卷7・8
　　　　　　　書簡類　翁問答上
　　　　　　第5冊　卷9・10
　　　　　　　翁問答上
　　　　　　　文類（文・贊・詩・歌）
1941　藤樹神社創立協贊會編　藤樹先生全集
　　　　　　滋賀縣高島郡　藤樹書院　昭和3、4年（1928、1929）　5冊
　　　　　　第1冊
　　　　　　　文集1
　　　　　　　經解
　　　　　　　文集2
　　　　　　　詩附贊聯句
　　　　　　　文集3
　　　　　　　文
　　　　　　　文集4
　　　　　　　書
　　　　　　　文集5
　　　　　　　雜著
　　　　　　　經解成書6卷
　　　　　　　圖說
　　　　　　第2冊
　　　　　　　倭文經解成書5卷
　　　　　　　倭文集3卷（倭歌3卷　倭書3卷　雜著）
　　　　　　第3冊
　　　　　　　倭文心學成書4卷
　　　　　　第4冊
　　　　　　　醫學成書2卷
　　　　　　第5冊
　　　　　　　藤樹先生年譜其の他の內容細目一覽表
　　　　　　　藤樹先生補傳
　　　　　　　門弟子並研究者傳
　　　　　　　湖學雜纂
　　　　　　　湖學紀聞內容細目
　　　　　　　湖學紀聞

　　　　　　　　　　　　會津藤樹學道統譜並序
　　　　　　　　　　　　會津外藤樹學道統譜
　　　　　　　　　　　　常省先生文集
　　　　　　　　　　　　常省先生文集續編
　　　　　　　　　　　　門弟子詩文集
　　　　　　　　　　　　景慕詩文集
　　　　　　　　　　　　資料一覽表
　　　　　　　　　　　　編纂事歷大要
1942　藤樹書院編訂　藤樹先生全集
　　　　　　　　　東京　岩波書店　昭和15年（1940）　5冊
　　　　　　　　　大津市　弘文堂書店　昭和51年（1976）重印本　5冊
　　　　　　　　　第1冊
　　　　　　　　　　文集
　　　　　　　　　　經解成書
　　　　　　　　　　圖說
　　　　　　　　　第2冊
　　　　　　　　　　倭文經解成書
　　　　　　　　　　倭文集
　　　　　　　　　第3冊
　　　　　　　　　　翁問答
　　　　　　　　　　鑑草
　　　　　　　　　　藤樹先生精言
　　　　　　　　　　文武問答
　　　　　　　　　第4冊
　　　　　　　　　　醫學成書
　　　　　　　　　第5冊
　　　　　　　　　　藤樹先生年譜岡田氏本
　　　　　　　　　　藤樹先生年譜川田氏本
　　　　　　　　　　藤樹先生年譜會津本
　　　　　　　　　　藤樹先生行狀
　　　　　　　　　　藤樹先師學術旨趣大略
　　　　　　　　　　藤樹先生事狀
　　　　　　　　　　藤夫子行狀聞傳
　　　　　　　　　　藤樹先生別傳
　　　　　　　　　　藤樹先生補傳
　　　　　　　　　　門弟子並研究者傳

　　　　　　　　湖學雜纂
　　　　　　　　湖學紀聞
　　　　　　　　會津藤樹學道統譜
　　　　　　　　會津外藤樹學道統譜
　　　　　　　　常省先生文集
　　　　　　　　常省先生文集續編
　　　　　　　　門弟子詩文集
　　　　　　　　景慕詩文集
　　　　　　　　資料一覽表
　　　　　　　　編纂事歷大要
　　　　　　　　總目次
　　　　　　　　總索引

後人研究

1943　川田剛毅　　　藤樹先生年譜
　　　　　　　　　京都　山鹿善兵衛　明治26年（1893）4月　8丁
1944　藤樹頌德會　　藤樹先生年譜
　　　　　　　　　昭和7年（1932）
1945　中里介山　　　中江藤樹言行錄
　　　　　　　　　①東京　內外出版協會　明治40年（1907）12月　170頁（偉
　　　　　　　　　　人研究　第10編）
　　　　　　　　　②大菩薩峠刊行會　昭和9年（1934）
1946　峽北隱士　　　近江聖人
　　　　　　　　　東京　魚住書店　明治33年（1900）11月　84頁
1947　得能文、新海正行　中江藤樹
　　　　　　　　　東京　裳華房　明治33年（1900）（偉人史　第2輯第5卷）
1948　石川　某　　　藤樹先生學術定論1卷
　　　　　　　　　日本倫理彙編　第1冊　東京　育成會　明治34年（1901）；
　　　　　　　　　京都　臨川書店　昭和45年（1970）
1949　村井弦齋　　　近江聖人
　　　　　　　　　東京　博文館　明治35年（1902）　104，128頁
1950　川越森之助、小川喜代藏　藤樹先生詳傳
　　　　　　　　　滋賀縣大溝町　上原斯文堂　明治41年（1908）6月　88頁
1951　佐藤綠葉　　　中江藤樹家庭訓話
　　　　　　　　　東京　岡村書店　明治42年（1909）9月　196頁

1952　南山隱士　　　近江聖人百話
　　　　　　　　　　東京　大學館　明治43年（1910）　158頁
1953　河村北溟　　　中江藤樹百話
　　　　　　　　　　東京　求光閣　明治44年（1911）3月　180頁
1954　上原七右衛門　中江藤樹先生略傳
　　　　　　　　　　滋賀縣大溝町　上原斯文堂　明治44年（1911）9月　9頁
1955　川村定靜　　　中江藤樹百話
　　　　　　　　　　東京　求光閣　大正5年（1916）
1956　滋賀縣高島郡教育會　藤樹先生
　　　　　　　　　　滋賀縣高島郡　編者印行　大正7年（1918）
1957　杉原夷山　　　中江藤樹
　　　　　　　　　　東京　松陽堂書店　大正8年（1919）
1958　伴　蒿蹊　　　中江藤樹（附蕃山）
　　　　　　　　　　賢哲傳（下）　東京　修養文庫刊行會　大正8年（1919）
1959　加藤盛一　　　近江聖人
　　　　　　　　　　滋賀縣高島郡　藤樹書院　大正11年（1922）
1960　杉原夷山　　　中江藤樹
　　　　　　　　　　東京　朝野書店　大正13年（1924）
1961　大洲町編　　　藤樹先生
　　　　　　　　　　瀧活版所　大正15年（1926）
1962　藤樹學會　　　藤樹先生
　　　　　　　　　　編者印行　昭和3年（1928）
1963　柴田甚五郎　　中江藤樹と德行
　　　　　　　　　　東京　帝國地方行政學會　昭和3年（1928）（教材講座　1）
1964　西晉一郎　　　中江藤樹
　　　　　　　　　　岩波講座世界思潮　第6冊　東京　岩波書店　昭和4年
　　　　　　　　　　（1929）
1965　松本義懿　　　藤樹先生の學德
　　　　　　　　　　東京　渾沌社　昭和6年（1931）
1966　加藤仁平　　　藤樹學の發展とその意義
　　　　　　　　　　東京　渾沌社　昭和8年（1933）（渾沌社教育叢書　5）
1967　三浦藤作　　　少年中江藤樹傳
　　　　　　　　　　大同館書店　昭和8年（1933）
1968　柴田甚五郎　　中江藤樹の思想
　　　　　　　　　　日本精神研究　第3輯　東京　東洋書院　昭和9年（1934）
1969　加藤盛一　　　中江藤樹

東京　北海出版社　昭和11年（1936）（日本教育家文庫
18）

1970　竺　賢誠　　　　中江藤樹先生
　　　　　　　　　　　今津中學校　昭和12年（1937）

1971　柴田甚五郎　　　聖人中江藤樹
　　　　　　　　　　　東京　弘學社　昭和12年（1937）

1972　大久保龍　　　　近江聖人中江藤樹
　　　　　　　　　　　東京　啓文社　昭和12年（1937）

1973　藤樹頌德會編　　藤樹先生を語る
　　　　　　　　　　　編者印行　昭和12年（1937）

1974　加藤盛一　　　　中江藤樹
　　　　　　　　　　　東京　啓文社　昭和14年（1939）

1975　柴田甚五郎　　　藤樹と藩山
　　　　　　　　　　　近世日本の儒學　頁297―333　東京　岩波書店　昭和14年
　　　　　　　　　　　（1939）8月

1976　大久保龍　　　　中江藤樹史傳
　　　　　　　　　　　東京　啓文社　昭和15年（1940）

1977　近藤　信　　　　中江藤樹傳
　　　　　　　　　　　愛媛　大政翼贊會愛媛支部　昭和16年（1941）（愛媛先賢
　　　　　　　　　　　叢書　4）

1978　加藤盛一　　　　中江藤樹
　　　　　　　　　　　東京　文教書院　昭和17年（1942）　257頁（日本教育先哲
　　　　　　　　　　　叢書　5）

1979　高橋俊乘　　　　中江藤樹
　　　　　　　　　　　東京　弘文堂　昭和17年（1942）

1980　滋賀縣高島郡教育會編　藤樹先生
　　　　　　　　　　　藤樹神社　昭和17年（1942）

1981　渡邊知水　　　　中江藤樹と岡山
　　　　　　　　　　　作者印行　昭和17年（1942）

1982　陶山　務　　　　翁問答を中心として――中江藤樹の人生觀
　　　　　　　　　　　東京　第一書房　昭和18年（1943）

1983　松原致遠　　　　日本學としての藤樹教學
　　　　　　　　　　　東京　講談社　昭和18年（1943）

1984　後藤三郎　　　　中江藤樹とその教育
　　　　　　　　　　　東京　新紀元社　昭和19年（1944）

1985　清水安三　　　　中江藤樹の研究

　　　　　　　　　　　東京　櫻美林學園出版部　昭和23年（1948）

1986　木村光德　　　藤樹學の文獻整理とその遡源的研究
　　　　　　　　　　　作者印行　昭和24年（1949）

1987　滋賀日出新聞社　近江聖人中江藤樹先生
　　　　　　　　　　　滋賀縣　編者印行　昭和25年（1950）

1988　木村光德　　　藤樹學の思想的研究と文獻解題
　　　　　　　　　　　作者印行　昭和26年（1951）

1989　大洲藤樹先生生誕三百五十年記念事業會　中江藤樹と大洲
　　　　　　　　　　　大洲　編者印行　昭和33年（1958）4月　31頁

1990　藤樹學會編　　藤樹先生
　　　　　　　　　　　廣島　藤樹思想研究所　昭和33年（1958）

1991　藤樹學會編　　ある田舍教師の生涯──藤樹先生の立志から完成までの步
　　　　　　　　　　　み
　　　　　　　　　　　廣島　藤樹思想研究所　昭和33年（1958）

1992　棚橋慶次　　　近江聖人中江藤樹先生
　　　　　　　　　　　滋賀日出新聞社　昭和33年（1958）

1993　佐藤清太、木村光德　藤樹の思想遍歷とその源流
　　　　　　　　　　　廣島　藤樹思想研究所　昭和33年（1958）

1994　今堀文一郎　　中江藤樹
　　　　　　　　　　　東京　愛隆堂　昭和34年（1959）　157頁

1995　清水安三　　　中江藤樹はキリシタンであった
　　　　　　　　　　　東京　櫻美林學園出版部　昭和34年（1959）

1996　清水安三　　　中江藤樹
　　　　　　　　　　　東京　東出版　昭和42年（1967）　344頁

1997　後藤三郎　　　中江藤樹研究第1卷
　　　　　　　　　　　東京　理想社　昭和45年（1970）　334頁

1998　木村光德　　　藤樹學の成立に關する研究
　　　　　　　　　　　東京　風間書房　昭和46年（1971）　816，59頁

1999　渡部　武　　　中江藤樹
　　　　　　　　　　　東京　清水書院　昭和49年（1974）9月　205頁（人と思想）

2000　山本　命　　　中江藤樹の儒學──その形成史的研究
　　　　　　　　　　　東京　風間書房　昭和52年（1977）2月　654頁

2001　山住正己　　　中江藤樹
　　　　　　　　　　　東京　朝日新聞社　昭和52年（1977）10月　269頁（朝日評
　　　　　　　　　　　傳選　17）

2002　木村光德　　　中江藤樹

		叢書日本の思想家　第4冊　東京　明德出版社　昭和53年（1978）5月（與熊澤蕃山合冊）
2003	大塚道廣	大洲の三偉人──近江聖人中江藤樹と名僧盤珪禪師と明治の先覺者矢野玄道
		入間　大洲陶器　昭和56年（1981）2月　163頁
2004	古川　治	中江藤樹
		東京　明德出版社　平成2年（1990）2月　230頁（シリーズ陽明學　20）
2005	陽明學編輯部	中江藤樹特集
		陽明學（二松學舍大學）第2號　頁67—150　平成2年（1990）3月
2006	大塚道廣	人間二宮尊德と中江藤樹の心
		入間　大洲陶器　平成3年（1991）10月　169頁
2007	藤田　覺	中江藤樹の太虛思想とその源流
		藤樹研究會　平成5年（1993）
2008	柏木寬照	中江藤樹に學ぶ時代のこころ人のこころ
		東京　二期出版　平成6年（1994）4月　230頁
2009	下程勇吉	中江藤樹の人間學的研究
		柏　廣池學園出版部　平成6年（1994）6月　323頁
2010	太田　龍	中江藤樹──天壽學原理
		東京　泰流社　平成6年（1994）12月　384頁
2011	藤田　覺	藤樹學
		藤樹研究會　平成8年（1996）
2012	古川　治	中江藤樹の總合的研究
		東京　ぺりかん社　平成8年（1996）　840頁
2013	橋本榮治	藤樹研究參考文獻目錄
		陽明學（二松學舍大學）　第2號　頁146—150　平成2年（1990）3月
2014	藤樹圖書館編	藤樹圖書館圖書目錄
		滋賀縣高島郡　編者印行　昭和43年（1910）　36頁
2015	岡村繁編	藤樹書院藏書分類目錄
		滋賀縣安曇川町　昭和60年（1985）5月
2016	竹下喜久男編	藤樹書院文獻調查報告書
		滋賀縣　滋賀縣安曇川町教育委員會　平成5年（1993）2月　117頁
2017	藤樹頌德會	藤樹研究

昭和8年（1933）創刊　東京　藤樹頌德會

3.淵　岡山（1617—1686）

著　作

2018　淵　岡山　　岡山先生書翰2卷1冊
　　　　　　　　　寫本
2019　淵　岡山　　岡山先生書翰3冊
　　　　　　　　　寫本

後人研究

2020　高瀨武次郎　隱れたる陽明學者淵岡山先生
　　　　　　　　　史林　第2卷2號　大正6年（1917）
2021　柴田甚五郎　藤樹學者淵岡山と其學派
　　　　　　　　　帝國學士院紀事　第1卷1號、第2卷3號、第4卷1號　昭和17、
　　　　　　　　　18、21年（1943、1944、1946）

4.熊澤蕃山（1619—1691）

著　作

2022　熊澤蕃山　　論語小解
　　　　　　　　　陽明學（鐵華書院）　第4卷60號—第6卷77號　明治31年
　　　　　　　　　（1898）11月—明治33年（1900）2月
2023　熊澤蕃山　　大學或問1卷
　　　　　　　　　天明8年（1788）刊本
2024　熊澤蕃山　　大學或問
　　　　　　　　　日本文庫　第5編　東京　博文館　明治24年（1891）
2025　熊澤蕃山　　大學或問
　　　　　　　　　經濟叢書　第4冊　經濟雜誌社　明治27年（1894）
2026　熊澤蕃山　　大學或問（抄）
　　　　　　　　　日本思想鬥爭史料　第6卷　東京　東方書院　昭和5年
　　　　　　　　　（1930）

2027　熊澤蕃山　　　大學或問（抄）
　　　　　　　　　　大日本思想全集　第2卷　東京　大日本思想全集刊行會
　　　　　　　　　　昭和6年（1931）
2028　熊澤蕃山　　　大學或問
　　　　　　　　　　近世社會經濟學說大系　第14冊　東京　誠文堂新光社　昭
　　　　　　　　　　和10年（1935）
2029　熊澤蕃山　　　大學或問（抄）
　　　　　　　　　　日本教育寶典　第5冊　東京　玉川大學出版部　昭和40年
　　　　　　　　　　（1965）
2030　熊澤蕃山　　　大學或問
　　　　　　　　　　日本の思想　第17冊　東京　筑摩書房　昭和44年（1969）
2031　熊澤蕃山　　　大學或問
　　　　　　　　　　日本思想大系　第30冊　東京　岩波書店　昭和46年（1971）
2032　熊澤蕃山　　　大學或問
　　　　　　　　　　日本教育思想大系　第7冊　熊澤蕃山（下）　東京　日本
　　　　　　　　　　圖書センター　昭和51年（1976）
2033　熊澤蕃山　　　大學小解1卷
　　　　　　　　　　寫本
2034　熊澤蕃山　　　大學小解
　　　　　　　　　　國民思想叢書　第5冊　儒教篇　東京　大東出版社　昭和4
　　　　　　　　　　年（1929）
2035　熊澤蕃山　　　大學小解
　　　　　　　　　　日本精神文獻叢書　第9卷　東京　大東出版社　昭和13年
　　　　　　　　　　（1938）
2036　熊澤蕃山　　　大學小解
　　　　　　　　　　日本教育思想大系　第7冊　熊澤蕃山（下）　東京　日本
　　　　　　　　　　圖書センター　昭和51年（1976）
2037　熊澤蕃山　　　大學和解
　　　　　　　　　　日本教育思想大系　第7冊　熊澤蕃山（下）　東京　日本
　　　　　　　　　　圖書センター　昭和51年（1976）
2038　熊澤蕃山　　　中庸小解
　　　　　　　　　　日本教育思想大系　第7冊　熊澤蕃山（下）　東京　日本
　　　　　　　　　　圖書センター　昭和51年（1976）
2039　熊澤蕃山　　　詩經周南之解（女子訓）
　　　　　　　　　　日本教育思想大系　第7冊　熊澤蕃山（下）　東京　日本
　　　　　　　　　　圖書センター　昭和51年（1976）

2040　熊澤蕃山　　　　召南之解（女子訓第二）
　　　　　　　　　　日本教育思想大系　第7冊　熊澤蕃山（下）　東京　日本
　　　　　　　　　　圖書センター　昭和51年（1976）

2041　熊澤蕃山　　　　女子訓（上、下）
　　　　　　　　　　日本教育思想大系　第7冊　熊澤蕃山（下）　東京　日本
　　　　　　　　　　圖書センター　昭和51年（1976）

2042　熊澤蕃山　　　　女子訓異同篇
　　　　　　　　　　日本教育思想大系　第7冊　熊澤蕃山（下）　東京　日本
　　　　　　　　　　圖書センター　昭和51年（1976）

2043　中江藤樹譯、熊澤蕃山述　孝經
　　　　　　　　　　東京　讀賣新聞社　明治44年（1911）2月　147頁

2044　熊澤蕃山　　　　孝經小解
　　　　　　　　　　漢籍國字解全書　第1卷　東京　早稻田大學出版部　明治
　　　　　　　　　　42年（1909）

2045　熊澤蕃山　　　　孝經小解
　　　　　　　　　　國民思想叢書　第5冊　東京　大東出版社　昭和4年（1929）

2046　熊澤蕃山　　　　孝經小解
　　　　　　　　　　日本精神文獻叢書　第9卷　儒教篇（上）　東京　大東出
　　　　　　　　　　版社　昭和13年（1938）

2047　熊澤蕃山　　　　孝經小解
　　　　　　　　　　日本教育思想大系　第7冊　熊澤蕃山（下）　東京　日本
　　　　　　　　　　圖書センター　昭和51年（1976）

2048　熊澤蕃山　　　　孝經外傳或問（抄）
　　　　　　　　　　日本教育寶典　第5冊　東京　玉川大學出版部　昭和40年
　　　　　　　　　　（1965）

2049　熊澤蕃山　　　　二十四孝或問小解
　　　　　　　　　　大日本思想全集　第2卷　東京　大日本思想全集刊行會
　　　　　　　　　　昭和6年（1931）

2050　熊澤蕃山　　　　二十四孝小解
　　　　　　　　　　日本教育思想大系　第7冊　熊澤蕃山（下）　東京　日本
　　　　　　　　　　圖書センター　昭和51年（1976）

2051　熊澤蕃山　　　　集義和書9卷
　　　　　　　　　　刊本

2052　熊澤蕃山著、山田方谷評、岡本天岳編　集義和書類抄
　　　　　　　　　　東京　松邑三松堂　明治38年（1905）5月　138，91頁

2053　熊澤蕃山　　　　集義和書

日本倫理彙編　第1冊　東京　育成會　明治34年（1901）；
京都　臨川書店　昭和45年（1970）

2054　熊澤蕃山　　集義和書（抄文）
　　　　　　　　　日本思想鬥爭史料　第6卷　東京　東方書院　昭和5年
　　　　　　　　　（1930）；東京　名著刊行會　昭和44年（1969）

2055　熊澤蕃山　　集義和書（抄二卷）
　　　　　　　　　大日本思想全集　第2卷　東京　大日本思想全集刊行會
　　　　　　　　　昭和51年（1976）

2056　熊澤蕃山　　集義和書
　　　　　　　　　大日本文庫　第2冊　東京　大日本文庫刊行會　昭和9年
　　　　　　　　　（1934）

2057　熊澤蕃山　　集義和書
　　　　　　　　　近世社會經濟學說大系　第14冊　東京　誠文堂新光社　昭
　　　　　　　　　和10年（1935）

2058　熊澤蕃山　　集義和書（抄）
　　　　　　　　　日本教育寶典　第5冊　東京　玉川大學出版部　昭和40年
　　　　　　　　　（1965）

2059　熊澤蕃山　　集義和書
　　　　　　　　　日本思想大系　第30冊　東京　岩波書店　昭和46年（1971）

2060　熊澤蕃山　　集義外書（補）
　　　　　　　　　日本思想大系　第30冊　東京　岩波書店　昭和46年（1971）

2061　熊澤蕃山　　集義和書（初版、二版）
　　　　　　　　　日本教育思想大系　第6冊　熊澤蕃山（上）　東京　日本
　　　　　　　　　圖書センター　昭和51年（1976）

2062　熊澤蕃山著、伊東多三郎譯　集義和書（抄）
　　　　　　　　　日本の名著　第11冊　東京　中央公論社　昭和51年（1976）

2063　熊澤蕃山　　集義和書顯非
　　　　　　　　　日本儒林叢書　第4卷　東京　鳳出版　昭和2年（1927）；
　　　　　　　　　昭和46年（1971）重印本

2064　熊澤蕃山　　集義和書顯非
　　　　　　　　　大日本文庫　第2冊　東京　大日本文庫刊行會　昭和9年
　　　　　　　　　（1934）

2065　熊澤蕃山　　集義和書顯非
　　　　　　　　　日本教育思想大系　第6冊　熊澤蕃山（上）　東京　日本
　　　　　　　　　圖書センター　昭和51年（1976）

2066　熊澤蕃山　　集義外書16卷

　　　　　　　　　　　寛政3年（1791）刊本

2067　熊澤蕃山　　　　集義外書
　　　　　　　　　　　日本倫理彙編　第2冊　東京　育成會　明治34年（1901）；
　　　　　　　　　　　京都　臨川書店　昭和45年（1970）

2068　熊澤蕃山　　　　集義外書（抄）
　　　　　　　　　　　日本思想鬥爭史料　第6卷　東京　東方書院　昭和5年
　　　　　　　　　　　（1930）；東京　名著刊行會　昭和44年（1969）

2069　熊澤蕃山　　　　集義外書（抄）
　　　　　　　　　　　大日本思想全集　第2卷　東京　大日本思想全集刊行會
　　　　　　　　　　　昭和6年（1931）

2070　熊澤蕃山　　　　集義外書
　　　　　　　　　　　大日本文庫　第3冊　東京　大日本思想全集刊行會　昭和9
　　　　　　　　　　　年（1934）

2071　熊澤蕃山　　　　集義外書（抄）
　　　　　　　　　　　近世社會經濟學說大系　第14冊　東京　誠文堂新光社　昭
　　　　　　　　　　　和10年（1935）

2072　熊澤蕃山　　　　集義外書（抄）
　　　　　　　　　　　日本教育寶典　第5冊　東京　玉川大學出版部　昭和40年
　　　　　　　　　　　（1965）

2073　熊澤蕃山　　　　集義外書（抄）
　　　　　　　　　　　陽明學大系　第8卷　日本の陽明學（上）　東京　明德出
　　　　　　　　　　　版社　昭和48年（1973）

2074　熊澤蕃山　　　　集義外書
　　　　　　　　　　　日本教育思想大系　第7冊　熊澤蕃山（下）　東京　日本
　　　　　　　　　　　圖書センター　昭和51年（1976）

2075　熊澤蕃山著、伊東多三郎譯　集義外書（抄）
　　　　　　　　　　　日本の名著　第11冊　東京　中央公論社　昭和51年（1976）

2076　熊澤蕃山　　　　三輪物語（抄）
　　　　　　　　　　　日本教育寶典　第5冊　東京　玉川大學出版部　昭和40年
　　　　　　　　　　　（1965）

2077　熊澤蕃山　　　　三輪物語
　　　　　　　　　　　日本教育思想大系　第6冊　熊澤蕃山（上）　東京　日本
　　　　　　　　　　　圖書センター　昭和51年（1976）

2078　熊澤蕃山著、宮崎道生校訂　自筆本三輪物語
　　　　　　　　　　　櫻井　三輪明神大神神社　平成3年（1991）8月　675頁

2079　熊澤蕃山　　　　宇佐問答

　　　　　　　　近世社會經濟學說大系　第14冊　東京　誠文堂新光社　昭
　　　　　　　　和10年（1935）
2080　熊澤蕃山　　源語外傳（抄）
　　　　　　　　日本教育寶典　第5冊　東京　玉川大學出版部　昭和40年
　　　　　　　　（1965）
2081　熊澤蕃山　　葬祭辨論
　　　　　　　　日本文庫　第6編　東京　博文館　昭和24年（1891）
2082　熊澤蕃山　　心學文集2卷
　　　　　　　　刊本
2083　熊澤蕃山　　蕃山先生和歌集
　　　　　　　　甘雨亭叢書　別集　弘化2年（1845）江戶北畠茂兵衛等活
　　　　　　　　字本
2084　大日本思想全集刊行會　熊澤蕃山集
　　　　　　　　大日本思想全集　第2卷　東京　大日本思想全集刊行會
　　　　　　　　昭和6年（1931）
　　　　　　　　集義和書（抄2卷）
　　　　　　　　大學或問（抄）
　　　　　　　　集義外書（抄2卷）
　　　　　　　　二十四孝或問小解
2085　野村兼太郎解題　熊澤蕃山集
　　　　　　　　近世社會經濟學說大系　第14冊　東京　誠文堂新光社　昭
　　　　　　　　和10年（1935）
　　　　　　　　大學或問
　　　　　　　　宇佐問答
　　　　　　　　集義和書
　　　　　　　　集義外書（抄）
2086　玉川大學出版部　熊澤蕃山集
　　　　　　　　日本教育寶典　第5冊　東京　玉川大學出版部　昭和40年
　　　　　　　　（1965）
　　　　　　　　集義和書（抄）
　　　　　　　　集義外書（抄）
　　　　　　　　大學或問（抄）
　　　　　　　　孝經外傳或問（抄）
　　　　　　　　源語外傳（抄）
　　　　　　　　三輪物語（抄）
　　　　　　　　熊澤蕃山略年譜

2087　後藤陽一、友枝龍太郎校注　熊澤蕃山
　　　　　　　　　　　　日本思想大系　第30冊　東京　岩波書店　昭和46年（1971）
　　　　　　　　　　　　集義和書
　　　　　　　　　　　　集義和書補
　　　　　　　　　　　　大學或問
　　　　　　　　　　　　解説
　　　　　　　　　　　　　熊澤蕃山の生涯と思想の形成（後藤陽一）
　　　　　　　　　　　　　熊澤蕃山と中國思想（友枝龍太郎）
　　　　　　　　　　　　　熊澤蕃山年譜
　　　　　　　　　　　　　收錄書目解題
2088　日本圖書センター　熊澤蕃山
　　　　　　　　　　　　日本教育思想大系　第6、7冊　東京　日本圖書センター
　　　　　　　　　　　　昭和51年（1976）
　　　　　　　　　　　　上卷（第6冊）
　　　　　　　　　　　　　集義和書（初版、二版）
　　　　　　　　　　　　　集義和書顯非（西川季格）
　　　　　　　　　　　　　三輪物語
　　　　　　　　　　　　下卷（第7冊）
　　　　　　　　　　　　　集義外書
　　　　　　　　　　　　　二十四孝小解
　　　　　　　　　　　　　詩經周南之解（女子訓）
　　　　　　　　　　　　　召南之解（女子訓第二）
　　　　　　　　　　　　　女子訓（上、下）
　　　　　　　　　　　　　女子訓異同篇
　　　　　　　　　　　　　孝經小解
　　　　　　　　　　　　　大學小解
　　　　　　　　　　　　　大學和解
　　　　　　　　　　　　　大學或問
　　　　　　　　　　　　　中庸小解
2089　伊東多三郎編　熊澤蕃山
　　　　　　　　　　　　日本の名著　第11冊　東京　中央公論社　昭和51年（1976）
　　　　　　　　　　　　藤樹、蕃山の學問と思想（伊東多三郎）
　　　　　　　　　　　　集義和書（抄）（伊東多三郎譯）
　　　　　　　　　　　　集義外書（抄）（伊東多三郎譯）
2090　正宗敦夫編　蕃山全集
　　　　　　　　　　　　蕃山全集刊行會　昭和15―18年（1940―1943）　6冊

第1冊
　集義和書
　集義和書顯非
第2冊
　集義外書
　二十四孝小解
　詩經周南之解（女子訓）召南之解（女子訓第2）
　女子訓上・下〔女子訓異同篇〕
　源語外傳上・下
第3冊
　孝經小解
　孝經外傳或問
　大學小解
　大學和解
　大學或問（治國平天下之別卷）
　中庸小解
第4冊
　論語小解
　八卦之圖
　易經小解
　繫辭傳
第5冊
　十界之圖
　三社託宣解
　神道大義
　息游先生初年倭文
　天命性道拔書
　熊澤先生覺書
　儒生雜記
　葬祭辨論
　氣質理利之解
　大和西銘
　夜會記
　三種之象解
　三輪物語
　宇佐問答

毛見法

斷壁殘圭

息先生道談

第6冊

集義義論聞書

熊澤次郎八・泉八右衛門・津田重二郎問答略記

先覺之書

蕃山先生書簡集（井上通泰註）

蕃山片影（井上通泰述）

蕃山考（井上通泰）

續蕃山考（井上通泰）

熊澤先生行狀（巨勢直幹）

熊澤先生行狀（草加定環）

慕賢錄（秋山弘道著、成田元美訂）

2091　正宗敦夫編，谷口澄夫、宮崎道生監修　增訂蕃山全集

東京　名著出版　昭和53—55年（1978—1980）　7冊

第1冊

集義和書

集義和書顯非（西川季格）

第2冊

集義外書

二十四孝小解

詩經周南之解女子訓

召南之解女子訓　第2

女子訓上・下　〔女子訓異同篇〕

源語外傳上・下

第3冊

孝經小解

孝經外傳或問

大學小解

大學和解

大學或問ー名治國平天下之別卷

中庸小解

第4冊

論語小解

八卦之圖

易經小解

繫辭傳上·下

第5冊

十界之圖

三社託宣解

神道大義

息游先生初年倭文

天命性道拔書

熊澤先生覺書

儒生雜記

葬祭辨論

氣質理利之解

大和西銘

夜會記

三種之象解

三輪物語

宇佐問答

毛見法

斷璧殘圭

息先生道談

第6冊

集義義論聞書

熊澤次郎八·泉八右衛門·津田重二郎問答略記

先覺之書

蕃山先生書簡集（井上通泰註）

蕃山片影（井上通泰述）

蕃山考（井上通泰）

續蕃山考（井上通泰）

熊澤先生行狀（巨勢直幹）

熊澤先生行狀（草加定環）

慕賢錄（秋山弘道著、成田元美訂）

第7冊

熊澤蕃山研究序說（宮崎道生）

蕃山遺著

人心道心之解

正邪之辨

　　　　蕃山研究
　　　　　熊澤蕃山幽居始末（菅　政友）
　　　　　熊澤蕃山と津田左源太（重野安繹）
　　　　　山林家としての蕃山（山田貞芳）
　　　　　蕃山先生の終焉（藤懸靜也）
　　　　　熊澤蕃山の經濟論
　　　　　經世家としての熊澤蕃山（中村孝也）
　　　　蕃山年譜・系圖
　　　　參考文獻目錄

後人研究

2092　片山重範編　　蕃山先生年譜
　　　　　　　　　　①東京　平野獻太郎　明治23年（1890）9月　22丁
　　　　　　　　　　②岡山　岡山縣內務部　大正5年（1916）

2093　本田無外　　　熊澤蕃山言行錄
　　　　　　　　　　東京　內外出版協會　明治41年（1908）2月　201頁（偉人
　　　　　　　　　　研究叢書　第17編）

2094　畠山芳太郎　　熊澤蕃山言行錄
　　　　　　　　　　東京　東亞堂　大正6年（1917）（修養史傳　第13編）

2095　清水臥遊　　　熊澤了介先生事蹟考
　　　　　　　　　　日本文庫　第1編　東京　博文館　明治24年（1891）

2096　塚越芳太郎　　熊澤蕃山
　　　　　　　　　　東京　民友社　明治31年（1898）3月　570頁

2097　秋山弘道著、成田元美訂正　慕賢錄——熊澤伯繼傳
　　　　　　　　　　岡山　岡山縣廳　明治34年（1901）

2098　井上通泰　　　蕃山考2卷
　　　　　　　　　　岡山　岡山縣　明治35、36年（1902、1903）　2冊（72頁，
　　　　　　　　　　68頁）

2099　岡山縣山林會　山林家としての蕃山
　　　　　　　　　　岡山　編者印行　明治36年（1903）4月　44頁

2100　井上通泰　　　蕃山先生略傳（附年譜）
　　　　　　　　　　古河鄉友會　明治43年（1910）

2101　藤田一正　　　熊澤伯繼傳
　　　　　　　　　　東京　水陽書院　明治43年（1910）（水戶文學叢書　1）

2102　柘城學人　　　熊澤蕃山教訓錄

東京　中村書院　明治44年（1911）4月　188頁

2103　蕃山會　蕃山先生贈位奉告祭講演集

茨城縣古河町　蕃山會　明治44年（1911）12月　72頁

2104　奥田義人　熊澤蕃山

東京　博文館　大正4年（1915）（偉人傳叢書　7）

2105　安岡正篤　達人熊澤蕃山

東京　金雞學院　昭和5年（1930）（人物研究叢刊　11）

2106　西晉一郎　熊澤蕃山

岩波講座世界思潮　第9冊　東京　岩波書店　昭和5年
（1930）

2107　清水臥遊　熊澤先生覺書、熊澤了介先生事蹟考

吉備群書集成　第4輯　東京　吉備群書集成刊行會　昭和6
年（1931）

2108　津田左右吉　蕃山、益軒

東京　岩波書店　昭和13年（1938）　225頁（大教育家文庫
4）

2109　柴田甚五郎　藤樹と蕃山

近世日本の儒學　頁297—333　東京　岩波書店　昭和14年
（1939）8月

2110　藏　知矩　備前藩に於ける蕃山先生

作者印行　昭和15年（1940）

2111　河本一夫　蕃山先生傳

東京　吉田書店　昭和15年（1940）

2112　渡邊知水　蕃山了介再檢討

作者印行　昭和16年（1941）

2113　金子鷹之助　熊澤蕃山と佐久間象山

東京　日本放送出版協會　昭和16年（1941）（ラジオ新書
48）

2114　和田　傳　熊澤蕃山

東京　偕成社　昭和17年（1942）（偕成社傳記文庫）

2115　後藤三郎　熊澤蕃山

東京　文教書院　昭和17年（1942）　220頁（日本教育先哲
叢書　6）

2116　中村孝也　景仰熊澤蕃山先生

蕃山先生二百五十年祭奉贊會　昭和17年（1942）

2117　中澤護人、森數男　日本の開明思想——熊澤蕃山と本多利明

東京　紀伊國屋書店　昭和45年（1970）　187頁；平成6年
（1994）1月

2118　牛尾春夫　　熊澤蕃山
叢書日本の思想家　第4冊　東京　明德出版社　昭和53年
（1978）5月（與中江藤樹合冊）

2119　蕃山先生三百年祭實行委員會　わが郷土と蕃山先生——蕃山先生三百年祭
記念誌
備前　蕃山先生三百年祭實行委員會　平成2年（1990）10
月　42頁

2120　蕃山先生三百年祭實行委員會　熊澤蕃山——三百年祭記念誌
備前　蕃山先生三百年祭實行委員會　平成2年（1790）10
月　160頁

2121　宮崎道生　　熊澤蕃山の研究
京都　思文閣　平成2年（1990）　700頁

2122　陽明學編輯部　熊澤蕃山特集
陽明學（二松學舍大學）　第6號　頁64—132　平成6年
（1994）3月

2123　宮崎道生　　熊澤蕃山——人物・事蹟・思想
東京　新人物往來社　平成7年（1995）5月　251頁

2124　季刊日本思想史編輯部　熊澤蕃山特集
季刊日本思想史　第38號　平成4年（1992）2月

2125　宮崎道生　　熊澤蕃山の政治小考——大學或問を中心として——
國學院大紀要　第17卷　昭和54年（1979）

5.三輪執齋（1669—1744）

著　作

2126　三輪執齋著、東正堂注　古本大學講義
東京　松山堂　明治41年（1908）3月　51，38頁

2127　三輪執齋　　傳習錄筆記
漢籍國字解全書　第16卷　東京　早稻田大學出版部　明治
42年（1909）

2128　三輪希賢　　傳習錄標注
漢文大系　第16卷　東京　富山房　明治42年（1909）

2129　三輪執齋　　　四言教講義
　　　　　　　　　日本文庫　第4編　東京　博文館　明治24年（1891）
2130　三輪執齋　　　四言教講義
　　　　　　　　　東京　文學書院　明治32年（1899）11月　37頁
2131　三輪執齋　　　四言教講義
　　　　　　　　　日本倫理彙編　第2冊　東京　育成會　明治34年（1901）；
　　　　　　　　　京都　臨川書店　昭和45年（1970）
2132　三輪執齋　　　四言教講義
　　　　　　　　　國民思想叢書　第5冊　儒教篇　東京　大東出版社　昭和4
　　　　　　　　　年（1929）
2133　三輪希賢　　　四言教講義
　　　　　　　　　大日本文庫　第3冊　東京　大日本文庫刊行會　昭和9年
　　　　　　　　　（1934）
2134　三輪執齋　　　日用心法
　　　　　　　　　日本倫理彙編　第2冊　東京　育成會　明治34年（1901）；
　　　　　　　　　京都　臨川書店　昭和45年（1970）
2135　三輪執齋　　　執齋日用心法
　　　　　　　　　陽明學大系　第8卷　日本の陽明學（上）　東京　明德出
　　　　　　　　　版社　昭和48年（1973）
2136　三輪執齋　　　正享問答
　　　　　　　　　日本文庫　第6編　東京　博文館　明治24年（1891）
2137　三輪執齋　　　養子辨
　　　　　　　　　日本儒林叢書　第4卷　東京　鳳出版　昭和2年（1927）；
　　　　　　　　　昭和46年（1971）重印本
2138　三輪執齋　　　雜著
　　　　　　　　　日本倫理彙編　第2冊　東京　育成會　明治34年（1901）；
　　　　　　　　　京都　臨川書店　昭和45年（1970）
2139　三輪執齋　　　執齋先生雜著
　　　　　　　　　陽明學大系　第8卷　日本の陽明學（上）　東京　明德出
　　　　　　　　　版社　昭和48年（1973）
2140　三輪執齋　　　執齋和歌集
　　　　　　　　　陽明學大系　第8卷　日本の陽明學（上）　東京　明德出
　　　　　　　　　版社　昭和48年（1973）
2141　高瀨武次郎編　執齋全書
　　　　　　　　　京都　中田彥三郎刊本　大正13—昭和5年（1924—1930）
　　　　　　　　　2冊

三輪執齋
　第1編　年譜
　第2編　家乘
　第3編　格物辨議
　第4編　拔本塞源論私抄
　第5編　四言教講義
　第6編　龍雷傳詳說
　第7編　執齋先生終焉記
　第8編　贈位報告祭獻詠講演等
　第9編　執齋先生事蹟
執齋全書
　第10編　執齋記
　　　　　執齋日用心法附講演集
　第11編　訓蒙大意教約和解
　　　　　士心論附講演集
　第12編　執齋先生詠草
　第13編　古本大學講義
　第14編　周易進講手記

後人研究

2142　高瀨武次郎　三輪執齋
　　　　　　　　　三輪繁藏印行　大正13年（1924）
2143　森　繁大　　三輪執齋
　　　　　　　　　作者印行　昭和2年（1927）
2144　東晉一郎　　陽明學者三輪執齋
　　　　　　　　　經濟學研究（關西學院大）　第9卷3號　昭和30年（1955）
2145　田中佩刀　　三輪執齋小論
　　　　　　　　　靜岡女子短大國語國文論集　第1號　昭和41年（1966）

四、古學派

(一)概　述

2146　富永滄浪著、豬飼彥博校　古學辨疑

天保5年（1834）刊本

2147　富永滄浪　　古學辨疑

日本儒林叢書　第5卷　東京　鳳出版　昭和2年（1927）；
昭和46年（1971）重印本

2148　井上哲次郎　日本古學派之哲學

東京　富山房　明治35年（1902）

2149　朱　謙之　　日本古學及陽明學

上海　上海人民出版社　昭和37年（1962）388頁

2150　田原嗣郎　　德川思想史研究

東京　未來社　昭和42年（1967）　528頁；平成4年（1992）7
月重印本

序章　問題の提示

1章　山鹿素行における思想の構成について

2章　徂徠學における理論的構成の諸問題

3章　仁齋學の構成と性格

補論　荻生徂徠における仁齋學の批判

終章　素行學、徂徠學、仁齋學

2151　竹內整一等編　古學の思想

日本思想史敍說　第4冊　東京　ぺりかん社　平成6年
（1994）6月　170頁

人倫の道と日本の古代（菅野覺明）

古學的知の特質（竹內整一）

初期徂徠の位相（黑住　眞）

本居宣長の古學（清水正之）

風景の生活史（天艸一典）

2152　季刊日本思想史編輯部　古學と國學特集

季刊日本思想史　第8號　昭和53年（1978）8月

2153　李　威周　　日本古學派的哲學思想

中日哲學思想論集　頁130—170　濟南　齊魯書社　平成4
年（1992）4月

2154　李　威周　　日本古學派學者的孔孟荀學術異同觀

中日哲學思想論集　頁171—190　濟南　齊魯書社　平成4
年（1992）4月

㈡山鹿素行

1.山鹿素行（1622—1685）
やま　が　そ　こう

著　作

2155	山鹿素行	四書句讀大全 東京　國民書院　大正8年（1919）10月—大正10年（1921） 6卷
2156	山鹿素行	山鹿語類 日本倫理彙編　第4冊　東京　育成會　明治34年（1901）； 京都　臨川書店　昭和45年（1970）
2157	山鹿素行	山鹿語類 東京　國書刊行會　明治43、44年（1910、1911）　4冊（國 書刊行會刊行書）
2158	山鹿素行	山鹿語類（抄） 近世社會經濟學說大系　第4冊　東京　誠文堂新光社　昭 和10年（1935）
2159	山鹿素行	山鹿語類 日本精神文獻叢書　第10卷　儒教篇（下）　東京　大東出 版社　昭和13年（1938）
2160	山鹿素行	山鹿語類（抄） 日本教育寶典　第2冊　東京　玉川大學出版部　昭和40年 （1965）
2161	田原嗣郎、守本順一郎校注　山鹿語類（卷21、33、41） 日本思想大系　第32冊　東京　岩波書店　昭和45年（1970）	
2162	山鹿素行	山鹿語類（卷16—32） 日本教育思想大系　第8冊　山鹿素行（上）　東京　日本 圖書センター　昭和51年（1976）
2163	田原嗣郎譯	山鹿語類（抄） 日本の名著　第12冊　東京　中央公論社　昭和46年（1971）
2164	山鹿素行	中朝事實 出版者不明　明治41年（1908）5月　2冊
2165	山鹿素行	中朝事實 國民思想叢書　第4冊　東京　大東出版社　昭和4年（1929）
2166	山鹿素行	中朝事實 大日本思想全集　第3卷　東京　大日本思想全集刊行會

昭和6年（1931）

2167　山鹿素行　　　中朝事實（抄）
　　　　　　　　　　近世社會經濟學說大系　第4冊　東京　誠文堂新光社　昭
　　　　　　　　　　和10年（1935）

2168　山鹿素行著、松本純郎校　中朝事實（上、下）
　　　　　　　　　　日本學叢書　第1、11卷　東京　雄山閣　昭和13年（1938）

2169　山鹿素行　　　中朝事實
　　　　　　　　　　日本教育思想大系　第8冊　山鹿素行（上）　東京　日本
　　　　　　　　　　圖書センター　昭和51年（1976）

2170　山鹿素行　　　修身受用抄
　　　　　　　　　　日本教育寶典　第2冊　東京　玉川大學出版部　昭和40年
　　　　　　　　　　（1965）

2171　山鹿素行　　　謫居童問
　　　　　　　　　　東京　博文館　大正2年（1913）　416頁

2172　山鹿素行　　　謫居童問（抄）
　　　　　　　　　　近世社會經濟學說大系　第4冊　東京　誠文堂新光社　昭
　　　　　　　　　　和10年（1935）

2173　山鹿素行　　　謫居童問（卷1—4）
　　　　　　　　　　日本教育思想大系　第8冊　山鹿素行（上）　東京　日本
　　　　　　　　　　圖書センター　昭和51年（1976）

2174　山鹿素行　　　聖教要錄
　　　　　　　　　　日本倫理彙編　第4冊　東京　育成會　明治34年（1901）；
　　　　　　　　　　京都　臨川書店　昭和45年（1970）

2175　山鹿素行　　　聖教要錄
　　　　　　　　　　躬行會叢書　第1集　東京　躬行會　明治35年（1902）4月

2176　山鹿素行　　　聖教要錄
　　　　　　　　　　東京　柳谷謙太郎　明治42年（1909）跋　24頁

2177　山鹿素行　　　聖教要錄
　　　　　　　　　　大日本思想全集　第3卷　東京　大日本思想全集刊行會
　　　　　　　　　　昭和6年（1931）

2178　山鹿素行　　　聖教要錄
　　　　　　　　　　大日本文庫　第6冊　東京　大日本思想全集刊行會　昭和9
　　　　　　　　　　年（1934）

2179　山鹿素行　　　聖教要錄
　　　　　　　　　　近世社會經濟學說大系　第4冊　東京　誠文堂新光社　昭
　　　　　　　　　　和10年（1935）

2180　山鹿素行著、中山久四郎校註　聖教要錄
　　　　　日本先哲叢書　第1冊　東京　廣文堂　昭和11年（1936）

2181　山鹿素行著、村岡典嗣譯注　聖教要錄、配所殘筆
　　　　　東京　岩波書店　昭和15年（1940）（岩波文庫）

2182　山鹿素行　　　聖教要錄
　　　　　日本哲學思想全書　第14卷　東京　平凡社　昭和31年
　　　　　（1956）

2183　山鹿素行　　　聖教要錄
　　　　　日本教育寶典　第2冊　東京　玉川大學出版部　昭和40年
　　　　　（1965）

2184　山鹿素行　　　聖教要錄
　　　　　日本の思想　第17冊　東京　筑摩書房　昭和44年（1969）

2185　山鹿素行　　　聖教要錄
　　　　　日本思想大系　第32冊　東京　岩波書店　昭和45年（1970）

2186　山鹿素行　　　聖教要錄
　　　　　日本教育思想大系　第8冊　山鹿素行（上）　東京　日本
　　　　　圖書センター　昭和51年（1976）

2187　山鹿素行著、遠藤隆吉訂　士道
　　　　　東京　廣文堂　明治43年（1900）12月　230頁

2188　山鹿素行　　　士道
　　　　　國民思想叢書　第3冊　東京　大東出版社　昭和4年（1929）

2189　山鹿素行　　　士道
　　　　　大日本思想全集　第3卷　東京　大日本思想全集刊行會
　　　　　昭和6年（1931）

2190　山鹿素行　　　士道
　　　　　大日本文庫　第6、13冊　東京　大日本文庫刊行會　昭和9
　　　　　年（1934）

2191　山鹿素行　　　武教小學
　　　　　日本倫理彙編　第4冊　東京　育成會　明治34年（1901）；
　　　　　京都　臨川書店　昭和45年（1970）

2192　山鹿素行　　　武教小學
　　　　　大日本思想全集　第3卷　東京　大日本思想全集刊行會
　　　　　昭和6年（1931）

2193　山鹿素行　　　武教小學
　　　　　大日本文庫　第13冊　東京　大日本文庫刊行會　昭和9年
　　　　　（1934）

2194　山鹿素行著、中山久四郎校註　武教小學
　　　　　　日本先哲叢書　第1冊　東京　廣文堂　昭和11年（1936）
2195　山鹿素行　　　武教小學
　　　　　　日本學叢書　第4卷　東京　雄山閣　昭和13年（1938）
2196　山鹿素行　　　武教小學
　　　　　　日本教育寶典　第2冊　東京　玉川大學出版部　昭和40年
　　　　　　（1965）
2197　山鹿素行　　　武教小學
　　　　　　日本教育思想大系　第8冊　山鹿素行（上）　東京　日本
　　　　　　圖書センター　昭和51年（1976）
2198　田原嗣郎譯　　武教小學
　　　　　　日本の名著　第12冊　東京　中央公論社　昭和46年（1971）
2199　山鹿素行　　　武教本論
　　　　　　大日本文庫　第13冊　東京　大日本文庫刊行會　昭和9年
　　　　　　（1934）
2200　山鹿素行著、中山久四郎校註　武教本論
　　　　　　日本先哲叢書　第1冊　東京　廣文社　昭和11年（1936）
2201　山鹿素行　　　武教本論
　　　　　　日本學叢書　第4卷　東京　雄山閣　昭和13年（1938）
2202　山鹿素行　　　兵法奧義講錄
　　　　　　日本哲學全書　第12卷　東京　第一書房　昭和11年（1936）
2203　山鹿素行　　　兵法奧義講錄
　　　　　　日本哲學思想全書　第15卷　東京　平凡社　昭和31年（
　　　　　　1956）
2204　山鹿素行　　　配所殘筆
　　　　　　日本倫理彙編　第4冊　東京　育成會　明治34年（1901）；
　　　　　　京都　臨川書店　昭和45年（1970）
2205　山鹿素行著、軍人修養會編　配所殘筆（附：臣職論）
　　　　　　東京　皆兵社　明治44年（1911）6月　148頁
2206　山鹿素行　　　配所殘筆
　　　　　　賢哲傳（下）　東京　修養文庫刊行會　大正8年（1919）
2207　山鹿素行　　　配所殘筆
　　　　　　國民思想叢書　第11冊　心要篇　東京　大東出版社　昭和
　　　　　　4年（1929）
2208　山鹿素行　　　配所殘筆
　　　　　　大日本思想全集　第3卷　東京　大日本思想全集刊行會

昭和6年（1931）

2209　山鹿素行　　　配所殘筆
　　　　　　　　　　大日本文庫　第13冊　東京　大日本文庫刊行會　昭和9年
　　　　　　　　　　（1934）

2210　山鹿素行　　　配所殘筆
　　　　　　　　　　近世社會經濟學說大系　第4冊　東京　誠文堂新光社　昭
　　　　　　　　　　和10年（1935）

2211　山鹿素行著、中山久四郎校註　配所殘筆
　　　　　　　　　　日本先哲叢書　第1冊　東京　廣文社　昭和11年（1936）

2212　山鹿素行　　　配所殘筆（抄）
　　　　　　　　　　日本教育寶典　第2冊　東京　玉川大學出版部　昭和40年
　　　　　　　　　　（1965）

2213　山鹿素行　　　配所殘筆
　　　　　　　　　　日本の思想　第17冊　東京　筑摩書房　昭和44年（1969）

2214　山鹿素行　　　配所殘筆
　　　　　　　　　　日本思想大系　第32冊　東京　岩波書店　昭和45年（1970）

2215　山鹿素行　　　配所殘筆
　　　　　　　　　　日本教育思想大系　第8冊　山鹿素行（上）　東京　日本
　　　　　　　　　　圖書センター　昭和51年（1976）

2216　田原嗣郎譯　　配所殘筆
　　　　　　　　　　日本の名著　第12冊　東京　中央公論社　昭和46年（1971）

2217　山鹿素行　　　配所殘筆
　　　　　　　　　　日本人の自傳　別卷1　東京　平凡社　昭和57年（1982）9
　　　　　　　　　　月　494頁

2218　山鹿素行　　　山鹿素行先生日記
　　　　　　　　　　東京　東洋圖書　昭和9年（1934）　450頁

2219　塚本哲三編　　山鹿素行文集
　　　　　　　　　　東京　有朋堂　（有朋堂文庫　第1輯）

2220　武田勘治編　　山鹿素行教育說選集
　　　　　　　　　　東京　第一出版協會　昭和11年（1936）（日本教育文庫
　　　　　　　　　　2）

2221　大日本思想全集刊行會　山鹿素行集
　　　　　　　　　　大日本思想全集　第3冊　東京　大日本思想全集刊行會
　　　　　　　　　　昭和6年（1931）
　　　　　　　　　　聖教要錄
　　　　　　　　　　中朝事實

　　　　　　　　　　　配所殘筆
　　　　　　　　　　　士道
　　　　　　　　　　　武教小學
2222　內田繁隆解題　山鹿素行集
　　　　　　　　　　　近世社會經濟學說大系　第4冊　東京　誠文堂新光社　昭
　　　　　　　　　　　和10年（1935）
　　　　　　　　　　　謫居童問（抄）
　　　　　　　　　　　聖教要錄
　　　　　　　　　　　山鹿語類（抄）
　　　　　　　　　　　中朝事實（抄）
　　　　　　　　　　　配所殘筆
2223　玉川大學出版部　山鹿素行集
　　　　　　　　　　　日本教育寶典　第2冊　東京　玉川大學出版部　昭和40年
　　　　　　　　　　　（1965）
　　　　　　　　　　　修身受用抄
　　　　　　　　　　　武教小學
　　　　　　　　　　　聖教要錄
　　　　　　　　　　　山鹿語類（抄）
　　　　　　　　　　　配所殘筆（抄）
　　　　　　　　　　　山鹿素行略年譜
2224　田原嗣郎、守本順一郎校注　山鹿素行
　　　　　　　　　　　日本思想大系　第32冊　東京　岩波書店　昭和45年（1970）
　　　　　　　　　　　聖教要錄
　　　　　　　　　　　山鹿語類巻第21
　　　　　　　　　　　山鹿語類巻第33
　　　　　　　　　　　山鹿語類巻第41
　　　　　　　　　　　配所殘筆
　　　　　　　　　　　解說
　　　　　　　　　　　　山鹿素行における思想の基本的構成（田原嗣郎）
　　　　　　　　　　　　山鹿素行における思想の歷史的性格（守本順一郎）
　　　　　　　　　　　解題
2225　日本圖書センター　山鹿素行
　　　　　　　　　　　日本教育思想大系　第8、9冊　東京　日本圖書センター
　　　　　　　　　　　昭和51年（1976）
　　　　　　　　　　　上卷（第8冊）
　　　　　　　　　　　　素行先生年譜（筒井清彦）

　　　　　　　　　　中朝事實
　　　　　　　　　　聖教要錄
　　　　　　　　　　謫居童問（卷1—4）
　　　　　　　　　　武教小學
　　　　　　　　　　配所殘筆
　　　　　　　　　　山鹿語類（卷16—20）
　　　　　　　　　下卷（第9冊）
　　　　　　　　　　山鹿語類（卷21—32）
2226　田原嗣郎編　　山鹿素行
　　　　　　　　　日本の名著　第12冊　東京　中央公論社　昭和46年（1971）
　　　　　　　　　山鹿素行と士道（田原嗣郎）
　　　　　　　　　配所殘筆（田原嗣郎譯）
　　　　　　　　　武教小學（田原嗣郎譯）
　　　　　　　　　山鹿語類（抄）（田原嗣郎譯）
　　　　　　　　　年譜
2227　四元巖、中園繁若、井川直衛編　山鹿素行全集
　　　　　　　　　東京　帝國報德會出版局　大正7年（1918）　1冊
　　　　　　　　　武教小學
　　　　　　　　　配所殘筆
　　　　　　　　　山鹿語類
　　　　　　　　　聖教要錄
　　　　　　　　　中朝事實
2228　塚本哲三編　　山鹿素行文集
　　　　　　　　　東京　有朋堂　大正15年（1926）6月　520頁（有朋堂文庫）
　　　　　　　　　聖教要錄（上、中、下）
　　　　　　　　　武教小學
　　　　　　　　　士道
　　　　　　　　　中朝事實（上、下）
　　　　　　　　　中朝事實附錄
　　　　　　　　　配所殘筆
　　　　　　　　　山鹿素行文集索引
2229　山鹿素行先生全集刊行會編　山鹿素行先生全集
　　　　　　　　　山鹿素行先生全集刊行會　大正4年（1915）—10年（1921）
　　　　　　　　　9冊
　　　　　　　　　上卷
　　　　　　　　　　武家事紀卷1—18

中卷
　武家事紀卷19—37
下卷
　武家事紀卷38—58
第4卷
　四書句讀大全第1卷
　　大學　中庸
第5卷
　四書句讀大全第2卷
　　論語上
第6卷
　四書句讀大全第3卷
　　論語中
第7卷
　四書句讀大全第4卷　附　諺
　　論語下
第8卷
　四書句讀大全第5卷
　　孟子上
第9卷
　四書句讀大全第6卷
　　孟子下
2230　國民精神文化研究所編　山鹿素行集
　　　國民精神文化研究所　昭和11—17年（1936—1942）　7冊
　　　第1卷
　　　原源發機
　　　原源發機諺解
　　　謫居隨筆
　　　正誠舊事
　　　齊修舊事
　　　治平舊事（別題：治平要錄）
　　　附錄：發機諺解私淑言（長島元春）
　　　第2卷
　　　武教全書
　　　武教要錄
　　　第3卷

　　　　　　　修教要録
　　　　　　第4卷
　　　　　　　武經七書諺義上
　　　　　　第5卷
　　　　　　　武經七書諺義下
　　　　　　第六卷
　　　　　　　中朝事實
　　　　　　　聖教要録
　　　　　　　謫居重問
　　　　　　第7卷
　　　　　　　家譜年譜
　　　　　　　年譜資料
　　　　　　　東海道日記
　　　　　　　東山道日記
2231　廣瀬豐編　　山鹿素行全集　思想篇
　　　　　　東京　岩波書店　昭和15—17年（1940—1942）　16冊
　　　　　　第1卷
　　　　　　　山鹿素行略年譜
　　　　　　　修身受用抄
　　　　　　　牧民忠告諺解
　　　　　　　式目家訓
　　　　　　　家訓條目
　　　　　　　陣中諸法度
　　　　　　　海道日記
　　　　　　　東山道日記
　　　　　　　治教要録抄
　　　　　　　武教小學
　　　　　　　武教小學原文
　　　　　　　武教本論
　　　　　　　武教本論原文
　　　　　　　兵法神武雄備集奧義
　　　　　　第2卷
　　　　　　　修教要録第2　卷第1—5
　　　　　　第3卷（別冊附録共）
　　　　　　　修教要録第2　卷第6—10
　　　　　　　補遺（流儀成之作法並誓紙前書　武具短歌　古戰短歌

書簡）

第4卷
　山鹿語類第1　卷第1—6

第5卷
　山鹿語類第2　卷第7—12

第6卷
　山鹿語類第3　卷第13—20

第7卷
　山鹿語類第4　卷第21—26

第8卷
　山鹿語類第5　卷第27—32

第9卷
　山鹿語類第6　卷第33—38

第10卷
　山鹿語類第7　卷第39—45

第11卷
　聖教要錄
　聖教要錄原文
　四書句讀大全大學
　山鹿隨筆

第12卷
　謫居童問
　謫居隨筆
　配所殘筆

第十三卷
　中朝事實
　中朝事實原文
　武家事紀

第14卷
　孫子諺義
　原源發機
　原源發機諺解
　治平要錄

第15卷
　家譜年譜
　年譜資料

家譜年譜參考資料
詩文
書簡
積德堂書籍目錄

後人研究

2232 渡邊修二郎　山鹿素行言行錄
東京　內外出版協會　明治40年（1907）11月　169頁（偉人研究　第9編）

2233 廣瀨　豐　山鹿素行言行錄
東京　三省堂　昭和15年（1940）

2234 小出一郎　山鹿素行遺訓
あをぞら會出版部　昭和12年（1937）

2235 宮崎賢一　山鹿素行先生日記
東京　東洋圖書刊行會　昭和9年（1934）

2236 素行會編　山鹿素行遺訓と日記
東京　井田書店　昭和17年（1942）

2237 三枝博音　聖教要錄解說
日本科學古典全書　第1冊　東京　朝日新聞社　昭和19年（1944）

2238 宇野哲人　人生讀本(2)——聖教要錄
東京　日本放送協會　昭和29年（1954）

2239 紀平正美　山鹿素行の配所殘筆
①日本精神叢書　第12冊　東京　日本文化協會出版部　昭和12年（1937）
②日本精神叢書　第20冊　東京　文部省教學局　昭和15年（1940）

2240 長田偶得　山鹿素行
東京　裳華房　明治31年（1898）

2241 桐谷岩太郎　山鹿素行の武士道
教育研究會講演集　第1輯　廣島　廣島高等師範學校教育研究會　明治36年（1903）

2242 津輕政方　山鹿誌
東京　素行會　明治42年（1909）4月　27頁

2243 津輕耕道子　山鹿誌

　　　　　　　　大日本文庫　第13冊　東京　大日本文庫刊行會　昭和9年
　　　　　　　　（1934）

2244　井上哲次郎　山鹿素行先生
　　　　　　　　東京　素行會　明治43年（1910）1月　47頁

2245　松浦　厚　素行子山鹿甚五左衛門
　　　　　　　　東京　金港堂　大正2年（1913）

2246　井上哲次郎　山鹿素行先生と乃木將軍
　　　　　　　　東京　帝國軍人後援會　大正2年（1913）

2247　山本信哉　山鹿素行子の聖教
　　　　　　　　文化問題十五講　東京　日進堂　大正9年（1920）

2248　足立栗園　山鹿素行
　　　　　　　　東京　邦光堂書店　大正11年（1922）

2249　齋藤弔花　山鹿素行
　　　　　　　　①東京　博文堂　大正14年（1925）
　　　　　　　　②東京　近代文藝社　昭和8年（1933）

2250　清野賢編　山鹿素行先生小傳
　　　　　　　　素行先生建碑會事務所　大正15年（1926）

2251　清原貞雄　思想的先驅者としての山鹿素行
　　　　　　　　東京　藤井書店　昭和5年（1930）

2252　木村卯之　山鹿素行研究
　　　　　　　　東京　青人草社　昭和6年（1931）

2253　小林健三　山鹿素行の根本思想
　　　　　　　　日本精神研究　第1輯　東京　東洋書院　昭和9年（1934）

2254　井上哲次郎　山鹿素行
　　　　　　　　日本精神講座　第6冊　東京　新潮社　昭和9年（1934）

2255　加藤仁平　山鹿素行の教育思想
　　　　　　　　東京　目黒書店　昭和9年（1934）

2256　田制佐重　山鹿素行
　　　　　　　　世界教育文庫　第2部第1冊　東京　世界教育文庫刊行會
　　　　　　　　昭和9年（1934）

2257　齋藤弔花　軍國精神山鹿素行先生傳
　　　　　　　　東京　修養圖書普及會　昭和9年（1934）

2258　森　林助　山鹿素行と津輕信政
　　　　　　　　弘前　森林助　昭和10年（1935）　183頁

2259　木村卯之　素行と親鸞
　　　　　　　　東京　青人草社　昭和10年（1935）

2260 松波節齋　　　山鹿素行論語
　　　　　　　　　東京　教材社　昭和11年（1936）

2261 中央義士會素行會編　山鹿素行先生二百五十年忌記念祭典紀要
　　　　　　　　　編者印行　昭和11年（1936）

2262 田制佐重　　　山鹿素行
　　　　　　　　　東京　春秋社　昭和11年（1936）（春秋文庫）

2263 松波節齋　　　山鹿素行智謀の書
　　　　　　　　　東京　教材社　昭和11年（1936）

2264 松本純郎　　　山鹿素行先生
　　　　　　　　　東京　至文堂　昭和12年（1937）

2265 平尾孤城　　　山鹿素行概論
　　　　　　　　　東京　立川書店　昭和12年（1937）

2266 碧瑠璃園　　　山鹿素行
　　　　　　　　　東京　立洋社　昭和12年（1937）

2267 中山久四郎　　山鹿素行
　　　　　　　　　①東京　北海出版社　昭和12年（1937）　195頁（日本教育
　　　　　　　　　　家文庫　第19卷）
　　　　　　　　　②東京　啓文社　昭和14年（1939）（日本教育家文庫）

2268 武田勘治　　　山鹿素行不滅の士道魂
　　　　　　　　　東京　第一出版協會　昭和13年（1938）

2269 堀　勇雄　　　山鹿素行
　　　　　　　　　東京　白揚社　昭和13年（1938）（人物再檢討叢書）

2270 村岡典嗣　　　素行、宣長
　　　　　　　　　東京　岩波書店　昭和13年（1938）　181頁（大教育家文庫
　　　　　　　　　6）

2271 平尾孤城　　　山鹿素行先生實傳（附神道論）
　　　　　　　　　東京　立川書店　昭和14年（1939）

2272 小柳司氣太　　山鹿素行の一面——夢想、佛老二氏、原源發機
　　　　　　　　　近世日本の儒學　頁357—373　東京　岩波書店　昭和14年
　　　　　　　　　（1939）8月

2273 前田恒治　　　山鹿素行とその誕生
　　　　　　　　　東京　培風館　昭和16年（1941）

2274 竹內　尉　　　吉田松陰と山鹿素行
　　　　　　　　　東京　健文社　昭和16年（1941）

2275 スメラ民文庫編輯部編　山鹿素行
　　　　　　　　　東京　世界創造社　昭和16年（1941）

2276　和田健爾　　　山鹿素行の精神
　　　　　　　　　　東京　京文社　昭和17年（1942）
2277　木村卯之　　　山鹿素行研究
　　　　　　　　　　東京　丁子屋書店　昭和17年（1942）
2278　內藤　晃　　　――愛國者の生涯――山鹿素行物語
　　　　　　　　　　東京　星野書店　昭和18年（1943）
2279　寺島莊二　　　武教に生きた山鹿素行
　　　　　　　　　　東京　三省堂　昭和18年（1943）
2280　平尾孤城　　　山鹿素行と大石良雄
　　　　　　　　　　東京　越後屋書房　昭和18年（1943）
2281　納富康之　　　山鹿素行の國體觀
　　　　　　　　　　東京　鶴書房　昭和18年（1943）　296頁
2282　東晉太郎　　　山鹿素行――經濟道義の創建者
　　　　　　　　　　東京　三省堂　昭和19年（1944）
2283　清原貞雄　　　山鹿素行の兵學
　　　　　　　　　　國防科學叢書　昭和19年（1944）
2284　崛　勇雄　　　山鹿素行
　　　　　　　　　　①東京　吉川弘文館　昭和34年（1959）　331頁（人物叢書）
　　　　　　　　　　②東京　吉川弘文館　昭和62年（1987）4月　361頁（人物
　　　　　　　　　　　叢書新裝版）
2285　佐佐木杜太郎　山鹿素行
　　　　　　　　　　叢書日本の思想家　第8冊　東京　明德出版社　昭和53年
　　　　　　　　　　（1978）9月
2286　石岡久夫　　　山鹿素行兵法學の史的研究
　　　　　　　　　　町田　玉川大學出版部　昭和55年（1980）2月　277頁
2287　山鹿光世　　　山鹿素行
　　　　　　　　　　東京　原書房　昭和56年（1981）10月　192頁
2288　杉本喜久子　　山鹿素行先生の人間像
　　　　　　　　　　赤穂　赤穂義士會　昭和61年（1986）3月　54頁
2289　中山廣司　　　山鹿素行の研究
　　　　　　　　　　京都　神道史學會　昭和63年（1988）1月　404頁（神道史
　　　　　　　　　　研究叢書　14）
2290　Yamaga, Sokö,　（山鹿素行，1622―1685）　Yamaga, Sokö's "Kompendium der
　　　　　　　　　　Weisenlehre: (Seikyö yöroku): ein Wörterbuch des
　　　　　　　　　　neoklassischen Konfuzianismus im Japan des 17.
　　　　　　　　　　Jahrhunderts, übersetzt, annotiert und eingeleitet von

Gerhard Leinss. Wiesbaden: O. Harrassowitz, 1989. 118 p.

2291　劉　梅琴　　　山鹿素行
　　　　　　　　　臺北　東大圖書公司　平成2年（1990）3月　178頁
2292　廣瀬豐編　　　山鹿素行先生著書及舊藏書目錄
　　　　　　　　　東京　軍事史研究會　昭和13年（1938）3月
2293　中山廣司　　　山鹿素行關係文獻目錄
　　　　　　　　　藝林　第26卷6號　昭和50年（1975）12月

㈢古義學派

1.伊藤仁齋（1627—1705）

2294　伊藤仁齋　　　論語古義7卷
　　　　　　　　　文政12年（1829）刊本
2295　伊藤仁齋述、佐藤正範校　論語古義
　　　　　　　　　東京　六盟館　明治42年（1909）10月　392頁
2296　伊藤仁齋　　　論語古義
　　　　　　　　　日本名家四書註釋全書　論語部1　東京　東洋圖書刊行會
　　　　　　　　　昭和3年（1928）3月
2297　伊藤仁齋　　　論語古義（總論）
　　　　　　　　　日本の思想　第11冊　東京　筑摩書房　昭和44年（1969）
2298　伊藤仁齋著、貝塚茂樹譯　　論語古義
　　　　　　　　　日本の名著　第13冊　東京　中央公論社　昭和47年（1972）
2299　伊藤仁齋　　　孟子古義
　　　　　　　　　日本名家四書註釋全書　孟子部1　東京　東洋圖書刊行會
　　　　　　　　　大正11年（1922）
2300　伊藤仁齋　　　孟子古義（總論）
　　　　　　　　　日本の思想　第11冊　東京　筑摩書房　昭和44年（1969）
2301　伊藤仁齋　　　語孟字義2卷
　　　　　　　　　刊本
2302　伊藤仁齋　　　語孟字義
　　　　　　　　　日本倫理彙編　第5冊　東京　育成會　明治34年（1901）；
　　　　　　　　　京都　臨川書店　昭和45年（1970）
2303　伊藤仁齋　　　語孟字義
　　　　　　　　　日本儒林叢書　第6卷　東京　鳳出版　昭和2年（1927）；

　　　　　　　　　　　昭和46年（1971）重印本
2304　伊藤仁齋　　　語孟字義
　　　　　　　　　　　大日本文庫　第5冊　東京　大日本文庫刊行會　昭和9年
　　　　　　　　　　　（1934）
2305　伊藤仁齋　　　語孟字義
　　　　　　　　　　　日本の思想　第11冊　東京　筑摩書房　昭和44年（1969）
2306　伊藤仁齋　　　語孟字義
　　　　　　　　　　　日本思想大系　第33冊　東京　岩波書店　昭和46年（1971）
2307　伊藤仁齋　　　語孟字義
　　　　　　　　　　　日本教育思想大系　第25冊　伊藤仁齋、東涯　東京　日本
　　　　　　　　　　　圖書センター　昭和51年（1976）
2308　伊藤仁齋　　　大學定本
　　　　　　　　　　　日本名家四書註釋全書　學庸部1　東京　東洋圖書刊行會
　　　　　　　　　　　大正11年（1922）
2309　伊藤仁齋　　　中庸發揮
　　　　　　　　　　　日本名家四書註釋全書　學庸部1　東京　東洋圖書刊行會
　　　　　　　　　　　大正11年（1922）
2310　伊藤仁齋　　　中庸發揮
　　　　　　　　　　　日本の思想　第11冊　東京　筑摩書房　昭和44年（1969）
2311　伊藤仁齋　　　易經古義
　　　　　　　　　　　日本儒林叢書　第5卷　東京　鳳出版　昭和2年（1927）；
　　　　　　　　　　　昭和46年（1971）重印本
2312　伊藤仁齋　　　大象解
　　　　　　　　　　　日本儒林叢書　第5卷　東京　鳳出版　昭和2年（1927）；
　　　　　　　　　　　昭和46年（1971）重印本
2313　伊藤仁齋　　　讀近思錄鈔
　　　　　　　　　　　日本儒林叢書　第5卷　東京　鳳出版　昭和2年（1927）；
　　　　　　　　　　　昭和46年（1971）重印本
2314　伊藤仁齋　　　伊藤仁齋塾則
　　　　　　　　　　　日本教育思想大系　第25冊　伊藤仁齋、東涯　東京　日本
　　　　　　　　　　　圖書センター　昭和51年（1976）
2315　伊藤仁齋　　　極論
　　　　　　　　　　　日本儒林叢書　第5卷　東京　鳳出版　昭和2年（1927）；
　　　　　　　　　　　昭和46年（1971）重印本
2316　伊藤仁齋　　　童子問3卷
　　　　　　　　　　　寬保2年（1742）刊本

2317　伊藤仁齋　　　童子問
　　　　　　　　　　日本倫理彙編　第5冊　東京　育成會　明治34年（1901）；
　　　　　　　　　　京都　臨川書店　昭和45年（1970）
2318　伊藤仁齋　　　童子問
　　　　　　　　　　京都　伊藤重光印行　明治37年（1904）3月2版　3冊
2319　伊藤仁齋　　　童子問
　　　　　　　　　　大日本思想全集　第4卷　東京　大日本思想全集刊行會
　　　　　　　　　　昭和6年（1931）
2320　伊藤仁齋　　　童子問
　　　　　　　　　　大日本文庫　第5冊　東京　大日本文庫刊行會　昭和9年
　　　　　　　　　　（1934）
2321　伊藤仁齋著、清水茂校注　童子問
　　　　　　　　　　日本古典文學大系　第97冊　近世思想家文集　東京　岩波
　　　　　　　　　　書店　昭和41年（1966）
2322　伊藤仁齋著、清水茂校注　童子問
　　　　　　　　　　東京　岩波書店　昭和45年（1970）　288頁（岩波文庫）
2323　伊藤仁齋　　　童子問
　　　　　　　　　　日本教育思想大系　第25冊　伊藤仁齋、東涯　東京　日本
　　　　　　　　　　圖書センター　昭和51年（1976）
2324　伊藤仁齋著、貝塚茂樹譯　童子問（卷の上）
　　　　　　　　　　日本の名著　第13冊　東京　中央公論社　昭和47年（1972）
2325　伊藤仁齋　　　童子問
　　　　　　　　　　日本思想史入門　東京　ぺりかん社　昭和59年（1984）
2326　伊藤仁齋　　　仁齋日札
　　　　　　　　　　甘雨亭叢書　初編　弘化2年（1845）江戶北畠茂兵衛等活
　　　　　　　　　　字本
2327　伊藤仁齋　　　仁齋日札
　　　　　　　　　　日本倫理彙編　第5冊　東京　育成會　明治34年（1901）；
　　　　　　　　　　京都　臨川書店　昭和45年（1970）
2328　伊藤仁齋　　　仁齋日札
　　　　　　　　　　大日本思想全集　第4卷　東京　大日本思想全集刊行會
　　　　　　　　　　昭和6年（1931）
2329　伊藤仁齋　　　仁齋日札
　　　　　　　　　　日本教育思想大系　第25冊　伊藤仁齋、東涯　東京　日本
　　　　　　　　　　圖書センター　昭和51年（1976）
2330　伊藤仁齋　　　仁齋日記

　　　　　　　　　　　　天理圖書館善本叢書　和書之部　第79卷之一　天理　天理
　　　　　　　　　　　　大學出版部　昭和60年（1985）7月　474，30頁

2331　中村幸彦　　　　仁齋日記抄
　　　　　　　　　　　　東京　生活社　昭和21年（1946）　31頁（日本叢書　83）

2332　伊藤仁齋　　　　古學先生詩集
　　　　　　　　　　　　享保2年（1717）刊本

2333　伊藤仁齋　　　　古學先生和歌集
　　　　　　　　　　　　甘雨亭叢書　別集　弘化2年（1845）江戶北畠茂兵衛等活
　　　　　　　　　　　　字本

2334　伊藤仁齋　　　　古學先生文集6卷、目錄1卷
　　　　　　　　　　　　古義堂刊本

2335　伊藤仁齋　　　　古學先生文集
　　　　　　　　　　　　大日本思想全集　第4卷　東京　大日本思想全集刊行會
　　　　　　　　　　　　昭和6年（1931）

2336　伊藤仁齋　　　　古學先生文集
　　　　　　　　　　　　日本思想大系　第33冊　東京　岩波書店　昭和46年（1971）

2337　伊藤仁齋　　　　古學先生文集
　　　　　　　　　　　　日本教育思想大系　第25冊　伊藤仁齋、東涯　東京　日本
　　　　　　　　　　　　圖書センター　昭和51年（1976）

2338　伊藤仁齋著、三宅正彥編　古學先生詩文集
　　　　　　　　　　　　近代儒家文集集成　第1卷　東京　ぺりかん社　昭和60年
　　　　　　　　　　　　（1985）9月　189頁

2339　武田勘治編　　　伊藤仁齋、荻生徂徠教育說選集
　　　　　　　　　　　　日本教育文庫　第8冊　東京　第一出版協會　昭和12年
　　　　　　　　　　　　（1937）

2340　大日本思想全集刊行會　伊藤仁齋集
　　　　　　　　　　　　大日本思想全集　第4卷　東京　大日本思想全集刊行會
　　　　　　　　　　　　昭和6年（1931）
　　　　　　　　　　　　童子問
　　　　　　　　　　　　仁齋日札
　　　　　　　　　　　　古學先生文集

2341　木村英一編　　　伊藤仁齋集
　　　　　　　　　　　　日本の思想　第11冊　東京　筑摩書房　昭和44年（1969）
　　　　　　　　　　　　解說・伊藤仁齋の思想（木村英一）
　　　　　　　　　　　　語孟字義
　　　　　　　　　　　　中庸發揮

　　　　　　　　論語古義（總論）
　　　　　　　　孟子古義（總論）
　　　　　　　　學問關鍵（伊藤東涯）
　　　　　　　　伊藤仁齋の諸稿本とその訓讀法（三宅正彥）
　　　　　　　　伊藤仁齋關係略年表
　　　　　　　　參考文獻
　　　　　　　　語孟字義目錄
　　　　　　　　仁齋とその背景（對談・貝塚茂樹、木村英一）
2342　吉川幸次郎、清水茂校注　伊藤仁齋、伊藤東涯
　　　　　　　　日本思想大系　第33冊　東京　岩波書店　昭和46年（1971）
　　　　　　　　伊藤仁齋
　　　　　　　　　語孟字義
　　　　　　　　　古學先生文集
　　　　　　　　伊藤東涯
　　　　　　　　　古今學變
　　　　　　　　解說
　　　　　　　　　仁齋東涯學案（吉川幸次郎）
　　　　　　　　解題（清水　茂）
　　　　　　　　伊藤仁齋・東涯略系圖
　　　　　　　　伊藤仁齋・東涯略年譜
　　　　　　　　著述目錄
2343　日本圖書センター　伊藤仁齋
　　　　　　　　日本教育思想大系　第25冊　東京　日本圖書センター　昭
　　　　　　　　和51年（1976）
　　　　　　　　伊藤仁齋塾則
　　　　　　　　語孟字義
　　　　　　　　童子問
　　　　　　　　仁齋日札
　　　　　　　　古學先生文集
2344　貝塚茂樹編　伊藤仁齋
　　　　　　　　日本の名著　第13冊　東京　中央公論社　昭和47年（1972）
　　　　　　　　日本儒教的創始者（貝塚茂樹）
　　　　　　　　論語古義
　　　　　　　　童子問（卷の上）

後人研究

2345　龜山聿三編　　古義堂伊藤氏碑文集
　　　　　　　　　　近代先哲碑文集　第13集　東京　夢硯堂　昭和43年（1968）

2346　龜山聿三編　　古義堂社中碑文集
　　　　　　　　　　近代先哲碑文集　第13集　東京　夢硯堂　昭和43年（1968）

2347　龜山聿三編　　古義堂社中碑文集續編
　　　　　　　　　　近代先哲碑文集　第14集　東京　夢硯堂　昭和43年（1968）

2348　龜山聿三編　　古義堂社中碑文拾遺
　　　　　　　　　　近代先哲碑文集　第16集　東京　夢硯堂　昭和43年（1968）

2349　槇不二夫編　　伊藤仁齋言行錄
　　　　　　　　　　東京　內外出版協會　明治41年（1908）4月　142頁（偉人
　　　　　　　　　　研究　第26編）

2350　鈴木貞齋　　　辨伊藤維楨號仁齋
　　　　　　　　　　日本儒林叢書　第4卷　東京　鳳山版　昭和2年（1927）；
　　　　　　　　　　昭和46年（1971）重印本

2351　伊藤東涯　　　論語古義標注4卷
　　　　　　　　　　寫本

2352　伊藤東所　　　論語古義抄翼4卷
　　　　　　　　　　寫本

2353　村井長正　　　論語古義制作年代考
　　　　　　　　　　漢學會雜誌　第8卷2號　頁69—88　昭和15年（1940）7月

2354　吉川幸次郎　　仁齋と徂徠——論語古義と論語徵
　　　　　　　　　　ビブリア　第4號　昭和30年（1955）6月

2355　子安宣邦　　　仁齋學の構造——論語と孟子の意義
　　　　　　　　　　大阪大學日本學報　第1號　頁25—48　昭和57年（1982）3
　　　　　　　　　　月

2356　金　培懿　　　伊藤仁齋論語古義在論語注釋史上的地位
　　　　　　　　　　中國書目季刊　第31卷3期　頁1—33　平成9年（1997）9月

2357　金　培懿　　　論語古義の注釋方法について
　　　　　　　　　　九州中國學會報　第36卷　平成10年（1997）5月

2358　伊藤東所　　　孟子古義抄翼7卷
　　　　　　　　　　寫本

2359　中村幸彥　　　孟子古義の成立
　　　　　　　　　　ビブリア　第4號　昭和30年（1955）6月

2360　木南卓一　　　孟子古義研究——仁齋學の根柢と宋學の立場
　　　　　　　　　　日本中國學會報　第9集　昭和32年（1957）10月

2361　木山楓谿　　　語孟字義辨

日本儒林叢書　第6卷　東京　鳳出版　昭和2年（1927）；昭和46年（1971）　重印本

2362　高橋正和　孟子字義疏證と語孟字義

別府大學國語國文學　第10號

2363　野口武彦　古義學的方法の成立──伊藤仁齋「中庸發揮」の諸稿本をめぐって

文學　第36卷7─9號　昭和43年（1968）7─9月

2364　石田一良　「童子問」の成立過程──特に新發見の鎌田家本の位置について

ビブリア　第15號　昭和34年（1959）

2365　江　乾益　日本漢學家伊藤仁齋《易童子問》一書之探析

孔孟月刊　第30卷10期　頁35─42　1992年6月

2366　武內義雄　仁齋先生の經學

日本文化　第22號　昭和18年（1943）

2367　三宅正彦　伊藤仁齋と宋、元、明の儒書──古義學形成の契機とその特質

日本歷史　第222號　昭和41年（1966）

2368　J.R.マキューアン　伊藤仁齋の宋學否定の歷史的意義

思想　第509號　昭和41年（1966）

2369　山口義男　近世日本における朱子學の反省──山鹿素行と伊藤仁齋の場合

武庫川女子大學紀要（人文科學）第11號　昭和38年（1963）

2370　安井小太郎　伊藤仁齋と吳蘇原

東亞學會雜誌　第1卷5號　明治30年（1897）

2371　金　培懿　伊藤仁齋の孔子回歸思想成立の條件──吳廷翰の影響を中心として

九州大學中國哲學論集　第21號　頁54─69　平成7年（1995）12月

2372　內藤耻叟　仁齋徂徠學術の同異

東洋哲學　第3卷2號　明治29年（1896）

2373　青木晦藏　伊藤仁齋と戴東原

斯文第8編2、4、8號，第9編1、2號　大正15年（1926）4、7、11月，昭和2年（1927）1、2月

2374　竹內松治　伊藤仁齋

東京　裳華房　明治29年（1896）5月　144頁（偉人史叢第3卷）

2375　增澤　淑　　　　伊藤仁齋と其教育
　　　　　　　　　　東京　明治出版　大正8年（1919）

2376　西晉一郎　　　　朱子學　仁齋學、徂徠學
　　　　　　　　　　岩波講座哲學　第3冊　東京　岩波書店　昭和6年（1931）

2377　內村鑑三　　　　大儒伊藤仁齋
　　　　　　　　　　①內村鑑三全集　第15冊　東京　岩波書店　昭和8年
　　　　　　　　　　　（1933）
　　　　　　　　　　②內村鑑三信仰著作全集　第23冊　東京　教文館　昭和33
　　　　　　　　　　　年（1958）

2378　宇野哲人　　　　伊藤仁齋の一考察
　　　　　　　　　　近世日本の儒學　頁397—407　東京　岩波書店　昭和14年
　　　　　　　　　　　（1939）8月

2379　加藤仁平　　　　伊藤仁齋の學問と教育——古義堂即ち堀川塾の教育史的研
　　　　　　　　　　究
　　　　　　　　　　①東京　目黑書店　昭和15年（1940）　908頁
　　　　　　　　　　②東京　第一書房　昭和54年（1979）3月　908，10頁

2380　森　銚三　　　　仁齋とその子達
　　　　　　　　　　①近世人物叢談　東京　大道書房　昭和18年（1943）
　　　　　　　　　　②森銚三著作集　第8卷　東京　中央公論社　昭和46年
　　　　　　　　　　　（1971）

2381　Spae, Joseph John,　Itô Jinsai: a philosopher, educator and sinologist
　　　　　　　　　　of the Tokugawa period. by Joseph John Spae. Peiping:
　　　　　　　　　　Catholic University of Peking, 1948. xv, 278 p.(Monumenta
　　　　　　　　　　serica: journal of oriental studies of the Catholic
　　　　　　　　　　University of Peiping. monograph series; 12)

2382　石田一良　　　　伊藤仁齋
　　　　　　　　　　東京　新潮社　昭和34年（1959）（日本文化研究　5）

2383　石田一良　　　　伊藤仁齋
　　　　　　　　　　①東京　吉川弘文館　昭和35年（1960）　217頁（人物叢書）
　　　　　　　　　　②東京　吉川弘文館　平成元年（1989）11月　217頁（人物
　　　　　　　　　　　叢書新裝版）

2384　吉川幸次郎　　　仁齋、徂徠、宣長
　　　　　　　　　　東京　岩波書店　昭和50年（1975）　321，46頁

2385　子安宣邦　　　　伊藤仁齋——人倫的世界の思想
　　　　　　　　　　東京　東京大學出版會　昭和57年（1982）5月　244頁

2386　伊東倫厚　　　　伊藤仁齋（附伊藤東涯）

叢書日本の思想家　第10冊　東京　明德出版社　頁57—61
昭和58年（1983）3月　255頁

2387　袁　爾鉅　　伊藤仁齋對吳廷翰哲學思想的發展
中州學刊　1983年1期　頁57—61　昭和58年（1983）2月

2388　Yosikawa, Koziro.（吉川幸次郎，1904—1980）　Jinsai, Sorai, Norinaga:
three classical philologists of mid-Tokugawa Japan.
Yoshikawa kojiro. 1st ed. Tokyo: Toho Gakkai, c1983. iv,
299 p.

2389　Yamashita, Samuel Hideo.　Compasses and carpenter's squares: a study of
Ito Jinsai (1627-1705) and Ogyu Sorai (1666-1728). by
Samuel Hideo Yamashita. Ann Arbor, Mich.: University
Microfilms International, 1983. ii, 357 p.

2390　季刊日本思想史編輯部　伊藤仁齋特集
季刊日本思想史　第27號　昭和61年（1986）9月

2391　三宅正彦　　京都町衆伊藤仁齋の思想形成
京都　思文閣　昭和62年（1987）6月　370頁

2392　相良　亨　　伊藤仁齋
東京　ぺりかん社　平成10年（1998）1月　282頁

2393　清水　徹　　伊藤仁齋關係研究文獻目錄（抄錄）
待兼山論叢　第19號（日本學）　昭和61年（1986）

2394　清水　徹　　仁齋、東涯、古義堂關係文獻目錄
季刊日本思想史　第27號　昭和61年（1986）9月

2395　天理圖書館　古義堂文庫目錄
天理　天理大學出版部　昭和31年（1956）　380頁（天理圖
書館叢書　第21輯）

2396　王　曉平　　伊藤仁齋父子的人情詩經說
詩經國際學術研討會論文集　頁81—98　保定　河北大學出
版社　平成6年（1994）6月

2.伊藤東涯（1670—1736）

著　作

2397　伊藤東涯　　經史博論4卷
元文2年（1737）刊本

2398　伊藤東涯　　　經史博論
　　　　　　　　　日本儒林叢書　第8卷　東京　鳳出版　昭和2年（1927）；
　　　　　　　　　昭和46年（1971）重印本
2399　伊藤東涯　　　經史博論
　　　　　　　　　日本經濟叢書　第33卷　東京　日本經濟叢書刊行會　大正
　　　　　　　　　3年（1914）
2400　伊藤東涯　　　經史博論
　　　　　　　　　日本經濟大典　第51卷　史誌出版社　昭和3年（1928）
2401　伊藤東涯　　　經史博論
　　　　　　　　　日本教育思想大系　第25冊　伊藤仁齋、東涯　東京　日本
　　　　　　　　　圖書センター　昭和51年（1976）
2402　伊藤東涯　　　經史論苑1卷
　　　　　　　　　寫本
2403　伊藤東涯　　　經史論苑
　　　　　　　　　日本儒林叢書　第8卷　東京　鳳出版　昭和2年（1927）；
　　　　　　　　　昭和46年（1971）重印本
2404　伊藤東涯　　　經史論苑
　　　　　　　　　日本教育思想大系　第25冊　伊藤仁齋、東涯　東京　日本
　　　　　　　　　圖書センター　昭和51年（1976）
2405　伊藤東涯　　　論語古義標注4卷
　　　　　　　　　寫本
2406　伊藤東涯　　　大學定本釋義1卷
　　　　　　　　　寫本
2407　伊藤東涯　　　大學定本釋義1卷
　　　　　　　　　元文4年（1739）序刊本
2408　伊藤東涯　　　中庸發揮標注4卷
　　　　　　　　　寫本
2409　伊藤長胤　　　周易通解
　　　　　　　　　①漢文大系　第16卷　東京　富山房　昭和51年（1976）2月
　　　　　　　　　（與傳習錄合冊）
　　　　　　　　　②漢文大系　第16卷　臺北　新文豐出版公司　昭和53年
　　　　　　　　　（1978）10年
2410　伊藤東涯　　　古今學變3卷
　　　　　　　　　寬延3年（1750）刊本
2411　伊藤東涯　　　古今學變
　　　　　　　　　日本倫理彙編　第5冊　東京　育成會　明治34年（1901）；

京都　臨川書店　昭和45年（1970）

2412　伊藤東涯　古今學變
大日本文庫　第5冊　東京　大日本文庫刊行會　昭和9年
（1934）

2413　伊藤東涯　古今學變
日本思想大系　第33冊　東京　岩波書店　昭和46年（1971）

2414　伊藤東涯　古今學變
日本教育思想大系　第25冊　伊藤仁齋、東涯　東京　日本
圖書センター　昭和51年（1976）

2415　伊藤東涯　學問關鍵
日本倫理彙編　第5冊　東京　育成會　明治34年（1901）；
京都　臨川書店　昭和45年（1970）

2416　伊藤東涯　學問關鍵
大日本思想全集　第4卷　東京　大日本思想全集刊行會
昭和6年（1931）

2417　伊藤東涯　學問關鍵
日本の思想　第11冊　東京　筑摩書房　昭和44年（1969）

2418　伊藤東涯　學問關鍵
日本教育思想大系　第25冊　伊藤仁齋、東涯　東京　日本
圖書センター　昭和51年（1976）

2419　伊藤東涯　聖語述
日本儒林叢書　第6卷　東京　鳳出版　昭和2年（1927）；
昭和46年（1971）重印本

2420　伊藤東涯　聖語述
日本教育思想大系　第25冊　伊藤仁齋、東涯　東京　日本
圖書センター　昭和51年（1976）

2421　伊藤東涯　天命或問
日本倫理彙編　第5冊　東京　育成會　明治34年（1901）；
京都　臨川書店　昭和45年（1970）

2422　伊藤東涯　天命或問
日本教育思想大系　第25冊　伊藤仁齋、東涯　東京　日本
圖書センター　昭和51年（1976）

2423　伊藤東涯　復性辨1卷
寫本

2424　伊藤東涯　復性辨1卷
享保15年（1730）刊本

2425　伊藤東涯　　　復性辨
　　　　　　　　　日本倫理彙編　第5冊　東京　育成會　明治34年（1901）；
　　　　　　　　　京都　臨川書店　昭和45年（1970）
2426　伊藤東涯　　　復性辨
　　　　　　　　　日本教育思想大系　第25冊　伊藤仁齋、東涯　東京　日本
　　　　　　　　　圖書センター　昭和51年（1976）
2427　伊藤東涯　　　太極圖說管見
　　　　　　　　　日本儒林叢書　第5卷　東京　鳳出版　昭和2年（1927）；
　　　　　　　　　昭和46年（1971）重印本
2428　伊藤東涯　　　太極圖說管見
　　　　　　　　　日本教育思想大系　第25冊　伊藤仁齋、東涯　東京　日本
　　　　　　　　　圖書センター　昭和51年（1976）
2429　伊藤東涯　　　太極圖說十論
　　　　　　　　　日本儒林叢書　第5卷　東京　鳳出版　昭和2年（1927）；
　　　　　　　　　昭和46年（1971）重印本
2430　伊藤東涯　　　太極圖說十論
　　　　　　　　　日本教育思想大系　第25冊　伊藤仁齋、東涯　東京　日本
　　　　　　　　　圖書センター　昭和51年（1976）
2431　伊藤東涯　　　通書管見
　　　　　　　　　日本儒林叢書　第5卷　東京　鳳出版　昭和2年（1927）；
　　　　　　　　　昭和46年（1971）重印本
2432　伊藤東涯　　　伊藤東涯自警
　　　　　　　　　日本教育思想大系　第25冊　伊藤仁齋、東涯　東京　日本
　　　　　　　　　圖書センター　昭和51年（1976）
2433　伊藤東涯　　　伊藤東涯座右錄
　　　　　　　　　日本教育思想大系　第25冊　伊藤仁齋、東涯　東京　日本
　　　　　　　　　圖書センター　昭和51年（1976）
2434　伊藤東涯　　　辨疑錄
　　　　　　　　　日本儒林叢書　第11卷　東京　鳳出版　昭和2年（1927）；
　　　　　　　　　昭和46年（1971）重印本
2435　伊藤東涯　　　辨疑錄
　　　　　　　　　大日本思想全集　第4卷　東京　大日本思想全集刊行會
　　　　　　　　　昭和6年（1931）
2436　伊藤東涯　　　辨疑（錄）
　　　　　　　　　日本教育思想大系　第25冊　伊藤仁齋、東涯　東京　日本
　　　　　　　　　圖書センター　昭和51年（1976）

2437　伊藤東涯　　　　古學指要
　　　　　　　　　　日本儒林叢書　第5卷　東京　鳳出版　昭和2年（1927）；
　　　　　　　　　　昭和46年（1971）重印本

2438　伊藤東涯　　　　古學指要
　　　　　　　　　　日本教育思想大系　第25冊　伊藤仁齋、東涯　東京　日本
　　　　　　　　　　圖書センター　昭和51年（1976）

2439　伊藤東涯　　　　帝王譜圖國朝略記
　　　　　　　　　　甘雨亭叢書　第4編　弘化2年（1845）江戶北畠茂兵衛等活
　　　　　　　　　　字本

2440　伊藤東涯著、吉川幸次郎校訂　制度通
　　　　　　　　　　東京　岩波書店　　（上）昭和19年（1944），（下）昭和23
　　　　　　　　　　年（1948）（岩波文庫）；平成3年（1991）重印本

2441　伊藤東涯　　　　萱野三平傳
　　　　　　　　　　甘雨亭叢書　第3編　弘化2年（1845）江戶北畠茂兵衛等活
　　　　　　　　　　字本

2442　伊藤東涯　　　　萱野三平傳
　　　　　　　　　　日本教育思想大系　第16冊　近世武家教育思想(1)　東京
　　　　　　　　　　日本圖書センター　昭和51年（1976）

2443　伊藤東涯　　　　義士行
　　　　　　　　　　日本教育思想大系　第16冊　近世武家教育思想(1)　東京
　　　　　　　　　　日本圖書センター　昭和51年（1976）

2444　伊藤東涯　　　　先游傳
　　　　　　　　　　①日本儒林叢書　第14卷　東京　鳳出版　昭和2年（1927）；
　　　　　　　　　　　昭和46年（1971）重印本
　　　　　　　　　　②儒林雜纂　東京　東洋圖書刊行會　昭和13年（1938）2
　　　　　　　　　　　月

2445　伊藤東涯　　　　東涯漫筆
　　　　　　　　　　甘雨亭叢書　第4編　弘化2年（1845）江戶北畠茂兵衛等活
　　　　　　　　　　字本

2446　伊藤東涯　　　　東涯漫筆
　　　　　　　　　　日本教育思想大系　第25冊　伊藤仁齋、東涯　東京　日本
　　　　　　　　　　圖書センター　昭和51年（1976）

2447　伊藤東涯　　　　閒居筆錄1卷
　　　　　　　　　　寫本

2448　伊藤東涯　　　　閒居筆記
　　　　　　　　　　躬行會叢書　第1集　東京　躬行會　明治35年（1902）4月

2449　伊藤東涯　　　　閒居筆錄
　　　　　　　　　　　日本儒林叢書　第1卷　東京　鳳出版　昭和2年（1927）；
　　　　　　　　　　　昭和46年（1971）重印本
2450　伊藤東涯　　　　輶軒小錄1卷
　　　　　　　　　　　日本隨筆全集　第16卷　東京　國民圖書刊行會　昭和2年
　　　　　　　　　　　（1927）
2451　伊藤東涯　　　　輶軒小錄1卷
　　　　　　　　　　　日本隨筆大成　第2期第24冊　東京　吉川弘文館　昭和2年
　　　　　　　　　　　（1927）
2452　伊藤東涯　　　　秉燭錄1卷
　　　　　　　　　　　寫本
2453　伊藤東涯　　　　秉燭譚5卷
　　　　　　　　　　　日本隨筆全集　第6卷　東京　國民圖書刊行會　昭和2年
　　　　　　　　　　　（1927）
2454　伊藤東涯　　　　秉燭譚5卷
　　　　　　　　　　　日本隨筆大成　第1期第11冊　東京　吉川弘文館　昭和2年
　　　　　　　　　　　（1927）
2455　伊藤東涯　　　　刊謬正俗
　　　　　　　　　　　日本儒林叢書　第8卷　東京　鳳出版　昭和2年（1927）；
　　　　　　　　　　　昭和46年（1971）重印本
2456　伊藤東涯　　　　訓幼字義8卷
　　　　　　　　　　　寶曆9年（1759）刊本
2457　伊藤東涯　　　　訓幼字義
　　　　　　　　　　　日本倫理彙編　第5冊　東京　育成會　明治34年（1901）；
　　　　　　　　　　　京都　臨川書店　昭和45年（1970）
2458　伊藤東涯　　　　訓幼字義
　　　　　　　　　　　日本精神文獻叢書　第10卷　儒教篇（下）　東京　大東出
　　　　　　　　　　　版社　昭和13年（1938）
2459　伊藤東涯　　　　訓幼字義
　　　　　　　　　　　日本教育思想大系　第25冊　伊藤仁齋、東涯　東京　日本
　　　　　　　　　　　圖書センター　昭和51年（1976）
2460　伊藤東涯　　　　用字格4卷
　　　　　　　　　　　正德元年（1711）刊本
2461　伊藤東涯　　　　用字格4卷
　　　　　　　　　　　享保19年（1734）刊本
2462　伊藤東涯　　　　用字格4卷

　　　　　　　　　　寬政4年（1792）刊本

2463　伊藤東涯　　用字格4卷
　　　　　　　　　　天保12年（1841）刊本

2464　伊藤長胤　　訓蒙用字格
　　　　　　　　　　漢籍國字解全書　第8卷　東京　早稻田大學出版部　明治
　　　　　　　　　　42年（1909）

2465　伊藤東涯　　用字格4卷
　　　　　　　　　　漢語文典叢書　第5卷　東京　汲古書院　昭和54年（1979）

2466　伊藤東涯　　讀詩要領
　　　　　　　　　　日本儒林叢書　第5卷　東京　鳳出版　昭和2年（1927）；
　　　　　　　　　　昭和46年（1971）重印本

2467　伊藤東涯　　紹述先生文集20卷、詩集10卷
　　　　　　　　　　寶曆9年（1759）刊本

2468　伊藤東涯著、三宅正彥編　紹述先生文集
　　　　　　　　　　近世儒家文集集成　第4卷　東京　ぺりかん社　昭和63年
　　　　　　　　　　（1988）11月　768頁

2469　大日本思想全集刊行會　伊藤東涯集
　　　　　　　　　　大日本思想全集　第4冊　東京　大日本思想全集刊行會
　　　　　　　　　　昭和6年（1931）
　　　　　　　　　　辨疑錄
　　　　　　　　　　學問關鍵
　　　　　　　　　　東涯漫筆

2470　吉川幸次郎、清水茂校注　伊藤仁齋、伊藤東涯
　　　　　　　　　　日本思想大系　第33冊　東京　岩波書店　昭和46年（1971）
　　　　　　　　　　伊藤仁齋（清水茂校注）
　　　　　　　　　　　語孟字義
　　　　　　　　　　　古學先生文集
　　　　　　　　　　伊藤東涯（清水茂校注）
　　　　　　　　　　　古今學變
　　　　　　　　　　解說：仁齋東涯學案（吉川幸次郎）
　　　　　　　　　　解題：（清水　茂）
　　　　　　　　　　伊藤仁齋、東涯略系圖
　　　　　　　　　　伊藤仁齋、東涯略年譜
　　　　　　　　　　著述目錄

2471　日本圖書センター　伊藤東涯
　　　　　　　　　　日本教育思想大系　第25冊　東京　日本圖書センター　昭

和51年（1976）
學問關鍵
天命或問
復性辨
古今學變
訓幼字義
辨疑（錄）
東涯漫筆
經史博論
經史論苑
太極圖說管見
太極圖說十論
古學指要
聖語述
伊藤東涯自警
伊藤東涯座右錄

後人研究

2472　加藤仁平　伊藤東涯に於ける仁齋學の發展
　　　　　　　三宅博士古稀紀念論文集　岡書院　昭和4年（1929）
2473　濱野知三郎　伊藤東涯に就いて
　　　　　　　斯文　第18編12號　頁1－13　昭和11年（1936）12月
2474　野口信二　盧山之面目東崖先生隨緣記
　　　　　　　作者印行　昭和13年（1938）
2475　新村　出　東涯先生とその門下
　　　　　　　日本文化　第22號　昭和18年（1943）
2476　吉川幸次郎　東涯先生の學問
　　　　　　　日本文化　第22號　昭和18年（1943）
2477　杉本　勳　伊藤東涯の實學研究——特に名物學を中心としてみた
　　　　　　　①日本大學史學會研究彙報　第2號　昭和33年（1958）
　　　　　　　②近世實學の研究　東京　吉川弘文館　昭和37年（1962）
2478　杉本　勳　近世物產學の創始についての考察——伊藤東涯の「物產志」
　　　　　　　をめぐって
　　　　　　　石田和田龍山中四先生頌壽記念史學論文集　日本大學史學
　　　　　　　會同文集刊行委員會　昭和37年（1962）

2479　渡邊　浩　　伊藤仁齋、東涯
　　　　　　　　　　江戶の思想家たち　東京　研文出版　昭和54年（1979）

2480　伊東倫厚　　伊藤東涯
　　　　　　　　　　叢書日本の思想家　第10冊　東京　明德出版社　昭和58年
　　　　　　　　　　（1983）3月（與伊藤仁齋合冊）

2481　金　培懿　　關於伊藤東涯的古今學變
　　　　　　　　　　經學研究論叢　第2輯　頁265—299　臺北　聖環圖書公司
　　　　　　　　　　平成6年（1994）10月

2482　清水　徹　　仁齋、東涯、古義堂關係文獻目錄
　　　　　　　　　　季刊日本思想史　第27號　昭和61年（1986）9月

2483　天理圖書館　古義堂文庫目錄
　　　　　　　　　　天理　天理大學出版部　昭和31年（1956）　380頁（天理圖
　　　　　　　　　　書館叢書　第21輯）

3.並河天民（1679—1718）

著　作

2484　並河天民　　天民遺言
　　　　　　　　　　崇文叢書　第2輯　東京　崇文院　大正14年（1925）

2485　並河天民　　天民遺言
　　　　　　　　　　日本儒林叢書　第5卷　東京　鳳出版　昭和2年（1927）；
　　　　　　　　　　昭和46年（1971）重印本

後人研究

2486　星野　恒　　並河天民駁伊藤仁齋學說辨
　　　　　　　　　　哲學雜誌　第18卷191號　明治36年（1903）

4.伊藤蘭嵎（1694—1778）

著　作

2487　伊藤蘭嵎　　孟子私說1冊
　　　　　　　　　　寫本

2488　伊藤蘭嵎　　　大學是正1冊
　　　　　　　　　　延享3年（1746）寫本
2489　伊藤蘭嵎　　　中庸古言1冊
　　　　　　　　　　寫本
2490　伊藤蘭嵎　　　易本旨5卷
　　　　　　　　　　寬延元年（1748）寫本
2491　伊藤蘭嵎　　　易憲章5卷
　　　　　　　　　　寫本
2492　伊藤蘭嵎　　　文言解1冊
　　　　　　　　　　寫本
2493　伊藤蘭嵎　　　繫辭解1冊
　　　　　　　　　　寫本
2494　伊藤蘭嵎　　　詩古言16卷、序說1卷8冊
　　　　　　　　　　寫本
2495　伊藤蘭嵎　　　詩經古言14冊
　　　　　　　　　　寬延3年（1750）寫本
2496　伊藤蘭嵎　　　讀禮記1冊
　　　　　　　　　　寫本（《中庸古言》の改訂改題本）
2497　伊藤蘭嵎　　　春秋聖旨6卷3冊
　　　　　　　　　　寫本
2498　伊藤蘭嵎　　　衣錦蕙
　　　　　　　　　　寬延2、3年（1749、1750）寫本
2499　伊藤蘭嵎　　　伊藤蘭嵎日記
　　　　　　　　　　寫本

後人研究

2500　狩野直喜　　　伊藤蘭嵎の經學
　　　　　　　　　　支那學　第4卷3號　昭和2年（1927）10月
2501　天理圖書館編　古義堂文庫目錄
　　　　　　　　　　天理　編者印行　昭和31年（1956）3月

㈣徂徠學派

1.概　述

2502　日野龍夫　　　　徂徠學派——儒學から文學へ
　　　　　　　　　　　東京　筑摩書房　昭和50年（1975）　223,7頁
2503　賴惟勤校注　　　徂徠學派
　　　　　　　　　　　日本思想大系　第37冊　東京　岩波書店　昭和47年（1972）
　　　　　　　　　　　經濟錄抄（太宰春臺）
　　　　　　　　　　　經濟錄拾遺（太宰春臺）
　　　　　　　　　　　聖學問答（太宰春臺）
　　　　　　　　　　　斥非（太宰春臺）
　　　　　　　　　　　斥非附錄（太宰春臺）
　　　　　　　　　　　南郭先生文集抄（服部南郭）
　　　　　　　　　　　素餐錄（尾藤二洲）
　　　　　　　　　　　正學指掌（尾藤二洲）
　　　　　　　　　　　崇孟（藪　孤山）
　　　　　　　　　　　讀辨道（龜井昭陽）
　　　　　　　　　　　解說
　　　　　　　　　　　　　太宰春臺の人と思想（尾藤正英）
　　　　　　　　　　　　　服部南郭の生涯と思想（日野龍夫）
　　　　　　　　　　　　　尾藤二洲について（賴　惟勤）
　　　　　　　　　　　　　藪孤山と龜井昭陽父子（賴　惟勤）
　　　　　　　　　　　　　徂徠門弟以後の經學說の性格（賴　惟勤）
　　　　　　　　　　　　　文學史上の徂徠學・反徂徠學（日野龍夫）
　　　　　　　　　　　　　解題
2504　日本圖書センター　徂徠學派
　　　　　　　　　　　日本教育思想大系　第26冊　東京　日本圖書センター　昭
　　　　　　　　　　　和51年（1976）
　　　　　　　　　　　太宰春臺
　　　　　　　　　　　文論
　　　　　　　　　　　詩論
　　　　　　　　　　　斥非
　　　　　　　　　　　　　附錄：春臺先生雜文九首
　　　　　　　　　　　辨道書
　　　　　　　　　　　聖學問答
　　　　　　　　　　　六經略說
　　　　　　　　　　　經濟錄
　　　　　　　　　　　經濟錄拾遺
　　　　　　　　　　　春臺上書

　　　　產語
　　　山縣周南
　　　　為學初問
　　　服部南郭
　　　　燈下書
　　　尾藤二洲
　　　　擇言
　　　　素餐錄
　　　　正學指掌
　　　　靜寄餘筆
　　　　冬讀書餘
　　　　冬讀書餘拾遺
　　　藪孤山
　　　　崇孟
　　　龜井昭陽
　　　　家學小言
　　　　讀辨道

　　　　　お　ぎゅう　そ　らい
2.荻生徂徠（1666—1728）

著　作

2505　荻生徂徠述、三浦義筒記　經子史要覽2卷
　　　　文化元年（1804）刊本
2506　荻生徂徠述、三浦義筒記　經子史要覽2卷
　　　　漢書解題集成　第1冊　頁69—122　漢書解題集成發行所
　　　　明治33年（1900）7月
2507　荻生徂徠　　　物子書示木公達書目
　　　　江戶時代支那學入門書解題集成　第1集　東京　汲古書院
　　　　昭和50年（1975）
2508　荻生徂徠著、平義質編　經子史要覽2卷
　　　　江戶時代支那學入門書解題集成　第1集　東京　汲古書院
　　　　昭和50年（1975）
2509　荻生徂徠　　　論語徵
　　　　日本名家四書註釋全書　論語部5　東京　東洋圖書刊行會

　　　　　　　　　　大正11年（1922）

2510　荻生徂徠　　　論語徵（抄）

　　　　　　　　　　日本の思想　第12冊　東京　筑摩書房　昭和44年（1969）

2511　荻生徂徠著、小川環樹譯注　論語徵

　　　　　　　　　　東京　平凡社　平成6年（1994）2冊

　　　　　　　　　　第1冊　平成6年（1994）　342頁（東洋文庫　575）

　　　　　　　　　　第2冊　平成6年（1994）　412頁（東洋文庫　576）

2512　荻生徂徠　　　孟子識

　　　　　　　　　　甘雨亭叢書　第4編　弘化2年（1845）江戶北畠茂兵衛等活
　　　　　　　　　　字本

2513　荻生徂徠　　　大學中庸解3卷

　　　　　　　　　　元祿元年（1688）橘信受序刊本

2514　荻生徂徠　　　大學解1卷

　　　　　　　　　　刊本

2515　荻生徂徠　　　大學解1卷

　　　　　　　　　　日本名家四書註釋全書　學庸部1　東京　東洋圖書刊行會
　　　　　　　　　　　大正11年（1922）

2516　荻生徂徠　　　中庸解2卷

　　　　　　　　　　刊本

2517　荻生徂徠　　　尙書學

　　　　　　　　　　甘雨亭叢書　第4編　弘化2年（1845）江戶北畠茂兵衛等活
　　　　　　　　　　字本

2518　荻生徂徠　　　葬禮考

　　　　　　　　　　日本隨筆集成　第12輯　東京　古典研究會　昭和53年
　　　　　　　　　　（1978）

2519　荻生徂徠　　　孝經識

　　　　　　　　　　甘雨亭叢書　第4編　弘化2年（1845）江戶北畠茂兵衛等活
　　　　　　　　　　字本

2520　荻生徂徠　　　孫子國字解

　　　　　　　　　　漢籍國字解全書　第10卷　東京　早稻田大學出版部　明治
　　　　　　　　　　42年（1909）

2521　荻生徂徠　　　莊子國字解

　　　　　　　　　　東京　文昌堂　明治37年（1903）6月　133頁

2522　荻生徂徠　　　讀呂氏春秋

　　　　　　　　　　崇文叢書　第2輯　東京　崇文院　大正14年（1925）

2523　宇佐美惠編　　徂徠先生素問評1卷

　　　　　　　　　　　明和3年（1766）刊本

2524　荻生徂徠　　　　辨道1卷
　　　　　　　　　　　文化4年（1807）刊本

2525　荻生徂徠　　　　辨道
　　　　　　　　　　　日本倫理彙編　第6冊　東京　育成會　明治34年（1901）；
　　　　　　　　　　　京都　臨川書店　昭和45年（1970）

2526　荻生徂徠　　　　辨道
　　　　　　　　　　　日本儒林叢書　第4卷　東京　鳳出版　昭和2年（1927）；
　　　　　　　　　　　昭和46年（1971）重印本

2527　荻生徂徠　　　　辨道
　　　　　　　　　　　大日本思想全集　第7卷　東京　大日本思想全集刊行會
　　　　　　　　　　　昭和6年（1931）

2528　荻生徂徠　　　　辨道
　　　　　　　　　　　大日本文庫　第6卷　東京　大日本文庫刊行會　昭和9年
　　　　　　　　　　　（1934）

2529　荻生徂徠　　　　辨道
　　　　　　　　　　　日本哲學思想全書　第14卷　東京　平凡社　昭和31年
　　　　　　　　　　　（1956）

2530　荻生徂徠　　　　辨道
　　　　　　　　　　　日本の思想　第12冊　荻生徂徠集　東京　筑摩書房　昭和
　　　　　　　　　　　44年（1969）

2531　荻生徂徠　　　　辨道
　　　　　　　　　　　日本思想大系　第36冊　東京　岩波書店　昭和48年（1973）

2532　荻生徂徠著、前野直彬譯　辨道
　　　　　　　　　　　日本の名著　第16冊　東京　中央公論社　昭和49年（1974）

2533　荻生徂徠　　　　辨道
　　　　　　　　　　　日本思想史入門　東京　ぺりかん社　昭和59年（1984）

2534　荻生徂徠　　　　辨名2卷
　　　　　　　　　　　文化4年（1807）刊本

2535　荻生徂徠　　　　辨名
　　　　　　　　　　　日本倫理彙編　第6冊　東京　育成會　明治34年（1901）；
　　　　　　　　　　　京都　臨川書店　昭和45年（1970）

2536　荻生徂徠　　　　辨名
　　　　　　　　　　　大日本思想全集　第7卷　東京　大日本思想全集刊行會
　　　　　　　　　　　昭和6年（1931）

2537　物　茂卿　　　　辨名

大日本思文庫　第6冊　東京　大日本文庫刊行會　昭和9年
（1934）

2538　荻生徂徠　　辨名（抄）
日本の思想　第12冊　東京　筑摩書房　昭和44年（1969）

2539　荻生徂徠　　辨名
日本思想大系　第36冊　東京　岩波書店　昭和48年（1973）

2540　荻生徂徠　　辨名（抄）
日本の名著　第16冊　東京　中央公論社　昭和49年（1974）

2541　荻生徂徠　　學則
日本倫理彙編　第6冊　東京　育成會　明治34年（1901）；
京都　臨川書店　昭和45年（1970）

2542　荻生徂徠　　徂徠學則
日本儒林叢書　第4卷　東京　鳳出版　昭和2年（1927）；
昭和46年（1971）重印本

2543　荻生徂徠　　學則
大日本思想全集　第7卷　東京　大日本思想全集刊行會
昭和6年（1931）

2544　荻生徂徠　　學則
日本哲學思想全書　第7卷　東京　平凡社　昭和31年
（1956）

2545　荻生徂徠　　學則
日本の思想　第12冊　東京　筑摩書房　昭和44年（1969）

2546　荻生徂徠　　學則
日本思想大系　第36冊　東京　岩波書店　昭和45年（1970）

2547　荻生徂徠著、前野直彬譯　學則
日本の名著　第16冊　東京　中央公論社　昭和57年（1982）

2548　荻生徂徠　　國學辨解序文、本文、跋文
日本思想鬥爭史料　第6卷　東京　東方書院　昭和5年
（1930）；東京　名著刊行會　昭和44年（1969）

2549　荻生徂徠　　來翁學寮了簡書1卷
寫本

2550　荻生徂徠　　學寮了簡
日本儒林叢書　第3卷　東京　鳳出版　昭和2年（1927）；
昭和46年（1971）重印本

2551　荻生徂徠　　學寮了簡
近世儒家史料　上冊　東京　井田書店　昭和17年（1942）

2552　荻生徂徠　　　　徂徠先生答問書1卷
　　　　　　　　　　　寫本
2553　荻生徂徠　　　　徂徠先生答問書3卷
　　　　　　　　　　　享保12年（1727）刊本
2554　物　徂徠　　　　徂徠先生答問書
　　　　　　　　　　　日本文庫　第5編　東京　博文館　明治24年（1891）
2555　荻生徂徠　　　　徂徠先生答問書
　　　　　　　　　　　大日本思想全集　第7卷　東京　大日本思想全集刊行會
　　　　　　　　　　　昭和6年（1931）
2556　荻生徂徠著、中村幸彦校注　徂徠先生答問書（抄）
　　　　　　　　　　　日本古典文學大系　第94冊　近世文學論集　東京　岩波書
　　　　　　　　　　　店　昭和41年（1966）
2557　荻生徂徠著、中野三敏譯　答問書
　　　　　　　　　　　日本の名著　第16冊　東京　中央公論社　昭和49年（1974）
2558　荻生徂徠　　　　政談4卷
　　　　　　　　　　　拙修齋叢書本
2559　荻生徂徠　　　　政談
　　　　　　　　　　　經濟叢書　第2冊　經濟雜誌社　明治27年（1894）
2560　荻生徂徠　　　　政談（抄文）
　　　　　　　　　　　日本思想鬥爭史料　第6卷　東京　東方書院　昭和5年
　　　　　　　　　　　（1930）；東京　名著刊行會　昭和45年（1969）
2561　荻生徂徠　　　　政談
　　　　　　　　　　　大日本思想全集　第7卷　東京　大日本思想全集刊行會
　　　　　　　　　　　昭和6年（1931）
2562　荻生徂徠　　　　政談（卷1—4）
　　　　　　　　　　　近世社會經濟學說大系　第17冊　東京　誠文堂新光社　昭
　　　　　　　　　　　和10年（1935）
2563　荻生徂徠著、建部遯吾校註　政談
　　　　　　　　　　　日本先哲叢書　第7冊　東京　廣文堂　昭和11年（1936）
2564　荻生徂徠　　　　政談
　　　　　　　　　　　日本哲學思想全書　第17卷　東京　平凡社　昭和31年
　　　　　　　　　　　（1956）
2565　荻生徂徠　　　　政談
　　　　　　　　　　　日本思想大系　第36冊　東京　岩波書店　昭和48年（1973）
2566　荻生徂徠著、尾藤正英譯　政談（抄）
　　　　　　　　　　　日本の名著　第16冊　東京　中央公論社　昭和49年（1974）

2567 荻生徂徠著、辻達也校注　政談
　　　　東京　岩波書店　平成9年（1997）6月

2568 物　徂徠　　　太平策
　　　　日本文庫　第2編　東京　博文館　明治24年（1891）

2569 荻生徂徠　　　太平策
　　　　近世社會經濟學說大系　第17冊　東京　誠文堂新光社　昭
　　　　和10年（1935）

2570 荻生徂徠　　　太平策
　　　　日本思想大系　第36冊　東京　岩波書店　昭和48年（1973）

2571 物　徂徠　　　駁朱度考
　　　　日本文庫　第10編　東京　博文館　明治24年（1891）

2572 荻生徂徠　　　四十七士論
　　　　日本思想大系　第27冊　東京　岩波書店　昭和49年（1974）

2573 荻生徂徠　　　赤穂四十六士論
　　　　日本教育思想大系　第16冊　近世武家教育思想　東京　日
　　　　本圖書センター　昭和51年（1976）

2574 荻生徂徠　　　譯文筌蹄6卷
　　　　正德5年（1715）刊本

2575 荻生徂徠　　　譯文筌蹄6卷
　　　　明治41年（1908）活字本

2576 荻生徂徠　　　譯文筌蹄6卷
　　　　漢語文典叢書　第3卷　東京　汲古書院　昭和54年（1979）

2577 荻生徂徠　　　譯文筌蹄後編3卷
　　　　寬政8年（1796）刊本

2578 荻生徂徠　　　譯文筌蹄後編3卷
　　　　漢語文典叢書　第3卷　東京　汲古書院　昭和54年（1979）

2579 荻生徂徠　　　蘐園隨筆5卷
　　　　正德4年（1714）刊本

2580 荻生徂徠　　　蘐園隨筆
　　　　日本儒林叢書　第7卷　東京　鳳出版　昭和2年（1927）；
　　　　昭和46年（1971）重印本

2581 荻生徂徠　　　蘐園十筆
　　　　日本儒林叢書　第7卷　東京　鳳出版　昭和2年（1927）；
　　　　昭和46年（1971）重印本

2582 荻生徂徠　　　蘐園錄稿
　　　　日本儒林叢書　第9卷　東京　鳳出版　昭和2年（1927）；

　　　　　　　　　　昭和46年（1971）重印本

2583　荻生徂徠　　　　蘐園談餘1卷
　　　　　　　　　　寫本

2584　荻生徂徠　　　　蘐園談餘
　　　　　　　　　　日本文庫　第4編　東京　博文館　明治24年（1891）

2585　荻生徂徠　　　　南留別志5卷
　　　　　　　　　　寶曆12年（1762）刊本

2586　荻生徂徠　　　　南留別志5卷
　　　　　　　　　　日本隨筆全集　第1卷　東京　國民圖書刊行會　昭和2年
　　　　　　　　　　（1927）

2587　荻生徂徠　　　　南留別志5卷
　　　　　　　　　　日本隨筆大成　第2期第15冊　東京　吉川弘文館　昭和2年
　　　　　　　　　　（1927）

2588　物　徂徠　　　　詩文國字牘
　　　　　　　　　　日本文庫　第3編　東京　博文館　明治24年（1891）

2589　荻生徂徠　　　　飛驒山
　　　　　　　　　　甘雨亭叢書　別集　弘化2年（1845）江戶北畠茂兵衛等活
　　　　　　　　　　字本

2590　荻生徂徠　　　　徂徠集30卷
　　　　　　　　　　寬政3年（1791）刊本

2591　荻生徂徠著、平石直昭編　徂徠集
　　　　　　　　　　近世儒家文集集成　第3卷　東京　ぺりかん社　昭和60年
　　　　　　　　　　（1985）1月　22，452頁

2592　荻生徂徠、荻野鳩谷　徂徠鳩谷二大家文鈔1卷
　　　　　　　　　　刊本

2593　荻生徂徠　　　　徂徠文逸篇1卷
　　　　　　　　　　寫本

2594　武田勘治編　　　伊藤仁齋、荻生徂徠教育說選集
　　　　　　　　　　東京　第一出版協會　昭和12年（1937）（日本教育文庫
　　　　　　　　　　8）

2595　大日本思想全集刊行會　荻生徂徠集
　　　　　　　　　　大日本思想全集　第7卷　東京　大日本思想全集刊行會
　　　　　　　　　　昭和6年（1931.）
　　　　　　　　　　辨道
　　　　　　　　　　辨名
　　　　　　　　　　政談

　　　　　　　　　徂徠先生問答書
　　　　　　　　　學則
2596　金谷治編　　荻生徂徠集
　　　　　　　　　日本の思想　第12冊　東京　筑摩書房　昭和44年（1969）
　　　　　　　　　解說・徂徠學の特質（金谷治）
　　　　　　　　　學則
　　　　　　　　　辨道
　　　　　　　　　辨名（抄）
　　　　　　　　　倫語徵（抄）
　　　　　　　　　荻生徂徠關係略年表
　　　　　　　　　參考文獻
　　　　　　　　　辨名、論語徵細目
2597　尾藤正英編　荻生徂徠
　　　　　　　　　日本の名著　第16冊　東京　中央公論社　昭和49年（1974）
　　　　　　　　　國家主義の祖型としての徂徠（尾藤正英）
　　　　　　　　　徂徠と中國語および中國文學（前野直彬）
　　　　　　　　　學則（前野直彬譯）
　　　　　　　　　辨道（前野直彬譯）
　　　　　　　　　辨名（抄）（前野直彬譯）
　　　　　　　　　徂徠集（抄）（前野直彬譯）
　　　　　　　　　答問書（中野三敏譯）
　　　　　　　　　政談（抄）（尾藤正英譯）
　　　　　　　　　補註
　　　　　　　　　年譜
2598　吉川幸次郎校注　荻生徂徠
　　　　　　　　　日本思想大系　第36冊　東京　岩波書店　昭和48年（1973）
　　　　　　　　　辨道
　　　　　　　　　辨名
　　　　　　　　　學則
　　　　　　　　　政談
　　　　　　　　　太平策
　　　　　　　　　徂徠集
　　　　　　　　　荻生徂徠年譜
　　　　　　　　　解題
　　　　　　　　　解說
　　　　　　　　　　徂徠學案（吉川幸次郎）

「政談」の社會的背景（辻　達也）

「太平策」考（丸山眞男）

2599　黑政巖解題　荻生徂徠集

近世社會經濟學說大系　第17冊　東京　誠文堂新光社　昭和10年（1935）

政談（卷1—4）

太平策

2600　吉川幸次郎、丸山眞男監修　荻生徂徠全集

東京　みすず書房　昭和48年（1973）　20冊

第1卷　學問論集　（島田虔次編）　昭和48年（1973）

653頁

徂徠先生學則影印

學則讀下し

徂徠先生學則並附錄標註影印

學則考翻字

徂徠先生學則國字解影印

徂徠學則問答影印

徂徠先生答問書影印

徂徠先生答問書翻字

答問書附卷往復書簡翻字

經子史要覽影印

示木公達書目翻字

文淵・詩源影印

文淵・詩源讀下し

學寮了簡書翻字

附錄徂徠先生詩文國字牘翻字

第2卷　言語篇（戶川芳郎・神田信夫編）　昭和49年（1974）　798，46頁

譯文筌蹄初編影印

譯文筌蹄後編影印

訓譯示蒙影印

譯文筌蹄初編卷首讀下し

譯文筌蹄後編異本翻字

訓譯示蒙異本翻字

韻概翻字

韻概讀下し

　　滿文考影印
第3卷　經學1（小川環樹編）　昭和52年（1977）7月　682
頁
　　論語徵（上）
第4卷　經學2（小川環樹編）　昭和53年（1978）　748頁
論語徵（下）
第5卷　經學3
第6卷　文學1
第7卷　文學2
第8卷　文學3
第9卷　文學4
第10卷　文學5
第11卷　文學6
第12卷　統治論1
第13卷　統治論2　（川原秀城、池田末利編）　昭和62
　年（1987）8月　469頁
　　度量衡考（荻生北溪補、中根元珪閱）
　　周尺考
　　井地國字解
　　葬禮略
　　祠堂式及通禮徵考
　　解題（川原秀城、池田末利）
第14卷　兵學1
第15卷　兵學2
第16卷　兵學3
第17卷　隨筆1（西田太一郎編）　昭和51年（1976）　906
頁
　　蘐園隨筆
　　蘐園隨筆讀下し
　　蘐園十筆翻字
　　蘐園十筆校異
　　蘐園十筆讀下し
第18卷　隨筆2（日野龍夫編）　昭和58年（1983）3月
　726頁
　　南留別志附和歌世詁影印
　　南留別志附和歌世詁翻字

南留別志補遺翻字

異本和歌世詁一名徂徠先生親書和字影印

異本和歌世詁一名徂徠先生親書和字翻字

徂徠手記翻字

蘐園遺編翻字

忍辱帖翻字

第19卷　蘐園資料1

第20卷　蘐園資料2

2601　今中寬司、奈良本辰也編　荻生徂徠全集

東京　河出書房新社　昭和48年（1973）　8冊

第1卷　昭和48年（1973）　607頁

辨道

辨名

蘐園隨筆

蘐園十筆

原文（辨道　辨名　蘐園隨筆　蘐園十筆）

校異・解題（今中寬司）

第2卷　昭和53年（1978）7月　689頁

論語徵

大學解

中庸解

孟子識

原文（論語徵　大學解　中庸解　孟子識）

校異・解題（今中寬司）

第3卷　昭和50年（1975）　653頁

讀荀子

讀韓非子

讀呂氏春秋

尙書學

孝經識

經子史要覽

論語辨書

原文（讀荀子　讀韓非子　讀呂氏春秋　尙書學　孝經識）

校異・解題（今中寬司）

第4卷

徂徠集

　　　　　　　　徂徠集拾遺
　　　　　　第5卷　昭和52年（1977）1月　　1003頁
　　　　　　　　譯文筌蹄
　　　　　　　　訓譯示蒙
　　　　　　　　絕句解
　　　　　　　　絕句解拾遺
　　　　　　　　古文矩・文變
　　　　　　　　詩文國字牘
　　　　　　　　南留別志
　　　　　　　　風流使者記
　　　　　　　　原文（絕句解　絕句解拾遺　古文矩・文變　風流使者記）
　　　　　　　　校異・解題（今中寬司）
　　　　　　第6卷　昭和48年（1973）　　681頁
　　　　　　　　政談
　　　　　　　　太平策
　　　　　　　　徂徠先生答問書
　　　　　　　　鈐錄
　　　　　　　　鈐錄外書
　　　　　　　　校異・解題（今中寬司）
　　　　　　第7卷
　　　　　　　　明律國字解
　　　　　　　　樂律考
　　　　　　　　樂制篇
　　　　　　第8卷
　　　　　　　　孫子國字解
　　　　　　　　吳子國字解
　　　　　　　　親類覺書

　　　　　　　　　後人研究

2602　龜山聿三編　　徂徠物先生碑文集
　　　　　　　　　近代先哲碑文集　第9集　東京　夢硯堂　昭和42年（1967）
2603　龜山聿三編　　徂徠先生社中碑文集補遺
　　　　　　　　　近代先哲碑文集　第12集　東京　夢硯堂　昭和43年（1968）
2604　宇佐美灊水　　論語徵考6卷
　　　　　　　　　寫本

2605　松平黄龍　　論語徵集覽20卷
　　　　　　　　　寶曆10年（1760）刊本

2606　中根鳳河　　論語徵渙2卷
　　　　　　　　　寶曆12年（1762）刊本

2607　西岡天津　　論語徵訓約覽10卷
　　　　　　　　　刊本

2608　加藤弘之　　孔子之道と徂徠學
　　　　　　　　　東京學士會院雜誌　第16編7冊　頁347—359　明治27年
　　　　　　　　　（1894）7月
　　　　　　　　　東洋哲學　第1卷6號　頁228—233　明治27年（1894）8月

2609　岩橋遵成　　物徂徠の孔子觀
　　　　　　　　　東亞之光　第20卷1號　頁46—53　大正14年（1925）1月

2610　吉田銳雄　　富永仲基の論語徵駁說
　　　　　　　　　懷德　第11號　頁86—95　昭和8年（1933）10月

2611　藤塚　鄰　　物徂徠の論語徵と淸朝の經師
　　　　　　　　　支那學研究（斯文會）　第4編　頁65—129　昭和10年
　　　　　　　　　（1935）2月

2612　吉川幸次郎　仁齋と徂徠——論語古義と論語徵
　　　　　　　　　ビブリア（天理圖書館館報）第4輯　頁2—5　昭和30年
　　　　　　　　　（1930）6月

2613　山下龍二　　徂徠「論語徵」について（1—3）
　　　　　　　　　①名古屋大學文學部研究論集　第72號（哲學24）　頁57—
　　　　　　　　　　65　昭和52年（1977）3月
　　　　　　　　　②名古屋大學文學部研究論集　第73號（哲學25）　頁35—
　　　　　　　　　　44　昭和53年（1978）3月
　　　　　　　　　③名古屋大學文學部三十周年記念論集　名古屋　名古屋大
　　　　　　　　　　學文學部　頁502—480　昭和54年（1979）3月

2614　若水　俊　　徂徠の孔子觀——論語徵の教育觀を中心として
　　　　　　　　　Philosophia　第70號（早稻田大學創立一百周年記念號）
　　　　　　　　　頁105—129　昭和57年（1982）

2615　末木恭彥　　荻生徂徠の論語觀
　　　　　　　　　寺小屋語學・文化研究所論叢　第1號　頁95—122　昭和57
　　　　　　　　　年（1982）7月

2616　末木恭彥　　荻生徂徠の聖人觀——孔子聖人考
　　　　　　　　　寺小屋語學・文化研究所論叢　第2號　頁141—161　昭和58
　　　　　　　　　年（1983）10月

2617 末木恭彦　　論語徵の君子像
　　　　　　　　寺小屋語學・文化研究所論叢　第3號　頁127―151　昭和59
　　　　　　　　年（1984）12月

2618 緒形　康　　論語徵の方法
　　　　　　　　寺小屋語學・文化研究所論叢　第3號　頁93―125　昭和59
　　　　　　　　年（1984）12月

2619 藤川正數　　「論語徵廢疾」管見
　　　　　　　　櫻美林大學中國文學論叢　第11號　頁131―163　昭和61年
　　　　　　　　（1986）3月

2620 大木彌生　　荻生徂徠「論語徵」についての一考察――孔子が「古言」
　　　　　　　　を引くとする說を中心に――
　　　　　　　　櫻美林大學中國文學論叢　第13號（藤川正數教授退休記念
　　　　　　　　號）　頁128―150　昭和62年（1987）3月

2621 佐野公治　　荻生徂徠の「論語徵」と明人の論語解釋
　　　　　　　　創文　第292號　頁4―6　昭和63年（1988）9月

2622 若水　俊　　春臺における「論語徵」の引用について
　　　　　　　　東洋の思想と宗教　第6號　頁19―36　平成1年（1989）6月

2623 宮川康子　　反徂徠としての富永仲基――論語徵駁說を中心に――
　　　　　　　　大阪大學日本學報　第9號　頁23―56　平成2年（1990）3月

2624 若水　俊　　「蘐園十筆」から「論語徵」へ――古文辭學成立時期の問
　　　　　　　　題を中心として
　　　　　　　　茨城女子短期大學紀要　第17集　頁1―15　平成2年（1990）6
　　　　　　　　月

2625 宇佐美灊水　辨道辨名考註
　　　　　　　　刊本

2626 太宰定保　　辨道辨名考3卷
　　　　　　　　寫本（寬延4年（1751）完成）

2627 宇佐美灊水　辨道考註1冊
　　　　　　　　①寫本
　　　　　　　　②寬政12年（1800）刊本

2628 西山　元　　辨道國字解2卷1冊
　　　　　　　　寫本

2629 宇佐美灊水　辨名考註2卷2冊
　　　　　　　　寫本

2630 宇佐美灊水　辨名考註2卷7冊
　　　　　　　　寫本

2631　齋藤高壽　　　辨名補義10卷3冊
　　　　　　　　　　寫本（寬政4年（1792）序）

2632　齋藤高壽　　　辨名補義10冊
　　　　　　　　　　寫本（寬政4年（1792）序）

2633　谷元淡編　　　徂徠學則問答1卷
　　　　　　　　　　刊本

2634　平石直昭　　　荻生徂徠年譜考
　　　　　　　　　　東京　平凡社　昭和59年（1984）5月　267，17頁

2635　山路愛山　　　荻生徂徠
　　　　　　　　　　東京　民友社　明治26年（1893）9月　164頁（拾貳文豪
　　　　　　　　　　第3卷）

2636　島田民治　　　徂徠と其の教育
　　　　　　　　　　東京　廣文堂書店　大正6年（1917）

2637　岩橋遵成　　　徂徠研究
　　　　　　　　　　①東京　關書院　昭和9年（1934）
　　　　　　　　　　②東京　名著刊行會　昭和44年（1969）　534頁

2638　野村兼太郎　　荻生徂徠
　　　　　　　　　　東京　三省堂　昭和9年（1934）　212頁（社會科學の建設
　　　　　　　　　　者・人と學說叢書）

2639　鹽谷　溫　　　荻生徂徠に關する二三の考察
　　　　　　　　　　近世日本の儒學　頁453—476　東京　岩波書店　昭和14年
　　　　　　　　　　（1939）8月

2640　中村孝也　　　白石と徂徠と春臺
　　　　　　　　　　東京　萬里閣　昭和17年（1942）

2641　尾關富太郎　　徂徠學、非徂徠學の論爭
　　　　　　　　　　諸橋博士古稀祝賀記念論文集　東京　大修館　昭和28年
　　　　　　　　　　（1953）

2642　奈良本辰也編　荻生徂徠
　　　　　　　　　　日本の思想家　東京　每日新聞社　昭和29年（1954）

2643　尾藤正英　　　荻生徂徠
　　　　　　　　　　講座現代倫理　第3冊　東京　筑摩書房　昭和33年（1958）

2644　今中寬司　　　徂徠學の基礎的研究
　　　　　　　　　　東京　吉川弘文館　昭和41年（1966）　551頁

2645　Ogyu, Sorai,（荻生徂徠，1661—1728）Distinguishing the way（Bendo）
　　　　　　　　　　,Translated with an introd. and notes by Olof G. Lidin.
　　　　　　　　　　Tokyo, Sophia University[1970]139 p.（A Monumenta Nipponica

monograph)

2646　Lidin, Olof G., The life of Ogyu Sorai; a Tokugawa Confucian philosopher. [Lund] Studentlitteratur [1973]209p.
(Scandinavian Institute of Asian Studies monograph series, no. 19)

2647　吉川幸次郎　仁齋・徂徠・宣長
東京　岩波書店　昭和50年（1975）6月

2648　堀部壽雄　荻生徂徠・その父と兄弟
流山　崙書房　昭和60年（1985）8月　134頁（ふるさと文庫）

2649　Lidin, Olof Gustaf, Ogyû Sorai, life and philosophy, with full translation of his work Bendô and partial translation of his work Seidan. by Olof Gustaf Lidin. Ann Arbor, Mich.: University Microfilms International, 1986, c1968. iv, 545 p.

2650　小島康敬　徂徠學と反徂徠
東京　ぺりかん社　昭和62年（1987）1月　235頁

2651　子安宣邦　「事件」としての徂徠學
東京　青土社　平成2年（1990）4月　301頁

2652　河村一郎　長州藩徂徠學
萩　作者印行　平成2年（1990）11月　220頁

2653　高橋博巳　江戸のバロック徂徠學の周邊
東京　ぺりかん社　平成3年（1991）5月　224, 3頁

2654　田原嗣郎　徂徠學の世界
東京　東京大學出版會　平成3年（1991）10月　272頁

2655　今中寛司　徂徠學の史的研究
京都　思文閣　平成4年（1992）10月　397, 9頁

2656　若水　俊　徂徠とその門人の研究
東京　三一書房　平成5年（1993）3月　188頁

2657　野口武彦　荻生徂徠——江戸のドン・キホーテ
東京　中央公論社　平成5年（1993）11月　317頁（中公新書）

2658　楊　啓樵　江戸漢學家荻生徂徠治學方法之一端
第二屆中國域外漢籍國際學術會議論文集　頁473—488　臺北　聯合報文化基金會國學文獻館　平成元年（1989）2月

反徂徠的著作

2659　高瀨學山　　非聖學問答
　　　　　　　　　日本儒林叢書　第4卷　東京　鳳出版　昭和2年（1927）12
　　　　　　　　　月；昭和46年（1971）12月重印本

2660　谷口大雅　　徂徠學則問答
　　　　　　　　　日本儒林叢書　第4卷　東京　鳳出版　昭和2年（1927）12
　　　　　　　　　月；昭和46年（1971）12月重印本

2661　松宮觀山　　學論2卷
　　　　　　　　　①寶曆5年（1755）刊本
　　　　　　　　　②日本儒林叢書　第5卷　東京　鳳出版　昭和2年（1927）
　　　　　　　　　　12月；昭和46年（1971）12月重印本

2662　松宮觀山　　學論二編2卷
　　　　　　　　　日本儒林叢書　第5卷　東京　鳳出版　昭和2年（1927）12
　　　　　　　　　月；昭和46年（1971）12月重印本

2663　松宮觀山　　學脈辨解1卷
　　　　　　　　　日本儒林叢書　第5卷　東京　鳳出版　昭和2年（1927）12
　　　　　　　　　月；昭和46年（1971）12月重印本

2664　藪　孤山　　崇孟1卷
　　　　　　　　　①崇文叢書　第2輯　大正15年（1926）
　　　　　　　　　②日本儒林叢書　第4卷　東京　鳳出版　昭和2年（1927）
　　　　　　　　　　12月；昭和46年（1971）12月重印本
　　　　　　　　　③日本思想大系　第37冊　東京　岩波書店　昭和45年
　　　　　　　　　　（1970）5月
　　　　　　　　　④日本教育思想大系　第26冊　徂徠學派　東京　日本圖書
　　　　　　　　　　センター　昭和51年（1976）

2665　上月專庵　　徂徠學則辨1卷
　　　　　　　　　①寶曆2年（1752）刊本
　　　　　　　　　②日本儒林叢書　第4卷　東京　鳳出版　昭和2年（1927）
　　　　　　　　　　12月；昭和46年（1971）12月重印本

2666　岡　龍洲　　論語徵批1卷
　　　　　　　　　日本儒林叢書　第14卷　東京　鳳出版　昭和2年（1927）12
　　　　　　　　　月；昭和46年（1971）12月重印本

2667　深谷公幹　　駁斥非
　　　　　　　　　日本儒林叢書　第4卷　東京　鳳出版　昭和2年（1927）12

月；昭和46年（1971）12月重印本

2668　五井蘭洲　　非物篇20卷5冊
　　　　　　　　　手稿本（京都古梓文庫藏）

2669　五井蘭洲　　非物篇6卷
　　　　　　　　　①天明4年（1784）刊本
　　　　　　　　　②安永8年（1779）刊本

2670　五井蘭洲　　非物篇
　　　　　　　　　大阪　懷德堂友の會　平成元年（1989）　119頁（懷德堂
　　　　　　　　　文庫復刻叢書　2）

2671　五井蘭洲　　質疑篇1卷
　　　　　　　　　刊本

2672　蟹　養齋　　非徂徠學1卷
　　　　　　　　　①明和2年（1765）刊本
　　　　　　　　　②日本儒林叢書　第4卷　東京　鳳出版　昭和2年（1927）
　　　　　　　　　　12月；昭和46年（1971）12月重印本

2673　蟹　養齋　　辨復古1卷
　　　　　　　　　日本儒林叢書　第8卷　東京　鳳出版　昭和2年（1927）12
　　　　　　　　　月；昭和46年（1971）12月重印本

2674　石川麟洲　　辨道解蔽2卷
　　　　　　　　　①寶曆5年（1755）刊本
　　　　　　　　　②日本儒林叢書　第4卷　東京　鳳出版　昭和2年（1927）
　　　　　　　　　　12月；昭和46年（1971）12月重印本

2675　唐崎廣陵　　辨道斷論
　　　　　　　　　根據《近世漢學者著述目錄大成》，《國書總目錄》未著錄

2676　唐崎廣陵　　物學辨證
　　　　　　　　　根據《近世漢學者著述目錄大成》，《國書總目錄》未著錄

2677　服部蘇門　　燃犀錄1卷
　　　　　　　　　①明和6年（1769）刊本
　　　　　　　　　②日本儒林叢書　第4卷　東京　鳳出版　昭和2年（1927）
　　　　　　　　　　12月；昭和46年（1971）12月重印本

2678　細井平洲　　道說
　　　　　　　　　根據《近世漢學者著述目錄大成》，《國書總目錄》未著錄

2679　森　大年　　非辨道辨名
　　　　　　　　　①天明4年（1784）自序刊本
　　　　　　　　　②日本儒林叢書　第8卷　東京　鳳出版　昭和2年（1927）
　　　　　　　　　　12月；昭和46年（1971）12月重印本

2680　中井竹山　　非徵8卷
　　　　　　　　　①天明4年（1784）刊本
　　　　　　　　　②大阪　懷德堂友の會　昭和63年（1988）2月　160頁（懷
　　　　　　　　　　德堂文庫復刻叢書）

2681　中井竹山　　非徵（總非）
　　　　　　　　　日本思想大系　第47冊　東京　岩波書店　昭和47年（1972）
　　　　　　　　　5月

2682　中井竹山　　閑距餘筆
　　　　　　　　　日本儒林叢書　第4卷　東京　鳳出版　昭和2年（1927）12
　　　　　　　　　月；昭和46年（1971）12月重印本

2683　中井竹山　　建學私議畫一箚子
　　　　　　　　　寫本（宮內省圖書寮藏）

2684　中井竹山　　上中納言菅公建學私議
　　　　　　　　　寫本（天明2年（1782）完成）（國會圖書館、內閣文庫、
　　　　　　　　　宮內省圖書寮、東北大學藏）

2685　片山兼山　　論語徵廢疾
　　　　　　　　　崇文叢書　第2輯　東京　崇文院　大正15年（1926）

2686　片山兼山　　山子垂統前編3卷
　　　　　　　　　安永4年（1775）刊本

2687　片山兼山　　山子垂統
　　　　　　　　　①日本倫理彙編　第9冊　東京　育成會　明治34年（1901）；
　　　　　　　　　　京都　臨川書店　昭和45年（1970）
　　　　　　　　　②大日本文庫　第7冊　東京　大日本文庫刊行會　昭和9年
　　　　　　　　　　（1934）

2688　片山兼山　　斥非辨名
　　　　　　　　　根據《近世漢學者著述目錄大成》，《國書總目錄》未著錄

2689　片山兼山　　斥非辨道
　　　　　　　　　根據《近世漢學者著述目錄大成》，《國書總目錄》未著錄

2690　片山兼山　　斥非學則
　　　　　　　　　根據《近世漢學者著述目錄大成》，《國書總目錄》未著錄

2691　片山兼山　　辨誘園學
　　　　　　　　　根據《近世漢學者著述目錄大成》，《國書總目錄》未著錄

2692　片山兼山　　論語徵膏肓
　　　　　　　　　根據《近世漢學者著述目錄大成》，《國書總目錄》未著錄

2693　片山兼山　　大學解廢疾
　　　　　　　　　根據《近世漢學者著述目錄大成》，《國書總目錄》未著錄

2694　片山兼山　　中庸解廢疾
　　　　　　　　　根據《近世漢學者著述目錄大成》，《國書總目錄》未著錄
2695　井上金峨　　讀學則
　　　　　　　　　日本儒林叢書　第4卷　東京　鳳出版　昭和2年（1927）12
　　　　　　　　　月；昭和46年（1971）12月重印本
2696　井上金峨　　辨徵錄
　　　　　　　　　根據《近世漢學者著述目錄大成》，《國書總目錄》未著錄
2697　古屋昔陽　　古今學變考
　　　　　　　　　寫本（舊彰考館文庫藏，文庫爲戰火燒燬，該書下落不明）
2698　高志泉溟　　時學鍼炳
　　　　　　　　　日本儒林叢書　第4卷　東京　鳳出版　昭和2年（1927）12
　　　　　　　　　月；昭和46年（1971）12月重印本
2699　平　瑜　　　非物氏
　　　　　　　　　日本儒林叢書　第4卷　東京　鳳出版　昭和2年（1927）12
　　　　　　　　　月；昭和46年（1971）12月重印本
2700　石川香山　　讀書正誤
　　　　　　　　　日本儒林叢書　第4卷　東京　鳳出版　昭和2年（1927）12
　　　　　　　　　月；昭和46年（1971）12月重印本
2701　尾藤二洲　　正學指掌1卷
　　　　　　　　　①天明7年（1787）刊本
　　　　　　　　　②日本文庫　第1編　東京　博文館　明治24年（1891）
　　　　　　　　　③日本倫理彙編　第8冊　東京　育成會　明治34年（1901）；
　　　　　　　　　　京都　臨川書店　昭和45年（1970）
　　　　　　　　　④日本精神文獻叢書　第10卷　儒教篇下　東京　大東出版
　　　　　　　　　　社　昭和13年（1938）
　　　　　　　　　⑤日本思想大系　第37冊　東京　岩波書店　昭和45年
　　　　　　　　　　（1970）5月
　　　　　　　　　⑥日本教育思想大系　第26冊　徂徠學派　東京　日本圖書
　　　　　　　　　　センター　昭和51年（1976）
2702　尾藤二洲　　素餐錄
　　　　　　　　　①日本倫理彙編　第8冊　東京　育成會　明治34年（1901）；
　　　　　　　　　　京都　臨川書店　昭和45年（1970）
　　　　　　　　　②日本思想大系　第37冊　東京　岩波書店　昭和45年
　　　　　　　　　　（1970）5月
　　　　　　　　　③日本教育思想大系　第26冊　徂徠學派　東京　日本圖書
　　　　　　　　　　センター　昭和51年（1976）

2703　大田錦城　　　梧窗漫筆前編2卷
　　　　　　　　　　文政6年（1823）刊本

2704　大田錦城　　　梧窗漫筆後編2卷
　　　　　　　　　　文政7年（1824）刊本

2705　大田錦城　　　梧窗漫筆三編2卷
　　　　　　　　　　天保11年（1840）刊本

2706　大田錦城　　　梧窗漫筆6卷
　　　　　　　　　　①東京　寶文閣　明治12年（1879）3月　6冊
　　　　　　　　　　②東京　玉巖堂　出版年不明　3冊
　　　　　　　　　　③東京　小川尙榮堂　明治30年（1897）1月　1冊
　　　　　　　　　　④東京　共同出版　明治42年（1909）12月　184頁（公民文
　　　　　　　　　　　庫　第13冊）
　　　　　　　　　　⑤名家隨筆集（上）　東京　有朋堂書庫　大正2年（1913）4
　　　　　　　　　　　月（有朋堂文庫）
　　　　　　　　　　⑥日本隨筆全集　第17冊　東京　國民圖書刊行會　昭和2
　　　　　　　　　　　年（1927）

2707　龜井昭陽　　　讀辨道1卷
　　　　　　　　　　①天保11年（1840）刊本
　　　　　　　　　　②日本儒林叢書　第4卷　東京　鳳出版　昭和2年（1927）
　　　　　　　　　　　12月；昭和46年（1971）12月重印本
　　　　　　　　　　③日本思想大系　第37冊　東京　岩波書店　昭和45年
　　　　　　　　　　　（1970）5月
　　　　　　　　　　④日本教育思想大系　第26冊　徂徠學派　東京　日本圖書
　　　　　　　　　　　センター　昭和51年（1976）

2708　大橋訥庵　　　正學侮禦
　　　　　　　　　　根據《近世漢學者著述目錄大成》，《國書總目錄》未著錄

2709　大橋訥庵　　　正學危言
　　　　　　　　　　根據《近世漢學者著述目錄大成》，《國書總目錄》未著錄

2710　高　半　　　　難徂學1卷
　　　　　　　　　　日本儒林叢書　第14卷　東京　鳳出版　昭和2年（1927）12
　　　　　　　　　　月；昭和46年（1971）12月重印本

2711　佐佐木高成　　辯辨道書2卷
　　　　　　　　　　①刊本
　　　　　　　　　　②大日本文庫　第17冊　東京　大日本文庫刊行會　昭和9
　　　　　　　　　　　年（1934）

2712　加藤昭卿　　　辨名辨道議1卷

刊本

3.山井崑崙（1680—1728）
<ruby>山<rt>やま</rt></ruby>

著　作

2713　山井　鼎　　七經孟子考文
　　　　　　　　①文淵閣四庫全書　經部　清乾隆47年（1782）
　　　　　　　　②影印文淵閣四庫全書　經部　臺北　臺灣商務印書館　昭
　　　　　　　　　和55年（1980）
2714　山井鼎著、荻生觀訂補、戶川芳郎編　七經孟子考文
　　　　　　　　近世儒家資料集成　第7卷　東京　ぺりかん社　平成10年
　　　　　　　　（1998）

後人研究

2715　狩野直喜　　山井鼎と七經孟子考文補遺
　　　　　　　　①內藤博士還曆祝賀支那學論叢　頁377—404　京都　弘文
　　　　　　　　　堂　大正15年（1926）5月
　　　　　　　　②支那學文藪　頁120—139　東京　弘文堂　昭和2年（1927）
　　　　　　　　　3月；東京　みすず書房　昭和48年（1973）4月
2716　狩野直喜著、江俠菴譯　七經孟子考文補遺考
　　　　　　　　先秦經籍考　下冊　頁257—283　上海　商務印書館　昭和
　　　　　　　　8年（1933）10月；臺北　河洛圖書出版社　昭和50年（1975）
　　　　　　　　10月；臺北　新欣出版社　昭和55年（1980）9月
2717　梁　容若　　山井鼎與《七經孟子考文》
　　　　　　　　①大陸雜誌　第10卷2期　頁10—13　昭和30年（1955）1月
　　　　　　　　②中國文化東漸研究　頁125—135　臺北　中華文化出版事
　　　　　　　　　業委員會　昭和35年（1960）10月（國民基本知識叢書
　　　　　　　　　第4輯）
2718　野田文之助　山井崑崙と七經孟子考文の稿本について
　　　　　　　　東京支那學報　第1號　頁206—208　昭和30年（1955）6月
2719　黃　得時　　出井鼎的《七經孟子考文》——四庫全書中唯一的日本人著
　　　　　　　　作
　　　　　　　　孔孟月刊　第3卷3期　頁11—13　昭和39年（1964）11月
2720　森　銑三　　山井鼎とその七經孟子考文

森銑三著作集　第8卷　東京　中央公論社　昭和46年
（1971）

2721　山本　巖　　七經孟子考文補遺西渡考
　　　　　　　①宇都宮大學教育學部紀要（第1部）　第40號　頁31—44
　　　　　　　　平成2年（1990）2月
　　　　　　　②中國關係論說資料　第32號第1分冊（上）　頁99—105
　　　　　　　　平成2年（1990）

2722　末木恭彦　　七經孟子考文考
　　　　　　　①湘南文學　第24期　頁1—9　平成2年（1990）3月
　　　　　　　②中國關係論說資料　第32號第1分冊（上）　頁289—293
　　　　　　　　平成2年（1990）

2723　末木恭彦　　七經孟子考文凡例の考察
　　　　　　　（上）東海大學紀要（文學部）　第55輯　頁1—11　平成3
　　　　　　　　年（1991）
　　　　　　　（下）東海大學紀要（文學部）　第56輯　頁1—16　平成3
　　　　　　　　年（1991）

2724　武岡善次郎　西條文學山井鼎君事蹟考
　　　　　　　藝文　第22卷2號　昭和6年（1931）

2725　藤井　明　　山井崑崙
　　　　　　　叢書日本の思想家　第18冊　東京　明德出版社　昭和63年
　　　　　　　（1988）10月（與山縣周南合冊）

2726　末木恭彦　　山井崑崙の尙古思想
　　　　　　　中國哲學　第21號　頁21—42　平成4年（1992）10月

4.太宰春臺（1680—1747）

著　作

2727　太宰春臺　　六經略說1卷
　　　　　　　延享2年（1745）刊本

2728　太宰春臺　　六經略說
　　　　　　　日本倫理彙編　第6冊　東京　育成會　明治34年（1901）；
　　　　　　　京都　臨川書店　昭和45年（1970）

2729　太宰春臺　　六經略說
　　　　　　　日本教育思想大系　第26冊　徂徠學派　東京　日本圖書セ

ンター　昭和51年（1976）

2730　太宰春臺　　　論語古訓10卷
　　　　　　　　　　元文2年（1737）序刊本

2731　太宰春臺　　　論語古訓外傳20卷
　　　　　　　　　　延享2年（1745）刊本

2732　太宰春臺　　　易道撥亂
　　　　　　　　　　日本儒林叢書　第5卷　東京　鳳出版　昭和2年（1927）；
　　　　　　　　　　昭和46年（1971）重印本

2733　太宰春臺　　　朱氏詩傳膏肓
　　　　　　　　　　日本儒林叢書　第11卷　東京　鳳出版　昭和2年（1927）；
　　　　　　　　　　昭和46年（1971）重印本

2734　太宰春臺　　　詩書古傳34卷15冊
　　　　　　　　　　寶曆8年（1758）刊本

2735　太宰　純　　　聖學問答2卷
　　　　　　　　　　享保21年（1736）3月江都書肆嵩山房刊本

2736　太宰春臺　　　聖學問答2卷
　　　　　　　　　　享保17年（1732）刊本

2737　太宰春臺　　　聖學問答
　　　　　　　　　　日本文庫　第9編　東京　博文館　明治24年（1891）

2738　太宰春臺　　　聖學問答
　　　　　　　　　　日本倫理彙編　第6冊　東京　育成會　明治34年（1901）；
　　　　　　　　　　京都　臨川書店　昭和45年（1970）

2739　太宰春臺　　　聖學問答
　　　　　　　　　　大日本思想全集　第7卷　東京　大日本思想全集刊行會
　　　　　　　　　　昭和6年（1931）

2740　太宰純　　　　聖學問答
　　　　　　　　　　大日本文庫　第6冊　東京　大日本文庫刊行會　昭和9年
　　　　　　　　　　（1934）

2741　太宰春臺　　　聖學問答
　　　　　　　　　　日本哲學全書　第12卷　東京　第一書房　昭和11年（1936）

2742　太宰春臺　　　聖學問答
　　　　　　　　　　日本精神文獻叢書　第10卷　儒教篇（下）　東京　大東出
　　　　　　　　　　版社　昭和13年（1938）

2743　太宰春臺　　　聖學問答2卷
　　　　　　　　　　日本哲學思想全書　第8卷　東京　平凡社　昭和31年（
　　　　　　　　　　1956）

2744 太宰春臺　　　聖學問答
　　　　　　　　　日本思想大系　第37冊　東京　岩波書店　昭和45年（1970）
2745 太宰春臺　　　聖學問答
　　　　　　　　　日本教育思想大系　第26冊　徂徠學派　東京　日本圖書セ
　　　　　　　　　ンター　昭和51年（1976）
2746 太宰春臺　　　辨道書1卷
　　　　　　　　　刊本
2747 太宰春臺　　　辨道書1卷
　　　　　　　　　日本思想鬥爭史料　第3卷　東京　東方書院　昭和5年
　　　　　　　　　（1930）；東京　名著刊行會　昭和44年（1969）
2748 太宰春臺　　　辨道書
　　　　　　　　　大日本思想全集　第7冊　東京　大日本思想全集刊行會
　　　　　　　　　昭和6年（1931）
2749 太宰春臺　　　辨道書
　　　　　　　　　大日本文庫　第6冊　東京　大日本文庫刊行會　昭和9年
　　　　　　　　　（1934）
2750 太宰春臺　　　辨道書
　　　　　　　　　日本教育思想大系　第26冊　徂徠學派　東京　日本圖書セ
　　　　　　　　　ンター　昭和51年（1976）
2751 太宰春臺　　　斥非2卷
　　　　　　　　　明和4年（1767）刊本
2752 太宰春臺　　　斥非1卷
　　　　　　　　　日本詩話叢書　第3卷　東京　文會堂　大正9年（1920）；
　　　　　　　　　鳳出版　昭和47年（1972）
2753 太宰春臺　　　斥非
　　　　　　　　　日本儒林叢書　第4卷　東京　鳳出版　昭和2年（1927）；
　　　　　　　　　昭和46年（1971）重印本
2754 太宰春臺　　　斥非
　　　　　　　　　大日本思想全集　第7卷　東京　大日本思想全集刊行會
　　　　　　　　　昭和6年（1931）
2755 太宰春臺　　　斥非
　　　　　　　　　日本思想大系　第37冊　徂徠學派　東京　岩波書店　昭和
　　　　　　　　　45年（1970）
2756 太宰春臺　　　斥非附錄
　　　　　　　　　日本思想大系　第37冊　徂徠學派　東京　岩波書店　昭和
　　　　　　　　　45年（1970）

2757　太宰春臺　　　斥非
　　　　　　　　　日本教育思想大系　第26冊　徂徠學派　東京　日本圖書セ
　　　　　　　　　ンター　昭和51年（1976）

2758　太宰春臺　　　產語2卷
　　　　　　　　　寬延2年（1749）刊本

2759　太宰春臺　　　產語
　　　　　　　　　東京　研學會　明治30年（1897）7月　192頁（研學叢書
　　　　　　　　　號外）

2760　太宰春臺著、下村房次郎譯注　產語──治生要訣
　　　　　　　　　東京　有鄰閣　明治44年（1911）1月　284頁

2761　太宰春臺　　　產語
　　　　　　　　　近世社會經濟學說大系　第6冊　東京　誠文堂新光社　昭
　　　　　　　　　和10年（1935）

2762　太宰春臺著、神谷正男譯　產語──人間の生き方
　　　　　　　　　東京　明德出版社　昭和46年（1971）　278頁

2763　太宰春臺　　　產語
　　　　　　　　　日本教育思想大系　第26冊　徂徠學派　東京　日本圖書セ
　　　　　　　　　ンター　昭和51年（1976）

2764　花崎隆一郎　　太宰春臺「產語」譯注
　　　　　　　　　東京　栗林書房　平成3年（1991）

2765　太宰春臺　　　經濟錄8卷、拾遺1卷
　　　　　　　　　寫本

2766　太宰春臺　　　經濟錄10卷8冊
　　　　　　　　　寫本

2767　太宰春臺　　　經濟錄
　　　　　　　　　經濟叢書　第1冊　東京　經濟雜誌社　明治27年（1894）

2768　太宰春臺　　　經濟錄（抄文）
　　　　　　　　　日本思想鬥爭史料　第6卷　東京　東方書院　昭和5年
　　　　　　　　　（1930）；東京　名著刊行會　昭和44年（1969）

2769　太宰春臺　　　經濟錄
　　　　　　　　　大日本思想全集　第7卷　東京　大日本思想全集刊行會
　　　　　　　　　昭和6年（1931）

2770　太宰春臺　　　經濟錄
　　　　　　　　　近世社會經濟學說大系　第6冊　東京　誠文堂新光社　昭
　　　　　　　　　和10年（1935）

2771　太宰春臺　　　經濟錄（抄）

日本哲學思想全書　第18卷　東京　平凡社　昭和31年
（1956）

2772　太宰春臺　　經濟錄（抄）
日本思想大系　第37冊　徂徠學派　東京　岩波書店　昭和
45年（1970）

2773　太宰春臺　　經濟錄
日本教育思想大系　第26冊　徂徠學派　東京　日本圖書セ
ンター　昭和51年（1976）

2774　太宰春臺　　經濟錄拾遺
近世社會經濟學說大系　第6冊　東京　誠文堂新光社　昭
和10年（1935）

2775　太宰春臺　　經濟錄拾遺
日本思想大系　第37冊　徂徠學派　東京　岩波書店　昭和
45年（1970）

2776　太宰春臺　　經濟錄拾遺
日本教育思想大系　第26冊　徂徠學派　東京　日本圖書セ
ンター　昭和51年（1976）

2777　太宰春臺　　獨語1卷
寫本

2778　太宰春臺　　獨語1卷
日本隨筆大成　第1期第17冊　東京　吉川弘文館　昭和54
年（1979）

2779　太宰春臺　　赤穗義人錄後語
甘雨亭叢書　第4編　弘化2年（1845）江戶北畠茂兵衛等活
字本

2780　太宰春臺　　赤穗四十六士論
日本思想大系　第27冊　赤穗事件　東京　岩波書店　昭和
45年（1970）

2781　太宰春臺　　赤穗四十六士論
日本教育思想大系　第16冊　近世武家教育思想(1)　東京
日本圖書センター　昭和51年（1976）

2782　太宰春臺　　紫芝園漫筆9卷
寫本

2783　太宰春臺　　紫芝園漫筆
崇文叢書　第1輯　東京　崇文院　大正14年（1925）

2784　太宰春臺　　紫芝園國字書

　　　　　　　　　　日本儒林叢書　第3卷　東京　鳳出版　昭和2年（1927）；
　　　　　　　　　　昭和46年（1971）重印本

2785　太宰春臺　　修刪阿彌陀經
　　　　　　　　　　甘雨亭叢書　第4編　弘化2年（1845）江戶北畠茂兵衛等活
　　　　　　　　　　字本

2786　太宰春臺　　觀放生會記
　　　　　　　　　　甘雨亭叢書　別集　弘化2年（1845）江戶北畠茂兵衛等活
　　　　　　　　　　字本

2787　太宰春臺　　春臺上書
　　　　　　　　　　日本教育思想大系　第26冊　徂徠學派　東京　日本圖書セ
　　　　　　　　　　ンター　昭和51年（1976）

2788　太宰春臺　　文論詩論
　　　　　　　　　　日本儒林叢書　第12卷　東京　鳳出版　昭和2年（1927）；
　　　　　　　　　　昭和46年（1971）重印本

2789　太宰春臺　　詩論並附錄2卷
　　　　　　　　　　日本詩話叢書　第4卷　東京　文會堂　大正9年（1920）；
　　　　　　　　　　東京　鳳出版　昭和47年（1971）

2790　太宰春臺　　詩論
　　　　　　　　　　日本哲學全書　第11卷　東京　第一書房　昭和11年（1936）

2791　太宰春臺　　詩論
　　　　　　　　　　日本教育思想大系　第26冊　徂徠學派　東京　日本圖書セ
　　　　　　　　　　ンター　昭和51年（1976）

2792　太宰春臺　　文論
　　　　　　　　　　日本教育思想大系　第26冊　徂徠學派　東京　日本圖書セ
　　　　　　　　　　ンター　昭和51年（1976）

2793　太宰春臺　　答問書
　　　　　　　　　　日本倫理彙編　第6冊　東京　育成會　明治34年（1901）；
　　　　　　　　　　京都　臨川書店　昭和45年（1970）

2794　太宰春臺　　春臺先生文集12卷
　　　　　　　　　　寶曆2年（1752）刊本

2795　太宰春臺著、小島康敬編　春臺先生紫芝園稿
　　　　　　　　　　近世儒家文集集成　第6卷　東京　ぺりかん社　昭和61年
　　　　　　　　　　（1986）1月　307頁

2796　大日本思想全集刊行會　太宰春臺集
　　　　　　　　　　大日本思想全集　第7冊　東京　大日本思想全集刊行會
　　　　　　　　　　昭和6年（1931）

　　　　　　　　　　辨道書
　　　　　　　　　　經濟錄
　　　　　　　　　　聖學問答
　　　　　　　　　　斥非
2797　中村孝也解題　太宰春臺集
　　　　　　　　　　近世社會經濟學說大系　第6冊　東京　誠文堂新光社　昭
　　　　　　　　　　和10年（1935）
　　　　　　　　　　經濟錄
　　　　　　　　　　經濟錄拾遺
　　　　　　　　　　產語

後人研究

2798　前澤淵月　　太宰春臺
　　　　　　　　　①東京　嵩山房　大正9年（1920）10月　420頁
　　　　　　　　　②東京　近世文藝研究叢書刊行會重印本　平成7年（1995）
　　　　　　　　　　11月（近世文藝研究叢書　第1期　文學篇21　作家7）
2799　前澤政雄　　太宰春臺
　　　　　　　　　信濃鄉土文化普及會　昭和4年（1929）（信濃鄉土叢書
　　　　　　　　　第6編）
2800　高千穗隼人　太宰春臺の日本論
　　　　　　　　　日本精神講座　第8冊　東京　新潮社　昭和9年（1934）
2801　中村孝也　　白石と徂徠と春臺
　　　　　　　　　東京　萬里閣　昭和17年（1942）
2802　東晉太郎　　太宰春臺の經濟倫理
　　　　　　　　　東京　敝文館　昭和18年（1943）
2803　林　秀一　　太宰純の孝經孔傳の校刊とその影響
　　　　　　　　　①岡山大學法文學部學術紀要　第2號　頁17—27　昭和28
　　　　　　　　　　年（1953）3月
　　　　　　　　　②孝經學論集　頁273—295　東京　明治書院　昭和51年
　　　　　　　　　　（1976）11月
2804　神谷正男　　產語の研究　第1冊
　　　　　　　　　東京　書籍文物流通會　昭和37年（1962）8月　32，180，
　　　　　　　　　20頁
2805　森　銑三　　徂徠と春臺
　　　　　　　　　森銑三著作集　第8卷　東京　中央公論社　昭和46年

（1971）

2806	武部善人	太宰春臺轉換期の經濟思想
		東京　御茶の水書房　平成3年（1991）3月　382頁
2807	西澤信滋	太宰春臺のあしあと
		東京　作者印行　平成3年（1991）4月　198頁
2808	田尻祐一郎	太宰春臺
		叢書日本の思想家　第17冊　東京　明德出版社　平成7年（1995）12月（與服部南郭合冊）
2809	武部善人	太宰春臺
		東京　吉川弘文館　平成9年（1997）3月（人物叢書新裝版）

5.服部南郭（1683—1759）
はっ・とり なん・かく

著　作

2810	服部南郭	南郭先生燈下書1卷
		享保19年（1734）刊本
2811	服部南郭	南郭先生燈下書1卷
		日本詩話叢書　第1卷　東京　文會堂　大正9年（1920）；東京　鳳出版　昭和47年（1972）重印本
2812	服部南郭	燈下書
		日本儒林叢書　第3卷　東京　鳳出版　昭和2年（1927）；昭和46年（1971）重印本
2813	服部南郭	燈下書
		日本教育思想大系　第26冊　徂徠學派　東京　日本圖書センター　昭和51年（1976）
2814	服部南郭	檜垣村古瓦記
		甘雨亭叢書　別集　弘化2年（1845）江戶北畠茂兵衛等活字本
2815	服部南郭	大東世語5卷
		寬延3年（1750）刊本
2816	服部南郭	唐詩選國字解
		漢籍國字解全書　第10卷　東京　早稻田大學出版部　明治42年（1909）
2817	服部南郭	南郭先生文集4編40卷

　　　　　　　享保12年（1727）—寶曆8年（1758）刊本

2818　服部南郭　　　南郭先生文集（抄）

　　　　　　　日本思想大系　第37冊　東京　岩波書店　昭和45年（1970）

2819　服部南郭著、日野龍夫編　南郭先生文集

　　　　　　　東京　ぺりかん社　昭和60年（1985）3月　432頁

2820　山本和義、横山弘注　服部南郭、祇園南海

　　　　　　　江戶詩人選集　第3卷　東京　岩波書店　平成3年（1991）
　　　　　　　4月

後人研究

2821　中村幸彦　　　文人服部南郭論

　　　　　　　九州大學文學部創立40周年記念論文集　福岡　九州大學
　　　　　　　昭和41年（1966）

2822　高橋洋吉　　　服部南郭の中華意識

　　　　　　　中國古典研究　第14號　昭和41年（1966）

2823　疋田啓佑　　　服部南郭

　　　　　　　叢書日本の思想家　第17冊　東京　明德出版社　平成7年
　　　　　　　（1995）12月（與太宰春臺合冊）

2824　日野龍夫　　　服部南郭傳考

　　　　　　　東京　ぺりかん社　平成9年（1997）　280頁

6.山縣周南（1687—1752）
やま がた しゅう なん

著　作

2825　山縣周南　　　周禮大司馬國字解1卷
　　　　　　　寫本

2826　山縣周南　　　爲學初問2卷
　　　　　　　寶曆10年（1760）刊本

2827　山縣周南　　　爲學初問

　　　　　　　日本倫理彙編　第6冊　東京　育成會　明治34年（1901）；
　　　　　　　京都　臨川書店　昭和45年（1970）

2828　山縣周南　　　周南先生爲學初問

　　　　　　　大日本文庫　第6冊　東京　大日本文庫刊行會　昭和9年
　　　　　　　（1934）

2829　山縣周南　　　爲學初問
　　　　　　　　　　日本教育思想大系　第26冊　徂徠學派　東京　日本圖書セ
　　　　　　　　　　ンター　昭和51年（1976）
2830　山縣周南　　　作文初問
　　　　　　　　　　寶曆5年（1755）刊本
2831　山縣周南　　　作文初問
　　　　　　　　　　日本文庫　第11編　東京　博文館　明治24年（1891）
2832　山縣周南　　　周南先生文集10卷
　　　　　　　　　　寶曆10年（1760）刊本

後人研究

2833　田中喜市編　　山縣周南先生傳
　　　　　　　　　　鄉土文獻　第9集　大正5年（1916）
2834　田中喜市編　　贈從四位山縣周南先生傳
　　　　　　　　　　編者印行　大正5年（1916）
2835　河村一郎　　　長州藩思想史覺書——山縣周南前後
　　　　　　　　　　萩　作者印行　昭和61年（1986）1月　180頁
2836　久富木成大　　山縣周南
　　　　　　　　　　叢書日本の思想家　第18冊　東京　明德出版社　昭和63年
　　　　　　　　　　（1988）10月（與山井崑崙合冊）

參、近世後期

一、通　論

(一)概　述

2837　源了圓編　　　江戸後期の比較文化研究
　　　　　　　　　　東京　ぺりかん社　平成2年（1990）1月　534頁
2838　季刊日本思想史編輯部　江戸後期の思想的狀況特集
　　　　　　　　　　季刊日本思想史　第2號　昭和51年（1976）10月
2839　子安宣邦編　　徂徠以後――近世後期倫理思想の研究
　　　　　　　　　　科學研究費研究成果報告書　昭和62年（1987）
2840　町田三郎　　　江戸の教學――寬政以後のこと
　　　　　　　　　　斯文　第104號　頁29―46　平成8年（1996）3月
2841　中山久四郎　　清朝考證の學風と近世日本
　　　　　　　　　　史潮　第1年1號　頁1―33　昭和6年（1931）
2842　中山久四郎　　近世支那學風の近世日本に及ぼしたる勢力影響特に德川時
　　　　　　　　　　代の考證學風の成立につきて
　　　　　　　　　　支那學研究（斯文會）　第2編　頁107―130　昭和7年
　　　　　　　　　　（1932）1月
2843　中村幸彦、岡田武彦校注　近世後期儒家集
　　　　　　　　　　日本思想大系　第47冊　東京　岩波書店　昭和47年（1972）
　　　　　　　　　　嚶鳴館遺草抄（細井平洲）
　　　　　　　　　　平洲先生諸民江教諭書取（細井平洲）
　　　　　　　　　　非徵總非（中井竹山）
　　　　　　　　　　與今村泰行論國事（中井竹山）
　　　　　　　　　　經濟要語（中井竹山）
　　　　　　　　　　問學舉要（皆川淇園）
　　　　　　　　　　聖道得門（塚田大峯）
　　　　　　　　　　入學新論（帆足万里）
　　　　　　　　　　約言（廣瀨淡窗）
　　　　　　　　　　辨妄（安井息軒）
　　　　　　　　　　書簡（大橋訥菴）

　　　　　　　　　　鳴鶴相和集（池田草菴）
　　　　　　　　　　付錄寬政異學禁關係文書
　　　　　　　　　　解　說
　　　　　　　　　　　近世後期儒學界の動向（中村幸彦）
　　　　　　　　　　　明末と幕末の朱王學（岡田武彦）
　　　　　　　　　　解題一（中村幸彦）
　　　　　　　　　　解題二（岡田武彦）
2844　富士川英郎　　江戶後期の詩たち
　　　　　　　　　　東京　麥書房　昭和41年（1966）12月　391頁

(二)異學之禁

2845　諸　家　　　　寬政異學禁意見書
　　　　　　　　　　日本儒林叢書　第3卷　東京　鳳出版　昭和2年（1927）；
　　　　　　　　　　昭和46年（1971）重印本
2846　栗山春水等　　寬政異學禁關係文書
　　　　　　　　　　近世儒家史料（上）　東京　井田書店　昭和17年（1942）
2847　中村幸彦校訂　寬政異學禁關係文書
　　　　　　　　　　日本思想大系　第47冊　近世後期儒家集附錄　東京　岩波
　　　　　　　　　　書店　昭和47年（1972）
2848　重野安繹　　　異學禁
　　　　　　　　　　①東京學士會院雜誌　第16編2、3號　明治27年（1901）2、
　　　　　　　　　　　3月
　　　　　　　　　　②增訂重野博士史學論集　上卷　頁345—371　東京　名著
　　　　　　　　　　　普及會　平成元年（1989）11月
2849　和島芳男　　　寬政異學の禁——その林門興隆との關係
　　　　　　　　　　大手前女子大學論集　第8號　昭和49年（1974）
2850　中村孝也　　　寬政異學の禁に就いて
　　　　　　　　　　斯文　第17編2號　昭和10年（1935）2月
2851　石川　謙　　　寬政異學の禁と其の教育史的效果
　　　　　　　　　　近世日本社會教育史の研究　東京　東洋圖書　昭和13年
　　　　　　　　　　（1938）
2852　小野壽人　　　寬政異學の禁と徂徠學派
　　　　　　　　　　日本諸學振興委員會研究報告　第4篇　歷史學　昭和14年
　　　　　　　　　　（1939）
2853　諸橋轍次　　　寬政異學の禁

近世日本の儒學　頁157—178　東京　岩波書店　昭和14年
（1939）8月

2854　渡邊年應　復古思想と寬政異學の禁——封建秩序の崩壞過程に於ける
葛藤
東京　國民精神文化研究所　昭和12年（1937）　138頁（國
民精神文化研究　第30冊）

2855　松平定光　寬政異學禁の一考察——特に林家弱體化の問題
漢學會雜誌　第9卷2號　昭和16年（1941）9月

2856　衣笠安喜　寬政異學禁と幕末の儒學思想
立命館文學　第172號　昭和34年（1959）9月

2857　小島政雄　寬政異學の禁に思ふ
斯文　復刊第29號　昭和36年（1961）1月

2858　相良　亨　寬政異學の禁と朱子學の徒
近世日本における儒教運動の系譜　東京　理想社　昭和40
年（1965）

2859　中田勇次郎　寬政異學の禁と漢籍の出版、蒐集
中國文化叢書　第9冊　日本漢學　東京　大修館書店　昭
和43年（1968）

2860　笠井助治　幕府寬政異學の禁と藩學
近世藩校に於ける學統學派の研究　東京　吉川弘文館　昭
和45年（1970）

2861　衣笠安喜　儒學における化政——寬政異學の禁との關連
化政文化の研究　東京　岩波書店　昭和51年（1976）

2862　衣笠安喜　寬政異學禁の思想史的意羔
近世儒學思想史の研究　東京　法政大學出版局　昭和51年
（1976）

2863　辻本雅史　寬政異學の禁における正學派朱子學の急義
日本の教育史學　第27號　昭和60年（1985）

2864　高橋章則　寬政異學の禁再考
日本思想史學　第26號　平成6年（1994）

(三)幕末思想

2865　羽仁五郎　幕末に於ける思想的動向
①東京　岩波書店　昭和8年（1933）（日本資本主義發達
史講座　第1部　明治維新史）

②東京　岩波書店　昭和57年（1982）5月　41頁（日本資本
　　主義發達史講座　第1部　明治維新史）

2866　荒川久壽男　維新前夜──その一つの流水
　　　　　　　　　東京　日本教文社　昭和40年（1965）　242頁　（日本人の
　　　　　ための國史叢書　6）

2867　安藤英男　明治維新の源流
　　　　　　　　　東京　紀伊國屋書店　昭和44年（1969）　272頁（紀伊國屋
　　　　　新書）；昭和56年（1981）7月　272頁

2868　片岡啓治　幕末の精神──日本近代史の逆說
　　　　　　　　　東京　日本評論社　昭和54年（1979）11月　230頁（日評選
　　　　　書）

2869　官地正人　幕末維新期の文化と情報
　　　　　　　　　東京　名著刊行會　平成6年（1994）

2870　季刊日本思想史編輯部　幕末改革の思想特集
　　　　　　　　　季刊日本思想史　第43號　平成6年（1994）6月

2871　鹿野政直編　幕末思想集
　　　　　　　　　日本の思想　第20冊　東京　筑摩書房　昭和44年（1969）7
　　　　　月
　　　　　　　　　解說・維新への序曲（鹿野政直）
　　　　　　　　　新論（會澤正志齋）
　　　　　　　　　啓發錄（橋本左內）
　　　　　　　　　省𠎷錄（佐久間象山）
　　　　　　　　　國是三論（橫井小楠）
　　　　　　　　　政權恢復秘策（大橋訥庵）
　　　　　　　　　廻瀾條議（久坂玄瑞）
　　　　　　　　　書簡（坂本龍馬）
　　　　　　　　　船中八策（坂本龍馬）
　　　　　　　　　英將秘訣（坂本龍馬）
　　　　　　　　　長州再征に關する建白書（福澤諭吉）
　　　　　　　　　日記抄（勝海舟）
　　　　　　　　　遺書抄（川路聖謨）
　　　　　　　　　幕末思想關係略年表　參考文獻
　　　　　　　　　明治維新への視點（對談・竹內好、鹿野政直）

2872　鵜澤義行　幕末政治思想の史的展開
　　　　　　　　　京都　三和書房　昭和50年（1975）　351頁

2873　山口宗之　幕末政治思想史研究

　　　　　　　　　　東京　ぺりかん社　昭和57年（1982）改訂増補版　328頁
2874　小池喜明　　　攘夷と傳統──その思想史的考察
　　　　　　　　　　東京　ぺりかん社　昭和60年（1985）　231頁
2875　Wakabayashi, Bob Tadashi,　Anti-foreignism and Western Learning in early
　　　　　　　　　　-modern Japan : The new theses of 1825. Bob Tadashi
　　　　　　　　　　Wakabayashi. Cambridge, Mass. : Council on East Asian
　　　　　　　　　　Studies, Harvard University : 1986. xvi, 343 p. (Harvard
　　　　　　　　　　East Asian monographs : 126)
2876　季刊日本思想史編輯部　尊王攘夷思想特集
　　　　　　　　　　季刊日本思想史　第13號　昭和55年（1980）4月
2877　倉澤　剛　　　幕末教育史の研究
　　　　　　　　　　東京　吉川弘文館　昭和58─61年（1983─1986）　3冊
　　　　　　　　　　第1冊　直轄學校政策　昭和58年（1983）2月　760頁
　　　　　　　　　　第2冊　諸術傳習政策　昭和59年（1984）2月　764頁
　　　　　　　　　　第3冊　諸藩の教育政策　昭和61年（1986）4月　822頁
2878　芳野幹一　　　幕末の儒學
　　　　　　　　　　近世日本の儒學　頁179─197　東京　岩波書店　昭和14年
　　　　　　　　　　（1939）8月

㈣幕末志士

2879　森　茂　　　　幕末四傑學風管見
　　　　　　　　　　東京　大東文化協會　昭和7年（1932）　81頁
2880　中澤護人　　　幕末の思想家
　　　　　　　　　　東京　筑摩書房　昭和41年（1966）　218頁
2881　山田　洸　　　幕末維新の思想家たち
　　　　　　　　　　東京　青木書店　昭和58年（1983）12月　268頁
2882　泉　秀樹　　　幕末維新人物100話
　　　　　　　　　　東京　立風書房　昭和63年（1988）2月　214頁
2883　奈良本辰也　　幕末維新の志士讀本
　　　　　　　　　　東京　天山出版　平成元年（1989）9月（天山文庫）
2884　學習研究社編　幕末維新の風雲
　　　　　　　　　　東京　學省研究社　平成元年（1989）12月　127頁
2885　南條範夫　　　怒濤の人──幕末維新の英傑たち
　　　　　　　　　　東京　PHP研究所　平成2年（1990）2月（PHP文庫）
2886　廣論社出版局編　書で綴る維新の群像

		東京　廣論社　平成2年（1990）2月　258頁
2887	早乙女貢	幕末志士傳
		東京　新人物往來社　平成3年（1991）7月　275頁
2888	尾崎秀樹	幕末三傑・亂世の行動學
		東京　時事通信社　平成6年（1994）2月　184頁
2889	小學館編	幕末・維新の群像
		東京　小學館　平成元年（1989）1月　5冊
		第1冊　新時代の予兆　277頁
		第2冊　開國と攘夷　286頁
		第3冊　龍馬と志士たち　270頁
		第4冊　悲劇の戊辰戰爭　302頁
		第5冊　西郷と大久保　286頁
2890	PHP研究所	幕末・維新の群像
		東京　PHP研究所（歷史人物シリーズ）
		第 1卷　坂本龍馬（邦光史郎著）
		平成元年（1989）12月　203頁
		第 2卷　岩倉具規（毛利敏彦著）
		平成元年（1989）12月　227頁
		第 3卷　大隈香信（榛葉英治著）
		平成元年（1989）12月　206頁
		第 4卷　島津齊彬（綱淵謙錠著）
		平成2年（1990）1月　234頁
		第 5卷　板垣退助（高野澄著）
		平成2年（1990）1月　206頁
		第 6卷　西郷隆盛（勝部眞長著）
		平成2年（1990）2月　254頁
		第 7卷　大久保利通（宮野澄著）
		平成2年（1990）2月　221頁
		第 8卷　佐久間象山（源了圓著）
		平成2年（1990）3月　218頁
		第 9卷　山縣有朋（半藤一利著）
		平成2年（1990）3月　227頁
		第10卷　岩崎彌太郎（榛葉英治著）
		平成2年（1990）4月　218頁
		第11卷　吉田松陰（古川薫著）
		平成2年（1990）5月　204頁

2891　大日本文庫刊行會編　勤王志士遺文集（1—3）

大日本文庫　第9—11冊　東京　大日本文庫刊行會　昭和9
—17年（1934—1942）

第1冊　渡邊世祐校訂

佐久間象山集

吉田松陰集

第2冊　井野邊茂雄校訂

眞木和泉集

平野次郎集

伴林光平集

藤本鐵石集

久坂玄瑞集

西鄉隆盛集

大久保利通集

野村望東尼集

坂本龍馬集

中岡愼太郎集

中根雪江集

第3冊　井野邊茂雄校訂

岩倉具視集

橋本左內集

梅田雲濱集

有馬新七集

清川八郎集

小河一敏集

二、後期朱子學派

(一)概　述

2892　賴　祺一　　近世後期朱子學派の研究

廣島　溪水社　昭和61年（1986）2月　594頁

2893　諸橋轍次、安岡正篤監修　幕末維新朱子學者書簡集

朱子學大系　第14卷　東京　明德出版社　昭和50年（1975）
12月

解說
大橋訥菴書簡
楠本端山書間
楠本碩水書簡
竝木栗水書簡
楠本碩水、竝木栗水論學書

(二)寬政三博士及其門人

1.西山拙齋（1735—1798）

著　作

2894　西山拙齋　　　閒窗瑣言
　　　　　　　　　　日本儒林叢書　第2卷　東京　鳳出版　昭和2年（1927）；
　　　　　　　　　　昭和46年（1971）重印本
2895　西山拙齋　　　遊松山記
　　　　　　　　　　日本儒林叢書　第3卷　東京　鳳出版　昭和2年（1927）；
　　　　　　　　　　昭和46年（1971）重印本
2896　西山拙齋　　　拙齋遺文鈔
　　　　　　　　　　日本儒林叢書　第3卷　東京　鳳出版　昭和2年（1927）；
　　　　　　　　　　昭和46年（1971）重印本
2897　西山拙齋著、菅茶山選　拙齋西山先生詩抄3卷
　　　　　　　　　　文政11年（1828）刊本
2898　廣常人世譯註　西山拙齋
　　　　　　　　　　朱子學大系　第13卷　日本の朱子學（下）　東京　明德出
　　　　　　　　　　版社　昭和50年（1975）3月

後人研究

2899　花田一重　　　西山拙齋翁
　　　　　　　　　　作者印行　大正1年（1912）
2900　花田一重　　　拙齋翁研究（1—5）
　　　　　　　　　　作者印行　大正2年（1913）
2901　花田一重　　　西山拙齋傳
　　　　　　　　　　淺口郡教育會　大正9年（1920）；大正11年（1922）訂正再
　　　　　　　　　　版

2902　鴨方町教育委員會　西山拙齋先生の面影
　　　　　　　　　　編者印行　昭和45年（1970）
2903　藤井猛編　　　關西の孔子西山拙齋先生傳其の遺跡を尋ねて
　　　　　　　　　　福山　兒島書店　昭和55年（1980)3月　38頁

<ruby>柴<rt>しば</rt></ruby><ruby>野<rt>の</rt></ruby><ruby>栗<rt>りつ</rt></ruby><ruby>山<rt>ざん</rt></ruby>

2.柴野栗山（1736—1807）

著　作

2904　柴野栗山　　　栗山論語筆記1卷
　　　　　　　　　　寫本
2905　柴野邦彥　　　上近衞公書
　　　　　　　　　　甘雨亭叢書　別集　弘化2年（1845）江戶北畠茂兵衞等活
　　　　　　　　　　字本
2906　柴野栗山　　　栗山文集6卷5冊
　　　　　　　　　　①天保13年（1842）刊本
　　　　　　　　　　②江戶山城屋佐兵衞刊本
2907　宮脇仲次郎編　訓點栗山文集
　　　　　　　　　　①高松　編者印行　明治39年（1906）10月　1冊
　　　　　　　　　　②香山　栗山顯彰會　昭和62年（1987）8月（增補註釋栗
　　　　　　　　　　山文集別冊）
2908　阿河埠三　　　增補註釋栗山文集
　　　　　　　　　　香山　栗山顯影會　昭和62年（1987）8月　366頁

後人研究

2909　龜山聿三編　　栗山柴野先生碑文集
　　　　　　　　　　近代先哲碑文集　第24集　東京　夢硯堂　昭和46年（1971）
2910　山路愛山　　　柴野栗山を論ず
　　　　　　　　　　愛山文集　東京　民友社　大正6年（1917）
2911　福家惣衞　　　柴野栗山
　　　　　　　　　　香川縣木田郡　栗山顯彰會、丸龜文化同好會　昭和24年
　　　　　　　　　　（1949）　160頁
2912　森　銑三　　　柴野栗山
　　　　　　　　　　森銑三著作集　第8卷　東京　中央公論社　昭和46年
　　　　　　　　　　（1971）

3. 岡田寒泉（1740—1816）

著　作

2913	岡田寒泉	幼學指要
		弘化3年（1846）刊本
2914	岡田寒泉	幼學指要
		日本文庫　第10編　東京　博文館　明治25年（1892）3月
2915	岡田寒泉	幼學指要
		漢書解題集成　第3冊　漢書解題集成　發行所　明治33年（1900）

後人研究

2916	重田定一	岡田寒泉傳
		東京　有成館　大正5年（1916）
2917	重田定一	岡田寒泉——善政を施した名代官
		土浦　筑波書林　昭和55年（1980）5月　102頁

4. 尾藤二洲（1745—1813）

著　作

2918	尾藤二洲	正學指掌1卷
		天明7年（1787）刊本
2919	尾藤二洲	正學指掌
		日本文庫　第1編　東京　博文館　明治24年（1891）
2920	尾藤二洲	正學指掌
		日本倫理彙編　第8冊　東京　育成會　明治34年（1901）；京都　臨川書店　昭和45年（1970）
2921	尾藤二洲	正學指掌
		日本精神文獻叢書　第10卷　儒教篇（下）　東京　大東出版社　昭和13年（1938）
2922	尾藤二洲	正學指掌
		日本思想大系　第37冊　東京　岩波書店　昭和47年（1972）

2923　尾藤二洲　　　　正學指掌
　　　　　　　　　　　日本教育思想大系　第26冊　徂徠學派　東京　日本圖書セ
　　　　　　　　　　　ンター　昭和51年（1976）

2924　尾藤二洲　　　　素餐錄
　　　　　　　　　　　日本倫理彙編　第8冊　東京　育成會　明治34年（1901）；
　　　　　　　　　　　京都　臨川書店　昭和45年（1970）

2925　尾藤二洲　　　　素餐錄
　　　　　　　　　　　日本思想大系　第37冊　東京　岩波書店　昭和47年（1972）

2926　尾藤二洲　　　　素餐錄
　　　　　　　　　　　日本教育思想大系　第26冊　徂徠學派　東京　日本圖書セ
　　　　　　　　　　　ンター　昭和51年（1976）

2927　尾藤二洲　　　　冬讀書錄2卷
　　　　　　　　　　　拙修齋叢書本

2928　尾藤二洲　　　　冬讀書餘
　　　　　　　　　　　日本儒林叢書　第2卷　東京　鳳出版　昭和2年（1927）；
　　　　　　　　　　　昭和46年（1971）重印本

2929　尾藤二洲　　　　冬讀書餘
　　　　　　　　　　　日本教育思想大系　第26冊　徂徠學派　東京　日本圖書セ
　　　　　　　　　　　ンター　昭和51年（1976）

2930　尾藤二洲　　　　冬讀書餘拾遺
　　　　　　　　　　　日本教育思想大系　第26冊　徂徠學派　東京　日本圖書セ
　　　　　　　　　　　ンター　昭和51年（1976）

2931　尾藤二洲　　　　稱謂私言1卷
　　　　　　　　　　　拙修齋叢書本

2932　尾藤二洲　　　　稱謂私言
　　　　　　　　　　　日本儒林叢書　第8卷　東京　鳳出版　昭和2年（1927）；
　　　　　　　　　　　昭和46年（1971）重印本

2933　尾藤二洲　　　　擇言
　　　　　　　　　　　日本儒林叢書　第1卷　東京　鳳出版　昭和2年（1927）；
　　　　　　　　　　　昭和46年（1971）重印本

2934　尾藤二洲　　　　擇言
　　　　　　　　　　　日本教育思想大系　第26冊　徂徠學派　東京　日本圖書セ
　　　　　　　　　　　ンター　昭和51年（1976）

2935　尾藤二洲　　　　靜寄餘筆
　　　　　　　　　　　日本儒林叢書　第2卷　東京　鳳出版　昭和2年（1927）；
　　　　　　　　　　　昭和46年（1971）重印本

2936 尾藤二洲　　　静寄餘筆
　　　日本教育思想大系　第26冊　徂徠學派　東京　日本圖書セ
　　　ンター　昭和51年（1976）
2937 尾藤二洲　　　静寄軒文集12卷
　　　寫本
2938 尾藤二洲著、賴惟勤編　静寄軒集
　　　近世儒家文集集成　第10卷　東京　ぺりかん社　平成3年
　　　（1991）1月　338頁
2939 白木豐譯註　　尾藤二洲
　　　朱子學大系　第13卷　日本の朱子學（下）　東京　明德出
　　　版社　昭和50年（1975）3月

後人研究

2940 龜山聿三編　　二洲尾藤先生碑文集
　　　近代先哲碑文集　第29集　東京　夢硯堂　昭和47年（1972）
2941 大西林五郎　　尾藤二洲傳
　　　愛媛縣先哲偉人叢書　昭和14年（1939）
2942 白木　豐　　　尾藤二洲傳
　　　川之江　尾藤二洲傳頒布會　昭和54年（1979）11月　613頁
2943 妻木　忠　　　尾藤二洲研究參考書
　　　歷史地理　第13卷4號　頁411　明治42（1909）

5.古賀精里（1750—1817）

著　作

2944 古賀精里　　　大學諸說辨誤
　　　日本名家四書註釋全書　學庸部1　東京　東洋　圖書刊行
　　　會　大正11年（1922）
2945 古賀精里　　　大學章句纂釋
　　　日本名家四書註釋全書　學庸部1　東京　東洋　圖書刊行
　　　會　大正11年（1922）
2946 古賀精里　　　精里初集3卷
　　　文化14年（1817）樺島公禮序刊本
2947 古賀精里　　　精里二集2卷

　　　　　　　　　　　文化14年（1817）序刊本
2948　古賀精里　　　　精里三集5卷
　　　　　　　　　　　文政元年（1818）諸家序跋本
2949　古賀精里　　　　精里全集20卷
　　　　　　　　　　　文政4年（1821）寫本（静嘉堂文庫藏）
2950　古賀精里著、梅澤秀夫編　精里全書
　　　　　　　　　　　近世儒家文集集成　第15卷　東京　ぺりかん社　平成8年
　　　　　　　　　　　（1996）2月　572頁

後人研究

2951　龜山聿三編　　　精里古賀先生碑文集
　　　　　　　　　　　近代先哲碑文集　第25集　東京　夢硯堂　昭和46年（1971）
2952　松下　　忠　　　古賀精里の行實
　　　　　　　　　　　漢學研究（日本大學）　第16、17合併號　昭和53年
　　　　　　　　　　　（1978）

6.近藤篤山（1750—1817）
こ ん ど う と く ざん

著　作

2953　近藤篤山　　　　篤山日誌17冊
　　　　　　　　　　　寫本
2954　近藤篤山　　　　篤山歌集１冊
　　　　　　　　　　　寫本
2955　近藤篤山　　　　篤山余稿1冊
　　　　　　　　　　　寫本

後人研究

2956　未署名　　　　　篤山先生事略1冊
　　　　　　　　　　　寫本
2957　渡邊盛義　　　　近藤篤山傳
　　　　　　　　　　　大政翼贊會愛媛支部　昭和17年（1941）
2958　近藤則之　　　　近藤篤山
　　　　　　　　　　　叢書日本の思想家　第29冊　東京　明德出版社

昭和63年（1988）4月（與林良齋合冊）

2959　未署名　　篤山史料1冊
　　　　　　　　寫本

7.林　述　齋（1768—1841）
はやし　じゅっさい

著　作

2960　林述齋述、佐藤一齋編　初學課業次第
　　　　　　　　漢書解題集成　第3冊　漢書解題集成發行所　明治33年
　　　　　　　　（1900）
2961　林　述齋　　蕉窗文草
　　　　　　　　崇文叢書　第1輯　東京　崇文院　大正14年（1925）
2962　林　述齋　　蕉窗永言
　　　　　　　　崇文叢書　第1輯　東京　崇文院　大正14年（1925）
2963　林述齋編　　佚存叢書
　　　　　　　　寬政11年（1799）一文化7年（1810）刊本
2964　林述齋編　　佚存叢書
　　　　　　　　清光緒8年（1882）刊本
2965　林述齋編　　佚存叢書
　　　　　　　　上海　商務印書館　大正13年（1924）

後人研究

2966　龜山圭三編　述齋林先生碑文集
　　　　　　　　近代先哲碑文集　第28集　東京　夢硯堂　昭和47年（1972）
2967　山縣昌藏　　林述齋の史話
　　　　　　　　史學會雜誌　第1卷5號　明治23年（1897）
2968　松平定光　　浴恩園に於ける述齋と樂翁
　　　　　　　　斯文　第21卷6、7號　昭和14年（1939）
2969　高瀨代次郎　林大學頭述齋の文勳
　　　　　　　　斯文　第22卷12號　昭和15年（1940）
2970　田中佩刀　　林述齋論
　　　　　　　　宇野哲人先生白壽祝賀記念東洋學論叢　東京　該記念會
　　　　　　　　昭和49年（1984）

8.古賀侗庵（1788—1847）

<small>こ　が　とう　あん</small>

著　作

2971	古賀侗庵	大學問答4卷
		文政10年（1827）篠崎小竹序
2972	古賀侗庵	劉子上編、下編
		日本儒林叢書　第9、10卷　東京　鳳出版　昭和2年（1927）；
		昭和41年（1976）重印本
2973	古賀侗庵	崇程
		崇文叢書　第2輯　東京　崇文院　大正14年（1925）
2974	古賀侗庵	侗庵筆記
		日本儒林叢書　第7卷　東京　鳳出版　昭和2年（1927）；
		昭和41年（1976）重印本
2975	古賀侗庵	泣血錄
		①日本儒林叢書　第14卷　東京　鳳出版　昭和2年（1927）；
		昭和41年（1976）重印本
		②儒林雜纂　東京　東洋圖書刊行會　昭和13年（1938）2
		月
2976	古賀侗庵	侗庵非詩話
		崇文叢書　第1輯　東京　崇文院　大正14年（1925）

後人研究

2977	富士川英郎	古賀侗庵「侗庵筆記」
		新潮　第72卷7號　昭和50年（1975）7月
2978	松下　忠	古賀侗庵の詩文論と中國教文論
		東方學　第54號　昭和52年（1977）7月
2979	松下　忠	古賀侗庵の行實
		斯文　復刊第81號　昭和52年（1977）10月
2980	松下　忠	古賀侗庵の中國散文論
		日本中國學會報　第29集　昭和52年（1977）

㈢後期崎門學派

1.久米訂齋（1699－1784）
<small>く め てい さい</small>

著　作

2981　久米訂齋著、岡直養校　四部書1卷
　　　昭和7年（1932）刊本
2982　久米訂齋　　　　學思錄鈔2卷
　　　昭和6年（1932）刊本
2983　久米訂齋　　　　晚年謾語
　　　日本儒林叢書　第2卷　東京　鳳出版　昭和2年（1927）；
　　　昭和47年（1976）重印本

後人研究

2984　森　銑三　　　　久米訂齋逸事
　　　森銑三著作集　第8卷　東京　中央公論社　昭和46年
　　　（1971）

2.蟹　養齋（1705－1778）
<small>かに　よう さい</small>

著　作

2985　蟹　養齋　　　　讀書路徑
　　　江戶時代支那學入門書解題集成　第1集　東京　汲古書院
　　　昭和50年（1975）
2986　蟹　維安　　　　儒法棺椁式
　　　日本隨筆集成　第12集　東京　古典研究會　昭和53年
　　　（1978）
2987　蟹　養齋　　　　非徂徠學1卷
　　　昭和2年（1965）刊本
2988　蟹　養齋　　　　非徂徠學
　　　日本儒林叢書　第4卷　東京　鳳出版　昭和2年（1927）；
　　　昭和46年（1971）重印本

2989　蟹　養齋　　辨復古
　　　　　　　　　日本儒林叢書　第8卷　東京　鳳出版　昭和2年（1927）；
　　　　　　　　　昭和46年（1971）重印本

2990　蟹　養齋　　俗儒辨
　　　　　　　　　日本儒林叢書　第4卷　東京　鳳出版　昭和2年（1927）；
　　　　　　　　　昭和46年（1971）重印本

2991　蟹　養齋　　武家須知
　　　　　　　　　日本教育思想大系　第18冊　近代武家教育思想(3)　東京
　　　　　　　　　日本圖書センター　昭和51年（1976）

3.稲葉默齋（1732－1799）
（いなばもくさい）

著　作

2992　稲葉默齋　　道學先達遺事1卷
　　　　　　　　　刊本

2993　稲葉默齋　　先達遺事
　　　　　　　　　日本儒林叢書　第3卷　東京　鳳出版　昭和2年（1927）；
　　　　　　　　　昭和46年（1971）重印本

2994　稲葉默齋　　先達遺事
　　　　　　　　　近世儒家史料　中冊　東京　井田書店　昭和18年（1943）

2995　稲葉默齋　　墨水一滴
　　　　　　　　　日本儒林叢書　第3卷　東京　鳳出版　昭和2年（1927）；
　　　　　　　　　昭和46年（1971）重印本

2996　稲葉默齋　　墨水一滴
　　　　　　　　　近世儒家史料　中冊　東京　井田書店　昭和18年（1943）

2997　稲葉默齋　　孤松全稿
　　　　　　　　　東京　道學協會　明治24年（1891）3月　2冊（道學遺書初
　　　　　　　　　集　卷1－4）

後人研究

2998　池上幸二郎　稲葉默齋先生傳
　　　　　　　　　東京　一誠堂書店　昭和10年（1935）

2999　森　銑三　　稲葉默齋
　　　　　　　　　森銑三著作集　第8卷　東京　中央公論社　昭和46年

（1971）

<ruby>月<rt>つき</rt>田<rt>だ</rt>蒙<rt>もう</rt>齋<rt>さい</rt></ruby>
4.月田蒙齋（1807－1866）

著　作

3000　月田蒙齋　　易學啓蒙先天圖說1卷
　　　　　　　　　寫本
3001　月田　強　　蒙齋隨筆2卷1冊
　　　　　　　　　鳳鳴書院　明治26年（1893）
3002　月田　強　　蒙齋先生詩集
　　　　　　　　　鳳鳴書院　明治27年（1894）
3003　月田　強　　蒙齋先生詩集
　　　　　　　　　岡直養印行　大正7年（1918）12月
3004　月田蒙齋著、楠本碩水抄錄　蒙齋先生遺書1冊
　　　　　　　　　寫本

後人研究

3005　難波征男　　月田蒙齋
　　　　　　　　　叢書日本の思想家　第42冊　東京　明德出版社　昭和53年
　　　　　　　　　（1978）12月（與楠本端山合冊）

<ruby>細<rt>ほそ</rt>野<rt>の</rt>要<rt>よう</rt>齋<rt>さい</rt></ruby>
5.細野要齋（1811－1878）

著　作

3006　細野要齋　　尾張名家誌2卷、二編3卷
　　　　　　　　　安政4年（1857）、大正7年（1918）刊本
3007　細野要齋　　尾張名家誌初編
　　　　　　　　　日本儒林叢書　第3卷　東京　鳳出版　昭和2年（1927）；
　　　　　　　　　昭和46年（1971）重印本
3008　細野要齋　　尾張名家誌初編
　　　　　　　　　近世儒家史料　中冊　東京　井田書店　昭和18年（1943）

後人研究

3009　市橋　鐸　　　　細野要齋年譜
　　　　　　　　　　名古屋　名古屋市貿易觀光課　昭和38年（1963）3月　50頁
　　　　　　　　　　（文化財叢書　32號）

㈣懷德堂學派

1.概　述

3010　幸田成文編　　　懷德堂舊記
　　　　　　　　　　東京　作者印行　明治44年（1911）10月　26頁
3011　西村天囚　　　　懷德堂考
　　　　　　　　　　大阪　懷德堂紀念會　大正14年（1925）
3012　大阪大學　　　　懷德堂の過去と現在
　　　　　　　　　　大阪　編者印行　昭和28年（1953）11月　51頁
　　　　　　　　　　①懷德堂とは何か（木村英一）
　　　　　　　　　　②懷德堂の經學（武內義雄）
　　　　　　　　　　③懷德堂の文藝（神田喜一郎）
　　　　　　　　　　④戰災とその後の懷德堂
3013　懷德堂記念會　　懷德堂要覽
　　　　　　　　　　大阪　編者印行　昭和43年（1968）10月　56頁
3014　宮本又次　　　　町人社會の學藝と懷德堂
　　　　　　　　　　東京　文獻出版　昭和57年（1982）2月　274頁
3015　大阪市立博物館　懷德堂——近世大阪の學校
　　　　　　　　　　大阪　編者印行　昭和61年（1986）　76頁（展覽會目錄
　　　　　　　　　　100號）
3016　梅　溪昇　　　　大阪學問所の周邊
　　　　　　　　　　京都　思文閣　平成3年（1991）　220頁
3017　懷德堂記念會　　懷德堂——浪華の學問所
　　　　　　　　　　大阪　懷德堂記念會　平成6年（1994）
3018　水田紀久　　　　近世浪華學藝史論
　　　　　　　　　　大阪　中尾松泉堂書店　昭和61年（1986）
3019　季刊日本思想史編輯部　懷德堂の思想
　　　　　　　　　　季刊日本思想史　第20號　昭和58年（1983）3月
3020　テツオ・ナジタ著、子安宣邦譯　懷德堂——十八世紀日本の「德」の諸相

東京　岩波書店　平成4年（1992）6月　538頁
3021　石濱純太郎　浪華例林傳
大阪　全國書房　昭和17年（1942）8月　188頁
3022　陶　德民　懷德堂朱子學の研究
吹田　大阪大學出版會　平成6年（1994）3月　422頁
3023　釜田啓市　懷德堂關係研究論考目錄
中國研究集刊　暑號（總20號）　頁1－24　平成9年（1997）
3024　懷德堂記念會編　懷德堂遺書
松村文海堂　明治44年（1911）　15冊
第1－5冊　奠陰集（中井積善）
第6－9冊　論語逢原（中井積德）
第10－11冊　勢語通（五井純禎）
第12冊　蘭洲茗話（五井純禎）
第13－14冊　竹山國字牘
第15冊　懷德堂五種
論孟首章講義（三宅正名）
五孝子伝（中井誠之）
富貴村良農事狀（中井誠之）
蒙養篇（中井積善）
貞婦記錄（中井積善）
3025　大阪大學懷德堂文庫復刻刊行會　懷德堂文庫復刻叢書
大阪　懷德堂友の會
第1種　非徵（中山竹山）　昭和63年（1988）2月　160頁
第2種　非物篇（五井蘭洲）　平成元年（1989）2月　119頁
第3種　華胥國物語（中井履軒）　平成2年（1990）3月
151頁
第4—6種　史記雕題（上、中、下）（中井履軒）
（上）平成3年（1991)3月　278頁
（中）平成4年（1992)3月　299頁
（下）平成5年（1993)3月　391頁
第7種　中庸雕題（中井履軒）　平成6年（1994）3月　236頁
（附中井履軒《中庸》相關著作）
第8種　詩雕題（中井履軒）　平成7年（1995）3月　365頁
第9種　論語雕題（中井履軒）　平成8年（1996）3月　470頁

2.三宅石庵（1665−1730）
<ruby>み<rt></rt></ruby>（み や け せき あん）

著　作

3026　三宅正名　　　論語首章講義1巻
　　　　　　　　　　懷德堂遺書　第15冊　松村文海堂　明治44年（1911）
3027　三宅萬年　　　諸物雜記1巻
　　　　　　　　　　寫本

後人研究

3028　中井天生　　　石庵先生行狀
　　　　　　　　　　懷德　第18號　昭和15年（1940）
3029　大月　明　　　懷德堂創設期の人人——三宅石庵と中井甃庵
　　　　　　　　　　懷德　第33號　昭和37年（1962）10月

3.中井甃庵（1693−1758）
（なか い しゅう あん）

著　作

3030　中井誠之著、中井積善補、中井積德校　葬祭私説1冊
　　　　　　　　　　寫本
3031　中井誠之著、中井積善補、中井積德校　葬祭私説1冊
　　　　　　　　　　寶曆10年（1760）寫本
3032　中井誠之著、中井積善補、中井積德校　葬祭私説1冊
　　　　　　　　　　天保6年（1835）寫本
3033　中井誠之　　　五孝子傳1冊
　　　　　　　　　　寫本
3034　中井誠之　　　五孝子傳
　　　　　　　　　　懷德堂遺書　第15冊　松村文海堂　明治44年（1911）
3035　中井誠之　　　富貴村良農事狀
　　　　　　　　　　懷德堂遺書　第15冊　松村文海堂　明治44年（191）
3036　中井誠之　　　筆塵2冊
　　　　　　　　　　寫本
3037　中井誠之　　　とはすかたり1冊

寫本（享保13年（1728）自序）

3038 中井誠之 とはすかたり
寬政3年（1791）刊本

3039 中井誠之 とはすかたり
溫知叢書　第6編　東京　博文館　明治24年（1891）

3040 中井甃庵 とはすかたり1卷
日本隨筆大成　第3期第6冊　東京　吉川弘文館　昭和2年
（1927）

後人研究

3041 大月　明 懷德堂創設期の人人——三宅石庵と中井甃庵
懷德　第33號　昭和37年（1962）10月

3042 大月　明 中井甃庵論
人文研究（大阪市立大學）　第10卷10號　頁32—50　昭和
34年（1959）

4.五井蘭洲（1697－1762）
ご　い　らん　しゅう

著　作

3043 五井蘭洲 非物篇20卷5冊
手稿本（京都古樟堂文庫藏）

3044 五井蘭洲 非物篇6卷
安永8年（1779）刊本

3045 五井蘭洲 非物篇6卷
天明4年（1784）刊本

3046 五井蘭洲 非物篇
大阪　懷德堂友の會　平成元年（1989）2月　119頁（懷德
堂文庫復刻叢書　2）

3047 五井蘭洲 質疑篇1卷
刊本

3048 五井蘭洲 瑣語
日本儒林叢書　第1卷　東京　鳳出版　昭和2年（1927）；
昭和46年（1971）重印本

3049 五井蘭洲 駁太宰純赤穗四十六士論

日本思想大系　第27冊　赤穂事件　東京　岩波書店　昭和
49年（1974）

後人研究

3050　三木正太郎　　浪速の儒者五井蘭洲――特にその徂徠批判について
　　　　　　　　　　藝林　第1卷5號　昭和25年（1950）10月
3051　石村天囚　　　五井蘭洲
　　　　　　　　　　懷德　第37號　昭和41年（1966）10月
3052　中村幸彦　　　五井蘭洲の文學觀
　　　　　　　　　　①九州大學文學研究　第66號　昭和44年（1969）9月
　　　　　　　　　　②近世文藝思潮考　東京　岩波書店　昭和50年（1975）

<ruby>富<rt>とみ</rt></ruby><ruby>永<rt>なが</rt></ruby><ruby>仲<rt>なか</rt></ruby><ruby>基<rt>もと</rt></ruby>
5.富 永 仲 基（1715－1746）

著　作

3053　富永仲基　　　翁の文
　　　　　　　　　　大阪　富士屋長兵衛刊本　寛保3年（1746）　6,31丁
3054　富永仲基　　　翁の文
　　　　　　　　　　京都　小林寫眞製版所　大正13年（1924）　39丁
3055　富永仲基　　　翁の文
　　　　　　　　　　日本儒林叢書　第6卷　東京　鳳出版　昭和2年（1927）；
　　　　　　　　　　昭和46年（1971）重印本
3056　富永仲基　　　翁の文
　　　　　　　　　　日本哲學全書　第12卷　東京　第一書房　昭和11年（1936）
3057　富永仲基　　　翁の文
　　　　　　　　　　日本哲學思想全書　第8卷　東京　平凡社　昭和31年
　　　　　　　　　　（1956）
3058　富永仲基著，石濱純太郎、水田紀久、大庭　脩校　翁の文
　　　　　　　　　　日本古典文學大系　第97冊　近世思想家文集　東京　岩波
　　　　　　　　　　書店　昭和41年（1966）
3059　富永仲基　　　翁の文
　　　　　　　　　　日本の思想　第18冊　東京　筑摩書房　昭和44年（1969）
3060　富永仲基著、楢林忠男譯　翁の文
　　　　　　　　　　日本の名著　第18冊　東京　中央公論社　昭和57年（1982）

3061 富永滄浪著、猪飼彥博校　古學辨疑
　　　　　　　天保5年（1834）刊本
3062 富永滄浪　　古學辨疑
　　　　　　　日本儒林叢書　第5卷　東京　鳳出版　昭和2年（1927）；
　　　　　　　昭和46年（1971）重印
3063 富永仲基　　出定後語
　　　　　　　東京　鴻盟社　明治35年（1902）　117頁
3064 富永仲基　　出定後語2卷
　　　　　　　日本思想鬥爭史料　第3卷　東京　東方書院　昭和5年
　　　　　　　（1930）；東京　名著刊行會　昭和44年（1969）
3065 富永仲基　　出定後語
　　　　　　　大日本思想全集　第10卷　東京　大日本思想全集刊行會
　　　　　　　昭和6年（1931）
3066 富永仲基　　出定後語
　　　　　　　日本哲學思想全書　第9卷　東京　平凡社　昭和31年
　　　　　　　（1956）
3067 富永仲基　　出定後語2卷
　　　　　　　日本思想大系　第43冊　東京　岩波書店　昭和48年（1973）
3068 富永仲基著、石田瑞麿譯　出定後語
　　　　　　　日本の名著　第18冊　東京　中央公論社　昭和47年（1972）
3069 富永仲基　　樂律考
　　　　　　　吹田　關西大學東西學術研究所　昭和33年（1958）3月
　　　　　　　124頁
3070 大日本思想全集刊行會　富永仲基集
　　　　　　　大日本思想全集　第10卷　東京　大日本思想全集刊行會
　　　　　　　昭和6年（1931）
　　　　　　　出定後語
3071 中村幸彥編　　富永仲基集
　　　　　　　日本の思想　第18冊　東京　筑摩書房　昭和46年（1971）
　　　　　　　翁の文
3072 水田紀久、有坂隆道校注　富永仲基、山片蟠桃
　　　　　　　日本思想大系　第43冊　東京　岩波書店　昭和48年（1973）
　　　　　　　富永仲基
　　　　　　　　出定後語
　　　　　　　山片蟠桃
　　　　　　　　夢ノ代

解說
　　富永仲基と山片蟠桃（水田紀久）
　　「出定後語」と富永仲基の思想史研究法（水田紀久）
　　「出定後語」の版本（梅谷文夫）
　　山片蟠桃と「夢ノ代」（有坂隆道）

3073　加藤周一編　　富永仲基
　　　　　　　　　日本の名著　第18冊　東京　中央公論社　昭和47年（1972）
　　　　　　　　　江戶思想の可能性と現實（加藤周一）
　　　　　　　　　翁の文（梅林忠男譯）
　　　　　　　　　出定後語（石田瑞麿譯）

後人研究

3074　內藤虎次郎　　大阪の町人學者富永仲基
　　　　　　　　　①大阪文化史　大阪　大阪每日新聞社　大正14年（1925）
　　　　　　　　　②先哲の學問　頁62—90　東京　筑摩書房　昭和62年
　　　　　　　　　　（1987）9月
　　　　　　　　　③內藤湖南全集　第9卷　東京　筑摩書房　昭和44年
　　　　　　　　　　（1969）
3075　寺田彌吉　　　富永仲基と日本精神
　　　　　　　　　日本精神講座　第3冊　東京　新潮社　昭和9年（1934）
3076　石濱純太郎　　富永謙齋先生小伝
　　　　　　　　　玉樹安造印行　昭和12年（1937）
3077　石濱純太郎　　富永仲基
　　　　　　　　　東京　創元社　昭和15年（1940）　227頁（創元選書）
3078　家永三郎　　　富永仲基
　　　　　　　　　近代日本の思想家　東京　有信堂　昭和37年（1962）
3079　梅谷丈夫、水田紀久　富永仲基研究
　　　　　　　　　大阪　和泉書院　昭和59年（1984）11月　277頁（研究選書）
3080　Tominaga, Tyoki,（1715—1746）　Emerging from meditation, Tominaga
　　　　　　　　　Nakamoto; translated with an introduction by Michael Pye.
　　　　　　　　　London : Duckworth, 1990. ix. 214 P.
3081　宮川康子　　　思想史の前哨——富永仲基と懷德堂
　　　　　　　　　東京　ぺりかん社　平成9年（1997）　280頁

<ruby>中<rt>なか</rt>井<rt>い</rt>竹<rt>ちく</rt>山<rt>ざん</rt></ruby>

6.中井竹山（1730—1804）

著　作

3082	中井竹山	非徵8卷 天明4年（1784）刊本
3083	中井竹山	非徵（總非） 日本思想大系　第47冊　東京　岩波書店　昭和47年（1972）
3084	中井竹山	非徵 大阪　懷德堂友の會　昭和63年（1988）2月　160頁（懷德堂文庫復刻叢書　1）
3085	中井竹山著、中井修二編　蒙養編	堺　堺縣女紅場　昭和12年（1879）5月　12丁
3086	中井竹山	草茅危言 經濟叢書　第3冊　經濟雜誌社　明治27年（1984）
3087	中井積善	草茅危言 日本思想鬥爭史料　第6卷　東京　東方書院　昭和5年（1930）
3088	中井竹山	草茅危言 大日本思想全集　第7卷　東京　大日本思想全集刊行會　昭和6年（1931）
3089	中井竹山	草茅危言 近世社會經濟學說大系　第8冊　東京　誠文堂新光社　昭和10年（1935）
3090	中井竹山	經濟要語 近世社會經濟學說大系　第8冊　東京　誠文堂新光社　昭和10年（1935）
3091	中井竹山	經濟要語 日本思想大系　第47冊　東京　岩波書店　昭和47年（1972）
3092	中井竹山	社倉私議 近世社會經濟學說大系　第8冊　東京　誠文堂新光社　昭和10年（1935）
3093	中井竹山	公田說 近世社會經濟學說大系　第8冊　東京　誠文堂新光社　昭和10年（1935）

3094　中井竹山　　　　與今村泰行論國事
　　　　　　　　　　日本思想大系　第47冊　東京　岩波書店　昭和47年（1972）
3095　中井竹山　　　　東征稿
　　　　　　　　　　日本儒林叢書　第12卷　東京　鳳出版　昭和2年（1927）；
　　　　　　　　　　昭和46年（1971）重印本
3096　中井竹山　　　　西上記
　　　　　　　　　　日本儒林叢書　第12卷　東京　鳳出版　昭和2年（1927）；
　　　　　　　　　　昭和46年（1971）重印本
3097　中井竹山　　　　閑距餘筆
　　　　　　　　　　日本儒林叢書　第12卷　東京　鳳出版　昭和2年（1927）；
　　　　　　　　　　昭和46年（1971）重印本
3098　中井竹山　　　　詩律兆11卷
　　　　　　　　　　日本詩話叢書　第10卷　東京　文會堂　大正9年（1920）；
　　　　　　　　　　東京　鳳出版　昭和47年（1972）
3099　中井竹山　　　　竹山先生文稿3卷
　　　　　　　　　　寛政4年（1792）寫本
3100　中井竹山著、水田紀久編　奠陰集
　　　　　　　　　　近世儒家文集集成　第8集　東京　ぺりかん社　昭和62年
　　　　　　　　　　（1987）3月　405頁
3101　大日本思想全集刊行會　中井竹山集
　　　　　　　　　　大日本思想全集　第7卷　東京　大日本思想全集刊行會
　　　　　　　　　　昭和6年（1931）
　　　　　　　　　　草茅危言
3102　菅野和太郎解題　中井竹山集
　　　　　　　　　　近世社會經濟學說大系　第8冊　東京　誠文堂新光社　昭
　　　　　　　　　　和10年（1935）
　　　　　　　　　　草茅危言
　　　　　　　　　　社倉私議
　　　　　　　　　　經濟要語
　　　　　　　　　　公田說
　　　　　　　　　　逸史
　　　　　　　　　　附錄：草茅危言摘議（神惟孝）
3103　高橋章則編　　　中井竹山資料集
　　　　　　　　　　近世儒家資料集成　第3、4集　東京　ぺりかん社　平成元
　　　　　　　　　　年（1989）7月
　　　　　　　　　　上卷（第3集）

進逸史牋
逸史 首卷，子—巳
下卷（第4集）
逸史（續）午—亥
逸史問答
解說：《逸史》の獻上と歷史敍述の方法について（高橋
章則）

後人研究

3104 龜山聿三編　竹山中井先生碑文集
近代先哲碑文集　第27集　東京　夢硯堂　昭和46年（1971）
3105 本庄榮治郎　中井竹山の經濟思想
經濟研究　第2卷1號　大正14年（1925）
3106 稻垣國三郎　中井竹山と草茅危言
東京　大正洋行　昭和18年（1943）
3107 藤　直幹　懷德堂の史學——中井竹山の逸史を中心として
懷德　第28號　昭和32年（1957）10月
3108 小崛一正、山中浩之　中井竹山
叢書日本の思想家　第24冊　東京　明德出版社　昭和55年
（1980）7月（與中井履軒合冊）

7.中井履軒（1732—1817）

著　作

3109　中井履軒　論語雕題
大阪　懷德堂友の會　平成8年（1996）3月　470頁　（懷德
堂文庫復刻叢書　9）
3110　中井履軒　論語逢原
東京　東陽堂　明治45年（1912）1月　4冊
3111　中井履軒　論語逢原
日本名家四書註釋全書　論語部4　東京　東洋圖書刊行會
大正11年（1922）
3112　中井履軒　孟子逢原
日本名家四書註釋全書　孟子部2　東京　東洋圖書刊行會

大正11年（1922）

3113　中井履軒　　　孟子雕題略
　　　　　　　　　　寫本

3114　中井履軒　　　大學雜議
　　　　　　　　　　日本名家四書註釋全書　學庸部1　東京　東洋圖書刊行會
　　　　　　　　　　大正11年（1922）

3115　中井履軒　　　大學雜議1卷
　　　　　　　　　　昭和2年（1927）刊本

3116　中井履軒　　　中庸逢原
　　　　　　　　　　日本名家四書註釋全書　學庸部1　東京　東洋圖書刊行會
　　　　　　　　　　大正11年（1922）

3117　中井履軒　　　中庸逢原
　　　　　　　　　　昭和2年（1927）刊本

3118　中井履軒　　　中庸雕題
　　　　　　　　　　寫本

3119　中井履軒　　　中庸雕題
　　　　　　　　　　大阪　懷德堂友の會　平成6年（1994）　236頁（懷德堂文
　　　　　　　　　　庫復刻叢書　7）

3120　中井履軒　　　周易逢原3卷
　　　　　　　　　　大正15年（1926）刊本

3121　中井履軒　　　左傳雕題略12卷
　　　　　　　　　　刊本

3122　中井履軒著、河野颿評、市村元貞點　小學雕題
　　　　　　　　　　大阪　鹿田靜七等刊本　明治15年（1882）2月　2冊（上45
　　　　　　　　　　丁、下20丁）

3123　中井履軒注、佐藤一齋外書　朱子小學注釋
　　　　　　　　　　大阪　文盛堂　明治17年（1884）　8冊

3124　中井履軒　　　老子雕題
　　　　　　　　　　日本儒林叢書　第6卷　東京　鳳出版　昭和2年（1927）；
　　　　　　　　　　昭和46年（1971）重印本

3125　中井履軒　　　史記雕題
　　　　　　　　　　寫本（文化5年（1808)序）

3126　中井履軒　　　莊子雕題
　　　　　　　　　　寫本

3127　中井履軒　　　莊子雕題
　　　　　　　　　　無求備齋莊子集成續編　第47冊　臺北　成文出版社　昭和

57年（1982）

3128　中井履軒　華胥國物語
　　　　　　　大阪　中井木莵麿　明治19年（1886）5月　16丁

3129　中井履軒　華胥國物語
　　　　　　　大阪　懷德堂友の會　平成2年（1990）　151頁（懷德堂文
　　　　　庫復刻叢書　3）

3130　中井積德　均田茅議
　　　　　　　日本哲學全書　第10卷　東京　第一書房　昭和11年（1936）

3131　中井積德　均田茅議
　　　　　　　日本哲學思想全書　第18卷　東京　平凡社　昭和31年
　　　　　（1956）

3132　中井履軒　年成錄
　　　　　　　日本文庫　第1編　東京　博文館　明治24年（1891）

3133　中井履軒　水哉子
　　　　　　　日本儒林叢書　第7卷　東京　鳳出版　昭和2年（1927）；
　　　　　昭和46年（1971）重印本

3134　中井履軒　傳疑小史
　　　　　　　日本儒林叢書　第12卷　東京　鳳出版　昭和2年（1927）；
　　　　　昭和46年（1971）重印本

3135　中井履軒　諧韻瑚璉
　　　　　　　崇文叢書　第2輯　東京　崇文院　大正14年（1925）

3136　中井履軒　履軒弊帚
　　　　　　　日本儒林叢書　第9卷　東京　鳳出版　昭和2年（1927）；
　　　　　昭和46年（1971）重印本

3137　中井履軒　履軒續編
　　　　　　　日本儒林叢書　第9卷　東京　鳳出版　昭和2年（1927）；
　　　　　昭和46年（1971）重印本

3138　中井履軒　弊帚季編
　　　　　　　日本儒林叢書　第9卷　東京　鳳出版　昭和2年（1927）；
　　　　　昭和46年（1971）重印本

3139　中井履軒　履軒弊帚前集1卷、續集2卷
　　　　　　　寫本

後人研究

3140　加地伸行、井上明大　中井履軒

叢書日本の思想家　第24冊　東京　明德出版社　昭和55年
（1980）7月　347頁

3141　狩野直喜　　履軒先生の經學
支那學文藪　頁402—408　東京　みすず書房　昭和48年
（1973）

3142　內藤湖南　　履軒學の影響
先哲の學問　頁138—154　東京　筑摩書房　昭和62年
（1987）9月

3143　宇野田哉　　中井履軒《論語逢原》の位置
懷德　第62號　頁48—65　平成6年（1994）

3144　神林裕子　　中井履軒の《論語》諸注釋書
懷德　第46號　頁39—53　平成8年（1996）

8. 山片蟠桃（1748—1821）

著　作

3145　山片蟠桃　　夢之代
寫本

3146　山片蟠桃　　夢之代
日本經濟叢書　第25卷　東京　日本經濟叢書刊行會　大正
5年（1916）

3147　山片蟠桃　　夢之代（抄文）
日本思想鬥爭史料　第6卷　東京　東方書院　昭和5年
（1930）；東京　名著刊行會　昭和44年（1969）

3148　山片蟠桃　　夢の代（抄）
近世社會經濟學說大系　第11冊　山片蟠桃集　東京　誠文
堂新光社　昭和10年（1935）

3149　山片蟠桃　　夢ノ代
日本思想大系　第43冊　東京　岩波書店　昭和48年（1973）

3150　山片蟠桃著、源了圓解　夢の代
日本の名著　第23冊　東京　中央公論社　昭和46年（1971）

3151　山片蟠桃　　無鬼論辨
日本文庫　第12編　東京　博文館　明治24年（1891）（即
《夢の代》中〈無鬼論〉の上）

3152　山片蟠桃　　　無鬼
　　　　　　　　　　日本哲學全書　第12卷　東京　第一書房　昭和11年（1936）
3153　山片蟠桃　　　無鬼
　　　　　　　　　　日本哲學思想全書　第5卷　東京　平凡社　昭和31年
　　　　　　　　　　（1956）
3154　山片蟠桃　　　一致共和對策辨
　　　　　　　　　　近世社會經濟學說大系　第11冊　東京　誠文堂新光社　昭
　　　　　　　　　　和10年（1935）
3155　土屋喬雄解題　山片蟠桃集
　　　　　　　　　　近世社會經濟學說大系　第11冊　東京　誠文堂　新光社
　　　　　　　　　　昭和10年（1935）
　　　　　　　　　　夢の代
　　　　　　　　　　一致共和對策辨
3156　水田紀久、有坂隆道校注　富永仲基、山片蟠桃
　　　　　　　　　　日本思想大系　第43冊　東京　岩波書店　昭和48年（1973）
　　　　　　　　　　富永仲基
　　　　　　　　　　　出定後語
　　　　　　　　　　山片蟠桃
　　　　　　　　　　　夢ノ代
　　　　　　　　　　解說
　　　　　　　　　　　富永仲基と山片蟠桃（水田紀久）
　　　　　　　　　　　「出定後語」と富永仲基の思想史研究法（水田紀久）
　　　　　　　　　　　「出定後語」の版本（梅谷文夫）
　　　　　　　　　　　山片蟠桃と「夢ノ代」（有坂隆道）
3157　源了圓編　　　山片蟠桃
　　　　　　　　　　日本の名著　第23冊　東京　中央公論社　昭和46年（1971）
　　　　　　　　　　先驅的啓蒙思想家——蟠桃と青陵（源　了圓）
　　　　　　　　　　夢の代（源了圓譯）

後人研究

3158　內藤湖南　　　山片蟠桃に就て
　　　　　　　　　　先哲の學問　頁155—174　東京　筑摩書房　昭和62（1987）9
　　　　　　　　　　月
3159　土屋元作　　　山片蟠桃
　　　　　　　　　　新學の先驅　東京　博文館　明治45年（1912）

3160　龜田次郎　　　山片蟠桃之事蹟
　　　　　　　　　兵庫縣邱南郡　邱南郡三治協會　大正8年（1919）
3161　龜田次郎　　　山片蟠桃
　　　　　　　　　大阪　全國書房　昭和18年（1943）2月　217頁
3162　有坂隆道、小山仁示　山片蟠桃の人と思想
　　　　　　　　　日本人物史大系　第4冊　東京　朝倉書店　昭和34年
　　　　　　　　　（1959）
3163　家永三郎　　　山片蟠桃
　　　　　　　　　近代日本の思想家　東京　有信堂　昭和37年（1962）
3164　末中哲夫　　　山片蟠桃の研究――夢之代篇
　　　　　　　　　大阪　清文堂出版　昭和46年（1971）　1131,22頁
3165　末中哲夫　　　山片蟠桃の研究
　　　　　　　　　大阪　清文堂出版　昭和51年（1976）　1172,16頁
3166　宮內德雄　　　山片蟠桃――《夢之代》と生涯
　　　　　　　　　大阪　創元社　昭和59年（1984）3月　267頁
3167　有坂隆道　　　山片蟠桃と辨屋
　　　　　　　　　大阪　創元社　平成5年（1993）1月　286頁
3168　三枝博音　　　山片蟠桃の無鬼論
　　　　　　　　　日本の思想文化　東京　第一書房　昭和13年（1938）
3169　宮內德雄　　　山片蟠桃の鬼神觀
　　　　　　　　　中國哲學史の展望と摸索　東京　創文社　昭和50年（1975）

㈤賴春水、山陽父子

1.賴　春　水（1746－1816）

著　作

3170　賴　春水　　　師友志
　　　　　　　　　日本儒林叢書　第3卷　東京　鳳出版　昭和2年（1927）；
　　　　　　　　　昭和46年（1971）重印本
3171　賴　春水　　　師友志
　　　　　　　　　近世儒家史料　中冊　東京　井田書店　昭和18年（1943）
3172　賴　春水　　　霞關掌錄
　　　　　　　　　日本儒林叢書　第10卷　東京　鳳出版　昭和2年（1927）；
　　　　　　　　　昭和46年（1971）重印本

3173 賴　春水　　　在津紀事
　　　　　　　　　　日本儒林叢書　第3卷　東京　鳳出版　昭和2年（1927）；
　　　　　　　　　　昭和46年（1971）　重印本
3174 賴　春水　　　在津紀事
　　　　　　　　　　近世儒家史料　中冊　東京　井田書店　昭和18年（1943）
3175 賴　春水　　　東遊負劍錄
　　　　　　　　　　崇文叢書　第2輯　東京　崇文院　大正14年（1925）
3176 賴　春水　　　春水日記
　　　　　　　　　　賴山陽全書　第8冊　附錄　東京　圖書刊行會　昭和58年
　　　　　　　　　　（1983）8月
3177 賴山陽輯校　　春水遺稿11卷、別錄3卷、附錄1卷
　　　　　　　　　　刊本

後人研究

3178 龜山聿三編　　春水賴先生碑文集
　　　　　　　　　　近代先哲碑文集　第2集　東京　夢硯堂　昭和38年（1963）
3179 賴　成一　　　春水先生に就て
　　　　　　　　　　大東文化　第1號　昭和6年（1931）12月
3180 松下　忠　　　賴春水の詩風、詩論
　　　　　　　　　　日本漢文學史論考　東京　岩波書店　昭和49年（1974）
3181 富士川英郎　　儒者の隨筆——賴春水《在津紀事》
　　　　　　　　　　新潮　第71卷12號　昭和49年（1974）12月
　　　　　　　　　　日本倫理彙編　第8冊　東京　育成會　明治34年（1901）；
　　　　　　　　　　京都　臨川書店　昭和45年（1970）

2.賴　杏坪（1756－1834）

著　作

3182 賴　杏坪　　　原古編6卷
　　　　　　　　　　日本倫理彙編　第8冊　東京　育成會　明治34年（1901）；
　　　　　　　　　　京都　臨川書店　昭和45年（1970）

後人研究

3183　龜山聿三編　　賴杏坪先生碑文集
　　　　　　　　　　近代先哲碑文集　第1集　東京　夢硯堂　昭和38年（1963）
3184　重田定一　　　賴杏坪先生傳
　　　　　　　　　　東京　積善館　明治41年（1908）　463頁
3185　松下　忠　　　賴杏坪の詩風・詩論
　　　　　　　　　　和歌山大學教育學部紀要　第21號　昭和46年（1971）12月

3.賴　山陽（1780−1832）

著　作

3186　賴襄著、保岡元吉校　日本外史22卷
　　　　　　　　　　東京　和泉屋善兵衛、和泉屋吉兵衛　明治6年（1873）
　　　　　　　　　　12冊
3187　賴山陽著、吉原呼我注、關　機校點註標記日本外史
　　　　　　　　　　東京　牧野善兵衛等　明治8年（1875）2月　12冊
3188　賴山陽著、重野安繹等編　編年日本外史
　　　　　　　　　　大阪　光啓社　明治8−14年（1875−1881）　13冊
3189　賴山陽著、賴又二郎補　增補日本外史
　　　　　　　　　　京都　賴又二郎　明治9年（1876）4月　22冊
3190　賴山陽著、賴又二郎補　標註日本外史
　　　　　　　　　　京都　賴又二郎　明治10年（1877）10月　12冊
3191　賴　山陽　　　日本外史
　　　　　　　　　　京都　賴又二郎　明治13年（1880）9月　12冊
3192　賴山陽著、松村春輔編、鮮齋永濯畫　繪入日本外史
　　　　　　　　　　東京　延壽堂　明治17年（1884）1月　2冊
3193　賴山陽著、羽山尙德補　通俗繪入日本外史
　　　　　　　　　　大阪　岡本仙助、村山重武　明治20年（1887）4月　2冊
3194　賴　襄　　　　校正日本外史
　　　　　　　　　　大阪　柳原喜兵衛等　明治21年（1888）
3195　賴襄著、錢懌評閱　日本外史
　　　　　　　　　　上海　讀史堂　明治22年（1889）　12冊
3196　賴山陽著、保岡元吉訂　校刻日本外史
　　　　　　　　　　東京　郁文舍、大阪　積文社　明治39年（1906）1月　760
　　　　　　　　　　頁

3197　賴山陽著、保岡元吉訂　校刻日本外史
　　　　　　　　東京　尙書堂　明治39年（1906）4月　361頁
3198　賴山陽著、保岡元吉訂　校刻日本外史
　　　　　　　　名古屋　百架堂　明治39年（1906）4月　712頁
3199　賴山陽著、保岡元吉訂　校刻日本外史
　　　　　　　　東京　文陽堂　明治39年（1906）8月　945頁
3200　賴　山陽　　日本外史
　　　　　　　　東京　育英舍　明治40年（1907）10月　6冊
3201　賴山陽著、久保天隨訂　重訂日本外史
　　　　　　　　東京　博文館　明治41年（1908）2月　724頁
3202　賴襄著、大町桂月校　日本外史
　　　　　　　　東京　文王閣　明治41年（1908）9月　361頁
3203　賴　山陽　　日本外史
　　　　　　　　大阪　寶文館　明治43年（1910）10月　3冊　上327頁，中
　　　　363頁，下430頁　（國漢文叢書　第6篇）
3204　賴山陽著、一戶隆次郎注、重野安繹校　頭註日本外史
　　　　　　　　東京　金港堂　明治43年（1910）10月　1068頁
3205　賴山陽著、保岡元吉訂、久保天隨校　校刻日本外史
　　　　　　　　大阪　影文館　明治44年（1911）1月　724頁
3206　賴山陽著、池邊義象譯　邦文日本外史
　　　　　　　　東京　郁文舍、大阪　吉岡寶文館　明治44年（1911）2月
　　　　1572頁
3207　賴山陽著、大町桂月校　新訂日本外史
　　　　　　　　東京　至誠堂　明治44年（1911）
3208　賴　山陽著、上田景二譯注　譯文日本外史
　　　　　　　　東京　朝野書店　明治45年（1912）3月　1432頁
3209　賴　山陽　　日本外史論贊
　　　　　　　　大日本思想全集　第15卷　東京　大日本思想全集刊行會
　　　　昭和6年（1931）
3210　賴　山陽　　日本外史
　　　　　　　　大日本文庫　第33、34冊　東京　大日本文庫刊行會　昭和
　　　　9年（1934）
3211　賴山陽著、賴惟勤譯　日本外史（抄）
　　　　　　　　日本の名著　第28冊　東京　中央公論社　昭和47年（1972）
3212　賴山陽著、笠間益三、三尾重定編　明治新撰日本政記
　　　　　　　　東京　東崖堂　明治13年（1880）12月　12冊

3213　賴　山陽　　　日本政記
　　　　　　　　　　大日本思想全集　第15卷　賴山陽集　東京　大日本思想全
　　　　　　　　　　集刊行會　昭和6年（1931）

3214　賴　山陽　　　日本政記論贊（抄）
　　　　　　　　　　日本の思想　第6冊　東京　筑摩書房　昭和47年（1972）

3215　賴　山陽　　　日本政記
　　　　　　　　　　日本思想大系　第49冊　東京　岩波書店　昭和52年（1977）
　　　　　　　　　　10月

3216　賴　山陽　　　新策
　　　　　　　　　　大日本思想全集　第15卷　賴山陽集　東京　大日本思想全
　　　　　　　　　　集刊行會　昭和6年（1931）

3217　賴　山陽　　　通議3卷
　　　　　　　　　　弘化4年（1847）刊本

3218　賴　山陽　　　東遊漫談
　　　　　　　　　　東城書店　昭和57年（1982）

3219　賴山陽著、牧輗注　日本樂府
　　　　　　　　　　①京都　丁子屋榮助　明治3年（1870）9月　34丁
　　　　　　　　　　②大阪　柳澤武運三　明治12年（1879）8月　37丁
　　　　　　　　　　③東京　愛知堂　明治19年（1986）2月　36頁

3220　賴山陽著、牧輗注　增補日本樂府
　　　　　　　　　　京都　賴又二郎　明治10年（1877）7月　12, 34頁

3221　賴　山陽　　　日本樂府
　　　　　　　　　　大日本思想全集　第15卷　賴山陽集　東京　大日本思想全
　　　　　　　　　　集刊行會　昭和6年（1931）

3222　中西金次郎編　賴山陽先生博台帶歌
　　　　　　　　　　福岡　中西金次郎刊本　明治41年（1908）10月　49,35頁

3223　安藤英男　　　譯註賴山陽詩集
　　　　　　　　　　東京　白川書院　昭和52年（1977）7月　342頁

3224　德富猪一郎等編　賴山陽書翰集
　　　　　　　　　　①東京　民友社　昭和2年（1927）　2冊
　　　　　　　　　　②東京　名著普及會　昭和55年（1880）4月　3冊

3225　賴　山陽　　　山陽文集
　　　　　　　　　　大日本思想全集　第15卷　賴山陽集　東京　大日本思想全
　　　　　　　　　　集刊行會　昭和6年（1931）

3226　賴　山陽　　　山陽遺稿文10卷、詩6卷
　　　　　　　　　　天保12年（1841）刊本

3227　大日本思想全集刊行會　賴山陽集
　　　　　　　　　大日本思想全集　第15卷　東京　大日本思想全集刊行會
　　　　　　　　　昭和6年（1931）
　　　　　　　　　日本外史論贊
　　　　　　　　　新策
　　　　　　　　　山陽文集
　　　　　　　　　山陽書翰集
　　　　　　　　　日本政記
　　　　　　　　　日本樂府
3228　植手通有校注　賴山陽
　　　　　　　　　日本思想大系　第49冊　東京　岩波書店　昭和52年（1977）
　　　　　　　　　10月·
　　　　　　　　　日本政記
　　　　　　　　　解題
3229　木崎愛吉、賴成一合編　賴山陽全書
　　　　　　　　　廣島　賴山陽先生遺蹟顯影會　昭和6、7年（1931、1932）
　　　　　　　　　8冊
　　　　　　　　　第1冊
　　　　　　　　　　賴山陽全傳上卷
　　　　　　　　　　　賴山陽全傳安永9─文政5
　　　　　　　　　　　賴山陽全傳補訂天明元─文政5
　　　　　　　　　　　師友及關涉諸家生歿
　　　　　　　　　　　山陽文獻（外傳）
　　　　　　　　　第2冊
　　　　　　　　　　賴山陽全傳下卷
　　　　　　　　　　　賴山陽全傳文政6─天保3及歿後天保3─昭和6
　　　　　　　　　　　師友及關涉諸家生歿
　　　　　　　　　　　賴氏略系
　　　　　　　　　第3冊
　　　　　　　　　　賴山陽文集
　　　　　　　　　　　賴山陽文集13卷
　　　　　　　　　　　賴山陽文集外集
　　　　　　　　　　　賴山陽文集追補
　　　　　　　　　　　山陽先生書後3卷
　　　　　　　　　　　山陽先生題跋2卷
　　　　　　　　　第4冊

　　　　　賴山陽詩集
　　　　　　賴山陽詩集23卷
　　　　　　日本樂府
　　　　第5冊
　　　　　賴山陽全集上卷
　　　　　　日本外史22卷
　　　　第6冊
　　　　　賴山陽全集中卷
　　　　　　日本政記16卷
　　　　　　新策6卷
　　　　　　通議3卷
　　　　第7冊
　　　　　賴山陽全集下卷
　　　　　　春秋遼豕錄
　　　　　　孟子評點7卷
　　　　　　古文典刑3卷
　　　　　　小文規則
　　　　　　謝選拾遺7卷
　　　　　　唐絕新選2卷
　　　　　　宋詩鈔卷14—86
　　　　　　浙西六家詩評6卷
　　　　　　韓蘇詩鈔（韓昌黎詩鈔　東坡詩鈔）
　　　　　　彭澤詩鈔（陶詩鈔）
　　　　　　孊囊小結一名錦繡段選選
　　　　　　賴山陽先生一夜話3卷
　　　　　　藝圃茗談
　　　　第8冊
　　　　　附錄
　　　　　　春水日記35卷　天明元年—文化12年（賴惟寬（春水）稿、
　　　　　　賴彌次郎（古槑）編）
　　　　　　梅颷日記48卷　天明5年—天保3年（賴靜（梅颷）、稿
　　　　　　賴彌次郎（古槑）編）附載遊洛記安永9年（賴靜（梅颷））
　3230　賴　山陽　賴山陽名著全集
　　　　東京　章華社　昭和11年（1936）　3冊
　　　　第1‧2卷
　　　　　日本外史（賴成一澤）

　　　　　　　　　　第7卷
　　　　　　　　　　書翰集（木崎愛吉編）
　　　　　　　　　　　江戶遊學の途中
　　　　　　　　　　　竹原より母樣邇へ 他227件
3231　安藤英男編　　賴山陽選集
　　　　　　　　　東京　近藤出版社　昭和56、57年（1981、1982）　7冊
　　　　　　　　　第1冊　賴山陽伝
　　　　　　　　　　賴山陽略系圖
　　　　　　　　　　賴山陽伝
　　　　　　　　　　賴山陽年譜
　　　　　　　　　　主要參考文獻
　　　　　　　　　　人名索引
　　　　　　　　　第2冊　賴山陽詩集
　　　　　　　　　　賴山陽詩集
　　　　　　　　　　初句索引
　　　　　　　　　第3冊　賴山陽文集
　　　　　　　　　　賴山陽文集
　　　　　　　　　　原文影印
　　　　　　　　　第4冊　賴山陽日本政記
　　　　　　　　　　日本政記
　　　　　　　　　　付錄原文紹介
　　　　　　　　　　年表
　　　　　　　　　第5冊　賴山陽通議
　　　　　　　　　　通議
　　　　　　　　　　付錄　原文訓み　原文影印
　　　　　　　　　第6冊　賴山陽日本外史
　　　　　　　　　　日本外史
　　　　　　　　　　原文
　　　　　　　　　　賴山陽年譜
　　　　　　　　　第7冊　賴山陽品行論
　　　　　　　　　　賴山陽品行論

後人研究

3232　龜山聿三編　　山陽賴先生碑文集
　　　　　　　　　近代先哲碑文集　第3集　東京　夢硯堂昭和39年（1964）

3233　松村操編　　　山陽言行録、象山言行録
　　　　　　　　　　東京　兔屋誠、思誠堂　明治15年（1882）6月　51，54頁
3234　高橋淡水編　　賴山陽言行論
　　　　　　　　　　東京　內外出版協會　明治42年（1909）
3235　玉置萬齡　　　野呂介石、田能村竹田先生、賴山陽先生　三名家略年譜
　　　　　　　　　　京都　熊谷鳩居堂　明治43年（1910）5月　增補版　45丁
3236　光吉元次郎　　山陽先生年譜
　　　　　　　　　　作者印行　大正15年（1926）
3237　渡邊刀水　　　賴山陽年譜
　　　　　　　　　　國學院雜誌　第37卷10號　昭和6年（1931）
3238　吉村春雄　　　山陽外傳
　　　　　　　　　　東京　作者印行　明治10年（1877）10月　34丁
3239　伴源平編　　　賴山陽外史小傳
　　　　　　　　　　大阪　赤志忠雅堂　明治11年（1879）9月　22丁
3240　都築溫編　　　山陽行狀往復書
　　　　　　　　　　大阪　柳原喜兵衛　明治15年（1882）4月　34丁
3241　小泉久時　　　賴山陽品行論
　　　　　　　　　　大阪　花井卯助　明治15年（1882）　2冊
3242　田口卯吉　　　日本外史と讀史餘論
　　　　　　　　　　經濟雜誌社　明治25年（1892）
3243　森田思軒　　　賴山陽及其時代
　　　　　　　　　　東京　民友社　明治31年（1898）5月　585頁（十二文豪
　　　　　　　　　　第11卷）
3244　河村　禎　　　山陽論
　　　　　　　　　　山口縣中須村　河村益三　明治31年（1898）10月　6丁
3245　峽北隱士　　　賴山陽、白川樂翁公
　　　　　　　　　　東京　富士書店　明治33年（1900）1月　63,37頁
3246　小谷保太郎　　賴山陽の家庭
　　　　　　　　　　東京　吉川弘文館　明治36年（1903）6月　86,77頁（袖珍
　　　　　　　　　　日本叢書　第3編）
3247　薄井龍之述　　賴山陽の家庭
　　　　　　　　　　林縫之助印行　明治36年（1903）
3248　菅谷秋水著、小倉雪窗評　賴山陽
　　　　　　　　　　橫濱　菅谷勝義　明治36年（1903）　185頁
3249　木崎愛吉　　　家庭の賴山陽
　　　　　　　　　　東京　金港堂　明治38年（1905）6月　560,29頁

3250　薄井龍之述、森田市三編　賴山陽家庭逸話
　　　　　　　　　　東京　赤門堂　門治41年（1908）2月　81,77頁
3251　東尙胤著、荻野由之閱　賴山陽
　　　　　　　　　　東京　精華堂　明治43年（1918）3月　210頁
3252　中川克一　　　山陽外史
　　　　　　　　　　東京　至誠堂　明治44年（1911）2月　299頁
3253　木崎愛吉　　　賴山陽と其母
　　　　　　　　　　作者印行　明治44年（1911）　214,15頁
3254　大庭青楓　　　教訓道話賴山陽
　　　　　　　　　　東京　國文館　明治44年（1911）
3255　木崎好尙　　　手紙の賴山陽
　　　　　　　　　　東京　有樂社　明治45年（1912）
3256　坂本箕山　　　賴山陽
　　　　　　　　　①東京　敬文館　大正2年（1913）
　　　　　　　　　②賴山陽伝刊行會　昭和4年（1929）　1612頁
3257　坂本箕山　　　賴山陽大觀
　　　　　　　　　　東京　山陽遺跡研究會　大正5年（1916）　1206頁
3258　服部富三郎　　文豪としての佐藤一齋と賴山陽
　　　　　　　　　　佐藤一齋と其門人　東京　南陽堂　大正11年（1926）
3259　市島春城　　　隨筆賴山陽
　　　　　　　　　①東京　早稻田大學出版部　大正14年（1925）
　　　　　　　　　②東京　中央公論社　昭和17年（1942）
3260　德富猪一郎　　賴山陽
　　　　　　　　　　東京　民友社　大正15年（1926）　415，134頁
3261　木崎愛吉　　　賴山陽を如何た觀る
　　　　　　　　　　蘇峰先生古稀祝賀知友新稿　東京　民友社　昭和6年
　　　　　　　　　　（1931）
3262　木崎好尙　　　賴山陽の百年祭を迎へて
　　　　　　　　　　賴山陽先生遺蹟顯影會　昭和6年（1931）
3263　木崎好尙　　　百年紀念賴山陽先生
　　　　　　　　　　賴山陽先生遺蹟顯影會　昭和6年（1931）
3264　光本鳳伏　　　山陽先生の神髓
　　　　　　　　　　大陸美術評論社　昭和6年（1931）
3265　京都府教育會　賴山陽先生
　　　　　　　　　　編者印行　昭和6年（1931）
3266　小林篤藏編　　山陽先生遺光

　　　　　　　　　　賴山陽先生百年記念會　昭和7年（1932）
3267　木崎好尚　　　大楠公と賴山陽
　　　　　　　　　　東京　一新社　昭和7年（1932）
3268　德富猪一郎　　人間山陽と史家山陽
　　　　　　　　　　東京　民友社　昭和7年（1932）
3269　中山久四郎　　賴山陽先生の百年祭に當りて鄭所南の露根蘭と心史とを懷
　　　　　　　　　　ふ
　　　　　　　　　　讀書廣記　東京　章華社　昭和8年（1933）
3270　北村澤吉　　　賴山陽先生の眞骨頭
　　　　　　　　　　作者印行　昭和8年（1931）
3271　松浦魁造　　　賴山陽先生小傳
　　　　　　　　　　竹原史談會　昭和8年（1933）
3272　木崎好尚、賴棋崖　賴山陽先生
　　　　　　　　　　山陽會　昭和10年（1935）（近世偉人伝記叢書）
3273　安藤德器　　　山陽と蘇峰
　　　　　　　　　　東京　言海書房　昭和10年（1935）
3274　中山久四郎　　賴山陽の尊王大義論
　　　　　　　　　　東京　刀江書院　昭和10年（1935）
3275　鹽谷　溫　　　賴山陽と日本精神
　　　　　　　　　　東京　日本文化協會　昭和11年（1936）（日本精神叢書
　　　　　　　　　　9）
3276　木崎好尚　　　青年賴山陽
　　　　　　　　　　東京　章華社　昭和11年（1936）
3277　鹽谷溫、多田正知　楠公と賴山陽
　　　　　　　　　　東京　蒼龍閣　昭和12年（1937）
3278　中山久四郎　　賴山陽史學の日本的體系
　　　　　　　　　　日本諸學振興委員會研究報告　（四）　東京　文部省教育局
　　　　　　　　　　　昭和13年（1938）
3279　佐藤進一　　　賴山陽論語
　　　　　　　　　　東京　教材社　昭和13年（1938）3月　102頁
3280　白木　豐　　　賴山陽と方正學
　　　　　　　　　　山陽先生遺蹟顯彰會　昭和14年（1939）
3281　鹽谷　溫　　　賴山陽の史筆
　　　　　　　　　　近世日本の儒學　頁551－569　東京　岩波書店　昭和14年
　　　　　　　　　　（1939）8月
3282　中山久四郎　　日本儒者賴山陽の史學――特に日本外史につきて

               本邦史學史論叢（下）　東京　富山房　昭和14年（1939）

3283　高島忠雄　賴山陽
　　　　　　　　　東京　三教書院　昭和15年（1940）（偉人叢書　2）

3284　木崎好尙　賴山陽
　　　　　　　　　東京　新潮社　昭和16年（1941）（新伝記叢書）

3285　上田庄三郎　賴山陽
　　　　　　　　　東京　啓文社　昭和16年（1941）

3286　小田夕月　實記賴山陽
　　　　　　　　　東京　人文閣　昭和17年（1942）

3287　鈴木一水　山陽、東湖の眞面目
　　　　　　　　　東京　青年書房　昭和17年（1942）

3288　尾崎　亘　賴山陽通義
　　　　　　　　　東京　昭森社　昭和18年（1943）

3289　木崎好尙　賴山陽の人と思想
　　　　　　　　　東京　今日の問題社　昭和18年（1943）（國民教養新書）

3290　賴山陽先生遺蹟顯彰會編　賴山陽先生
　　　　　　　　　廣島　廣島縣教育委員會　昭和26年（1951）

3291　德田　進　賴山陽の社會經濟思想──通議と新策の研究
　　　　　　　　　東京　蘆書房　昭和26年（1951）　624,18頁

3292　富士川英郎　菅茶山と賴山陽
　　　　　　　　　東京　平凡社　昭和26年（1951）　263頁

3293　中村眞一郎　賴山陽とその時代
　　　　　　　　　東京　中央公論社　昭和46年（1971）　644,9頁；昭和52年
　　　　　　　　　（1977）1月　2冊（中公文庫）

3294　德田　進　賴山陽と明治維新──「通議」による新考察
　　　　　　　　　東京　蘆書房　昭和47年（1972）　104,6,4頁

3295　安藤英男　明治維新の曉鐘──賴山陽──その人と志業
　　　　　　　　　東京　東洋經濟新報社　昭和47年（1972）　280,5頁

3296　安藤英男　賴山陽──史傳
　　　　　　　　　東京　大陸書房　昭和48年（1973）　270頁

3297　安藤英男譯　賴山陽天皇論
　　　　　　　　　東京　新人物往來社　昭和49年（1974）234頁

3298　安藤英男　賴山陽──人と思想
　　　　　　　　　東京　白川書院　昭和50年（1975）　253頁

3299　安藤英男　考證・賴山陽
　　　　　　　　　東京　名著刊行會　昭和57年（1982）9月　290頁

3300　布施雅男　　蘭花物語——賴山陽と妻梨影
　　　　　　　　　東京　鳥影社　昭和61年（1986）10月　186頁
3301　梶山季之　　賴山陽——雲か山か
　　　　　　　　　東京　光文社　昭和62年（1987）2月　464頁
3302　安藤英男編　賴山陽選集
　　　　　　　　　東京　近藤出版社　昭和56,57年（1981,1982）　7冊
　　　　　　　　　①賴山陽傳　昭和57年（1982）3月　306頁
　　　　　　　　　②賴山陽詩集
　　　　　　　　　③賴山陽文集　昭和56年（1981）11月　432頁
　　　　　　　　　④賴山陽日本政記
　　　　　　　　　⑤賴山陽通議
　　　　　　　　　⑥賴山陽日本外史
　　　　　　　　　⑦賴山陽品行論　昭和56年（1981）12月　242頁
3303　木崎好尚編　山陽と竹田
　　　　　　　　　昭和6年（1931）1月　創刊
3304　賴　成一　　賴山陽文獻目錄
　　　　　　　　　藝備教育　賴山陽號　昭和6年（1931）
3305　賴　成一　　賴山陽關係書目錄
　　　　　　　　　國學院雜誌　第37卷10號　昭和6年（1931）

㈥後期水戶學派

1.概　述

3306　藤澤　誠　　水戶學（後期）——その中心思想の一考察
　　　　　　　　　近世日本の儒學　頁121—140　東京　岩波書店　昭和14年
　　　　　　　　　（1939）8月
3307　北條重直　　水戶學と維新の風雲
　　　　　　　　　東京　修文館　昭和7年（1932）8月　582,30頁
3308　澤本孟虎　　水戶幕末風雲錄
　　　　　　　　　東京　常陽明治記念會　東京　富山房發賣　昭和8年
　　　　　　　　　（1933）9月　1024頁
3309　肥後和男　　水戶學と明治維新
　　　　　　　　　①水戶　常磐神社明治100年紀念事業奉贊會　昭和43年
　　　　　　　　　（1968）　147頁
　　　　　　　　　②水戶　常磐神社社務所　昭和48年（1973）增補版

148頁

3310　吉田俊純　　　後期水戶研究序說──明治維新史の再檢討
　　　　　　　　　東京　本邦書籍　昭和61年（1986）1月　254頁

3311　黑野吉金　　　幕末、維新期における水戶學の位置──尊重思想を中心に
　　　　　　　　　東京　作者自印　平成3年（1991）1月　76頁

3312　今井宇三郎、瀬谷義彦、尾藤正英校注　水戶學
　　　　　　　　　日本思想大系　第53冊　東京　岩波書店　昭和48年（1973）
　　　　　　　　　4月　590頁
　　　　　　　　　正名論（藤田幽谷）
　　　　　　　　　校正局諸學士に與ふるの書（藤田幽谷）
　　　　　　　　　丁巳封事（藤田幽谷）
　　　　　　　　　新論（會澤正志齋）
　　　　　　　　　壬辰封事（藤田東湖）
　　　　　　　　　中興新書（豐田天功）
　　　　　　　　　告志篇（德川齊昭）
　　　　　　　　　弘道館記（德川齊昭）
　　　　　　　　　退食間話（會澤正志齋）
　　　　　　　　　弘道館記述義（藤田東湖）
　　　　　　　　　防海新策（豐田天功）
　　　　　　　　　人臣去就說（會澤正志齋）
　　　　　　　　　時務策（會澤正志齋）
　　　　　　　　　解說
　　　　　　　　　　解題（瀬谷義彦）
　　　　　　　　　　水戶學の背景（瀬谷義彦）
　　　　　　　　　　水戶學における儒教の受容（今井宇三郎）
　　　　　　　　　　水戶學の特質（尾藤正英）
　　　　　　　　　水戶學年表

2.藤田幽谷（1774－1826）

著　作

3313　藤田幽谷著，藤田東湖、會澤正志齋校　二連異稱
　　　　　　　　　東京　東崖堂　明治20年（1887）12月　58丁（水戶先哲叢
　　　　　　　　　書）

3314　藤田幽谷　　　　二連異稱
　　　　　　　　　　水戸學大系　第3卷　東京　水戶學大系刊行會　昭和15年
　　　　　　　　　　（1940）

3315　藤田幽谷著、高木成助校　正名論
　　　　　　　　　　日本學叢書　第8卷　東京　雄山閣　昭和13年（1938）

3316　藤田幽谷　　　　正名論
　　　　　　　　　　日本思想大系　第53冊　東京　岩波書店　昭和48年（1973）
　　　　　　　　　　4月

3317　藤田幽谷　　　　勸農或問
　　　　　　　　　　大日本思想全集　第18卷　東京　大日本思想全集刊行會
　　　　　　　　　　昭和6年（1931）

3318　藤田幽谷　　　　勸農或問
　　　　　　　　　　①水戶學全集　第4編　東京　日東書院　昭和8年（1933）
　　　　　　　　　　②水戶學大系　第3卷　東京　水戶學大系刊行會　昭和15
　　　　　　　　　　年（1940）

3319　藤田幽谷　　　　校正局諸學士に與ふるの書
　　　　　　　　　　日本思想大系　第53冊　東京　岩波書店　昭和45年（1970）

3320　藤田幽谷　　　　封事
　　　　　　　　　　①水戶學全集　第4編　東京　日東書院　昭和8年（1933）
　　　　　　　　　　②水戶學大系　第3卷　東京　水戶學大系刊行會　昭和15
　　　　　　　　　　年（1940）

3321　藤田幽谷　　　　丁巳封事
　　　　　　　　　　日本思想大系　第53冊　東京　岩波書店　昭和48年（1973）
　　　　　　　　　　4月

3322　藤田幽谷　　　　熊澤伯繼傳
　　　　　　　　　　水戸學大系　第3卷　東京　水戶學大系刊行會　昭和15年
　　　　　　　　　　（1940）

3323　藤田幽谷　　　　藤田幽谷書簡
　　　　　　　　　　國立國會圖書館所藏貴重書解題　第14卷　東京　國立國會
　　　　　　　　　　圖書館　昭和63年（1988）9月　201頁

3324　藤田幽谷　　　　幽谷遺稿鈔
　　　　　　　　　　①水戶學全集　第4編　東京　日東書院　昭和8年（1933）
　　　　　　　　　　②水戶學大系　第3卷　東京　水戶學大系刊行會　昭和15
　　　　　　　　　　年（1940）

3325　藤田幽谷　　　　幽谷先生文集2卷
　　　　　　　　　　寫本

3326　菊地謙二郎編　幽谷全集
　　　　　　　　　　吉田彌平刊本　昭和10年（1935）　1冊
　　　　　　　　　　二連異稱附藤衣
　　　　　　　　　　修史始末
　　　　　　　　　　勸農或問
　　　　　　　　　　幽谷先生遺稿
　　　　　　　　　　幽谷遺稿別輯
　　　　　　　　　　舜典二十八字考
　　　　　　　　　　長慶院の考
　　　　　　　　　　花咲松の辨
　　　　　　　　　　幽谷詩纂
　　　　　　　　　　幽谷隨筆
　　　　　　　　　　讀書雜記
　　　　　　　　　　幽谷封事
　　　　　　　　　　幽谷封事拾遺
　　　　　　　　　　古今田賦考別錄
　　　　　　　　　　御勘定所職掌古今同異の考
　　　　　　　　　　附載
　　　　　　　　　　　及門遺範（會澤安）
　　　　　　　　　　　下學邇言抄（會澤安）
　　　　　　　　　　　逸民集抄（飛田勝）
　　　　　　　　　　　幽谷遺談（石川久徵）
3327　菊地謙二郎編　藤田幽谷關係史料
　　　　　　　　　　東京　東京大學出版社　昭和52年（1977）　2冊
　　　　　　　　　　第1冊
　　　　　　　　　　　二連異稱
　　　　　　　　　　　修史始末
　　　　　　　　　　　勸農或問
　　　　　　　　　　　幽谷先生遺稿
　　　　　　　　　　　幽谷遺稿別輯
　　　　　　　　　　　舜典二十八字考
　　　　　　　　　　　長慶院の考
　　　　　　　　　　　花咲松の辨
　　　　　　　　　　第2冊
　　　　　　　　　　　幽谷詩纂
　　　　　　　　　　　幽谷隨筆

　　　　　讀書雜記
　　　　　幽谷封事
　　　　　幽谷封事拾遺
　　　　　古今田賦考別錄
　　　　　御勘定所職掌古今同異の考
　　　　　附：
　　　　　及門遺範（會澤安）
　　　　　下學邇言抄（會澤安）
　　　　　逸民集抄（飛田勝）
　　　　　幽谷遺談（石川久徵）

後人研究

3328　龜山聿三編　　幽谷藤田先生碑文集
　　　　　　　　　　近代先哲碑文集　第33集　東京　夢硯堂　昭和48年（1971）
3329　橫山健堂　　　東湖と幽谷
　　　　　　　　　　人物研究と史論　東京　金港堂　大正2年（1913）
3330　高須芳次郎　　幽谷、正志齋、東湖
　　　　　　　　　　東京　北海出版社　昭和12年（1937）（日本教育家文庫
　　　　　　　　　　32）
3331　高須芳次郎　　藤田幽谷、會澤正志齋、藤田東湖
　　　　　　　　　　東京　啓文社　昭和13年（1938）（日本教育家文庫　4）
3332　西村文則　　　藤田幽谷
　　　　　　　　　　東京　平凡社　昭和15年（1940）　240頁
3333　塚本勝義　　　藤田幽谷の思想
　　　　　　　　　　東京　昭和圖書　昭和19年（1944）
3334　松原　晃　　　藤田幽谷の人物と思想
　　　　　　　　　　東京　六合書院　昭和19年（1944）
3335　《藤田幽谷の研究》編集委員會編　藤田幽谷の研究
　　　　　　　　　　水戸　藤田幽谷先生年誕二百年記念會　昭和49年（1974）
　　　　　　　　　　257頁

3.會澤正志齋 <small>あいざわせいしさい</small>（1782－1863）

著　作

3336　會澤正志齋　　訓蒙四書輯疏

		甲府　溫故堂　明治16－17年（1883－1884）　8冊
3337	會澤正志齋	新論
		東京　玉山堂　出版年不明　46丁
3338	會澤正志齋	新論2卷
		江戶　山城屋佐兵衛等　安政4年（1857）　2冊
3339	會澤正志齋	新論
		大日本思想全集　第17卷　東京　大日本思想全集刊行會 昭和6年（1931）
3340	會澤正志齋	新論2卷
		日本思想鬪爭史料　第3卷　東京　東方書院　昭和5年 （1930）
3341	會澤正志齋	新論
		①水戶學全集　第2編　東京　日東書院　昭和8年（1933） ②水戶學大系　第2卷　東京　水戶學大系刊行會　昭和15 年（1940）
3342	會澤正志齋	新論
		日本の思想　第20冊　東京　筑摩書房　昭和44年（1969）
3343	會澤正志齋	新論
		日本思想大系　第53冊　東京　岩波書店　昭和48年（1973） 4月
3344	會澤正志齋	新論
		日本思想の名著　東京　學陽書房　昭和48年（1973）
3345	會澤正志齋	及門遺範
		大阪　淺井吉兵衛　明治15年（1882）6月　15丁
3346	會澤正志齋著、高木成助教	及門遺範
		日本學叢書　第8卷　東京　雄山閣　昭和13年（1938）
3347	會澤正志齋	及門遺範
		近世儒家史料　中冊　東京　井田書店　昭和18年（1943）
3348	會澤正志齋	及門遺範
		日本儒林叢書　第3卷　東京　鳳出版　昭和2年（1927）； 昭和46年（1971）重印本
3349	會澤正志齋	及門遺範
		日本教育思想大系　第18冊　近世武家教育思想(3)　東京 日本圖書センター　昭和51年（1976）
3350	會澤正志齋	下學邇言
		水戶　會澤善　明治25年（1892）11月　1冊

3351　會澤正志齋　　下學邇言
　　　　　　　　　①水戶學全集　第2編　東京　日東書院　昭和8年（1933）
　　　　　　　　　②水戶學大系　第2卷　東京　水戶學大系刊行會　昭和15
　　　　　　　　　年（1940）

3352　會澤　安　　　下學邇言
　　　　　　　　　日本哲學全書　第5卷　東京　第一書房　昭和11年（1936）

3353　會澤正志齋　　迪彝篇
　　　　　　　　　①水戶學全集　第2編　東京　日東書院　昭和8年（1933）
　　　　　　　　　②水戶學大系　第2卷　東京　水戶學大系刊行會　昭和15
　　　　　　　　　年（1940）

3354　會澤正志齋　　時務策
　　　　　　　　　日本思想大系　第53冊　東京　岩波書店　昭和48年（1973）
　　　　　　　　　4月

3355　會澤正志齋　　人民去就說
　　　　　　　　　日本思想大系　第53冊　東京　岩波書店　昭和48年（1973）
　　　　　　　　　4月

3356　會澤正志齋　　闢邪篇、御侮策
　　　　　　　　　出版者不明　11，8丁

3357　會澤正志齋　　豈好辨
　　　　　　　　　日本儒林叢書　第4卷　東京　鳳出版　昭和2年（1927）；
　　　　　　　　　昭和46年（1971）重印本

3358　會澤正志齋　　讀直毘靈
　　　　　　　　　日本儒林叢書　第4卷　東京　鳳出版　昭和2年（1927）；
　　　　　　　　　昭和46年（1971）重印本

3359　會澤正志齋　　讀直毘靈
　　　　　　　　　日本思想鬥爭史料　第7卷　東京　東方書院　昭和5年
　　　　　　　　　（1930）；東京　名著刊行會　昭和44年（1969）

3360　會澤正志齋　　讀直毘靈
　　　　　　　　　①水戶學全集　第2編　東京　日東書院　昭和8年（1933）
　　　　　　　　　②水戶學大系　第2卷　東京　水戶學大系刊行會　昭和15
　　　　　　　　　年（1940）

3361　會澤正志齋　　讀葛花
　　　　　　　　　日本儒林叢書　第4卷　東京　鳳出版　昭和2年（1927）；
　　　　　　　　　昭和46年（1971）重印本

3362　會澤正志齋　　讀末賀能比連
　　　　　　　　　日本儒林叢書　第4卷　東京　鳳出版　昭和2年（1927）；

　　　　　　　　　昭和46年（1971）重印本
3363　會澤正志齋　讀級長戶風
　　　　　　　　　日本儒林叢書　第4卷　東京　鳳出版　昭和2年（1927）；
　　　　　　　　　昭和46年（1971）重印本
3364　會澤正志齋　退食閒話
　　　　　　　　　日本思想大系　第53冊　東京　岩波書店　昭和45年（1970）
3365　會澤正志齋　閑道編1卷
　　　　　　　　　明治25年（1892）刊本
3366　會澤正志齋　正志齋稽古錄1卷
　　　　　　　　　慶應3年（1867）刊本
3367　田中佩刀譯註　會澤正志齋
　　　　　　　　　朱子學大系　第13卷　日本の朱子學（下）　東京　明德出
　　　　　　　　　版社　昭和50年（1975）3月

後人研究

3368　龜山圭三編　正志會澤先生碑文集
　　　　　　　　　近代先哲碑文集　第10集　東京　夢硯堂　昭和42年（1962）
3369　高須芳次郎　新論講話
　　　　　　　　　東京　平凡社　昭和9年（1934）
3370　田坂　正　會澤正志齋の國體論
　　　　　　　　　日本精神文化研究　第6冊　東京　東洋書院　昭和10年
　　　　　　　　　（1935）
3371　西村文則　會澤伯民
　　　　　　　　　①東京　章華社　昭和11年（1936）
　　　　　　　　　②東京　大都書房　昭和13年（1938）
3372　高須芳次郎　幽谷、正志齋、東湖
　　　　　　　　　東京　北海出版社　昭和11年（1936）（日本教育家文庫
　　　　　　　　　32）
3373　高須芳次郎　藤田幽谷、會澤正志齋、藤田東湖
　　　　　　　　　東京　啓文社　昭和13年（1938）（日本教育家文庫4）
3374　大野　愼　水戶學會澤新論の研究
　　　　　　　　　東京　文昭社　昭和16年（1941）
3375　瀨古義彦　會澤正志齋
　　　　　　　　　東京　文教書院　昭和17年（1942）（日本教育先哲叢書

13）

| 3376 | 高須芳次郎 | 會澤正志齋 |

東京　厚生閣　昭和17年（1942）217頁

3377　塚本勝義　　會澤正志の思想
東京　昭和圖書　昭和18年（1943）

3378　原田種成　　會澤正志齋
叢書日本の思想家　第36冊　東京　明德出版社　昭和56年
（1981）10月（與藤田東湖合冊）

4.德川齊昭（とくがわなりあき）（1800－1860）

著　作

3379　德川齊昭　　弘道館記
國民思想叢書　第10冊　國體篇（下）　東京　大東出版社
昭和4年（1929）

3380　德川齊昭　　弘道館記
日本哲學全書　第5卷　東京　第一書房　昭和11年（1936）

3381　德川齊昭　　弘道館記
日本思想大系　第53冊　東京　岩波書店　昭和48年（1973）
4月

3382　水戶烈公　　弘道館學則
①水戶學全集　第4編　東京　日東書院　昭和8年（1933）
②水戶學大系　第5卷　東京　水戶學大系刊行會　昭和15
年（1940）

3383　德川齊昭　　弘道館學則
日本哲學全書　第5卷　東京　第一書房　昭和11年（1936）

3384　水戶烈公　　告志篇
①水戶學全集　第4編　東京　日東書院　昭和8年（1933）
②水戶學大系　第5卷　東京　水戶學大系刊行會　昭和15
年（1940）

3385　德川齊昭　　告志篇
日本思想大系　第53冊　東京　岩波書店　昭和48年（1973）
4月

3386　水戶烈公　　北方未來考（抄）

水戶學大系　第5卷　東京　水戶學大系刊行會　昭和15年（1940）

3387　德川齊昭　明倫歌集
國民思想叢書　第9冊　東京　大東出版社　昭和4年（1929）

3388　水戶烈公　水府公獻策
水戶學大系　第5卷　東京　水戶學大系刊行會　昭和15年（1940）

3389　高須芳次郎編　水戶烈公集
水戶學全集　第4編　東京　日東書院　昭和8年（1933）
告志篇
弘道館學則

3390　高須芳次郎編　水戶烈公集
水戶學大系　第5卷　東京　水戶學大系刊行會　昭和15年（1940）
告志篇
弘道館學則
水府公獻策
北方未來考（抄）
景山文鈔

後人研究

3391　會澤正志齋　烈公行實
東京　德川昭武印行　明治7年（1874）序　28丁

3392　峽北隱士　水戶義公と烈公
東京　富士書店　明治33年（1900）3月　78，49頁

3393　野口勝一　德川光圀、齊昭
東京　久彰館　明治36年（1903）

3394　野口勝一　水戶義烈兩公傳
東京　日本文化協會　大正15年（1926）

3395　中山久四郎　水戶學と義公、烈公の大精神
日本精神研究　第4輯　東京　東洋書院　昭和10年（1935）

3396　菊地謙二郎　義烈兩公行實
作者印行　昭和13年（1938）

3397　蔭山秋穗　水戶義公と烈公
東京　三教書院　昭和15年（1940）

3398　石島　績　　　水戸烈公の醫政と厚生運動
　　　　　　　　　　東京　日本衛生會　昭和16年（1941）
3399　高須芳次郎　　光圀と齊昭
　　　　　　　　　　東京　潮文閣　昭和18年（1943）
3400　平山憲述、高須鴻三校　弘道館記講義
　　　　　　　　　　茨城縣河内村　平山哲介　明治35年（1902）9月　20丁

5.藤田東湖（1806—1855）

3401　藤田　彪　　　弘道館記述義
　　　　　　　　　　神戸　小川活版所　明治16年（1883）5月　2冊
3402　藤田　彪　　　弘道館記述義
　　　　　　　　　　大阪　北村宋助　明治16年（1883）9月　2冊
3403　藤田彪述、龜山雲平註　標註弘道館記述義
　　　　　　　　　　大阪　明昇堂　明治16年（1883）12月　2冊
3404　藤田彪述、福原謙七註　弘道館記述義纂註
　　　　　　　　　　兵庫縣山崎町　成文堂　明治17年（1884）9月　3冊
3405　藤田彪著、恆川亨二等註、重野安繹閲　增註弘道館記述義
　　　　　　　　　　神戸　兵庫縣學務課　明治17年（1884）10月　166頁
3406　藤田彪述　　　弘道館記述義
　　　　　　　　　　水戸　青藍舍　明治18年（1885）1月　2冊
3407　藤田東湖述、田﨑五百穎譯　啓蒙弘道館記述義
　　　　　　　　　　高知　柳影軒　明治18年（1885）4月　3冊
3408　菊地謙二郎　　譯註弘道館記述義
　　　　　　　　　　水戸　川又書店　大正7年（1918）11月　124頁
3409　加藤虎之亮　　弘道館記述義小解
　　　　　　　　　　東京　文明社　明和3年（1928）
3410　藤田東湖　　　弘道館記述義
　　　　　　　　　　大日本思想全集　第18卷　東京　大日本思想全集刊行會
　　　　　　　　　　昭和6年（1931）
3411　藤田東湖　　　弘道館記述義
　　　　　　　　　　①水戸學全集　第1編　東京　日東書院　昭和8年（1933）
　　　　　　　　　　②水戸學大系　第1卷　東京　水戸學大系刊行會　昭和15
　　　　　　　　　　年（1940）
3412　藤田　彪　　　弘道館記述義

大日本文庫　第12冊　東京　大日本文庫　刊行會　昭和9年（1934）

3413　岡村利平　　　校註弘道館記述義
東京　明治書院　明治12年（1937）

3414　藤田東湖著、高木成助校　弘道館記述義（上、下）
日本學叢書　第8、12卷　東京　雄山閣　昭和13年(1938)

3415　塚本勝義注　　弘道館記述義
東京　岩波書店　昭和15年（1940）（岩波文庫）

3416　藤田東湖著、小林一郎註　弘道館記述義、回天詩史
東京　平凡社　昭和17年（1942）

3417　藤田東湖　　　弘道館記述義
日本教育寶典　第6冊　東京.　玉川大學出版部　昭和40年（1965）

3418　藤田東湖　　　弘道館記述義
日本思想大系　第53冊　東京　岩漆書店　昭和48年（1973）4月

3419　藤田東湖　　　弘道館記述義
日本教育思想大系　第18冊　近世武家教育思想(3)　東京
日本圖書センター　昭和51年（1976）

3420　藤田東湖著　　橋川文三譯　弘道館記述義
日本の名著　第29冊　東京　中央公論社　昭和49年（1974）

3421　藤田東湖著、橋川文三譯　修史始末
日本の名著　第29冊　東京　中央公論社　昭和49年（1974）

3422　藤田東湖　　　壬辰封事
日本思想大系　第53冊　東京　岩波書店　昭和48年（1973）4月

3423　藤田東湖　　　常陸帶
大日本思想全集　第18卷　東京　大日本思想全集刊行會
昭和6年（1931）

3424　藤田東湖　　　常陸帶青山總裁に與えるの書
①水戶學全集　第1編　東京　日東書院　昭和8年（1933）
②水戶學大系　第1卷　東京　水戶學大系刊行會　昭和15年（1940）

3425　藤田　彪　　　常陸帶
大日本文庫　第12冊　東京　大日本文庫　刊行會　昭和15年（1934）

3426　藤田東湖　　　常陸帶
　　　　　日本教育寶典　第6編　東京　玉川大學出版部　昭和40年
　　　　　（1965）
3427　藤田東湖著、橋川文三譯　常陸帶
　　　　　日本の名著　第29冊　東京　中央公論社　昭和49年（1974）
3428　藤田東湖　　　正氣歌訓釋
　　　　　國民思想叢書　第3冊　士道篇　東京　大東出版社　昭和4
　　　　　年（1929）
3429　藤田東湖　　　正氣歌
　　　　　①水戶學全集　第1編　東京　日東書院　昭和8年（1933）
　　　　　②水戶學大系　第1卷　東京　水戶學大系刊行會　昭和15年
　　　　　（1940）
3430　藤田東湖　　　見聞偶筆
　　　　　①水戶學全集　第1編　東京　日東書院　昭和8年（1933）
　　　　　②水戶學大系　第1卷　東京　水戶學大系刊行會　昭和15年
　　　　　（1940）
3431　藤田東湖、橋川文三譯　見聞偶筆
　　　　　日本の名著　第29冊　東京　中央公論社　昭和57年（1982）
3432　藤田東湖　　　東湖隨筆
　　　　　東京　隨筆集誌發行所　明治26年（1893）5月　42頁
3433　藤田誠之進　　回天詩史
　　　　　東京　野史台　明治28年（1892）5月　67丁
3434　藤田東湖　　　回天詩史
　　　　　大日本思想全集　第18卷　東京　大日本思想全集刊行會
　　　　　昭和6年（1931）
3435　藤田東湖　　　回天詩史
　　　　　①水戶學全集　第1編　東京　日東書院　昭和8年（1933）
　　　　　②水戶學大系　第1卷　東京　水戶學大系刊行會　昭和15年
　　　　　（1940）
3436　藤田　彪　　　回天詩史
　　　　　大日本文庫　第12冊　東京　大日本文庫刊行會　昭和9年
　　　　　（1934）
3437　藤田東湖　　　回天詩史
　　　　　日本教育寶典　第6冊　東京　玉川大學出版部　昭和40年
　　　　　（1965）
3438　藤田東湖著、橋川文三譯　回天詩史

　　　　　　　　　　　　日本の名著　第29冊　東京　中央公論社　昭和49年（1974）

3439　藤田東湖　　　東湖遺稿
　　　　　　　　　　　　大日本思想全集　第18卷　東京　大日本思想全集刊行會
　　　　　　　　　　　　昭和6年（1931）

3440　水戶市教育會編　東湖先生之半面（一名東湖書簡集）
　　　　　　　　　　　　水戶　皆川朝吉　明治42年（1909）10月　228頁

3441　大日本思想全集刊行會　藤田東湖集
　　　　　　　　　　　　大日本思想全集　第18冊　東京　大日本思想全集刊行會
　　　　　　　　　　　　昭和6年（1931）

3442　高須芳次郎編　藤田東湖
　　　　　　　　　　　　水戶學全集　第1編　東京　日東書院　昭和8年（1933）

3443　高須芳次郎編　藤田東湖
　　　　　　　　　　　　水戶學大系　第1卷　東京　水戶學大系刊行會　昭和15年
　　　　　　　　　　　　（1940）

3444　菊地謙二郎編　東湖全集
　　　　　　　　　　　　東京　博文館　明治42年（1909）　1冊
　　　　　　　　　　　　回天詩史
　　　　　　　　　　　　常陸帶
　　　　　　　　　　　　弘道館記述義
　　　　　　　　　　　　東湖遺稿
　　　　　　　　　　　　東湖詩文拾遺
　　　　　　　　　　　　東湖隨筆
　　　　　　　　　　　　東湖見聞偶筆
　　　　　　　　　　　　東湖歌話
　　　　　　　　　　　　回天必力
　　　　　　　　　　　　壬辰封事
　　　　　　　　　　　　浪華騷擾記事
　　　　　　　　　　　　丁酉日錄
　　　　　　　　　　　　彪物語
　　　　　　　　　　　　上下富有の議
　　　　　　　　　　　　土着の議
　　　　　　　　　　　　東湖封事
　　　　　　　　　　　　許許路廼阿登

3445　菊地謙二郎編　新定東湖全集
　　　　　　　　　　　　東京　博文館　昭和15年（1940）　1冊
　　　　　　　　　　　　回天詩史

孟軻論
送桑原毅卿之京師序
迪彝篇序
赤穗四十七師傳序
璀筳集序
小梅水哉舍記
古堂記
代笠亭記
蹇齋記
東湖說
解惑
堀川潛藏
名越南溪
木村謙
大久保忠世
三十一文字のはじめ
旋頭歌のはじめ
附屯田てふことはじめ
人臣攝政のはじめ
遣唐使はなむけの歌
新葉集について
齊昭卿の御歌
尊超法親王の御歌
西行の歌
忠臣
おもひ寝の歌
弁才
善政
明君
度量
政治の秘訣
廉潔
賢者
剛直
烈公と伊達遠州
水野越前

　　　　　　　渡邊崋山
　　　　　　　庶政一新
　　　　　　　會津の人
　　　　　　　熊本城
　　　　　　　勤皇の傳統
　　　　　　　高千穂の峰
　　　　　　　浪華騷擾記事（大塩騷動聞書）
　　　　　　　丁酉日錄
　　　　　　藤湖先生の隨筆小說について
　　　　第5卷
　　　　　東湖書翰集
　　　　　　青山總裁に與へて修史上の五大弊を論ずるの書他53件
　　　　　　東湖先生の書翰について
　　　　第6卷
　　　　　東湖封事篇
　　　　　　義の人物を推薦するについて
　　　　　　攘夷について
　　　　　　西山屯田に關する建議
　　　　　　日本精神を中心とした短歌について
　　　　　　神儒一致の具體化
　　　　　　饑饉についての對策
　　　　　　歌集編纂のこと
　　　　　　藩弊三箇條（壬辰封事）
　　　　　　人物採用の方針
　　　　　　學閥について
　　　　　　忠誠の士を重用すべきこと
　　　　　　上下富有の議
　　　　　　武士土着の議
3447　藤田東湖　　藤田東湖集
　　　　　　　　東京　興文社　昭和17年（1942）（勤皇志士叢書）
3448　高須芳次郎編　新釋藤田東湖全集
　　　　　　　　東京　研文書院　昭和18年（1943）
3449　高須芳次郎編　藤田東湖選集
　　　　　　　　東京　讀書新報社　昭和18年（1943）

後人研究

3450　龜山聿三編　　東湖藤田先生碑文集
　　　　　　　　　　近代先哲碑文集　第23集　東京　夢硯堂　昭和45年（1970）

3451　杉原三省　　　藤田東湖言行録
　　　　　　　　　　東京　內外出版協會　明治42（1909）7月　114頁　（偉人研
　　　　　　　　　　究　第59編）

3452　龜山雲平　　　弘道館記述義字解
　　　　　　　　　　大阪　明昇堂　明治17年（1884）7月　34丁

3453　內藤耻叟述、山田德明校訂　弘道館記述義要旨（倫理講談）
　　　　　　　　　　東京　大日本中學會　42頁（大日本中學會29年度第1學級
　　　　　　　　　　講義錄）　昭和29年（1954）

3454　三好　寬　　　弘道館記述義神髓
　　　　　　　　　　昭和15年（1940）

3455　中澤寬一郎編　藤田東湖
　　　　　　　　　　假名插入皇朝名臣傳　東京　溝口嘉助　明治13年（1880）

3456　雨谷幹一　　　藤田東湖
　　　　　　　　　　東京　民友社　明治29年（1896）11月　186頁

3457　川崎三郎　　　藤田東湖
　　　　　　　　　　東京　春陽堂　明治30年（1897）　371頁

3458　菊池謙二郎　　藤田東湖傳
　　　　　　　　　　東京　弘文堂　明治30年（1897）

3459　大和田建樹　　藤田東湖
　　　　　　　　　　東京　博文館　明治32年（1899）

3460　菊地謙二郎　　藤田東湖傳
　　　　　　　　　　東京　金港堂　明治32年（1899）　244頁

3461　工藤重義　　　藤田東湖
　　　　　　　　　　東京　國光社出版部　明治35年（1902）10月　98頁

3462　富本長洲　　　藤田東湖
　　　　　　　　　　大阪　積善館　明治41年（1908）3月　55頁

3463　橫山健堂　　　東湖と幽谷──水戸の反射爐の研究
　　　　　　　　　　人物研究と史論　東京　金港堂　大正2年（1913）

3464　川崎巳之太郎編　東湖會講演集
　　　　　　　　　　東京　保生會　大正13年（9249）

3465　西村文則　　　藤田東湖
　　　　　　　　　　①東京　昭和書房　昭和9年（1934）
　　　　　　　　　　②東京　大都書房　昭和12年（1937）
　　　　　　　　　　③東京　光書房　昭和17年（1942）

3466　中村孝也　　　藤田東湖
　　　　　　　　　東京　地人書館　昭和17年（1942）　302頁　（維新勤皇遺
　　　　　　　　　文選書）

3467　高須芳次郎　　藤田東湖
　　　　　　　　　日本精神講座　第11冊　東京　新潮社　昭和10年（1935）

3468　伊藤千眞三　　藤田東湖の皇道精神
　　　　　　　　　日本精神研究　第5輯　東京　東洋書院　昭和10年（1935）

3469　大野　愼　　　藤田東湖論
　　　　　　　　　東京　パンフレット社　昭和10年（1935

3470　岸本芳雄　　　幕末思想界における藤田東湖
　　　　　　　　　道義論叢　第4輯　東京　國學院大學道義學會　昭和12年
　　　　　　　　　（1937）

3471　高須芳次郎　　幽谷・正志齋・東湖
　　　　　　　　　東京　北海出版社　昭和12年（1937）

3472　高須芳次郎　　藤田幽谷・會澤正志齋・藤田東湖
　　　　　　　　　東京　啓文社　昭和13年（1938）（日本教育家文庫　4）

3473　蔭山秋穂　　　藤田東湖
　　　　　　　　　東京　三教書院　昭和15年（1940）（偉人叢書　13）

3474　大野　愼　　　藤田東湖の生涯と思想
　　　　　　　　　東京　一路書苑　昭和15年（1940）；昭和17年（1942）戦
　　　　　　　　　時普及版

3475　大野　愼　　　藤田東湖、正氣の歌
　　　　　　　　　東京　大新社　昭和16年（1941）

3476　高須芳次郎　　藤田東湖傳
　　　　　　　　　東京　誠文堂新光社　昭和16年（1941）　578頁

3477　鈴木一水　　　山陽東湖の眞面目
　　　　　　　　　東京　青年書房　昭和17年（1942）

3478　薄田斬雲　　　人間東湖先生
　　　　　　　　　東京　照文閣　昭和17年（1942）

3479　中村孝也　　　藤田東湖
　　　　　　　　　東京　地人書館　昭和17年（1942）（維新勤皇遺文選書）

3480　吉田義次　　　藤田東湖の精神
　　　　　　　　　東京　道統社　昭和17年（1942）

3481　和田健爾　　　藤田東湖──錬成の書
　　　　　　　　　東京　京文社書店　昭和17年（1942）

3482　貴司山治　　　隨筆藤田東湖

　　　　　　　　　東京　國民社　昭和18年（1943）
3483　肥後和男　　　藤田東湖
　　　　　　　　　東京　新潮社　昭和19年（1944）　252頁　（日本思想家選
　　　　　　　　　集）
3484　名越時正　　　東湖先生と水戸の學風
　　　　　　　　　東京　東湖會　昭和30年（1955）
3485　Chang, Richard T.　Fujita Toko and Sakuma Shozan; Bakumatsu intellec-
　　　　　　　　　tuals and the West.　Ann Arbor, Mich〔University Micro-
　　　　　　　　　films International, 1979〕325 P.　Thesis-University of
　　　　　　　　　Michigan, 1964.
3486　Huzita, Toko, （1806—1855）Das kodokanki-jutsugi. Ein Beitrag zum
　　　　　　　　　politischen Denken der Spaten Mito-Schule. Von Klaus
　　　　　　　　　Kracht.　Wiesbaden, O. Harrassowitz, 1975.　223 P.
　　　　　　　　　(Studien zur Japanologie, Bd.12)
3487　原田種成　　　藤田東湖
　　　　　　　　　叢書日本の思想家　第36冊　東京　明德出版社　昭和56年
　　　　　　　　　（1981）10月（與會澤正志齋合冊）
3488　Chang, Richard Taiwon.　Fujita Toko and Sakuma Shozan: bakumatsu
　　　　　　　　　intellectuals and the West. by Richard Taiwon Chang. Ann
　　　　　　　　　Arbor, Mich.: University Microfilms International, 1984.
　　　　　　　　　xi, 325 P.
3489　但野正弘　　　藤田東湖の生涯
　　　　　　　　　東京　錦正社　平成9年（1997）10月　173頁　（水戸の人
　　　　　　　　　物シリーズ　6）
3490　日本史籍協會編　水戸藤田家舊藏書類
　　　　　　　　　①東京　日本史籍協會　昭和6年（1931）　2冊
　　　　　　　　　②東京　東京大學出版會　昭和49年（1974）　2冊（436頁，
　　　　　　　　　494頁）（日本史籍協會叢書）
　　　　　　　　　第1冊
　　　　　　　　　藤田東湖日錄　文政9年12月—安政2年3月
　　　　　　　　　附東湖礫邸蟄居中貰物之覺　弘化元年5月—2年3月
　　　　　　　　　第2冊
　　　　　　　　　梅香竹韻　第1—8卷
　　　　　　　　　望雲余影　第1—4卷
　　　　　　　　　壬辰封事
　　　　　　　　　彪物語

こころのあと

6.豐田天功 (1805—1864)
とよ だ てんこう

著 作

3491	豐田天功	弘道館記述義序
		水戶學大系　第4卷　東京　水戶學大系刊行會　昭和15年（1940）
3492	豐田天力	中興新書
		日本思想大系　第53冊　東京　岩波書店　昭和48年（1973）4月
3493	豐田天功	防海新策
		日本思想大系　第53冊　東京　岩波書店　昭和48年（1973）4月
3494	豐田天功著、前田香經解說	明夷錄、鷄明錄
		水戶　茨城縣文書課　昭和28年（1953）　22，13頁
3495	豐田天功	北島志
		水戶學大系　第4卷　東京　水戶學大系刊行會　昭和15年（1940）
3496	豐田天功	松岡文鈔
		水戶學大系　第4卷　東京　水戶學大系　刊行會　昭和15年（1940）

㈦其他朱子學家

1.藪　孤山 (1735—1802)
やぶ こ ざん

著 作

3497	藪　孤山	崇孟
		崇文叢書　第2輯　東京　崇文院　大正14年（1925）
3498	藪　孤山	崇孟
		日本儒林叢書　第4卷　東京　鳳出版　昭和2年（1927）；昭和46年（1971）重印本

3499　藪　孤山　　　崇孟
　　　　　　　　　　日本思想大系　第37冊　東京　岩波書店　昭和47年（1972）
3500　藪　孤山　　　崇孟
　　　　　　　　　　日本教育思想大系　第26冊　東京　日本　圖書センター
　　　　　　　　　　昭和51年（1976）
3501　藪　孤山　　　孤山遺稿16卷
　　　　　　　　　　文化13年（1816）序刊本

2.安積艮齋（1790—1860）

あ さ か ごん さい

著　作

3502　安積艮齋　　　荀子略說
　　　　　　　　　　日本儒林叢書　第10卷　東京　鳳出版　昭和2年（1927）；
　　　　　　　　　　昭和46年（1971）重印本
3503　安積艮齋　　　朱學管窺
　　　　　　　　　　日本儒林叢書　第6卷　東京　鳳出版　昭和2年（1927）；
　　　　　　　　　　昭和46年（1971）重印本
3504　安積艮齋　　　史論
　　　　　　　　　　日本儒林叢書　第8卷　東京　鳳出版　昭和2年（1927）；
　　　　　　　　　　昭和46年（1971）重印本
3505　安積艮齋著、木澤成肅評　加藤清正傳
　　　　　　　　　　東京　阪上半七刊本　明治15年（1882）12月　20丁
3506　安積艮齋　　　南柯餘編
　　　　　　　　　　日本儒林叢書　第2卷　東京　鳳出版　昭和2年（1927）；
　　　　　　　　　　昭和46年（1971）重印本
3507　安積艮齋　　　遊豆記勝東省續錄1卷
　　　　　　　　　　刊本
3508　安積艮齋　　　艮齋詩稿2卷
　　　　　　　　　　寫本
3509　安積艮齋　　　艮齋閑話
　　　　　　　　　　長野縣會染村　信濃出版會社　明治19年（1886）　29丁,29
　　　　　　　　　　丁
3510　安積艮齋　　　艮齋閑話
　　　　　　　　　　大日本風教叢書　第5輯　東京　大日本風教叢書刊行會

　　　　　　　　　大正8年（1919）
3511　安積艮齋　　艮齋文略3卷、續4卷
　　　　　　　　　天保2年（1831）、嘉永6年（1853）刊本
3512　安積艮齋　　見山樓文集1卷
　　　　　　　　　寫本

後人研究

3513　龜山聿三編　艮齋安積先生碑文集
　　　　　　　　　近代先哲碑文集　第18集　東京　夢硯堂　昭和44年（1969）
3514　石井研堂　　安積艮齋詳傳
　　　　　　　　　東京　東京堂　大正5年（1916）
3515　石井研堂　　艮齋補傳手簡精華
　　　　　　　　　編者印行　大正5年（1916）
3516　郡山協贊會　安積艮齋先生略傳
　　　　　　　　　編者印行　大正14年（1925）
3517　生形　要　　安積艮齋
　　　　　　　　　安積艮齋顯彰會　昭和28年（1953）
3518　安積艮齋顯彰會　安積艮齋先生年誕二百年遺著、遺墨展圖錄
　　　　　　　　　郡山　編者印行　平成4年（1992）1月　36頁

3.木下韡村（1805—1867）
きのしたいそん

著　作

3519　木下韡村　　喪服1冊
　　　　　　　　　寫本
3520　木下韡村　　鶴鳴私記1冊
　　　　　　　　　寫本
3521　木下韡村　　山窗閑話1冊
　　　　　　　　　①寫本
　　　　　　　　　②樺村先生遺稿拾遺　木下眞太郎印行　大正5年（1916）
3522　木下韡村著、楠文蔚漢譯　山窗間話1冊
　　　　　　　　　寫本
3523　安井衡著、木下韡村、鹽谷世弘評　息軒文1冊
　　　　　　　　　寫本

3524　鹽谷宕陰、木下韡村　宕陰犀潭二家文鈔1冊
　　　　　　　　　　　　　寫本
3525　木下韡村　　　　　犀潭先生文2冊
　　　　　　　　　　　　　寫本（慶應2年（1886）跋）
3526　木下韡村　　　　　犀潭文1冊
　　　　　　　　　　　　　寫本
3527　木下韡村　　　　　韡村先生遺稿拾遺
　　　　　　　　　　　　　木下眞太郎印行　大正5年（1916）

4.佐久間象山（1811—1864）

著　作

3528　佐久間象山　　　　省諐錄
　　　　　　　　　　　　　大日本思想全集　第17卷　東京　大日本思想全集刊行會
　　　　　　　　　　　　　昭和6年（1931）
3529　佐久間象山　　　　省諐錄
　　　　　　　　　　　　　近世社會經濟學說大系　第10冊　東京　誠文堂新光社　昭
　　　　　　　　　　　　　和10年（1935）
3530　佐久間象山著、飯島忠夫譯註　省諐錄
　　　　　　　　　　　　　東京　岩波書店　昭和19年（1944）　132頁（岩波文庫）
3531　佐久間象山　　　　省諐錄
　　　　　　　　　　　　　日本の思想　第20冊　幕末思想集　東京　筑摩書房　昭和
　　　　　　　　　　　　　44年（1969）
3532　佐久間象山　　　　省諐錄
　　　　　　　　　　　　　日本思想大系　第55冊　東京　岩波書店　昭和46年（1971）
3533　佐久間象山　　　　省諐錄
　　　　　　　　　　　　　陽明學大系　第9卷　日本の陽明學（中）　東京　明德出
　　　　　　　　　　　　　版社　昭和47年（1972）
3534　佐久間象山著、松浦玲譯　省諐錄
　　　　　　　　　　　　　日本の名著　第30冊　東京　中央公論社　昭和45年（1970）
3535　佐久間象山著、松浦玲譯　海防論
　　　　　　　　　　　　　日本の名著　第30冊　東京　中央公論社　昭和45年（1970）
3536　佐久間象山著、松浦玲譯　殖產興業

　　　　　　　　　　日本の名著　第30冊　東京　中央公論社　昭和45年（1970）
3537　佐久間象山著、松浦玲譯　公武一和
　　　　　　　　　　日本の名著　第30冊　東京　中央公論社　昭和45年（1970）
3538　佐久間象山　和漢明辨
　　　　　　　　　　日本儒林叢書　第4卷　東京　鳳出版　昭和2年（1927）；
　　　　　　　　　　昭和46年（1971）重印本
3539　佐久間象山　礮卦
　　　　　　　　　　陽明學大系　第9卷　日本の陽明學（中）　東京　明德出
　　　　　　　　　　版社　昭和47年（1972）
3540　佐久間象山　上書
　　　　　　　　　　近世社會經濟學說大系　第10冊　東京　誠文堂新光社　昭
　　　　　　　　　　和10年（1935）
3541　佐久間象山　上書
　　　　　　　　　　日本思想大系　第9冊　東京　岩波書店　昭和48年（1973）
3542　佐久間象山　時事を通論したる幕府への上書稿
　　　　　　　　　　大日本思想全集　第17卷　東京　大日本思想全集刊行會
　　　　　　　　　　昭和6年（1931）
3543　佐久間象山　日本の危機に臨んで國防を論ずるの書
　　　　　　　　　　大日本思想全集　第17卷　東京　大日本思想全集刊行會
　　　　　　　　　　昭和6年（1931）
3544　佐久間象山　女訓
　　　　　　　　　　日本教育思想大系　第17冊　近世武家教育思想(2)　東京
　　　　　　　　　　日本圖書センター　昭和51年（1976）
3545　佐久間象山　女訓
　　　　　　　　　　日本教育思想大系　第27冊　近世女子教育思想(1)　東京
　　　　　　　　　　日本圖書センター　昭和51年（1976）
3546　佐久間象山　象山文稿
　　　　　　　　　　大日本思想全集　第17卷　東京　大日本思想全集刊行會
　　　　　　　　　　昭和6年（1931）
3547　佐久間象山　象山淨稿
　　　　　　　　　　大日本思想全集　第17卷　東京　大日本思想全集刊行會
　　　　　　　　　　昭和6年（1931）
3548　佐久間象山　雜說
　　　　　　　　　　大日本思想全集　第17卷　東京　大日本思想全集刊行會
　　　　　　　　　　昭和6年（1931）
3549　色部城南　象山書翰集

　　　　　　　　　　東京　有朋堂　明治44年（1911）2月　520頁

3550　遠山操編　　　志士書簡
　　　　　　　　　　東京　厚生堂　大正3年（1914）

3551　佐久間象山　　象山書簡
　　　　　　　　　　日本思想大系　第55冊　東京　岩波書店　昭和46年（1971）

3552　柄澤義郎編　　佐久間象山公務日記
　　　　　　　　　　①維新史料　第43、44號　明治22年（1889）
　　　　　　　　　　②長野　信濃毎日新聞社　昭和6年（1931）

3553　佐久間象山　　日記
　　　　　　　　　　近世社會經濟學說大系　第10冊　東京　誠文堂新光社　昭
　　　　　　　　　　和10年（1935）

3554　佐久間象山顯彰會編　佐久間象山遺墨集
　　　　　　　　　　編者印行　昭和6年（1931）

3555　佐久間先生遺墨顯彰會編　佐久間象山先生遺墨集
　　　　　　　　　　編者印行　昭和7年（1932）

3556　大日本思想全集刊行會　佐久間象山集
　　　　　　　　　　大日本思想全集　第17卷　東京　大日本思想全集刊行會
　　　　　　　　　　昭和6年（1931）
　　　　　　　　　　省愆錄
　　　　　　　　　　象山淨稿
　　　　　　　　　　象山文稿
　　　　　　　　　　時事を通論したる幕府への上書稿
　　　　　　　　　　日本の危機に臨んで國防を論ずるの書
　　　　　　　　　　雜說

3557　大日本文庫刊行會　佐久間象山集
　　　　　　　　　　大日本文庫　第9冊　勤王志士遺文集(1)　東京　大日本文
　　　　　　　　　　庫刊行會　昭和9年（1934）

3558　金子鷹之助解題　佐久間象山集
　　　　　　　　　　近世社會經濟學說大系　第10冊　東京　誠文堂新光社　昭
　　　　　　　　　　和10年（1935）
　　　　　　　　　　上書（7篇）
　　　　　　　　　　省愆錄
　　　　　　　　　　書簡
　　　　　　　　　　日記

3559　雜賀博愛　　　佐久間象山集
　　　　　　　　　　勤王志士叢書　東京　興文社　昭和17年（1942）

3560　佐藤昌介等校注　佐久間象山

　　　　　　　　　日本思想大系　第55冊　東京　岩波書店　昭和46年（1971）
　　　　　　　　　省諐錄
　　　　　　　　　上書（6篇）

3561　松浦玲編　　　佐久間象山

　　　　　　　　　日本の名著　第30冊　東京　中央公論社　昭和57年（1982）
　　　　　　　　　省諐錄（松浦玲譯）
　　　　　　　　　海防論（松浦玲譯）
　　　　　　　　　殖産興業（松浦玲譯）
　　　　　　　　　公武一和（松浦玲譯）

3562　信濃教育會編　象山全集

　　　　　　　　　東京　尙文館　大正2年（1913）　2冊
　　　　　　　　　上卷
　　　　　　　　　　省諐錄
　　　　　　　　　　上書
　　　　　　　　　　象山淨稿漢文
　　　　　　　　　　文稿漢文
　　　　　　　　　　礮卦
　　　　　　　　　　礮學圖編
　　　　　　　　　　迅發擊銃圖說
　　　　　　　　　　女訓
　　　　　　　　　　喪禮私說
　　　　　　　　　　象山先生詩鈔
　　　　　　　　　　詩稿
　　　　　　　　　　和歌
　　　　　　　　　　日記（韜野日記　浦賀日記　橫濱陣中日記）
　　　　　　　　　　雜說
　　　　　　　　　　附錄
　　　　　　　　　　　肖像及遺墨
　　　　　　　　　　　碑文
　　　　　　　　　　　序及例言
　　　　　　　　　　　佐久間象山年譜
　　　　　　　　　　　佐久間氏略系
　　　　　　　　　下卷
　　　　　　　　　　書簡
　　　　　　　　　　少年時代天保4年11月

一齋塾時代天保4年11月—天保7年2月

浦町時代天保7年2月—天保10年2月

玉池時代天保10年2月—弘化3年閏5月

御使者屋時代弘化3年閏5月—嘉永4年4月

木挽町時代嘉永4年4月—安政元年9月

聚遠樓時代安政元年9月—元治元年3月

上洛時代元治元年3月—元治元年7月

公務日記附錄

跋

象山全集編纂經過

松代象山會記事

書簡事實索引

書簡宛名索引五十音順

3563　信濃教育會編　增訂象山全集

長野　信濃每日新聞社　昭和9、10年（1934、1935）　5冊

東京　明治文獻　昭和50年（1975）重印本　5冊

卷1

佐久間象山先生年譜（三井丏二郎編）

佐久間象山先生小傳（飯島忠夫著）

省諐錄

象山淨稿

礮卦

象山先生文稿

四書經注傍釋大學之部

卷2

上書

礮學圖編

迅發擊銃圖說

喪禮私說

象山詩鈔

象山詩稿

和歌

女訓

轄野日記

浦賀日記

橫濱陣中日記

後人研究

3564　龜山聿三編　　象山佐久間先生碑文集
　　　　　　　　　　　近代先哲碑文集　第31集　東京　夢硯堂　昭和47年（1972）

3565　松村操編　　　山陽言行錄・象山言行錄
　　　　　　　　　　　兔屋誠印行　明治15年（1882）

3566　村田寬敬編　　佐久間象山言行錄
　　　　　　　　　　　東京　內外出版協會　明治41年（1908）5月　211頁（偉人
　　　　　　　　　　　研究　第35編）

3567　笹井花明　　　佐久間象山言行錄
　　　　　　　　　　　東京　東亞堂　大正5年（1916）（修養史傳　8）

3568　信濃教育會編　省𠌫錄衍義
　　　　　　　　　　　長野　信濃每日新聞社　昭和5年（1930）

3569　倉田信久　　　詳解省愆錄
　　　　　　　　　　　岡谷　倉田寬印行　平成元年（1989）8月　346頁

3570　竹內義光　　　佐久間象山翁：望獄の賦講義總かなつき俗解
　　　　　　　　　　　東京　作者印行　明治33年（1900）6月　54頁

3571　山口勇雄　　　象山先生櫻賦

　　　　　　　　山崎儀作印行　明治36年（1903）

3572　清水義壽　　信濃英傑佐久間象山大志傳
　　　　　　　　市川量造印行　明治15年（1882）

3573　村本芳忠　　象山翁事跡
　　　　　　　　東京　兔屋誠印行　明治21年（1888）11月　2冊（68丁，61
　　　　　　　　丁）

3574　齋藤丁治編　象山、松陰慨世餘聞
　　　　　　　　東京　丸善商社　明治22年（1889）3月　122頁

3575　齋藤丁治編、笛木悌治解說　象山、松陰慨世餘聞（解說版）
　　　　　　　　藤澤　富士見書房；東京　講談社出版サービスセター製作
　　　　　　　　昭和50年（1975）　122,170頁

3576　林　政文　　佐久間象山
　　　　　　　　東京　開新堂　明治26年（1893）12月　269頁

3577　柄澤美郎　　佐久間象山山口菅山問答鬼神論
　　　　　　　　長野縣古里村　作者印行　明治32年（1899）序　59，22頁

3578　小此木秀野　佐久間象山
　　　　　　　　東京　裳華房　明治32年（1899）

3579　巖松堂忠貞居士　象山先生實錄
　　　　　　　　東京　金港堂　明治42年（1909）9月　192，90頁

3580　齋藤　謙　　佐久間象山
　　　　　　　　東京　隆文館　明治43年（1910）1月　301頁

3581　山路愛山　　佐久間象山
　　　　　　　　東京　東亞堂書房　明治44年（1911）8月　274頁

3582　山口勇雄　　象山佐久間先生
　　　　　　　　中信時報社　大正2年（1913）

3583　埴科郡教育會編　感應公と象山先生
　　　　　　　　榊原文盛堂、寺澤汲古館　大正2年（1913）

3584　埴科郡教育會編　佐久間象山
　　　　　　　　文陽堂　大正2年（1913）

3585　象山先生遺跡表彰會編　佐久間象山
　　　　　　　　①東京　實業之日本社　大正5年（1916）
　　　　　　　　②東京　明治圖書　大正9年（1920）
　　　　　　　　③東京　地理歷史研究會　昭和5年（1930）增訂版

3586　大庭三郎　　佐久間象山百話
　　　　　　　　東京　求光閣　大正5年（1916）（教訓叢書）

3587　笹井花明　　佐久間象山

　　　　　　　　東京　邦光堂　大正12年（1923）

3588　井野邊茂雄　佐久間象山の對外意見
　　　　　　　　幕末史の研究　東京　雄山閣　昭和2年（1927）

3589　寺門唉平　　佐久間象山
　　　　　　　　東京　大峰書房　昭和4年（1929）

3590　森　滄浪　　東湖、象山、松陰、小楠――幕末四傑學風管見
　　　　　　　　東京　金雞學院　昭和4年（1929）（人物研究叢刊）

3591　大平喜間多　佐久間象山
　　　　　　　　長野　信濃鄉土文化普及會　昭和5年（1930）　109頁（信
　　　　　　　　濃鄉土叢書　第8編）

3592　寺門唉平　　維新の先覺者――佐久間象山
　　　　　　　　東京　西澤書店　昭和6年（1931）

3593　宮本　仲　　佐久間象山
　　　　　　　　東京　岩波書店　昭和7年（1932）；昭和11年（1936）增訂；
　　　　　　　　昭和15年（1940）增訂版　901頁

3594　大平喜間多　佐久間象山逸話集
　　　　　　　　長野　信濃每日新聞社　昭和8年（1933）

3595　堀內信水　　世界的大偉人佐久間象山
　　　　　　　　東京　不動書房　昭和8年（1933）

3596　清水松濤　　佐久間象山先生と佛教
　　　　　　　　長野　信濃鄉土誌刊行會　昭和10年（1935）

3597　飯島忠夫　　象山佐久間先生
　　　　　　　　象山神社奉贊會　昭和13年（1938）

3598　象山神社社務所編　象山佐久間先生
　　　　　　　　編者印行　昭和14年（1939）

3599　金子鷹之助　熊澤蕃山と佐久間象山
　　　　　　　　東京　日本放送協會　昭和16年（1941）（ラジオ新書）

3600　赤尾藤市　　佐久間象山
　　　　　　　　東京　三教書院　昭和17年（1942）（偉人叢書　16）

3601　增澤　淑　　科學の先驅者佐久間象山
　　　　　　　　東京　日本書房　昭和17年（1942）

3602　武田勘治　　松陰と象山
　　　　　　　　東京　第一出版協會　昭和18年（1943）

3603　金子鷹之助　佐久間象山の人と思想
　　　　　　　　東京　今日の問題社　昭和18年（1943）（國民教養新書）

3604　齋藤鹿三郎　　佐久間象山とその先覺思想

　　　　　　　　　　葛城書店　昭和19年（1944）

3605　宮本　璋　　　佐久間象山

　　　　　　　　　　象山會　昭和28年（1953）

3606　佐久間象山　　佐久間象山

　　　　　　　　　　①東京　吉川弘文館　昭和34年（1959）　216頁（人物叢書）

　　　　　　　　　　②東京　吉川弘文館　昭和62年（1987）9月　216頁（人物
　　　　　　　　　　　叢書新裝版）

3607　新村出、久保田收　佐久間象山先生

　　　　　　　　　　京都　象山會　昭和39年（1964）7月　140頁

3608　塚原健二郎　　佐久間象山

　　　　　　　　　　長野　信濃教育會　昭和40年（1965）

3609　奈良本辰也、左方郁子　佐久間象山

　　　　　　　　　　東京　清水書院　昭和50年（1975）　197頁（人と思想　48）

3610　龍野咲人　　　佐久間象山

　　　　　　　　　　東京　新人物往來社　昭和50年（1975）　233頁

3611　信夫清三郎　　象山と松陰——開國と攘夷の倫理

　　　　　　　　　　東京　河出書房新社　昭和50年（1975）　314，8頁

3612　前野喜代治　　佐久間象山再考——その人と思想と

　　　　　　　　　　長野　銀河書房　昭和52年（1977）2月　203頁（研究・資
　　　　　　　　　　料シリーズ　2）

3613　宮本　仲　　　佐久間象山

　　　　　　　　　　東京　象山社　昭和54年（1979）12月　863頁（岩波書店
　　　　　　　　　　昭和11年版之增訂版）

3614　小尾郊一　　　佐久間象山

　　　　　　　　　　叢書日本の思想家　第38冊　東京　明德出版社　昭和56年
　　　　　　　　　　（1981）12月（與大塩中齋合冊）

3615　田中誠三郎　　佐久間象山の實像

　　　　　　　　　　長野　銀河書房　昭和58年（1983）4月　146頁（研究・資
　　　　　　　　　　料シリーズ　5）

3616　Chang, Richard Taiwon, Fujita Toko and Sakuma Shozan: bakumatsu intel-
　　　　　　　　　　lectuals and the West. by Richard Taiwon Chang. Ann Arbor,
　　　　　　　　　　Mich.: University Microfilms International, 1984. xi, 325
　　　　　　　　　　P.

3617　源　了圓　　　佐久間象山

　　　　　　　　　　幕末・維新の群像　第8卷　東京　PHP研究所　平成2年

（1990）3月　218頁（歴史人物シリーズ）

3618　錢　國紅　　　アジアにおける近世思想の先驅──佐久間象山と魏源

　　　　　　　　　長野　信毎書籍出版センター　平成5年（1993）7月　260頁

3619　岩下武岳　　　佐久間象山先生をしのふ

　　　　　　　　　長野　作者印行　平成5年（1993）　180頁

おお はし とっ あん
5. 大橋訥庵（1816—1862）

著　作

3620　大橋訥庵　　　性理鄙説

　　　　　　　　　日本儒林叢書　第5巻　東京　鳳出版　昭和2年（1927）；
　　　　　　　　　昭和46年（1971）重印本

3621　大橋訥庵　　　闢邪小言4巻

　　　　　　　　　安政4年（1857）跋刊本　4冊

3622　大橋訥庵　　　政權恢復秘策

　　　　　　　　　日本の思想　第20冊　幕末思想集　東京　筑摩書房　昭和
　　　　　　　　　44年（1969）

3623　大橋訥庵著、大橋正義校　訥庵文詩鈔2巻3冊

　　　　　　　　　東京　大橋義三印行　明治44年（1911）

3624　大橋訥庵著、大橋正義校　訥庵文鈔

　　　　　　　　　東京　大橋義三印行　明治44年（1911）7月　2冊（乾43丁，
　　　　　　　　　坤36丁）

3625　大橋訥庵　　　書簡

　　　　　　　　　日本思想大系　第47冊　東京　岩波書店　昭和47年（1972）

3626　大橋訥庵　　　大橋訥庵書簡

　　　　　　　　　朱子學大系　第14巻　幕末維新朱子學　者書簡集　東京
　　　　　　　　　明德出版社　昭和50年（1975）12月

3627　平泉澄、寺田剛編　大橋訥菴先生全集

　　　　　　　　　東京　至文堂　昭和13—18年（1938—1941）　3冊
　　　　　　　　　上卷
　　　　　　　　　　闢邪小言
　　　　　　　　　　嘉永上書
　　　　　　　　　　鄰疴臆議
　　　　　　　　　　安政上書

　　　政權恢復秘策
　　　國事關係書翰纂
　　　獄中書翰集
　　　附栗宮幸之助と爲取替證文
　　　　栗宮村繪圖
　　　　大橋菊池兩家系圖
　　　　不收錄書略解
　　中卷
　　　文集
　　　詩集
　　　觀省錄
　　　附學問四眞
　　　　與人論陸王書
　　　論格致賸議書
　　　性理鄙說
　　　周易私斷
　　　易學圖
　　下卷
　　　元寇紀略
　　　責難錄
　　　書經集傳天度辨
　　　歲在歲次龍集考
　　　養子鄙斷
　　　書翰集
　　　清水赤城遺稿
　　　淡菴詩抄
　　　大橋卷子家集
　　　大橋陶菴詩鈔
　　　思誠塾規

後人研究

3628　龜山聿三編　訥庵大橋先生碑文集
　　　　　　近代先哲碑文集　第49集　東京　夢硯堂　昭和52年（1977）
3629　龜山聿三編　大橋訥庵及社中名家碑文集
　　　　　　近代先哲碑文集　第50集　東京　夢硯堂　昭和52年（1977）

3630　新　恆藏　　　大橋順藏國事の爲女牢死したる事實
　　　　　　　　　　史談會速記錄　第23號　明治27年（1894）
3631　伊藤介夫　　　大橋順藏先生國事に鞅掌せられたる事實
　　　　　　　　　　史談會速記錄　第55號　明治30年（1897）
3632　森本樵作　　　大橋訥菴の死因に就て
　　　　　　　　　　歷史地理　第46卷2號　大正14年（1925）
3633　寺田　剛　　　大橋順藏先生の事蹟に就て
　　　　　　　　　　史談會速記錄　第408號　昭和12年（1937）
3634　寺田　剛　　　大橋訥菴先生と池田草庵との交遊
　　　　　　　　　　史談會速記錄　第408號　昭和12年（1937）
3635　三島吉太郎　　勤王家大橋正順
　　　　　　　　　　歷史及地理　第1卷4號　明治45年（1912）
3636　寺田　剛　　　大橋訥菴先生傳
　　　　　　　　　　東京　至文堂　昭和11年（1936）11月　336頁

三、石門心學派

(一)概　述

3637　足立栗園編、中島力造閲　心學史要――近世德育
　　　　　　　　　　東京　右文館　明治32年（1899）11月　227頁
3638　石川　謙　　　心學教化の本質並發達
　　　　　　　　　　①東京　章華社　昭和6年（1931）
　　　　　　　　　　②東京　青史社　昭和57年（1982）7月　378，7頁
3639　石川　謙　　　石門心學史の研究
　　　　　　　　　　東京　岩波書店　昭和13年（1938）；昭和50年（1975）
　　　　　　　　　　1376,135,32頁
3640　Sawada, Janine Anderson,　Confucian values and popular Zen: Sekimon
　　　　　　　　　　shingaku in eighteenth-century Japan. Janine Anderson
　　　　　　　　　　Sawada. Honolulu: University of Hawaii Press, c1993. xi,
　　　　　　　　　　256 p.
3641　竹鼻仙右衛門　心學道話　初編、二編
　　　　　　　　　　京都　村上勘兵衛印行　明治14年（1881）　2冊（15丁，16
　　　　　　　　　　丁）

3642　藤松喜三郎　　心學いろはうた
　　　　　　　　　東京　藤松喜三郎　明治17年（1884）3月　3丁
3643　守本惠觀　　　假名付畫入心學道話　初編
　　　　　　　　　京都　信行社　明治17年（1884）12月　56丁
3644　西森武城述、耳野早藏記　滑稽心學道の話
　　　　　　　　　東京　目黑伊三郎　明治24年（1891）2月　81丁
3645　奧田壽太述、平野橘翁記　心學道之話
　　　　　　　　　大阪　豐田宇左衛門等　明治25年（1892）4月　2版　457頁
3646　石塚無佛撰、小林無爵評　心學一夕話
　　　　　　　　　名古屋　其中堂　明治25年（1892）5月　251頁
3647　石塚無佛撰、小林無爵評　評註插畫心學道の栞
　　　　　　　　　名古屋　其中堂　明治25年（1892）7月　253頁
3648　石塚無佛撰、小林無爵評　心學道の教
　　　　　　　　　大阪　宋榮堂等　明治27年（1894）3月　2冊（219頁，221
　　　　　　　　　頁）
3649　近藤延之助　　心學修身道話
　　　　　　　　　大阪　岡本明玉堂　明治27年（1894）4月　432頁
3650　山本櫟峰　　　心學人間篇
　　　　　　　　　東京　文學同志會　明治36年（1903）3月　70頁
3651　大町桂月校　　心學道話
　　　　　　　　　東京　至誠堂　明治44、45年（1911、1912）　2冊（288頁，
　　　　　　　　　271頁）（學生文庫第9，26編）
3652　奧田壽太述、平野橘翁記　心學道之話
　　　　　　　　　東京　大屋書房　明治45年（1912）2月　312頁（教訓文庫）
3653　石川　謙　　　心學精粹
　　　　　　　　　日本精神叢書　東京　文部省思想局　昭和9年（1934）
3654　熊坂圭三　　　石門心學に就いて
　　　　　　　　　近世日本の儒學　頁1015—1034　東京　岩波書店　昭和14
　　　　　　　　　年（1939）8月
3655　石川　謙　　　石門心學と現代の教育
　　　　　　　　　概觀日本教育史　東京　東洋圖書　昭和15年（1940）
3656　磯邊　實　　　心學入門——日本的人生觀確立のために
　　　　　　　　　京都　教育圖書　昭和17年（1942）　480頁
3657　石川　謙　　　心學と現代生活
　　　　　　　　　東京　日本放送出版協會　昭和17年（1942）　156頁（ラジ
　　　　　　　　　オ新書　73）

3658　及川儀右衛門　石門心學小觀
　　　　　　　　　　東京　目黑書店　昭和17年（1942）　220頁
3659　磯邊　實　　　こころの哲學——石門心學をめぐって
　　　　　　　　　　京都　京都教育圖書　昭和18年（1943）　481頁
3660　野口恒樹　　　心學序說
　　　　　　　　　　東京　弘文堂書房　昭和19年（1944）　181頁
3661　石川　謙　　　心學——江戶の庶民哲學
　　　　　　　　　　東京　日本經濟新聞社　昭和39年（1964）
3662　稻垣國三郎　　大阪心學の開祖　中井利安の事蹟
　　　　　　　　　　大阪　中井利安先生事蹟顯彰會　昭和8年（1933）6月　32
　　　　　　　　　　頁
3663　及川大溪　　　廣島の心學
　　　　　　　　　　東京　國書刊行會　昭和49年（1974）　374頁
3664　高橋靈湖編　　心學道話叢書
　　　　　　　　　　京都　一切經印房　明治26年（1893）10月　256頁
　　　　　　　　　　童蒙訓（中澤道二）
　　　　　　　　　　賣卜先生糠俵（賣卜）
　　　　　　　　　　家內用心集（寂照）
　　　　　　　　　　我身の爲（無極庵）
　　　　　　　　　　百物語（村井由清）
3665　赤堀又次郎編　心學叢書
　　　　　　　　　　東京　博文館　明治37、38年（1904、1905）　6冊
　　　　　　　　　　第1編
　　　　　　　　　　　賣卜先生安樂傳授上・中・下の卷（脇坂義堂）
　　　　　　　　　　　賣卜先生糠俵（虛白齋）
　　　　　　　　　　　賣卜先生糠俵後篇上・下（虛白齋）
　　　　　　　　　　　齊家論上・下（石田梅巖）
　　　　　　　　　　　錢湯新話卷1—5（伊藤單朴）
　　　　　　　　　　　民の繁榮1—5の卷（脇坂義堂）
　　　　　　　　　　第2編
　　　　　　　　　　　松翁道話第1編—5編（布施矩道）
　　　　　　　　　　　雨やどり（虛白齋）
　　　　　　　　　　　孝行になるの傳授（脇坂義堂）
　　　　　　　　　　　福相になるの傳授（脇坂義堂）
　　　　　　　　　　　目の前卷の上・下（虛白齋）
　　　　　　　　　　　勸善小話（山東指月）

第3編
　御代の恩澤巻の1—5（脇坂義堂）
　銀のなる木の傳授（脇坂義堂）
　和合長久の傳授（脇坂義堂）
　都鄙問答巻の1—4（石田梅巖）
　夜話莊治（出駒子）
第4編
　立身始末鑑（木南堂）
　案山子草（寺井方信）
　鳩翁道話（柴田鳩翁）
第5編
　ありべかかり巻の上・下（手島堵庵）
　五月心愼草巻の上・下（脇坂義堂）
　鸚鵡問答（丹羽氏祐）
　長命になるの傳授巻の上・下（脇坂義堂）
　道のこだま巻の上・中・下（柳泓）
　道得問答巻の1—4（慈音尼）
　聖賢證語國字解（上河正揚）
　身體柱立巻の上・下（周防由房）
第6編
　やしなひ草前編・第2編（脇坂弘道編）
　爲學玉箒前編・後篇（手島堵庵）
　男子女子前訓上・下巻（手島堵庵）
　石田先生事蹟
3666　高倉嘉夫編　心學道話全集
　忠誠堂　昭和2、3年（1927、1928）　6冊
　心學道話全集刊行會　昭和53年（1978）重印本　6冊
　第1卷
　　鳩翁道話（柴田鳩翁）
　　銀のなる木の傳授（脇坂義堂）
　　和合長久の傳授（脇坂義堂）
　　開運出世の傳授（脇坂義堂）
　　賣卜先生安樂傳授（脇坂義堂）
　　賣卜先生糠俵（虛白齋）
　第2卷
　　御代の恩澤（脇坂義堂）

孝行になるの傳授（脇坂義堂）

福相になるの傳授（脇坂義堂）

長命になるの傳授（脇坂義堂）

雨やどり（虛白齋）

五用心愼草（脇坂義堂）

目の前（虛白齋）

松翁道話（布施松翁）

道の餤（柳泓）

第3卷

心學道の話（奧田賴杖）

鸚鵡問答（丹羽氏祐）

第4卷

ありべかかり（手島堵庵）

民の繁榮（脇坂義堂）

錢湯新話（伊藤單朴）

勸善小話（山本指月）

爲學玉箒（手島堵庵）

身體柱立（周防山房）

男子女子前訓（手島堵庵）

夜話莊治（出駒子）

第5卷

立身始末鑑（木南堂）

道得問答（慈恩尼）

都鄙問答（石田梅岩）

齊家論（石田梅岩）

やしなひ草（脇坂義堂）

石田先生事蹟（門人記）

第6卷

道二道話（中澤道二）

聖賢證語國字解（河上正楊）

案山子草（寺井方信）

町人身體なをし（手島堵庵）

家道訓（貝原益軒）

3667　柴田實校註　石門心學

日本思想大系　第42冊　東京　岩波書店　昭和46年（1971）

齊家論（石田梅岩）

石田先生語鈔（抄）（石田梅岩）

莫妄想（石田梅岩）

坐談隨筆（手島堵庵）

知心辨疑（手島堵庵）

兒女ねむりさまし（手島堵庵）

前訓（手島堵庵）

會友大旨（手島堵庵）

心學承傳之圖・聖賢證語國字解序（上河淇水）

道二翁道話（中澤道二）

鳩翁道話（柴田鳩翁）

松翁ひとり言（布施松翁）

朱學辨（鎌田柳泓）

心學五則（鎌田柳泓）

理學秘訣（鎌田柳泓）

心學奧の棧（鎌田柳泓）

解說

　石門心學について

　石門先生語錄について

3668　日本圖書センター　石門心學（上、下冊）

　日本教育思想大系　第12、13冊　東京　編者印行　昭和51年（1976）

　上冊

　　鳩翁道話（柴田鳩翁）

　　松翁道話（布施松翁）

　　民の繁榮（脇坂義堂）

　　目の前（虛白齋）

　　雨やどり（虛白齋）

　　夜話莊治（出駒子）

　　勸善小話（山東指月）

　　道得問答（慈音尼兼葭）

　　ありべかかり（手島堵庵）

　　齊家論（石田梅岩）

　　都鄙問答（石田梅岩）

　下冊

　　我つえ（手島堵庵）

　　目なし用心抄（手島堵庵）

手島堵庵社約（手島堵庵）

賣卜先生糠俵（虛白齋）

賣卜先生糠俵後編（虛白齋）

賣卜先生安樂傳授（脇坂義堂）

孝行になるの傳授（脇坂義堂）

開運出世傳授（脇坂義堂）

世わたり草（菊屋彥太郎）

道二先生御高札道話（中澤道二）

道二翁道話（中澤道二）

心學壽草（大口子容）

心學道の話初篇（奧田賴杖）

子守歌（知眞庵）

心學和合歌（大島有鄰）

賤が歌（久世順矣）

石田先生事蹟

手島堵庵先生事蹟

手島和庵先生事蹟

心學根本草

　　私案なしの說（手島堵庵）

　　私案なしの說細釋（上河正揚）

　　三聖一理無私案の圖解（上河正揚）

　　知性の辨（石田梅岩）

　　養心の辨（手島堵庵）

心學初入手引草（大島有鄰）

會友大旨（手島堵庵）

前訓（手島堵庵）

爲學玉箒（手島堵庵）

知心辨疑（手島堵庵）

坐談隨筆（手島堵庵）

朝倉新話（手島堵庵）

安樂問辨（手島堵庵）

子弟訓（手島宗義）

教訓我が守（高田重充）

㈡各論

1.石田梅岩（1685—1744）

著　作

3669　石田梅岩　　　都鄙問答4卷
　　　　　　　　　　天明8年（1788）刊本

3670　石田梅岩　　　都鄙問答4卷
　　　　　　　　　　日本思想鬥諍史料　第2卷　東京　東方書院　昭和5年
　　　　　　　　　　（1930）；東京　名著刊行會　昭和44年（1969）

3671　石田梅岩　　　都鄙問答
　　　　　　　　　　大日本思想全集　第5卷　東京　大日本思想全集刊行會
　　　　　　　　　　昭和6年（1931）

3672　田邊留藏、古田紹欽　註解都鄙問答
　　　　　　　　　　心學古典篇　第3卷　東京　雄山閣　昭和16年（1941）

3673　石田梅岩　　　都鄙問答
　　　　　　　　　　日本教育寶典　第4冊　東京　玉川大學出版部　昭和40年
　　　　　　　　　　（1965）

3674　小高敏郎校注　都鄙問答
　　　　　　　　　　日本古典文學大系　第97冊　近世思想家文集　東京　岩波
　　　　　　　　　　書店　昭和41年（1966）

3675　石田梅岩　　　都鄙問答
　　　　　　　　　　日本教育思想大系　第12冊　近世庶民教育思想(1)　東京
　　　　　　　　　　日本圖書センター　昭和51年（1976）

3676　石田梅岩著、加藤周一譯　都鄙問答
　　　　　　　　　　日本の名著　第18冊　東京　中央公論社　昭和47年（1972）

3677　石田梅岩　　　齊家論
　　　　　　　　　　國民思想叢書　第2冊　民衆篇　東京　大東出版社　昭和4
　　　　　　　　　　年（1929）

3678　石田梅岩　　　齊家論
　　　　　　　　　　日本の思想　第18冊　東京　筑摩書房　昭和44年（1969）

3679　石田梅岩　　　齊家論
　　　　　　　　　　日本思想大系　第42冊　東京　岩波書店　昭和46年（1971）

3680　石田梅岩　　　石田先生語鈔（抄）
　　　　　　　　　　日本思想大系　第42冊　東京　岩波書店　昭和46年（1971）

3681　石田梅岩　　　石田先生語錄

　　　　　　　　　日本の名著　第18冊　東京　中央公論社　昭和47年（1972）
3682　石田梅岩　　莫妄想
　　　　　　　　　日本思想大系　第42冊　東京　岩波書店　昭和46年（1971）
3683　石田梅岩　　和歌
　　　　　　　　　日本教育寶典　第4冊　東京　玉川大學出版部　昭和40年
　　　　　　　　　（1965）
3684　石田梅岩　　書簡（抄）
　　　　　　　　　日本教育寶典　第4冊　東京　玉川大學出版部　昭和40年
　　　　　　　　　（1965）
3685　武田勘治、田邊肥洲編　石田梅岩教育說選集
　　　　　　　　　日本教育文庫　第7冊　東京　第一出版協會　昭和11年
　　　　　　　　　（1936）
3686　佐藤清太、繩田二郎編　石田梅岩集
　　　　　　　　　日本教育寶典　第4冊　東京　玉川大學出版部　昭和40年
　　　　　　　　　（1965）
　　　　　　　　　都鄙問答
　　　　　　　　　和歌
　　　　　　　　　書簡（抄）
　　　　　　　　　石田先生事蹟
　　　　　　　　　石田梅岩略年譜
3687　加藤周一編　　石田梅岩
　　　　　　　　　日本の名著　第18冊　東京　中央公論社　昭和47年（1972）
　　　　　　　　　都鄙問答（加藤周一譯）
　　　　　　　　　附：石田先生語錄
　　　　　　　　　　　「石田先生語錄」解題（柴田實）
3688　柴田實編　　石田梅岩全集
　　　　　　　　　東京　明倫舍　昭和31年（1956）　2冊
　　　　　　　　　清文堂　昭和47年（1972）改訂再版　2冊
　　　　　　　　　上卷
　　　　　　　　　　都鄙問答
　　　　　　　　　　儉約齊家論
　　　　　　　　　　石田先生語錄上卷1—12
　　　　　　　　　下卷
　　　　　　　　　　石田先生語錄下卷13—24
　　　　　　　　　　石田先生語錄補遺
　　　　　　　　　　先生問答並門人物語

莫妄想
文藻・遺墨雜篇
書簡集
石田先生事蹟
但馬入湯道之記
年譜

後人研究

3689　石川　謙　　石田梅岩と「都鄙問答」
東京　岩波書店　平成5年（1993）7月　4,214頁（岩波新書
の江戸時代）

3690　未署名　　石田先生事蹟
日本教育寶典　第4冊　東京　玉川大學出版部　昭和40年
（1965）

3691　未署名　　石田先生略年譜
日本教育寶典　第4冊　東京　玉川大學出版部　昭和40年
（1965）

3692　大川周明　平民の教師石田梅岩
日本精神研究　第3冊　東京　社會教育研究所　大正13年
（1924）

3693　田制佐重　心學の開祖石田梅岩
先哲餘影教育夜話　東京　文教書院　昭和2年（1927）

3694　水月哲英　石田先生
編者印行　昭和9年（1934）

3695　岩內誠一　教育家としての石田梅岩
京都　立命館出版部　昭和9年（1934）

3696　西川晉一郎　尊德、梅岩
大教育家文庫　第5冊　東京　岩波書店　昭和13年（1938）

3697　白石正邦、田邊肥洲　石田梅岩
藻岩書店　昭和16年（1941）

3698　石川　謙　石田梅岩
東京　文教書院　昭和18年（1943）　222頁（日本教育先哲
叢書　第15冊）

3699　竹中靖一　幕藩體制下の人道主義——石田梅岩の思想について
本庄先生古稀記念論文集——近世日本の經濟と社會　東京
有斐閣　昭和33年（1958）

3700 柴田　實　　　石田梅岩
　　　　　　　　　①東京　吉川弘文館　昭和37年（1962）156頁（人物叢書）
　　　　　　　　　②東京　吉川弘文館　昭和63年（1988）11月　156頁（人
　　　　　　　　　物叢書新裝版）

3701 柴田　實　　　梅岩とその門流——石門心學史研究
　　　　　　　　　東京　ミネルヴァ書房　昭和52年（1977）

3702 倉本長治　　　石田梅岩ノート
　　　　　　　　　東京　商業界　昭和53年（1978）10月　260頁

3703 古田紹欽、今井淳編　石田梅岩の思想——「心」と「儉約」の哲學
　　　　　　　　　東京　ぺりかん社　昭和54年（1979）12月　274頁　（附：
　　　　　　　　　石田梅岩略年譜、心學研究文獻）

3704 田邊肥洲　　　石田梅岩先生物語
　　　　　　　　　龜岡　石田梅岩先生遺德顯彰會　昭和55年（1980）8月
　　　　　　　　　210頁

3705 志村　武　　　日本商人の原點——石田梅岩が說く金儲けの思想
　　　　　　　　　東京　ダイヤモンド社　昭和57年（1982）4月　262頁

3706 木南卓一　　　石田梅岩私新抄
　　　　　　　　　枚方　作者印行　昭和60年（1985）9月　1冊

3707 山本七平　　　心學・石田梅岩
　　　　　　　　　龜岡　龜岡市教育委員會　平成2年（1990）3月　55頁（丹
　　　　　　　　　波學叢書1）

3708 森田芳雄　　　儉約齊家論のすすめ——石田梅岩が求めた商人道の原點
　　　　　　　　　東京　河出書房新社　平成3年（1991）1月　217頁

3709 森田芳雄　　　天下のために十錢を惜しむ石田梅岩とアダム・スミス
　　　　　　　　　東京　河出書房新社　平成6年（1994）9月　309頁

3710 山木　育　　　石田梅岩——デフレ時代を生き拔く知惠
　　　　　　　　　東京　東洋經濟新報社　平成9年（1997）　228頁

3711 李　甦平　　　石田梅岩
　　　　　　　　　臺北　東大圖書公司　平成10年（1998）1月　262頁

2.手島堵庵（1718—1786）

著　作

3712 手島堵庵　　　坐談隨筆
　　　　　　　　　日本教育寶典　第4冊　東京　玉川大學出版部　昭和40年

（1965）

3713　手島堵庵　　坐談隨筆
　　　　　日本思想大系　第42冊　東京　岩波書店　昭和45年（1970）

3714　手島堵庵　　坐談隨筆
　　　　　日本教育思想大系　第13冊　近世庶民教育思想(2)　東京
　　　　　日本圖書センター　昭和51年（1976）

3715　手島堵庵　　知心辨疑
　　　　　日本教育寶典　第4冊　東京　玉川大學出版部　昭和40年
　　　　　（1965）

3716　手島堵庵　　知心辨疑
　　　　　日本思想大系　第42冊　東京　岩波書店　昭和46年（1971）

3717　手島堵庵　　知心辨疑
　　　　　日本教育思想大系　第13冊　近世庶民教育思想(2)　東京
　　　　　日本圖書センター　昭和51年（1976）

3718　手島堵庵　　兒女ねむりさまし
　　　　　日本思想大系　第42冊　東京　岩波書店　昭和46年（1971）

3719　手島堵庵　　前訓
　　　　　日本教育寶典　第4冊　東京　玉川大學出版部　昭和40年
　　　　　（1965）

3720　手島堵庵　　前訓
　　　　　日本思想大系　第42冊　東京　岩波書店　昭和46年（1971）

3721　手島堵庵　　前訓
　　　　　日本教育思想大系　第13冊　近世庶民教育思想(2)　東京
　　　　　日本圖書センター　昭和51年（1976）

3722　手島堵庵　　會友大旨
　　　　　日本教育寶典　第4冊　東京　玉川大學出版部　昭和40年
　　　　　（1965）

3723　手島堵庵　　會友大旨
　　　　　日本思想大系　第42冊　東京　岩波書店　昭和46年（1971）

3724　手島堵庵　　會友大旨
　　　　　日本教育思想大系　第13冊　近世庶民教育思想(2)　東京
　　　　　日本圖書センター　昭和51年（1976）

3725　手島堵庵　　手島堵庵社約
　　　　　日本教育思想大系　第13冊　近世庶民教育思想(2)　東京
　　　　　日本圖書センター　昭和51年（1976）

3726　手島堵庵　　我つえ

日本教育思想大系　第13冊　近世庶民教育思想(2)　東京
日本圖書センター　昭和51年（1976）

3727　手島堵庵　商人一枚起請文
　　　國民思想叢書　第9冊　東京　大東出版社　昭和4年（1929）

3728　手島堵庵　ありべかかり
　　　國民思想叢書　第9冊　東京　大東出版社　昭和4年（1929）

3729　手島堵庵　有りべかかり
　　　大日本思想全集　第5卷　東京　大日本思想全集刊行會
　　　昭和6年（1931）

3730　手島堵庵　ありべかかり
　　　日本教育思想大系　第13冊　近世庶民教育思想(2)　東京
　　　日本圖書センター　昭和51年（1976）

3731　手島堵庵　安樂問辨
　　　日本教育思想大系　第13冊　近世庶民教育思想(2)　東京
　　　日本圖書センター　昭和51年（1976）

3732　手島堵庵　明德和贊
　　　日本教育寶典　第4冊　東京　玉川大學出版部　昭和40年
　　　（1965）

3733　手島堵庵　朝倉新話
　　　日本教育寶典　第4冊　東京　玉川大學出版部　昭和40年
　　　（1965）

3734　手島堵庵　朝倉新話
　　　日本教育思想大系　第13冊　近世庶民教育思想(2)　東京
　　　日本圖書センター　昭和51年（1976）

3735　手島堵庵　目なし用心抄
　　　國民思想叢書　第11冊　東京　大東出版社　昭和4年
　　　（1929）

3736　手島堵庵　目なし用心抄
　　　日本教育思想大系　第13冊　近世庶民教育思想(2)　東京
　　　日本圖書センター　昭和51年（1976）

3737　手島堵庵　爲學玉箒　前編3卷
　　　寬政元年（1789）刊本

3738　手島堵庵　爲學玉箒後編3卷
　　　文化5年（1808）刊本

3739　手島堵庵　爲學玉箒
　　　日本教育思想大系　第13冊　近世庶民教育思想(2)　東京

　　　　　　　　　　日本圖書センター　昭和51年（1976）
3740　手島堵庵　　書柬
　　　　　　　　　　日本教育寶典　第4冊　東京　玉川大學出版部　昭和40年
　　　　　　　　　　（1965）
3741　玉川大學出版部　手島堵庵集
　　　　　　　　　　日本教育寶典　第4冊　東京　玉川大學出版部　昭和40年
　　　　　　　　　　（1965）
　　　　　　　　　　坐談隨筆
　　　　　　　　　　知心辨疑
　　　　　　　　　　前訓
　　　　　　　　　　會友大旨
　　　　　　　　　　明德和贊
　　　　　　　　　　朝倉新話
　　　　　　　　　　書柬
　　　　　　　　　　手島堵庵先生事蹟
　　　　　　　　　　手島堵庵略年譜
3742　柴田實編　　手島堵庵全集
　　　　　　　　　　京都　明倫舍　昭和6年（1931）1冊
　　　　　　　　　　町人身體はしら立
　　　　　　　　　　坐談隨筆
　　　　　　　　　　知心辨疑
　　　　　　　　　　兒女ねむりさまし
　　　　　　　　　　前訓
　　　　　　　　　　會友大旨
　　　　　　　　　　我津衛
　　　　　　　　　　遺書講義
　　　　　　　　　　女冥加解
　　　　　　　　　　町人身體なをし
　　　　　　　　　　安樂問辨
　　　　　　　　　　明德和贊
　　　　　　　　　　朝倉新話
　　　　　　　　　　新實語教
　　　　　　　　　　目なし用心抄
　　　　　　　　　　爲學玉箒
　　　　　　　　　　爲學玉箒後編
　　　　　　　　　　私案なしの說

善導須知
手嶋先生口授話
論語講義
堵菴先生講義（經語解）
東郭先生遺文
手嶋堵菴先生事蹟
手島堵菴年譜

3743　柴田實編　　增補手島堵庵全集
　　　　　　　　　大阪　清文堂　昭和48年（1973）1冊
町人身體はしら立
坐談隨筆
知心辨疑
兒女ねむりさまし
前訓
會友大旨
我津衛
遺書講義
女冥加解
町人身體なをし
安樂問弁
明德和贊
朝倉新話
新實語教
目なし用心抄
爲學玉箒
爲學玉箒後編
私案なしの說
善導須知
手嶋先生口授話
論語講義
堵菴先生講義（經語解）
東郭先生遺文
手嶋堵菴先生事蹟
肖像
環堵之記（畫卷）
筆蹟

　　　　　　　手島堵菴年譜
　　　　　　　解説
　　　　　　　手島先生遺稿答問集（堵菴先生語録）
　　　　　　　東郭先生遺文追補

後人研究

3744　心學參前舍　　手嶋堵庵先生・中澤道二先生御事蹟
　　　　　　　　　　編者印行　昭和14年（1939）
3745　石川謙、小杉巖　堵庵と道二
　　　　　　　　　　藻石書店　昭和16年（1941）
3746　石川　謙　　　心學者手島堵庵と中澤道二との活動
　　　　　　　　　　教育論叢　昭和6年（1931）1月
3747　竹中靖一　　　手島堵庵の經濟思想
　　　　　　　　　　經濟史研究　第24卷6號　昭和15年（1940）
3748　竹中靖一　　　手島堵庵の町人哲學
　　　　　　　　　　商經學叢　第16卷7期　昭和34年（1959）
3749　多田　顯　　　梅岩より堵庵へ──石門心學の經濟思想史的一考察
　　　　　　　　　　千葉大學文理學部紀要　文化科學　第1卷2號　昭和29年
　　　　　　　　　　（1954）

3.中澤道二（1725—1803）
なか ざわ どう に

著　作

3750　中澤道二　　　道二爺道話
　　　　　　　　　　大日本思想全集　第5卷　東京　大日本思想全集刊行會
　　　　　　　　　　昭和6年（1931）
3751　中澤道二　　　道二翁道話
　　　　　　　　　　日本思想大系　第42冊　東京　岩波書店　昭和45年（1970）
3752　中澤道二　　　心學先哲道話
　　　　　　　　　　京都　京都出版館　明治26年（1893）2月　263頁
3753　中澤道二　　　道二先生御高札道話
　　　　　　　　　　日本教育思想大系　第13冊　近世庶民教育思想(2)　東京
　　　　　　　　　　日本圖書センター　昭和51年（1976）

後人研究

3754　長谷川鑛平　道二翁の道話　石門心學への序曲——道二翁の心學道話と
　　　　　　　　　その倫理　要約・再話
　　　　　　　　　東京　作者印行　平成元年（1989）8月　189頁
3755　心學參前舍　手島堵庵先生・中澤道二先生御事蹟
　　　　　　　　　編者印行　昭和14年（1939）
3756　石川謙、小杉巖　堵庵と道二
　　　　　　　　　藻石書店　昭和16年（1941）
3757　石川　謙　心學者手島堵庵と中澤道二との活動
　　　　　　　　　教育論叢　昭和6年（1931）1月
3758　山田惣兵衛　心學者中澤道二翁の事蹟
　　　　　　　　　史談會速記錄　第406號　昭和11年（1936）
3759　石川　謙　中澤道二の生涯と其の心學思想
　　　　　　　　　古典研究　第6卷2,4號　昭和16年（1937）

4.鎌田柳泓（1754—1821）

著　作

3760　鎌田柳泓輯　心學拔萃2卷
　　　　　　　　　刊本
3761　鎌田柳泓　心學奧の棧
　　　　　　　　　日本思想大系　第42冊　東京　岩波書店　昭和45年（1970）
3762　鎌田柳泓　心學五則
　　　　　　　　　日本思想大系　第42冊　東京　岩波書店　昭和45年（1970）
3763　鎌田柳泓　理學秘訣
　　　　　　　　　日本儒林叢書　第5卷　東京　鳳出版　昭和2年（1927）；
　　　　　　　　　昭和46年（1971）　重印本
3764　鎌田柳泓　理學秘訣
　　　　　　　　　日本哲學思想全書　第5卷　東京　平凡社　昭和31年
　　　　　　　　　（1956）
3765　鎌田柳泓　理學秘訣
　　　　　　　　　日本思想大系　第42冊　東京　岩波書店　昭和45年（1970）
3766　鎌田柳泓　朱學辨

　　　　　　　　日本儒林叢書　第4卷　東京　鳳出版　昭和2年（1927）；
　　　　　　　　昭和46年（1971）　重印本

3767　鎌田柳泓　　朱學辨
　　　　　　　　日本思想大系　第42冊　東京　岩波書店　昭和45年（1970）

後人研究

3768　稻垣國三郎　石門心學の大家鎌田一窗と鎌田柳泓
　　　　　　　　作者印行　昭和7年（1932）
3769　渡邊　徹　　本邦最初の經驗的心理學者としての鎌田鵬の研究
　　　　　　　　東京　中興館　昭和15年（1940）
3770　奈良本辰也編　鎌田柳泓
　　　　　　　　日本の思想家　東京　每日新聞社　昭和29年（1954）
3771　多田　顯　　石門心學者鎌田鵬について——寬政期社會思想研究の一掬
　　　　　　　　文化科學紀要　第7號　昭和40年（1965）
3772　三枝博音　　《理學秘訣》解說
　　　　　　　　日本科學古典全書　第6卷　東京　朝日新聞社　昭和17年
　　　　　　　　（1942）

5.柴田鳩翁（1783—1839）

著　作

3773　柴田鳩翁述、柴田武修記　鳩翁道話
　　　　　　　　①長岡　松田周平印行　明治19年（1886）4月　402頁（前
　　　　　　　　編、續編、續續編合本）
　　　　　　　　②大阪　圖書出版會社　明治24年（1891）2月　88頁，98頁，
　　　　　　　　98頁（合本版）
　　　　　　　　③大阪　岡鳥眞七印行　明治25年（1892）11月　88頁，98
　　　　　　　　頁，98頁（合本版）
　　　　　　　　④大阪　北島長吉印行　明治25年（1892）12月　283頁
　　　　　　　　⑤新潟縣小千谷町　杉山德造印行　明治26年（1892）7月
　　　　　　　　457頁
　　　　　　　　⑥大阪　大塚宇三郎印行　明治26年（1893）11月　218頁
　　　　　　　　⑦四日市　伊藤善太郎等印行　明治28年（1895）1月　218
　　　　　　　　頁

⑧東京　大屋書房　明治44年（1911）10月　320頁　（教訓
　　文庫　第1編）
⑨東京　大川屋書房　明治44年（1911）11月　218頁　（十
　　錢文庫　第11編）
3774　柴田鳩翁著、上田萬年校　鳩翁道話(前編、續續編)
　　　　東京　富山房　明治37、43年（1904、1910）　2冊（264,183
　　　　頁）（袖珍名著文庫　卷20、36）
3775　柴田鳩翁著、石川謙校訂　鳩翁道話
　　　　東京　岩波書店　昭和10年（1935）（岩波文庫）
3776　柴田鳩翁　　　鳩翁道話
　　　　心學道話集　有朋堂文庫
3777　柴田鳩翁著、柴田實校訂　鳩翁道話
　　　　東京　平凡社　昭和45年（1970）　324頁（東洋文庫　154）
3778　柴田鳩翁　　　鳩翁道話
　　　　日本思想大系　第42冊　東京　岩波書店　昭和46年（1971）

後人研究

3779　石川　謙　　柴田鳩翁の生涯と其の心學思想
　　　　日本精神史論纂　第2冊　東京　岩波書店　昭和10年（
　　　　1935）
3780　乙竹岩造　　鳩翁道話の構造及び性格
　　　　日本教育史の研究　第2輯　東京　目黑書店　昭和14年（
　　　　1939）
3781　古田紹欽　　今日を生きる心──「現代新釋・鳩翁道話）を讀む
　　　　東京　三笠書房　昭和62年（1987）6月　225頁

四、後期古學派

㈠後期古義學派

1.伊藤東所（1730—1804）

著作

3782　伊藤東所　　四書集註音義考1冊

		寶曆12年（1762）寫本
3783	伊藤東所	古義抄翼7卷5冊
		天明6年（1786）寫本
3784	伊藤東所	論語古義抄翼4冊
		寫本
3785	伊藤東所	中庸發揮抄翼1冊
		明和6年（1769）自筆本
3786	伊藤東所	書經三百有六旬有六日蔡注ノ解
		安永3年（1774）寫本
3787	伊藤東所	春秋諸侯世代略圖1帖
		明和元年（1764）寫本
3788	伊藤東所	樂考5冊
		寫本
3789	伊藤東所	東所紀譚1冊
		自筆本
3790	伊藤東所	東所雜記5冊
		自筆本
3791	伊藤東所	東所詩草5卷5冊
		寫本
3792	伊藤東所	東所集11卷11冊
		寫本
3793	伊藤東所	東所先生集初編5卷5冊
		明和8年（1771）寫本

後人研究

3794	天理圖書館編	古義堂文庫目錄
		天理　編者印行　昭和31年（1956）3月

2.伊藤東里（1730—1804）

著　作

3795	伊藤東里	但行錄
		寬政4年（1792）寫本
3796	伊藤東里	世事輯記2冊

                          寫本
3797 伊藤東里   新作雜記1冊
                          文化6年（1809）寫本
3798 伊藤東里   東里雜記2冊
                          寫本
3799 伊藤東里   東里集2卷2冊
                          寫本

後人研究

3800 天理圖書館編   古義堂文庫目錄
                          天理 編者印行 昭和31年（1956）3月

3.伊藤東峯（1799—1845）

著作

3801 伊藤東峯   聖賢事蹟跋
                          天保6年（1835）寫本
3802 伊藤東峯   尺度考1冊
                          寫本
3803 伊藤東峯   初見帳1冊
                          寫本
3804 伊藤東峯   紀行雜錄1冊
                          文政10年（1827）寫本
3805 伊藤東峯   年中雜記1冊
                          寫本
3806 伊藤東峯   東峯覺書
                          天保5—10年（1834—1839）寫本
3807 伊藤東峯   東峯詩集1冊
                          寫本
3808 伊藤東峯   東峯集
                          自筆本

後人研究

3809 天理圖書館編   古義堂文庫目錄
                          天理 編者印行 昭和31年（1956）3月

(二)後期徂徠學派

1.宇佐美灊水（1710—1776）

著　作

3810	宇佐美灊水	論語徵考6卷2冊
		寫本
3811	宇佐美灊水	聖教語類和解
		日本儒林叢書　第8卷　東京　鳳出版　昭和2年（1927）；
		昭和46年（1971）重印本
3812	宇佐美灊水	徂徠先生素問評1卷
		明和3年（1766）刊本
3813	宇佐美灊水	婆心代言
		江戶時代支那學入門書解題集成　第1集　東京　汲古書院
		昭和50年（1975）
3814	宇佐美灊水著、澤井啓一編　灊水叢書
		近世儒家文集集成　第14卷　東京　ぺりかん社　平成7年
		（1995）1月

後人研究

3815	市原蒼海編	蘐園雜筆並宇佐美灊水像傳
		市原照印行　昭和17年（1942）
3816	市原蒼海	宇佐美灊水と其の父習翁
		千葉庶民社　昭和26年（1951）
3817	清水　豐	宇佐美灊水先生頌德碑建立紀念誌
		千葉縣岬町　宇佐美灊水先生顯彰會　昭和40年（1965）11
		月　9頁

2.平賀晉民（1721—1792）

著　作

| 3818 | 平賀中南 | 學問捷徑3卷3冊 |
| | | 安永8年（1779）刊本 |

3819	平賀中南	學問捷徑3卷
		文久元年（1861）1月平安書林刊本
3820	平賀晉民	日新堂學範3卷
		江戶時代支那學入門書解題集成　第3集　東京　汲古書院
		昭和50年（1975）9月
3821	平賀晉民	論語合考4卷6冊
		寫本
3822	平賀晉民	大學集解1冊
		寫本
3823	平賀晉民	大學發蒙1冊
		天明5年（1785）刊本
3824	平賀晉民	春秋集箋2冊
		安永4年（1775）刊本
3825	平賀晉民	春秋稽古81卷50冊
		寫本（寬政3年完成）
3826	平賀晉民	逸史1冊
		安永5年（1776）刊本
3827	平賀中南	問大業家樓記1冊
		寫本
3828	平賀中南	蕉窗筆記1冊
		寫本
3829	平賀中南	世說新語補索解2卷2冊
		安永3年（1774）刊本
3830	平賀中南	唐詩選夷考7卷5冊
		天明元年（1781）刊本
3831	平賀中南	日新堂集3冊
		寫本
3832	平賀中南	平賀中南先生詩文稿1冊
		寫本

後人研究

| 3833 | 澤井常四郎 | 經學者平賀晉民先生 |
| | | 廣島　作者印行　大雄閣發賣　昭和5年（1930）4月 |

3.市川鶴鳴（1740—1795）
<ruby>市<rt>いち</rt></ruby><ruby>川<rt>かわ</rt></ruby><ruby>鶴<rt>かく</rt></ruby><ruby>鳴<rt>めい</rt></ruby>

著　作

3834　市川鶴鳴　　　　中庸精義2卷
　　　　　　　　　　　天保5年（1844）諸家序刊本
3835　市川鶴鳴　　　　臣軌國字解
　　　　　　　　　　　漢籍國字解全書　第2卷　東京　早稻田大學出版部　明治
　　　　　　　　　　　42年（1909）
3836　市川鶴鳴　　　　帝範國字解
　　　　　　　　　　　漢籍國字解全書　第2卷　東京　早稻田大學出版部　明治
　　　　　　　　　　　42年（1909）

4.龜井南冥（1743—1814）
<ruby>龜<rt>かめ</rt></ruby><ruby>井<rt>い</rt></ruby><ruby>南<rt>なん</rt></ruby><ruby>冥<rt>めい</rt></ruby>

著　作

3837　龜井南冥著、龜井昱校　論語語由20卷
　　　　　　　　　　　①大阪　桑林堂　明治12年（1879）8月　4冊
　　　　　　　　　　　②大阪　華井聚文堂　明治13年（1880）　5冊
3838　龜井南冥　　　　論語語由20卷
　　　　　　　　　　　日本名家四書註釋全書　論語部2　東京　東洋圖書刊行會
　　　　　　　　　　　大正14年（1925）7月
3839　龜井南冥　　　　南溟先生詩集1卷
　　　　　　　　　　　寫本
3840　龜井南冥　　　　我昔詩集
　　　　　　　　　　　日本儒林叢書　第3卷　東京　鳳出版　昭和2年（1927）；
　　　　　　　　　　　昭和46年（1971）重印本
3841　龜井南冥　　　　南溟先生文集1卷
　　　　　　　　　　　寫本
3842　龜井南冥、昭陽全集刊行會編　龜井南冥、昭陽全集
　　　　　　　　　　　福岡　葦書房　昭和53—55年（1978—1980）　9冊
　　　　　　　　　　　第1卷
　　　　　　　　　　　　論語語由

　　　　　　庚戌稿・辛亥稿・壬子病中稿
　　　　　　昭陽文集草稿6巻
　　　　　　東遊賦
　　　　　　巘山十六景記
　　　　　　昭陽先生詩集卷1
　　　　　　昭陽先生詩集卷5
　　　　　　壬午稿
　　　　　　昭陽先生文集初編17巻
　　　　　　昭陽先生文集二編6巻
　　　　龜井昭陽書簡集

後人研究

3843　高野江基太郎　儒俠龜井南冥
　　　　　　福岡　共文社　大正2年（1913）3月　305頁
3844　荒木見悟　龜井南冥研究(1)——龜井南冥と役藍泉
　　　　　　福岡學藝大學紀要　第6號　昭和31年（1956）
3845　荒木見悟　龜井南冥と役藍泉
　　　　　　德山市　德山市立德山圖書館　昭和38年（1963）（德川市
　　　　　　立圖書館叢書　第10集）
3846　荒木見悟　龜井南冥研究(2)
　　　　　　九州儒學思想研究　福岡　楠本正繼印行　昭和32年（1957）
3847　庄野壽人　龜井南冥と一族の小傳——龜陽文庫のしおり
　　　　　　甘木　作者印行　昭和49年（1974）　64頁
3848　荒木見悟　龜井南冥
　　　　　　叢書日本の思想家　第27冊　東京　明德出版社　昭和63年
　　　　　　（1988）10月（與龜井昭陽合冊）
3849　町田三郎　儒學家龜井南冥、昭陽父子
　　　　　　朝日新聞　平成6年（1994）9月　17、27日，10月1、4、8日
　　　　　　第2福岡版
3850　町田三郎著、金培懿譯　儒學家龜井南冥、昭陽父子
　　　　　　中國文哲研究通訊　第4卷4期　頁41—48　平成6年（1994）
　　　　　　12月
3851　菰口　治　《論語語由》と先行諸家の註——朱子、徂徠を中心に
　　　　　　町田三郎教授退官記念中國史論叢　下卷　頁347—352　福
　　　　　　岡　中國書店　平成7年（1995）3月

3852　慶應義塾圖書館編　龜井南冥、昭陽著作展觀書解題
　　　　　　　　　編者印行　昭和34年（1959）1月　78頁
3853　福岡縣文化會館　龜井文書目錄
　　　　　　　　　福岡　編者印行　昭和45年（1970）4月
3854　庄野壽人編　甦る孔子と龜陽文庫──江河萬里流る
　　　　　　　　　福岡龜陽文庫　平成6年（1994）　328頁

かい　ほ　せい　りょう
5.海保青陵（1755—1817）

著　作

3855　海保青陵　　　稽古談
　　　　　　　　　大日本思想全集　第8卷　東京　大日本思想全集刊行會
　　　　　　　　　昭和6年（1931）
3856　海保青陵　　　稽古談5卷
　　　　　　　　　近世社會經濟學說大系　第2冊　東京　誠文堂新光社　昭
　　　　　　　　　和10年（1935）
3857　海保青陵　　　稽古談
　　　　　　　　　日本哲學全書　第10卷　東京　第一書房　昭和11年（1936）
3858　海保青陵　　　稽古談
　　　　　　　　　日本哲學思想全書　第19卷　東京　平凡社　昭和31年
　　　　　　　　　（1956）
3859　海保青陵　　　稽古談
　　　　　　　　　日本の思想　第18冊　東京　筑摩書房　昭和44年（1969）
3860　海保青陵　　　稽古談
　　　　　　　　　日本思想大系　第44冊　東京　岩波書店　昭和45年（1970）
3861　海保青陵　　　稽古談
　　　　　　　　　日本の名著　第23冊　東京　中央公論社　昭和46年（1971）
　　　　　　　　　2月
3862　海保青陵著、谷村一太郎編　陰陽談2卷
　　　　　　　　　高岡　野村書店　昭和10年（1935）　44，150頁
3863　海保青陵　　　新懇談
　　　　　　　　　日本思想大系　第44冊　東京　岩波書店　昭和45年（1970）
3864　海保青陵　　　海保儀平書
　　　　　　　　　近世社會經濟學說大系　第2冊　東京　誠文堂新光社　昭

和10年（1935）

3865　海保青陵　　　　萬屋談
　　　　　　　　　　　近世社會經濟學說大系　第2冊　東京　誠文堂新光社　昭
　　　　　　　　　　　和10年（1935）
3866　海保青陵　　　　萬屋談
　　　　　　　　　　　日本の思想　第18冊　東京　筑摩書房　昭和44年（1969）
3867　海保青陵　　　　升小談
　　　　　　　　　　　日本哲學思想全書　第18卷　東京　平凡社　昭和31年
　　　　　　　　　　　（1956）
3868　海保青陵　　　　變理談
　　　　　　　　　　　近世社會經濟學說大系　第2冊　東京　誠文堂新光社　昭
　　　　　　　　　　　和10年（1935）
3869　海保青陵　　　　善中談
　　　　　　　　　　　近世社會經濟學說大系　第2冊　東京　誠文堂新光社　昭
　　　　　　　　　　　和10年（1935）
3870　海保青陵　　　　善中談
　　　　　　　　　　　日本の思想　第18冊　東京　筑摩書房　昭和44年（1969）
3871　海保青陵著、源了圓譯　天王談
　　　　　　　　　　　日本の名著　第23冊　東京　中央公論社　昭和46年（1971）
　　　　　　　　　　　2月
3872　海保青陵　　　　富貴談
　　　　　　　　　　　近世社會經濟學說大系　第2冊　東京　誠文堂新光社　昭
　　　　　　　　　　　和10年（1935）
3873　海保青陵　　　　諭民談
　　　　　　　　　　　近世社會經濟學說大系　第2冊　東京　誠文堂新光社　昭
　　　　　　　　　　　和10年（1935）
3874　海保青陵　　　　諭民談
　　　　　　　　　　　日本の思想　第18冊　東京　筑摩書房　昭和44年（1969）
3875　海保青陵　　　　前識談
　　　　　　　　　　　日本哲學思想全書　第2卷　東京　平凡社　昭和31年
　　　　　　　　　　　（1956）
3876　海保青陵著、源了圓譯　前識談
　　　　　　　　　　　日本の名著　第23冊　東京　中央公論社　昭和46年（1971）
　　　　　　　　　　　2月
3877　海保青陵　　　　文法披雲　3卷
　　　　　　　　　　　寬政10年（1798）序刊本

3878　大日本思想全集刊行會編　海保青陵集
　　　　　　　　　　大日本思想全集　第8卷　東京　編者印行　昭和6年（1931）
　　　　　　　　　　稽古談
3879　石濱知行解題　海保青陵集
　　　　　　　　　　近世社會經濟學說大系　第2冊　東京　誠文堂新光社　昭
　　　　　　　　　　和10年（1935）
　　　　　　　　　　稽古談5卷
　　　　　　　　　　變理談
　　　　　　　　　　善中談
　　　　　　　　　　萬屋談
　　　　　　　　　　諭民談
　　　　　　　　　　海保儀平書
　　　　　　　　　　富貴談
3880　中村幸彥編　海保青陵集
　　　　　　　　　　日本の思想　第18冊　東京　筑摩書房　昭和44年（1969）
　　　　　　　　　　稽古談
　　　　　　　　　　善中談
　　　　　　　　　　萬屋談
　　　　　　　　　　諭民談
3881　藏並省自校注　海保青陵集
　　　　　　　　　　日本思想大系　第44冊　東京　岩波書店　昭和45年（1970）
　　　　　　　　　　稽古談
　　　　　　　　　　新懇談
3882　源了圓譯　海保青陵
　　　　　　　　　　日本の名著　第23冊　東京　中央公論社　昭和46年（1971）
　　　　　　　　　　2月
　　　　　　　　　　天王談
　　　　　　　　　　前識談
　　　　　　　　　　稽古談
3883　谷村一太郎編　青陵遺編集
　　　　　　　　　　東京　國本出版社　昭和10年（1935）　246頁
　　　　　　　　　　老子國字解
　　　　　　　　　　綱目駁談
　　　　　　　　　　青陵雜纂
3884　藏並省自編　海保青陵全集
　　　　　　　　　　東京　八千代出版　昭和51年（1976）9月　984頁

稽古談卷1—5

本富談

御衆談

植蒲談

樞密談

養蘆談

綱目駁談

陰陽談　巻上·下

新懇談

經濟話（一名海保儀平書　又は國事經緯弁略）

東贐

萬屋談

養心談

升小談

變理談

善中談

天王談

富貴談

諭民談

前識談

洪範談　卷上·中·下

文法披雲　巻上·中·下附錄

談五行

老子國字解

待豪談上·中·下

後人研究

3885　東　一夫　　日本における王安石研究史——海保青陵の王安石評
　　　　　　　　　木村政雄先生退官記念東洋史論集　昭和50年（1975）
3886　藏並省自　　海保青陵經濟思想研究
　　　　　　　　　東京　雄山閣　平成2年（1990）11月　203頁

かめ　い　しょうよう
6.龜 井 昭 陽（1774—1837）

著　作

3887　龜井昭陽　　　學庸考2卷
　　　　　　　　　　天保8年（1837）刊本

3888　龜井昭陽著、荒木彪校　中庸考1卷
　　　　　　　　　　刊本

3889　龜井昭陽　　　毛詩考10卷
　　　　　　　　　　寫本

3890　龜井昭陽　　　毛詩考26卷、附錄1卷
　　　　　　　　　　安川敬　郎印行　昭和9年（1934）　　11冊（龜井昭陽、德
　　　　　　　　　　永玉泉兩先生百年祭記念）

3891　龜井昭陽　　　家學小言1卷
　　　　　　　　　　寫本

3892　龜井昭陽　　　家學小言
　　　　　　　　　　日本儒林叢書　第6卷　東京　鳳出版　昭和2年（1927）；
　　　　　　　　　　昭和46年（1971）重印本

3893　龜井昭陽　　　家學小言
　　　　　　　　　　日本教育思想大系　第26冊　徂徠學派　東京　日本圖書セ
　　　　　　　　　　ンター　昭和51年（1976）

3894　龜井昭陽　　　家學小言
　　　　　　　　　　日本隨筆集成　第8輯　東京　古典研究會　昭和53年
　　　　　　　　　　（1978）

3895　龜井昭陽　　　讀辨道1卷
　　　　　　　　　　天保11年（1840）刊本

3896　龜井昭陽　　　讀辨道
　　　　　　　　　　日本儒林叢書　第4卷　東京　鳳出版　昭和2年（1927）；
　　　　　　　　　　昭和46年（1971）重印本

3897　龜井昭陽　　　讀辨道
　　　　　　　　　　日本思想大系　第37冊　東京　岩波書店　昭和47年（1972）

3898　龜井昭陽　　　讀辨道
　　　　　　　　　　日本教育思想大系　第26冊　徂徠學派　東京　日本圖書セ
　　　　　　　　　　ンター　昭和51年（1976）

3899　龜井昭陽　　　昭陽先生文集1卷
　　　　　　　　　　寫本

3900　龜井南冥、昭陽全集刊行會編　龜井南冥、昭陽全集
　　　　　　　　　　福岡　葦書房　昭和53—55年（1978—1980）　9冊

　　　　　　萬曆家內年鑑
　　　　　第8卷下
　　　　　　龜井昭陽詩文集
　　　　　　　庚戌稿・辛亥稿・壬子病中稿
　　　　　　　昭陽文集草稿6卷
　　　　　　　東遊賦
　　　　　　　巘山十六景記
　　　　　　　昭陽先生詩集卷1
　　　　　　　昭陽先生詩集卷5
　　　　　　　壬午稿
　　　　　　　昭陽先生文集初編17卷
　　　　　　　昭陽先生文集二編6卷
　　　　　　龜井昭陽書簡集

後人研究

3901　井上哲次郎　　龜井昭陽先生に就いて
　　　　　　　　　斯文　第19編1號　頁1—16　昭和11年（1936）12月
3902　荒木見悟　　　龜井昭陽
　　　　　　　　　叢書日本の思想家　第27冊　東京　明德出版社　昭和63年
　　　　　　　　　（1988）10月（與龜井南冥合冊）
3903　町田三郎　　　儒學家龜井南冥、昭陽父子
　　　　　　　　　朝日新聞　平成6年（1994）9月17、27日，10月1、4、8日
　　　　　　　　　第2福岡版
3904　町田三郎著、金培懿譯　儒學家龜井南冥、昭陽父子
　　　　　　　　　中國文哲研究通訊　第4卷4期　頁41—48　平成6年（1994）
　　　　　　　　　12月
3905　連　清吉　　　龜井昭陽及其《莊子瑣說》
　　　　　　　　　中國書目季刊　第25卷1期　頁64—84　平成3年（1991）6月
3906　連　清吉　　　龜井昭陽の《家學小言》
　　　　　　　　　町田三郎教授退官記念中國思想史論叢　下卷　頁348—375
　　　　　　　　　福岡　中國書店　平成7年（1995）3月
3907　福岡縣文化會館　龜井文書目錄
　　　　　　　　　福岡　編者印行　昭和45年（1970）4月
3908　庄野壽人編　　甦る孔子と龜陽文庫——江河萬里流る
　　　　　　　　　福岡　龜陽文庫　平成6年（1994）　328頁

3909　慶應義塾圖書館編　龜井南冥、昭陽著作展觀書解題
　　　東京　編者印行　昭和34年（1959）1月　78頁

<ruby>廣<rt>ひろ</rt>瀬<rt>せ</rt>淡<rt>たん</rt>窓<rt>そう</rt></ruby>

7.廣瀬淡窓（1782—1856）

著　作

3910　廣瀬淡窓　　讀論語
　　　日本名家四書註釋全書　第6卷　東京　東洋圖書刊行會
　　　大正11年（1922）

3911　廣瀬淡窓　　讀孟子
　　　日本名家四書註釋全書　第9卷　東京　東洋圖書刊行會
　　　大正11年（1922）

3912　廣瀬淡窓　　儒林評
　　　日本儒林叢書　第3卷　東京　鳳出版　昭和2年（1927）；
　　　昭和46年（1971）重印本

3913　廣瀬淡窓　　儒林評
　　　近世儒家史料　上冊　東京　井田書店　昭和17年（1942）

3914　廣瀬淡窓　　析玄1卷
　　　天保12年（1841）刊本

3915　廣瀬淡窓　　析玄
　　　日本倫理彙編　第10冊　東京　育成會　明治34年（1901）；
　　　京都　臨川書店　昭和45年（1970）

3916　廣瀬淡窓　　義府1冊
　　　嘉永元年（1848）序刊本

3917　廣瀬淡窓　　義府
　　　日本倫理彙編　第10冊　東京　育成會　明治34年（1901）；
　　　京都　臨川書店　昭和45年（1970）

3918　廣瀬淡窓　　約言
　　　日本儒林叢書　第6卷　東京　鳳出版　昭和2年（1927）；
　　　昭和46年（1971）重印本

3919　廣瀬淡窓　　約言
　　　日本教育寶典　第8冊　東京　玉川大學出版部　昭和40年
　　　（1965）

3920　廣瀬淡窓　　約言

| | | 日本思想大系　第47冊　東京　岩波書店　昭和47年（1972） |

3921　廣瀨淡窗　約言或問
　　　　　　　　日本教育寶典　第8冊　東京　玉川大學出版部　昭和40年（1965）

3922　廣瀨淡窗　約言或問
　　　　　　　　日本儒林叢書　第6卷　東京　鳳出版　昭和2年（1927）；昭和46年（1971）重印本

3923　廣瀨淡窗　迂言1冊
　　　　　　　　寫本

3924　廣瀨淡窗　迂言2冊
　　　　　　　　天保11年（1840）寫本

3925　廣瀨淡窗　迂言
　　　　　　　　日本思想大系　第38冊　東京　岩波書店　昭和51年（1976）

3926　廣瀨淡窗　規約及び告諭
　　　　　　　　日本教育寶典　第8冊　東京　玉川大學出版部　昭和40年（1965）

3927　廣瀨淡窗　申聞書
　　　　　　　　日本儒林叢書　第3卷　東京　鳳出版　昭和2年（1927）；昭和46年（1971）重印本

3928　廣瀨淡窗　遠思樓詩鈔1冊
　　　　　　　　寫本

3929　廣瀨淡窗　遠思樓詩鈔2卷2冊
　　　　　　　　天保9年（1838）　大阪河內屋茂兵衛刊本

3930　廣瀨淡窗　遠思樓詩鈔
　　　　　　　　日本教育寶典　第8冊　東京　玉川大學出版部　昭和40年（1965）

3931　廣瀨淡窗　遠思樓詩鈔（第2篇）　2卷2冊
　　　　　　　　嘉永2年（1849）大阪青木恒三郎刊本

3932　廣瀨淡窗　淡窗小品
　　　　　　　　日本教育寶典　第8冊　東京　玉川大學出版部　昭和40年（1965）

3933　廣瀨淡窗　淡窗詩話2卷
　　　　　　　　日本詩話叢書　第4卷　東京　文會堂　大正9年（1920）；東京　鳳出版　昭和47年（1972）

3934　廣瀨淡窗　淡窗詩話
　　　　　　　　日本哲學思想全書　第12卷　東京　平凡社　昭和31年

（1956）

3935　向野康江譯、校註　現代語譯淡窗詩話
　　　　　　　　　　福岡　向野技術研究所　平成3年（1991）5月　107頁
3936　長壽吉、小野精一編　廣瀨淡窗旭莊書翰集
　　　　　　　　　　東京　弘文堂　昭和18年（1943）
3937　緒方無元編　淡窗遺墨撰集
　　　　　　　　　　甘木　廣瀨淡窗遺墨刊行會　昭和41年（1966）　142頁
3938　玉川大學出版部　廣瀨淡窗集
　　　　　　　　　　日本教育寶典　第8冊　東京　編者印行　昭和40年（1965）
　　　　　　　　　約言
　　　　　　　　　約言或問
　　　　　　　　　規約及び告諭
　　　　　　　　　遠思樓詩鈔
　　　　　　　　　淡窗小品
　　　　　　　　　廣瀨淡窗略年譜
3939　日田郡教育會編　淡窗全集
　　　　　　　　　　大分縣　日田郡教育會　大正14年（1925）―昭和2年（1927）
　　　　　　　　　3冊
　　　　　　　　　上卷
　　　　　　　　　　自敍傳
　　　　　　　　　　　懷舊樓筆記
　　　　　　　　　　註疏
　　　　　　　　　　　讀論語
　　　　　　　　　　　讀孟子
　　　　　　　　　　　讀左傳
　　　　　　　　　　　老子摘解
　　　　　　　　　　語錄
　　　　　　　　　　　夜雨寮筆記
　　　　　　　　　　　醒齋語錄
　　　　　　　　　　　自新錄
　　　　　　　　　　　再新錄
　　　　　　　　　　　六橋記聞
　　　　　　　　　中卷
　　　　　　　　　　日記上
　　　　　　　　　　　淡窗日記
　　　　　　　　　　　遠思樓日記

家譜

略系圖

凶禮記

淡窗先生年譜

入門簿

咸宜園藏書目錄

淡窗全集總目錄

3940　日田郡教育會編　增補淡窗全集

京都　思文閣　昭和46年（1971）　3冊

上卷

自敍傳

懷舊樓筆記56卷

註疏

讀論語1卷

讀孟子1卷

讀左傳1卷

老子摘解2卷

語錄

夜雨寮筆記4卷

醒齋語錄2卷

自新錄2卷

再新錄1卷

六橋記聞10卷

中卷

日記上　31卷

淡窗日記19卷

遠思樓日記6卷

欽齋日曆6卷

述義

析玄1卷

議府1卷

約言1卷

約言補1卷

約言或問1卷

約言或問國文　1卷

性善論1卷

詩文
　遠思樓詩鈔2卷
　遠思樓詩鈔第2編　2卷
　淡窗小品
　文稿拾遺1卷
　淡窗詩話2卷
雜上
　迂言2卷
　迂言附錄1卷
　論語三言解1卷
　勸儉約説1卷
　規約告諭1卷
　申聞書1卷
　發願文1卷
　いろは歌1卷
　儒林評1卷
追補
　完本約言1卷
　南柯一夢抄錄1卷
下卷
日記下　51卷
　醒齋日曆20卷
　進修錄14卷
　再修錄12卷
　甲寅新曆5卷
雜下
　萬善簿10卷
　書簡1卷（9通）
　關係文書1卷（23通）
　家譜2卷
　略系圖一枚
　凶禮記抄　1卷
　淡窗先生年譜附余錄2卷
　入門簿91卷
　咸宜園藏書目錄1卷
　淡窗全集總目錄1卷

廣瀨淡窗書翰集（長壽吉・小野精一共編）

後人研究

3941　大分縣教育會編　大分縣六大偉人綜合年譜
　　　　　　　　　　　大分　編者印行　昭和4年（1929）

3942　武藤長平　　　　廣瀨淡窗と廣瀨旭莊
　　　　　　　　　　　西南文運史論　東京　岡書院　大正15年（1926）

3943　宇都宮喜六　　　淡窗廣瀨先生
　　　　　　　　　　　別府　作者印行　昭和3年（1928）　188頁

3944　中島市三郎　　　教聖廣瀨淡窗の研究
　　　　　　　　　　　東京　第一出版協會　昭和10年（1935）；昭和11年（1936）
　　　　　　　　　　　訂正版　387頁

3945　乙竹岩造　　　　教賢廣瀨淡窗
　　　　　　　　　　　日本教育史の研究　第1輯　東京　目黑書店　昭和10年
　　　　　　　　　　　（1935）

3946　小西重直　　　　教育家としての廣瀨淡窗
　　　　　　　　　　　日本諸學振興委員會研究報告　第1輯　東京　文部省教學
　　　　　　　　　　　局　昭和12年（1937）

3947　長　壽吉　　　　淡窗先生の教學と尊皇思想
　　　　　　　　　　　廣瀨正雄印行　昭和16年（1941）

3948　角光嘯堂　　　　廣瀨淡窗の思想と教育
　　　　　　　　　　　東京　刀江書院　昭和17年（1942）

3949　小西重直　　　　廣瀨淡窗
　　　　　　　　　　　東京　文教書院　昭和18年（1943）　247頁（日本教育先哲
　　　　　　　　　　　叢書　第10卷）

3950　小西重直　　　　廣瀨淡窗を繰り返す
　　　　　　　　　　　教育學論集　第3輯　東京　新紀元社　昭和19年（1944）

3951　大塚富吉編　　　廣瀨淡窗と府內──附廣門一家
　　　　　　　　　　　大分　大分縣鄉土文化研究會　昭和24年（1949）

3952　古川克己　　　　廣瀨淡窗
　　　　　　　　　　　日田　日田市立淡窗圖書館　昭和25年（1950）

3953　古川克己　　　　教聖廣瀨淡窗
　　　　　　　　　　　日田　淡窗會　昭和30年（1955）　118頁

3954　工藤豐彥　　　　廣瀨淡窗析玄の研究
　　　　　　　　　　　九州儒學思想の研究　福岡　九州大學中國哲學研究室　昭

和32年（1957）

3955　廣瀬八賢顯彰會　教聖廣瀬淡窗と廣瀬八賢
　　　　　　　日田　作者印行　昭和40年（1965）　132頁

3956　大久保勇市　廣瀬淡窗の人間性研究
　　　　　　　東大阪　フタバ書店　昭和44年（1969）　394頁

3957　大久保勇市　廣瀬淡窗・萬善簿の原點
　　　　　　　京都　啓文社　昭和46年（1971）　184頁

3958　廣瀬正雄　廣瀬淡窗小傳
　　　　　　　日田　廣瀬先賢顯彰會　昭和57年（1972）76頁

3959　金澤春友　西國筋郡代と廣瀬淡窗
　　　　　　　福島　大盛堂印刷出版部　昭和47年（1972）1月　241頁

3960　古川哲史　廣瀬淡窗
　　　　　　　京都　思文閣　昭和47年（1972）　324頁

3961　廣瀬正雄　廣瀬淡窗手ほどき
　　　　　　　日田　廣瀬先賢顯彰會　昭和48年（1973）　42頁

3962　米田貞一　廣瀬淡窗
　　　　　　　別府　作者印行　昭和48年（1973）　68頁
　　　　　　　（郷土の先覺者　5）

3963　工藤豊彦　廣瀬淡窗
　　　　　　　叢書日本の思想家　第35冊　東京　明德出版社　昭和53年
　　　　　　　（1978）3月（與廣瀬旭莊合冊）

3964　大久保正尾　廣瀬淡窗夜話
　　　　　　　日田　廣瀬先賢顯彰會　昭和54年（1979）4月　440頁

3965　井上義巳　廣瀬淡窗
　　　　　　　東京　吉川弘文館　昭和62年（1987）4月　282頁（人物叢
　　　　　　　書新裝版）

3966　田中加代　廣瀬淡窗の研究
　　　　　　　東京　ぺりかん社　平成5年（1993）2月　434，10頁

3967　井上源吾　廣瀬淡窗評傳
　　　　　　　福岡　葦書房　平成5年（1993）11月　596頁

3968　井上源吾　廣瀬淡窗の詩——遠思樓詩鈔評釋
　　　　　　　福岡　葦書房　平成8年（1996）　4冊

3969　福本英城　廣瀬淡窗と久兵衛——錐と鎚
　　　　　　　東京　鵬和出版　昭和59年（1984）　358頁

3970　井上源吾　若き日の廣瀬淡窗
　　　　　　　福岡　葦書房　平成10年（1998）1月　181頁

3971 季刊日本思想史編集部　廣瀬淡窗の思想特集
　　　　　　　　季刊日本思想史　第19號　昭和58年（1983）1月

廣瀬淡窗和咸宜園

3972 廣瀬淡窗輯　　　宜園百家詩三編6卷3冊
　　　　　　　　嘉永7年（1854）大阪河內屋茂兵衞刊本
3973 廣瀬宗家、高倉芳男解說　咸宜園入門簿抄
　　　　　　　　日田　古田克己印行　昭和43年（1968）　23，67頁
3974 中野　範　　　咸宜園出身八百名略傳集
　　　　　　　　日田　廣瀬先賢顯彰會　昭和49年（1974）　286頁
3975 中野　範　　　咸宜園出身二百名略傳集
　　　　　　　　日田　廣瀬先賢顯彰會　昭和50年（1975）　114頁
3976 中島市三郎　　廣瀬淡窗咸宜園と日本文化
　　　　　　　　東京　第一出版協會　昭和17年（1942）8月　355頁
3977 廣瀬正雄　　　廣瀬淡窗と咸宜園
　　　　　　　　歷史殘花　第4冊　東京　時事通信社　昭和46年（1971）

8.廣瀬旭莊（1807—1863）
ひろ せ きょく そう

著　作

3978 廣瀬旭莊　　　追思錄1卷
　　　　　　　　日本儒林叢書　第1卷　東京　鳳出版　昭和2年（1927）；
　　　　　　　　昭和46年（1971）重印本
3979 廣瀬旭莊　　　塗說
　　　　　　　　日本儒林叢書　第2卷　東京　鳳出版　昭和2年（1927）；
　　　　　　　　昭和46年（1971）重印本
3980 廣瀬旭莊　　　九桂草堂隨筆
　　　　　　　　日本儒林叢書　第2卷　東京　鳳出版　昭和2年（1927）；
　　　　　　　　昭和46年（1971）重印本
3981 廣瀬旭莊　　　九桂草堂隨筆　10卷
　　　　　　　　續日本隨筆集成　第2冊　東京　吉川弘文館　昭和54年
　　　　　　　　（1979）
3982 長壽吉、小野精一編　廣瀬淡窗旭莊書翰集

　　　　　　　東京　弘文堂　昭和18年（1943）
3983　廣瀨旭莊全集編集委員會編　廣瀨旭莊全集
　　　　　　　京都　思文閣　昭和57年（1982）6月—平成6年（1994）6月
　　　　　　　12冊　別冊1冊
　　　　　　　第1冊　日記編1　昭和57年（1982）6月　567頁
　　　　　　　　　日間瑣事備忘卷1—21　天保3年6月—天保11年7月
　　　　　　　第2冊　日記編2　昭和57年（1982）9月　554頁
　　　　　　　　　日間瑣事備忘卷22—42　天保11年7月—天保15年7月
　　　　　　　第3冊　日記編3　昭和58年（1983）2月　563頁
　　　　　　　　　日間瑣事備忘卷43—65　天保15年7月—嘉永2年閏4月
　　　　　　　第4冊　日記編4　昭和58年（1983）8月　542頁
　　　　　　　　　日間瑣事備忘卷66—85　嘉永2年閏4月—嘉永5年8月
　　　　　　　第5冊　日記編5　昭和58年（1983）12月　556頁
　　　　　　　　　日間瑣事備忘卷86—106　嘉永5年8月—安政2年2月
　　　　　　　第6冊　日記編6　昭和59年（1984）9月　547頁
　　　　　　　　　日間瑣事備忘卷107—112　安政2年2月—12月　後編卷1—13
　　　　　　　　　安政3年1月—安政5年2月
　　　　　　　第7冊　日記編7　昭和61年（1986）3月　585頁
　　　　　　　　　日間瑣事備忘後編　卷14—31　安政5年2月—安政7年閏3月
　　　　　　　第8冊　日記編8　昭和63年（1988）1月　557頁
　　　　　　　　　日間瑣事備忘後編　卷32—44
　　　　　　　第9冊　日記編9　平成6年（1994）6月　413頁
　　　　　　　　　日間瑣事備忘後編　卷45—54
　　　　　　　第10冊　詩文
　　　　　　　第11冊　隨筆編　昭和61年（1986）6月　465頁
　　　　　　　九桂草堂隨筆
　　　　　　　塗說
　　　　　　　梅墩漫筆
　　　　　　　病榻囈語
　　　　　　　明史小批
　　　　　　　追思錄
　　　　　　　梅墩叢書
　　　　　　　昭穆考
　　　　　　　御尋ニ付郡邨ノ利病申上ル事
　　　　　　　第12冊　書簡、傳記資料
　　　　　　　別冊　總索引

後人研究

3984　高取悅堂　　贈從五位廣瀨旭莊先生小傳
　　　　　　　　　廣瀨貞治印行　大正13年（1924）
3985　橋爪兼太郎　廣瀨旭莊
　　　　　　　　　高山英明印行　大正14年（1925）
3986　武藤長平　　廣瀨淡窗と廣瀨旭莊
　　　　　　　　　西南文運史論　東京　岡書院　大正15年（1926）
3987　長　壽吉　　廣瀨旭莊の講學と尊皇思想
　　　　　　　　　大阪の先賢と史蹟　第3冊　大阪市役所　昭和19年（1944）
3988　黑江一郎　　旭莊と息軒
　　　　　　　　　九州中國學會報　第2號　昭和31年（1956）5月
3989　井上源吾　　廣瀨旭莊
　　　　　　　　　九州中國學會報　第14號　昭和43年（1968）
3990　杉本　勳　　廣瀨旭莊海外認識と海防思想
　　　　　　　　　史學論集　對外關係と政治文化　東京　吉川弘文館　昭和
　　　　　　　　　56年（1981）
3991　工藤豐彥　　廣瀨旭莊
　　　　　　　　　叢書日本の思想家　第35冊　東京　明德出版社　昭和56年
　　　　　　　　　（1981）4月（與廣瀨淡窗合冊）

五、折衷學派

㈠概　述

3992　佐藤文四郎　折衷學概括
　　　　　　　　　近世日本の儒學　頁673—699　東京　岩波書店　昭和14年
　　　　　　　　　（1939）8月

㈡各　論

1.井上蘭台（1705—1761）
いのうえらんだい

著　作

3993　井上蘭台　　臣術訓1冊

寫本
3994　井上蘭台　　諸子記事鈔1冊
寫本
3995　井上蘭台　　山陽行錄3冊
延享5年（1748）寫本
3996　井上蘭台　　明七子詩解7卷3冊
寶曆7年（1757）刊本
3997　井上蘭台　　蘭台先生詩範1冊
寫本
3998　井上蘭台　　井上蘭台文稿1冊
寫本
3999　井上蘭台　　蘭台先生遺稿3卷3冊
天明6年（1786）寫本
4000　井上蘭台　　蘭台先生遺稿3卷3冊
刊本

後人研究

4001　三浦　叶　　井上蘭台とその學風
東洋文化（無窮會）　第145號　昭和11年（1936）9月
4002　三浦　叶　　井上蘭台家系譜に就いて
東洋文化（無窮會）　第123號　昭和9年（1934）9月
4003　三浦　叶　　井上蘭台の遺稿に就いて
東洋文化（無窮會）第140號　昭和11年（1936）3月

2.細井平洲（1728—1801）

著　作

4004　細井平洲　　詩經古傳10卷4冊
刊本
4005　細井平洲　　詩經毛鄭異同考3冊
寫本
4006　細井平洲　　もりかがみ
日本教育寶典　第8冊　東京　玉川大學出版部　昭和40年
（1965）

4007　細井平洲　　　つらつらふみ（君の巻、臣の巻）
　　　　　　　　　　日本教育寶典　第8冊　東京　玉川大學出版部　昭和40年
　　　　　　　　　　（1965）

4008　細井平洲　　　建學大意
　　　　　　　　　　日本教育寶典　第8冊　東京　玉川大學出版部　昭和40年
　　　　　　　　　　（1965）

4009　細井平洲　　　米澤學校相談書
　　　　　　　　　　日本教育寶典　第8冊　東京　玉川大學出版部　昭和40年
　　　　　　　　　　（1965）

4010　細井平洲　　　對某侯問書
　　　　　　　　　　日本教育寶典　第8冊　東京　玉川大學出版部　昭和40年
　　　　　　　　　　（1965）

4011　細井平洲　　　第三回米澤行きを報じた書簡
　　　　　　　　　　日本教育寶典　第8冊　東京　玉川大學出版部　昭和40年
　　　　　　　　　　（1965）

4012　細井平洲　　　平洲先生諸民江教諭書取
　　　　　　　　　　日本思想大系　第47冊　東京　岩波書店　昭和47年（1972）

4013　武田勘治編　　細井平洲教育説選集
　　　　　　　　　　東京　第一出版協會　昭和12年（1937）

4014　細井平洲著、淺井啓吉編　平洲先生一日一話
　　　　　　　　　　知多　愛知縣郷土資料刊行會　昭和51年（1976）　265頁

4015　細井平洲　　　嚶鳴館遺草
　　　　　　　　　　日本倫理彙編　第9冊　東京　育成會　明治34年（1901）；
　　　　　　　　　　京都　臨川書店　昭和45年（1970）

4016　細井平洲　　　嚶鳴館遺草（抄）
　　　　　　　　　　日本思想大系　第47冊　東京　岩波書店　昭和45年（1970）

4017　細井平洲著、皆川英哉著　明解口語譯細井平洲の嚶鳴館遺草
　　　　　　　　　　知多　ケイアンドケイ　平成3年（1991）10月　367頁

4018　眞野政太郎編　平洲先生遺墨
　　　　　　　　　　中村寫眞館　大正4年（1915）

4019　高瀬代次郎編　平洲遺墨
　　　　　　　　　　東京　隆文館　大正12年（1923）

4020　長谷部善作　　細井平洲先生遺墨集第1集
　　　　　　　　　　米澤　置賜史談會　平成2年（1990）6月　132頁

4021　玉川大學出版部編　細井平洲集
　　　　　　　　　　日本教育寶典　第8冊　東京　編者印行　昭和40年（1965）

もりかがみ

つらつらふみ（君の卷、臣の卷）

建學大意

米澤學校相談書

對某候問書

嚶鳴館遺稿

第三回米澤行きを報じた書簡

細井平洲略年譜

4022　高瀬代次郎編　細井平洲叢書3卷

東京　隆文館　大正8—10年（1919—1921）　3冊

第1卷　細井平洲

　詳傳

第2卷　平洲全集

　嚶鳴館遺草

　嚶鳴館詩集

　嚶鳴館遺稿

　遊松島記

　をしまのとまや

　詩經古傳

　平洲先生感懷詩

　小語

　伯爵上杉家秘庫存書

　平洲訓話

　細井先生講釋聞書

第3卷　平洲遺墨

後人研究

4023　龜山聿三編　平洲細井先生碑文集

近代先哲碑文集　第26集　東京　夢硯堂　昭和46年（1971）

4024　鬼頭有一　細井平洲の《詩經古傳》——僞書の中の眞實——

東洋研究　第33號　頁27—37　昭和48年（1973）9月

4025　水野平次　教育家としての細井平洲先生

教育研究會講演集　第4輯　東京　金港堂　明治39年

（1906）

4026　愛知縣知多郡教育會付屬平洲會　平洲先生事蹟講演集

愛知　編者印行　明治44年（1911）11月　40頁

4027　齋藤鹿三郎　　細井平洲の民政

廣島　廣島縣私立教育會　大正3年（1914）

4028　齋藤鹿三郎　　講話資料細井平洲

東京　山海堂　大正3年（1914）

4029　高瀬代次郎　　細井平洲

東京　隆文館、星野文星堂　大正8年（1919）

4030　大乘寺良一　　鷹山公と平洲先生

伊藤信吉印行　昭和10年（1935）

4031　高瀬代次郎　　細井平洲の生涯

東京　巖松堂書店　昭和11年（1936）11月　123頁

4032　後藤三郎　　　細井平洲

①日本教育家文庫　第27冊　東京　北海出版社　昭和12年
（1937）　178頁

②日本教育家文庫　第11冊　東京　啓文社　昭和13年
（1938）

4033　高瀬代次郎　　細井平洲の學德

近世日本の儒學　頁511—530　東京　岩波書店　昭和14年
（1939）8月

4034　平洲顯彰會編　　細井平洲の言葉

東京　三州閣　昭和17年（1942）

4035　高瀬代次郎　　細井平洲

東京　文教書院　昭和17年（1942）（日本教育先哲叢書
第9卷）　288頁

4036　小西重直　　　鷹山公と平洲先生

東京　同文社　昭和19年（1944）

4037　細井平洲顯彰會　百五十年祭記念出版細井平洲

編者印行　昭和25年（1945）

4038　大乘寺良一　　平洲先生と米澤

平洲先生と米澤刊行會　昭和33年（1958）

4039　東海市立平洲紀念館編　細井平洲先生とその師友點描

東京　編者印行　昭和50年（1975）　256頁

4040　鬼頭有一　　　細井平洲

叢書日本の思想家　第21冊　東京　明德出版社　昭和55年
（1977）12月　307頁

4041　遠藤秀夫　　　細井平洲と教師像——東洋教學精神との調和を求めて

東京　協同出版　昭和57年（1982）12月　126頁

4042　淺井啓吉　　　細井平洲の生涯
　　　　　　　　　　知多　作者印行　昭和60年（1985）2月　401頁

4043　大井　魁　　　上杉鷹山の師細井平洲——その政治理念と教育の思想
　　　　　　　　　　米澤　九里學園教育研究所　平成3年（1991）6月　338，6
　　　　　　　　　　頁

4044　童門冬二　　　上杉鷹山の師細井平洲の人間學——人心をつかむリーダー
　　　　　　　　　　の條件
　　　　　　　　　　東京　PHP研究所　平成5年（1993）8月　235頁

4045　森　銑三　　　細井平洲
　　　　　　　　　　森銑三著作集　第8卷　東京　中央公論社　昭和46年
　　　　　　　　　　（1971）；中央公論社　平成元年（1989）5月（新裝愛藏版）

3.片山兼山（1730—1782）

著　作

4046　片山兼山說、葛山壽述　論語一貫5卷
　　　　　　　　　　刊本

4047　片山兼山　　　論語徵廢疾
　　　　　　　　　　崇文叢書　第2輯　東京　崇文院　大正14年（1925）

4048　片山兼山標註　古文孝經孔傳1卷
　　　　　　　　　　文化12年（1815）刊本

4049　片山兼山　　　山子垂統前編3卷
　　　　　　　　　　安永4年（1775）刊本

4050　片山兼山　　　山子垂統前後篇
　　　　　　　　　　日本倫理彙編　第9冊　東京　育成會　明治34年（1901）；
　　　　　　　　　　京都　臨川書店　昭和45年（1970）

4051　片山兼山　　　山子垂統
　　　　　　　　　　大日本文庫　第7冊　東京　大日本文庫刊行會　昭和9年
　　　　　　　　　　（1934）

4052　片山兼山　　　山子遺文
　　　　　　　　　　日本儒林叢書　第9卷　東京　鳳出版　昭和2年（1927）；
　　　　　　　　　　昭和46年（1971）

いのうえきんが
4.井 上 金 峨（1732—1784）

著 作

4053	井上金峨	大學古義
		日本名家四書註釋全書　第1卷　東京　東洋圖書刊行會
		大正11年（1922）
4054	井上金峨	經義折衷1卷
		明和元年（1764）刊木
4055	井上金峨	經義折衷1卷
		日本倫理彙編　第9冊　東京　育成會　明治34年（1901）；
		京都　臨川書店　昭和45年（1970）
4056	井上金峨	經義緒言
		日本儒林叢書　第8卷　東京　鳳出版　昭和2年（1927）；
		昭和46年（1971）重印本
4057	井上金峨	師辨
		日本儒林叢書　第8卷　東京　鳳出版　昭和2年（1927）12
		月；昭和46年（1971）12月重印本
4058	井上金峨	讀學則
		日本儒林叢書　第4卷　東京　鳳出版　昭和2年（1927）12
		月；昭和46年（1971）12月重印本
4059	井上金峨	匡正錄
		日本倫理彙編　第9冊　東京　育成會　明治34年（1901）；
		京都　臨川書店　昭和45年（1970）
4060	井上金峨	匡正錄1卷
		安永5年（1776）刊本
4061	井上金峨	霞城講義
		日本儒林叢書　第8卷　東京　鳳出版　昭和2年（1927）；
		昭和46年（1971）重印本
4062	井上金峨	病間長語3卷
		鈔本
4063	井上金峨	金峨先生文集7卷
		刊本
4064	井上金峨	金峨先生焦餘稿
		日本儒林叢書　第13卷　東京　鳳出版　昭和2年（1927）；

昭和46年（1971）重印本

後人研究

| 4065 | 倉田信靖 | 井上金峨 |

叢書日本の思想家　第25冊　東京　明德出版社　昭和59年（1984）3月（與龜田鵬齋合冊）

5.豐島豐洲（1737—1814）
　とし ま ほう しゅう

著　作

| 4066 | 豐島豐洲 | 論語新註 |

日本名家四書註釋全書　論語部5部　東京　東洋圖書刊行會　大正15年（1926）5月

| 4067 | 豐島豐洲 | 豐子仁說 |

日本儒林叢書　第6卷　東京　鳳出版　昭和2年（1927）；昭和46年（1971）重印本

| 4068 | 豐島豐洲 | 孝經余論 |

日本儒林叢書　第5卷　東京　鳳出版　昭和2年（1927）；昭和46年（1971）重印本

| 4069 | 豐島豐洲 | 重定豐子筆談　1卷 |

刊本

| 4070 | 豐島豐洲 | 豐子筆談 |

日本儒林叢書　第6卷　東京　鳳出版　昭和2年（1927）；昭和46年（1971）重印本

6.冢田大峰（1745—1832）
　つか だ たい ほう

著　作

| 4071 | 冢田大峰 | 論語群疑考10卷 |

文政（1818—1830）中刊本

| 4072 | 冢田大峰 | 孟子斷2卷 |

刊本

4073　冢田大峰　　　孟子斷2卷
　　　　　　　　　　日本名家四書註釋全書　第10卷　東京　東洋圖書刊行會
　　　　　　　　　　大正11年（1922）
4074　冢田大峰　　　冢註周易
　　　　　　　　　　文政2年（1819）刊本
4075　冢田大峰　　　冢註毛詩
　　　　　　　　　　享和元年（1801）序刊本
4076　冢田大峰　　　冢註六記
　　　　　　　　　　元明6年（1786）序刊本
4077　冢田大峰　　　冢註家語
　　　　　　　　　　寬政4年（1792）序刊本
4078　冢田大峰　　　學語1卷
　　　　　　　　　　寬政6年（1794）刊本
4079　冢田大峰　　　學語
　　　　　　　　　　日本哲學全書　第7卷　東京　平凡社　昭和31年（1956）
4080　冢田大峰　　　聖道得門
　　　　　　　　　　日本儒林叢書　第11卷　東京　鳳出版　昭和2年（1927）；
　　　　　　　　　　昭和46年（1971）重印本
4081　冢田大峰　　　聖道得門
　　　　　　　　　　日本思想大系　第47冊　東京　岩波書店　昭和47年（1972）
4082　冢田大峰　　　聖道合語2卷
　　　　　　　　　　天明8年（1788）刊本
4083　冢田大峰　　　聖道合語2卷
　　　　　　　　　　日本儒林叢書　第11卷　東京　鳳出版　昭和2年（1927）；
　　　　　　　　　　昭和46年（1971）重印本
4084　冢田大峰　　　聖道疑物
　　　　　　　　　　日本儒林叢書　第6卷　東京　鳳出版　昭和2年（1927）；
　　　　　　　　　　昭和46年（1971）重印本
4085　冢田大峰　　　解慍1卷
　　　　　　　　　　刊本
4086　冢田大峰　　　解慍1卷
　　　　　　　　　　日本儒林叢書　第1卷　東京　鳳出版　昭和2年（1927）；
　　　　　　　　　　昭和46年（1971）重印本
4087　冢田大峰　　　滑川談1卷
　　　　　　　　　　刊本
4088　冢田大峰　　　隨意錄

日本儒林叢書　第1卷　東京　鳳出版　昭和2年（1927）；
昭和46年（1971）重印本

4089　冢田大峰　　　大峰先生文集6卷
　　　　　　　　　　刊本

4090　冢田大峰　　　作詩質的1卷
　　　　　　　　　　日本詩話叢書　第1卷　東京　文會堂　大正9年（1922）；
　　　　　　　　　　東京　鳳出版　昭和47年（1972）

後人研究

4091　高瀨代次郎　　冢田大峰
　　　　　　　　　　東京　光風館　大正8年（1919）

4092　高津才次郎　　大峰先生
　　　　　　　　　　東京　信修堂　昭和23年（1948）

4093　澤柳政太郎　　冢田大峰の學風人格
　　　　　　　　　　斯文　第1編3號　頁58－66　大正8年（1919）6月

4094　山下　武　　　寬政の教學策と冢田大峰
　　　　　　　　　　早稻田大學教育學部學術研究　第7號　昭和33年（1958）

やま もと ほく ざん
7.山本北山（1752—1812）

著　作

4095　山本北山　　　孝經集覽2卷
　　　　　　　　　　安永4年（1775）刊本

4096　山本北山　　　經義撥說1卷
　　　　　　　　　　刊本

4097　山本北山　　　經義撥說1卷
　　　　　　　　　　日本儒林叢書　第5卷　東京　鳳出版　昭和2年（1927）；
　　　　　　　　　　昭和46年（1971）重印本

4098　山本北山　　　童子通
　　　　　　　　　　漢籍國字解全書　第7卷　東京　早稻田大學出版部　明治
　　　　　　　　　　42年（1909）

4099　山本北山　　　孝經樓漫筆
　　　　　　　　　　日本隨筆全集　第3卷　東京　國民圖書刊行會　昭和2年
　　　　　　　　　　（1927）

4100	山本北山	作文志彀
		日本文庫　第7編　東京　博文館　明治24年（1891）
4101	山本北山	作詩志彀1卷
		日本詩話叢書　第8卷　東京　文會堂　大正9年（1920）；
		東京　鳳出版　昭和47年（1972）
4102	山本信有	北山先生作詩志彀
		日本藝林叢書　第1卷　東京　六合館　昭和2年（1927）
4103	山本北山	作詩志彀
		日本文庫　第7編　東京　博文館　明治24年（1891）
4104	山本北山	孝經樓詩話2卷
		日本詩話叢書　第2卷　東京　文會堂　大正9年（1920）；
		東京　鳳出版　昭和47年（1971）
4105	菅原琴輯校	北山先生文集1卷
		寫本

8.龜田鵬齋（1752—1826）
かめ　だ　ほうさい

著　作

4106	龜田鵬齋	論語撮解1冊
		安永8年（1779）寫本
4107	龜田鵬齋	善身堂一家言2冊
		鈔本
4108	龜田鵬齋	大學私衡1卷1冊
		寬政11年（1799）刊本
4109	龜田鵬齋	鵬齋先生左氏傳說
		鈔本
4110	龜田鵬齋	富國雜議
		日本經濟大典　第29卷　東京　啓明社　昭和4年（1929）
4111	龜田鵬齋	善身堂漫筆
		鈔本
4112	龜田鵬齋	黍稷稻梁辨1冊
		寬政12年（1800）刊本
4113	龜田鵬齋	東西周考
		文政11年（1828）3月刊本

4114 龜田鵬齋   侯鯖一臠5卷5冊
                天保13年（1842）刊本
4115 龜田鵬齋   鵬齋先生詩鈔2卷補遺1卷
                文政5年（1822）刊本
4116 龜田鵬齋   善身堂詩鈔2卷2冊
                明治44年（1911）活字本
4117 龜田鵬齋   鵬齋先生文鈔2卷
                文政5年（1822）刊本
4118 杉村英治編   龜田鵬齋詩文、書畫集
                東京　三樹書房　昭和57年（1982）3月

後人研究

4119 龜山聿三編   鵬齋龜田先生碑文集
                近代先哲碑文集　第38集　東京　夢硯堂　昭和49年（1974）
4120 龜山聿三編   鵬齋龜田先生碑文集續編
                近代先哲碑文集　第39集　東京　夢硯堂　昭和49年（1974）
4121 山本修之助   龜田鵬齋
                鵬齋先生遺蹟勵風館保存會　昭和26年（1951）
4122 墨美編輯部   龜田鵬齋特集
                墨美　第148號　昭和40年（1965）6月
4123 杉村英治編   龜田鵬齋
                柏　編者印行　昭和45年（1970）7月　196,22頁
4124 杉村英治   龜田鵬齋
                ①東京　近世風俗研究會　昭和53年（1978）9月　329頁
                ②東京　三樹書房　昭和60年（1985）6月　331頁
4125 中國古典研究會　龜田鵬齋特集
                中國古典研究　第28號　頁1—87　昭和58年（1983）12月
4126 橋本榮治   龜田鵬齋
                叢書日本の思想家　第25冊　東京　明德出版社　昭和59年
                （1984）3月（與井上金峨合冊）
4127 杉村英治   龜田鵬齋の世界
                東京　三樹書房　昭和60年（1985）6月　226頁
4128 德田　武   龜田鵬齋
                江戶詩人傳　東京　ぺりかん社　昭和61年（1986）5月
4129 德田　進   新考龜田鵬齋

東京　ゆまに書房　平成2年（1990）11月　70頁

4130　內山精也、嶋崎一郎　龜田鵬齋關係研究文獻目錄

中國古典研究　第28號　頁84—87　昭和58年（1983）12月

<ruby>樺<rt>かば</rt></ruby><ruby>島<rt>しま</rt></ruby><ruby>石<rt>せき</rt></ruby><ruby>梁<rt>りょう</rt></ruby>

9.樺島石梁（1754—1827）

著　作

4131　樺島石梁先生顯彰會　樺島石梁遺文

久留米　該會印行　大正15年（1926）　8冊

第1

樺島家系圖

石梁先生年譜

先考行狀

有馬氏系譜別錄

久留米志

第2

律呂抄解

伯夷傳國字解

句讀授讀復讀例

獻言覺書

圍米法

存寄書

明善堂覺書

遊肥唱和草

壬申春の記

關左草

第3

書翰

遺芳

在在掟問答

米澤雜書

諸家詩文

第4—7

石梁文集

　　　　　　　　第8
　　　　　　　　　石梁遊草
　　　　　　　　　往來芝

後人研究

4132　久留米市編　　樺島石梁
　　　　　　　　　先人の面影──久留米人物傳記　久留米　編者印行　昭和
　　　　　　　36年（1961）

<ruby>猪<rt>い</rt></ruby><ruby>飼<rt>かい</rt></ruby><ruby>敬<rt>けい</rt></ruby><ruby>所<rt>しょ</rt></ruby> 10.猪飼敬所（1761─1845）

著　作

4133　猪飼敬所　　　論孟考文1卷
　　　　　　　　　寫本
4134　猪飼敬所　　　論語考文1卷
　　　　　　　　　天保3年（1832）刊本
4135　猪飼敬所　　　論語考文1卷
　　　　　　　　　日本名家四書註釋全書　論語部2　東京　東洋圖書刊行會
　　　　　　　大正14年（1925）7月
4136　猪飼敬所　　　論語說抄
　　　　　　　　　①日本儒林叢書　第14卷　東京　鳳出版　昭和2年（1927）；
　　　　　　　　　　昭和46年（1971）重印本
　　　　　　　　　②儒林雜纂　東京　東洋圖書刊行會　昭和13年（1938）2
　　　　　　　　　　月
4137　猪飼敬所　　　論語一貫章講義
　　　　　　　　　①日本儒林叢書　第14卷　東京　鳳出版　昭和2年（1927）；
　　　　　　　　　　昭和46年（1971）重印本
　　　　　　　　　②儒林雜纂　東京　東洋圖書刊行會　昭和13年（1938）2
　　　　　　　　　　月
4138　猪飼敬所　　　教所翁論語說2卷
　　　　　　　　　寫本
4139　猪飼敬所　　　孟子考文
　　　　　　　　　日本名家四書註釋全書　第9卷　東京　東洋圖書刊行會
　　　　　　　大正11年（1922）

4140　猪飼敬所　　　西河折妄3卷
　　　　　　　　　　文政12年（1829）刊本

4141　猪飼敬所　　　逸史糾繆
　　　　　　　　　　日本儒林叢書　第4卷　東京　鳳出版　昭和2年（1927）；
　　　　　　　　　　昭和46年（1971）重印本

4142　猪飼敬所　　　操觚正名
　　　　　　　　　　日本儒林叢書　第8卷　東京　鳳出版　昭和2年（1927）；
　　　　　　　　　　昭和46年（1971）重印本

4143　猪飼敬所　　　驅睡錄
　　　　　　　　　　日本藝林叢書　第1卷　東京　六合館　昭和2年（1927）

4144　猪飼敬所　　　竄正名家敘事
　　　　　　　　　　日本藝林叢書　第2卷　東京　六合館　昭和2年（1927）

4145　猪飼敬所　　　葛原詩話標記1卷
　　　　　　　　　　日本詩話叢書　第4卷　東京　文會堂　大正9年（1920）；
　　　　　　　　　　東京　鳳出版　昭和47年（1972）

4146　猪飼敬所　　　猪飼敬所書簡集
　　　　　　　　　　日本儒林叢書　第3卷　東京　鳳出版　昭和2年（1927）；
　　　　　　　　　　昭和46年（1971）重印本

4147　猪飼敬所　　　猪飼敬所先生書柬集
　　　　　　　　　　日本藝林叢書　第4卷　東京　六合館　昭和2年（1927）

4148　猪飼敬所　　　猪飼敬所書柬集
　　　　　　　　　　近世儒家史料　上冊　東京　井田書店　昭和17年（1942）

後人研究

4149　小島祐馬　　　猪飼敬所の易說數則
　　　　　　　　　　支那學　第3卷4號　頁70—72　大正12年（1923）1月

4150　小島祐馬著、馬導源譯　猪飼敬所易說數則
　　　　　　　　　　日本漢學研究論文集　頁9—12　臺北　中華叢書編審委員
　　　　　　　　　　會　昭和 35年（1960）7月

4151　近藤　圭　　　津藩に於ける猪飼敬所先生
　　　　　　　　　　斯文　第15卷2號　頁43—51　昭和8年（1933）

4152　森　銑三　　　猪飼敬所
　　　　　　　　　　森銑三著作集　第2卷　人物篇2　東京　中央公論社　昭和
　　　　　　　　　　63年（1988）11月

4153　未署名　　　　松崎慊堂、猪飼敬所其他漢學派の學者に關する研究資料

藝文　第15卷6號　大正13年（1924）

11.仁井田好古（1770—1848）

著　作

4154	仁井田好古	論語古傳10卷4冊
		自筆本
4155	仁井田好古	論語古傳
		南紀德川史刊行會　昭和10年（1935）
4156	仁井田好古	毛詩補傳30卷
		文化6年（1809）刊本
4157	仁井田好古	毛詩補傳
		東京　松雲堂書店　昭和5年（1930）2月　16冊
4158	仁井田好古	樂古堂文集
		日本儒林叢書　第13卷　東京　鳳出版　昭和2年（1927）；
		昭和46年（1971）　重印本

後人研究

4159	妻木忠太	仁井田好古傳
		歷史地理　第19卷2號
4160	櫻井京子	仁井田好古と毛詩補傳
		紀州の藩學　東京　鳳出版　昭和49年（1974）

12.青山拙齋（1776—1843）

著　作

4161	青山拙齋	經義考抄4冊
		寫本
4162	青山拙齋	伐柯錄2卷1冊
		文化12年（1815）寫本
4163	青山拙齋	明徵錄10卷7冊
		文化6年（1809）寫本

4164　青山拙齋　　　日本史略4冊
　　　　　　　　　　　寫本

4165　青山拙齋　　　皇朝史略（卷1—3）
　　　　　　　　　　　①水戶學全集　第6編　東京　日東書院　昭和8年（1933）
　　　　　　　　　　　②水戶學大系　第8卷　東京　水戶學大系刊行會　昭和15
　　　　　　　　　　　年（1940）

4166　青山拙齋　　　文苑談3冊
　　　　　　　　　　　近世儒家史料　中冊　東京　井田書店　昭和18年（1943）

4167　青山拙齋　　　文苑遺談
　　　　　　　　　　　日本儒林叢書　第3卷　東京　鳳出版　昭和2年（1927）；
　　　　　　　　　　　昭和46年（1971）重印本

4168　青山拙齋　　　文苑遺談（抄）
　　　　　　　　　　　①水戶學全集　第6編　東京　日東書院　昭和8年（1933）
　　　　　　　　　　　②水戶學大系　第8卷　東京　水戶學大系刊行會　昭和15
　　　　　　　　　　　年（1940）

4169　青山拙齋　　　文苑遺談續集
　　　　　　　　　　　日本儒林叢書　第3卷　東京　鳳出版　昭和2年（1927）；
　　　　　　　　　　　昭和46（1971）重印本

4170　青山拙齋　　　文苑遺談續集
　　　　　　　　　　　近世儒家史料　中冊　東京　井田書店　昭和18年（1943）

4171　青山拙齋　　　文政己丑日記
　　　　　　　　　　　寫本

4172　青山拙齋　　　拙齋集2冊
　　　　　　　　　　　寫本

4173　青山拙齋　　　拙齋小集4卷4冊
　　　　　　　　　　　①嘉永元年（1848）刊本
　　　　　　　　　　　②嘉永3年（1850）刊本
　　　　　　　　　　　③嘉永4年（1851）刊本

4174　青山拙齋　　　拙齋小集4卷
　　　　　　　　　　　弘化2年（1845）青山延壽跋本

4175　青山拙齋　　　青山延于集
　　　　　　　　　　　水戶學全集　第6編　東京　日東書院　昭和8年（1933）

4176　青山拙齋　　　青山拙齋集
　　　　　　　　　　　水戶學大系　第8卷　東京　水戶學大系刊行會　昭和15年
　　　　　　　　　　　（1940）

あさ かわ ぜん あん

13. 朝川善庵（1781—1849）

著　作

4177	朝川善庵	仁義略說1卷
		文政元年（1818）刊本
4178	朝川善庵	仁義略說
		日本文庫　第3編　東京　博文館　明治24年（1891）
4179	朝川善庵	大學原本釋義
		日本名家四書註釋全書　第1卷　東京　東洋圖書刊行會
		大正11年（1922）
4180	朝川善庵	古文孝經私記
		日本儒林叢書　第5卷　東京　鳳出版　昭和2年（1927）；
		昭和46年（1971）重印本
4181	朝川善庵	荀子述
		日本儒林叢書　第10卷　東京　鳳出版　昭和2年（1927）；
		昭和46年（1971）重印本
4182	朝川善庵	田園地方紀原
		日本文庫　第12編　東京　博文館　明治24年（1891）
4183	朝川善庵	善庵隨筆2卷
		日本隨筆全集　第1卷　東京　國民圖書刊行會　昭和2年
		（1927）
4184	朝川善庵	善庵隨筆2卷
		日本隨筆大成　第1期第10冊　東京　吉川弘文館　昭和2年
		（1927）
4185	朝川善庵著、泉澤充等校　善庵隨筆
		日本隨筆集成　第10輯　東京　古典研究會　昭和53年
		（1978）
4186	朝川善庵	樂我室遺集2卷
		嘉永元年（1848）刊本
4187	朝川善庵	樂我室遺稿4卷
		安政4年（1857）刊本
4188	朝川善庵	樂我室遺稿
		崇文叢書　第2輯　東京　崇文院　大正14年（1925）

後人研究

4189　龜山聿三編　　善庵朝川先生碑文集
　　　　　　　　　　近代先哲碑文集　第37集　東京　夢硯堂　昭和49年（1974）
4190　森　　銑三　　朝川善庵
　　　　　　　　　　森銑三著作集　第8卷　東京　中央公論社　昭和46年
　　　　　　　　　　（1971）

六、考證學派

(一)概　述

4191　中山久四郎　　清朝考證の學風と近世日本
　　　　　　　　　　史潮　第1年1號　頁1—33　昭和6年（1931）2月
4192　中山久四郎　　近世支那學風の近世日本に及ぼしたる勢力影響特に德川時
　　　　　　　　　　代の考證學風の成立につきて
　　　　　　　　　　支那學研究（斯文會）　第2編　頁107—130　昭和7年
　　　　　　　　　　（1932）1月
4193　中山久四郎　　考證學概說
　　　　　　　　　　近世日本の儒學　頁701—729　東京　岩波書店　昭和14年
　　　　　　　　　　（1939）8月
4194　金谷　治　　　日本の考證學
　　　　　　　　　　東方　第22號　昭和57年（1982）7月
4195　金谷　治　　　日本考證學派の成立——大田錦城を中心として——
　　　　　　　　　　江戶後期の比較文化研究　頁38—88　東京　ぺりかん社
　　　　　　　　　　平成2年（1990）1月
4196　町田三郎著、連清吉譯　關於日本考證學的特色
　　　　　　　　　　清代經學國際研討會論文集　頁465—497　臺北　中央研究
　　　　　　　　　　院中國文哲研究所　平成6年（1994）6月
4197　連　清吉　　　日本江戶時代的考證學家及其學問
　　　　　　　　　　臺北　中央研究院中國文哲研究所　印刷中

(二)各　論

1.皆川淇園（1734—1807）

著　作

4198	皆川淇園	論語繹解
		日本名家四書註釋全書　第5卷　東京　東洋圖書刊行會
		大正11年（1922）
4199	皆川淇園	中庸繹解
		文化3年（1806）鈴木堯起序刊本
4200	皆川淇園	易原2卷
		文政元年（1818）刊本
4201	皆川淇園	易學階梯（抄）
		日本哲學全書　第9卷　東京　第一書房　昭和11年（1936）
4202	皆川淇園	詩經繹解15卷
		安永9年（1780）序刊本
4203	皆川淇園	詩經助字法2卷
		天明3年（1783）刊本
4204	皆川淇園	問學舉要1卷
		刊本
4205	皆川淇園	問學舉要
		日本儒林叢書　第6卷　東京　鳳出版　昭和2年（1927）；
		昭和46年（1971）重印本
4206	皆川淇園	問學舉要
		日本思想大系　第47冊　近世後期儒家集　東京　岩波書店
		昭和47年（1972）
4207	皆川淇園	名疇5卷
		天明4年（1784）刊本
4208	皆川淇園	名疇6卷
		京都　武村嘉兵衛等刊本　天明8年（1788）
4209	皆川淇園	「學」と「哲」
		日本哲學思想全書　第1卷　東京　平凡社　昭和31年
		（1956）
4210	皆川淇園	虛字解2卷
		天明3年（1783）刊本
4211	皆川淇園	續虛字解2卷
		寬政4年（1792）刊本
4212	皆川淇園	虛字詳解15卷
		漢語文典叢書　第4卷　東京　汲古書院　昭和54年（1979）

4213 皆川淇園　　　助字詳解
　　　　　　　　　東京　勉誠社　昭和53年（1978）9月　314頁（勉誠社文庫
　　　　　　　　　43）
4214 皆川淇園　　　淇園文集12卷
　　　　　　　　　刊本
4215 皆川淇園著、高橋博巳編　淇園詩文集
　　　　　　　　　近世儒家文集集成　第9卷　東京　ぺりかん社　昭和61年
　　　　　　　　　（1986）4月
4216 皆川淇園　　　淇園詩話1卷
　　　　　　　　　日本詩話叢書　第5卷　東京　文會堂　大正9年（1920）；
　　　　　　　　　鳳出版　昭和47年（1972）

後人研究

4217 淇園會　　　　鴻儒皆川淇園
　　　　　　　　　編者印行　明治41年（1908）
4218 上野賢知　　　皆川淇園の左傳標記について
　　　　　　　　　武藏大學論集　第2卷2號　昭和29年（1954）
4219 中村春作、櫻井進　皆川淇園
　　　　　　　　　叢書日本の思想家　第26冊　東京　明德出版社　昭和61年
　　　　　　　　　（1986）10月（與大田錦城合冊）
4220 高橋博巳　　　皆川淇園の時代
　　　　　　　　　京都藝苑のネットワーク　東京　ぺりかん社　昭和63年
　　　　　　　　　（1988）5月

2.吉田篁墩（1745—1798）
<ruby>よ<rt></rt></ruby>し だ こう とん

著 作

4221 吉田篁墩　　　論語集解考異
　　　　　　　　　日本名家四書註釋全書　第5卷　東京　東洋圖書刊行會
　　　　　　　　　大正11年（1922）
4222 吉田篁墩　　　活版經籍考2卷
　　　　　　　　　漢書解題集成　第2冊　東京　漢書解題集成發行所　明治
　　　　　　　　　34年（1901）3月
4223 吉田篁墩　　　活版經籍考2卷

		東京　文求堂書店　昭和8年（1933）22丁
4224	吉田篁墩	近聞寓筆4卷
		刊本
4225	吉田篁墩	近聞寓筆4卷
		日本儒林叢書　第7卷　東京　鳳出版　昭和2年（1927）；
		昭和46年（1971）重印本
4226	吉田篁墩	近聞雜錄1卷
		文政6年（1823）刊本

後人研究

4227	未署名	吉田篁墩先生關係資料
		斯文　第6編3、4號　頁62—63　大正13年（1924）8月
4228	小野則秋	藏書家としての吉田篁墩と木村蒹葭堂
		學鐙　第43卷5號　昭和14年（1939）

3. 大田錦城（1765—1825）

著　作

4229	大田錦城	論語大疏20卷
		寫本
4230	大田錦城	孟子解1冊
		寫本
4231	大田錦城	孟子考2卷2冊
		寫本
4232	大田錦城	孟子精蘊7卷
		寫本
4233	大田錦城	大學原解3卷3冊
		文政10年（1827）刊本
4234	大田錦城	大學原解
		日本名家四書註釋全書　第2卷　東京　東洋圖書刊行會
		大正11年（1922）
4235	大田錦城	大學考3冊
		寫本
4236	大田錦城	大學考章1冊

寫本

4237　大田錦城　　　中庸原解3卷3冊
　　　　　　　　　　文政7年（1824）刊本

4238　大田錦城　　　中庸原解
　　　　　　　　　　東京　萬笈閣　出版年不明　3冊

4239　大田錦城　　　中庸原解
　　　　　　　　　　日本名家四書註釋全書　第2卷　東京　東洋圖書刊行會
　　　　　　　　　　大正11年（1922）

4240　大田錦城　　　中庸考2冊
　　　　　　　　　　寫本

4241　大田錦城著、石井直明校　中庸考草1卷
　　　　　　　　　　寫本

4242　大田錦城　　　仁說三書2卷
　　　　　　　　　　寫本

4243　大田錦城　　　仁說三書2冊
　　　　　　　　　　刊本（文政3年（1820）序、文政4年（1821）跋）

4244　大田錦城　　　仁說三書
　　　　　　　　　　日本倫理彙編　第9冊　東京　育成會　明治34年（1901）；
　　　　　　　　　　京都　臨川書店　昭和45年（1970）

4245　大田錦城　　　繫辭詳說2冊
　　　　　　　　　　寫本

4246　大田錦城　　　乾坤考3冊
　　　　　　　　　　文政6年（1823）寫本

4247　大田錦城　　　周易參考12卷6冊
　　　　　　　　　　寫本

4248　大田錦城　　　周易象義6卷6冊
　　　　　　　　　　文政7年（1824）寫本

4249　大田錦城　　　尙書紀聞13冊
　　　　　　　　　　寫本

4250　大田錦城　　　尙書紀聞
　　　　　　　　　　漢籍國字解全書　第6卷　東京　早稻田大學出版部　明治
　　　　　　　　　　43年（1910）9月

4251　大田錦城　　　尙書孔傳纂註12卷
　　　　　　　　　　寫本

4252　大田錦城　　　尙書古今文同異考4卷4冊
　　　　　　　　　　寫本

4253	大田錦城	尚書纂疏10卷10冊
		文化13年（1830）寫本
4254	大田錦城	梅本增多原3卷、附錄1卷4冊
		寬政10年（1798）寫本
4255	大田錦城	壁經辨正4冊
		寫本
4256	大田錦城	禹貢錐指撮要4冊
		寫本
4257	大田錦城	詩書易解補遺1冊
		稿本
4258	大田錦城	詩經纂疏6冊
		寫本
4259	大田錦城	毛詩大序十謬1冊
		寫本
4260	大田錦城	毛詩六義考3卷3冊
		寫本
4261	大田錦城	大小序辨1冊
		寫本
4262	大田錦城	九經談10卷4冊
		①文化元年（1804）刊本
		②文化12年（1815）刊本
		③文政6年（1823）刊本
		④文政7年（1824）刊本
4263	大田錦城	九經談
		日本儒林叢書　第6卷　東京　鳳出版　昭和2年（1927）；昭和46年（1971）重印本
4264	大田錦城	三經小傳
		日本儒林叢書　第5卷　東京　鳳出版　昭和2年（1927）；昭和46年（1971）重印本
4265	大田錦城	諸子撮要2卷2冊
		寫本
4266	大田錦城	老子妙瞰4卷
		①寫本
		②延寶2年（1674）刊本
4267	大田錦城	學說示要1冊
		寫本

4268　大田錦城　　　　教說發揮1冊
　　　　　　　　　　　寫本
4269　大田錦城　　　　知命錄
　　　　　　　　　　　日本隨筆集成　第8輯　東京　古典研究會　昭和53年
　　　　　　　　　　　（1978）
4270　大田錦城　　　　疑問錄2卷2冊
　　　　　　　　　　　天保2年（1831）刊本
4271　大田錦城　　　　疑問錄
　　　　　　　　　　　日本倫理彙編　第9冊　東京　育成會　明治34年（1901）；
　　　　　　　　　　　京都　臨川書店　昭和45年（1970）
4272　大田錦城　　　　疑問錄2卷
　　　　　　　　　　　日本隨筆集成　第8輯　東京　古典研究會　昭和53年
　　　　　　　　　　　（1978）
4273　大田錦城　　　　稽古錄1冊
　　　　　　　　　　　寫本
4274　大田錦城　　　　直見編1冊
　　　　　　　　　　　寫本
4275　大田錦城　　　　梧窗漫筆前編2卷
　　　　　　　　　　　文政6年（1823）刊本
4276　大田錦城　　　　梧窗漫筆後編2卷
　　　　　　　　　　　文政7年（1824）刊本
4277　大田錦城　　　　梧窗漫筆3編2卷
　　　　　　　　　　　天保11年（1840）刊本
4278　大田錦城　　　　梧窗漫筆
　　　　　　　　　　　東京　玉巖堂　出版年不明3冊
4279　大田錦城　　　　梧窗漫筆
　　　　　　　　　　　東京　寶文閣　明治12年（1879）3月6冊
4280　大田錦城著、荒井堯民校　梧窗漫筆
　　　　　　　　　　　東京　小川尙榮堂　明治30年（1897）1月1冊
4281　大田錦城著、荒井堯民校　梧窗漫筆
　　　　　　　　　　　東京　共同出版　明治42年（1909）12月　184頁（公民文庫
　　　　　　　　　　　13冊）
4282　大田錦城　　　　梧窗漫筆及拾遺
　　　　　　　　　　　續國民文庫　第1冊　隨筆集　東京　國民文庫刊刊會　明
　　　　　　　　　　　治45年（1912）
4283　大田錦城　　　　梧窗漫筆、梧窗漫筆後編、梧窗漫筆三編

名家隨筆集（上）　東京　有朋堂書店　大正2年（1913）4月（有朋堂文庫）

4284	大田錦城	梧窗漫筆
		日本隨筆全集　第17卷　東京　國民圖書刊行會　昭和2年（1927）
4285	大田錦城	滅魔燈1冊
		手稿本
4286	大田錦城	遡源錄2冊
		寫本
4287	大田錦城	春草堂雜錄1冊
		寫本
4288	大田錦城	雨牕漫筆1冊
		稿本
4289	大田錦城	春草堂隨筆10卷
		寫本
4290	大田錦城	論說雜書綴
		稿本
4291	大田錦城	群雄割據錄20冊
		寫本
4292	大田錦城	蝦夷海寇事略5冊
		手稿本
4293	大田錦城	海外諸國名錄1冊
		手稿本
4294	大田錦城	五胡十六夷狄圖1冊
		寫本
4295	大田錦城	旗山集3卷付2卷2冊
		寫本
4296	大田錦城	錦城文錄2卷2冊
		①嘉永6年（1853）刊本
		②安政5年（1858）刊本
4297	大田錦城	春草堂集21卷
		東京　前田家育德財團影印本　昭和13年（1938）
4298	大田錦城	春草堂外集稽古錄1冊
		寫本
4299	大田錦城	錦城茶話2卷2冊
		寫本

4300　大田錦城　　　錦城百律1冊
　　　　　　　　　　①享和2年（1802）刊本
　　　　　　　　　　②文化6年（1809）刊本
　　　　　　　　　　③天保6年（1835）寫本
4301　大田錦城　　　赤城梅花記1冊
　　　　　　　　　　寫本
4302　大田錦城　　　白湯集1冊
　　　　　　　　　　文政3年（1820）刊本
4303　大田錦城　　　鳳鳴集3卷3冊
　　　　　　　　　　文政8年（1825）刊本
4304　大田錦城　　　茗會文談10卷10冊
　　　　　　　　　　寫本
4305　大田錦城　　　茗會文談
　　　　　　　　　　日本經濟叢書　第33冊　東京　日本經濟叢書刊行會　大正
　　　　　　　　　　3年（1914）
4306　大田錦城　　　茗會文談
　　　　　　　　　　日本經濟大典　第51卷　東京　啓明社　昭和5年（1930）
4307　大田錦城　　　茗會文談10卷
　　　　　　　　　　日本隨筆集成　第8輯　東京　古典研究會　昭和53年
　　　　　　　　　　（1978）
4308　大田錦城　　　漾萍結花錄2冊
　　　　　　　　　　寫本
4309　大田錦城　　　柳橋日錄5冊
　　　　　　　　　　稿本
4310　大田錦城　　　飛耳張目17冊
　　　　　　　　　　稿本

後人研究

4311　龜山聿三編　　錦城大田先生碑文集
　　　　　　　　　　近代先哲碑文集　第17集　東京　夢硯堂　昭和44年（1969）
4312　河野省三　　　大田錦城傳の誤謬
　　　　　　　　　　歷史地理　第14卷2期　明治42年（1909）
4313　宮本謙吾　　　大田錦城
　　　　　　　　　　傳記　第8卷6號　昭和16年（1941）
4314　井上錘次　　　大田錦城に就て

傳記　第8卷7號　昭和16年（1941）

4315　井上善雄　　大田錦城傳考

加賀　加賀市文化財專門委員會、江沼地方史研究會

上冊　昭和34年（1959）　236頁

下冊　昭和48年（1973）　606頁

4316　岸田知子、瀧野邦雄、鹽出雅　大田錦城

叢書日本の思想家　第26冊　東京　明德出版社　昭和61年

（1986）10月（與皆川淇園合冊）

4317　石田公道　　大田錦城の尙書學(1)

學藝（北海道學藝大學）　第1部第3卷1期　頁39—45　昭

和26年（1951）

4318　石田公道　　大田錦城の尙書學(2)

北海道學藝大學紀要　第1部A人文科學編　第16卷1期　頁

45—53　昭和41年（1966）

4319　松崎覺本　　大田錦城の古文尙書に關する見解についての評論

斯文　第27編4、5、6合併號　頁8—18　昭和20年（1945）6

月

4320　金谷　治　　日本考證學派の成立——大田錦城を中心として——

江戶後期の比較文化研究　頁38—88　東京　ぺりかん社

平成2年（1990）1月

4321　柴田伸吉編　　大田錦城同晴軒に關する史料

編者印行　昭和15年（1940）

4. 松崎慊堂（1771—1844）
まつ ざき こう どう

著　作

4322　松崎慊堂　　慊堂日歷

日本藝林叢書　第11、12卷　東京　六合館　昭和4年（1929）

4323　松崎慊堂著、山田琢譯註　慊堂日曆

東京　平凡社　6冊

第1冊　昭和45年（1970）　341頁（東洋文庫169）

第2冊　昭和47年（1972）　314頁（東洋文庫213）

第3冊　昭和48年（1973）　344頁（東洋文庫237）

第4冊　昭和53年（1978）8月　322頁（東洋文庫337）

第5冊　昭和55年（1980）5月　360頁（東洋文庫377）

第6冊　昭和58年（1983）4月　381頁（東洋文庫420）

4324　松崎慊堂　松崎慊堂由緒書1卷

大正12年（1923）寫本

4325　松崎慊堂　遊東陬錄2卷

刊本

4326　松崎慊堂　慊堂遺墨

日本儒林叢書　第3卷　東京　鳳出版　昭和2年（1927）；
昭和46年（1971）

4327　松崎慊堂　慊堂全集

崇文叢書　第1輯　東京　崇文院　大正14年（1925）

4328　松崎慊堂　松崎慊堂全集

東京　多至書房　昭和63年（1988）7月　4冊（日本學資料
叢書3）（《崇文叢書》本重印）

第1冊　卷1—7　492頁

第2冊　卷8—15　476頁

第3冊　卷16—22　502頁

第4冊　卷23—28　486頁

4329　小林幸夫解說　松崎慊堂全集解說書

東京　多至書房　昭和63年（1988）7月　157頁（日本學資
料叢書3）

4330　松崎慊堂　松崎慊堂全集　附：日歷

東京　多至書房　昭和63年（1988）7月　2冊（765頁，580
頁）（日本學資料叢書　3）

後人研究

4331　龜山聿三編　慊堂松崎先生碑文集

近代先哲碑文集　第7集　東京　夢硯堂　昭和41年（1966）

4332　龜山聿三編　慊堂松崎先生碑文集補遺

近代先哲碑文集　第8集　東京　夢硯堂　昭和42年（1967）

4333　高野白哀　大儒松崎慊堂

作者印行　昭和6年（1931）

4334　安井小太郎　慊堂の漢籍翻刻に關する意見

斯文　第1編2號　頁57—61　大正8年（1919）

4335　高橋美章　松崎慊堂の開成石經縮刻に就いて

支那學　第2卷1號　頁65―71　大正10年（1921）9月

4336　岡井愼吾　熊本に於ける慊堂先生
　　　　　斯文　第13編4、5、10號，第14編4號，第15編4、5號　昭和6―8年（1931―1933）

4337　井上哲次郎　松崎慊堂先生の學統に就いて
　　　　　斯文　第24編12號　頁6―17　昭和17年（1942）12月

4338　森　鹿三　慊堂日歷に見ゆる經籍
　　　　　史林　第25卷4號　昭和15年（1940）10月

4339　吉田篤志　江戶後期の考證學――松崎慊堂の場合
　　　　　大倉山論集　第23輯　頁203―224　昭和63年（1988）3月

4340　未署名　松崎慊堂、猪飼敬所其の他漢學派の學者に關する研究資料
　　　　　藝文　第15年6號　頁437―442　大正13年（1924）6月

4341　未署名　松崎慊堂先生關係資料
　　　　　斯文　第6編3、4號　頁62―63　大正13年（1924）8月

かり や えき さい
5.狩谷棭齋（1775―1835）

著　作

4342　狩谷棭齋著、岡本保孝補注　轉注說
　　　　　日本藝林叢書　第3卷　東京　六合館　昭和2年（1927）

4343　狩谷棭齋　轉注說1卷
　　　　　日本古典全集　第1期　狩谷棭齋全集　第3　東京　日本古典全集刊行會　大正14年（1925）

4344　狩谷棭齋　箋注倭名類聚抄
　　　　　①印刷局刊本　明治16年（1883）4月
　　　　　②東京　曙社　昭和5年（1930）上、下卷
　　　　　③京都　京都大學影印本　昭和18年（1943）

4345　狩谷棭齋　棭齋華牋
　　　　　日本藝林叢書　第8卷　東京　六合館　昭和2年（1927）

4346　狩谷棭齋　狩谷棭齋全集
　　　　　日本古典全集　第1期　東京　日本古典全集刊行會　大正14年（1925）
　　　　　第1冊
　　　　　　校本日本靈異記

第2冊
　日本靈異記考證
　京游筆記
第3冊
　轉注說
　扶桑略記校譌
　每條千金

後人研究

4347　川瀨一馬　　市井の學者狩谷棭齋
　　　　　　　　　書誌學　第5卷2號　昭和10年（1935）
4348　川瀨一馬　　狩谷棭齋の學績——其の著書と手澤本とを中心として
　　　　　　　　　書誌學　第4卷6號　昭和10年（1935）
4349　川瀨一馬　　狩谷棭齋の業績
　　　　　　　　　斯文　第18編3號　頁7—24　昭和11年（1936）3月
4350　梅谷文夫　　狩谷棭齋
　　　　　　　　　東京　吉川弘文館　平成6年（1994）1月　291頁（人物叢書
　　　　　　　　　新裝版）
4351　川瀨一馬　　求古樓書目——狩谷棭齋藏書目錄
　　　　　　　　　書誌學　第4卷6號　昭和10年（1935）
4352　斯文會編　　狩谷棭齋先生百年祭記念展覽會目錄
　　　　　　　　　編者印行　昭和10年（1935）10月
4353　未署名　　　狩谷棭齋百年祭記念展覽會目錄
　　　　　　　　　書誌學　第5卷5號　頁343—353　昭和10年（1935）11月

6. 東條一堂 (1778—1857)
とうじょういちどう

著作

4354　東條一堂　　論語知言7卷
　　　　　　　　　鈔本
4355　東條一堂著、原田種成校訂　論語知言10卷
　　　　　　　　　①日本名家四書註釋全書　第8卷　東京　東洋圖書刊行會
　　　　　　　　　大正15年（1926）10月

②東京　書籍文物流通會　昭和40年（1965）6月

4356　東條一堂著、原田種成校訂　孟子知言
　　　　　　　　東京　書籍文物流通會　昭和39年（1964）11月（與大學知
　　　　　　　　言、中庸知言合冊）

4357　東條一堂著、稻葉誠一校訂　大學知言
　　　　　　　　①日本名家四書註釋全書　第11卷　東京　東洋圖書刊行會
　　　　　　　　昭和2年（1927）6月
　　　　　　　　②東京　書籍文物流通會　昭和39年（1964）11月（與孟子
　　　　　　　　知言、中庸知言合冊）

4358　東條一堂著、稻葉誠一校訂　中庸知言
　　　　　　　　①日本名家四書註釋全書　第11卷　東京　東洋圖書刊行會
　　　　　　　　昭和2年（1927）6月
　　　　　　　　②東京　書籍文物流通會　昭和39年（1964）11月（與孟子
　　　　　　　　知言、大學知言合冊）

4359　東條一堂著、稻葉誠一校訂　周易標識
　　　　　　　　東京　書籍文物流通會　昭和39年（1964）3月　146頁

4360　東條一堂　　　繫辭答問1卷
　　　　　　　　鈔本

4361　東條一堂　　　繫辭答問
　　　　　　　　日本儒林叢書　第5卷　東京　鳳出版　昭和2年（1927）；
　　　　　　　　昭和46年（1971）重印本

4362　東條一堂　　　繫辭答問
　　　　　　　　日本哲學全書　第9卷　東京　第一書房　昭和11年（1936）

4363　東條一堂著、稻葉誠一校訂　尚書標識
　　　　　　　　東京　書籍文物流通會　昭和37年（1962）10月　387頁

4364　東條一堂著、嵯峨寬校訂　詩經標識
　　　　　　　　東京　書籍文物流通會　昭和38年（1963）11月　332頁

4365　東條一堂著、原田種成校訂　左傳標識2卷
　　　　　　　　東京　書籍文物流通會　昭和38年（1963）6月　2冊

4366　東條一堂　　　孝經兩造簡孚
　　　　　　　　日本儒林叢書　第5卷　東京　鳳出版　昭和2年（1927）；
　　　　　　　　昭和46年（1971）重印本

4367　東條一堂　　　一堂讀書法
　　　　　　　　日本儒林叢書　第12卷　東京　鳳出版　昭和2年（1927）；
　　　　　　　　昭和46年（1971）重印本

4368　東條一堂　　　學範初編、後編

日本儒林叢書　第8、12卷　東京　鳳出版　昭和2年（1927）；
昭和46年（1971）重印本

4369　東條一堂　　性命答問

日本儒林叢書　第5卷　東京　鳳出版　昭和2年（1927）；
昭和46年（1971）重印本

4370　東條一堂　　幼學詩話1卷

日本詩話叢書　第6卷　東京　文會堂　大正9年（1920）；
東京　鳳出版　昭和47年（1972）

後人研究

4371　鵜田惠吉　　東條一堂傳

東京　東條卯作印行　昭和28年（1953）　370頁

4372　鵜田惠吉　　東條一堂の人物と學問

東京　東條會館　昭和32年（1957）

4373　鵜田惠吉　　東條一堂小傳

東京　東條會館　昭和34年（1959）2版　115頁

4374　未署名　　　東條一堂先生百年祭記念東條一堂遺墨著書展出品目錄

東京　東條會館　昭和32年（1957）7月

7.海保漁村（1798—1866）
かい　ほ　ぎょ　そん

著　作

4375　海保漁村　　論語駁異

①日本儒林叢書　第14卷　東京　鳳出版　昭和2年（1927）；
　昭和46年（1971）重印本
②儒林雜纂　東京　東洋圖書刊行會　昭和13年（1938）2
　月

4376　海保漁村　　孟子補註1卷

鈔本

4377　海保漁村　　大學鄭氏義

日本名家四書註釋全書　第11卷　東京　東洋圖書刊行會
大正11年（1922）

4378　海保漁村　　中庸鄭氏義

日本名家四書註釋全書　第11卷　東京　東洋圖書刊行會

大正11年（1922）

4379　海保漁村　周易校勘記舉正
　①日本儒林叢書　第14卷　東京　鳳出版　昭和2年（1927）；
　　昭和46年（1971）重印本
　②儒林雜纂　東京　東洋圖書刊行會　昭和13年（1938）2
　　月

4380　海保漁村　周易古占法4卷
　天保11年（1840）刊本

4381　海保漁村　經學字義古訓
　日本儒林叢書　第6卷　東京　鳳出版　昭和2年（1927）；
　昭和46年（1971）重印本

4382　海保漁村　讀朱筆記
　崇文叢書　第2輯　東京　崇文院　大正14年（1925）

4383　海保漁村　傳經廬文鈔
　崇文叢書　第2輯　東京　崇文院　大正14年（1925）

4384　海保元輔　文章軌範補註
　漢文大系　第18卷　東京　富山房　明治42年（1909）

4385　海保漁村　漁村文話1卷續1卷
　嘉永5年（1852）刊本

4386　海保漁村　漁村文話
　日本文庫　第6編　東京　博文館　明治24年（1891）

4387　海保漁村　漁村文話續
　日本文庫　第6編　東京　博文館　明治24年（1891）

4388　海保漁村　捧腹談捧腹1卷
　安政6年（1859）鈔本

4389　海保漁村　抱腹談の抱腹
　日本儒林叢書　第4卷　東京　鳳出版　昭和2年（1927）；
　昭和46年（1971）重印本

後人研究

4390　海保竹逕　漁村海保府君年譜
　①日本儒林叢書　第14卷　東京　鳳出版　昭和2年（1927）；
　　昭和46年（1971）重印本
　②儒林雜纂　東京　東洋圖書刊行會　昭和13年（1938）2
　　月

4391　濱野知三郎　　海保漁村先生年譜
　　　　　　　　　漁村先生記念會　昭和13年（1938）

4392　海保漁村先生誕生地保存會編　海保漁村先生
　　　　　　　　　編者印行　昭和14年（1939）

4393　金杉英五郎　　海保漁村先生に就て
　　　　　　　　　斯文　第19編8號　頁24―26　昭和12年（1937）

4394　濱野知三郎　　海保漁村先生の業績
　　　　　　　　　斯文　第21編10號　頁28―35　昭和14年（1939）10月

4395　中山久四郎　　海保先生を追憶して
　　　　　　　　　斯文　第21編10號　頁22―27　昭和14年（1939）10月

4396　町田三郎　　　海保漁村覺書
　　　　　　　　　日本中國學會報　第49集　頁249―264　平成9年（1997）10月

8.安井息軒（1799―1876）

著　作

4397　安井息軒　　論語集說6卷
　　　　　　　　稿本
4398　安井息軒　　論語集說
　　　　　　　　東京　稻田佐兵衛等刊本　明治5年（1872）　3冊
4399　安井息軒　　論語集說
　　　　　　　①漢文大系　第1冊　東京　富山房　明治44年（1911）11月；昭
　　　　　　　　和49年（1974）重印本
　　　　　　　②漢文大系　第1冊　臺北　新文豐出版公司　昭和53年
　　　　　　　　（1978）10月
4400　安井息軒　　孟子定本6卷
　　　　　　　　稿本
4401　安井息軒　　孟子定本
　　　　　　　①漢文大系　第1冊　東京　富山房　明治44年（1911）11月；昭
　　　　　　　　和49年（1974）重印本
　　　　　　　②漢文大系　第1冊　臺北　新文豐出版公司　昭和53年
　　　　　　　　（1978）10月
4402　安井息軒　　大學說

　　　　　　　①漢文大系　第1冊　東京　富山房　明治44年（1911）11月；昭
　　　　　　　　和49年（1974）重印本
　　　　　　　②漢文大系　第1冊　臺北　新文豐出版公司　昭和53年
　　　　　　　　（1978）10月

4403　安井息軒　中庸說
　　　　　　　①漢文大系　第1冊　東京　富山房　明治44年（1911）11月；昭
　　　　　　　　和49年（1974）重印本
　　　　　　　②漢文大系　第1冊　臺北　新文豐出版公司　昭和53年
　　　　　　　　（1978）10月

4404　安井　衡　四書集說
　　　　　　　臺北　廣文書局　昭和38年（1963）　2冊

4405　安井息軒　書說摘要4卷
　　　　　　　稿本

4406　安井息軒　書說摘要
　　　　　　　崇文叢書　第1輯　東京　崇文院　大正14年（1925）

4407　安井息軒　毛詩輯疏10卷
　　　　　　　鈔本

4408　安井息軒　毛詩輯疏12卷
　　　　　　　崇文叢書　第2輯　東京　崇文院　大正14年（1925）

4409　安井息軒　周禮補疏11卷
　　　　　　　鈔本

4410　安井息軒　息軒先生禮記說2卷
　　　　　　　鈔本

4411　安井息軒　左傳輯釋21卷
　　　　　　　稿本

4412　安井息軒　左傳輯釋25卷
　　　　　　　彥根　彥根藩學校　明治4年（1871）　21冊

4413　安井　衡　左傳輯釋25卷
　　　　　　　大阪　赤志忠七等刊本　明治8年（1875）　21冊

4414　安井息軒著、石川鴻齋點　左傳輯釋21卷
　　　　　　　東京　山中出版舍　明治16、17年（1883、1884）　10冊

4415　安井息軒　左傳輯釋25卷
　　　　　　　甲府　溫故堂　明治16—18年（1883—1885）　15冊

4416　安井息軒　息軒先生左傳說2卷
　　　　　　　鈔本

4417　安井息軒　管子纂詁補正

東京　山城屋佐兵衛印行　明治3年（1870）序　18丁

4418　安井衡　　　管子纂詁補正

①漢文大系　第21冊　東京　富山房　明治44年（1911）11月；昭和49年（1974）重印本

②漢文大系　第21冊　臺北　新文豐出版公司　昭和53年（1978）10月

4419　安井息軒　　辨妄1卷

稿本

4420　安井息軒　　辨妄1卷

明治14年（1881）刊本

4421　安井息軒　　辨妄

日本儒林叢書　第4卷　東京　鳳出版　昭和2年（1927）；昭和46年（1971）重印本

4422　安井息軒　　辨妄

日本思想大系　第47冊　東京　岩波書店　昭和47年（1972）

4423　安井息軒　　救急或問

日本文庫　第2編　東京　博文館　明治24年（1891）

4424　安井息軒　　上明山公書

日本儒林叢書　第3卷　東京　鳳出版　昭和2年（1927）；昭和46年（1971）重印本

4425　安井息軒　　睡餘漫筆1卷

稿本

4426　安井息軒　　睡餘漫筆

東京　成章堂　明治36年（1903）9月　90頁

4427　安井息軒　　睡餘漫筆

日本儒林叢書　第2卷　東京　鳳出版　昭和2年（1927）；昭和46年（1971）重印本

4428　安井息軒　　讀書餘適2卷　續1卷　睡餘漫稿1卷

東京　成章堂　明治33年（1900）11月　19，15，19丁

4429　安井息軒　　北潛日抄2卷

大正14年（1925）家刻本

4430　長田泰彥　　注解北潛日抄

浦和　さきたま出版會　昭和63年（1988）1月　331頁

4431　沼口信一　　口語譯北潛日抄

川口　沼口信一印行　平成2年（1990）11月　175頁

4432　安井息軒　　息軒遺稿4卷

稿本

4433 安井息軒 息軒遺稿4卷
明治11年（1878）刊本

4434 安井息軒 息軒文鈔4卷
稿本

4435 安井息軒著、黑江一郎編纂註解　息軒先生遺文集
宮崎縣清武町　安井息軒先生顯彰會　昭和29年（1954）
2冊

4436 黑江一郎編註　息軒先生遺文集　續編
宮崎縣　清武町　安井息軒先生顯彰會　昭和31年（1956）

4437 黑木盛幸編註　安井息軒書簡集
宮崎縣　清武町　安井息軒先生顯彰會　昭和62年（1987）
9月　344頁

4438 黑江一郎編　安井氏紀行集
宮崎縣清武町　安井息軒先生顯彰會　昭和34年（1959）

後人研究

4439 龜山聿三編　息軒安井先生碑文集
近代先哲碑文集　第36集　東京　夢硯堂　昭和49年（1974）

4440 若山甲藏　安井息軒先生
宮崎　藏六書房　大正2年（1913）12月　284頁

4441 黑江一郎　安井息軒
宮崎　日向文庫刊行會　昭和28年（1953）　200頁（日向文庫8）

4442 町田三郎　《論語集說》について
①東方學五十周年紀念論文集　平成9年（1997）
②江戸の漢學者たち　頁204—218　東京　研文出版　平成10年（1998）6月（題目改作〈《論語集說》のこと――古今ノ長ヲ取リ短ヲ舍テ〉）

4443 石川恒太郎　安井息軒先生の經濟思想
あがた　第2卷1號　昭和13年（1938）

4444 內田道夫　安井息軒の辨妄
斯文　第23編4號　頁11—16　昭和16年（1941）4月

4445 吉川幸次郎　安井息軒の遺文集について
雅友　第32號　昭和32年（1957）

4446　黑江一郎　　　書簡に現われた息軒の學風──磯野圭甫宛について
　　　　　　　　　　九州中國學會報　第9卷　頁21─25　昭和33年（1958）5月
4447　黑江一郎　　　息軒先生晚年の書簡
　　　　　　　　　　宮崎大學學藝學部紀要（人文科學）　第7號　昭和34年
　　　　　　　　　　（1959）
4448　町田三郎　　　安井息軒覺書
　　　　　　　　　　東方學　第72輯　頁111─126　昭和61年（1986）7月
4449　町田三郎　　　安井息軒の生涯
　　　　　　　　　　江戶の漢學者たち　頁145─167　東京　研文出版　平成10
　　　　　　　　　　年（1998）6月　（原名〈安井息軒覺書〉）
4450　町田三郎著、連清吉譯　安井息軒之生涯
　　　　　　　　　　日本幕末以來之漢學家及其著述　頁1─21　臺北　文史哲
　　　　　　　　　　出版社　平成4年（1992）3月
4451　町田三郎　　　《北潛日抄》について
　　　　　　　　　　①九州大學中國哲學論集　特別號　昭和63年（1988）3月
　　　　　　　　　　②江戶の漢學者たち　頁168─186　東京　研文出版　平成
　　　　　　　　　　　10年（1998）6月（題目改作〈漢文日記《北潛日抄》──
　　　　　　　　　　　─江戶の落日〉）
4452　町田三郎著、連清吉譯　安井息軒之《北潛日抄》
　　　　　　　　　　日本幕末以來之漢學家及其著述　頁41─58　臺北　文史哲
　　　　　　　　　　出版社　平成4年（1992）3月
4453　町田三郎　　　《管子纂詁》について
　　　　　　　　　　第一屆中國域外漢籍國際學術會議論文集　臺北　聯合報文
　　　　　　　　　　化基金會國學文獻館　昭和62年（1987）
4454　町田三郎著、連清吉譯　安井息軒之管子纂詁
　　　　　　　　　　日本幕末以來之漢學家及其著述　頁23─58　臺北　文史哲
　　　　　　　　　　出版社　平成4年（1992）3月

9.鹽谷宕陰（1809─1867）
しおのやとういん

著　作

4455　鹽谷宕陰　　　視志緒言
　　　　　　　　　　日本儒林叢書　第12卷　東京　鳳出版　昭和2年（1927）；

昭和46年（1971）

4456　鹽谷宕陰　　　隔靴論
　　　　　　　　　　日本儒林叢書　第12卷　東京　鳳出版　昭和2年（1927）；
　　　　　　　　　　昭和46年（1971）

4457　鹽谷宕陰　　　鞭駘錄1冊
　　　　　　　　　　天保3年（1832）自序寫本

4458　鹽谷宕陰　　　宕陰存稿13卷
　　　　　　　　　　明治3年（1870）刊本

4459　鹽谷宕陰著、內田遠湖編　宕陰賸稿3卷
　　　　　　　　　　東京　松雲堂書店　昭和6年（1931）　3冊

4460　鹽谷宕陰　　　大統歌1卷
　　　　　　　　　　①安政2年（1855）3月刊本
　　　　　　　　　　②慶應元年（1865）10月木活字本
　　　　　　　　　　③明治5年（1872）10月快風堂刊本

後人研究

4461　龜山聿三編　　宕陰鹽谷先生碑文集
　　　　　　　　　　近代先哲碑文集　第22集　東京　夢硯堂　昭和45年（1970）

4462　鹽谷時敏編　　宕陰先生年譜
　　　　　　　　　　鹽谷溫印行　大正12年（1923）

4463　井上不鳴　　　大統歌俗解
　　　　　　　　　　明治5年（1872）刊本　2冊

4464　柳田友廣　　　大統歌訓蒙
　　　　　　　　　　明治16年（1883）刊本　4冊

4465　鹽谷　溫　　　大統歌新釋1卷
　　　　　　　　　　大正11年（1922）刊本

4466　鹽谷　溫　　　鹽谷宕陰の事蹟について
　　　　　　　　　　斯文　復刊第51號　昭和43年（1968）3月

4467　町田三郎　　　鹽谷宕陰の六藝論
　　　　　　　　　　韓國中國學會報　第31號　平成3年（1991）8月

4468　町田三郎　　　鹽谷宕陰と中村正直
　　　　　　　　　　九州大學柴田篤助教授科研報告書　平成5年（1993）

10.土井聱牙（1817—1880）

著　作

4469	楓井　純編	聲牙遺稿16卷
		土井文次印行　明治25年（1892）　10冊
4470	土井聲牙	聲牙齋隨筆
		土井家印行　昭和4年（1929）
4471	土井聲牙	聲牙齋詩稿5卷
		土井文次印行　明治29年（1896）　5冊

後人研究

4472	橋本榮治	土井聲牙
		叢書日本の思想家　第39冊　東京　明德出版社　平成5年（1993）6月（與齋藤拙堂合冊）

七、後期陽明學派

1.概　述

4473　宇野哲人、安岡正篤監修　幕末維新陽明學者書簡集
　　　　　　陽明學大系　第11卷
　　　　　　東京　明德出版社　昭和46年（1971）12月
　　　　　　林良齋、池田草庵往復書簡
　　　　　　池田草庵書簡（吉村秋陽あて）
　　　　　　池田草庵書簡（吉村斐山あて）
　　　　　　吉村秋陽書簡（池田草庵あて）
　　　　　　吉村斐山書簡（池田草庵あて）
　　　　　　東澤瀉書簡（池田草庵あて）
　　　　　　春日潛庵書簡（池田草庵あて）
　　　　　　幕末維新陽明學者五子略傳
　　　　　　　林良齋
　　　　　　　池田草庵
　　　　　　　吉村秋陽（附：吉村斐山）
　　　　　　　東澤瀉
　　　　　　　春日潛庵

2.中根東里（1694—1765）

著　作

4474　中根東里　　東里遺稿1卷
　　　　　　　　　明和8年（1771）刊本
4475　中根東里　　東里遺稿1卷
　　　　　　　　　日本倫理彙編　第2冊　東京　育成會　明治34年（1901）；
　　　　　　　　　京都　臨川書店　昭和45年（1970）
4476　中根東里　　東里外集1卷
　　　　　　　　　日本倫理彙編　第2冊　東京　育成會　明治34年（1901）；
　　　　　　　　　京都　臨川書店　昭和45年（1970）

後人研究

4477　中根東里著、粂川信也編著　東里遺稿解
　　　　　　　　　佐野　知松庵蹟寶龍寺　東京　明治文獻製作　昭和49年
　　　　　　　　　（1974）　327頁
4478　篠崎源三　　中根東里
　　　　　　　　　佐野　知松庵蹟寶龍寺　昭和49年（1974）　51頁

3.佐藤一齋（1772—1859）

著　作

4479　佐藤一齋　　初學課業次第
　　　　　　　　　日本文庫　第2編　東京　博文館　明治24年（1891）
4480　佐藤一齋　　初學課業次第
　　　　　　　　　漢書解題集成　第3冊　東京　漢書解題集成發行所　明治
　　　　　　　　　33、34年（1900、1901）
4481　佐藤一齋　　初學課業次第
　　　　　　　　　陽明學大系　第9卷　日本の陽明學（中）　東京　明德出
　　　　　　　　　版社　昭和47年（1972）
4482　佐藤一齋編　初學課業次第
　　　　　　　　　江戶時代支那學入門書解題集成　第2集　東京　汲古書院

昭和50年（1975）

4483　佐藤一齋　　初學課業次第
　　　　　　　　日本教育思想大系　第23冊　東京　日本圖書センター　昭
　　　　　　　　和51年（1976）

4484　佐藤一齋　　定本論語欄外書2卷
　　　　　　　　寫本

4485　佐藤一齋　　論語欄外書
　　　　　　　　日本名家四書註釋全書　論語部1　東京　東洋圖書刊行會
　　　　　　　　昭和3年（1928）6月

4486　佐藤一齋　　論語欄外書
　　　　　　　　陽明學大系　第9卷　日本の陽明學（中）　東京　明德出
　　　　　　　　版社　昭和47年（1972）

4487　佐藤一齋　　論語欄外書
　　　　　　　　日本教育思想大系　第23冊　東京　日本圖書センター　昭
　　　　　　　　和51年（1976）

4488　佐藤一齋　　孟子欄外書4卷
　　　　　　　　寫本

4489　佐藤一齋　　孟子欄外書
　　　　　　　　日本名家四書註釋全書　孟子部2　東京　東洋圖書刊行會
　　　　　　　　大正11年（1922）

4490　佐藤一齋　　孟子欄外書
　　　　　　　　陽明學大系　第9卷　日本の陽明學（中）　東京　明德出
　　　　　　　　版社　昭和47年（1972）

4491　佐藤一齋　　孟子欄外書
　　　　　　　　日本教育思想大系　第23冊　東京　日本圖書センター　昭
　　　　　　　　和51年（1976）

4492　佐藤一齋　　大學欄外書
　　　　　　　　日本名家四書註釋全書　學庸部2　東京　東洋圖書刊行會
　　　　　　　　大正11年（1922）

4493　佐藤一齋　　大學欄外書
　　　　　　　　日本教育思想大系　第23冊　東京　日本圖書センター　昭
　　　　　　　　和51年（1976）

4494　王守仁著　佐藤一齋補　大學古本旁釋
　　　　　　　　東京　六合館　明治30年（1897）6月　13丁

4495　佐藤一齋　　大學古本旁釋序
　　　　　　　　陽明學大系　第9卷　日本の陽明學（中）　東京　明德出

　　　　　　　　　　版社　昭和47年（1972）
4496　佐藤一齋著、東正堂標註、里見無聲訓點　大學一家私言
　　　　　　　　　　東京　玉文館　明治43年（1910）11月　32頁
4497　佐藤一齋　　　大學一家私言
　　　　　　　　　　大日本思想全集　第16卷　東京　大日本思想全集刊行會
　　　　　　　　　　昭和6年（1931）
4498　佐藤一齋　　　大學一家私言
　　　　　　　　　　陽明學大系　第9卷　日本の陽明學（中）　東京　明德出
　　　　　　　　　　版社　昭和47年（1972）
4499　佐藤一齋　　　大學一家私言
　　　　　　　　　　日本教育思想大系　第23冊　東京　日本圖書センター　昭
　　　　　　　　　　和51年（1976）
4500　佐藤一齋　　　大學摘說
　　　　　　　　　　陽明學大系　第9卷　日本の陽明學（中）　東京　明德出
　　　　　　　　　　版社　昭和47年（1972）
4501　佐藤一齋　　　中庸欄外書
　　　　　　　　　　日本名家四書註釋全書　第2卷　東京　東洋圖書刊行會
　　　　　　　　　　大正11年（1922）
4502　佐藤一齋　　　中庸欄外書
　　　　　　　　　　日本教育思想大系　第23冊　東京　日本圖書センター　昭
　　　　　　　　　　和51年（1976）
4503　佐藤一齋　　　中庸欄外書
　　　　　　　　　　陽明學大系　第9卷　日本の陽明學（中）　東京　明德出
　　　　　　　　　　版社　昭和47年（1972）
4504　佐藤一齋　　　小學欄外書
　　　　　　　　　　陽明學大系　第9卷　日本の陽明學（中）　東京　明德出
　　　　　　　　　　版社　昭和47年（1972）
4505　佐藤一齋著、遠山景福註　言志四錄
　　　　　　　　　　東京　東京圖書出版　明治31年（1898）7月　263頁
4506　佐藤一齋　　　言志錄、言志後錄、言志晚錄、言志耋錄
　　　　　　　　　　東京　文魁堂　明治31年（1898）10月　4冊
4507　佐藤一齋著、下中芳岳譯　言志四錄
　　　　　　　　　　東京　內外出版協會　明治43年（1910）6月　202頁
4508　佐藤一齋　　　言志錄、言志後錄、言志晚錄
　　　　　　　　　　大日本文庫　第4冊　東京　大日本文庫刊行會　昭和9年
　　　　　　　　　　（1934）

4509　瀧澤良芳　　　言志四錄新釋
　　　　　　　　　東京　富文館　昭和10年（1935）

4510　佐藤一齋述，山田準、五弓安二郎譯註　言志四錄
　　　　　　　　　東京　岩波書店　昭和10年（1935）　444頁（岩波文庫）

4511　飯田傳一　　　言志四錄詳解
　　　　　　　　　東京　開成館　昭和17年（1942）

4512　國語漢文研究會編　新註言志四錄
　　　　　　　　　東京　明治書院　昭和22年（1947）　281頁

4513　川上正光譯註　言志四錄
　　　　　　　　　東京　講談社　昭和53—56年（1978—1981）　4冊（講談社
　　　　　　　　　學術文庫）
　　　　　　　　　第1冊　言志錄　昭和53年（1978）8月　295頁
　　　　　　　　　第2冊　言志後錄　昭和54年（1979）3月　311頁
　　　　　　　　　第3冊　言志晚錄　昭和55年（1980）5月　336頁
　　　　　　　　　第4冊　言志耋錄　昭和56年（1981）12月　331頁

4514　久須本文雄譯註　言志四錄
　　　　　　　　　東京　講談社　昭和62年（1987）　2冊
　　　　　　　　　上冊　昭和62年（1987）2月　434,10頁
　　　　　　　　　下冊　昭和62年（1987）5月　479,10頁

4515　佐藤一齋著、宮城公子譯　言志四錄（南洲手抄）
　　　　　　　　　日本の名著　第27冊　東京　中央公論社　昭和53年（1978）

4516　井原隆一　　　新編言志四錄
　　　　　　　　　東京　PHP研究所　昭和62年（1987）

4517　久須本文雄譯註　座右版言志四錄
　　　　　　　　　東京　講談社　913,17頁　平成6年（1994）12月

4518　佐藤一齋　　　言志錄
　　　　　　　　　日本倫理彙編　第3冊　東京　育成會　明治34年（1901）；
　　　　　　　　　京都　臨川書店　昭和45年（1970）

4519　佐藤一齋　　　言志錄
　　　　　　　　　東京　松山堂　明治40年（1907）10月　170頁

4520　佐藤一齋　　　言志錄
　　　　　　　　　大日本思想全集　第16卷　東京　大日本思想全集刊行會
　　　　　　　　　昭和6年（1931）

4521　佐藤一齋　　　言志錄
　　　　　　　　　陽明學大系　第9卷　日本の陽明學（中）　東京　明德出
　　　　　　　　　版社　昭和47年（1972）

4522　佐藤一齋　　　言志錄
　　　　　　　　　日本教育思想大系　第23冊　東京　日本圖書センター　昭
　　　　　　　　　和51年（1976）
4523　佐藤一齋　　　言志錄
　　　　　　　　　日本思想大系　第47冊　東京　岩波書店　昭和47年（1972）
4524　佐藤一齋　　　言志後錄
　　　　　　　　　大日本思想全集　第16卷　東京　大日本思想全集刊行會
　　　　　　　　　昭和6年（1931）
4525　佐藤一齋　　　言志後錄
　　　　　　　　　陽明學大系　第9卷　日本の陽明學（中）　東京　明德出
　　　　　　　　　版社　昭和47年（1972）
4526　佐藤一齋　　　言志後錄
　　　　　　　　　日本思想大系　第46冊　東京　岩波書店　昭和55年（1980）
4527　佐藤一齋　　　言志晚錄
　　　　　　　　　大日本思想全集　第16卷　東京　大日本思想全集刊行會
　　　　　　　　　昭和6年（1931）
4528　佐藤一齋　　　言志晚錄
　　　　　　　　　陽明學大系　第9卷　日本の陽明學（中）　東京　明德出
　　　　　　　　　版社　昭和47年（1972）
4529　佐藤一齋　　　言志晚錄
　　　　　　　　　日本思想大系　第46冊　東京　岩波書店　昭和55年（1980）
4530　佐藤一齋　　　言志耊錄
　　　　　　　　　大日本思想全集　第16卷　東京　大日本思想全集刊行會
　　　　　　　　　昭和6年（1931）
4531　佐藤一齋　　　言志耊錄
　　　　　　　　　陽明學大系　第9卷　日本の陽明學（中）　東京　明德出
　　　　　　　　　版社　昭和47年（1972）
4532　佐藤一齋　　　言志耊錄
　　　　　　　　　日本思想大系　第46冊　東京　岩波書店　昭和55年（1980）
4533　佐藤一齋　　　學問所創置心得書
　　　　　　　　　日本儒林叢書　第12卷　東京　鳳出版　昭和2年（1927）；
　　　　　　　　　昭和46年（1971）重印本
4534　佐藤一齋　　　學問所創置心得書
　　　　　　　　　日本教育思想大系　第23冊　東京　日本圖書センター　昭
　　　　　　　　　和51年（1976）
4535　佐藤一齋　　　師門問疑錄

日本教育思想大系　第23冊　東京　日本圖書センター　昭和51年（1976）

4536　佐藤一齋　　俗簡焚餘
日本儒林叢書　第3卷　東京　鳳出版　昭和2年（1927）；昭和46年（1971）

4537　佐藤一齋　　俗簡焚餘2卷
近世儒家史料　上冊　東京　井田書店　昭和17年（1942）

4538　佐藤一齋　　俗簡焚餘
陽明學大系　第9卷　日本の陽明學（中）　東京　明德出版社　昭和47年（1972）

4539　佐藤一齋　　俗簡焚餘
日本教育思想大系　第23冊　東京　日本圖書センター　昭和51年（1976）

4540　佐藤一齋　　吳子副詮
陽明學大系　第9卷　日本の陽明學（中）　東京　明德出版社　昭和47年（1972）

4541　佐藤一齋　　哀敬編
陽明學大系　第9卷　日本の陽明學（中）　東京　明德出版社　昭和47年（1972）

4542　佐藤一齋　　濟厰略記
日本教育思想大系　第23冊　東京　日本圖書センター　昭和51年（1976）

4543　佐藤一齋　　愛日樓詩文　4卷
刊本

4544　佐藤一齋　　愛日樓詩
陽明學大系　第9卷　日本の陽明學（中）　東京　明德出版社　昭和47年（1972）

4545　佐藤一齋　　愛日樓文（第1、3）
大日本思想全集　第16卷　東京　大日本思想全集刊行會　昭和6年（1931）

4546　佐藤一齋　　愛日樓文
陽明學大系　第9卷　日本の陽明學（中）　東京　明德出版社　昭和47年（1972）

4547　佐藤一齋　　愛日樓文抄
日本教育思想大系　第23冊　東京　日本圖書センター　昭和51年（1976）

4548　佐藤一齋　　　僑居日記
　　　　　　　　　　日本儒林叢書　第3卷　東京　鳳出版　昭和2年（1927）；
　　　　　　　　　　昭和46年（1971）重印本
4549　佐藤一齋　　　僑居日記
　　　　　　　　　　日本教育思想大系　第23冊　東京　日本圖書センター　昭
　　　　　　　　　　和51年（1976）
4550　佐藤一齋著、荻生茂博編　愛日樓全集
　　　　　　　　　　近世儒家文集集成　第16卷　東京　ぺりかん社　平成8年
　　　　　　　　　　（1996）
4551　佐藤一齋著、田中佩刀編　訓讀佐藤一齋選集
　　　　　　　　　　東京　文化書房博文社　昭和62年（1987）8月　229頁
4552　大日本思想全集刊行會　佐藤一齋集
　　　　　　　　　　大日本思想全集　第16卷　東京　編者印行　昭和6年
　　　　　　　　　　（1931）
　　　　　　　　　　言志錄
　　　　　　　　　　言志後錄
　　　　　　　　　　言志晚錄
　　　　　　　　　　言志耋錄
　　　　　　　　　　愛日樓文（第1、3）
　　　　　　　　　　大學一家私言
4553　日本圖書センター編　佐藤一齋
　　　　　　　　　　日本教育思想大系　第23冊　東京　日本圖書センター　昭
　　　　　　　　　　和51年（1976）
　　　　　　　　　　濟廏略記
　　　　　　　　　　語志錄　4卷
　　　　　　　　　　言志錄（譯註）
　　　　　　　　　　師門問辨錄
　　　　　　　　　　愛日樓文抄
　　　　　　　　　　大家一家私言
　　　　　　　　　　初學課業次第
　　　　　　　　　　學問所創置心得書
　　　　　　　　　　僑居日記
　　　　　　　　　　俗簡焚餘
　　　　　　　　　　論語欄外書
　　　　　　　　　　中庸欄外書
　　　　　　　　　　大學欄外書

陟岵日錄
愛日樓題贊撮錄
陳莊窩詩鈔
一齋甲稿鈔
　附：原文
第4卷　欄外書類(1)　平成4年（1992）12月
近思錄欄外書
　附：原文
第5卷　欄外書類(2)
第6卷　欄外書類(3)　平成6年（1994）1月
論語欄外書解題
大學欄外書解題
論語欄外書
大學欄外書
　附：原文
第7卷　欄外書類(4)　平成6年（1994）11月
孟子欄外書解題
中庸欄外書解題
孟子欄外書
中庸欄外書
　附：原文
第8卷　欄外書類(5)
第9卷　欄外書類(6)
第10卷　欄外書類(7)
第11卷　言志四錄（上）　平成3年（1991）11月
言志錄
言志後錄
　附：原文
〔附錄〕言志餘錄
第12卷　言志四錄（下）　平成5年（1993）6月
言志晩錄
言志耋錄
　附：原文
〔附錄〕言志四錄語句索引
第13卷　腹曆（上）
第14卷　腹曆（下）

後人研究

4557　秋月種樹評　　南洲手抄言志錄
　　　　　　　　　　東京　博聞社　明治21年（1888）5月　23丁

4558　臼田石楠述　　西鄉隆盛手抄言志錄講話
　　　　　　　　　　東京　東亞堂　明治43年（1910）8月　273頁（車上叢書）

4559　福田常雄　　　佐藤一齋「南洲手抄言志錄101カ條」を讀む
　　　　　　　　　　東京　致知出版社　平成8年（1996）　246頁

4560　山田準、五弓安二郎　佐藤一齋言志四錄
　　　　　　　　　　東京　岩波書店　昭和10年（1935）

4561　山田　準　　　修養清話──言志錄と陽明學
　　　　　　　　　　東京　主張社　昭和11年（1936）

4562　荻原井泉水　　新說言志錄
　　　　　　　　　　東京　春秋社　昭和33年（1958）　242頁

4563　井原隆一　　　新編言志四錄──人生の知惠五〇〇の座右言
　　　　　　　　　　京都　PHP研究所　昭和58年（1983）11月　270頁

4564　越川春樹　　　人間學言志錄
　　　　　　　　　　東京　以文社　昭和59年（1984）11月　285,4頁（附：西鄉
　　　　　　　　　　南洲手抄言志錄）

4565　赤根祥道　　　自分を磨く──名著《言志四錄》を讀む
　　　　　　　　　　東京　三笠書房　昭和62年（1987）3月　281頁

4566　神渡良平　　　いかに人物たり得るか──佐藤一齋《言志四錄》をどう讀
　　　　　　　　　　むか
　　　　　　　　　　東京　三笠書房　平成5年（1993）11月　325頁

4567　安岡正篤　　　佐藤一齋「重職心得箇條」を讀む
　　　　　　　　　　東京　致知出版社　平成7年（1995）

4568　田中佩刀　　　佐藤一齋先生年譜
　　　　　　　　　　斯文　復刊第42期　昭和40年（1965）

4569　高瀬代次郎　　佐藤一齋と其門人
　　　　　　　　　　東京　南陽堂　大正11年（1922）

4570　龜井一雄　　　大儒佐藤一齋
　　　　　　　　　　東京　金雞學院　昭和6年（1931）（人物研究叢刊　14）

4571　高瀨武次郎　　教育家としての佐藤一齋
　　　　　　　　　　日本精神研究　第3輯　東京　東洋書院　昭和9年（1934）

4572　山田　準　　　大鹽中齋・佐藤一齋
　　　　　　　　　　日本教育家文庫　第34冊　東京　北海出版社　昭和12年

（1937）

4573 山田　準　　　大鹽中齋・佐藤一齋
　　　　　　　　　東京　啓文社　昭和13年（1938）

4574 山崎道夫　　　佐藤一齋
　　　　　　　　　東京　明德出版社　平成元年（1989）5月　224頁（シリー
　　　　　　　　　ズ陽明學　24）

4575 陽明學編輯部　佐藤一齋特集
　　　　　　　　　陽明學（二松學舍大學）　第3號　頁64—153　平成3年
　　　　　　　　　（1991）3月

4576 鈴木恭一　　　生き方ルネサンス——佐藤一齋の思想
　　　　　　　　　東京　リーベル出版　平成8年（1996）　271頁

4577 橋木榮治　　　一齋研究參考文獻目錄
　　　　　　　　　陽明學（二松學舍大學）　第3號　頁141—143　平成3年
　　　　　　　　　（1991）3月

4.大鹽中齋（1793—1837）
おおしおちゅうさい

著　作

4578 王守仁註、大鹽平八郎補　古本大學旁註
　　　　　　　　　東京　鐵華書院　明治29年（1896）12月　29丁

4579 大鹽中齋　　　古本大學刮目
　　　　　　　　　日本倫理彙編　第3冊　東京　育成會　明治34年（1901）；
　　　　　　　　　京都　臨川書店　昭和45年（1970）

4580 大鹽中齋　　　古本大學刮目7卷
　　　　　　　　　日本教育思想大系　第22冊　東京　日本圖書センター　昭
　　　　　　　　　和51年（1976）

4581 大鹽中齋著、宮城公子譯　古本大學刮目（抄）
　　　　　　　　　日本の名著　第27冊　東京　中央公論社　昭和53年（1978）

4582 大鹽中齋　　　增補孝經彙註
　　　　　　　　　日本倫理彙編　第3冊　東京　育成會　明治34年（1901）；
　　　　　　　　　京都　臨川書店　昭和45年（1970）

4583 大鹽中齋　　　增補孝經彙註3卷
　　　　　　　　　日本教育思想大系　第22冊　東京　日本圖書センター　昭
　　　　　　　　　和51年（1976）

4584　大鹽後素　　　　　孝經講義（1—21）
　　　　　　　　　　　　　陽明學（陽明學會）　第12卷138號—14卷159號　大正9年
　　　　　　　　　　　　　（1920）11月—11年（1922）11月

4585　大鹽中齋　　　　　儒門空虛聚語
　　　　　　　　　　　　　日本倫理彙編　第3冊　東京　育成會　明治34年（1901）；
　　　　　　　　　　　　　京都　臨川書店　昭和45年（1970）

4586　大鹽中齋　　　　　儒門空虛聚語3卷
　　　　　　　　　　　　　日本教育思想大系　第22冊　東京　日本圖書センター　昭
　　　　　　　　　　　　　和51年（1976）

4587　大鹽中齋著、宮城公子譯　儒門空虛聚語附錄
　　　　　　　　　　　　　日本の名著　第27冊　東京　中央公論社　昭和53年（1978）

4588　大鹽中齋　　　　　洗心洞箚記2卷
　　　　　　　　　　　　　天保4年（1833）刊本

4589　大鹽中齋著、松本乾知點　洗心洞箚記
　　　　　　　　　　　　　①東京　吉川半七印行　明治14年（1881）3月　3冊
　　　　　　　　　　　　　②東京　秀英會　明治25年（1892）12月　292頁
　　　　　　　　　　　　　③東京　辻本尙古堂　明治30年（1897）　1冊
　　　　　　　　　　　　　④東京　松山堂　明治40年（1907）　203頁

4590　大鹽中齋　　　　　洗心洞箚記
　　　　　　　　　　　　　大日本思想全集　第16卷　東京　大日本思想全集刊行會
　　　　　　　　　　　　　昭和6年（1931）

4591　大鹽中齋　　　　　洗心洞箚記2卷附錄1卷
　　　　　　　　　　　　　大日本文庫　第4冊　東京　大日本文庫刊行會　昭和9年
　　　　　　　　　　　　　（1934）

4592　大鹽中齋著、吉川延太郎譯註　洗心洞箚記
　　　　　　　　　　　　　昭和14年（1939）

4593　大鹽中齋著、山田準譯註　洗心洞箚記
　　　　　　　　　　　　　東京　岩波書店　昭和16年（1941）　3冊（岩波文庫）

4594　大鹽中齋　　　　　洗心洞箚記（抄）
　　　　　　　　　　　　　陽明學大系　第8卷　日本の陽明學（上）　東京　明德出
　　　　　　　　　　　　　版社　昭和58年（1973）

4595　大鹽中齋　　　　　洗心洞箚記附錄（抄）
　　　　　　　　　　　　　陽明學大系　第8卷　日本の陽明學（上）　東京　明德出
　　　　　　　　　　　　　版社　昭和58年（1973）

4596　大鹽中齋　　　　　洗心洞箚記
　　　　　　　　　　　　　日本教育思想大系　第22冊　東京　日本圖書センター　昭

和51年（1976）

4597　大鹽中齋　　　洗心洞劄記
　　　　　　　　　　日本思想大系　第46冊　東京　岩波書店　昭和55年（1980）

4598　大鹽中齋著、松浦玲譯　洗心洞劄記
　　　　　　　　　　日本の名著　第27冊　東京　中央公論社　昭和53年（1978）

4599　大鹽中齋　　　洗心洞學名學則
　　　　　　　　　　日本儒林叢書　第4卷　東京　鳳出版　昭和2年（1927）；
　　　　　　　　　　昭和46年（1971）　重印本

4600　大鹽　　　　　檄文
　　　　　　　　　　大日本思想全集　第16卷　東京　大日本思想全集刊行會
　　　　　　　　　　昭和6年（1931）

4601　大鹽中齋　　　大鹽平八郎檄文
　　　　　　　　　　日本教育思想大系　第22冊　東京　日本圖書センター　昭
　　　　　　　　　　和51年（1976）

4602　大鹽中齋著、宮城公子譯　檄文
　　　　　　　　　　日本の名著　第27冊　東京　中央公論社　昭和57年（1982）

4603　大鹽中齋　　　中齋文鈔
　　　　　　　　　　陽明學大系　第8卷　日本の陽明學（上）　東京　明德出
　　　　　　　　　　版社　昭和48年（1973）

4604　大鹽中齋　　　洗心洞詩文
　　　　　　　　　　大日本思想全集　第16卷　東京　大日本思想全集刊行會
　　　　　　　　　　昭和6年（1931）

4605　大鹽中齋　　　洗心洞詩文（抄）
　　　　　　　　　　日本教育思想大系　第22冊　東京　日本圖書センター　昭
　　　　　　　　　　和51年（1976）

4606　三村清三郎編　大鹽平八郎書簡集
　　　　　　　　　　東京　文祥堂　昭和8年（1933）

4607　津市教育委員會　大鹽中齋書簡
　　　　　　　　　　平松樂齋文書　第13冊　津　編者印行　昭和63年（1988）3
　　　　　　　　　　月　52頁

4608　大日本思想全集刊行會編　大鹽中齋
　　　　　　　　　　大日本思想全集　第22冊　東京　編者印行　昭和6年
　　　　　　　　　　（1931）
　　　　　　　　　　洗心洞劄記
　　　　　　　　　　洗心洞詩文
　　　　　　　　　　檄文

　　　　　　　　人の學名學則を問子に答ふるの書
4609　日本圖書センター編　大鹽中齋
　　　　　　　　日本教育思想大系　第22冊　東京　日本圖書センター　昭
　　　　　　　　和51年（1976）
　　　　　　　　洗心洞箚記
　　　　　　　　古本大學別目　7卷
　　　　　　　　儒門空虛聚語　3卷
　　　　　　　　增補孝經彙註　3卷
　　　　　　　　洗心洞詩文抄
　　　　　　　　大鹽平八郎檄文
　　　　　　　　人の學名學則を問子に答ふるの書
4610　宮城公子編　　大鹽中齋
　　　　　　　　日本の名著　第27冊　東京　中央公論社　昭和53年（1978）
　　　　　　　　洗心洞箚記（松浦玲譯）
　　　　　　　　古本大學刮目（抄）（宮城公子譯）
　　　　　　　　儒門空虛聚語附錄ほか（宮城公子譯）
　　　　　　　　佐藤一齋に寄せた手紙と返書（宮城公子譯）
　　　　　　　　檄文（宮城公子譯）
4611　相良亨、溝口雄三校註　大鹽中齋
　　　　　　　　日本思想大系　第46冊　東京　岩波書店　昭和55年（1980）
　　　　　　　　5月
　　　　　　　　洗心洞箚記
　　　　　　　　一齋佐藤氏に寄する書
　　　　　　　　《言志四錄》と《洗心洞箚記》（相良　亨）
　　　　　　　　天人合一における中國的獨自性（溝口雄三）

後人研究

4612　井上仙次郎　　今古民權開宗大鹽平八郎言行錄
　　　　　　　　大阪　山口恒七印行　明治12年（1879）　44頁
4613　石崎東國　　　中齋大鹽先生年譜2卷
　　　　　　　　東京　大鐙閣　大正9年（1920）　2冊
4614　榮泉社編　　　天滿水滸傳　大鹽平八郎實記
　　　　　　　　東京　榮泉社　明治15年（1882）
4615　河村與一郎　　警世矯俗大鹽平八郎傳
　　　　　　　　東京　赤志忠雅堂　明治21年（1888）

4616　井上哲次郎　　大鹽平八郎の哲學を論ず
　　　　　　　　　　井上博士講論集　東京　敬業社　明治27年（1894）
4617　勝水瓊泉編　　大鹽平八郎言行録
　　　　　　　　　　東京　內外出版協會　明治41年（1908）8月　212頁（偉人
　　　　　　　　　　研究　第44編）
4618　國府犀東　　　大鹽平八郎
　　　　　　　　　　東京　裳華房　明治29年（1896）12月　184頁（偉人史叢
　　　　　　　　　　第8卷）
4619　幸田成友　　　大鹽平八郎
　　　　　　　　　　東京　東亞堂書店　明治43年（1910）　430頁
4620　香川蓬洲　　　大鹽平八郎
　　　　　　　　　　東京　精華堂書店　大正元年（1912）
4621　相馬由也　　　民本主義の犧牲者大鹽平八郎
　　　　　　　　　　東京　開發社　大正8年（1919）
4622　石崎東國　　　大鹽平八郎傳
　　　　　　　　　　東京　大鐙閣　大正9年（1920）
4623　安岡正篤　　　大鹽中齋翁
　　　　　　　　　　日本精神の研究　東京　玄黃社　大正13年（1924）
4624　安岡正篤　　　大鹽平八郎
　　　　　　　　　　東京　金鷄學院　昭和5年（1930）（人物研究叢刊）
4625　山田　準　　　大鹽中齋、佐藤一齋
　　　　　　　　　　東京　北海出版社　昭和12年（1937）（日本教育家文庫
　　　　　　　　　　34）
4626　幸田成友　　　大鹽平八郎
　　　　　　　　　　東京　創元社　昭和18年（1943）（日本文化名著選　2）
4627　岡本良一　　　大鹽平八郎
　　　　　　　　　　大阪　創元社　昭和31年（1956）　180頁（創元歷史叢書）；昭
　　　　　　　　　　和50年（1975）改訂版　282頁
4628　福田天外　　　大鹽平八郎傳逸聞
　　　　　　　　　　德島　德島縣史編纂委員會　昭和36年（1961）
4629　谷口ナヲ　　　大鹽平八郎
　　　　　　　　　　谷口喜三郎印行　昭和41年（1966）
4630　白井孝昌　　　大鹽平八郎の研究
　　　　　　　　　　厚木　作者印行　昭和49年（1974）　20頁
4631　白井孝昌　　　「大鹽家と阿波」――大鹽平八郎養子說の解明を通して
　　　　　　　　　　厚木　作者印行　昭和50年（1975）　20頁

4632　桝井壽郎　　　大鹽平八郎
　　　　　　　　　東京　椿書院　昭和51年（1976）　205頁（日本人物誌2）
4633　大阪市立博物館　大鹽平八郎
　　　　　　　　　大阪　編者印行　昭和51年（1976）　40頁（展覽會目録
　　　　　　　　　70號）
4634　半谷二郎　　　大鹽平八郎——その性格と狀況
　　　　　　　　　東京　旺史社　昭和52年（1977）5月　205頁
4635　宮城公子　　　大鹽平八郎
　　　　　　　　　東京　朝日新聞社　昭和52年（1977）9月　271頁（朝日評
　　　　　　　　　傳選　16）
4636　幸田成友　　　大鹽平八郎
　　　　　　　　　東京　中央公論社　昭和52年（1977）11月　206頁（中公文
　　　　　　　　　庫）
4637　岩佐富勝　　　天保の青雲　阿波人・大鹽平八郎
　　　　　　　　　德島　教育出版センター　昭和55年（1980）1月　297,41頁
4638　高畑常信　　　大鹽中齋
　　　　　　　　　叢書日本の思想家　第38冊　東京　明德出版社　昭和56年
　　　　　　　　　（1981）12月　318頁
4639　鈴木鴻人　　　暴力の鏡——反逆と前衛の構造
　　　　　　　　　東京　泰流社　昭和58年（1983）7月　209頁（泰流選書）
4640　國立史料館編　大鹽平八郎一件書留
　　　　　　　　　東京　東京大學出版會　昭和62年（1987）3月　405,14頁
　　　　　　　　　（史料館叢書　9）
4641　藤本義一　　　大鹽平八郎の亂——幕府を震憾させた陽明學者の義擧
　　　　　　　　　幕末・維新の群像　第1冊　新時代の預兆
　　　　　　　　　東京　小學館　平成元年（1989）1月
4642　宋　彙七　　　日本陽明學の一斷面——大鹽平八郎研究の問題點
　　　　　　　　　京都　國際日本文化研究センター　平成3年（1991）3月
　　　　　　　　　26頁
4643　竹內弘行、角田達朗　大鹽中齋
　　　　　　　　　東京　明德出版社　平成6年（1994）10月　254頁（シリズ
　　　　　　　　　陽明學25）
4644　門眞市市民部廣報公聽課編　野口家文書大鹽事件關係史料
　　　　　　　　　門眞　門眞市　昭和59年（1984）12月　105頁（門眞市史資
　　　　　　　　　料集　1）

5.吉村秋陽（1797—1866）

著　作

4645	吉村秋陽	舊本大學謄議2卷
		浪華書房刊本　安政6年（1859）　2冊
4646	吉村秋陽	讀我書樓遺稿
		大阪　田中太右衛門印行　明治15年（1882）6月　2冊
4647	吉村秋陽	讀我書樓遺稿（抄）
		陽明學大系　第10卷　日本の陽明學（下）　東京　明德出版社　昭和47年（1972）
4648	吉村秋陽	讀我書樓長曆
		稿本
4649	吉村秋陽	吉村秋陽書簡（池田草庵あて）
		陽明學大系　第11卷　幕末維新陽明學者書簡集　東京　明德出版社　昭和46年（1971）12月

後人研究

4650	岡田武彦	吉村秋陽略傳
		陽明學大系　第11卷　幕末維新陽明學者書簡集　東京　明德出版社　昭和46年（1971）
4651	荒木龍太郎	吉村秋陽
		叢書日本の思想家　第46冊　東京　明德出版社　昭和57年（1982）6月　（與東澤瀉合冊）

6.山田方谷（1805—1877）

著　作

4652	山田方谷	孟子養氣章或問圖解
		東京　秋山眞二　明治22年（1889）8月　9頁
4653	山田方谷著、岡本天岳編	孟子養氣章或問圖解
		岡山　岡山巍　明治35年（1902）8月　25丁
4654	山田方谷	孟子養氣章解說

　　　　　　　　　東京　日高有倫堂　明治44年（1911）10月　74頁

4655　山田方谷　　　孟子養氣章或問圖解
　　　　　　　　　陽明學大系　第9卷　日本の陽明學（中）　東京　明德出
　　　　　　　　　版社　昭和47年（1972）

4656　山田方谷　　　孟子養氣章解1卷
　　　　　　　　　日本藝林叢書　第2卷　東京　六合館　昭和2年（1927）

4657　山田方谷　　　中庸講筵錄（1—9）
　　　　　　　　　陽明學（陽明學會）　第13卷148—156號　大正10年（1921）
　　　　　　　　　11月—大正11年（1922）7月

4658　山田方谷著、岡本天岳編　師門問辨錄
　　　　　　　　　岡山　岡本巍印行　明治35年（1902）8月　21丁

4659　山田方谷　　　師門問辨錄
　　　　　　　　　日本儒林叢書　第6卷　東京　鳳出版　昭和2年（1927）；
　　　　　　　　　昭和46年（1971）重印本

4660　山田方谷　　　師門問辨錄
　　　　　　　　　大日本文庫　第4冊　東京　大日本文庫刊行會　昭和9年
　　　　　　　　　（1934）

4661　山田方谷　　　師門問辨錄
　　　　　　　　　陽明學大系　第10卷　日本の陽明學（中）　東京　明德出
　　　　　　　　　版社　昭和47年（1972）

4662　熊澤蕃山著、山田方谷評　集義和書類抄
　　　　　　　　　東京　松邑三松堂　明治38年（1905）5月　138,91頁

4663　山田方谷　　　文集抄
　　　　　　　　　陽明學大系　第10卷　日本の陽明學（中）　東京　明德出
　　　　　　　　　版社　昭和47年（1972）

4664　山田方谷著、三島中洲編　方谷遺藁
　　　　　　　　　東京　山田準　明治23年（1890）12月　3冊（34丁、60丁、
　　　　　　　　　54丁）

4665　山田準編　　　山田方谷全集
　　　　　　　　　岡山　山田方谷全集刊行會　昭和26年（1951）　3冊
　　　　　　　　　第1冊
　　　　　　　　　　方谷先生墓碣銘（三島毅〈中洲〉）
　　　　　　　　　　年譜
　　　　　　　　　　漢詩文
　　　　　　　　　　歌俳
　　　　　　　　　　著書

　　　　　　義喪私義
　　　　　　續資治通鑑綱目講說
　　　　　　古本大學講義（岡本魏〈天岳〉記　山田準校訂）
　　　　　　中庸講筵錄（岡本魏〈天岳〉記・校訂）
　　　　　　孟子養氣章講議
　　　　　　孟子講說（松浦僧梁〈佐伯曆之助〉記・譯）
　　　　第2冊
　　　　　著書續
　　　　　　　孟子養氣章或問圖解（岡本魏〈天岳〉校）
　　　　　　　師門問疑錄附譯文
　　　　　　　附錄（岡本魏〈天岳〉編）
　　　　　　　唐官吏制
　　　　　　　山田方谷先生加評賴山陽民政論
　　　　　　　方谷先生評論阪谷朗廬獻芹書
　　　　　　　方谷加評吉田松陰急務策
　　　　　　　集義和書類抄（熊澤伯繼〈蕃山〉原著）
　　　　　　　隨筆
　　　　　　　雜書
　　　　第3冊
　　　　　教學
　　　　　事業續
　　　　　書簡
　　　　　雜部及附錄

<h2 style="text-align:center">後人研究</h2>

4666　山田準編　　　方谷先生年譜
　　　　　　　　　　①岡山縣內務部　明治38年（1905）
　　　　　　　　　　②鹿兒島　作者印行　明治38年（1905）8月　44丁
4667　三島　復　　　哲人山田方谷
　　　　　　　　　　東京　文華堂　明治43年（1910）8月　364頁
4668　山根楊治郎　　山田方谷先生
　　　　　　　　　　岡山　教育資料社　明治44年（1911）12月　38頁
4669　私立上房郡教育會　方谷園誌
　　　　　　　　　　岡山縣　高梁町　編者印行　明治44年（1911）12月　101頁
　　　　　　　　　　（附：贈位申告式山田方谷先生事蹟）

4670　伊吹岩五郎　　　山田方谷
　　　　　　　　　　　順正高等女學校清馨會　昭和5年（1930）
4671　山田　準　　　　山田方谷と國體思想
　　　　　　　　　　　日本精神研究　第3輯　東京　東洋書院　昭和9年（1934）
4672　山田　琢　　　　山田方谷
　　　　　　　　　　　叢書日本の思想家　第41冊　東京　明德出版社　昭和52年
　　　　　　　　　　　（1977）10月（與三島中洲合冊）
4673　宮原　信　　　　哲人山田方谷とその詩
　　　　　　　　　　　東京　明德出版社　昭和56年（1981）4月
4674　宮原　信　　　　山田方谷の詩
　　　　　　　　　　　東京　明德出版社　昭和57年（1982）10月　1184頁
4675　田井章夫　　　　山田家の歴史と方谷の一生
　　　　　　　　　　　高梁　山田琢印行　昭和61年（1986）　51頁
4676　陽明學編輯部　　山田方谷特集
　　　　　　　　　　　陽明學（二松學舍大學）創刊號　頁84—172　平成元年
　　　　　　　　　　　（1989）3月
4677　童門冬二　　　　誠は天の道なり——幕末の名補佐役山田方谷の生涯
　　　　　　　　　　　東京　講談社　平成7年（1995）8月　243頁
4678　矢吹邦彦　　　　炎の陽明學—山田方谷傳
　　　　　　　　　　　東京　明德出版社　平成8年（1996）　443頁
4679　山田準編　　　　山田方谷先生門下姓名錄
　　　　　　　　　　　編者印行　大正15年（1926）

7. 林　良　齋 （はやし　りょうさい）（1807—1849）

著　作

4680　林　良齋　　　　自明軒遺稿抄
　　　　　　　　　　　陽明學大系　第10卷　日本の陽明學（下）　東京　明德出
　　　　　　　　　　　版社　昭和47年（1972）
4681　林　良齋　　　　林良齋、池田草庵往復書簡
　　　　　　　　　　　陽明學大系　第11卷　幕末維新陽明學者書簡集　東京　明
　　　　　　　　　　　德出版社　昭和46年（1971）12月

後人研究

4682　岡田武彦　　　林良齋略傳
　　　　　　　　　　陽明學大系　第11卷　幕末維新陽明學者書簡集　東京　明
　　　　　　　　　　德出版社　昭和46年（1971）12月
4683　木南卓一　　　林良齋研究
　　　　　　　　　　枚方　作者印行　昭和58年（1983）9月　1冊
4684　岡田武彦　　　林良齋
　　　　　　　　　　叢書日本の思想家　第29冊　東京　明德出版社　昭和63年
　　　　　　　　　　（1988）4月（與近藤篤山合冊）
4685　大塚博久　　　林良齋の思想
　　　　　　　　　　東亞經濟研究　第26號　頁1—26　昭和54年（1979）11月

8.春日潛庵（1811—1878）

著　作

4686　春日潛庵　　　陽明學眞髓
　　　　　　　　　　東京　春日昇一郎印行　明治44年（1911）2月　271，16頁
　　　　　　　　　　（附：春日潛庵先生傳）
4687　春日潛庵　　　潛庵遺稿3卷
　　　　　　　　　　刊本
4688　春日潛庵　　　潛庵遺稿（抄）
　　　　　　　　　　陽明學大系　第10卷　日本の陽明學（下）　東京　明德出
　　　　　　　　　　版社　昭和47年（1972）
4689　春日潛庵　　　春日潛庵書簡（池田草庵あて）
　　　　　　　　　　陽明學大系　第11卷　幕末維新陽明學者書簡集　東京　明
　　　　　　　　　　德出版社　昭和46年（1971）12月

後人研究

4690　春日精之助　　春日潛庵傳
　　　　　　　　　　東京　好古社　明治39年（1906）　154頁
4691　春日醉古　　　春日潛庵先生影迹
　　　　　　　　　　東京　法藏館　大正4年（1915）
4692　太田虹村　　　春日潛庵傳
　　　　　　　　　　東京　中興館　昭和3年（1928）
4693　高瀨武次郎　　春日潛庵に就いて

　　　　　　　　日本精神研究　第3輯　東京　東洋書院　昭和9年（1934）

4694　安岡正篤　　春日潜庵の教學
　　　　　　　　教學叢書　第1輯　東京　文部省教學局　昭和12年（1937）

4695　野口靜雄　　維新の哲人春日潜庵小傳竝遺稿
　　　　　　　　東京　北海出版社　昭和19年（1944）

4696　和田正俊　　陽明學者春日潜庵
　　　　　　　　東洋研究　第6號　昭和38年（1963）

4697　岡田武彦　　春日潜庵略傳
　　　　　　　　陽明學大系　第11卷　幕末維新陽明學者書簡集　東京　明
　　　　　　　　德出版社　昭和46年（1971）12月

4698　大西晴隆　　春日潜庵
　　　　　　　　叢書日本の思想家　第44冊　東京　明德出版社　昭和62年
　　　　　　　　（1987）12月（與池田草庵合冊）

9.池田草庵（1813—1878）

著　作

4699　池田草庵　　中庸略解
　　　　　　　　松雲堂　昭和11年（1936）

4700　池田草庵　　鳴鶴相和集
　　　　　　　　日本思想大系　第47冊　東京　岩波書店　昭和47年（1972）
　　　　　　　　3月

4701　池田草庵　　肄業餘稿抄
　　　　　　　　陽明學大系　第10卷　日本の陽明學（下）　東京　明德出
　　　　　　　　版社　昭和47年（1972）

4702　池田草庵　　肄業餘稿（續）抄
　　　　　　　　陽明學大系　第10卷　日本の陽明學（下）　東京　明德出
　　　　　　　　版社　昭和47年（1972）

4703　岡田武彦、藪敏也譯注　草庵池田絹著肄業餘稿
　　　　　　　　池田草庵百年奉贊會　昭和52年（1977）9月

4704　池田草庵　　草庵文集抄
　　　　　　　　陽明學大系　第10卷　日本の陽明學（下）　東京　明德出
　　　　　　　　版社　昭和47年（1972）

4705　池田草庵著、西村英一編　池田草庵先生日記——山窗功課

兵庫縣八鹿町　編者印行　昭和54年（1979）8月　3冊
上卷　自筆本影印　1048頁
中卷　解讀篇⑴（西村英一解讀）　835頁
下卷　解讀篇⑵（西村英一解讀）　586頁
　　　參考資料　221頁

4706　池田草庵　　　　林良齋、池田草庵往復書簡
　　　　　　　　　　　陽明學大系　第11卷　幕末維新陽明學者書簡集　東京　明
　　　　　　　　　　　德出版社　昭和46年（1971）12月

4707　池田草庵　　　　池田草庵書簡（吉村秋陽あて）
　　　　　　　　　　　陽明學大系　第11卷　幕末維新陽明學者書簡集　東京　明
　　　　　　　　　　　德出版社　昭和46年（1971）12月

4708　池田草庵　　　　池田草庵書簡（吉村斐山あて）
　　　　　　　　　　　陽明學大系　第11卷　幕末維新陽明學者書簡集　東京　明
　　　　　　　　　　　德出版社　昭和46年（1971）12月

4709　池田草庵先生遺墨編集委員會編　池田草庵先生遺墨集
　　　　　　　　　　　兵庫縣八鹿町　青谿書院保存會　昭和60年（1985）　137頁

4710　青谿書院保存會　青谿書院全集
　　　　　　　　　　　兵庫縣八鹿町　編者印行　明治42年（1909）；大正3年
　　　　　　　　　　　（1914）再版
　　　　　　　　　　　第1編
　　　　　　　　　　　　肄業餘稿
　　　　　　　　　　　　草庵詩集
　　　　　　　　　　　　鳴鶴相合集
　　　　　　　　　　　第2編
　　　　　　　　　　　　草庵文集
　　　　　　　　　　　　草庵文集拾遺
　　　　　　　　　　　　草菴讀文

後人研究

4711　豐田小八郎　　　草菴先生略傳
　　　　　　　　　　　寫本　明治31年（1898）

4712　豐田小八郎　　　但馬聖人
　　　　　　　　　　　兵庫縣八鹿町　青谿書院保存會　明治40年（1907）；昭和
　　　　　　　　　　　3年（1928）修補；昭和58年（1983）9月（付：その後の青
　　　　　　　　　　　谿書院）

4713 池田紫星　　　池田草庵
　　　　　　　　　東京　同文書院　昭和28年（1953）　227頁
4714 木南卓一　　　池田草庵研究
　　　　　　　　　師と友　第111—113號　昭和24年（1949）
4715 兵庫縣教育委員會編、島田清執筆　池田草庵
　　　　　　　　　兵庫縣　兵庫縣教育委員會　昭和35年（1960）12月
4716 木南卓一　　　池田草庵先生——生涯とその精神
　　　　　　　　　池田草庵百年祭記念事業實行委員會　昭和51年（1976）10
　　　　　　　　　月　106頁
4717 岡田武彦　　　池田草庵の生涯と思想
　　　　　　　　　江戶期の儒學　頁274—365　東京　木耳社　昭和57年
　　　　　　　　　（1982）11月
4718 長部和雄　　　池田草庵先生の風格とその儒學思想
　　　　　　　　　補遺肄業餘稿の研究　兵庫縣八鹿町　青谿書院保存會　昭
　　　　　　　　　和59年（1984）10月
4719 岡田武彦　　　池田草庵略傳
　　　　　　　　　陽明學大系　第11卷　幕末維新陽明學者書簡集　東京　明
　　　　　　　　　德出版社　昭和46年（1971）12月
4720 木南卓一　　　池田草庵研究——「肄業餘稿」を中心として
　　　　　　　　　帝塚山論集　創刊號　昭和45年（1970）11月
4721 疋田啓佑　　　池田草庵
　　　　　　　　　叢書日本の思想家　第44冊　東京　明德出版社　昭和62年
　　　　　　　　　（1987）12月（與春日潛庵合冊）
4722 木南卓一　　　池田草庵研究
　　　　　　　　　枚方　作者印行　昭和62年（1987）　1冊
4723 阿部隆一　　　池田草庵青谿書院藏書誌
　　　　　　　　　池田草庵百年祭奉贊會　昭和52年（1977）9月　95頁
4724 青谿書院保存會、西村英一編　池田草庵全集
　　　　　　　　　兵庫縣八鹿町　池田草庵全集編集委員會、青谿書院保存會
　　　　　　　　　昭和54—56年（1979—1981）
　　　　　　　　　第1編　昭和56年（1981）9月　1157，161頁
　　　　　　　　　　池田草庵先生著作集
　　　　　　　　　　　肄業餘稿
　　　　　　　　　　　肄業餘稿續
　　　　　　　　　　　草菴詩集
　　　　　　　　　　　鳴鶴相和集

　　　　　　　　草菴文集上・下
　　　　　　　　草菴讀文
　　　　　　　　草菴文集拾遺
　　　　　　　　草菴詩集拾遺
　　　　　　　　古本大學略解
　　　　　　　　中庸略解
　　　　　　　　尙書蔡傳贅說上・下
　　　　　　　　尙書蔡傳贅說補
　　　　　　　　讀易錄上・下
　　　　　　　　讀易錄次編
　　　　　　　　草菴文集補遺
　　　　　　　　池田草庵先生著作集解說（岡田武彥）
　　　　　別冊
　　　　　　　　草菴先生の著作
　　　　第2編
　　　　　　池田草庵先生日記山窗功課上　自筆本影印
　　　　　　池田草庵先生日記山窗功課中　解説篇1
　　　　　　池田草庵先生日記山窗功課下　解説篇2　參考資料
　　　　第3編
　　　　　　池田草庵先生遺墨集
　　　　　　　池田草庵先生遺墨集
　　　　　　　師友・門人關係資料
　　　　　　　草庵先生印譜
　　　　　　　草菴先生略傳・年譜・交遊學者略歷
　　　　　　　師友・門人生沒年一覽

さい ごう たか もり
10.西鄉隆盛（1827—1877）

著　作

4725　西鄉南洲手抄、秋月種樹評　言志錄
　　　　東京　博文社　明治21年（1888）5月　23丁
4726　秋月種樹　　　南洲手抄言志錄
　　　　塩澤梅印本　明治22年（1889）
4727　西鄉隆盛手抄、臼田石楠述　言志錄講話

　　　　　　　　　　　東京　東南亞　明治43年（1910）8月　273頁（車上叢書）

4728　馬場六郎編　　　南洲手抄言志録訓話
　　　　　　　　　　　①東京　一指園　大正12年（1923）
　　　　　　　　　　　②東京　松陰道社　昭和3年（1928）增訂版

4729　秋月種樹　　　　西鄉南洲先生抄言志録
　　　　　　　　　　　修養團遨天會　大正14年（1925）

4730　埼玉縣教育會編　西鄉南洲先生手抄言志録
　　　　　　　　　　　埼玉縣　編者印行　昭和7年（1932）

4731　桂樹亮仙　　　　西鄉南洲手抄言志録講話
　　　　　　　　　　　長崎縣深江町　修道僧院　昭和51年（1976）5月　2版　174
　　　　　　　　　　　頁

4732　村山義行訓繹、山本園衛編　南洲私學問答
　　　　　　　　　　　東京　萬字堂　明治15年（1882）12月　20丁

4733　西鄉隆盛著、楢崎隆存編　南洲遺稿
　　　　　　　　　　　大阪　北尾禹三郎　明治10年（1877）12月　17丁

4734　坂東一平編　　　西鄉詩文卷上
　　　　　　　　　　　大阪　北尾高三郎印行　明治11年（1878）7月　34丁

4735　西鄉隆盛著、村瀨之直編　南洲詩文
　　　　　　　　　　　東京　山中市兵衛印本　明治11年（1878）5月　28丁

4736　三宅虎太編　　　南洲詩文
　　　　　　　　　　　東京　文金堂、柳心堂　出版年不明　27丁

4737　渡邊盛衛編　　　大西鄉詩選
　　　　　　　　　　　大西鄉全集刊行會　昭和2年（1927）

4738　土居十郎編　　　南洲翁遺訓
　　　　　　　　　　　廣島　阪本武雄印行　明治24年（1891）4月　27丁

4739　西鄉南洲　　　　南洲翁遺訓
　　　　　　　　　　　島根縣大森村　安江國太郎印行　明治26年（1893）10月
　　　　　　　　　　　15丁

4740　片淵琢編　　　　西鄉南洲遺訓
　　　　　　　　　　　東京　研學會　明治29年（1896）2月　21丁

4741　片岡琢編　　　　南洲先生遺訓
　　　　　　　　　　　塩澤梅印行　明治29年（1896）

4742　成田安輝譯　　　西鄉南洲先生遺訓
　　　　　　　　　　　北京　出版者不明　明治32年（1899）　15丁

4743　鵜木岩助編　　　西鄉南洲翁遺訓及遺文
　　　　　　　　　　　①鹿兒島　鹿兒島市報德會雜誌部　大正5年（1916）

②鹿兒島　鹿兒島縣事業協會　大正14年（1925）增補版

③佐久間得三印行　昭和7年（1932）

4744　三矢藤太郎編　南洲翁遺訓

編者印行　大正11年（1922）

4745　頭山滿講評　大西鄉遺訓

①東京　政教社　大正14年（1925）

②東京　至言社　ぺりかん社發賣　昭和49年（1974）　163頁

4746　濱田正男編　西鄉南洲先生遺訓

東京　盛文館　大正15年（1926）

4747　鳥海良邦　南洲翁遺訓集

東京　行地社　昭和2年（1927）

4748　西鄉南洲先生墨香、遺訓刊行會編　西鄉南洲先生墨香、南洲西鄉先生遺訓

東京　編者印行　昭和47年（1972）4月　2冊

4749　林　房雄　大西鄉遺訓

東京　新人物往來社　昭和49年（1974）　182頁

4750　西鄉隆盛　南洲翁遺訓

鶴岡　明德堂　昭和51年（1976）9月　35頁

4751　西鄉隆盛　西鄉南洲翁遺訓（口語譯付）

鹿兒島　西鄉南洲顯彰會　平成5年（1993）7月2版　72頁

4752　渡邊孝德編　西鄉言行錄

大阪　福原有因印行　明治12年（1879）2月　3冊（21丁、26丁、28丁）

4753　臼田石楠　西鄉南洲言行錄

東京　鼎立社　明治40年（1907）12月　206頁

4754　松原致遠　西鄉隆盛言行錄

東京　內外出版協會　明治41年（1908）5月　144頁（偉人研究　38編）

4755　杉原夷山　西鄉南洲——偉人言行錄

東京　三芳屋、松陽堂　明治43年（1910）11月　223頁

4756　鈴木郁翁　大西鄉言行錄

東京　東亞堂書房　大正4年（1915）（修養史傳　2）

4757　江東天風　大西鄉言行錄

①東京　中央出版社　大正15年（1926）

②東京　成光館　昭和5年（1930）

4758　西鄉隆盛　獄中書簡

　　　　　大日本文庫　第10冊　勤王志士遺文集(2)　東京　大日本文
　　　　　庫刊行會　昭和9年（1934）
4766　大西鄉全集刊行會編　大西鄉全集
　　　　　大西鄉全集刊行會　大正15年—昭和2年（1926—1927）　3
　　　　　冊
　　　　　第1卷
　　　　　　書翰建言遺訓の類安政元年—慶應3年
　　　　　　齊彬公勤仕時代
　　　　　　勤王志士時代
　　　　　　第一次・第二次謫居時代
　　　　　　禁門事變前後
　　　　　　征長時代
　　　　　　王政復古運動第1—3期
　　　　　第2卷
　　　　　　書翰建言遺訓の類慶應3年—明治10年
　　　　　　大詔煥發前後
　　　　　　戊辰戰役第1—3期
　　　　　　蕃政參與時代
　　　　　　在朝時代
　　　　　　退耕時代
　　　　　　十年戰爭時代
　　　　　第3卷
　　　　　　年譜
　　　　　　系圖
　　　　　　傳記
4767　西鄉隆盛全集編集委員會編　西鄉隆盛全集
　　　　　東京　大和書房　昭和51—55年（1976—1980）　6冊
　　　　　第1卷
　　　　　　書翰
　　　　　　　嘉永元年—元治元年122通
　　　　　第2卷
　　　　　　書翰
　　　　　　　慶應元年--明治元年163通
　　　　　第3卷
　　　　　　書翰
　　　　　　　明治二年—明治十年　他207通

第4卷

　　漢詩178件

　　遺教5件

　　南洲翁遺訓

　　西鄉南洲手抄言志錄

　　漢文12件

　　草稿14件

　　記錄6件

　　西鄉家萬留213件

第5卷

　　西鄉隆盛宛諸士書翰安政4年—明治10年他　185通

　　參考史料

第6卷

　　西鄉論集成

　　關係人物略傳

　　西鄉隆盛・西南戰爭關係文獻目錄

　　西鄉隆盛年譜

　　補遺

　　西鄉隆盛全集總目次

　　人名索引

後人研究

4768　山本園衛　　　西鄉隆盛蓋棺記
　　　　　　　　　　東京　聚星館　明治10年（1877）5月

4769　前田喜二郎　　西鄉隆盛蓋棺記
　　　　　　　　　　大阪　前田喜二郎印行　明治10年（1877）11月　4，4丁

4770　山本園衛　　　西鄉隆盛夢物譚（卷之1）
　　　　　　　　　　東京　聚星館　明治10年（1877）8月　10丁

4771　小神野中　　　西鄉隆盛物語並城山討死之傳
　　　　　　　　　　東京　清風堂　明治10年（1877）11月　8丁

4772　篠田仙果　　　西鄉隆盛物語
　　　　　　　　　　東京　清風堂、琴麗舍　明治10年（1877）12月　9，9丁

4773　三宅虎太編　　西鄉隆盛之傳（附錄南洲詩文）
　　　　　　　　　　和泉屋市兵衛印行　明治10年（1877）

4774　羽田富次郎編、村井靜馬畫　西鄉隆盛一代記

　　　　　　　　　　　　東京　浦野淺右衛門印行　明治10、11年（1877、1878）　5
　　　　　　　　　　　　冊

4775　前田喜二郎　　西鄉隆盛蓋棺記
　　　　　　　　　　　　大阪　前田喜二郎印行　明治10年（1877）11月　4,4丁

4776　莊司晉太郎　　通俗西鄉隆盛傳
　　　　　　　　　　　　大阪　開成社　明治13年（1880）　2冊

4777　中澤寬一郎　　西鄉隆盛
　　　　　　　　　　　　假名插入皇期名臣傳　溝口嘉助印行　明治13年（1880）

4778　安田直孝　　　西鄉後日榮譽
　　　　　　　　　　　　東京　作者印行　明治22年（1889）3月　32頁

4779　渡邊朝霞　　　維新元勳西鄉隆盛君之傳
　　　　　　　　　　　　東京　文事堂　明治22年（1889）8月　372頁

4780　勝田孫彌　　　西鄉月照投海始末
　　　　　　　　　　　　東京　金港堂　明治23年（1890）12月　73頁

4781　泰東散士　　　月照西鄉投海始末（付月照師傳）
　　　　　　　　　　　　東京　金港堂　明治23年（1890）

4782　仙橋散史　　　西鄉隆盛君生存記
　　　　　　　　　　　　井ノ口松之助印行　明治24年·（1891）

4783　櫻庭經緯　　　西鄉南洲
　　　　　　　　　　　　東京　大倉書店　明治24年（1891）4月　116頁

4784　松井廣吉　　　西鄉隆盛
　　　　　　　　　　　　東京　博文館　明治26年（1893）（日本百傑傳　第12編）

4785　川崎三郎　　　西鄉南洲翁
　　　　　　　　　　　　東京　博文館　明治27年（1894）2月　193頁（寸珍百種
　　　　　　　　　　　　第40編）

4786　川崎三郎　　　西鄉南洲翁逸話
　　　　　　　　　　　　福岡　磊落堂　明治27年（1894）3月　107丁

4787　勝田孫彌　　　西鄉隆盛傳
　　　　　　　　　　　　東京　西鄉隆盛傳發行所　明治27、28年（1894、1895）　5
　　　　　　　　　　　　冊

4788　川崎三郎　　　西鄉南洲
　　　　　　　　　　　　東京　春陽堂　明治30年（1894）4版　283頁

4789　村井弦齋、福良竹亭　繪入通俗西鄉隆盛一代記
　　　　　　　　　　　　東京　報知社　明治31年（1898）　3冊

4790　土持政照述、鮫島宗辛記　西鄉隆盛謫居事記
　　　　　　　　　　　　明治31年（1898）11月　75丁（有馬家文庫）

4791　村井弦齋、福良竹亭編　繪入通俗西鄉隆盛詳傳
　　　　　　　　　東京　春陽堂　明治32—36年（1899—1903）　3冊

4792　山崎忠和　　　情之南洲
　　　　　　　　　東京　一二三館　明治34年（1901）

4793　鎌田冲太　　　西鄉隆盛傳
　　　　　　　　　埼玉縣浦和町　有終館　明治41年（1908）5月　60頁

4794　田中鐵軒　　　絕島の南洲
　　　　　　　　　東京　內外出版協會　明治42年（1909）10月　234頁

4795　杉原夷山　　　西鄉南洲精神修養談
　　　　　　　　　東京　大學館　明治42年（1909）10月

4796　山崎忠和　　　南洲八面觀
　　　　　　　　　東京　右文館　明治42年（1909）12月

4797　伊藤銀月　　　海舟と南洲
　　　　　　　　　東京　千代田書房；大阪　杉本梁江堂　明治42年（1909）
　　　　　　　　　12月　271頁

4798　東鄉中介　　　南洲翁謫所逸話
　　　　　　　　　鹿兒島　川上孝吉印行　明治42年（1909）2版　51丁

4799　坂本忠一郎　　西鄉隆盛傳
　　　　　　　　　東京　精華堂　明治42、43年（1909、1910）

4800　山路愛山　　　西鄉隆盛
　　　　　　　　　東京　玄黃社　明治43年（1910）　498頁（時代代表日本英
　　　　　　　　　雄傳）

4801　河村北溟　　　西鄉南洲翁百話
　　　　　　　　　東京　求光閣書店　明治44年（1911）5月　194頁（教訓叢
　　　　　　　　　書）

4802　葛生玄晫　　　西鄉南洲と軍事
　　　　　　　　　東京　軍事研究會　明治44年（1911）

4803　下中芳岳　　　西鄉隆盛傳
　　　　　　　　　東京　內外出版協會　明治45年（1912）8月　524頁

4804　野田豐美　　　幕末哀史南洲月照投海錄
　　　　　　　　　東京　明治出版社　大正元年（1912）

4805　高須梅溪　　　維新革命の巨眼英雄西鄉南洲
　　　　　　　　　明治代表人物　東京　博文館　大正2年（1913）

4806　大江三千司　　西鄉記
　　　　　　　　　作者印行　大正2年（1913）

4807　長谷場純孝　　西鄉南洲

　　　　　　　東京　博文館　大正3年（1914）　330頁（偉人傳叢書　第3
　　　　　　　冊）

4808　横山健堂　　大西郷
　　　　　　　東京　弘學館書店　大正4年（1915）　499頁

4809　通俗教育普及會　西郷隆盛
　　　　　　　編者印行　大正5年（1916）

4810　山崎櫻岳　　巨人南洲
　　　　　　　東京　靜思館　大正5年（1916）

4811　田中萬逸　　言行史傳大西郷全史
　　　　　　　東京　大倉書店　大正6年（1917）

4812　雜賀鹿野　　大人格の偉觀西郷南洲翁
　　　　　　　東京　止善堂　大正8年（1919）

4813　高橋淡水　　七轉八起——大西郷と大久保
　　　　　　　東京　下村書店　大正10年（1921）

4814　渡邊朝霞　　維新快傑西郷隆盛
　　　　　　　東京　岡村書店　大正10年（1921）

4815　田中鐵軒　　國民思想の善導と西郷南洲
　　　　　　　東京　廣文堂　大正10年（1921）

4816　鹿兒島縣教育會編　南洲翁傳
　　　　　　　鹿兒島　編者印行　大正13年（1924）（薩藩偉人傳　第1
　　　　　　　編）

4817　下中芳岳　　西郷隆盛
　　　　　　　東京　萬生閣　大正14年（1925）

4818　德富猪一郎　西郷南洲先生
　　　　　　　東京　民友社　大正15年（1926）　88頁

4819　伊藤痴遊　　西郷南洲3卷、外1卷
　　　　　　　東京　忠誠堂　大正15—昭和2年（1926、1927）　4冊

4820　南洲會編　　西郷どん
　　　　　　　鹿兒島　編者印行　大正15年（1926）

4821　鹿兒島縣勞務課編　西郷南洲翁と十年の役
　　　　　　　編者印行　大正15年（1926）

4822　圭樹亮仙　　禪眼に映じた南洲翁
　　　　　　　東京　栗田書店　昭和元年（1926）

4823　昇　曙夢　　奄美大島と大西郷
　　　　　　　東京　春陽堂　昭和2年（1927）
　　　　　　　奄美社　昭和39年（1964）

4824　南洲神社五十年祭奉贊會編　西郷南洲先生傳
　　　　　　　　　　　　　編者印行　昭和2年（1927）
　　　　　　　　　　　　　東京　改造社　昭和4年（1929）

4825　相馬正道　　　維新史話快傑大西郷
　　　　　　　　　　　東京　帝國講學會　昭和2年（1927）

4826　土屋春泉　　　西郷南洲
　　　　　　　　　　　東京　修教社書院　昭和2年（1927）

4827　朝比奈知泉　　勝海舟と西郷南洲
　　　　　　　　　　　東京　文武書院　昭和2年（1927）

4828　遠矢一陽　　　巨眼南洲
　　　　　　　　　　　薩南史蹟顯彰會　昭和2年（1927）

4829　渡邊盛衛　　　西郷南洲先生の生涯
　　　　　　　　　　　南洲翁五十年祭典會　昭和3年（1928）

4830　川名芳郎　　　勝安房と西郷隆盛
　　　　　　　　　　　東京　金蘭社　昭和3年（1928）

4831　香西瓶太　　　偉人西郷
　　　　　　　　　　　東京　春江社　昭和4年（1929）

4832　南洲會編　　　西郷南洲
　　　　　　　　　　　編者印行　昭和4年（1929）

4833　大西郷全傳刊行會　大西郷全傳
　　　　　　　　　　　東京　耕文社　昭和4年（1929）

4834　土持綱義　　　流謫之南洲翁
　　　　　　　　　　　編者印行　昭和6年（1931）

4835　南洲翁敬慕會　西郷南洲翁を偲ぶ
　　　　　　　　　　　編者印行　昭和6年（1931）

4836　横山健堂　　　西郷隆盛の流謫
　　　　　　　　　　　文久二年四大事件講演集　西郷家編輯所　昭和6年（1931）

4837　芳賀八千穂　　大西郷と床次
　　　　　　　　　　　東京　三友堂書店　昭和6年（1931）

4838　高橋淡水　　　西郷南洲と大久保甲東
　　　　　　　　　　　東京　元友社　昭和7年（1932）

4839　渡邊幾治郎　　大隈重信侯と西郷隆盛公
　　　　　　　　　　　文書より觀たる大隈重信侯　大隈侯國民敬慕會　昭和7年
　　　　　　　　　　　（1932）

4840　仁木笑波　　　世界の英傑西郷南洲
　　　　　　　　　　　東京　春江堂　昭和7年（1932）

4841　香春建一　　　大西鄉遺聞
　　　　　　　　　　東京　尙風會　昭和8年（1933）
4842　石原重俊　　　南洲翁と莊內
　　　　　　　　　　作者印行　昭和8年（1933）
4843　德重淺吉　　　月照上人と大西鄉
　　　　　　　　　　維新精神研究　京都　立命館出版部　昭和9年（1934）
4844　伊藤痴遊　　　西鄉南洲3卷
　　　　　　　　　　①實錄維新十傑　第1—3冊　東京　平凡社　昭和9、10年
　　　　　　　　　　　（1934、1935）
　　　　　　　　　　②新裝維新十傑　第1—3冊　東京　平凡社　昭和15年
　　　　　　　　　　　（1940）
4845　中村德五郎　　趣味の明治維新史大西鄉と僧月照
　　　　　　　　　　東京　弘道閣　昭和10年（1935）
4846　逆瀨川濟　　　皇國精神を代表したる西鄉南洲と大久保甲東
　　　　　　　　　　大久保甲東先生銅像建設會　昭和10年（1935）
4847　勝田孫彌　　　西鄉隆盛
　　　　　　　　　　東京　新潮社　昭和10年（1935）（日本精神講座　11）
4848　伊福吉部隆　　大西鄉論語
　　　　　　　　　　東京　教材社　昭和11年（1936）
4849　安藤佳翠　　　島の南洲先生
　　　　　　　　　　作者印行　昭和11年（1936）
4850　佐佐弘雄　　　西鄉隆盛傳
　　　　　　　　　　東京　改造社　昭和11年（1936）　318頁（偉人傳全集　第
　　　　　　　　　　11卷）
4851　堀田兼成　　　南洲翁と陽明學
　　　　　　　　　　作者印行　昭和11年（1936）
4852　松山悅三　　　若き日の西鄉
　　　　　　　　　　高千穗社　昭和12年（1937）
4853　大野　愼　　　西鄉南洲論
　　　　　　　　　　東京　パンフレット社　昭和12年（1937）
4854　雜賀博愛　　　大西鄉全傳5卷
　　　　　　　　　　大西鄉全傳刊行會　昭和12—14年（1937—1939）
4855　鹿兒島教育會編　南洲翁逸話
　　　　　　　　　　鹿兒島　編者印行　昭和12年（1937）
4856　山田慶晴　　　教育者としての大西鄉
　　　　　　　　　　東京　一誠社　昭和12年（1937）

4857　鹿兒島市婦人會編　江戸城明渡と西郷南洲
　　　　　　　　　　　鹿兒島　編者印行　昭和12年（1937）

4858　大原賢次　　　　西郷隆盛
　　　　　　　　　　　東京　白揚社　昭和13年（1938）（人物再檢討叢書）

4859　田中惣五郎　　　指導者としての西郷南洲
　　　　　　　　　　　東京　千倉書房　昭和13年（1938）

4860　下中彌三郎編　　大西郷正傳3卷
　　　　　　　　　　　東京　平凡社　昭和14—15年（1939、1940）　3冊

4861　池田俊彦　　　　南島幽閉中の西郷南洲先生
　　　　　　　　　　　作者印行　昭和14年（1939）

4862　茂野幽考　　　　薩南戰爭と西郷南洲
　　　　　　　　　　　東京　六藝社　昭和15年（1940）

4863　岩坪又彦　　　　大西郷遺訓に觀る日本教育道
　　　　　　　　　　　東京　叢文社　昭和15年（1940）

4864　竹崎櫻岳　　　　肝の西郷
　　　　　　　　　　　東京　敬愛社　昭和16年（1941）

4865　影山正治　　　　大西郷精神
　　　　　　　　　　　①東京　道統社　昭和16年（1941）
　　　　　　　　　　　②東京　大東塾出版部　昭和18年（1943）增補新版

4866　山中峰太郎　　　西郷隆盛
　　　　　　　　　　　東京　二見書房　昭和16年（1941）

4867　高垣　眸　　　　西郷隆盛
　　　　　　　　　　　東京　偕成社　昭和16年（1941）

4868　木村　毅　　　　故山の大西郷
　　　　　　　　　　　東京　全國書房　昭和17年（1942）

4869　竹崎武泰　　　　肚乃西郷——東亞經論之大先覺者
　　　　　　　　　　　東京　敬愛社　昭和17年（1942）2月　264頁

4870　白井喬二　　　　東亞英傑傳——西郷と勝安と孫文
　　　　　　　　　　　田中宋榮堂　昭和17年（1942）

4871　川崎紫山　　　　大西郷と大陸政策
　　　　　　　　　　　東京　興文社　昭和17年（1942）

4872　古谷知新　　　　西郷南洲
　　　　　　　　　　　東京　保健協會　昭和17年（1942）（近代日本偉人傳　第
　　　　　　　　　　　1冊）

4873　和田健爾　　　　大西郷死生の書
　　　　　　　　　　　東京　京文社　昭和17年（1942）

4874　木村　毅　　　達人南洲
　　　　　　　　　　東京　潮文閣　昭和17年（1942）（新偉人傳全集）
4875　田中惣五郎　　大西郷の人と思想
　　　　　　　　　　東京　今日の問題社　昭和18年（1943）9月　434頁
4876　田中萬逸　　　大西郷終焉悲史
　　　　　　　　　　大日本皇道奉贊會　昭和18年（1943）
4877　津久井龍雄　　大西郷
　　　　　　　　　　昭和刊行會　昭和18年（1943）
4878　秋本典夫　　　西郷隆盛
　　　　　　　　　　東京　地人書館　昭和19年（1944）（維新勤皇遺文選書）
4879　横山健堂　　　大西郷兄弟
　　　　　　　　　　宮越太陽堂　昭和19年（1944）
4880　池田俊彦　　　大西郷とリンカーン
　　　　　　　　　　鹿兒島　鹿兒島奬學會出版部　昭和23年（1948）
4881　松山　敏　　　人間西郷隆盛
　　　　　　　　　　東京　人生社　昭和28年（1953）　3冊（人生傳記新書
　　　　　　　　　　第2編）
　　　　　　　　　　第1　青春の卷
　　　　　　　　　　第2　新日本建設の卷
　　　　　　　　　　第3　城山最後の卷
4882　鹿兒島市觀光課　世界人としての西郷南洲先生
　　　　　　　　　　鹿兒島　編者印行　昭和28年（1953）
4883　山田孝雄　　　私の欽仰する近代人
　　　　　　　　　　東京　寶文館　昭和29年（1954）　173頁
4884　滿江　巖　　　至誠の人西郷隆盛
　　　　　　　　　　東京　敬愛塾　昭和30年（1955）3版　146頁
4885　香春建一　　　風雲西郷臨末史
　　　　　　　　　　延岡　西郷臨末史刊行會
　　　　　　　　　　上編　昭和30年（1955）　140頁
　　　　　　　　　　下編　昭和33年（1958）　210頁
4886　木村　毅　　　西郷南洲
　　　　　　　　　　東京　筑土書房　昭和32年（1957）　341頁
4887　澤田延音　　　西郷隆盛の祖先と新逸話
　　　　　　　　　　敬天塾刊行會　昭和32年（1957）
4888　遠山茂樹　　　西郷隆盛
　　　　　　　　　　東京　筑摩書房　昭和33年（1958）（講座現代倫理　6）

4889　田中惣五郎　　西鄕隆盛
　　　　　　　　　　①東京　吉川弘文館　昭和33年（1958）　319頁（人物叢書）
　　　　　　　　　　②東京　吉川弘文館　昭和60年（1985）8月　320頁（人物
　　　　　　　　　　　叢書新裝版）

4890　田岡典夫　　　南洲西鄕隆盛
　　　　　　　　　　東京　講談社　昭和33年（1958）

4891　古川哲史　　　西鄕南洲
　　　　　　　　　　東京　角川書店　昭和34年（1959）（道德敎育講座　5）

4892　山本健吉編　　西鄕隆盛
　　　　　　　　　　日本の思想家　東京　光書房　昭和34年（1959）

4893　龍鄕村敎育委員會編　龍鄕潛居中の西鄕南洲
　　　　　　　　　　編者印行　昭和35年（1960）

4894　小西四郎編　　西鄕隆盛
　　　　　　　　　　日物人物史大系　第5卷　東京　朝倉書店　昭和35年
　　　　　　　　　　（1960）

4895　圭室諦成　　　西鄕隆盛
　　　　　　　　　　東京　岩波書店　昭和35年（1960）2刷　194，4頁

4896　坂元盛秋　　　福澤諭吉の歷史的證言と西鄕隆盛の死
　　　　　　　　　　薩摩琴琵同好會　昭和39年（1964）

4897　犬塚又太郎　　庄內と大西鄕
　　　　　　　　　　致道博物館　昭和39年（1964）

4898　海音寺潮五郎　西鄕隆盛
　　　　　　　　　　東京　朝日新聞社　昭和39年（1964）　475頁

4899　黑木彌千代　　大西鄕の遺訓と精神
　　　　　　　　　　谷山　南洲翁遺訓刊行會　昭和40年（1965）　222頁

4900　寄田則隆　　　西鄕南洲論——南洲翁のヒューマニズム
　　　　　　　　　　小金井　西鄕南洲論刊行會　昭和40年（1965）　243頁

4901　木村　毅　　　西鄕南洲
　　　　　　　　　　東京　雪華社　昭和41年（1966）　322頁

4902　邑井　操　　　西鄕隆盛と志士群像——維新を動かした英傑たち
　　　　　　　　　　東京　大和書房　昭和42年（1967）　202頁

4903　池波正太郎　　西鄕隆盛
　　　　　　　　　　東京　新人物往來社　昭和42年（1967）　294頁（近代人物
　　　　　　　　　　叢書　6）；平成2年（1990）8月新裝版

4904　芳賀　登　　　西鄕隆盛
　　　　　　　　　　東京　雄山閣　昭和43年（1968）　301頁（人物史叢書3）

4905　芳賀　登　　維新の巨人西鄕隆盛
　　　　　　　　　東京　雄山閣　昭和45年（1970）　302，13頁
4906　香春建一　　西鄕臨末記
　　　　　　　　　東京　尾鈴山書房　昭和45年（1970）3月　373頁
4907　井上　清　　西鄕隆盛
　　　　　　　　　東京　中央公論社　昭和45年（1970）　上、下冊（216頁、
　　　　　　　　　234頁）（中公新書）
4908　坂元盛秋　　西鄕隆盛――福澤諭吉の證言
　　　　　　　　　東京　新人物往來社　昭和46年（1971）　270頁
4909　河原　宏　　西鄕傳統――「東洋的人格」の再發見
　　　　　　　　　東京　講談社　昭和46年（1971）　180頁
4910　濱田尙友　　西鄕隆盛のすべて――その思想と革命行動
　　　　　　　　　東京　久保書店　昭和47年（1972）　556，17頁
4911　岡崎　功　　西鄕隆盛・言志錄
　　　　　　　　　東京　新人物往來社　昭和48年（1973）　256頁
4912　米澤藤良　　西鄕隆盛と私學校
　　　　　　　　　東京　新人物往來社　昭和48年（1973）　231頁
4913　栗原隆一　　西鄕隆盛順逆の軌跡
　　　　　　　　　東京　ニルム　昭和49年（1974）　251頁
4914　葦津珍彥　　永遠の維新者
　　　　　　　　　①二月社　昭和50年（1975）
　　　　　　　　　②福岡　葦書房　昭和56年（1981）3月　286頁
4915　安藤英男　　西鄕隆盛評傳
　　　　　　　　　東京　白川書院　昭和51年（1976）8月　276頁
4916　勝田孫彌　　西鄕隆盛傳
　　　　　　　　　東京　至言社（東京　ぺりかん社發賣）　昭和51年（1976）
　　　　　　　　　1冊
4917　川合貞吉　　西鄕の悲劇――裏切られたアジア革命
　　　　　　　　　東京　學藝書林　昭和51年（1976）9月　281頁
4918　鮫島志茅太　西鄕南洲語錄――判斷力、行動力をどう身につけるか
　　　　　　　　　東京　講談社　昭和52年（1977）7月　220頁
4919　滿江　巖　　人間西鄕隆盛
　　　　　　　　　東京　大和書房　昭和52年（1977）8月　146頁
4920　第一出版センター編　圖說西鄕隆盛――西南戰爭百年
　　　　　　　　　東京　講談社　昭和52年（1977）3月　182頁
4921　學問研究社編　西鄕隆盛――その偉大なる生涯

東京　學習研究社　昭和52年（1977）3月　185頁

4922　木俣秋水　　西鄉隆盛は死せず──西鄉隆盛遺訓解說　敬の卷
東京　大和書房　昭和52年（1977）8月　264頁

4923　昇曙夢著，坂元盛秋編　西鄉隆盛獄中記──奄美大島と大西鄉
東京　新人物往來社　昭和52年（1977）3月

4924　飛鳥井雅　　西鄉隆盛──維新回天と士族共和の悲劇
日本を創った人びと　第24冊　東京　平凡社　昭和53年
（1978）4月　82頁

4925　南日本新聞社編　西鄉隆盛傳──終わりなき命
東京　新人物往來社　昭和53年（1978）12月　294頁

4926　木俣秋水　　西鄉隆盛は死せず──新日本政記　天の卷
東京　大和書房　昭和54年（1979）2月　288頁

4927　和田正俊　　西鄉南洲
叢書日本の思想家　第48冊　東京　明德出版社　昭和54年
（1979）4月（與吉田松陰合冊）

4928　奈良本辰也、高野澄著　西鄉隆盛
東京　角川書店　昭和54年（1979）5月（角川選書　101）

4929　木俣秋水　　西鄉隆盛は死せず──知られざる西鄉追放劇　愛之卷
東京　大和書房　昭和56年（1981）5月　222頁

4930　橋川丈三　　西鄉隆盛紀行
東京　朝日新聞社　昭和56年（1981）11月　224頁

4931　尾崎秀樹等　西鄉隆盛と明治時代
錦繪日本の歷史　第4冊　東京　日本放送出版協會　昭和
57年（1982）4月　168頁

4932　池波正太郎　西鄉隆盛
東京　東京文藝社　昭和57年（1982）5月　254頁

4933　寺山葛常　　三舟及び南洲の書
東京　巖南堂書店　昭和57年（1982）9月　310頁

4934　旺文社編　　西鄉隆盛
東京　旺文社　昭和58年（1983）7月　192頁（現代視點
戰國・幕末の群像）

4935　上田　滋　　西鄉隆盛の悲劇
東京　中央公論社　昭和58年（1983）12月　252頁

4936　尾崎秀樹等　西鄉隆盛
東京　福武書店　昭和59年（1984）4月　186頁（歷史ライ
ブ）

4937　尾崎秀樹等　　西郷隆盛と明治時代
　　　　　　　　　　東京　日本放送出版協會　昭和57年（1982）4月　168頁
　　　　　　　　　　（錦繪日本の歴史　4）

4938　池波正太郎　　西郷隆盛
　　　　　　　　　　東京　日本文藝社　昭和57年（1982）5月　254頁

4939　寺山葛常　　　三舟及び南洲の書
　　　　　　　　　　東京　巖南堂書店　昭和57年（1982）9月　310頁

4940　滿江　巖　　　西郷隆盛の人と思想
　　　　　　　　　　東京　郷土の偉人顯彰會　昭和59年（1984）11月　159頁

4941　佐佐木憲一　　奄美と西郷
　　　　　　　　　　四街道あい書林　昭和59年（1984）9月　60頁

4942　東郷實晴　　　西郷隆盛——その生涯
　　　　　　　　　　鹿兒島　作者印行　昭和60年（1985）6月　153頁

4943　五代夏夫編　　西郷隆盛のすべて
　　　　　　　　　　東京　新人物往來社　昭和60年（1985）6月　350頁

4944　伴野　朗　　　西郷隆盛の遺書
　　　　　　　　　　①東京　新潮社　昭和60年（1985）10月　272頁
　　　　　　　　　　②東京　新潮社　昭和63年（1988）12月　343頁（新潮文庫）

4945　平泉　澄　　　首丘の人——大西郷
　　　　　　　　　　東京　原書房　昭和61年（1986）2月　368，10頁

4946　三木利英　　　日本人乃原父——有島武郎と西郷隆盛
　　　　　　　　　　東京　明治書院　昭和61年（1986）5月　175頁

4947　司馬遼太郎等　西郷隆盛を語る
　　　　　　　　　　東京　大和書房　昭和61年（1986）9月　264頁（大和選書）；
　　　　　　　　　　平成2年（1990）2月新裝版

4948　山田慶晴　　　西郷隆盛の偉さを考える
　　　　　　　　　　川內　作者印行　昭和61年（1986）11月　334頁

4949　世界文化社　　西郷隆盛——人望あるリーダーの條件
　　　　　　　　　　東京　世界文化社　昭和62年（1987）3月　239頁

4950　赤根祥道　　　南洲清話——太っ腹になる男の美學西郷隆盛の行動論
　　　　　　　　　　東京　中經出版　昭和62年（1987）5月　244頁

4951　一色次郎　　　實録西郷隆盛
　　　　　　　　　　東京　春陽堂書店　昭和62年（1987）10月　272頁（春陽文
　　　　　　　　　　庫）

4952　齋藤信明　　　西郷と明治維新革命
　　　　　　　　　　東京　彩流社　昭和62年（1987）10月　434頁

4953　岩井　護　　　西南戰爭
　　　　　　　　　　東京　成美堂　昭和62年（1987）12月　220頁

4954　安藤英男　　　西鄉隆盛史傳
　　　　　　　　　　東京　鈴木出版　昭和63年（1988）6月　445頁

4955　山口　正　　　西鄉隆盛の詩魂——大和にしきを心にぞ
　　　　　　　　　　東京　銀の鈴社　昭和63年（1988）11月　158頁（銀鈴叢書
　　　　　　　　　　1）

4956　小學館編　　　西鄉と大久保
　　　　　　　　　　東京　小學館　平成元年（1989）1月　286頁（幕末・維新
　　　　　　　　　　の群像　5）

4957　童門冬二　　　日本の青春——西鄉隆盛と大久保利通の生涯
　　　　　　　　　　東京　三笠書房　平成元年（1989）6月　300頁

4958　土橋治重　　　友情は消えず——西鄉隆盛と大久保利通
　　　　　　　　　　東京　經濟界　平成元年（1989）7月　246頁

4959　東鄉實晴　　　西鄉と大久保波瀾の生涯
　　　　　　　　　　鹿兒島　作者印行　平成元年（1989）9月改訂增補第2版
　　　　　　　　　　111頁

4960　栗原隆一　　　西鄉と大久保の生涯——薩摩の盟友
　　　　　　　　　　東京　大陸書房　平成元年（1989）9月　190頁

4961　邦光史郎　　　西鄉隆盛と大久保利通——男の進退と決斷
　　　　　　　　　　東京　勁文社　平成元年（1989）9月　234頁

4962　海音寺潮五郎　史傳西鄉隆盛
　　　　　　　　　　東京　文藝春秋　平成元年（1989）9月　316頁（文春文庫）

4963　維新研究會編　西鄉さんのここが偉い
　　　　　　　　　　東京　角川書店　平成元年（1989）10月　203頁

4964　石原貫一郎　　西鄉隆盛に學ぶ
　　　　　　　　　　東京　新人物往來社　平成元年（1989）10月　230頁

4965　滿江　巖　　　人間西鄉隆盛
　　　　　　　　　　鹿兒島　高城書房　平成元年（1989）11月　154頁

4966　堀和　久　　　西鄉隆盛と維新の謎
　　　　　　　　　　東京　日本文藝社　平成元年（1989）11月　238頁

4967　堺屋太一等　　西鄉隆盛——隨いて行きたくなるリーダーの魅力
　　　　　　　　　　東京　プレジデント社　平成元年（1989）11月　309頁

4968　森　純大　　　眞說西鄉隆盛ものしり讀本——德川幕府を倒した男の榮光
　　　　　　　　　　と挫折
　　　　　　　　　　東京　廣濟堂出版　平成元年（1989）12月　227頁

4969　塩田道夫　　西鄉隆盛──維新の英雄
　　　　　　　　　東京　日新報道　平成元年（1989）12月　210頁
4970　新人物往來社編　西鄉隆盛七つの謎
　　　　　　　　　東京　新人物往來社　平成元年（1989）12月　237頁
4971　芳　即正　　大西鄉謎の顔
　　　　　　　　　鹿兒島　著作社　平成元年（1989）12月　190頁
4972　福田敏之　　寫眞紀行西鄉隆盛
　　　　　　　　　東京　新人物往來社　平成元年（1989）12月　193頁
4973　南鄉　茂　　大西鄉の詩とその生涯
　　　　　　　　　東京　人と文化社　平成元年（1989）12月　50頁
4974　上田　滋　　西鄉隆盛の世界
　　　　　　　　　東久留米　作者印行　平成元年（1989）12月　394頁
4975　童門冬二　　「人望」の研究──西鄉隆盛はなぜ人を魁きつけるのか？
　　　　　　　　　東京　主婦と生活社　平成元年（1989）12月　220頁
4976　幕末・維新史研究會編　西鄉隆盛と大久保利通──幕末・維新ものしり百
　　　　科
　　　　　　　　　東京　リクルート出版　平成元年（1989）12月　315頁
4977　日下藤吾　　西鄉星は生きている
　　　　　　　　　東京　叢文社　平成元年（1989）12月　423頁
4978　世界文化社　西鄉隆盛──幕末、明治の風雲　イラスト再現
　　　　　　　　　東京　世界文化社　平成2年（1990）1月　127頁
4979　學習研究社　西鄉隆盛──維新回天の巨星と戊辰戰爭
　　　　　　　　　東京　學習研究社　平成2年（1990）1月　189頁（歷史群像
　　　　シリーズ　16）
4980　芳即正、毛利敏彦編　圖說西鄉隆盛と大久保利通
　　　　　　　　　東京　河出書房新社　平成2年（1990）1月　126頁
4981　田中萬逸　　大西鄉終焉悲史
　　　　　　　　　熊本　青潮社　平成2年（1990）1月　463，12頁（西南戰爭
　　　　資料集　1）
4982　勝部眞長　　西鄉隆盛
　　　　　　　　　東京　PHP研究所　平成2年（1990）2月　254頁（幕末・維
　　　　新の群像　第6卷）
4983　新野哲也　　大將と賢將──西鄉の志と大久保の辣腕
　　　　　　　　　東京　光風社　平成2年（1990）2月　254頁
4984　後藤壽一、河野亮　西鄉隆盛の謎
　　　　　　　　　東京　天山出版　平成2年（1990）2月　253頁

4985　神長丈夫寫眞　西郷隆盛――人生の詩
　　　　　　　　　東京　コーリウ生活文化研究室　平成2年（1990）2月　93
　　　　　　　　　頁

4986　原園光憲　　史傳　西郷隆盛と山岡鐵舟――日本人の武士道
　　　　　　　　　東京　日本出版放送企畫　柏書房發賣　平成2年（1990）2
　　　　　　　　　月　317頁（武士道叢書）

4987　鮫島志芽太　國にも金にも嵌まらず――西郷隆盛新傳
　　　　　　　　　東京　サイマル出版會
　　　　　　　　　上冊　平成2年（1990）3月　220頁
　　　　　　　　　下冊　平成2年（1990）9月　394頁

4988　鮫島志芽太　日本でいちばん好かれた男――ねうちある生きかたを求め
　　　　　　　　　て
　　　　　　　　　東京　講談社　平成2年（1990）3月　228頁

4989　脇野素粒　　流魂記――奄美大島の西郷南洲
　　　　　　　　　東京　丸出學藝圖書　平成2年（1990）4月　353頁

4990　高野　澄　　西郷隆盛
　　　　　　　　　東京　德間書房　平成2年（1990）4月　379頁（德間文庫）

4991　高野　澄　　21世紀への西郷隆盛――變革の時代の生き方研究：自由が
　　　　　　　　　いるとき心の西郷が甦る
　　　　　　　　　東京　德間書店　平成2年（1990）4月　244頁

4992　豊田　穰　　大西郷兄弟物語――西郷隆盛と西郷從道の生涯
　　　　　　　　　東京　光人社　平成2年（1990）5月　278頁

4993　小西四郎監修　ピクトリアル西郷隆盛、大久保利通
　　　　　　　　　東京　學習研究社　2冊
　　　　　　　　　第1冊　幕末維新の風雲　平成2年（1990）5月　127頁
　　　　　　　　　第2冊　新生「明治」の光と影　平成2年（1990）2月　126
　　　　　　　　　頁

4994　上田　滋　　西郷隆盛の思想――道義を貫いた男の心の軌跡
　　　　　　　　　東京　PHP研究所　平成2年（1990）6月　381頁

4995　東木武市　　島の巖窟王――西郷隆盛傳
　　　　　　　　　鹿兒島　作者印行　2冊
　　　　　　　　　上冊　平成2年（1990）7月　301頁
　　　　　　　　　下冊　平成2年（1990）10月　303頁

4996　加來耕三　　日本人は何を失ったのか――西郷隆盛が遺したこと
　　　　　　　　　東京　講談社　平成2年（1990）10月　266頁

4997　近來喜績　　明治維新の歴史探訪――西郷隆盛のあゆみを尋ねて

　　　　　　大牟田　近本税理士事務所　平成3年（1991）5月　232頁

4998　西鄉從宏　　西鄉隆盛
　　　　　　川崎　作者印行　平成4年（1992）4月　219頁

4999　猪飼隆明　　西鄉隆盛——西南戰爭への道
　　　　　　東京　岩波書店　平成4年（1992）6月　234頁（岩波新書）

5000　先間政明　　西鄉隆盛と沖永良部島
　　　　　　東京　八重岳書房　平成4年（1992）9月　125頁

5001　濱田尙友述、谷口純義編　西鄉隆盛と明治維新
　　　　　　東京　濱田光彦印行　平成4年（1992）　143頁

5002　アラン・ブース著、柴田京子譯　西鄉隆盛の道——失われゆく風景を探して
　　　　　　東京　新潮社　平成5年（1993）7月　213頁

5003　古川　薫　　西鄉隆盛をめぐる群像
　　　　　　東京　青人社　平成5年（1993）9月　203頁（幕末・維新百人一話　4）

5004　山口宗之　　西鄉隆盛
　　　　　　東京　明德出版社　平成5年（1993）9月　179頁（シリーズ陽明學　31）

5005　鮫島志芽太　西鄉隆盛の世界と國の運命・人の運命
　　　　　　鹿兒島　斯文堂　平成6年（1994）11月　228頁

5006　童門冬二　　西鄉隆盛——物語と史蹟をたずねて
　　　　　　東京　成美堂　平成7年（1995）2月　338頁（成美文庫）

5007　勝部眞長　　西鄉隆盛
　　　　　　東京　PHP研究所　平成8年（1996）　324頁（PHP文庫）

5008　陽明學編輯部　西鄉南洲特集
　　　　　　陽明學（二松學舍大學）　第9號　頁69—141　平成9年（1997）3月

5009　加來耕三　　西鄉隆盛と薩摩士道
　　　　　　鹿兒島　高城書房　平成9年（1997）11月　368頁

5010　江藤　淳　　南洲殘影
　　　　　　東京　文藝春秋社　平成10年（1998）3月　238頁

5011　日本史籍協會編　西鄉隆盛文書
　　　　　　①東京　日本史籍協會　大正12年（1923）
　　　　　　②東京　東京大學出版會　昭和62年（1987）11月　387頁
　　　　　　（日本史籍協會叢書　102）

5012　渡邊霞亭編　西鄉隆盛維新史料

　　　　　　　　東京　岡村書店　明治42年（1909）1月　300頁
5013　東西文化調査會編　西鄉南洲史料
　　　　　　　　東京　東西文化調査會　昭和41年（1966）　圖版121枚
5014　鹿兒島縣立圖書館編　西鄉南洲翁と十年の役に關する圖書・文獻・錦繪目
　　　錄
　　　　　　　　鹿兒島　編者印行　昭和2年（1927）
5015　鹿兒島縣立圖書館編　西鄉南洲翁關係資料目錄
　　　　　　　　鹿兒島　編者印行　昭和32年（1957）
5016　野中敬吾編　西鄉隆盛關係文獻目錄稿——西鄉隆盛觀の變遷
　　　　　　　　松山　野中敬吾刊　昭和45年（1970）　348，9頁
5017　鹿兒島縣立圖書館編　西鄉隆盛關係圖書資料目錄——鹿兒島縣立圖書館所
　　　藏
　　　　　　　　鹿兒島　鹿兒島縣立圖書館　昭和55年（1977）6月　75頁
5018　野中敬吾編　西鄉隆盛關係文獻解題目錄稿——西鄉隆盛觀の變遷の跡を
　　　追って
　　　　　　　　松山　野中敬吾刊　昭和53年（1978）3月改訂增補　378，7，
　　　13頁
　　　　　　　　松山　野中敬吾刊　昭和54年（1979）4月新訂版　378，7，
　　　13頁
　　　　　　　　松山　野中敬吾刊　平成元年（1989）1月再訂版　379，13
　　　頁
5019　野中敬吾編　西鄉隆盛關係文獻解題目錄稿——西鄉隆盛觀の變遷の跡を
　　　追う（追補）
　　　　　　　　松山　野中敬吾刊　昭和60年（1985）3月　67頁
5020　野中敬吾編　西鄉隆盛關係文獻解題目錄稿——西鄉隆盛觀の變遷の跡を
　　　追って
　　　　　　　　松山　野中敬吾刊
　　　　　　　　續1　昭和54年（1979）8月　31頁
　　　　　　　　續2　昭和56年（1981）9月　85頁
　　　　　　　　續3　昭和60年（1985）3月　67頁
　　　　　　　　續4　平成元年（1989）6月　71頁

11.吉田松陰（1830—1859）

著　作

5021　吉田松陰　　　講孟箚記
　　　　京都　田中文求堂　明治30年（1897）3月　324頁
5022　吉田松陰著、近藤啓吾譯注　講孟箚記
　　　　東京　講談社（講談社學術文庫）
　　　　上卷　昭和54年（1979）11月　468頁
　　　　下卷　昭和55年（1980）10月　646頁
5023　吉田松陰著、廣瀨豐校訂　講孟餘話
　　　　東京　岩波書店　昭和13年（1938）　379頁（岩波文庫）
5024　吉田松陰著、廣瀨豐譯注　講孟餘話
　　　　東京　武藏野書院　昭和17年（1942）3月　574頁
5025　吉田松陰著、松本三之介譯　講孟餘話
　　　　日本の名著　第31冊　東京　中央公論社　昭和48年（1973）
5026　吉田松陰　　　講孟餘話（抄）
　　　　日本教育寶典　第2冊　吉田松陰集　東京　玉川大學出版
　　　　部　昭和40年（1965）
5027　吉田松陰　　　講孟餘話（抄）
　　　　日本の思想　第19冊　東京　筑摩書房　昭和44年（1969）
5028　吉田松陰著、遠藤鎭雄譯　青年に與うる書——現代語譯《講孟餘話》
　　　　東京　新人物往來社　昭和48年（1973）　236頁
5029　吉田松陰　　　幽囚錄
　　　　①東京　吉川半七印行　明治24年（1891）7月　36丁
　　　　②東京　大日本明道會　大正8年（1919）（勤王文庫　2）
　　　　③大日本思想全集　第17卷　吉田松陰集　東京　大日本思
　　　　　想全集刊行會　昭和6年（1931）
　　　　④日本の思想　第19冊　東京　筑摩書房　昭和44年（1969）
　　　　⑤日本思想史入門　東京　ぺりかん社　昭和59年（1984）
5030　安藤紀一　　　註訓吉田松陰先生幽囚錄
　　　　山口　山口縣教育會　昭和8年（1933）
5031　吉田松陰著、松本三之介譯　幽囚錄
　　　　日本の名著　第31冊　東京　中央公論社　昭和48年（1973）
5032　吉田松陰　　　留魂錄
　　　　①山口縣萩町　松下村塾　明治2年（1869）　16丁
　　　　②賢哲傳（下）　東京　修養文庫刊行會　大正8年（1919）
　　　　　（與回顧錄合冊）
　　　　③大日本思想全集　第17卷　東京　大日本思想全集刊行會
　　　　　昭和6年（1931）

④日本教育寶典　第2冊　吉田松陰集　東京　玉川大學出版部　昭和40年（1965）

⑤日本の思想　第19冊　吉田松陰集　東京　筑摩書房　昭和44年（1969）

5033　吉田松陰著、渡邊世祐校註　留魂錄
　　　　　日本先哲叢書　第4冊　東京　廣文堂　昭和11年（1936）

5034　吉田松陰著、柿村峻編　留魂錄
　　　　　①東京　山一書房　昭和19年（1944）
　　　　　②東京　日本書院　昭和20年（1945）

5035　吉田松陰著、松本三之介譯　留魂錄
　　　　　日本の名著　第31冊　東京　中央公論社　昭和48年（1973）

5036　吉田松陰著、古川薫譯　留魂錄
　　　　　東京　德間書房　平成2年（1990）10月　202頁

5037　吉田松陰　　野山文稿
　　　　　大日本思想全集　第17卷　吉田松陰集　東京　大日本思想全集刊行會　昭和6年（1931）

5038　安藤紀一　　訓註吉田松陰先生野山文稿
　　　　　山口　山口縣教育會　昭和7年（1932）

5039　吉田松陰著、松本三之介譯　野山獄文稿
　　　　　日本の名著　第31冊　吉田松陰　東京　中央公論社　昭和48年（1973）

5040　吉田松陰　　野山獄讀書記
　　　　　東京　貴重圖書影本刊行會　昭和6年（1931）

5041　吉田松陰著、品川彌二郎編　幽室文稿
　　　　　東京　田中治兵衛印行　明治14年（1881）

5042　吉田松陰　　幽室文稿
　　　　　①大日本思想全集　第17卷　吉田松陰集　大日本思想全集刊行會　昭和6年（1931）
　　　　　②日本教育寶典　第2冊　東京　玉川大學出版部　昭和40年（1965）

5043　吉田松陰著、田中彰譯　戊午幽室文稿（抄）
　　　　　日本の名著　第31冊　東京　中央公論社　昭和48年（1973）

5044　吉田松陰　　坐獄日錄
　　　　　①山口縣萩町　松下村塾　出版年不明　21丁（與《照顏錄》合冊）
　　　　　②大日本思想全集　第17卷　東京　大日本思想全集刊行會

昭和6年（1931）

5045　吉田松陰　　　囚室雜論
　　　　　日本思想大系　第54冊　東京　岩波書店　昭和53年（1978）
5046　吉田松陰　　　江戶獄記
　　　　　日本思想大系　第54冊　東京　岩波書店　昭和53年（1978）
5047　吉田松陰　　　狂夫の言
　　　　　日本思想大系　第54冊　東京　岩波書店　昭和53年（1978）
5048　吉田松陰、月性著　慨士遺音前編
　　　　　京都　都文堂、文林堂　明治2年（1869）10月　3冊
5049　吉田松陰　　　照顏錄
　　　　　山口縣萩町　松下村塾　出版年不明　21丁（與《坐獄日錄》
　　　　　合冊）
5050　吉田松陰著、渡邊世祐校註　照顏錄
　　　　　日本先哲叢書　第4冊　東京　廣文堂　昭和11年（1936）
5051　吉田松陰　　　武教講錄
　　　　　①山口縣萩町　松下村塾　慶應4年（1868）　18，32丁
　　　　　②大日本思想全集　第17卷　吉田松陰集　東京　大日本思
　　　　　　想全集刊行會　昭和6年（1931）
　　　　　③日本學叢書　第4卷　東京　雄山閣　昭和13年（1938）
5052　吉田松陰著、渡邊世祐校註　武教全書講錄
　　　　　日本先哲叢書　第4冊　東京　廣文堂　昭和11年（1936）
5053　吉田松陰著、松本三之介譯　武教全書講錄
　　　　　日本の名著　第31冊　吉田松陰　東京　中央公論社　昭和
　　　　　57年（1982）
5054　守繁藏編　　　吉田松陰女誡訓
　　　　　東京　雄生閣　昭和13年（1938）
5055　吉田松陰　　　女訓
　　　　　日本教育思想大系　第17冊　近世武家教育思想(2)　東京
　　　　　日本圖書センター　昭和51年（1976）
5056　吉田松陰著、渡邊世祐校註　士規七則
　　　　　日本先哲叢書　第4冊　東京　廣文堂　昭和11年（1936）
5057　吉田松陰　　　士規
　　　　　日本教育思想大系　第18冊　近世武家教育思想(3)　東京
　　　　　日本圖書センター　昭和51年（1976）
5058　吉田松陰　　　水陸戰略
　　　　　大日本思想全集　第17卷　吉田松陰集　東京　大日本思想

　　　　　　　　　　全集刊行會　昭和6年（1931）

5059　吉田松陰　　　　外蕃通略
　　　　　　　　　　東京　吉田庫三印行　明治27年（1894）4月

5060　吉田松陰著、渡邊世祐校註　松下村塾記
　　　　　　　　　　日本先哲叢書　第4冊　東京　廣文堂　昭和11年（1936）

5061　吉田松陰　　　　西遊日記
　　　　　　　　　　日本思想大系　第54冊　東京　岩波書店　昭和53年（1978）

5062　吉田松陰　　　　東北遊日記
　　　　　　　　　　①越之海　第5冊　東京　猶興社　明治25年（1892）
　　　　　　　　　　②福島　福島縣立圖書館　昭和7年（1932）（福島縣立圖
　　　　　　　　　　　書館叢書　第1輯）
　　　　　　　　　　③日本思想大系　第54冊　東京　岩波書店　昭和53年
　　　　　　　　　　　（1978）

5063　吉田松陰　　　　吉田松陰東北日記抄（附：東北風談）
　　　　　　　　　　青森　青森縣立圖書館　昭和7年（1932）

5064　吉田松陰著、品川彌三郎校　嘉永癸丑吉田松陰遊歷日錄
　　　　　　　　　　東京　吉田庫三印行　明治16年（1883）7月　50頁

5065　吉田松陰　　　　丁巳日乘
　　　　　　　　　　日本教育寶典　第2冊　東京　玉川大學出版部　昭和40年
　　　　　　　　　　（1965）

5066　吉田松陰著、吉田庫三校　回顧錄2卷
　　　　　　　　　　東京　文求堂　明治19年（1886）　2冊

5067　吉田松陰　　　　回顧錄
　　　　　　　　　　賢哲傳（下）　東京　修養文庫刊行會　大正8年（1919）

5068　吉田松陰　　　　回顧錄
　　　　　　　　　　大日本思想全集　第17卷　吉田松陰集　東京　大日本思想
　　　　　　　　　　全集刊行會　昭和6年（1931）

5069　吉田松陰　　　　回顧錄
　　　　　　　　　　日本の思想　第19冊　吉田松陰集　東京　筑摩書房　昭和
　　　　　　　　　　44年（1969）

5070　吉田松陰　　　　回顧錄
　　　　　　　　　　日本思想大系　第54冊　東京　岩波書店　昭和53年（1978）

5071　吉田松陰著、田中彰譯　回顧錄
　　　　　　　　　　日本の名著　第31冊　東京　中央公論社　昭和48年（1973）

5072　吉田松陰著、久坂義助編、品川彌二郎校　俗簡雜輯
　　　　　　　　　　京都　尊攘堂　明治28年（1895）10月　55丁

5073　吉田松陰　　　吉田松陰手翰
　　　　　　　　　東京　大藏省印刷局　明治17年（1884）9月　10丁
5074　吉田松陰　　　吉田松陰先生書牘
　　　　　　　　　山口縣鳴門村　秋元三郎輔印行　明治41年（1908）10月　5
　　　　　　　　　枚
5075　遠山操編　　　志士書簡
　　　　　　　　　東京　厚生堂　大正3年（1914）
5076　廣瀬豐編　　　吉田松陰書簡集
　　　　　　　　　東京　岩波書店　昭和12年（1937）　254頁（岩波文庫）
5077　吉田松陰　　　松陰書簡
　　　　　　　　　日本哲學思想全書　第3卷　東京　平凡社　昭和31年
　　　　　　　　　（1956）
5078　吉田松陰　　　書簡
　　　　　　　　　日本教育寶典　第2冊　吉田松陰集　東京　玉川大學出版
　　　　　　　　　部　昭和40年（1965）
5079　吉田松陰　　　書簡
　　　　　　　　　日本思想大系　第54冊　東京　岩波書店　昭和45年（1970）
5080　川上喜藏編　　宇都宮默霖・吉田松陰往復書翰
　　　　　　　　　東京　錦正社　昭和47年（1972）　256頁（國學研究叢書
　　　　　　　　　第5編）
5081　吉田松陰　　　松陰詩集
　　　　　　　　　明治16年（1883）刊本
5082　福本義亮　　　訓註吉田松陰殉國詩歌集
　　　　　　　　　東京　誠文堂新光社　昭和16年（1941）
5083　阿武郡教育會編　吉田松陰先生遺墨帖
　　　　　　　　　編者印行　大正15年（1926）
5084　萩市教育會編　松陰先生遺墨寫眞帖
　　　　　　　　　編者印行　昭和11年（1936）
5085　玖村敏雄編　　吉田松陰遺墨帖
　　　　　　　　　東京　天晨堂　昭和15年（1940）12月　2冊
5086　山口縣教育會編　吉田松陰遺墨帖
　　　　　　　　　東京　大和書房　昭和53年（1978）2月　2冊
5087　稲垣常三郎　　吉田松陰先生遺文
　　　　　　　　　編者印行　明治24年（1891）10月　42丁（長周叢書　12）
5088　國木田獨步編　吉田松陰文
　　　　　　　　　東京　民友社　明治29年（1896）（少年傳記叢書）

5089　森　長英　　　松陰吟廬遺稿
　　　　　　　　　　作者印行　昭和11年（1936）
5090　栗栖安一　　　吉田松陰遺文集2卷
　　　　　　　　　　①東京　撰書堂　昭和17、18年（1942、1943）　2冊
　　　　　　　　　　②大阪　大阪新聞社　昭和19年（1944）
5091　武田勘治編　　吉田松陰教育說選集
　　　　　　　　　　東京　第一出版協會　昭和11年（1936）（日本教育文庫
　　　　　　　　　　5）
5092　武田勘治編　　不滅の教育魂——吉田松陰教育說選集
　　　　　　　　　　東京　第一出版協會　昭和13年（1938）
5093　武田勘治　　　吉田松陰選集
　　　　　　　　　　東京　讀書新報社　昭和17年（1942）
5094　大日本思想全集刊行會編　吉田松陰集
　　　　　　　　　　大日本思想全集　第17卷　東京　編者印行　昭和6年
　　　　　　　　　　（1931）
　　　　　　　　　　武教講錄
　　　　　　　　　　回顧錄
　　　　　　　　　　野山文稿
　　　　　　　　　　幽室文稿
　　　　　　　　　　留魂錄
　　　　　　　　　　坐獄日錄
　　　　　　　　　　水陸戰略
　　　　　　　　　　文武兩道の修養について上書
　　　　　　　　　　政體論
　　　　　　　　　　死生の悟
　　　　　　　　　　獄中より妹に與ふるの書
　　　　　　　　　　訣別書
　　　　　　　　　　幽囚錄
5095　大日本文庫刊行會　吉田松陰集
　　　　　　　　　　大日本文庫　第9冊　勤王志士遺文集(1)　東京　編者印行
　　　　　　　　　　昭和9年（1934）
5096　雜賀博愛編　　吉田松陰集
　　　　　　　　　　東京　興文社　昭和18年（1943）（勤王志士叢書）
5097　奈良本辰也編　吉田松陰集
　　　　　　　　　　日本の思想　第19冊　東京　筑摩書房　昭和44年（1969）
　　　　　　　　　　解說：松陰の人と思想（奈良本辰也）

　　　　　　　　　　留魂錄
　　　　　　　　　　要駕策主意
　　　　　　　　　　幽囚錄
　　　　　　　　　　對策一道愚論
　　　　　　　　　　續愚論
　　　　　　　　　　回顧錄
　　　　　　　　　　急務四條
　　　　　　　　　　講孟餘話（抄）
　　　　　　　　　　書簡
　　　　　　　　　　吉田松陰關係略年表
　　　　　　　　　　參考文獻
　　　　　　　　　　書簡細目
　　5098　玉川大學出版部　吉田松陰集
　　　　　　　　　　日本教育寶典　第2冊　東京　編者印行　昭和40年（1965）
　　　　　　　　　　講孟餘話（抄）
　　　　　　　　　　幽室文稿（抄）
　　　　　　　　　　丁巳日乘
　　　　　　　　　　留魂錄
　　　　　　　　　　書簡（抄）
　　　　　　　　　　吉田松陰略年譜
　　5099　吉田常吉等校注　吉田松陰
　　　　　　　　　　日本思想大系　第54冊　東京　岩波書店　昭和53年（1978）
　　　　　　　　　　書簡
　　　　　　　　　　西遊日記
　　　　　　　　　　東北遊日記
　　　　　　　　　　回顧錄
　　　　　　　　　　江戶獄記
　　　　　　　　　　狂夫の言
　　　　　　　　　　囚室雜論
　　　　　　　　　　解說
　　　　　　　　　　　　書目撰定理由（藤田省三）
　　　　　　　　　　　　吉田松陰年譜
　　　　　　　　　　　　主要人物索引
　　5100　松本三之介編　吉田松陰
　　　　　　　　　　日本の名著　第31冊　東京　中央公論社　昭和48年（1973）
　　　　　　　　　　思想家としての吉田松陰（松本三之介）

吉田松陰像の變遷（田中　彰）

講孟餘話（抄）（松本三之介譯）

武教全書講錄（松永昌三譯）

野山獄文稿（抄）（松永昌三譯）

留魂錄（松永昌三譯）

幽囚錄（田中彰譯）

回顧錄（田中彰譯）

戊午幽室文稿（抄）（田中彰譯）

5101　吉田庫三編　松陰先生遺著

東京　民友社　明治41、42年（1908、1909）　2冊

第1編

　遺著

　　武教全書講草

　　未焚稿抄

　　未忍焚稿抄

　　西遊日記附錄抄

　　上書三卷

　　幽囚錄

　　回顧錄附長崎紀行

　　野山文稿

　　幽室文稿

　　松陰詩集

　　賞月雅草抄

　　獄中俳諧抄

　　九數乘除圖

　　照顔錄

　　坐獄日錄

　　東行前日錄

　　書牘雜輯

　　留魂錄

　　附錄

　　　允可三重極秘傳の傳統

　　　免許目錄傳授

　　　兵學入門起請文

　　　杉恬齋先生傳

　　　玉木玉韞先生傳

　　　　　　　　　松陰先生東行送別詩歌集
　　　　　　　　　松陰先生埋葬並改葬及神社の創建
　　　　　　第2編
　　　　　　　卷首
　　　　　　　　松陰先生年譜略
　　　　　　　　年譜略參照文書
　　　　　　　　松陰先生遺著目錄
　　　　　　　　野村子爵墓誌
　　　　　　　遺著
　　　　　　　　迴浦紀略
　　　　　　　　西遊日記
　　　　　　　　東遊日記
　　　　　　　　東北遊日記
　　　　　　　　癸丑遊歷日錄
　　　　　　　　清國咸豐亂記
　　　　　　　　野山雜著（嶽舍問答　江戶獄記　福堂策　儲糗話）
　　　　　　　　吉日錄
　　　　　　　　討賊始末
　　　　　　　　急務四條
　　　　　　　　讀綱鑑錄
　　　　　　　　西洋步兵論
　　　　　　　　書牘雜輯
5102　山口縣敎育會編　吉田松陰全集
　　　　　　東京　岩波書店　昭和9—11年（1934—1936）　10冊
　　　　　　第1卷
　　　　　　　武敎全書講章
　　　　　　　未忍焚稿
　　　　　　　未焚稿
　　　　　　　上書
　　　　　　　將及私言外4策
　　　　　　　幽囚錄
　　　　　　　吉田松陰年譜
　　　　　　　傳記
　　　　　　第2卷
　　　　　　　野山獄文稿
　　　　　　　清國咸豐亂記

　　野山雜著（獄舍問答　附錄資治通鑑抄　江戶獄記　福堂
　　　策上・下　儲糗話）
　　賞月雅艸
　　獄中俳諧
　　冤魂慰草
　　講孟餘話
　　講孟餘話附錄
第3卷
　　丙辰幽室文稿
　　叢棘隨筆
　　武教全書講錄
　　幽窗隨筆
　　丁巳幽室文稿
　　吉田語略
　　討賊始末
　　附晝寢夢4之卷
　　松陰詩稿
第4卷
　　戊午幽室文稿
　　急務四條
　　意見書類
　　西洋步兵論
　　續綱鑑錄
　　己未文稿
　　孫子評註
　　坐獄日錄
　　照顏錄
　　縛吾集
　　淚松集
　　留魂錄
　　詩文拾遺（編者命題）
　　欄外書（編者命題）
　　詩文評（編者命題）
第5卷
　　書簡篇1　嘉永2─安政4
第6卷

杉民治傳
關係人物略傳
杉百合之助日記
小田村伊之助檜莊日記
宮部鼎造房總漫遊日記
宮部鼎造東北遊日記
山縣半藏敬宇日錄
國友半右衛門遊東日誌
北條源藏浦賀日記
松浦竹四郎日記
吉田寅次郎、金子重之助護送日記
久保清太郎日記
玉木彦介日記
村塾油帳
佐世八十郎日記
入江杉藏投獄日記
入江杉藏揚屋詩稿
久坂玄瑞九仞日記
世古格太郎唱義聞見錄
久坂玄瑞江月齋日乘
高杉晉作日記
一燈錢申合帳
久坂玄瑞迴瀾條議
攘夷血盟書・奇兵隊血盟書
吉田小太郎日記
野村靖追懷錄
天野御民松下村塾零話
橫山幾太鷗磻釣餘鈔
關係雜纂
補遺・關係文獻一覽表
吉田寅次郎（ステイヴンソン著）（英文）
ペリー日本遠征記（ホークス著）（英文）
日本遠征記（スペルディング著）（英文）
吉田松陰全集內容總目錄

5103　山口縣教育會編　吉田松陰全集（普及版）
　　　　東京　岩波書店　昭和13—15年（1938—1940）　12冊

第1卷
　　吉田松陰年譜
　　家系參考書
　　武教全書講章
　　未忍焚稿
　　上書
　　猛省錄
　　將及私言外四策
　　幽囚錄
第2卷
　　未焚稿
　　清國咸豐亂記
　　野山雜著
　　賞月雅草
　　獄中俳諧
　　冤魂慰草
　　叢棘隨筆
第3卷
　　講孟餘話
　　講孟餘話附錄（講孟箚記評語　講孟箚記評語草稿　默霖
　　書撮抄一條）
第4卷
　　野山獄文稿
　　丙辰幽室文稿
　　武教全書講錄
　　丁巳幽室文稿
　　討賊始末
第5卷
　　幽窗隨筆
　　戊午幽室文稿
　　急務四條
　　西洋步兵論
　　意見書類
第6卷
　　讀綱鑑錄
　　己未文稿

　　　　孫子評註
　　第7卷
　　　　松陰詩稿
　　　　坐獄日錄
　　　　照顏錄
　　　　縛吾集
　　　　淚松集
　　　　留魂錄
　　　　詩文拾遺
　　第8卷
　　　　書簡　嘉永2—安政4
　　第9卷
　　　　書簡　安政5、6
　　第10卷
　　　　迴浦紀略
　　　　西遊日記
　　　　附錄西遊詩文
　　　　東遊日記費用錄
　　　　辛亥日記（附錄　衣服其外用具附立）
　　　　東北遊日記
　　　　附東征稿
　　　　睡餘事錄
　　　　癸丑遊歷日錄
　　　　長崎紀行
　　　　回顧錄
　　第11卷
　　　　野山獄讀書記
　　　　書物目錄
　　　　借本錄
　　　　丙辰日記
　　　　丙辰歲晚大會計
　　　　丁巳日乘
　　　　吉日錄
　　　　松下村塾食料月計
　　　　松下村塾食事人名控
　　　　東行前日記

渡邊蒿藏問答錄

杉恬齋＜百合之助＞先生傳

太夫人實成院行狀＜杉瀧子傳＞

玉木正韞＜文之進＞先生傳

竹院和尙傳

杉民治傳

關係人物略傳

5104　山口縣教育會編　吉田松陰全集

東京　大和書房　昭和47年—49年（1972—1974）　11冊

第1卷

武教全書講章

未忍焚稿

上書

猛省錄

未焚稿

第2卷

將及私言 外4策

幽囚錄

清國咸豐亂記

野山雜著 全4種

賞月雅草

獄中俳諧

冤魂慰草

叢棘隨筆

野山獄文稿

丙辰幽室文稿

第3卷

講孟餘話

講孟餘話附錄

講孟箚記評語上（山縣太華）

太華翁の講孟箚記評語の後に書す（松陰）

講孟箚記評語の反評（松陰）

講孟箚記評語草稿（山縣太華）

講孟箚記評語草稿の反評（松陰）

松陰反評の斷片

講孟箚記評語下の1（山縣太華）

房相漫遊日記（宮部鼎藏）
東北遊日記（宮部鼎藏）
敬宇日錄（山縣半藏）
遊東日記（國友半右衛門）
浦賀日記（北條源藏）
松浦竹四郎日記
吉田寅次郎、金子重之助護送日記
久保清太郎日記
玉木彥介日記
村塾油帳
佐世八十郎日記
投獄日記（入江杉藏）
揚屋詩稿（入江杉藏）
九仞日記（久坂玄瑞）
江月齋日乘（久坂玄瑞）
高杉晉作日記
一燈錢申合帳
迴瀾條議（久坂玄瑞）
攘夷血盟書
奇兵隊血盟書
吉田小太郎日記
追懷錄（野村　靖）
關係雜纂
關係文獻一覽表
吉田寅次郎（スティヴンソン）
ペリー日本遠征記抄（ホークス）
日本遠征記抄（スパルディング）

後人研究

5105　玖村敏雄、西川平吉　講孟餘話の研究
　　　　大阪　大阪新聞社　昭和19年（1944）11月　518頁
5106　紀平正美　　吉田松陰の留魂錄
　　　　日本精神叢書　第1冊　東京　日本文化協會　昭和11年
　　　　（1936）
5107　文部省教學局編　吉田松陰の留魂錄

　　　　　　　　　日本精神叢書　第10冊　東京　內閣印刷局　昭和15年
　　　　　　　　　（1940）
5108　岡崎　功　　　吉田松陰留魂錄
　　　　　　　　　東京　新人物往來社　昭和50年（1975）　229頁
5109　齋藤丁治編　　象山松陰慨世餘聞
　　　　　　　　　東京　丸善商社　明治22年（1889）
5110　齋藤丁治編著、笛木梯治編　象山松陰慨世餘聞解說版
　　　　　　　　　藤澤　富士見書房；東京　講談社出版サービスセンター
　　　　　　　　　昭和50年（1975）　122，170頁
5111　高梨光司　　　吉田松陰と夢之代——野山獄讀書記を讀む
　　　　　　　　　作者印行　昭和7年（1932）
5112　奈良本辰也　　吉田松陰東北遊日記
　　　　　　　　　日本の旅人　第15冊　京都　淡交社　昭和48年（1973）
5113　河上徹太郎　　吉田松陰の手紙——倒敘形式による
　　　　　　　　　東京　潮出版社　昭和48年（1973）　222頁
5114　品川彌二郎　　松陰先生遺稿の話
　　　　　　　　　當代名流五十家訪問錄　東京　博文館　明治32年（1899）
5115　五十嵐越郎　　吉田松陰言行錄
　　　　　　　　　①東京　內外出版協會　明治41年（1908）2月　241頁（偉
　　　　　　　　　　人研究　第15編）
　　　　　　　　　②東京　大京堂出版部　昭和9年（1934）（偉人研究　第
　　　　　　　　　　15編）
5116　杉原夷山　　　吉田松陰——偉人言行錄
　　　　　　　　　東京　三芳屋、松陽堂　明治43年（1910）2月　252頁
5117　武田鶯塘　　　吉田松陰言行錄
　　　　　　　　　東京　東亞堂　大正4年（1915）
5118　小山一郎　　　吉田松陰遺訓
　　　　　　　　　東京　あおぞら會出版部　昭和12年（1937）
5119　中澤寬一郎編　吉田松陰
　　　　　　　　　假名插入皇朝名臣傳　第5冊　溝口嘉助印行　明治13年
　　　　　　　　　（1880）
5120　德富猪一郎　　吉田松陰
　　　　　　　　　①東京　民友社　明治21年（1888）12月　340頁；明治41年
　　　　　　　　　　（1908）改訂版
　　　　　　　　　②東京　明治書院　昭和9年（1934）改訂普及版
5121　野口勝一等編　吉田松陰傳

　　　　　　　　　　東京　富岡政信印行　明治24年（1891）8月　3冊
5122　松井廣吉編　　吉田松陰
　　　　　　　　　　東京　博文館　明治26年（1893）（日本百傑傳　第12編）
5123　干河岸貫一　　吉田松陰
　　　　　　　　　　近世百傑傳　東京　博文館　明治33年（1900）
5124　干河岸櫻所　　二十一回猛士吉田松陰
　　　　　　　　　　作者印行　明治35年（1902）
5125　水野嘉之一郎　吉田松陰
　　　　　　　　　　教育研究會講演集　第3輯　東京　金港堂　明治39年
　　　　　　　　　　（1906）
5126　齋藤保郎　　　松陰翁小傳
　　　　　　　　　　東京　作者印行　明治40年（1907）12月　38頁
5127　井上哲次郎　　松下村塾を觀て感あり
　　　　　　　　　　叡山講演集　大阪　朝日新聞社　明治40年（1907）
5128　齋藤　謙　　　吉田松陰
　　　　　　　　　　東京　隆文館　明治42年（1909）5月　294頁
5129　森　露華　　　吉田松陰
　　　　　　　　　　東京　二岡書房　明治42年（1909）7月　238頁
5130　帝國教育會編　吉田松陰
　　　　　　　　　　東京　弘道館　明治42年（1909）12月　189頁
5131　杉原三省　　　吉田松陰精神修養談
　　　　　　　　　　東京　大學館　明治42年（1909）
5132　佐藤春葉　　　吉田松陰先生教訓道話
　　　　　　　　　　東京　國文館　明治44年（1911）
5133　佐藤痴遊　　　吉田松陰
　　　　　　　　　　東京　東亞堂書房　大正3年（1914）
5134　杉浦重剛、世木鹿吉　吉田寅次郎
　　　　　　　　　　東京　博文館　大正4年（1914）（偉人傳叢書　9）
5135　島田增平　　　吉田松陰
　　　　　　　　　　東京　平凡社　大正7年（1918）
5136　高橋淡水　　　驚天動地──松陰と左內
　　　　　　　　　　東京　下村書房　大正10年（1921）
5137　高橋淡水　　　松陰とその門下
　　　　　　　　　　東京　現代堂　大正11年（1922）
5138　大庭柯公　　　吉田松陰
　　　　　　　　　　柯公全集　第5冊　東京　柯公全集刊行會　大正14年

（1925）

5139	高田盛穗	松陰之哲學
		松陰叢書　第2輯　作者印行　大正15年（1926）
5140	福本椿水	松陰先生交友錄
		神戸　惜春山莊　昭和3年（1928）　250頁
5141	大久保龍	吉田松陰先生傳
		東京　日比書院　昭和4年（1929）
5142	廣瀬　豊	吉田松陰の研究
		武人教育史研究　第1冊　東京　武藏野書院　昭和5年
		（1930）；昭和7年（1932）改訂版
5143	村松春水	下田における吉田松陰
		東京　平凡社　昭和5年（1930）
5144	後藤三郎	吉田松陰とその教育
		東京　玉川學園　昭和6年（1931）（玉川叢書）
5145	村山庄兵衛	黑船乘込みの雄圖を抱ける松陰先生と我家
		松陰遺蹟保存會　昭和6年（1931）
5146	香川政一	松陰先生逸話
		若人社出版部　昭和6年（1931）
5147	矢次最輔	松陰及其後
		作者印行　昭和7年（1932）
5148	廣瀬　豊	續吉田松陰の研究
		東京　武藏野書院　昭和7年（1932）
5149	猪狩史山	吉田松陰
		日本精神講座　第1冊　東京　新潮社　昭和8年（1933）
5150	福本椿水	吉田松陰の殉國教育
		東京　誠文堂　昭和8年（1933）
5151	中里介山	吉田松陰
		①大菩薩峠刊行會　昭和8年（1933）
		②東京　春秋社松柏館　昭和18年（1943）
5152	大久保龍	吉田松陰とペスタロッチー
		東京　雄文閣　昭和8年（1933）
5153	中野光活	至誠殉國の教育者吉田松陰
		①世界教育文庫　第2部1　東京　世界文庫刊行會　昭和9
		年（1934）
		②春秋文庫　第5部第2　東京　春秋社　昭和13年（1938）
5154	廣瀬　豊	吉田松陰の人物と學說

日本精神研究　第3冊　東京　東洋書院　昭和9年（1934）

5155　廣瀨　豊　　教育者としての松陰先生

日本精神研究　第7冊　東京　東洋書院　昭和10年（1935）

5156　廣瀨　豊　　松陰先生の教育力

東京　武藏野書院　昭和9年（1934）

5157　田邊　澹　　松陰先生と勞作教育

初等教育研究會　昭和9年（1934）

5158　香川政一　　吉田松陰

東京　含英書院　昭和10年（1935）

5159　松本浩記　　吉田松陰傳

東京　大同館　昭和10年（1935）

5160　香川政一　　村塾の松陰

東京　白銀日新堂　昭和10年（1935）

5161　伊藤痴遊　　吉田松陰、高杉晉作

實錄維新十傑　第10冊　東京　平凡社　昭和10年（1935）

5162　廣瀨　豊　　吉田松陰の武士道學說

日本精神研究　第4冊　東京　東洋書院　昭和10年（1935）

5163　廣瀨　豊　　吉田松陰の國體論

日本精神研究　第6冊　東京　東洋書院　昭和10年（1935）

5164　廣瀨　豊　　松陰先生の教育

櫻楓會出版部　昭和10年（1935）（櫻楓文庫　11）

5165　玖村敏雄　　吉田松陰先生と日本精神

東京　尊攘堂　昭和10年（1935）

5166　玖村敏雄　　吉田松陰

春秋文庫　東京　春秋社　昭和11年（1936）

5167　大嶺豊彦　　吉田松陰論語

東京　教材社　昭和11年（1936）

5168　玖村敏雄　　吉田松陰の國體觀

廣島　廣島理科大學尙志會　昭和11年（1936）（尙志教育
叢書　第10冊）

5169　玖村敏雄　　吉田松陰

東京　岩波書店　昭和11年（1936）

5170　廣瀨　豊　　吉田松陰の至誠論

日本精神研究　第10冊　東京　東洋書院　昭和11年（1936）

5171　大久保龍　　吉田松陰

東京　言海書房　昭和11年（1936）

5172 稷田雪崖　　吉田松陰先生佛教觀觀察
　　　　　　　作者印行　昭和11年（1936）
5173 廣瀨　豐　　吉田松陰先生の教育
　　　　　　　東京　武藏野書院　昭和12年（1937）
5174 關根悅郎　　吉田松陰
　　　　　　　東京　白揚社　昭和12年（1937）（人物再檢討叢書）；
　　　　　　　東京　創樹社　昭和54年（1979）11月　360頁
5175 大野　愼　　吉田松陰論
　　　　　　　東京　パンフレット社　昭和12年（1937）
5176 來栖守衛　　松陰先生と吉田稔麿
　　　　　　　山口縣　山口縣教育會　昭和13年（1938）
5177 上田庄三郎　青年教師吉田松陰
　　　　　　　東京　啓文社　昭和13年（1938）
5178 金澤春友　　吉田松陰の遊跡
　　　　　　　白土印刷所　昭和13年（1938）
5179 道川逸郎　　松陰に學ぶ
　　　　　　　東京　人文閣　昭和14年（1939）
5180 廣瀨　豐　　松陰先生の教育
　　　　　　　東京　目黑書店　昭和14年（1939）（教學新書　2）
5181 上田庄三郎　松陰精神と教育の改新
　　　　　　　東京　啓文社　昭和14年（1939）
5182 田中惣五郎　吉田松陰
　　　　　　　東京　千倉書房　昭和14年（1939）
5183 石川謙、武田勘治　吉田松陰
　　　　　　　東京　三教書院　昭和15年（1940）　211頁（偉人叢書）
5184 玖村敏雄　　吉田松陰に於ける實學的精神
　　　　　　　日本諸學振興委員會研究報告　10　教育學　東京　文部省
　　　　　　　教學局　昭和15年（1940）
5185 福本義亮　　至誠殉國吉田松陰之最期
　　　　　　　東京　誠文堂新光社　昭和15年（1940）
5186 丸山義三　　吉田松陰
　　　　　　　東京　教材社　昭和15年（1940）
5187 金子久一　　吉田松陰先生と母堂
　　　　　　　東京　白銀日新堂　昭和15年（1940）
5188 和田政雄　　吉田松陰
　　　　　　　東京　鶴書房　昭和16年（1941）

5189　竹內　尉　　吉田松陰と山鹿素行
　　　　　　　　　東京　健文社　昭和16年（1941）

5190　武田勘治　　吉田松陰——不滅の人
　　　　　　　　　道統社　昭和16年（1941）序　264頁

5191　知識人研究會　吉田松陰
　　　　　　　　　東京　世界創造社　昭和16年（1941）

5192　品川義介　　人間練成吉田松陰
　　　　　　　　　東京　東水社　昭和16年（1941）

5193　廣瀨　豐　　教育の神吉田松陰
　　　　　　　　　東京　武藏野書院　昭和16年（1941）

5194　廣瀨　豐　　青年吉田松陰
　　　　　　　　　東京　武藏野書院　昭和16年（1941）

5195　陶山　務　　吉田松陰の精神
　　　　　　　　　東京　第一書房　昭和16年（1941）

5196　和田健爾　　吉田松陰至誠の書
　　　　　　　　　東京　京文社　昭和16年（1941）

5197　妻木忠太　　吉田松陰の遊歷
　　　　　　　　　①東京　泰山房　昭和16年（1941）
　　　　　　　　　②東京　村田書店　昭和59年（1984）3月　26,488頁

5198　和田健爾　　吉田松陰殉國の精神
　　　　　　　　　東京　京文社　昭和17年（1942）

5199　玖村敏雄　　吉田松陰の思想と教育
　　　　　　　　　東京　岩波書店　昭和17年（1942）

5200　福本義亮　　吉田松陰大陸南進論
　　　　　　　　　東京　誠文堂新光社　昭和17年（1942）　383頁

5201　池田宣政　　殉國の人吉田松陰
　　　　　　　　　東京　偕成社　昭和17年（1942）（偕成社傳記文庫）

5202　山中峰太郎　黎明日本の炬火吉田松陰
　　　　　　　　　東京　潮文閣　昭和17年（1942）（新偉人傳記全集　16）

5203　上田庄三郎　人間吉田松陰
　　　　　　　　　東京　啓文社　昭和17年（1942）

5204　布目惟信　　吉田松陰と月性と默霖
　　　　　　　　　東京　興教書院　昭和17年（1942）

5205　福本義亮　　下田に於ける吉田松陰
　　　　　　　　　東京　誠文堂新光社　昭和17年（1942）

5206　河野通毅　　吉田松陰の詩と文

東京　三光社　昭和17年（1942）

| 5207 | 岡不可止 | 松下村塾の指導者 |

東京　文藝春秋社　昭和17年（1942）

| 5208 | 廣瀬　豊 | 吉田松陰の研究 |

①東京　武藏野書院　昭和18年（1942）　735頁

②德山　マツノ書店　平成元年（1989）6月增補版　725，44頁

| 5209 | 岡不可止 | 吉田松陰——道義的志士世界の內面的探究 |

東京　講談社　昭和18年（1943）

| 5210 | 廣瀬　豊 | 勤王の神吉田松陰 |

日本青年教育會出版部　昭和18年（1943）

| 5211 | 武田勘治 | 松陰と象山 |

東京　第一出版協會　昭和18年（1943）

| 5212 | 藤井貞文 | 吉田松陰 |

東京　地人書館　昭和18年（1943）（維新勤皇遺文選書）

| 5213 | 狩野鐘太郎 | 吉田松陰全日錄 |

東京　新興亞社　昭和18年（1943）

| 5214 | 武藤貞一 | 吉田松陰 |

東京　統正社　昭和18年（1943）

| 5215 | 齋藤鹿三郎著、齋藤直幹編　吉田松陰正史 |

東京　第一公論社　昭和18年（1943）

| 5216 | 竹內　尉 | 松陰と素行 |

東京　健文社　昭和18年（1943）　223頁

| 5217 | 丸山義二 | 吉田松陰の思想 |

東京　教材社　昭和18年（1943）

| 5218 | 丹　潔 | 吉田松陰兵家訓 |

東京　雄生閣　昭和18年（1943）

| 5219 | 諸根樟一 | 吉田松陰東北の遊歷と其亡命考察 |

東京　共立出版　昭和19年（1944）

| 5220 | 玖村敏雄 | 吉田松陰の精神 |

東京　春陽堂　昭和19年（1944）

| 5221 | 山口縣國漢會編　松陰讀本 |

山口縣　編者印行　昭和19年（1944）

| 5222 | 奈良本辰也 | 吉田松陰 |

東京　岩波書店　昭和26年（1951）　168頁（岩波新書　第55）；昭和56年（1981）2月　改版189頁

5223　　　Straelen, Henricus, van, Yoshida Shoin, forerunner of the Meiji
　　　　　　　　Restoration; a biographical study. Leiden, E.J. Brill,
　　　　　　　　1952. 149 p.

5224　下程勇吉　　吉田松陰
　　　　　　　　東京　弘文堂　昭和28年（1953）　234頁　（アテネ新書
　　　　　　　　53）

5225　福本義亮　　吉田松陰の愛國教育
　　　　　　　　東京　誠文堂新光社　昭和30年（1955）

5226　鹿野政直　　吉田松陰
　　　　　　　　講座現代倫理　第11冊　東京　筑摩書房　昭和34年（1959）

5227　岡不可止　　吉田松陰
　　　　　　　　東京　角川書店　昭和34年（1959）　248頁

5228　松陰先生百年祭下關記念會編　松陰と下關
　　　　　　　　編者印行　昭和34年（1959）

5229　山口縣地方史學會萩支部編　松陰先生を語る
　　　　　　　　山口縣　編者印行　昭和34年（1959）

5230　田中俊資　　新日本の光吉田松陰
　　　　　　　　山口縣　山口縣教育委員會　昭和34年（1959）

5231　小西四郎編　吉田松陰
　　　　　　　　日本人物史大系　第5卷　東京　朝倉書店　昭和35年
　　　　　　　　（1960）　340頁

5232　池田　諭　　吉田松陰——明治維新の人間教育
　　　　　　　　東京　弘文堂　昭和39年（1964）　197頁

5233　永江新三　　安政の大獄井伊直弼と吉田松陰
　　　　　　　　東京　日本教文社　昭和41年（1966）

5234　河上徹太郎　吉田松陰——武と儒による人間像
　　　　　　　　①東京　文藝春秋　昭和43年（1968）　289頁
　　　　　　　　②東京　中央公論社　昭和54年（1979）12月　273頁（中公
　　　　　　　　　文庫）

5235　池田　諭　　吉田松陰——維新を切り開く思想とその後繼者たち
　　　　　　　　東京　大和書房　昭和43年（1968）　242頁（大和選書）；
　　　　　　　　昭和60年（1985）4月新裝版

5236　福本椿水　　松陰餘話
　　　　　　　　東京　山口縣人會　昭和45年（1970）·6月4版　162頁

5237　木俣秋水　　外史吉田松陰
　　　　　　　　京都　白川書院　昭和45年（1970）　355頁

5238 武田八州滿 　吉田松陰——その人と生涯
　　　　　　　　　東京　金園社　昭和45年（1970）　297頁

5239 奈良本辰也 　吉田松陰
　　　　　　　　　批評日本史　政治的人間の系譜　第6冊　東京　思索社
　　　　　　　　　昭和46年（1971）

5240 佐藤　薫 　　吉田松陰——二十一世紀への光
　　　　　　　　　東京　第一法規出版　昭和47年（1972）

5241 河上徹太郎 　吉田松陰
　　　　　　　　　東京　講談社　昭和47年（1972）　278頁（名著シリーズ）

5242 寺尾五郎 　　革命家吉田松陰——草莽崛起と共和制への展望
　　　　　　　　　東京　德間書房　昭和48年（1973）　363頁

5243 桑原伸一 　　國木田獨步と吉田松陰
　　　　　　　　　山口縣　山口縣文藝懇話會　昭和49年（1974）10月　189頁

5244 卜部和義 　　谷三山と吉田松陰の出逢い
　　　　　　　　　橿原　八千代書房、堺屋出版部　昭和49年（1974）　119頁

5245 栗原隆一 　　松陰——その叛逆の系譜
　　　　　　　　　東京　エルム　昭和49年（1974）　268頁

5246 司馬遼太郎、橋川文三等　吉田松陰を語る
　　　　　　　　　東京　大和書房　昭和49年（1974）　228頁（大和選書）；
　　　　　　　　　平成2年（1990）2月新装版

5247 田中俊資 　　吉田松陰——維新の先達
　　　　　　　　　萩　松陰神社維持會　昭和49年（1974）　240頁

5248 古川　薫 　　吉田松陰とその門下
　　　　　　　　　①東京　新人物往來社　昭和49年（1974）　217頁
　　　　　　　　　②東京　PHP研究所　昭和63年（1988）9月　262頁（PHP文
　　　　　　　　　　庫）

5249 山口縣教育會編　吉田松陰入門
　　　　　　　　　東京　大和書房　昭和50年（1974）　277頁

5250 信夫清三郎 　象山と松陰——開國と攘夷の論理
　　　　　　　　　東京　河出書房新社　昭和50年（1975）　314,8頁

5251 德永眞一郎 　吉田松陰——物語と史蹟をたずねて
　　　　　　　　　①東京　成美堂出版　昭和51年（1976）　221頁
　　　　　　　　　②東京　成美堂出版　平成6年（1994）6月增訂　306頁（成
　　　　　　　　　　美文庫）

5252 島幸子譯 　　異人のみた吉田松陰
　　　　　　　　　宇部　條例出版　昭和51年（1976）　242頁

5253　古川　薫　　　吉田松陰──維新を先驅した吟遊詩人
　　　　　　　　　　大阪　創元社　昭和52年（1977）7月　189頁

5254　山崎道夫　　　吉田松陰
　　　　　　　　　　叢書日本の思想家　第48冊　東京　明德出版社　昭和54年
　　　　　　　　　　（1979）4月（與西鄉南洲合冊）

5255　木俣秋水　　　吉田松陰をめぐる女性たち
　　　　　　　　　　東京　大和書房　昭和55年（1980）5月　197頁

5256　德富蘇峰　　　吉田松陰
　　　　　　　　　　①東京　岩波書店　昭和56年（1981）11月　282頁（岩波文
　　　　　　　　　　　庫）
　　　　　　　　　　②東京　岩波書店　昭和59年（1984）3月　282頁（岩波ク
　　　　　　　　　　　ラシックス　59）

5257　三浦實文、貝原浩イラスト　吉田松陰
　　　　　　　　　　東京　現代書館　昭和57年（1982）2月　158頁

5258　前野喜代治　　素顔の吉田松陰
　　　　　　　　　　東京　成文堂　昭和58年（1983）8月　274頁

5259　奈良本辰也　　吉田松陰のすべて
　　　　　　　　　　東京　新人物往來社　昭和59年（1984）3月　286頁
　　　　　　　　　　卷末附：吉田松陰關係文獻目錄（中島智枝子）
　　　　　　　　　　　　　　　　吉田松陰年譜（左方郁子）

5260　松風會編　　　松陰の教學と杉家
　　　　　　　　　　山口縣　松風會　昭和59年（1984）3月　72頁

5261　富成　博　　　吉田松陰
　　　　　　　　　　下關　長周新聞社　昭和59年（1984）11月2版　255頁

5262　折本　章　　　吉田松陰と教育
　　　　　　　　　　岩國　作者印行　昭和60年（1985）2月　167頁

5263　吉村忠幸　　　吉田松陰の教育像
　　　　　　　　　　札幌　作者印行　昭和60年（1985）3月　1冊

5264　松風會編　　　吉田松陰の甦る道
　　　　　　　　　　山口　松風會
　　　　　　　　　　上冊　昭和62年（1987）7月　159頁（松陰教學シリーズ2）
　　　　　　　　　　中冊　平成元年（1989）12月　165頁（松陰教學シリーズ3）
　　　　　　　　　　下冊　平成 4年（1992）5月　143頁（松陰教學シリーズ4）

5265　吉川寅二郎　　吉田松陰の生涯
　　　　　　　　　　京都　大雅堂　昭和62年（1987）9月　335頁

5266　森友幸照　　　吉田松陰ザ・語錄「男の生き方」コンセプト志のない者は

無志（虫）である

東京　中經出版　昭和63年（1988）1月　243頁

5267　デュモリン・ハインリッヒ著，東中野修道編譯　吉田松陰──明治維新の精神的起源

東京　南窗社　昭和63年（1988）3月　203頁

5268　玖村敏雄　吉田松陰の思想と生涯──玖村敏雄先生講演錄

下關　山口銀行厚生會　昭和63年（1988）9月　256頁

5269　下程勇吉　吉田松陰の人間學的研究

柏　廣池學園出版部　昭和63年（1988）10月　1091頁

5270　古川　薰　吉田松陰

幕末・維新の群像　第11卷　東京　PHP研究所　平成2年（1990）5月　204頁（歷史人物シリーズ）

5271　山口縣立山口博物館編　吉田松陰──維新の先覺

山口縣　山口縣教育會　平成2年（1990）7月　200頁

5272　來栖守衛　松陰先生と吉田稔麿

德山　マツノ書店　平成2年（1990）9月　339頁

5273　福本義亮　松陰先生交友錄

德山　マツノ書店　平成2年（1990）9月　250，15頁

5274　山口宗之著、馬安東譯　吉田松陰

臺北　東大圖書公司　平成2年（1990）12月　131頁

5275　寺尾五郎　草莽・吉田松陰

東京　德間書房　平成3年（1991）1月　473頁（德間文庫）

5276　倉田信靖　吉田松陰

東京　明德出版社　平成3年（1991）1月　230頁（シリーズ陽明學　32）

5277　小野禎一　日本教師論──松陰、藤樹、淡窗に學ぶ

東京　近代文藝社　平成3年（1991）2月　255頁

5278　山口縣教育會編　講演錄（吉田松陰生誕一六〇年紀念）

山口縣　編者印行　平成3年（1991）3月　205頁

5279　李　秀石　日本主義儒學の性格に關する考察──松陰思想を中心に

東京　富士ゼロックス・小林節太郎記念基金　平成3年（1991）8月　28頁（富士ゼロックス・小林節太郎記念基金1990年度研究助成論文）

5280　田中　彰　松陰と女囚と明治維新

東京　日本放送出版協會　平成4年（1992）2月　209頁（NHKブックス　619）

5281　奈良本辰也　　志ありせば吉田松陰
　　　　　　　　　　東京　廣濟堂出版　平成4年（1992）7月　246頁

5282　清永唯夫　　　維新を驅ける――吉田松陰と高杉晉作
　　　　　　　　　　廣島　中國新聞社　平成4年（1992）8月　351頁

5283　瀧澤洋之　　　吉田松陰の東北紀行
　　　　　　　　　　會津若松　歷史春秋出版　平成4年（1992）12月　310頁

5284　奈良本辰也　　吉田松陰
　　　　　　　　　　東京　岩波書店　平成5年（1993）7月　189頁（岩波新書の
　　　　　　　　　　江戶時代）

5285　森友幸照　　　吉田松陰男の自己變革
　　　　　　　　　　東京　三笠書房　平成5年（1993）10月　252頁（知的生き
　　　　　　　　　　かた文庫）

5286　原園光憲　　　松陰水戶遊考
　　　　　　　　　　東京　尙友社　平成5年（1993）　316頁

5287　陽明學編輯部　吉田松陰特集
　　　　　　　　　　陽明學（二松學舍大學）第7號　頁67―180　平成7年（1995）
　　　　　　　　　　3月

5288　高橋文博　　　吉田松陰
　　　　　　　　　　東京　清水書院　平成10年（1998）4月（人と思想　144）

5289　山下秀範　　　吉田松陰の周邊――受業生の書簡
　　　　　　　　　　東京　新人物往來社　昭和56年（1981）9月　187頁

5290　天郎御民編　　松下村塾零話
　　　　　　　　　　東京　山陽堂　明治41年（1908）

5291　安藤紀一　　　吉田松陰と松下村塾
　　　　　　　　　　東京　帝國地方行政學會　昭和3年（1928）（教材講座　1）

5292　吉田　理　　　松陰以前の松下村塾
　　　　　　　　　　松陰精神普及會　昭和11年（1936）（松陰研究叢書）

5293　福本義亮　　　松下村塾をめぐりて
　　　　　　　　　　作者印行　昭和11年（1936）

5294　山中峰太郎　　松下村塾の人人
　　　　　　　　　　東京　潮文閣　昭和18年（1943）（新偉人傳全集　32）

5295　廣瀬　豊　　　松下村塾の教育
　　　　　　　　　　東京　目黒書店　昭和20年（1945）

5296　奈良本辰也、松浦玲　松下村塾の人人
　　　　　　　　　　日本人物史大系　第5卷　東京　朝倉書店　昭和34年
　　　　　　　　　　（1959）

5297　海原　徹　　　吉田松陰と松下村塾
　　　　　　　　　　京都　ミネルヴァ書房　平成2年（1990）12月　278頁
5298　靈山歷史館　　吉田松陰と村塾の青年たち
　　　　　　　　　　京都　編者印行　平成2年（1990）　27頁
5299　內藤世永　　　下田における吉田松陰史料
　　　　　　　　　　下田開國紀念館　昭和19年（1944）
5300　山口縣立山口圖書館　松陰先生遺書及事蹟目錄
　　　　　　　　　　山口縣　編者印行　明治41年（1908）
5301　山口縣立山口圖書館　吉田松陰文書目錄
　　　　　　　　　　山口縣　編者印行　昭和29年（1954）
5302　田中喜市　　　吉田松陰先生關係文獻目錄
　　　　　　　　　　作者印行　昭和10年（1935）
5303　山口縣立山口・萩圖書館　吉田松陰關係圖書目錄
　　　　　　　　　　山口縣　編者印行　昭和33年（1958）

12.東　澤瀉（ひがし たくしゃ）（1832—1891）

著　作

5304　東　澤瀉　　　證心錄3卷
　　　　　　　　　　慶應2年（1866）
5305　東　澤瀉　　　證心錄
　　　　　　　　　　陽明學大系　第10卷　日本の陽明學（下）　東京　明德出
　　　　　　　　　　版社　昭和47年（1972）
5306　東　澤瀉　　　三楠遺規
　　　　　　　　　　山口　阿部活版所　明治16年（1883）11月　2冊（上31丁，
　　　　　　　　　　下10丁）
5307　東　澤瀉　　　東澤瀉書簡（池田草庵あて）
　　　　　　　　　　陽明學大系　第11卷　幕末維新陽明學者書簡集　東京　明
　　　　　　　　　　德出版社　昭和46年（1971）12月
5308　澤瀉會編　　　東澤瀉先生全集
　　　　　　　　　　川岡事務所　大正8年（1919）　2冊
　　　　　　　　　　上卷
　　　　　　　　　　　澤瀉先生年譜
　　　　　　　　　　　證心錄2卷

　　　　餘錄
　　　　大學正文
　　　　中庸正文2卷
　　　　附說2卷
　　　　論語撮說2卷
　　　　孟子撮說2卷
　　　　周易要略3卷
　　　　傳習錄參考3卷
　　　　近思錄參考2卷
　　　　儒門證語
　　　下卷
　　　　澤瀉文約3卷
　　　　澤瀉雜稿3卷
　　　　白沙未定稿3卷及餘稿
　　　　靖獻遺言彫題
　　　　讀朱隨筆彫題
　　　　學蔀通弁彫題
　　　　四名公語錄彫題
　　　　語孟字議讞議
　　　　禪海翻瀾
　　　　翻瀾聽錄
　　　　祭式略記
　　　　正教略記
　　　　三楠遺規2卷
　　　　國史臆議2卷
　　　　鄭延平事略
　　　　文章訓蒙2卷
　　　　鵃鷥雜志2卷
　　　　澤瀉隨筆
　　　　風雅餘響2卷
　　　　百人一首一讀笑2卷

後人研究

5309　東　敬治　　澤瀉傳
　　　　　　　　　山口縣岩國町　白銀日新堂　明治34年（1901）7月　85頁

5310　東澤瀉先生遺蹟保存會　東澤瀉先生遺蹟保存事業經過報告
　　　　　　　　　編者印行　昭和11年（1936）
5311　岡田武彦　　　東澤瀉略傳
　　　　　　　　　陽明學大系　第11卷　幕末維新陽明學者書簡集　東京　明
　　　　　　　　　德出版社　昭和46年（1971）12月
5312　桂　芳樹　　　東澤瀉
　　　　　　　　　岩國　岩國徵古館　昭和48年（1973）　106頁
5313　荒木見悟　　　東澤瀉
　　　　　　　　　叢書日本の思想家　第46冊　東京　明德出版社　昭和57年
　　　　　　　　　（1982）6月（與吉村秋陽合冊）
5314　野口善敬　　　東澤瀉
　　　　　　　　　東京　明德出版社　平成6年（1994）5月　225頁（シリーズ
　　　　　　　　　陽明學　35）

くさかげんずい
13.久坂玄瑞（1839—1864）

著　作

5315　久坂玄瑞　　　迴瀾條議
　　　　　　　　　日本の思想　第20冊　幕末思想集　東京　筑摩書房　昭和
　　　　　　　　　44年（1969）
5316　久坂江月齋　　俟釆擇錄
　　　　　　　　　日本儒林叢書　第12卷　東京　鳳出版　昭和2年（1927）;
　　　　　　　　　昭和46年（1971）重印本
5317　日本史籍協會編　江月齋日乘
　　　　　　　　　維新日乘纂輯　第1冊　編者印行　大正14年（1925）
5318　遠山操編　　　志士書簡
　　　　　　　　　東京　厚生堂　大正3年（1914）
5319　一坂太郎解說　久坂玄瑞遺墨
　　　　　　　　　下關　東行庵印行　平成6年（1994）12月　138頁
5320　久坂玄瑞著、久坂道明編　江月齋遺集2卷
　　　　　　　　　久坂道明印行　明治10年（1877）2月
5321　大日本文庫刊行會　久坂玄瑞集
　　　　　　　　　大日本文庫　第10冊　勤王志士遺文集(2)　東京　大日本文
　　　　　　　　　庫刊行會　昭和9年（1934）

5322　福本義亮編　　松下村塾偉人久坂玄瑞遺稿
　　　　　　　　　東京　誠文堂　昭和9年（1934）

5323　妻木忠太編　　久坂玄瑞遺文集上
　　　　　　　　　東京　泰山房　昭和19年（1944）

5324　妻木忠太編　　久坂玄瑞文書
　　　　　　　　　藤澤　妻木五郎印行　昭和58年（1983）1月　338頁（《久
　　　　　　　　　坂玄瑞遺文集上》改名）

5325　福本義亮編　　久坂玄瑞全集
　　　　　　　　　德山　マツノ書店　平成4年（1992）2月　796，18，6頁
　　　　　　　　　（《松下村塾偉人久坂玄瑞遺稿》改名重印本）

後人研究

5326　和田健爾　　　久坂玄瑞の精神
　　　　　　　　　東京　京文社書店　昭和18年（1943）　371頁

5327　武田勘治　　　久坂玄瑞
　　　　　　　　　東京　道統社　昭和19年（1944）

5328　池田　諭　　　高杉晉作と久坂玄瑞——變革期の青年像
　　　　　　　　　東京　大和書房　昭和41年（1966）　229頁（大和選書）；
　　　　　　　　　昭和46年（1972）新裝版

<ruby>高<rt>たか</rt></ruby><ruby>杉<rt>すぎ</rt></ruby><ruby>晉<rt>しん</rt></ruby><ruby>作<rt>さく</rt></ruby>

14.高杉晉作（1839—1867）

著　作

5329　高杉晉作著、東行先生五十年祭記念會編　東行先生遺文
　　　　　　　　　東京　民友社　大正5年（1916）　639頁

5330　高杉晉作　　　獄中手記
　　　　　　　　　①防長史談會雜誌　第32號　大正1年（1912）
　　　　　　　　　②勤王文庫　第4冊　東京　大日本明道會　大正8年（1919）

5331　遠山操編　　　志士書簡
　　　　　　　　　東京　厚生堂　大正3年（1914）

5332　奈良本辰也監修、堀哲三郎編　高杉晉作全集
　　　　　　　　　東京　新人物往來社　昭和49年（1974）　2冊
　　　　　　　　　上卷
　　　　　　　　　　書簡260通

書簡參考21通
下卷
日記
　東帆錄萬延元年4月
　試擊行日譜萬延元年8月
　瞽御日誌文久元年3月
　初番手日記文久元年7月
　遊清五錄文久2年4月
　獄中手記元治元年四月
　甲子殘稿元治元年
論策
　奉彈生益田君書
　學宮秋試
　墨水觀雪記
　持氏之叛志云云
　答某論遊學書
　讀米人彼理日本紀行
　擬護良親王獄中上書
　送田中子復序
　送原應侯序
　都府樓瓦硯記
　癲狗說
　讀千慮策
　書四十七士遺墨後
　十春鬪詩序
　跋軍鑑圖
　紀事二則
　瀧川觀楓記
　隨筆
　松陰先生年譜草稿
　擬請國學祀穗日命匡房卿疏
　兵法問答書
　學校問答書
　形勢略記
　序
　自敘

六月朔旦・幽室記
回復私議
謹題井上聞多所藏世子公眞筆後
東行先生遺稿序（田中光顯）
高杉暢夫墓誌（杉　修道）
東行遺稿跋（山田顯義）
附載（山縣有明）
詩歌370篇
歌俳
高杉晉作年譜
付録
高杉東行異名考
高杉東行碑銘文（伊藤博文）
高杉晉作（吉田松陰全集）
鉛筆書遺稿

後人研究

5333　江島茂逸編　　高杉晉作略傳──入筑始末
　　　　　　　　　　東京　團團社、陽濤館　明治26年（1893）11月　120頁
5334　渡邊修次郎　　高杉晉作
　　　　　　　　　　東京　少年園　明治30年（1897）7月　172頁
5335　村田峰次郎　　高杉晉作
　　　　　　　　　　東京　民友社　大正3年（1914）
5336　横山健堂　　　高杉晉作
　　　　　　　　　　武俠世界社　大正5年（1916）
5337　野崎秋章　　　維新の英傑　高杉晉作
　　　　　　　　　　梅田利一印行　昭和8年（1933）
5338　伊藤痴遊　　　吉田松陰、高杉晉作
　　　　　　　　　　實錄維新十傑　第10冊　東京　平凡社　昭和10年（1935）
5339　香川政一　　　高杉晉作小傳
　　　　　　　　　　東京　東行會、白銀日進堂　昭和11年（1936）
5340　品川義介　　　回天の風雲兒高杉晉作
　　　　　　　　　　東京　大東亞書房　昭和17年（1942）
5341　森本覺丹　　　高杉晉作
　　　　　　　　　　①東京　高山書院　昭和18年（1943）

②宇部　四季出版　昭和63年（1988）4月　296頁

5342　和田健爾　高杉晉作——志士の精神
　　　　　　　　東京　京文社　昭和18年（1943）

5343　奈良本辰也　高杉晉作
　　　　　　　　東京　中央公論社　昭和40年（1965）　200頁（中公新書）

5344　池田　瑜　高杉晉作と久坂玄瑞
　　　　　　　　東京　大和書房　昭和41年（1966）　229頁（大和選書）；
　　　　　　　　昭和47年（1972）新装版

5345　高杉東行先生百年祭奉贊會編　東行高杉晉作
　　　　　　　　下關　編者印行　昭和41年（1966）　515頁

5346　古川　薫　高杉晉作——戰鬥者の愛と死
　　　　　　　　①東京　新人物往來社　昭和48年（1973）218頁
　　　　　　　　②東京　新潮社　昭和60年（1985）9月　264頁（新潮文庫）

5347　杉田幸三　高杉晉作の生涯
　　　　　　　　東京　おりじん書房　昭和49年（1974）　404頁

5348　八尋舜右　高杉晉作——物語と史蹟をたずねて
　　　　　　　　①東京　成美堂　昭和51年（1976）　224頁
　　　　　　　　②東京　成美堂　平成7年（1995）2月　318頁（成美文庫）

5349　古川　薫　高杉晉作のすべて
　　　　　　　　東京　新人物往來社　昭和53年（1978）3月　322頁

5350　奈良本辰也　高杉晉作春秋と旅
　　　　　　　　東京　旺文社　昭和58年（1983）12月　144頁（旺文社人物
　　　　　　　　グラフィティ）

5351　山岡莊八　高杉晉作
　　　　　　　　山岡莊八全集　第43冊　東京　講談社　昭和59年（1984）3
　　　　　　　　月　484頁

5352　富成　博　高杉晉作
　　　　　　　　下關　長周新聞社　昭和60年（1985）5月　2版　388頁

5353　東行庵だより編輯部編　高杉晉作と維新の史跡
　　　　　　　　下關　編者印行　昭和61年（1986）4月　111頁

5354　會田雄次　龍馬と晉作——維新回天に命を賭けた二人の英傑の交遊と
　　　　　　　　生涯
　　　　　　　　東京　竹井出版　平成元年（1989）7月　264頁

5355　古川　薫　維新の烈風——吉田松陰と高杉晉作
　　　　　　　　東京　德間書房　平成2年（1990）1月　312頁（德間文庫）

5356　榛葉英治　　　奔れ晋作！——長州維新風雲錄

　　　　　　　　　東京　日本經濟新聞社　平成2年（1990）8月　360頁

5357　竹田眞砂子　　三千世界の鳥を殺し——高杉晋作と妻政子

　　　　　　　　　東京　祥傳社　平成3年（1991）3月　298頁

5358　古川　薰　　　わが風雲の詩

　　　　　　　　　東京　文藝春秋　平成3年（1991）9月　上・下冊（313頁，
　　　　　　　　　318頁）

5359　富成　博　　　高杉晋作詩と生涯

　　　　　　　　　東京　三一書房　平成4年（1992）1月　232頁

5360　一坂太郎　　　高杉晋作の手紙

　　　　　　　　　東京　新人物往來社　平成4年（1992）3月　301頁（日本手
　　　　　　　　　紙叢書）

5361　清永唯夫　　　維新を驅ける——吉田松陰と高杉晋作

　　　　　　　　　廣島　中國新聞社　平成4年（1992）8月　351頁

5362　南條範夫　　　少年行

　　　　　　　　　東京　講談社　平成4年（1992）10月　287頁

5363　霜月一生　　　回天の奇襲——高杉晋作

　　　　　　　　　東京　叢文社　平成4年（1992）10月　335頁

5364　未署名　　　　高杉東行先生

　　　　　　　　　下關　東行庵　平成4年（1992）11月　138頁（《日本及日
　　　　　　　　　本人》　677號重印）

5365　奈良本辰也等　高杉晋作をめぐる群像

　　　　　　　　　東京　青人社　平成5年（1993）9月　201頁（幕末・維新百
　　　　　　　　　人一話　3）

5366　小林良彰　　　市民革命の先驅者高杉晋作

　　　　　　　　　東京　三一書房　平成6年（1994）4月　204頁

5367　風卷絃一　　　高杉晋作のすべてがわかる本

　　　　　　　　　東京　三笠書房　平成6年（1994）4月　284頁（知的生きか
　　　　　　　　　た文庫）

5368　一坂太郎　　　高杉晋作覺え書

　　　　　　　　　下關　一坂太郎印行　平成6年（1994）10月　234頁

5369　中村吾郎　　　粹で過激で危險な男高杉晋作

　　　　　　　　　東京　鷹書房弓プレス　平成6年（1994）11月　254頁

5370　宮永　孝　　　高杉晋作の上海報告

　　　　　　　　　東京　新人物往來社　平成7年（1995）3月　261頁

5371　一坂太郎　　　高杉晋作漢詩改作の謎

世論時報社　平成7年（1995）　190頁

5372　學研編　　　　高杉晉作
　　　　　　　　　　東京　學研　平成8年（1996）　177頁（歷史群像シリーズ
　　　　　　　　　　46）

5373　富成　博　　　高杉晉作の生涯
　　　　　　　　　　東京　新人物往來社　平成8年（1996）　270頁

5374　日本史籍會編　奇兵隊日記
　　　　　　　　　①東京　日本史籍協會　大正7年（1918）
　　　　　　　　　②東京　東京大學出版會　昭和46年（1971）　4冊（日本史
　　　　　　　　　　籍協會叢書）

5375　福田善之　　　維新風雲錄　高杉晉作――あばれ奇兵隊
　　　　　　　　　　東京　大和書房　昭和42年（1967）　257頁

5376　田中　彰　　　高杉晉作と奇兵隊
　　　　　　　　　　東京　岩波書店　昭和60年（1985）10月　208，5頁（岩波
　　　　　　　　　　新書）

5377　未署名　　　　高杉晉作と奇兵隊
　　　　　　　　　　下關　東行庵　平成元年（1989）10月　160頁

八、獨立學派

1.三浦梅園（1723—1789）

著　作

5378　三浦梅園　　　價原
　　　　　　　　　　文政11年（1828）寫本

5379　三浦梅園　　　價原
　　　　　　　　　　大日本思想全集　第8卷　東京　大日本思想全集刊行會
　　　　　　　　　　昭和6年（1931）

5380　三浦梅園　　　價原
　　　　　　　　　　近世社會經濟學說大系　第17冊　東京　誠文堂新光社　昭
　　　　　　　　　　和10年（1935）

5381　三浦梅園　　　價原
　　　　　　　　　　日本哲學全書　第10卷　東京　第一書房　昭和11年（1936）

5382　三浦梅園　　　價原

　　　　　　　　　　日本哲學思想全書　第18卷　東京　平凡社　昭和31年
　　　　　　　　　　（1956）
5383　三浦梅園　　　價原
　　　　　　　　　　日本教育思想大系　第5冊　三浦梅園　東京　日本圖書セ
　　　　　　　　　　ンター　昭和51年（1976）
5384　三浦梅園著、白井淳三郎譯　現代語譯價原
　　　　　　　　　　①大分　白井淳三郎印行　昭和51年（1976）6月　56頁（梅
　　　　　　　　　　　園選集　第1卷）
　　　　　　　　　　②東京　山下愛子印行　昭和63年（1988）11月　129頁
5385　三浦梅園　　　玄語
　　　　　　　　　　寫本
5386　三浦梅園　　　玄語
　　　　　　　　　　大日本思想全集　第8卷　東京　大日本思想全集刊行會
　　　　　　　　　　昭和6年（1931）
5387　三浦梅園　　　玄語（抄）
　　　　　　　　　　日本哲學全書　第8卷　東京　第一書房　昭和11年（1936）
5388　三浦梅園　　　玄語
　　　　　　　　　　日本哲學思想全書　第1卷　東京　平凡社　昭和31年
　　　　　　　　　　（1956）
5389　三浦梅園　　　玄語
　　　　　　　　　　日本の思想　第18冊　東京　筑摩書房　昭和44年（1969）
5390　三浦梅園　　　玄語、玄語圖
　　　　　　　　　　日本思想大系　第41冊　東京　岩波書店　昭和57年（1982）
5391　三浦梅園　　　玄語
　　　　　　　　　　日本教育思想大系　第5冊　三浦梅園　東京　日本圖書セ
　　　　　　　　　　ンター　昭和51年（1976）
5392　三浦梅園著、山田慶兒譯　玄語（抄）
　　　　　　　　　　日本の名著　第20冊　東京　中央公論社　昭和57年（1982）
5393　三浦梅園　　　安永本玄語
　　　　　　　　　　近世儒家資料集成　第1、2卷　三浦梅園資料集（上、下）
　　　　　　　　　　　東京　ぺりかん社　平成元年（1989）
5394　三浦梅園　　　淨書本玄語
　　　　　　　　　　近世儒家資料集成　第2卷　三浦梅園資料集（下）　東京
　　　　　　　　　　ぺりかん社　平成元年（1989）
5395　三浦梅園　　　敢語
　　　　　　　　　　安永2年（1773）刊本

5396　三浦梅園　　　敢語
　　　　　　　　　　大阪　河內屋八兵衛印行　明和4年（1767）序　53丁
5397　三浦梅園　　　敢語
　　　　　　　　　　日本倫理彙編　第10冊　東京　育成會　明治34年（1901）
5398　三浦梅園　　　敢語
　　　　　　　　　　大日本思想全集　第8卷　東京　大日本思想全集刊行會
　　　　　　　　　　昭和6年（1931）
5399　三浦梅園　　　敢語
　　　　　　　　　　日本哲學思想全書　第14卷　東京　平凡社　昭和31年
　　　　　　　　　　（1956）
5400　三浦梅園　　　敢語
　　　　　　　　　　日本教育思想大系　第5冊　三浦梅園　東京　日本圖書セ
　　　　　　　　　　ンター　昭和51年（1976）
5401　三浦梅園　　　贅語2卷
　　　　　　　　　　天明6年（1786）刊本
5402　三浦梅園　　　贅語第5
　　　　　　　　　　大阪　加賀屋善藏等刊本　文政12年（1829）　2冊
5403　三浦梅園　　　贅語
　　　　　　　　　　日本倫理彙編　第10冊　東京　育成會　明治34年（1901）
5404　三浦梅園　　　贅語
　　　　　　　　　　大日本思想全集　第8卷　東京　大日本思想全集刊行會
　　　　　　　　　　昭和6年（1931）
5405　三浦梅園　　　贅語
　　　　　　　　　　日本教育思想大系　第5冊　三浦梅園　東京　日本圖書セ
　　　　　　　　　　ンター　昭和51年（1976）
5406　三浦梅園著、吉田忠譯　贅語（抄）
　　　　　　　　　　日本の名著　第20冊　東京　中央公論社　昭和57年（1982）
5407　三浦梅園　　　道德
　　　　　　　　　　日本哲學思想全書　第19卷　東京　平凡社　昭和31年
　　　　　　　　　　（1956）
5408　三浦梅園　　　養生訓不分卷
　　　　　　　　　　寫本
5409　三浦梅園　　　養生訓
　　　　　　　　　　日本教育思想大系　第5冊　三浦梅園　東京　日本圖書セ
　　　　　　　　　　ンター　昭和51年（1976）
5410　三浦梅園、白井淳三郎譯　現代語譯養生訓

　　　　　　　　大分　白井淳三郎印行　昭和56年（1981）8月　68頁（梅園
　　　　　　　　選集　第3卷）
5411　三浦梅園　　糸長本養生訓
　　　　　　　　大分縣安岐町　三浦梅園研究會　平成6年（1994）11月　1
　　　　　　　　冊
5412　三浦梅園　　塾制
　　　　　　　　日本教育思想大系　第5冊　三浦梅園　東京　日本圖書セ
　　　　　　　　ンター　昭和51年（1976）
5413　三浦梅園　　寓意不分卷
　　　　　　　　刊本
5414　三浦梅園　　寓意
　　　　　　　　日本倫理彙編　第10冊　東京　育成會　明治34年（1901）
5415　三浦梅園　　歸山錄
　　　　　　　　大日本思想全集　第8卷　東京　大日本思想全集刊行會
　　　　　　　　昭和6年（1931）
5416　三浦梅園　　歸山錄
　　　　　　　　日本哲學全書　第8卷　東京　第一書房　昭和11年（1936）
5417　三浦梅園　　歸山錄
　　　　　　　　日本教育思想大系　第5冊　三浦梅園　東京　日本圖書セ
　　　　　　　　ンター　昭和51年（1976）
5418　三浦梅園著、吉田忠譯　造物餘譚
　　　　　　　　日本の名著　第20冊　東京　中央公論社　昭和57年（1982）
5419　三浦梅園　　戲示學徒
　　　　　　　　日本哲學思想全書　第7卷　東京　平凡社　昭和31年（
　　　　　　　　1956）
5420　三浦梅園、白井淳三郎譯　現代語譯死生譚
　　　　　　　　大分　白井淳三郎印行　昭和57年（1982）　51頁（梅園選
　　　　　　　　集　第5卷）
5421　三浦梅園　　杵城遺事
　　　　　　　　大分縣安岐町　中尾彌三郎印行　平成7年（1995）1月　1
　　　　　　　　冊
5422　三浦梅園　　五月雨抄2卷
　　　　　　　　寫本
5423　三浦梅園、白井淳三郎譯　現代語譯五月雨抄
　　　　　　　　大分　白井淳三郎印行　昭和57年（1982）1月　67頁（梅園
　　　　　　　　選集　第4卷）

5424 三浦梅園　　　　梅園拾英
　　　　　　　　　日本教育思想大系　第5冊　三浦梅園　昭和6年（1931）
5425 三浦梅園　　　　梅園拾葉
　　　　　　　　　名家隨筆集（下）　東京　有朋堂書店　大正三年（1914）
　　　　　　　　　9月（有朋堂文庫）
5426 三浦梅園　　　　梅園拾葉3卷
　　　　　　　　　日本隨筆大成　第2期第5冊　東京　吉川弘文館　明和2年
　　　　　　　　　（1927）
5427 三浦梅園　　　　梅園後拾葉不分卷
　　　　　　　　　寫本
5428 三浦梅園　　　　梅園拾葉、梅園後拾葉
　　　　　　　　　日本教育思想大系　第5冊　三浦梅園　東京　日本圖書セ
　　　　　　　　　ンター　昭和51年（1976）
5429 三浦梅園　　　　詩轍6卷
　　　　　　　　　天明6年（1786）刊本
5430 三浦梅園　　　　詩轍6卷
　　　　　　　　　日本詩話叢書　第6、7卷　東京　文會堂書店　大正9年
　　　　　　　　　（1920）；東京　鳳出版　昭和47年（1972）
5431 小野精一編　　　三浦梅園書簡集
　　　　　　　　　東京　第一書房　昭和18年（1943）
5432 三浦梅園　　　　答多賀墨卿書不分卷
　　　　　　　　　寫本
5433 三浦梅園　　　　多賀墨にこたふる書不分卷
　　　　　　　　　寫本
5434 三浦梅園　　　　梅園叢書3卷
　　　　　　　　　安政2年（1855）刊本
5435 三浦梅園　　　　梅園叢書
　　　　　　　　　名家隨筆集（下）　東京　有朋堂書店　大正3年（1914）9
　　　　　　　　　月（有朋堂文庫）
5436 三浦梅園　　　　梅園叢書3卷
　　　　　　　　　日本隨筆集成　第1期第12冊　東京　吉川弘文館　昭和2年
　　　　　　　　　（1927）
5437 三浦梅園著、高田眞治校註　梅園叢書
　　　　　　　　　日本先哲叢書　第9冊　東京　廣文堂　昭和11、12年（1936、
　　　　　　　　　1937）
5438 三浦梅園　　　　梅園叢書

　　　　　　　日本教育思想大系　第5冊　三浦梅園　東京　日本圖書セ
　　　　　　　ンター　昭和51年（1976）
5439　大日本思想全集刊行會編　三浦梅園集
　　　　　　　大日本思想全集　第8卷　東京　編者印行　昭和6年（1931）
　　　　　　　價原
　　　　　　　玄語
　　　　　　　敢語
　　　　　　　贅語
　　　　　　　歸山錄
5440　島田虔次、田口正治校註　三浦梅園
　　　　　　　日本思想大系　第41冊　東京　岩波書店　昭和57年（1982）
　　　　　　　玄語
　　　　　　　玄語圖
　　　　　　　解說
　　　　　　　　玄語稿本について（田口正治）
　　　　　　　　三浦梅園の哲學（島田虔次）
　　　　　　　　玄語圖續圖について（尾形純男）
　　　　　　　　三浦梅園略年譜（田中正治）
　　　　　　　　「玄語圖」、「譬喻」索引
5441　日本圖書センター編　三浦梅園
　　　　　　　日本教育思想大系　第5冊　東京　編者印行　昭和51年
　　　　　　　（1976）
　　　　　　　玄語
　　　　　　　贅語
　　　　　　　敢語
　　　　　　　寓意
　　　　　　　價原
　　　　　　　歸山錄
　　　　　　　梅園叢書
　　　　　　　梅園拾葉
　　　　　　　梅園後拾葉
　　　　　　　梅園拾英
　　　　　　　養生訓
　　　　　　　塾訓
　　　　　　　附錄
　　　　　　　　梅園先生年譜（藤井專隨）

梅園先生著述年表（藤井專隨）
先府君攀山先生事狀
攀山先生墓表

5442　山田慶兒編　三浦梅園
日本の名著　第20冊　東京　中央公論社　昭和57年（1982）
黒い言葉の空間——三浦梅園の自然哲學（山田慶兒）
玄語（抄）（山田慶兒譯）
三浦梅園と自然科學（吉田忠）
贅語（抄）（吉田忠譯）
造物餘譚（吉田忠譯）
補注
年譜

5443　三枝博音編　三浦梅園集
東京　岩波書店　昭和27年（1953）　148頁
多賀墨郷君にこたふる書
價原
歸山錄草稿
先府君攀山先生行狀（三浦黃鶴著）

5444　三浦晉著、梅園會編　梅園全集
①東京　弘道館　大正元年（1912）　2冊
②東京　名著刊行會　昭和45年（1970）重印本　2冊
上卷
　玄語8卷
　贅語14卷
　敢語1卷
　通語1卷
　寓意1卷
　垂綸子1卷
　元熙論1卷
　死生譚1卷
　造物餘譚1卷
　身生餘譚1卷
　丙午封事1卷
　價原1卷
　豐後跡考1卷
　五月雨抄2卷

東遊草1卷
歸山錄2卷
名字私議1卷
先考三浦虎角居士行狀1卷
梅園先生年譜（藤井專隨編）
梅園先生著述年表（藤井專隨編）
先府君學山先生行狀（三浦黃鶴撰）
學山先生墓誌銘（福井軕撰）
　下卷
梅園叢書3卷
梅園拾葉3卷
梅園後拾葉1卷
梅園拾英1卷
愉婉錄2卷
養生訓1卷
塾制1卷
梅園讀法1卷
子歲漫錄1卷
詩輯5卷
獨嘯集1卷
春遊草1卷
梅園詩集2卷
梅園詩稿1卷
梅園文集1卷
書翰集1卷
　附錄
梅園玄語贅語刻料
杵城遺事
家庭指南（綾部絅齋）
和文家庭指南（綾部絅齋）
有終綾部先生花王園集（綾部絅齋）
祭學山三浦先生文（脇蘭室）
讀贅語賦寄三浦修齡（脇蘭室）
寄三浦修齡在京師（脇蘭室）
梅園先生肖像贊（帆足萬里）
本邦大儒（帆足萬里）

　　　　　攣溪（帆足萬里）
　　　　　圖翼引（矢野雛愚）
　　　　　祭洞仙先生文（矢野毅卿）
　　　　　讀玄語（矢野毅卿）
　　　　　梅園贅語上梓之引（矢野毅卿）
　　　　　寄三浦安定書翰（麻田剛立）
　　　　　寄加藤周平書翰（三浦修齡）
　　　　　思堂先生行狀（辻達）
　　　　　書杵城菅廟稗稿本之後（篠崎小竹）
　　　　　玄語贅語借覽公文書（帝國大學）
　　　　　作者之聖（元田　直）
　　　　　梅園先生逸話集（藤井專隨）

後人研究

5445　大分縣教育會編　大分縣六大偉人總合年譜
　　　　　大分縣　編者印行　昭和4年（1929）
5446　田口正治　三浦梅園玄語稿本の研究
　　　　　作者印行　昭和28年（1953）
5447　岩見輝彥　三浦梅園の聲主の學──《玄語》初期稿本の研究
　　　　　東京　汲古書院　507，19頁　平成2年（1990）7月
5448　三枝博音　「多賀墨卿君にこたふる書」解說
　　　　　日本科學古典全書　第1冊　東京　朝日新聞社　昭和19年
　　　　　（1944）
5449　西村天囚　三浦梅園
　　　　　學界の偉人　東京　梁江堂　明治44年（1911）
5450　武藤長平　三浦梅園と帆足萬里
　　　　　作者印行　大正4年（1915）
5451　大分縣東國東郡教育會編　梅園先生事歷
　　　　　大分縣　編者印行　大正12年（1923）
5452　篠崎篤三　慈悲無盡の創始者三浦梅園
　　　　　東京　中央社會事業協會社會事業研究所　昭和11年（1936）
　　　　　104頁（社會事業研究所報告　第2輯）
5453　高田眞治　三浦梅園の學風と南豐の儒學
　　　　　近世日本の儒學　東京　岩波書店　昭和14年（1939）
5454　三枝博音　三浦梅園の哲學

①東京　第一書房　昭和16年（1941）

②三枝博音著作集　第5卷　東京　中央公論社　昭和47年
　　（1972）

5455　三枝博音　　　　梅園哲學入門

①東京　第一書房　昭和18年（1943）

②三枝博音著作集　第5卷　東京　中央公論社　昭和47年
　　（1972）

5456　高橋誠一郎　　　梅園先生百五十年祭記念講演集

大分縣國東町　梅園先生百五十年祭執行委員會　昭和19年
（1944）　　98頁

5457　奈良本辰也　　　三浦梅園

日本の思想家　東京　毎日新聞社　昭和29年（1954）

5458　田口正治　　　　三浦梅園研究

九州儒學思想の研究　福岡　九州大學中國哲學研究室　昭
和32年（1957）

5459　田口正治　　　　三浦梅園

①東京　吉川弘文館　昭和42年（1967）　353頁（人物叢書）

②東京　吉川弘文館　平成元年（1989）6月　354頁（人物
　　叢書新装版）

5460　田口正治　　　　三浦梅園の研究

東京　創文社　昭和53年（1978）5月　47頁

5461　高橋正和　　　　三浦梅園の思想

東京　ぺりかん社　昭和56年（1981）5月　324頁

5462　橋尾四郎　　　　三浦梅園の教育思想研究

東京　吉川弘文館　昭和58年（1983）2月　329，2頁

5463　矢野義卿　　　　條理餘譚

別府　佐藤義詮印行　昭和61年（1986）11月　33頁

5464　山田慶兒　　　　黑い言葉の空間――三浦梅園の自然哲學

東京　中央公論社　昭和63年（1988）4月　394頁

5465　中尾彌三郎編　　三浦梅園外傳――逝去二百年紀念集

大分縣安崎町　三浦梅園研究會　昭和63年（1988）11月
改訂2版　844頁

5466　小川晴久　　　　三浦梅園の世界――空間論と自然哲學

東京　花傳社　平成元年（1989）11月　164頁

5467　高橋正和　　　　三浦梅園

叢書日本の思想家　第23冊　東京　明德出版社　平成3年

（1991）9月　234頁

5468　狹間　久　　　三浦梅園の世界

大分　大分合同新聞社　平成3年（1991）11月　263頁

5469　Miura, Baien,（三浦梅園，1723—1789）　Deep words: Miura Baien's
system of natural philosophy. translation and
philosophical commentary by Rosemary Mercer. Leiden; E.J.
Brill, 1991. x, 216 p. (Philosophy of history and cluture,
0922-6001; v.5)

5470　三浦幸一郎　　三浦梅園の生涯

福岡　作者印行　平成4年（1992）9月　255頁

5471　和田耕作　　　安藤昌益と三浦梅園

東京　甲陽書房　平成4年（1992）10月　305頁

5472　阿部隆一編　　三浦梅園自筆稿本並舊藏書解題

大分縣安歧町　三浦梅園文化財保存會　昭和54年（1979）
5月　271頁

5473　李威周　　　　三浦梅園的哲學思想

中日哲學思想論集　頁225—258　濟南　齊魯書社　平成4
年（1992）4月

5474　梅園學會　　　梅園學會報

昭和51年（1976）5月創刊　東京　梅園學會

5475　白井淳三郎編　梅園選集

昭和51年（1976）12月創刊　大分　白井淳三郎印行

2.脇　愚山（1764—1814）

わき　　ぐ　ざん

著　作

5476　脇　蘭室　　　見し世の人の記1卷

續日本隨筆大成　第3冊　東京　吉川弘文館　昭和54年
（1979）

5477　荏戸鵬著、脇蘭室譯　譯翹楚編

嘉永4年（1851）荒木寫本

5478　脇蘭室著、帆足萬里校　蘭室集略12卷

文化10年（1813）江戶須原屋茂兵衛刊本

5479　脇蘭室著、帆足萬里校　蘭室先生集略續編8卷

　　　　　　文化9年（1812）大阪加賀屋美藏刊本
5480　久多羅木儀一郎編　脇蘭室全集
　　　①大分縣鶴崎　編者印行　昭和5年（1930）　1冊
　　　②下關　脇蘭室全集刊行會　昭和55年（1980）　634頁
　　　論策
　　　　　代頌編
　　　　　學校私說
　　　　　壬申封事附學校二事
　　　　　煙霞
　　　　　間事2卷
　　　　　陽春獻言
　　　　　國用格
　　　　　治教合一圖解
　　　　　民田疑問一條
　　　　　邊備略
　　　　　鶴崎夜話2卷
　　　教育
　　　　　淳風會講旨
　　　　　同約詳說
　　　　　入學生徒姓名簿
　　　　　門人姓名錄
　　　史傳
　　　　　澤銀台遺事3卷
　　　　　顏子
　　　　　黨民流說5卷
　　　詩文
　　　　　蘭室集略12卷
　　　　　蘭室先生集略續編8卷
　　　　　記事
　　　　　蘭室集拾遺
　　　和歌
　　　　　籬草
　　　　　わらべ歌
　　　　　人名二十首
　　　　　國詩評語
　　　紀行

　　　　　　　　　往還蹤
　　　　　　　　　瀧のやどり
　　　　　　　　隨筆
　　　　　　　　　見し世の人の記
　　　　　　　　　菡海漁談2巻
　　　　　　　　　鳳偓
　　　　　　　　　安支波藝
　　　　　　　　雜纂
　　　　　　　　　御內意之覺
　　　　　　　　　雜草
　　　　　　　　　竹山先生答問書
　　　　　　　　　雜抄
　　　　　　　　　蘭室小品五篇
　　　　　　　　家事
　　　　　　　　　家事注
　　　　　　　　　家說考
　　　　　　　　　芒の箸
　　　　　　　　　愚山遺訓
　　　　　　　　　肖像畫裏書
　　　　　　　　　日識
　　　　　　　　　蘭室藏書目錄
　　　　　　　　　松島壽頌
　　　　　　　　　哲吉考課
　　　　　　　　　早梅考課
　　　　　　　　餘錄
　　　　　　　　　諸家見贈文集
　　　　　　　　　蘭室關係文集
　　　　　　　　　脇愚山
　　　　　　　　　脇蘭室先生年譜
　5481　久多羅木儀一郎編　脇蘭室全集
　　　　　　　大分市　雙林社　昭和55年（1980）　1冊
　　　　　　　解題
　　　　　　　論策
　　　　　　　　代頌編
　　　　　　　　學校私說
　　　　　　　　壬申封事附學校二事

煙霞

間事2巻

附法令之條演說

陽春獻言

國用略

治教合一圖解

民田疑問一條

邊備略

鶴崎夜話

教育

淳風會講旨

淳風會約詳說

入學生徒姓名簿

門人姓名錄

史傳

澤銀台遺事3巻

顏子

黨民流說5巻

詩文

蘭室集略12巻

蘭室先生集略續編8巻

記事

蘭室集拾遺

和歌

籬草5巻

わらべ歌

人名二十首

國詩評語

紀行

往還蹤

瀧のやどり

隨筆

見し世の人の記

菡海漁談2巻

鳳偓

安支波藝

　　　　　歳蘭漫語
　　　　　情關
　　　　　殘菊
　　　　　桂華の卷
　　　　　桃華の卷
　　　　雜纂
　　　　　御內意之覺
　　　　　雜草
　　　　　竹山先生答問書
　　　　　雜抄
　　　　　蘭室小品五篇
　　　　家事
　　　　　家事注
　　　　　家說考
　　　　　芒の箸
　　　　　愚山遺訓
　　　　　肖像畫裏書
　　　　　日識
　　　　　蘭室藏書目錄
　　　　　松島壽頌
　　　　　哲吉考課
　　　　　早梅考課
　　　　餘錄
　　　　　諸家見贈文集
　　　　　蘭室關係文集
　　　　　脇愚山（西村天囚）
　　　　　脇愚山肥後先哲偉蹟拔萃
　　　　　脇蘭室先生年譜

後人研究

5482　筒井清彦　　愚山脇蘭室先生
　　　　　　　　　大分縣日出町　豐岡小學校創立百周年紀念行事事業達成會
　　　　　　　　　昭和49年（1974）　58頁
5483　帆足圖南次　脇愚山
　　　　　　　　　叢書日本の思想家　第33冊　東京　明德出版社　昭和53年

（1978）2月（與帆足萬里合冊）

5484　筒井清彦　　　脇蘭室
　　　　　　　　　大分　大分縣教育委員會　昭和55年（1980）2月　124頁
　　　　　　　　　（郷土の先覺者シリーズ　第10集）

<ruby>帆<rt>ほ</rt></ruby><ruby>足<rt>あし</rt></ruby><ruby>萬<rt>ばん</rt></ruby><ruby>里<rt>り</rt></ruby>

3.帆足萬里（1778—1852）

著　作

5485　帆足萬里　　　標註論語集註10卷4冊
　　　　　　　　　和本
5486　帆足萬里　　　標註孟子集註7卷
　　　　　　　　　和本
5487　帆足萬里　　　標註大學章句1冊
　　　　　　　　　文久2年（1862）刊本
5488　帆足萬里　　　標註中庸章句1卷1冊
　　　　　　　　　和本
5489　帆足萬里　　　中庸解1冊
　　　　　　　　　寫本
5490　帆足萬里　　　四書五經標註
　　　　　　　　　嘉永5年（1852）刊本
5491　帆足萬里　　　戰國策標註1冊
　　　　　　　　　明治2年（1869）寫本
5492　帆足萬里　　　莊子解1冊
　　　　　　　　　寫本
5493　帆足萬里　　　呂氏春秋標註1冊
　　　　　　　　　寫本
5494　帆足萬里　　　入學新論1卷
　　　　　　　　　天保刊本
5495　帆足萬里　　　入學新論1冊
　　　　　　　　　天保14年（1843）序刊本
5496　帆足萬里　　　入學新論1冊
　　　　　　　　　天保15年（1844）刊本
5497　帆足萬里　　　入學新論
　　　　　　　　　日本倫理彙編　第10冊　東京　育成會　明治34年（1901）；

京都　臨川書店　昭和45年（1970）

5498　帆足萬里　　　入學新論
　　　　　　　　　　日本思想大系　第47冊　近世後期儒家集　東京　岩波書店
　　　　　　　　　　昭和47年（1972）

5499　帆足萬里著、元田彝校　入學新論
　　　　　　　　　　日本隨筆集成　第10輯　東京　古典研究會　昭和53年
　　　　　　　　　　（1978）

5500　帆足萬里　　　原教1冊
　　　　　　　　　　寫本

5501　帆足萬里　　　東潛夫論3卷
　　　　　　　　　　寫本

5502　帆足萬里　　　東潛夫論
　　　　　　　　　　日本文庫　第1編　東京　博文館　明治24年（1891）

5503　帆足萬里　　　東潛夫論
　　　　　　　　　　日本經濟大典　第38冊　昭和5年（1930）

5504　帆足萬里著、帆足圖南次校訂解說　東潛夫論
　　　　　　　　　　東京　岩波書店　昭和16年（1941）（岩波文庫）

5505　帆足萬里　　　窮理通1冊
　　　　　　　　　　寫本

5506　帆足萬里　　　窮理通5卷8冊
　　　　　　　　　　寫本

5507　帆足萬里　　　窮理通6卷
　　　　　　　　　　安定3年（1856）刊本

5508　帆足萬里　　　窮理通6卷
　　　　　　　　　　萬延元年（1860）刊本

5509　帆足萬里　　　窮理小言2卷
　　　　　　　　　　文化14年（1817）　川谷愚寫本

5510　帆足萬里　　　窮理通解1冊
　　　　　　　　　　寫本

5511　帆足萬里　　　井樓纂輯4卷4冊
　　　　　　　　　　天保12年（1841）刊本

5512　帆足萬里　　　井樓纂聞4卷4冊（附：巖屋完筆志）
　　　　　　　　　　天保15年（1844）刊本

5513　帆足萬里　　　巖屋完節志
　　　　　　　　　　天保15年（1844）刊本

5514　帆足萬里　　　修辭通1冊

　　　　　　　　　　　　寫本

5515　帆足萬里　　　修辭通1冊
　　　　　　　　　　　荒木健寫本

5516　帆足萬里　　　修辭通1冊
　　　　　　　　　　　嘉永3年（1850）佐野修省寫本

5517　帆足萬里著、帆足亮吉校訂　修辭通
　　　　　　　　　　　明治13年（1880）刊本

5518　帆足萬里　　　假名考1冊
　　　　　　　　　　　寫本

5519　帆足萬里　　　假名考1冊
　　　　　　　　　　　弘化4年（1847）序刊本

5520　帆足萬里　　　假名考
　　　　　　　　　　　嘉永2年（1849）刊本

5521　帆足萬里　　　醫學啓蒙1冊
　　　　　　　　　　　嘉永3年（1850）序刊本

5522　帆足萬里　　　三教大意1冊（附：帆足萬里先生家訓）
　　　　　　　　　　　寫本

5523　帆足萬里　　　肄業餘稿1冊
　　　　　　　　　　　寫本

5524　帆足萬里　　　肄業餘稿2卷
　　　　　　　　　　　文政5年（1822）荒木健寫本

5525　帆足萬里　　　肄業餘稿2卷
　　　　　　　　　　　文政11年（1828）荒木立誠寫本

5526　帆足萬里　　　梅園拾葉
　　　　　　　　　　　日本倫理彙編　第10冊　東京　育成會　明治34年（1901）；
　　　　　　　　　　　京都　臨川書店　昭和45年（1970）

5527　小野精一　　　帆足萬里書簡集
　　　　　　　　　　　編者印行　昭和13年（1938）　1冊

5528　石川總弘編　　西崎餘稿2卷
　　　　　　　　　　　安政元年（1854）刊本

5529　帆足萬里　　　帆足先生文集3卷
　　　　　　　　　　　弘化4年（1847）序刊本

5530　帆足萬里　　　帆足先生詩集拾遺1冊
　　　　　　　　　　　荒木健寫本

5531　帆足萬里　　　梅園叢書
　　　　　　　　　　　日本倫理彙編　第10冊　東京　育成會　明治34年（1901）；

　　　　　　　　京都　臨川書店　昭和45年（1970）

5532　帆足紀念圖書館編　帆足萬里全集
　　　　　　　　大分縣日出町　該館　大正15年（1926）　1冊
　　　　　　　　上卷
　　　　　　　　　入學新論
　　　　　　　　　東潛夫論
　　　　　　　　　窮理通
　　　　　　　　　井樓纂聞
　　　　　　　　　巖屋完節志
　　　　　　　　　修辭通
　　　　　　　　　假名考
　　　　　　　　　醫學啓蒙
　　　　　　　　　三教大意
　　　　　　　　　宋名臣言行錄評
　　　　　　　　　日出孝子傳
　　　　　　　　　肆業餘稿
　　　　　　　　　帆足先生文集
　　　　　　　　　西崦先生餘稿
　　　　　　　　　年譜
　　　　　　　　　小傳
　　　　　　　　　墓碑銘
　　　　　　　　　題言
　　　　　　　　下卷
　　　　　　　　　大學標註
　　　　　　　　　論語標註
　　　　　　　　　孟子標註
　　　　　　　　　中庸標註
　　　　　　　　　書經標註
　　　　　　　　　周易標註
　　　　　　　　　春秋左氏傳標註
　　　　　　　　　莊子解
　　　　　　　　　呂子春秋標註
　　　　　　　　　荀子標註
　　　　　　　　　國語標註

5533　帆足紀念圖書館編　增補帆足萬里全集
　　　　　　　　東京　ぺりかん社　昭和63年（1988）7月　4冊

後人研究

5534 大分縣教育會編　大分縣六大偉人綜合年譜
　　　　　　　　　　大分　編者印行　昭和4年（1929）

5535 帆足紀念文庫　帆足萬里先生略傳
　　　　　　　　　　編者印行　明治44年（1911）

5536 帶刀次六　　　帆足萬里
　　　　　　　　　　東京　環翠書院　大正2年（1913）

5537 武藤長平　　　三浦梅園と帆足萬里
　　　　　　　　　　作者印行　大正4年（1915）

5538 帆足萬里先生刊行會　帆足萬里先生
　　　　　　　　　　作者印行　大正15年（1926）

5539 出田　新　　　偉人帆足萬里
　　　　　　　　　　東京　學士會　昭和11年（1936）

5540 三枝博音　　　《窮理通》解說
　　　　　　　　　　日本科學古典全書　第1冊　東京　朝日新聞　昭和19年
　　　　　　　　　　（1944）

5541 久多羅木儀一郎　帆足萬里略傳
　　　　　　　　　　帆足萬里先生百年祭協贊會　昭和26年（1951）

5542 帆足圖南次　　帆足萬里の理解のために
　　　　　　　　　　作者印行　昭和26年（1951）

5543 帆足圖南次　　帆足萬里
　　　　　　　　　　①東京　吉川弘文館　昭和41年（1966）　281頁　（人物叢
　　　　　　　　　　　書）
　　　　　　　　　　②東京　吉川弘文館　平成2年（1990）1月　281頁　（人物
　　　　　　　　　　　叢書新裝版）

5544 萬里圖書館編　萬里祭記念講演集
　　　　　　　　　　大分縣日出町　編者印行　昭和43年（1968）　50頁（圖書
　　　　　　　　　館叢書　第1集）
　　　　　　　　　　萬里先生の事業と學問（土屋元作）
　　　　　　　　　　帆足萬里の學問乃び思想（三枝博音）
　　　　　　　　　　帆足先生について（宇野哲人）
　　　　　　　　　　帆足萬里略年譜
　　　　　　　　　　帆足萬里參考書目

5545 帆足圖南次　　帆足萬里
　　　　　　　　　　叢書日本の思想家　第33冊　東京　明德出版社　昭和53年

（1978）2月（與脇愚山合冊）

5546　高橋英義　　帆足萬里先生門人考
　　　　　　　　大分縣日出町　町立萬里圖書館　昭和56年（1981）6月
　　　　　　　　100頁

5547　帆足圖南次　帆足萬里と醫學
　　　　　　　　東京　甲陽書房　昭和58年（1983）11月　148頁

5548　宇野木好雄　帆足萬里先生小傳——日出っ子よ學んで欲しい
　　　　　　　　大分縣　日出町　作者印行　平成3年（1991）3月　114頁

5549　狹間　久　　帆足萬里の世界
　　　　　　　　大分　大分合同新聞社　平成5年（1993）6月　251頁

4.二　宮　尊　德（1787—1856）
にのみやそんとく

著　作

5550　二宮尊德　　仕法篇
　　　　　　　　大日本思想全集　第14卷　東京　大日本思想全集刊行會
　　　　　　　　昭和6年（1931）

5551　二宮尊德著、安達淑子譯　仕法關係諸篇
　　　　　　　　日本の名著　第26冊　東京　中央公論社　昭和45年（1970）

5552　二宮尊德　　仕法四種
　　　　　　　　日本思想大系　第52冊　東京　岩波書店　昭和48年（1973）

5553　二宮尊德　　仕法雜事
　　　　　　　　近世社會經濟學說大系　第5冊　二宮尊德　東京　誠文堂
　　　　　　　　新光社　昭和10年（1935）

5554　二宮尊德　　三才報德金毛錄
　　　　　　　　近世社會經濟學說大系　第5冊　二宮尊德　東京　誠文堂
　　　　　　　　新光社　昭和10年（1935）

5555　二宮尊德　　三才報德金毛錄
　　　　　　　　日本思想大系　第52冊　東京　岩波書店　昭和48年（1973）

5556　二宮尊德著、兒玉幸多譯　三才報德金毛錄
　　　　　　　　日本の名著　第26冊　東京　中央公論社　昭和45年（1970）

5557　二宮尊德　　萬物發言集
　　　　　　　　大日本思想全集　第14卷　東京　大日本思想全集刊行會
　　　　　　　　昭和6年（1931）

5558 二宮尊德　　　萬物發言集
　　　　　　　　近世社會經濟學說大系　第5冊　二宮尊德　東京　誠文堂
　　　　　　　　新光社　昭和10年（1935）
5559 二宮尊德　　　報德訓（原始篇）
　　　　　　　　近世社會經濟學說大系　第5冊　二宮尊德　東京　誠文堂
　　　　　　　　新光社　昭和10年（1935）
5560 二宮尊德　　　報德訓
　　　　　　　　近世社會經濟學說大系　第5冊　二宮尊德　東京　誠文堂
　　　　　　　　新光社　昭和10年（1935）
5561 二宮尊德　　　報德記
　　　　　　　　大日本思想全集　第14卷　東京　大日本思想全集刊行會
　　　　　　　　昭和6年（1931）
5562 二宮尊德著、積善美惠子譯　報德記
　　　　　　　　日本の名著　第26冊　東京　中央公論社　昭和45年（1970）
5563 二宮尊德著、齋藤高行編　報德外記
　　　　　　　　大日本文庫　第7冊　東京　大日本文庫刊行會　昭和9年
　　　　　　　　（1934）
5564 二宮尊德著、松本純郎校註　報德外記
　　　　　　　　日本學叢書　第13卷　東京　雄山閣　昭和13年（1938）
5565 二宮尊德著、齋藤高行編　報德外記
　　　　　　　　日本倫理彙編　第3冊　東京　育成會　明治34年（1901）
5566 二宮尊德　　　報德見聞記
　　　　　　　　日本教育寶典　第3冊　東京　玉川大學出版部　昭和40年
　　　　　　　　（1965）
5567 二宮尊德　　　報德教林（抄）
　　　　　　　　日本教育寶典　第3冊　東京　玉川大學出版部　昭和40年
　　　　　　　　（1965）
5568 二宮尊德　　　貧富訓
　　　　　　　　近世社會經濟學說大系　第5冊　東京　二宮尊德　誠文堂
　　　　　　　　新光社　昭和10年（1935）
5569 二宮尊德　　　大圓鏡（抄）
　　　　　　　　近世社會經濟學說大系　第5冊　東京　二宮尊德　誠文堂
　　　　　　　　新光社　昭和10年（1935）
5570 二宮尊德　　　教訓篇
　　　　　　　　大日本思想全集　第14卷　東京　大日本思想全集刊行會
　　　　　　　　昭和6年（1931）

5571　二宮尊德　　　悟道理論
　　　　　　　　　　大日本思想全集　第14卷　東京　大日本思想全集刊行會
　　　　　　　　　　昭和6年（1931）

5572　二宮尊德　　　天錄增減鏡（抄）
　　　　　　　　　　近世社會經濟學說大系　第5冊　二宮尊德　東京　誠文堂
　　　　　　　　　　新光社　昭和10年（1935）

5573　二宮尊德　　　讓道訓
　　　　　　　　　　近世社會經濟學說大系　第5冊　二宮尊德　東京　誠文堂
　　　　　　　　　　新光社　昭和10年（1935）

5574　二宮尊德　　　讓奪辨
　　　　　　　　　　近世社會經濟學說大系　第5冊　二宮尊德　東京　誠文堂
　　　　　　　　　　新光社　昭和10年（1935）

5575　二宮尊德　　　未定稿
　　　　　　　　　　近世社會經濟學說大系　第5冊　二宮尊德　東京　誠文堂
　　　　　　　　　　新光社　昭和10年（1935）

5576　二宮尊德　　　農家大道鏡（抄）
　　　　　　　　　　近世社會經濟學說大系　第5冊　二宮尊德　東京　誠文堂
　　　　　　　　　　新光社　昭和10年（1935）

5577　二宮尊德著、福住正兄記　二宮翁夜話
　　　　　　　　　　靜岡　報德社　明治17—20年（1884—1887）　5冊

5578　二宮尊德　　　二宮翁夜話
　　　　　　　　　　大日本思想全集　第14卷　東京　大日本思想全集刊行會
　　　　　　　　　　昭和6年（1931）

5579　二宮尊德著、福住正兄記　二宮翁夜話（抄）
　　　　　　　　　　近世社會經濟學說大系　第5冊　二宮尊德　東京　誠文堂
　　　　　　　　　　新光社　昭和10年（1935）

5580　二宮尊德　　　二宮翁夜話（抄）
　　　　　　　　　　日本教育寶典　第3冊　東京　玉川大學出版部　昭和40年
　　　　　　　　　　（1965）

5581　二宮尊德　　　二宮翁夜話（抄）
　　　　　　　　　　日本の思想　第18冊　東京　筑摩書房　昭和44年（1969）

5582　二宮尊德　　　二宮翁夜話
　　　　　　　　　　日本思想大系　第52冊　東京　岩波書店　昭和48年（1973）

5583　二宮尊德著、兒玉幸多譯　二宮翁夜話
　　　　　　　　　　日本の名著　第26冊　東京　中央公論社　昭和45年（1970）

5584　二宮尊德著，奈良本辰也、左方郁子編譯　二宮翁夜話

東京　德間書店　昭和53年（1978）11月　227頁

5585　齋藤高行編　　二宮先生語錄
　　　靜岡　報德學圖書館　明治38年（1905）12月　196頁

5586　齋藤高行述　　二宮先生語錄
　　　日本倫理彙編　第3冊　東京　育成會　昭和34年（1901）

5587　齋藤高行述　　二宮先生語錄（抄）
　　　日本教育寶典　第2冊　東京　玉川大學出版部　昭和40年
　　　（1965）

5588　齋藤高行述　　二宮先生語錄
　　　大日本文庫　第7冊　東京　大日本文庫刊行會　昭和9年
　　　（1934）

5589　平林久男　　　註釋二宮語錄
　　　東京　霞關書房　昭和17年（1942）

5590　中里介山編　　二宮尊德言行錄
　　　東京　內外出版協會　明治40年（1907）7月　220頁（偉人
　　　研究　第6編）；昭和40年（1907）12月改版　159頁；明治
　　　42年（1909）6月增訂版　177頁

5591　二宮尊德著、二宮尊親編　道歌集
　　　福島縣石神村　興復社　明治30年（1897）6月　20丁

5592　二宮尊德著、二宮尊親編　道歌集──二宮尊德翁遺詠
　　　東京　有鄰堂　明治30年（1897）

5593　八木繁樹編　二宮尊德道歌集
　　　東京　綠蔭書房　昭和57年（1982）10月　401頁

5594　二宮尊德　　尊德書翰集
　　　大日本思想全集　第14卷　東京　大日本思想全集刊行會
　　　昭和6年（1931）

5595　二宮尊德著、安達淑子譯　書簡
　　　日本の名著　第26冊　東京　中央公論社　昭和45年（1970）

5596　二宮尊德著、安達淑子譯　日記
　　　日本の名著　第26冊　東京　中央公論社　昭和57年（1982）

5597　大日本思想全集刊行會編　二宮尊德集
　　　東京　大日本思想全集刊行會　昭和6年（1931）
　　　宇宙の變化と調和
　　　悟道理論
　　　人の運を開く法
　　　萬物發言集

　　　　　　　君子と小人

　　　　　　　天安に安人ずべし

　　　　　　　富國安民實地正業取行方

　　　　　　　極難貧者救助人選方

　　　　　　　教訓篇

　　　　　　　仕法篇

　　　　　　　報德記

　　　　　　　二宮翁夜話

　　　　　　　尊德書翰集

5598　近世社會經濟學說刊行會　二宮尊德集

　　　　　　　東京　誠文堂新光社　昭和10年（1935）

　　　　　　　萬物發言集

　　　　　　　大圓鏡（抄）

　　　　　　　報德訓（原始篇）

　　　　　　　三才報德金毛錄

　　　　　　　天錄增減鏡（抄）

　　　　　　　吉凶助成哀悅下案

　　　　　　　盛衰存亡天命自然取調帳

　　　　　　　農家大道鏡（抄）

　　　　　　　未定稿

　　　　　　　報德訓

　　　　　　　貧富訓

　　　　　　　讓奪辨

　　　　　　　讓道訓

　　　　　　　鍬鎌の辭

　　　　　　　德と貴との辨

　　　　　　　孝不孝の論

　　　　　　　二宮翁夜話（抄）

5599　武田勘治編　　二宮尊德教育說選集

　　　　　　　日本教育文庫　第9冊　東京　第一出版協會　昭和11年

　　　　　　　（1936）

5600　鴇田惠吉　　　二宮尊德選集

　　　　　　　東京　讀書新報社　昭和18年（1943）

5601　奈良本辰也、中井信彦校注　二宮尊德

　　　　　　　日本思想大系　第52冊　東京　岩波書店　昭和48年（1973）

　　　　　　　三才報德金毛錄

```
                    仕法四種
                    二宮翁夜話
5602   兒玉幸多編   二宮尊德
                    日本の名著　第26冊　東京　中央公論社　昭和45年（1970）
                    人間と大地との對話（兒玉幸多）
                    報德記（善積美惠子譯）
                    二宮翁夜話（兒玉幸多譯）
                    三才報德金毛錄（兒玉幸多譯）
                    仕法關係諸篇（安達淑子譯）
                    書簡（安達淑子譯）
                    日記（安達淑子譯）
                    補注
                    年譜
5603   二宮尊德偉業宣揚會　二宮尊德全集
                    靜岡縣　該會　昭和2—7年（1927—1932）　　36冊
                    東京　龍溪書舍　昭和52年（1977）　　36冊
                    第1卷　原理
                      三才報德金毛錄
                      大圓鏡
                      空仁二名論稿
                      一體三行錄
                      萬物一圓鏡草稿
                      百種輪迴鏡
                      天命七元圖
                      三世觀通悟道傳
                      三世觀通悟道傳
                      萬物發言集草稿
                      悟道草書帳
                      未定稿
                      悟道理論草稿
                      日記（天保4年）
                      報德訓
                      天祿增減鏡草稿
                      一器水動不增不減鏡
                      萬物知止編草稿
                      驕儉盛衰鏡
```

大數現量鏡

數量根元幷地積の計算

常船現量鏡

自治辨齋錄

三才獨樂集

農家大道鏡

身命保養自然談草稿

錢金米三種配當有定鏡

鍬鎌二種配當有定鏡

牛馬二種配當有定鏡

柱杭棒三種配當有定鏡

八種產業自然談草稿

六穀產業談草稿

開發勤行談草稿

一鍬耕耘談草稿

一株植附談草稿

一株刈取談草稿

往來自然談草稿

報德積善談草稿1—6

報德積善談草稿弘化2

富家繁榮談

報德安樂談

御仕法手段集下案

御仕法向決斷書下案

雜集

吉凶助成哀悅下案

郡村當時盛衰存亡天命自然取調帳

報德社令條

目寫

御仕法取扱に付可心掛條條

調物跋文規範

仕法雛形に關する其他の書類

第5卷　日記中卷
　弘化元年—嘉永2年
第5卷　日記下卷
　嘉永三年—安政四年
第6卷　書翰1
　文政7年—天保13年
第7卷　書翰2
　天保14年—弘化4年
第8卷　書翰3
　嘉永元年—嘉永5年
第9卷　書翰4
　嘉永5年—安政6年
第10卷　仕法
　櫻町領1
　　宇津家御代代御定法書寫
第10卷　仕法
　櫻町領2
　　文政7年重要出入帳他
第12卷　仕法
　櫻町領3
　　當座金銀米錢出入帳他
第13卷　仕法
　櫻町領4
　　御物成本免積立帳他
第14卷　仕法
　小田原領1
　　小田原城中書上ヶ書他
第15卷　仕法
　小田原領2
　　三才報德元恕金貸付他
第16卷　仕法
　小田原領3
　　御領分貸金元分帳他
第17卷　仕法
　小田原領4
　　借用金取調帳他

活法經濟論
報德學齋家談
大日本信用組
合報德結社論
治國指掌二宮大先生傳記
淡山論集
二宮尊親選集
報德分度論

5604　吉地昌一編　　解說二宮尊德全集
二宮尊德全集刊行會　昭和12、13年（1937、1938）　6冊
第1　生活原理篇
自序及總說
日本精神と報德精神
三才報德金毛錄
大丹鏡並に無題
百種輪迴
空仁二名論稿
一體三行と萬物一圓
萬物發言集
報德訓
悟道書類と教訓篇
天祿增減鏡
農家大道
三才獨樂集と俳句
萬物知止篇其他
報德教訓書類
報德分度論
第2　實踐事業篇
農村更生と二宮精神
尊德をめぐる人人
二宮家の系圖
個人仕法
一家の再興
本家の再興
服部家の仕法
藩政獻議と家財整理

第6　現代事業篇
　　總說
　　報德運動の實相
　　農山漁村の經濟更生と報德仕法
　　新興報德運動
　　大日本報德社の概況
　　杉山報德社の概要
　　三遠農學社と報德農業道
　　二宮尊親と興復社
　　實踐事業篇第2卷續篇

5605　二宮尊德全集刊行會編　二宮尊德新撰集
　　該會　昭和13、14年（1938、1939）　6冊
　　第1卷　尊德生活原理要說
　　第2卷　尊德興國事業要說
　　第3卷　尊德報德記要說
　　第4卷　尊德夜話語錄要說
　　第5卷　尊德逸話教訓要說
　　第6卷　尊德實踐指導要說

5606　吉地田一編・解說　二宮尊德全集
　　福村書店　昭和32年（1957）7月
　　第1、2
　　　二宮翁夜話上・下
　　第3
　　　基本の哲理
　　第4
　　　生活原理
　　第5
　　　思想と事業
　　第6
　　　文學と語錄
　　第7
　　　報德記（富田高慶著、吉地昌一譯）

5607　加藤仁平編著　二宮尊德全集補遺
　　藤澤市　報德同志會　昭和46年（1971）　1冊
　　前編　研究の部
　　　二宮哲學の象徵としてのお手作りの「木の玉」他6章

　　　　　　　後編　資料の部
　　　　　　　　「木の玉」の寫眞
　　　　　　　　福山瀧助より三河國報德社への讓り狀影印
　　　　　　　　報德見聞記（川崎屋孫右衛門）
　　　　　　　　報德金土台帳第1卷　影印
　　　　　　　　暮方取直相續手段金貸附帳第1卷　影印
　　　　　　　　富田高慶との對話（野村通太郎）
　　　　　　　　大原遺稿（齋藤高行）卷1—2　影印
　　　　　　　　富國策（岡田淡山）影印
　　　　　　　　三才報德金毛錄（二宮尊德）影印

後人研究

5608　岩崎敏夫　　　二宮尊德仕法の研究——相馬藩を中心として
　　　　　　　　　　東京　錦正社　昭和45年（1970）　242頁（國學研究叢書
　　　　　　　　　　第2編）
5609　岩崎敏夫　　　二宮尊德の相馬仕法
　　　　　　　　　　東京　錦正社　昭和62年（1987）8月　242頁（國學研究叢
　　　　　　　　　　書　第2編）（《二宮尊德仕法の研究》改名）
5610　佐藤高俊編　　二宮仕法關係事項
　　　　　　　　　　相馬　相馬鄉土研究會
　　　　　　　　　　上冊　昭和52年（1977）10月　48頁（相馬鄉土研究會資料
　　　　　　　　　　　　　叢書　第16輯）
　　　　　　　　　　下冊　昭和53年（1978）2月　44頁（相馬鄉土研究會資料叢
　　　　　　　　　　　　　書　第17輯）
5611　八木繁樹　　　《報德記》を讀む——われら今日何を爲すべきか著
　　　　　　　　　　東京　總合社　平成4年（1992）11月　168頁
5612　八木繁樹譯註　久遠の道標——二宮夜話精說
　　　　　　　　　　靜岡　靜岡新聞社　昭和50年（1975）　454頁
5613　佐佐井典比古編　二宮尊德「語錄」「夜話」抄
　　　　　　　　　　東京　心交會　昭和60年（1985）10月　237頁（やまと文庫
　　　　　　　　　　10）
5614　佐佐井典比古譯注　二宮尊德の教え——「二宮先生語錄」「二宮翁夜話」
　　　　　　　　　　抄
　　　　　　　　　　東京　三樹書房　平成6年（1994）6月　237頁

5615　福住正兄　　　二宮翁道歌十首解
　　　　　　　　　　靜岡縣三島町　小西又三郎印行　明治8年（1875）9月　12
　　　　　　　　　　丁

5616　福住正兄述　　　二宮翁道歌解
　　　　　　　　　　靜岡　報德學圖書館　明治33年（1900）12月　68頁

5617　福住正兄述　　　二宮尊德先生道歌解
　　　　　　　　　　二宮精神振興會　昭和16年（1941）

5618　宮西一積　　　　大地の歌――二宮道歌の新釋
　　　　　　　　　　東京　理想社　昭和48年（1973）　188頁

5619　山田猪太郎編、岡田良一郎補　二宮尊德先生年譜
　　　　　　　　　　靜岡縣倉眞村　岡田良一郎印行　明治33年（1900）2月　12
　　　　　　　　　　丁

5620　福住正兄述、大澤彦一記　報德教祖二宮翁略傳
　　　　　　　　　　靜岡　靜岡報德社　明治16年（1883）5月　9丁

5621　獲麟野史　　　　二宮尊德
　　　　　　　　　　①東京　求光閣　明治30年（1897）
　　　　　　　　　　②東京　弘文館　明治31年（1898）10月　187頁

5622　報德居士　　　　報德二宮尊德
　　　　　　　　　　東京　弘文館　明治32年（1899）12月　231頁

5623　峽北隱士　　　　二宮尊德、佐藤信淵
　　　　　　　　　　東京　富士書店　明治33年（1900）1月　115頁

5624　青葉山人　　　　二宮尊德
　　　　　　　　　　①大阪　青葉山人印行　明治34年（1901）5月　97頁（家庭
　　　　　　　　　　　讀本　第1編）
　　　　　　　　　　②東京　文陽堂　明治42年（1909）2月　96頁

5625　彩光學人　　　　二宮修身百話
　　　　　　　　　　東京　金櫻堂　明治34年（1901）3月　123頁

5626　土耳龜之進　　　二宮尊德翁道德經濟論
　　　　　　　　　　東京　茗溪會　明治35年（1902）10月　125，47頁（茗溪叢
　　　　　　　　　　書）

5627　二宮尊親　　　　二宮尊德報德分度論
　　　　　　　　　　福島縣中村町　大槻太郎印行　明治36年（1903）7月　84頁

5628　二宮尊德翁五十年記念會編　泰西學家と二宮尊德翁
　　　　　　　　　　編者印行　明治38年（1905）

5629　留岡幸助　　　　農業と二宮尊德
　　　　　　　　　　東京　警醒社　明治38年（1905）9月　50頁

5630　二宮尊德翁五十年記念會編　大久保侯と二宮翁
　　　　　　　　　　　　編者印行　明治38年（1905）

5631　樂鷹眞人　　　　二宮翁教訓道話
　　　　　　　　　　　　東京　文錦堂　明治39年（1906）10月　253頁

5632　留岡幸助　　　　二宮翁と諸家
　　　　　　　　　　　　東京　人道社　明治39年（1906）7月　222頁

5633　東北大學カメラ會　二宮尊德翁研究
　　　　　　　　　　　　東京　警醒社　明治39年（1906）

5634　留岡幸助編　　　二宮尊德とその風化
　　　　　　　　　　　　東京　警醒社　明治40年（1907）1月　164頁

5635　佐藤嚴英述　　　二宮尊德翁と佛教
　　　　　　　　　　　　京都　興教書院　明治40年（1907）6月　190，30頁

5636　留岡幸助　　　　二宮尊德と劍持廣言
　　　　　　　　　　　　東京　警醒社　明治40年（1907）10月　234頁

5637　留岡幸助　　　　二宮翁逸話
　　　　　　　　　　　　東京　警醒社　明治41年（1908）8月　159頁

5638　佐藤順造編　　　尊德二宮先生一代記
　　　　　　　　　　　　東京　東洋館　明治41年（1908）10月　164頁

5639　佐藤順造編　　　尊德二宮先生一代記
　　　　　　　　　　　　東京　東洋館　明治41年（1908）10月　164頁

5640　井上王山　　　　尊德遺影
　　　　　　　　　　　　東京　隆文館　明治41年（1908）12月　200頁（報德叢書
　　　　　　　　　　　　第1卷）

5641　佐藤綠葉編　　　二宮尊德翁教訓道話
　　　　　　　　　　　　東京　岡村書店　明治41年（1908）12月　194頁

5642　岡田良一郎　　　二宮大先生傳記
　　　　　　　　　　　　靜岡縣五和村　遠江國報國社　明治41年（1908）　89頁

5643　井上雅夫　　　　勤儉力行之偉人二宮尊德翁
　　　　　　　　　　　　東京　文友堂　明治42年（1909）1月　200頁

5644　高橋淡水　　　　報德大人二宮尊德
　　　　　　　　　　　　東京　文園堂　明治42年（1909）3月　83頁

5645　野口復堂　　　　教談二宮成功錄
　　　　　　　　　　　　東京　警醒社　明治42年（1909）4月　174頁

5646　齋藤弔花　　　　尊德翁物語
　　　　　　　　　　　　東京　警醒社　明治42年（1909）4月　176頁

5647　森野雪江　　　　二宮尊德翁

		東京　一書堂　明治42年（1909）5月　349頁
5648	井上雅夫	二宮尊德翁と現社會
		大阪　文友堂　明治42年（1909）6月　231頁
5649	留岡幸助述	報德と四大要綱——二宮翁の社會的理想
		長野縣龍丘村　南信雜誌社　明治42年（1909）8月　54頁
5650	井口丑二	二宮翁傳
		東京　內外出版協會　明治42年（1909）9月　208頁
5651	中村德助	二宮翁道話
		東京　明教堂　明治42年（1909）9月　193頁
5652	中村德助	勤儉立志二宮尊德翁
		東京　由盛閣　明治42年（1909）9月　193頁
5653	杉原夷山	二宮尊德翁百話
		東京　大學館　明治42年（1909）10月　153頁
5654	大畑　裕	成功の二宮尊德翁
		東京　盛林堂　明治42年（1909）11月　152頁
5655	美土路昌一	二宮尊德勤儉貯蓄法
		東京　成功雜誌社　明治42年（1909）11月　184頁
5656	教育研究會編	御聖諭と二宮尊德翁
		名古屋　松岡明文堂　明治42年（1909）12月　56頁
5657	碧瑠璃園	二宮尊德
		東京　興風書院　明治42、43年（1090、1910）　3冊
5658	金原善三郎	二宮先生の少年時代
		東京　博愛館　明治43年（1910）6月　82頁
5659	中島喜久平	偉人二宮尊德敕語教訓
		東京　修文館　明治43年（1910）7月　160頁
5660	金原善三郎	二宮先生の眞精神
		東京　修養團　明治43年（1910）11月　99頁
5661	豐岡茂夫	大聖二宮尊德
		東京　報德研究會　明治44年（1911）3月　260頁
5662	河村北溟	二宮尊德翁百話
		東京　求光閣　明治44年（1911）3月　208頁
5663	高橋靜虎	大聖二宮公幼年の卷
		東京　軍事教育會　明治44年（1911）8月　309頁
5664	田中王堂	二宮尊德の新研究
		東京　廣文堂　明治44年（1911）9月　215頁
5665	堀內新泉	明治の二宮尊德

東京　富山房　明治44年（1911）9月　353頁

5666　井口丑二　　二宮翁金言集
　　　　　　　　東京　眞樂園　明治44年（1911）10月　130頁

5667　磯嶋三郎　　二宮先生のお噺
　　　　　　　　神奈川縣小田原町　東海新報社　明治45年（1912）3月　60頁

5668　大平野虹　　二宮尊德
　　　　　　　　東京　春江堂　明治45年（1912）3月　230頁

5669　大庭青楓　　勤儉力行二宮尊德翁
　　　　　　　　東京　山口屋　明治45年（1912）4月　195頁

5670　安藝則恭　　二宮尊德翁之傳
　　　　　　　　兵庫縣垂水村　作者印行　明治45年（1912）6月　23頁

5671　佐佐井信太郎　二宮先生傳
　　　　　　　　東京　中央報德會　大正7年（1918）　331頁

5672　津田光造　　二宮尊德の人格と現代
　　　　　　　　東京　大同館　大正8年（1919）　375頁

5673　井口丑二　　大二宮尊德
　　　　　　　　東京　平凡社　大正15年（1926）　600頁

5674　佐佐井信太郎　二宮尊德研究
　　　　　　　　東京　岩波書店　昭和2年（1927）（社會問題研究叢書）

5675　五十嵐祐宏　二宮翁夜話
　　　　　　　　東京　福村書店　昭和3年（1928）

5676　井上哲次郎　二宮尊德
　　　　　　　　東京　帝國地方行政學會　昭和3年（1928）（教材講座　2）

5677　山田猪太郎　二宮尊德先生の話
　　　　　　　　長澤米太郎印行　昭和4年（1929）

5678　兒玉庄太郎　農村救濟之偉人——二宮翁と石川翁
　　　　　　　　作者印行　昭和7年（1932）　763頁

5679　栃木縣學務部教育課編　二宮尊德の研究
　　　　　　　　栃木縣　編者印行　昭和7年（1932）

5680　村岡典嗣　　一二特殊思想家——司馬江漢、二宮尊德
　　　　　　　　岩波講座哲學　東洋哲學史　日本第一部　東京　岩波書店　昭和7年（1932）　82頁

5681　齋藤龜五郎　勤勉力行二宮尊德先生略傳
　　　　　　　　相馬　相馬鄉土史研究會　昭和8年（1933）

5682　久保十郎　　偉人二宮尊德

栃木縣　栃木縣學務部教育課　昭和8年（1933）

5683　後藤文夫　世界に誇るべき我等の二宮翁
報德二宮神社　昭和8年（1933）　12頁

5684　鈴木義一　二宮尊德と神道
日本精神研究　第2輯　東京　東洋書院　昭和9年（1934）

5685　中山武二編　二宮尊德翁の追憶
篤農協會　昭和9年（1934）

5686　村田宇一郎　二宮尊德
日本精神講座　第3冊　東京　新潮社　昭和9年（1934）

5687　草山惇造　青年時代の二宮先生
小田原　報德文庫　昭和10年（1935）　21頁

5688　奥平祥一　百姓尊德
①東京　春秋社　昭和10年（1935）
②東京　河野成光館　昭和16年（1941）

5689　佐佐井信太郎　二宮尊德傳
①東京　日本評論社　昭和10年（1935）　356頁
②東京　經濟往來社　昭和52年（1977）7月　635頁

5690　齋藤龜五郎　その後の二宮家
相馬　相馬鄉土史研究會　昭和10年（1935）

5691　井上角五郎　二宮尊德の人格と思想
國民工業學院　昭和10年（1935）　460頁

5692　石田傳吉　畫訓二宮尊德先生
①東京　浩文社　昭和10年（1935）　225頁
②東京　讀書新聞大洋社　昭和12年（1937）

5693　菅原兵治　野の英哲二宮尊德
①東京　新英社　昭和11年（1936）　195頁
②東京　偕成社　昭和17年（1942）

5694　神奈川縣教育會編　二宮尊德先生
東京　育英書院　昭和11年（1936）　198頁

5695　理想社編　二宮尊德の研究
編者印行　昭和11年（1936）　（《理想》臨時號）

5696　佐佐井信太郎　二宮翁夜話の精神
日本文化協會出版部　昭和11年（1936）　80頁

5697　高須虎六　二宮尊德の思想と行蹟
東京　高陽書院　昭和11年（1936）　358頁

5698　新妻三男編　二宮尊德翁と磐城中村藩

中村第二尋常高等小學校　昭和11年（1936）　338頁

5699　松波節齋　二宮尊德論語
東京　教材社　昭和11年（1936）　103頁

5700　奧平祥一　尊德の生活
東京　同文館　昭和11年（1936）　204頁

5701　福島縣思想問題研究會編　二宮尊德翁と相馬藩
編者印行　昭和12年（1937）

5702　奧平祥一　尊德全傳
東京　春秋社　昭和12年（1937）　456頁

5703　井上哲次郎　二宮翁追憶談
國民更生資料　第5輯　栃木縣　栃木縣社會教育課　昭和12年（1937）

5704　服部辨之助　二宮尊德の哲學
①東京　建設社　昭和12年（1937）　295頁
②東京　社會思想研究會　昭和27年（1952）（現代教養文庫）

5705　佐佐井信太郎　二宮尊德先生の創造した報德生活とその指導教化方法一斑
日本諸學振興委員會研究報告　第1編　東京　文部省教學局　昭和12年（1937）

5706　西晉一郎　尊德・梅巖
東京　岩波書店　昭和13年（1938）（大教育家文庫　5）

5707　福田正夫　土の聖者尊德傳
東京　東江堂　昭和13年（1938）　225頁

5708　佐藤太平　土の聖者二宮尊德
東京　青年書房　昭和14年（1939）　268頁

5709　松本　仁　二宮尊德讀本
京都　立命館出版部　昭和14年（1939）　337頁

5710　池田宣政　二宮尊德
東京　講談社　昭和15年（1940）（偉人傳文庫　2）

5711　加藤仁平　二宮尊德と皇道報德
東京　弘文社　昭和15年（1940）　155頁

5712　國民訓育聯盟編　尊德哲理の教育
東京　第一出版協會　昭和16年（1941）　270頁

5713　下程勇吉　二宮尊德の世界觀と哲學
日本諸學振興委員會研究報告特輯　2（哲學）　東京　文部省教學局　昭和16年（1941）　269頁

5714　石川　謙　　　二宮尊德夜話
　　　　　　　　　　東京　日本放送協會　昭和16年（1941）　766頁
5715　佐藤江東　　　土に築く聖農二宮尊德傳
　　　　　　　　　　東京　日本青年館　昭和16年（1941）
5716　服部北溟　　　尊德翁と報德主義
　　　　　　　　　　東京　太陽閣　昭和16年（1941）　304頁
5717　奥平祥一　　　二宮尊德
　　　　　　　　　　東京　成光館　昭和16年（1941）　438頁
5718　加藤武雄　　　二宮尊德
　　　　　　　　　　東京　新潮社　昭和16年（1941）（土の偉人叢書）
5719　島影盟解説　　二宮尊德思想録
　　　　　　　　　　東京　教材社　昭和16年（1941）　272頁
5720　吉地昌一　　　荒土に築く
　　　　　　　　　　二宮尊德翁全集刊行會　昭和16年（1941）　210頁
5721　下程勇吉　　　二宮尊德──現實と實踐
　　　　　　　　　　東京　弘文堂　昭和17年（1942）　386頁
5722　下程勇吉　　　天道と人道──二宮尊德の哲學
　　　　　　　　　　東京　岩波書店　昭和17年（1942）　229頁
5723　富田高慶　　　二宮尊德
　　　　　　　　　　東京　春陽堂　昭和17年（1942）　157頁
5724　福田正夫　　　皇農二宮尊德
　　　　　　　　　　東京　三杏書院　昭和17年（1942）　219頁
5725　立仙淳三　　　二宮翁夜話
　　　　　　　　　　東京　藤井書店　昭和18年（1943）　333頁
5726　下程勇吉　　　二宮尊德の精神
　　　　　　　　　　出來島書店　昭和18年（1943）　275頁
5727　下程勇吉　　　二宮尊德の現代的意義
　　　　　　　　　　秋田屋　昭和20年（1945）　227頁
5728　奥平祥一　　　二宮金次郎
　　　　　　　　　　青樹社　昭和21年（1946）　159頁
5729　野村兼太郎　　二宮尊德の勤勞觀
　　　　　　　　　　東京　慶應出版社　昭和21年（1946）（隨筆文化建設）
5730　長沼依山　　　二宮尊德先生
　　　　　　　　　　東京　富文社　昭和22年（1947）　129頁
5731　寺島文夫　　　二宮尊德の生涯と思想
　　　　　　　　　　東京　文理書院　昭和22年（1947）；昭和29年（1954）增

補版

5732　中野敬次郎　二宮金次郎
　　　　　　　　①東京　弘學社　昭和23年（1948）　　330頁
　　　　　　　　②東京　潮文閣　昭和24年（1949）　　330頁

5733　服部辨之助　二宮尊德の哲學と生活
　　　　　　　　東京　文治書院　昭和23年（1948）　　102頁

5734　田中王堂　ヒウマニスト二宮尊德
　　　　　　　　王堂選集　第3冊　東京　關書院　昭和23年（1948）

5735　廣瀨敏子　人間二宮尊德
　　　　　　　　東京　青年評論社　昭和23年（1948）　　255頁

5736　大館則貞　尊德自敘傳
　　　　　　　　國立文化社　昭和24年（1949）　　180頁

5737　下程勇吉　二宮尊德の生活と思想
　　　　　　　　東京　理想社　昭和25年（1950）　　176頁

5738　寺島文夫　日本最初の偉大なる民主主義者——二宮尊德の生涯と思想
　　　　　　　　東京　文理書院　昭和25年（1950）　　158頁；昭和40年
　　　　　　　　（1965）全改訂版　216頁

5739　和田　傳　二宮尊德
　　　　　　　　東京　朝倉書店　昭和29年（1954）　　299頁

5740　坂口三郎　日本人の知恵——二宮尊德の新批判
　　　　　　　　東京　ダイヤモンド社　昭和30年（1955）　　187頁

5741　菅原兵治　二宮尊德——百年祭を迎えて
　　　　　　　　東京　理想社　昭和30年（1955）　　196頁

5742　武者小路實篤　傳記二宮尊德
　　　　　　　　東京　福村書店　昭和32年（1957）　　251頁

5743　下程勇吉　二宮尊德の教育哲學
　　　　　　　　東京　黎明書房　昭和32年（1957）　　251頁

5744　佐佐井信太郎　二宮尊德の遺風
　　　　　　　　全日本社會教育連合會　昭和32年（1957）　　163頁

5745　佐古純一郎　二宮尊德
　　　　　　　　講座現代倫理　第8冊　東京　筑摩書房　昭和33年（1958）

5746　森　信三　青年に語る日本の方向——二宮尊德と毛澤東に學ぶ新しい
　　　　　　　　新路
　　　　　　　　東京　文理書院　昭和33年（1958）　　262頁

5747　二宮尊德顯彰會編　二宮尊德の遺風
　　　　　　　　編者印行　昭和33年（1958）

5748　奈良本辰也　　二宮尊德
　　　　　　　　　東京　岩波書店　昭和34年（1959）（岩波新書）；平成5
　　　　　　　　　年（1993）7月　184頁（岩波新書の江戸時代）

5749　田中宋太郎　　金鑛二宮尊德
　　　　　　　　　東京　明玄書房　昭和36年（1961）　190頁

5750　田中宋太郎　　精練二宮尊德
　　　　　　　　　東京　明玄書房　昭和36年（1961）　203頁

5751　高柳　清　　　三つのピラミッド　人間像遍歴――ゲーテ・ホキットマン
　　　　　　　　　・尊德
　　　　　　　　　奈良縣生駒町　望東居　昭和36年（1961）　190頁

5752　佐佐井信太郎　二宮尊德の體驗と思想
　　　　　　　　　一圓融合會　昭和38年（1963）

5753　下程勇吉　　　二宮尊德の人間學的研究
　　　　　　　　　柏　廣池學園出版部　昭和40年（1965）　773頁；昭和63年
　　　　　　　　　（1988）10月増補版　829頁

5754　守田志郎　　　二宮尊德
　　　　　　　　　①東京　朝日新聞社　昭和50年（1975）　268頁（朝日評傳
　　　　　　　　　　選　2）
　　　　　　　　　②東京　朝日新聞社　平成元年（1989）7月　268頁（朝日
　　　　　　　　　　選書　382）

5755　二宮尊德百二十年祭記念事業會編　二宮尊德と現代
　　　　　　　　　東京　理想社　昭和51年（1976）8月　204頁

5756　高田　稔　　　二宮尊德――青少年のために
　　　　　　　　　小田原　二宮尊德百二十年祭記念事業會　昭和51年（1976）
　　　　　　　　　9月　85頁

5757　八木繁樹　　　二宮尊德の實像――わかりやすい報德の道
　　　　　　　　　東京　國書刊行會　昭和51年（1976）　308頁

5758　二宮尊德百二十年祭記念事業會編　二宮尊德の遺業――二宮尊德百二十年
　　　　　　　　　祭
　　　　　　　　　小田原　編者印行　昭和51年（1976）　65頁

5759　加藤仁平　　　成田山における二宮尊德の開眼
　　　　　　　　　東京　龍溪書舍　昭和52年（1977）11月　184頁

5760　八木繁樹　　　報德雜話――現代に生きる二宮尊德
　　　　　　　　　東京　龍溪書舍　昭和53年（1978）2月　253頁

5761　下程勇吉　　　改編天道と人道
　　　　　　　　　東京　龍溪書舍　昭和53年（1978）2月　343頁

5762	內山　稔	尊德の實踐經濟倫理
		東京　高文堂出版社　昭和53年（1978）3月　221頁
5763	加藤仁平	成田開眼につづく二宮哲學の成立（前編）
		東京　龍溪書舍　昭和53年（1978）11月　254頁
5764	加藤仁平	成田開眼につづく二宮哲學の成立（後編）
		東京　龍溪書舍　昭和54年（1979）11月　216頁
5765	岡上鈴江	二宮尊德
		世界の傳記　第32冊　東京　ぎょうせい　昭和55年（1980）11月　285頁
5766	左方郁子	財政再建の哲學二宮尊德──これが「尊德流」危機突破法だ
		京都　PHP研究所　昭和58年（1983）6月　222，5頁
5767	邱　永漢	再建屋の元祖──新說二宮尊德
		東京　日本經濟新聞社　昭和58年（1983）6月　225頁
5768	八木繁樹	ほうとくまんだら──報德曼陀羅
		東京　不二出版　昭和58年（1983）7月　349頁
5769	大石三四郎	今こそ二宮金次郎
		東京　同文書院　昭和58年（1983）11月　236頁
5770	福田富治	二宮尊德
		宇都宮　宇都宮報德會　昭和59年（1984）11月　175頁
5771	岡田　博	尊德と三志を結んだ人たち
		小田原　報德文庫　昭和60年（1985）7月　389頁
5772	二宮尊德生誕二百年記念事業會報德實行委員會編	尊德開顯──二宮尊德生誕二百年記念論文集
		橫濱　有鄰堂　昭和62年（1987）9月　393，9頁
5773	井上章一文、大木茂寫眞	ノスタルジック・アイドル二宮金次郎
		東京　新宿書房　平成元年（1989）3月　199頁、圖版48枚
5774	岡田　博	二宮金次郎あて小谷三志書狀考
		小田原　報德文庫　平成2年（1990）9月　173頁
5775	和卷耿介	草の巨人──二宮尊德傳
		東京　每日新聞社　平成3年（1991）5月　250頁
5776	大塚道廣	人間二宮尊德と中江藤樹の心
		入間　大洲陶器　平成3年（1991）10月　169頁
5777	馬場誠二	二宮金次郎の生涯
		東京　創榮出版社　平成4年（1992）7月　191頁
5778	神谷慶治編	讓の道──二宮尊德が言い殘したこと

　　　　　　　　農村更生協會企畫　東京　ABC出版　平成4年（1992）9月
　　　　　　　　195頁
5779　長澤源夫編　　二宮尊德のすべて
　　　　　　　　東京　新人物往來社　平成5年（1993）4月　252頁
5780　越智宏倫　　　時に應じてことをなせ──二宮尊德の肯定思考
　　　　　　　　東京　家の光協會　平成6年（1994）2月　205頁
5781　二宮翁紀念會　二宮尊德翁記念書類
　　　　　　　　編者印行　明治38年（1905）　2冊
5782　神奈川縣教育委員會　二宮尊德關係資料圖鑑
　　　　　　　　小田原　報德文庫　平成2年（1990）4月　32,265頁、圖版
　　　　　　　　58枚
5783　二宮尊德百二十年祭記念事業會編　二宮尊德研究文獻目錄
　　　　　　　　東京　龍溪書舍　昭和53年（1978）9月　92頁

5.横井小楠（1809—1869）

著　作

5784　横井小楠　　　國是三論
　　　　　　　　日本の思想　第20冊　幕末思想集　東京　筑摩書房　昭和
　　　　　　　　44年（1969）
5785　横井小楠　　　國是三論
　　　　　　　　日本思想大系　第55冊　東京　岩波書店　昭和46年（1971）
5786　横井小楠著、松浦玲譯　國是三論
　　　　　　　　日本の名著　第30冊　東京　中央公論社　昭和45年（1970）
5787　横井小楠著、花立三郎譯註　國是三論
　　　　　　　　東京　講談社　昭和61年（1986）10月　326頁（講談社學術
　　　　　　　　文庫）
5788　横井小楠著、松浦玲譯　政治と學問
　　　　　　　　日本の名著　第30冊　東京　中央公論社　昭和45年（1970）
5789　横井小楠著、松浦玲譯　共和一致
　　　　　　　　日本の名著　第30冊　東京　中央公論社　昭和45年（1970）
5790　横井小楠著、松浦玲譯　大義を世界に
　　　　　　　　日本の名著　第30冊　東京　中央公論社　昭和45年（1970）
5791　横井小楠　　　學校問答書

		日本思想大系　第55冊　東京　岩波書店　昭和46年（1971）
5792	橫井小楠	夷虜應接大意
		日本思想大系　第55冊　東京　岩波書店　昭和46年（1971）
5793	橫井小楠	新政に付て春岳に建言
		日本思想大系　第55冊　東京　岩波書店　昭和46年（1971）
5794	橫井小楠	沼山對話
		日本思想大系　第55冊　東京　岩波書店　昭和46年（1971）
5795	橫井小楠	沼山閑話
		日本思想大系　第55冊　東京　岩波書店　昭和46年（1971）
5796	遠山操編	志士書簡
		東京　厚生堂　大正3年（1914）
5797	橫井小楠	小楠書簡
		日本思想大系　第55冊　東京　岩波書店　昭和45年（1970）
5798	橫井時雄	小楠遺稿
		東京　民友社　明治22年（1889）
5799	山崎正董編	橫井小楠遺稿
		東京　日新書院　昭和17年（1942）　962頁
		（根據山崎正董編《橫井小楠・下卷・遺稿篇》訂補而成）
5800	山崎正董編	橫井小楠關係史料

①東京　日本史籍協會　昭和13年（1938）5月　2冊
②東京　東京大學出版會　昭和52年（1977）2月重印本　2
　冊
第1冊
　論著
　建白類
　書簡
第2冊
　書簡
　詩文
　談錄
　講義及語錄
　解題（森谷秀亮）
　橫井小楠家系圖
　略年譜

後人研究

5801　Yokoi, Syonan,（横井小楠　1809—1869）　Il Kokuze sanron = 國是三論,
di Yokoi Shonan; [a cura di] Paolo Puddinu. Napoli:
Istituto orientale di Napoli, 1981. 60 p. (Supplemento n.
26 agli Annali; vol.41 (1981), fasc. 1)

5802　松井廣吉編　　横井小楠
日本百傑傳　第12編　東京　博文館　明治26年（1893）

5803　田中孫兵衛　　嗚呼偉人小楠
小楠遺蹟刊行會　大正5年（1916）

5804　大川周明　　　横井小楠の思想及信仰
東京　社會教育研究所　大正13年（1924）

5805　熊本縣教育會上益城郡支會沼山津分會編　横井小楠先生
東京　隆文館　大正10年（1921）

5806　山崎正董　　　肥後西洋醫學と横井小楠
作者印行　昭和4年（1929）

5807　岡田　實　　　横井小楠の思想管見
日本精神研究　第10輯　東京　東洋書院　昭和11年（1936）

5808　山崎正董編著　横井小楠
①東京　明治書院　昭和13年（1938）　2冊
上卷　傳記篇
下卷　遺稿篇
②東京　大和學藝圖書　昭和52年（1977）10月　2冊

5809　横井小楠傳頒布會　遂に再版を見る「横井小楠」
作者印行　昭和13年（1938）

5810　赤尾藤市　　　横井小楠
東京　三教書院　昭和15年（1940）（偉人叢書）

5811　上田庄三郎　　横井小楠
東京　啓文社　昭和17年（1942）

5812　山崎正董　　　横井小楠傳
東京　日新書院　昭和17年（1942）　3冊

5813　山崎正董　　　横井小楠先生を偲びて
熊本　熊本縣教育委員會　昭和24年（1949）

5814　坂田　大　　　横井小楠の思想
九州時報社　昭和27年（1952）

5815　福田令壽　　　人間小楠
作者印行　昭和35年（1960）

5816　坂田　大　　　小楠と天道覺明論

　　　　　　　　　　熊本　坂田情報社　昭和38年（1963）　160頁

5817　佐佐木憲德　　横井小楠評傳
　　　　　　　　　　熊本縣御船町　文化新報社　昭和41年（1966）　86頁（文
　　　　　　　　　　化新報叢書　第25集）

5818　圭室諦成　　　横井小楠
　　　　　　　　　　①東京　吉川弘文館　昭和42年（1967）　356頁（人物叢
　　　　　　　　　　　　書）
　　　　　　　　　　②東京　吉川弘文館　昭和63年（1988）12月　356頁（人物
　　　　　　　　　　　　叢書新裝版）

5819　松浦　玲　　　横井小楠
　　　　　　　　　　東京　朝日新聞社　昭和51年（1976）　291頁（朝日評傳選
　　　　　　　　　　8）

5820　坂田　大　　　小楠と神風連
　　　　　　　　　　熊本　蘇麓社　昭和52年（1977）4月　205頁

5821　松井康秀　　　横井小楠研究入門
　　　　　　　　　　北九州　作者印行　昭和53年（1978）11月　27頁

5822　德永新太郎　　横井小楠とその弟子たち
　　　　　　　　　　東京　評論社　昭和54年（1979）9月　261頁（日本人の行
　　　　　　　　　　動と思想　43）

5823　山崎益吉　　　横井小楠の社會經濟思想
　　　　　　　　　　東京　多賀出版　昭和56年（1981）2月　356頁

5824　李　雲　　　　横井小楠──「開國」と「公議」を中心に
　　　　　　　　　　東京　富士ゼロックス小林節太郎記念基金　平成4年
　　　　　　　　　　（1992）7月　39頁（富士ゼロックス小林節太郎記念基金
　　　　　　　　　　1991年度研究助成論文）

5825　德永　洋　　　なるほど！横井小楠
　　　　　　　　　　松本　作者印行　平成6年（1994）2月　42，16頁

5826　季刊日本思想史編輯部　横井小楠の思想特集
　　　　　　　　　　季刊日本思想史　第37號　平成3年（1991）5月

5827　三上一夫　　　横井小楠の新政治社會像──幕末維新變革の軌跡　京都
　　　　　　　　　　思文閣　平成8年（1996）4月　190頁

日本儒學研究書目

下冊

林　慶　彰
連　清　吉　編
金　培　懿

臺灣　學生書局　印行

日本儒學研究書目

目　　次

下　冊

第五編　現　代……………………………701

壹、總　論………………………………701

貳、儒學家各論…………………………703

第四編　近　　代

壹、總　論

一、哲學、思想史

1.近代概述

5828　羽仁五郎　　日本江に於ける近代思想の前提
　　　　　　　　　東京　岩波書店　昭和24年（1949）　208頁

5829　家永三郎　　日本近代思想史研究
　　　　　　　　　東京　東京大學出版會　昭和28年（1953）　319頁

5830　宮川　透　　近代日本思想の構造
　　　　　　　　　東京　東京大學出版會　　昭和31年（1956）　262頁（東大
　　　　　　　　　學術叢書　第12）

5831　近代日本思想史研究會編　近代日本思想史
　　　　　　　　　東京　青木書店　昭和31、32年（1956、1957）
　　　　　　　　　4卷
　　　　　　　　　第1卷　昭和31年（1956）　256頁
　　　　　　　　　第2卷　昭和31年（1956）　263頁
　　　　　　　　　第3卷　昭和31年（1956）　280頁
　　　　　　　　　第4卷　昭和32年（1957）　138, 59頁

5832　近代日本思想研究會編　近代日本思想史
　　　　　　　　　北京　商務印書館
　　　　　　　　　第1卷　馬采譯　昭和58年（1983）3月　172頁
　　　　　　　　　第2卷　李民等譯　平成3年（1991）1月　184頁
　　　　　　　　　第3卷　那庚辰譯　平成4年（1992）8月　194頁

5833　山崎正一　　近代日本思想通史
　　　　　　　　　東京　青木書店　昭和32年（1957）　274頁

5834　大井　正　　日本近代思想の論理
　　　　　　　　　東京　合同出版社　昭和33年（1958）　289頁

5835　岩井忠熊　　日本近代思想の成立
　　　　　　　　　大阪　創文社　昭和34年（1959）1月　166頁（創元歷史選

書）

5836	宮西一積	近代思想の日本的展開
		東京　福村書店　昭和35年（1960）　355頁
5837	宮川　透	近代日本の哲學
		東京　勁草書房　昭和36年（1961）　257頁
		（叢書新らしい哲學　第1）　257頁；昭和37年（1962）增
		補版　335頁
5838	家永三郎	近代日本の思想家
		東京　有信堂　昭和37年（1962）　181頁
		（文化新書）；昭和45年（1970）新版　269頁
5839	河原　宏	轉換期の思想——日本近代化をめぐって
		東京　早稻田大學出版部　昭和38年（1963）　361頁
5840	宮川透、中村雄二郎、古田光編　近代日本思想論爭——民選議院論爭から
		大衆社會論爭まで
		東京　青木書店　昭和38年（1963）
5841	G.K.ピォヴェザーナ著、宮川透、田崎哲郎譯　近代日本の哲學と思想
		東京　紀伊國屋書店　昭和40年（1965）　260頁
5842	生松敬三	思想史の道標——近代日本文化の究明と展望
		東京　勁草書房　昭和40年（1965）　361頁
5843	三枝博音	日本に於ける哲學的觀念論の發達史
		東京　清水弘文堂書房　昭和44年（1969）　312, 71頁
5844	鈴木　正	日本思想史の遺産
		京都　ミネルヴァ書房　昭和44年（1969）　296頁（社會科
		學選書）；昭和51年（1976）新版　322頁（社會科學選書）
5845	湯淺泰雄	近代日本の哲學と實存思想
		東京　創文社　昭和45年（1970）　382頁
5846	橋川文三、鹿野政直、平岡敏夫編　近代日本思想史の基礎知識
		東京　有斐閣　昭和46年（1971）　491, 19頁
5847	生松敬三	近代日本への思想史的反省
		東京　中央大學出版部　昭和46年（1971）　345頁
5848	日本思想百年史編纂委員會　日本思想百年史
		東京　躍進日本社　昭和47年（1972）　1047頁
5849	鈴木　正	日本近代思想の人間類型
		東京　新泉社　昭和48年（1973）　261頁
5850	山縣三千雄	日本人と思想
		東京　作者印行　昭和49年（1974）　315頁

5851　植手通用　　　日本近代思想の形成
　　　　　　　　　　東京　岩波書店　昭和49年（1974）　344頁
5852　荒木久壽男　　近代日本思想史研究
　　　　　　　　　　伊勢　皇學館大學出版部　昭和50年（1975）　517頁
5853　宮川透、荒川幾男編　日本近代哲學史
　　　　　　　　　　東京　有斐閣　昭和51年（1976）　271，45頁（有斐閣選書）
5854　河原　宏　　　近代日本のアジア認識
　　　　　　　　　　東京　第三文明社　昭和51年（1976）　214頁（レグルス文
　　　　　　　　　　庫　55）
5855　武田清子　　　正統と異端の「あいだ」――日本思想史研究試論
　　　　　　　　　　東京　東京大學出版會　昭和51年（1976）　344頁
5856　鹿野政道　　　日本近代思想の形成
　　　　　　　　　　東京　邊境社　勁草書房發売　昭和51年（1976）　281頁
5857　有斐閣編　　　近代日本の思想
　　　　　　　　　　東京　有斐閣　昭和53、54年（1978、1979）
　　　　　　　　　　3冊（有斐閣新書）
　　　　　　　　　　　第1冊　昭和54年（1979）2月　341頁
　　　　　　　　　　　第2冊　昭和54年（1979）3月　313頁
　　　　　　　　　　　第3冊　昭和53年（1978）9月　241頁
5858　菅　孝行　　　日本の思想家　近代篇
　　　　　　　　　　東京　大和書房　昭和56年（1981）9月　244頁（銀河選書）
5859　海邊忠治　　　近代日本の思想家たち――日本の智惠と覺り
　　　　　　　　　　京都　晃洋書房　昭和58年（1983）6月　128頁
5860　森　一貫　　　近代日本思想史序說――「自然」と「社會」の理論
　　　　　　　　　　京都　晃洋書房　昭和59年（1984）2月　205頁
5861　モラロジー研究所編　日本の近代化と精神的傳統
　　　　　　　　　　柏　廣池學園出版部　昭和61年（1986）3月　661頁
5862　奈良本辰也　　次の時代をつくる「志」の研究
　　　　　　　　　　東京　世界文化社　平成元年（1989）1月　223頁
5863　鈴木正、卞崇道編　近代日本の哲學者
　　　　　　　　　　東京　北樹出版　平成2年（1990）2月　373頁
5864　鈴木　正　　　日本近現代思想の諸相
　　　　　　　　　　農山漁村文化協會　平成5年（1993）　235頁
5865　鈴木　正　　　日本近現代思想の群像
　　　　　　　　　　農山漁村文化協會　平成6年（1994）　212頁
5866　松本三之介　　明治思想における傳統と近代

東京　東京大學出版會　平成8年（1996）2月　243, 5頁

5867　衣笠安喜編　　近代思想史研究の現在
　　　　　　　　　京都　思文閣　平成7年（1995）　530頁

5868　山田　洸　　　近代日本道德思想史研究――天皇制イデオロギー論批判
　　　　　　　　　東京　未來社　昭和47年（1972）　307頁

5869　山田孝雄編　　近代日本の倫理思想
　　　　　　　　　東京　大明堂　昭和56年（1981）2月　520頁

5870　宮川　透　　　日本精神史への序論
　　　　　　　　　東京　紀伊國屋書店　昭和41年（1966）　200頁（紀伊國屋
　　　　　　　　　新書）

5871　宮川　透　　　日本精神史の課題
　　　　　　　　　東京　紀伊國屋書店　昭和49年（1974）　193頁（紀伊國屋
　　　　　　　　　新書）；昭和55年（1980）11月　新裝版

5872　丸山眞男　　　忠誠と反逆――轉形期日本の精神史的位相
　　　　　　　　　東京　筑摩書房　平成4年（1992）6月　401頁

5873　坂本多加雄　　近代日本精神史論
　　　　　　　　　東京　講談社　平成8年（1996）　339頁

5874　石田　雄　　　日本近代思想史における法と政治
　　　　　　　　　東京　岩波書店　昭和51年（1976）　274, 15頁

5875　河原宏等　　　近代日本政治思想史
　　　　　　　　　東京　有斐閣　昭和53年（1978）3月　270頁（有斐閣新書）

5876　宮本盛太郎　　近代日本政治思想の座標――思想家、政治家たちの對外觀
　　　　　　　　　東京　有斐閣　昭和62年（1987）11月　290, 7頁

5877　西田毅編　　　近代日本政治思想史
　　　　　　　　　京都　ナカニシヤ出版　平成10年（1998）3月　317頁

5878　多田建次　　　日本近代學校成立の研究
　　　　　　　　　町田　玉川大學出版部　昭和63年（1988）2月　486頁

5879　沖田行司　　　日本近代教育の思想史研究――國際化の思想系譜
　　　　　　　　　東京　日本圖書センター　平成4年（1992）11月　280, 8頁

5880　石附　實　　　近代日本の學校文化誌
　　　　　　　　　京都　思文閣　　平成4年（1992）6月　264頁

5881　谷中信一　　　日本の近現代教育に果たした儒教の役割――中等教育にお
　　　　　　　　　ける漢文科と修身科紀要（日本女子大・文）　第42號　平
　　　　　　　　　成5年（1993）

5882　山崎正一編　　日本の近代思想文獻解題
　　　　　　　　　講座現代の哲學　第5卷　頁191―217　東京　有斐閣　昭

和33年（1958）6月

5883　立命館大學人文科學研究所編　明治大正思想史關係所藏文獻目錄　京都
　　　編者印行
　　　第1冊　昭和36年（1961）6月　161頁
　　　第2冊　昭和38年（1963）3月　56頁

5884　岩波書店編集部　近代日本總合年表
　　　①東京　岩波書店　昭和43年（1968）　461，78頁
　　　②東京　岩波書店　平成3年（1991）2月3版　736頁

5885　近代日本思想史研究會　近代日本思想史年表
　　　近代日本思想史　第4卷　東京　青木書店　昭和32年
　　　（1957）　197頁

5886　伊藤友信等編　近代日本哲學思想家辭典
　　　東京　東京書籍　昭和57年（1982）9月　776頁

5887　宮澤俊義、大河內一男監修　近代日本思想史大系
　　　東京　有斐閣　昭和43年（1968）―昭和54年（1979）　全7
　　　卷

5888　石田雄等編　近代日本思想大系
　　　東京　筑摩書房　昭和49年（1974）5月―　全36卷

5889　加藤周一等編　日本近代思想大系
　　　東京　岩波書店　昭和63年（1988）5月―　全24卷

5890　松本三之介等編　現代日本思想大系
　　　東京　筑摩書房　昭和38年（1963）6月―　昭和43年（1968）
　　　2月　全35卷

2.明治期

5891　清原貞雄　明治時代思想史
　　　東京　大鐙閣　大正10年（1921）　383頁

5892　鳥井博郎　明治思想史
　　　東京　三笠書房　昭和10年（1935）　261頁（唯物論全書）

5893　桑木嚴翼　明治の哲學界
　　　東京　中央公論社　昭和18年（1943）　196頁（國民學術選
　　　書　第1）

5894　鳥井博郎　明治思想史
　　　東京　河出書房　昭和28年（1953）　197頁（日本近代史叢
　　　書　第3）

5895　鳥井博郎　　明治思想史
　　　　　　　　　東京　河出書房　昭和30年（1955）　159頁（河出文庫）
5896　船山信一　　明治哲學史研究
　　　　　　　　　京都　ミネルヴア書房　昭和34年（1959）10月　400頁（附：
　　　　　　　　　明治哲學文獻年表、明治哲學史參考文獻）
5897　淡野安太郎　明治初期の思想――その特性と限界
　　　　　　　　　東京　勁草書房　昭和42年（1967）12月　253頁
5898　本山幸彦　　明治思想の形成
　　　　　　　　　東京　福村出版　昭和44年（1969）　279頁（福村叢書）
5899　比較思想史研究會編　明治思想家の宗教觀
　　　　　　　　　東京　大藏出版　昭和50年（1975）　365頁（大藏選書　16）
5900　小林利裕　　明治前期思想
　　　　　　　　　京都　三和書房　昭和63年（1988）3月　197頁
　　　　　　　　　　　①西周
　　　　　　　　　　　②福澤諭吉
　　　　　　　　　　　③西村茂樹
　　　　　　　　　　　④加藤弘之
　　　　　　　　　　　⑤中村敬宇
　　　　　　　　　　　⑥小野梓
　　　　　　　　　　　⑦中江兆民
5901　松本三之介　明治思想史
　　　　　　　　　東京　新曜社　平成8年（1996）　279頁（ロンド叢書　5）
5902　色川大吉　　明治精神史
　　　　　　　　　東京　黃河書房　昭和39年（1964）　404頁
5903　色川大吉　　新編明治精神史
　　　　　　　　　東京　中央公論社　昭和48年（1973）　602頁
5904　紀田順一郎　開國の精神
　　　　　　　　　町田　玉川大學出版部　昭和52年（1977）6月　365頁
5905　古川哲史　　明治の精神
　　　　　　　　　東京　ぺりかん社　昭和56年（1981）3月　193頁
5906　松本三之介　明治精神の構造
　　　　　　　　　東京　日本放送出版協會　昭和56年（1981）3月　219頁
　　　　　　　　　（新NHK市民大學叢書　8）
5907　荒川久壽男　明治の精神
　　　　　　　　　伊勢　皇學館大學出版部　昭和62年（1987）12月　458頁
5908　遠山茂樹　　明治維新

　　　　　　　　　東京　岩波書店　昭和26年（1951）

5909　村上一郎　　明治維新の精神過程
　　　　　　　　　東京　春秋社　昭和43年（1968）　276頁

5910　市井三郎　　明治維新の哲學
　　　　　　　　　東京　講談社　昭和50年（1975）

5911　今中寛司　　日本の近代化と維新
　　　　　　　　　東京　ぺりかん社　昭和57年（1982）　334頁

5912　安藤英男　　明治維新の源流
　　　　　　　　　東京　紀伊國屋書店　平成6年（1994）1月　272頁

5913　明治維新史學會編　明治維新の人物と思想
　　　　　　　　　東京　吉川弘文館　文成7年（1995）8月　228頁

5914　羽仁五郎　　明治維新史研究
　　　　　　　　　東京　岩波書店　平成9年（1997）6月

5915　田畑　忍　　明治政治思想研究　第1冊
　　　　　　　　　京都　關書院　昭和22年（1947）　147頁

5916　石田　雄　　明治政治思想史研究
　　　　　　　　　東京　未來社　昭和29年（1954）　377頁

5917　岩井忠雄　　明治國家主義思想史研究
　　　　　　　　　東京　青木書店　昭和47年（1972）

5918　三橋猛雄　　明治前期思想史文獻
　　　　　　　　　東京　明治堂書店　昭和51年（1976）　1056，72頁

5919　大久保利謙編　明治啓蒙思想集
　　　　　　　　　明治文學全集　第3冊　東京　筑摩書房　昭和42年（1967）
　　　　　　　　　471頁

5920　松本三之介編　明治思想集 I
　　　　　　　　　近代日本思想大系　第30卷　東京　筑摩書房　昭和51年
　　　　　　　　　（1976）3月　500頁

5921　松本三之介編　明治思想集 II
　　　　　　　　　近代日本思想大系　第31卷　東京　筑摩書房　昭和52年
　　　　　　　　　（1977）11月　472頁

3.大正期

5922　船山信一　　大正哲學史研究
　　　　　　　　　京都　法律文化社　昭和40年（1965）　332頁

5923　生松敬三　　大正期の思想と文化

　　　　　　　　現代日本思想史　第4冊　東京　青木書店　昭和46年
　　　　　　　　（1971）　206頁
5924　今井清一編　大正思想集Ⅰ
　　　　　　　　近代日本思想大系　第33卷　東京　筑摩書房　昭和53年
　　　　　　　　（1978）2月　520頁
5925　鹿野政直編　大正思想集Ⅱ
　　　　　　　　近代日本思想大系　第34卷　東京　筑摩書房　昭和52年
　　　　　　　　（1977）2月　488頁

二、漢學、儒學史

1.漢學研究

5926　三浦　叶　明治時代漢學史稿（1—16）
　　　　　　　　東洋文化（東洋文化學會）　第140—156號
　　　　　　　　昭和11年（1936）3月—12年（1937）9月
5927　三浦　叶　明治漢學史話（1—7）
　　　　　　　　東洋文化（東洋文化學會）　第216、218—220、226、227、
　　　　　　　　229號　昭和18年（1943）3、5—7月，19年（1944）1、2、4
　　　　　　　　月
5928　三浦　叶　明治漢學の特色
　　　　　　　　東洋文化と明日──東洋文化研究所創設三十周年紀念論集
　　　　　　　　頁407—417　町田　無窮會　昭和45年（1970）
5929　三浦　叶　明治初期の漢學觀──啓蒙思想家と漢學
　　　　　　　　東洋文化（無窮會）　復刊第30—32合併號（通卷第264、
　　　　　　　　265、266合併號）　昭和48年（1973）5月
5930　町田三郎著、連清吉譯　日本幕末以來之漢學者及其著述
　　　　　　　　臺北　文史哲出版社　平成4年（1992）3月　272頁
5931　町田三郎　明治的漢學
　　　　　　　　傳統文化與東亞社會　北京　中國人民大學出版社　平成4
　　　　　　　　年（1992）
5932　町田三郎　明治漢學覺書
　　　　　　　　①町田三郎教授退官紀念中國思想史論叢（上）　福岡　中
　　　　　　　　　國書店　平成7年（1995）3月
　　　　　　　　②明治の漢學者たち　頁3—25　東京　研文出版　平成10

年（1998）1月

5933　吉川幸次郎編　東洋學の創始者たち
東京　講談社　昭和51年（1976）10月　320頁

5934　三浦　叶　明治の漢學
東京　汲古書院　平成10年（1998）5月　500頁

5935　三浦　叶　明治漢文學
東京　汲古書院　平成10年（1998）6月　500頁

5936　町田三郎　明治の漢學者たち
東京　研文出版　平成10年（1998）1月　320頁

5937　宋　晞　日本明治維新以來的漢學研究
①百年來中日關係論文集　昭和43年（1968）5月
②華學研究論集　臺北　臺灣學生書局　昭和52年（1977）
10月

5938　戴　瑞坤　明治維新後的日本漢學研究
中國文哲研究的回顧與展望論文集　頁581—609　臺北　中
央研究院中國文哲研究所　平成4年（1992）5月

5939　戶川芳郎　漢學中國學的沿革及其問題點——近代官學風的成立與中國
研究的系譜(2)
理想　昭和41年（1966）6月號（總397號）

2.儒學研究

5940　倉田信靖　日本近代思想史に及ぼせる儒學の影響——井上哲次郎の位
置
東洋研究　第17號　昭和3年（1928）

5941　渡邊和靖　明治思想史の方法と課題——儒教的傳統と近代認識論
愛知教育大學研究報告・第一部人文科學・社會科學　第26
號　昭和52年（1977）

5942　渡邊和靖　明治思想史——儒教的傳統と近代認識論
東京　ぺりかん社　昭和53年（1978）11月　345, 4頁；昭
和60年（1985）增補版　352頁

5943　Hwang, Byung Tai.　Confucianism in modernization: comparative study of
China, Japan and Korea, by Byung Tai Hwang. Ann Arbor,
Mich.: University Microfilms International, 1984. 2v.

5944　王　家驊　儒家思想與日本現代化
杭州　浙江人民出版社　平成7年（1995）5月　310頁

5945　季刊日本思想史編輯部　東アジアの儒教と近代特集
　　　　　　　　　季刊日本思想史　第41號　平成5年（1993）5月
5946　坂出祥伸　　我國中國哲學研究的回顧與展望——以通史爲中心
　　　　　　　　　關西大學文學論集　第26卷1、2號　昭和52年（1977）1、2
　　　　　　　　　月

3.報德教

5947　上井龜之進　二宮尊德報德教の精神
　　　　　　　　　東京　茗溪會　明治38年（1905）8月　106，19頁
5948　井口丑二　　二宮尊德報德教要領及其の處世法
　　　　　　　　　東京　內外出版協會　明治41年（1908）11月　139頁
5949　岡野代忠　　二宮先生報德教
　　　　　　　　　東京　開發社　明治42年（1909）7月　163頁
5950　服部北溟編　二宮尊德報德講話
　　　　　　　　　東京　杉本書房　明治42年（1909）6月　126，28頁
5951　報德學研究會　家庭教育二宮先生報德畫譚
　　　　　　　　　東京　磯部甲陽堂　明治44年（1911）2月　210頁
5952　石田傳言　　二宮先生報德記傳
　　　　　　　　　東京　大倉書店　大正4年（1915）
5953　奧谷松治　　二宮尊德と報德社運動
　　　　　　　　　東京　高陽書院　昭和11年（1936）
5954　佐藤熊次郎　昭和維新の國民教育と二宮尊德の報德教並其の哲理
　　　　　　　　　東京　目黑書店　昭和15年（1940）
5955　春原千幹　　報德讀本
　　　　　　　　　東京　明文堂　昭和12年（1937）
5956　八木繁樹　　新編報德讀本
　　　　　　　　　東京　龍溪書舍　昭和53年（1978）6月　270頁
5957　八木繁樹　　定本報德讀本
　　　　　　　　　東京　綠陰書房　昭和58年（1983）9月　418頁
5958　井上勝英編、小林信明訓讀　報德學教本
　　　　　　　　　東京　農村更生協會　平成4年（1992）8月　174頁
5959　內外書房編　報德要典
　　　　　　　　　編者印行　昭和9年（1934）
5960　舟越石治　　報德要典
　　　　　　　　　東京　內外書房　昭和10年（1935）增補　1冊

5961　佐佐井信太郎　報導叢書
　　　　　　　　　　報德文庫　昭和10年（1935）
5962　一圓融合會　　現代版報德全書
　　　　　　　　　　編者印行　昭和29、30年（1954、1955）
5963　岡田良一部　　報德富國論
　　　　　　　　　　靜岡縣倉眞村　岡田良一郎印行　明治14年
　　　　　　　　　　（1881）3月　3冊（65丁，40丁，48丁）
5964　福住正兄　　　報德手引草　卷之1
　　　　　　　　　　靜岡縣掛川町　美人香草堂　明治18年（1885）4月　16丁
5965　岡田良一郎　　報德學齊家談
　　　　　　　　　　靜岡縣掛川町　森點閣　明治18年（1885）7月　2冊（41丁，
　　　　　　　　　　64丁）
5966　安藤才次郎述、福住正兄閱　報德訓歌（附報德社の數へ謠）
　　　　　　　　　　名古屋　安藤才次郎印行　明治20年（1887）12月　20頁
5967　福住正兄　　　報德學幽顯諭
　　　　　　　　　　靜岡　靜岡報德社　明治21年（1888）11月　33丁
5968　福住正兄　　　報德學內記
　　　　　　　　　　神奈川縣箱根町　報德會福運社　明治24年（1891）9月　40
　　　　　　　　　　丁
5969　福住正兄　　　日本信用組合報德結社問答
　　　　　　　　　　神奈川縣湯本村　報德會福運社　明治25年（1892）1月　36,7
　　　　　　　　　　丁
5970　富田高慶編　　報德論
　　　　　　　　　　福島縣石神村　興復社　明治29年（1896）6月　43丁
5971　大內青巒迷、橫山德門記　報德談
　　　　　　　　　　東京　鴻盟社　明治33年（1900）9月　34頁
5972　岡田良一郎編　報德傳道編
　　　　　　　　　　靜岡縣倉眞村　岡田良一郎印行　明治33年（1900）2月　2
　　　　　　　　　　冊
5973　吉田宇之助　　報德要論
　　　　　　　　　　東京　裳華房　明治38年（1905）3月　109頁
5974　吉田宇之助　　報德記續編濟民記
　　　　　　　　　　東京　裳華房　明治39年（1906）
5975　報德會編　　　報德之研究
　　　　　　　　　　東京　報德會　明治40年（1907）12月　384頁
5976　留岡幸助　　　報德一夕話

		東京　警醒社　明治41年（1908）9月　192頁
5977	留岡幸助	報德之眞髓
		東京　警醒社　明治41年（1908）11月
5978	山田猪太郎	報德結社の栞
		靜岡縣掛川町　大日本報德學友會　明治41年（1908）7月
		239, 90頁；明治42年（1909）3月訂補2版　362頁；明治42年
		（1909）11月再訂增補3版　339頁
5979	中上喜三郎編	報德教話
		靜岡　報德學圖書館　明治42年（1909）6月　80頁
5980	矢崎亥八	農業報德論
		①岐阜　岐阜縣農會　明治41年（1908）12月　391頁；明治
		42年（1909）7月訂3版　421頁
		②東京　成美堂　明治44年（1911）9月訂5版　340頁
5981	岡田無息軒	報德發明錄
		靜岡縣倉眞村　遠江國報德社　明治42年（1909）4月　79頁
5982	井口丑二	報德物語
		東京　內外出版協會　明治42、43年（1909、1910）　2冊
		（86頁，204頁）
5983	井口丑二	報德溯源
		東京　內外出版協會　明治43年（1910）5月　307頁
5984	服部北溟	青年修養報德之實踐
		東京　良明堂　明治43年（1910）9月　128頁
5985	齋藤謙	古賢と報德
		東京　隆文館　明治43年（1910）
5986	富田高慶編	報德論
		東京　報德書院　明治44年（1911）1月　93頁
5987	生江孝之	報德之趣旨と其精神
		東京　六盟館　明治44年（1911）9月　93頁（農村經營講話
		第3集）
5988	天野雨石	報德教
		德島　天野雨石印行　明治45年（1912）4月　70頁
5989	佐佐井信太郎	新報德記
		靜岡縣掛川町　大日本報德社　昭和9年（1934）訂正版
		294, 44頁
5990	草山惇造	自力更生と報德の精神
		報德文庫　昭和10年（1935）

5991　栃木縣師範學校編　報德道の研究と實踐
　　　　　　　　　編者印行　昭和14年（1939）

5992　報德經濟學研究會編　報德經濟學研究　第1輯
　　　　　　　　　東京　理想社　昭和19年（1944）

5993　二宮尊德偉業宣揚會編　報德生活法の話
　　　　　　　　　同編者、報德宣揚會　昭和17年（1942）

5994　加藤仁平　　　誤解、曲解は歴史の宿命か
　　　　　　　　　藤澤　報德同志會　昭和50年（1975）　286頁（報德に生き
　　　　　　　　　る　第2卷）

5995　岡田良一郎述、榛葉元三郎編　報德演說筆記
　　　　　　　　　靜岡縣森町　帝國農家一致協會　　明治23年（1890）12月
　　　　　　　　　49頁

5996　未署名　　　　報德講演集
　　　　　　　　　京都　京都府農會　明治41年（1908）12月　280頁；明治42
　　　　　　　　　年（1909）2月　2版　369頁

5997　未署名　　　　報德講演集
　　　　　　　　　富山　富山縣農會　明治42年（1909）12月　228頁

5998　未署名　　　　報德講演集
　　　　　　　　　長野　長野縣報德講演會　明治43年（1910）10月　246頁

5999　未署名　　　　報德講演集
　　　　　　　　　長野　長野縣報德講演會　明治44年（1911）11月　146頁
　　　　　　　　　（第四回報德報講演會速記の一部）

6000　未署名　　　　報德講演集
　　　　　　　　　津　三重縣農會　明治44年（1911）6月　48頁

6001　加藤仁平　　　自傳　報德教育の第一步（昭和9—21年）
　　　　　　　　　東京　龍溪書舍　昭和55年（1980）8月　358頁

6002　加藤仁平　　　自傳　報德教育の第二步（昭和21—33年）
　　　　　　　　　東京　龍溪書舍　昭和56年（1981）11月　233頁

6003　加藤仁平　　　自傳　報德教育の歩み
　　　　　　　　　東京　同文書院　昭和58年（1983）11月　271頁

6004　富田高慶　　　富田高慶報德秘錄
　　　　　　　　　小田原　報德福運社報德博物館　平成6年（1994）3月　360
　　　　　　　　　頁（報德博物館資料集　2）

6005　報德福運社報德博物館編　尊德門人聞書集
　　　　　　　　　小田原　編者印行　平成4年（1992）7月　270頁（報德博物
　　　　　　　　　館資料集　1）

6006　八木繁樹　　　報德に生きた人びと　近代の報德家を知る基本資料　報德
　　　　　　　　　　家略傳書拔帳
　　　　　　　　　　東京　總合社　平成6年（1994）9月　559頁
6007　八木繁樹　　　報德運動100年のあゆみ
　　　　　　　　　　①東京　龍溪書舍　昭和55年（1980）11月　1288頁　圖版
　　　　　　　　　　15枚
　　　　　　　　　　②東京　綠陰書房　昭和62年（1977）8月增補改訂版　1342
　　　　　　　　　　頁　圖版15枚
6008　北海道報德社　物語北海道報德の歷史
　　　　　　　　　　札幌　編者印行　昭和60年（1985）1月　505頁
6009　青木惠一郎　　長野縣における志賀報德社運動
　　　　　　　　　　東京　農業信用保險協會　昭和48年（1973）　181頁（保證
　　　　　　　　　　保險研究ミリーズ　10）
6010　報德福運社　　報德博物館建設事業槪要
　　　　　　　　　　小田原　編者印行　昭和60年（1985）1月　140頁
6011　小田原市立圖書館編　小田原市立圖書館報德集書解說目錄
　　　　　　　　　　小田原　編者印行　昭和63年（1988）3月　154頁（小田原
　　　　　　　　　　市立圖書館目錄ミリーズ　11）
6012　綠陰書房編　　日本報德運動雜誌集成
　　　　　　　　　　東京　綠陰書房
　　　　　　　　　　第1卷　大日本帝國報德
　　　　　　　　　　　　　明治25年3月―明治25年11月
　　　　　　　　　　第2卷　大日本帝國報德
　　　　　　　　　　　　　明治26年1月―明治26年12月
　　　　　　　　　　第3卷　大日本帝國報德
　　　　　　　　　　　　　明治27年1月―明治27年12月
　　　　　　　　　　第4卷　大日本帝國報德
　　　　　　　　　　　　　明治28年1月―明治30年12月
　　　　　　　　　　第5卷　大日本帝國報德
　　　　　　　　　　　　　明治31年4月―明治36年9月
　　　　　　　　　　第6卷　大日本報德學友會報
　　　　　　　　　　　　　明治37年1月―明治37年12月
　　　　　　　　　　第7卷　大日本報德學友會報
　　　　　　　　　　　　　明治38年1月―明治38年12月
　　　　　　　　　　第8卷　大日本報德學友會報
　　　　　　　　　　　　　明治39年1月―明治39年12月

第 9卷　　大日本報德學友會報
　　　　　明治40年1月—明治40年12月
第10卷　　大日本報德學友會報
　　　　　明治41年1月—明治41年12月
第11卷　　大日本報德學友會報
　　　　　明治42年1月—明治42年12月
第12卷　　大日本報德學友會報
　　　　　明治43年1月—明治43年12月
第13卷　　大日本報德學友會報
　　　　　明治44年1月—明治44年12月
第14卷　　大日本報德學友會報
　　　　　明治45年1月—大正1年12月
第15卷　　大日本報德學友會報
　　　　　大正2年1月—大正2年12月
第16卷　　大日本報德學友會報
　　　　　大正3年1月—大正3年12月

4.教育勅語

6013　那珂通世、秋山四郎　教育勅語衍義
　　　　　東京　共益商社　明治24年（1891）1月　188頁
6014　松本謙堂　　　　教育勅語正解
　　　　　大阪　友親堂　明治24年（1891）4月　21頁
6015　石橋臥波　　　　教育勅語釋義
　　　　　大阪　吉岡教育書房　明治24年（1891）6月　21頁
6016　井上哲次郎　　　勅語衍義
　　　　　①東京　井上蘇吉、井上弘大郎印行　明治24年（1891）9
　　　　　月　2冊
　　　　　②東京　文盛堂、文魁堂　明治32年（1899）3月增訂24版
　　　　　2冊
6017　今泉定介　　　　教育勅語衍義
　　　　　東京　普及會　明治24年（1891）11月　78頁
6018　大石員質　　　　教育勅語奉解
　　　　　大阪　圖書出版會社　明治25年（1892）4月　42頁
6019　稻生輝雄　　　　教育勅語訓解
　　　　　東京　文華堂；崎玉縣浦和町　盛文閣　明治25年（1892）

4月　50頁

6020　太田保一郎　　生徒必讀教育勅語述義
　　　　　　　　　東京　金港堂　明治25年（1892）5月　48頁
6021　太田保一郎　　小學生徒必讀教育勅語略解
　　　　　　　　　東京　金港堂　明治25年（1892）5月　22頁
6022　重野安繹　　　教育勅語衍義
　　　　　　　　　東京　小林喜右衛門印行　明治25年（1892）8月　50，42丁
　　　　　　　　　（上、下合本）
6023　宮崎孫右衛門著、落合直文閲　教育勅語通俗解
　　　　　　　　　東京　作者印行　明治27年（1894）9月　13丁
6024　寺田福壽　　　教育勅語說教
　　　　　　　　　京都　澤田文榮堂　明治28年（1895）6月　165頁
6025　內藤耻叟　　　教育勅語訓義
　　　　　　　　　東京　金港堂　明治29年（1896）　2冊（108頁，120頁）
6026　內藤耻叟　　　教育勅語講談
　　　　　　　　　東京　大日本中學會　出版年不明　49頁（大日本中學會29
　　　　　　　　　年度1年級講義錄）
6027　岡本監輔　　　教育勅語講談
　　　　　　　　　東京　大日本中學會　出版年不明　276頁（大日本中學會
　　　　　　　　　第2學級講義錄）
6028　大久保芳太郎　教育勅語通證
　　　　　　　　　神戶　神祇堂　明治32年（1899）4月　2冊（3卷）
6029　小堀　原　　　教育勅語衍義教本
　　　　　　　　　東京　右文館　明治33年（1900）10月　71頁
6030　龜尾　肇　　　教育勅語修身解
　　　　　　　　　大阪　柏原圭文堂　明治34年（1901）2月　99頁
6031　和田　豐　　　教育勅語修身要義
　　　　　　　　　東京　同文館　明治34年（1901）6月　89頁
6032　雲　照　　　　教育勅語の淵源
　　　　　　　　　東京　金港堂　明治34年（1901）12月　42頁
6033　桐隱散史　　　教育勅語をしへ
　　　　　　　　　大阪　此村欽英堂　明治36年（1903）3月　97頁
6034　武井　義　　　教育勅語略解
　　　　　　　　　福岡縣洞南村　作者印行　明治36年（1903）12月　18丁
6035　安田　篤　　　教育勅語講義
　　　　　　　　　大阪　關西佛教婦人會　明治39年（1906）4月　63頁

6036　樋口勘治郎　　教育勅語の御精神
　　　　　　　　　　東京　金港堂　明治41年（1908）4月　108頁
6037　植村道次郎著、井上哲次郎閲　教育勅語要義
　　　　　　　　　　東京　實業之日本社　明治42年（1909）4月　99頁
6038　道友社編輯部編　教育勅語衍義
　　　　　　　　　　奈良縣丹波市町　編者印行　明治42年（1909）12月　37頁
6039　神谷初之助、野村傳四　教育勅語道話
　　　　　　　　　　東京　有美堂、石倉書房　明治44年（1911）4月　339頁
6040　中村新三郎　　教育勅語圖解
　　　　　　　　　　東京　中村新三郎　明治44年（1911）12月　27頁
6041　井上哲次郎、藤井健治郎　教育勅語述義
　　　　　　　　　　東京　晩成處　明治45年（1912）3月　90頁
6042　清水廣次　　　教育勅語聖旨實行方法——儒學復興論
　　　　　　　　　　香川縣　十河村　壺井竹雄印行　明治45年（1912）6月　30
　　　　　　　　　　頁
6043　加藤地三　　　教育勅語の時代
　　　　　　　　　　東京　三修社　昭和62年（1987）12月　181頁
6044　坂田　新　　　教育勅語
　　　　　　　　　　熊本　日本談義社　平成1年（1989）12月　221頁
6045　副田義也　　　教育勅語の社會史——ナショナリズムの創出と挫折
　　　　　　　　　　東京都　有信堂高文社　平成9年（1997）10月　369頁
6046　洪　祖顯　　　「教學大旨」および「教育勅語」に見る儒家思想の受容形
　　　　　　　　　　態
　　　　　　　　　　日本大學精神文化研究所、教育制度研究所紀要　第12號
　　　　　　　　　　（古田紹欽教授古稀記念號）　頁125—159　昭和56年
　　　　　　　　　　（1981）1月

5.孔子教研究

6047　山田喜之助　　孔教論
　　　　　　　　　　東京　博文館　明治23年（1890）10月
6048　福地櫻痴　　　孔夫子
　　　　　　　　　　東京　福地源一郎印行　明治31年（1898）11月　48丁
6049　吉國藤吉　　　孔子
　　　　　　　　　　東京　博文館　明治32年（1899）12月　138頁（世界史譚
　　　　　　　　　　第2編）

6050　互理章三郎　　孔門之德育
　　　　　　　　　　東京　開發社　明治34年（1901）7月　157頁
6051　松村正一　　　東洋倫理　孔子の學說
　　　　　　　　　　東京　育成會　明治35年（1902）9月　144頁
6052　蟹江義丸　　　孔子研究
　　　　　　　　　　東京　金港堂　明治37年（1904）7月　452, 74頁
6053　山路愛山　　　孔子論
　　　　　　　　　　①東京　民友社　明治38年（1905）2月　276頁
　　　　　　　　　　②山路愛山選集　第3冊　東京　萬里閣書房　昭和3年
　　　　　　　　　　　（1928）6月
6054　村岡素一郎　　儒教回運錄
　　　　　　　　　　東京　金港堂　明治40年（1907）　134頁
6055　井上哲次郎　　儒教
　　　　　　　　　　開國五十年史　下卷　東京　開國五十年史刊行會　明治40
　　　　　　　　　　年（1907）；東京　原書房　昭和45年（1970）
6056　蜷川龍夫　　　儒教哲學概論
　　　　　　　　　　東京　博文館　昭和40年（1907）　338頁
6057　西脇玉峰　　　孔子
　　　　　　　　　　東京　內外出版協會　明治41年（1908）12月　280頁
6058　有馬祐政　　　孔子言行錄
　　　　　　　　　　東京　博文館　明治41年（1908）　467頁
6059　內田　政　　　儒教新議
　　　　　　　　　　浜松　作者印行　明治42年（1909）4月
6060　孔子祭典會編　諸名家孔子觀
　　　　　　　　　　東京　博文館　明治43年（1910）4月　214, 62, 24頁
6061　白河鯉洋　　　孔子
　　　　　　　　　　東京　東亞堂書房　明治43年（1910）11月　401頁
6062　遠藤隆吉　　　孔子傳
　　　　　　　　　　東京　丙午出版社　明治43年（1910）11月　336頁
6063　住谷天來　　　孔子及孔子教
　　　　　　　　　　東京　警醒社　明治44年（1911）6月　232頁
6064　宇野哲人　　　孔子教
　　　　　　　　　　東京　富山房　明治44年（1911）252頁
6065　內田　正　　　儒學哲學本義
　　　　　　　　　　東京　岩波書店　大正6年（1917）　1冊
6066　服部宇之吉　　孔子及孔子教

①東京　明治出版社　大正6年（1917）1月　432頁

②東京　京文社　大正15年（1926）3月　434頁

6067　服部宇之吉　　儒教と現代思潮

東京　明治出版社　大正7年（1918）11月

6068　服部宇之吉著、鄭子雅譯　儒教と現代思潮

①上海　商務印書館　大正8年（1919）（萬有文庫　第115冊）

②臺北　文星書店　昭和40（1965）1月　70頁（文星集刊21）

③臺北　臺灣商務印書館　昭和45年（1970）　70頁（人人文庫　1453）

④臺北　文鏡文化事業公司　昭和58年（1983）8月　103頁

6069　斯文會編　　孔夫子追遠紀念號

斯文　第4編5號　大正11年（1922）10月

6070　安藤圓秀　　孔子と其徒

東京　日進堂　大正12年（1923）　334頁

6071　柿木寸鐵　　孔子聖教の攻究

東京　人文社　大正13年（1924）11月　406頁

6072　平松文平　　孔夫子

東京　讀本の讀本社　大正15年（1926）2月

6073　高須芳次郎　孔子から孟子へ

東京　新潮社　大正15年（1926）　200頁（東洋文庫　第1編）

6074　服部宇之吉　孔夫子の話

東京　京文社　昭和2年（1927）　303頁

6075　赤地　濃　　萬世の師孔子

東京　玄黃社　昭和3年（1928）　181頁

6076　北村澤吉著、歐陽瀚存譯　儒學概論

上海　商務印書館　昭和3年（1928）11月　265頁

6077　北村澤吉　　儒學概論

東京　關書院　昭和5年（1930）　1冊

6078　藤原　正　　孔子

世界思潮　第2冊　東京　岩波書店　昭和4年（1929）

6079　武內義雄　　儒教思潮

世界思潮　第4冊　東京　岩波書店　昭和4年（1929）

6080　高田眞治　　儒教の倫理學

　　　　　　　　　　　　教育科學　第9冊　東京　岩波書店　昭和6年（1931）

6081　山口察常　　　儒教の世界觀と教育

　　　　　　　　　　　　教育科學　第14冊　東京　岩波書店　昭和6年（1931）

6082　津田左右吉　　儒教の實踐道德

　　　　　　　　　　　　滿鮮地理歷史研究報告　第13號　頁499—706　東京　東京
　　　　　　　　　　　　帝國大學文科大學　昭和7年（1932）6月

6083　北村澤吉　　　儒學要義

　　　　　　　　　　　　東京　寶文館　昭和7年（1932）　177，23，15頁

6084　北村澤吉　　　儒教道德の特質と其の學說の變遷

　　　　　　　　　　　　①東京　關書院　昭和8年（1933）3月　9，383頁

　　　　　　　　　　　　②東京　森北書店　昭和18年（1943）1月　9，212，194頁

6085　諸橋轍次　　　儒教の領域

　　　　　　　　　　　　①大連　滿州文化協會　昭和8年（1933）　60頁

　　　　　　　　　　　　②東京　日本文化協會　昭和10年（1935）（日本文化小輯）

6086　北村佳逸　　　論語の新研究

　　　　　　　　　　　　東京　大阪屋號　昭和8年（1933）　403頁

6087　諸橋轍次　　　日本精神と儒教

　　　　　　　　　　　　東京　帝國漢學普及會　昭和9年（1934）10月　235頁

6088　北村佳逸　　　孔子解說學庸篇

　　　　　　　　　　　　東京、京都　立命館出版部　昭和9年（1934）12月　235頁

6089　北村佳逸　　　儒教哲學解說

　　　　　　　　　　　　東京　言海書局　昭和10年（1935）3月　271頁

6090　北村佳逸　　　孔子教の戰爭理論

　　　　　　　　　　　　東京　南郊社　昭和10年（1935）5月　288頁

6091　住谷天來　　　孔子及孔子教

　　　　　　　　　　　　東京　新生堂　昭和10年（1935）6月　259頁

6092　北村佳逸　　　孔子教と其反對者

　　　　　　　　　　　　東京　言海書局　昭和10年（1935）12月　239頁

6093　中山久四郎　　日本文化と儒教

　　　　　　　　　　　　東京　刀江書院　昭和10年（1935）

6094　北村佳逸　　　孔子教解說

　　　　　　　　　　　　東京　言海書局　昭和11年（1936）2月　271頁（《儒教哲
　　　　　　　　　　　　學解說》改名）

6095　齋藤　要　　　儒學概論

　　　　　　　　　　　　東京　南光社　昭和11年（1936）6月

6096　齋藤　要　　　儒教倫理學

　　　　　　　　　　東京　第一書房　昭和11年（1936）6月　524頁

6097　田崎仁義　　　孔子
　　　　　　　　　　東京　三省堂　昭和11年（1936）2月　220頁　（社會科學
　　　　　　　　　　の建設者人と學說叢書）

6098　諸橋轍次　　　孔子の生涯
　　　　　　　　　　東京　章華社　昭和11年（1936）　188頁

6099　高田眞治　　　儒教の精神
　　　　　　　　　　東京　大日本圖書　昭和12年（1937）　308頁

6100　岡村利平　　　孔子傳
　　　　　　　　　　東京　春陽堂書店　昭和12年（1937）　346, 8頁

6101　鹽谷　溫　　　孔子の人格と教訓
　　　　　　　　　　東京　開隆堂　昭和12年（1937）10月　731, 2頁

6102　林語堂著、川口浩譯　孔子論
　　　　　　　　　　東京　育生社　昭和14年（1939）4月　429頁

6103　武內義雄　　　儒教の精神
　　　　　　　　　　東京　岩波書店　昭和14年（1939）11月　213頁（岩波新書
　　　　　　　　　　54）

6104　服部宇之吉　　孔子教大義
　　　　　　　　　　東京　富山房　昭和14年（1939）　415頁

6105　武內義雄　　　儒教の倫理
　　　　　　　　　　倫理學　第9冊　東京　岩波書店　昭和15年（1940）

6106　興亞宗教協會編　儒教の實態
　　　　　　　　　　北京　編者印行　昭和16年（1941）3月（興亞宗教叢書
　　　　　　　　　　第5輯）

6107　服部宇之吉　　儒教倫理概論
　　　　　　　　　　東京　富山房　昭和16年（1941）11月　422頁

6108　諸橋轍次　　　儒教講話
　　　　　　　　　　東京　目黑書店　昭和16年（1941）7月　290頁

6109　金戶　守　　　儒學哲學原論
　　　　　　　　　　東京　光成館　昭和19年（1944）　193頁

6110　田崎仁義　　　孔子と王道の政治經濟
　　　　　　　　　　東京　三省堂　昭和19年（1944）3月　317頁

6111　山形東根　　　孔子教獎勵の聲
　　　　　　　　　　東京　經濟雜誌　第57卷14號　頁24—28　明治41年（1908）6
　　　　　　　　　　月

6112　高瀨武次郎　　孔子教普及策

漢學　第2編4號　頁105—113　明治44年（1911）4月

6113　小林壽彥　　「孔子教問題」覺え書き
山本博士還曆紀念東洋史論叢　頁179—190　東京　山川出
版社　昭和47年（1972）10月

6.東京學派與京都學派

6114　町田三郎　　東京大學「古典講習科」の人人
①九州大學哲學年報　　第51號　平成4年（1992）
②明治の漢學者たち　　頁128—150　東京研文出版　平成10
年（1998）1月

6115　池田知久　　東京大學中國哲學研究之傳統與新展開
「現代中國哲學研究——二十一世紀之展望」專題討論會論
文　京都　國際日本文化研究中心　平成8年（1996）5月17
日

6116　何　培齋　　王國維對「京都學派」的影響
中國文化大學史學研究所碩士論文　平成9年（1997）6月

6117　張　寶三　　日本近代京都學派對注疏之研究
唐代經學及日本近代京都學派中國學研究論集　頁135—253
臺北　里仁書局　平成10年（1998）4月

6118　張　寶三　　日本近代京都學派經學研究年表
唐代經學及日本近代京都學派中國學研究論集　頁255—311
臺北　里仁書局　平成10年（1998）4月

6119　張　寶三　　訪本田濟教授談日本近代京都學派之經學研究
①中國文哲研究通訊　第7卷4期　頁135—145　平成9年
（1997）12月
②唐代經學及日本近代京都學派中國學研究論集　頁313—
334　臺北　里仁書局　平成10年（1998）4月

貳、儒學家各論

1.元田永孚（1818—1891）

もと だ えい ふ

著 作

6120 元田永孚 幼學綱要卷1—7
作者刊本 明治16年（1883）再版 7冊

6121 元田永孚 幼學綱要
明治14年（1881）刊本 4冊

6122 元田永孚 幼學綱要卷1—4
明治年間刊本 4冊

6123 元田永孚 經筵進講錄
東京 鐵華書院 明治33年（1900）4月 114, 2頁

6124 元田永孚著、吉本襄編 元田先生進講錄
東京 民友社 明治43年（1910）1月
東京 明治書院 昭和15年（1940）增補版

6125 元田竹彥、海後宗臣編 元田永孚文書
東京 元田文書研究會
第1卷 昭和44年（1969） 360頁
自傳、日記
第2卷 昭和44年（1969） 369頁
進講錄
第3卷 昭和45年（1970） 434頁
書經講義
論語講義

6126 麓保孝譯註 元田東野
朱子學大系 第13冊 日本の朱子學（下） 東京 明德出
版社 昭和50年（1975）3月

後人研究

6127 德富猪一郎 元田東野翁

　　　　　　　　人物管見　東京　民友社　明治25年（1892）

6128　富島末雄　　元田永孚先生
　　　　　　　　熊本　熊本地歷研究會　昭和5年（1930）

6129　高森良人　　元田永孚先生の遺訓
　　　　　　　　東京　弘道館　昭和12年（1937）

6130　海後宗臣　　元田東孚
　　　　　　　　東京　大教書院　昭和17年（1942）　222頁（日本教育先哲
　　　　　　　　叢書　第19卷）

6131　巨勢　進　　元田東野
　　　　　　　　叢書日本の思想家　第47冊　東京　明德出版社　昭和54年
　　　　　　　　（1979）6月（與副島蒼海合冊）

6132　沼田哲、元田竹彦編　元田永孚關係文書
　　　　　　　　東京　山川出版社　昭和60年（1985）7月　413頁（近代日
　　　　　　　　本史料選書　14）

2.根本通明（1822—1906）

著　作

6133　根本通明　　論語講義
　　　　　　　　東京　早稻田大學出版部　明治39年（1906）5月　706頁

6134　根本通明述、橫山貞亮記　孟子講義
　　　　　　　　東京　文武講習館　明治17—18年（1884—1885）　8冊

6135　根本通明　　周易象義辨正首卷、卷1—2
　　　　　　　　東京　作者印本　明治34年（1901）3冊

6136　根本通明　　周易象義辯正
　　　　　　　　東京　昭和12年（1937）　1104頁

6137　根本通明述、九鬼盛隆編　周易講義卷3、4
　　　　　　　　東京　青木嵩山堂　明治43年（1910）6月　2冊（279、442
　　　　　　　　頁）

6138　根本通明　　周易講義
　　　　　　　　東京　近田書店　大正7年（1918）　2冊

6139　根本通明述　毛詩
　　　　　　　　東京　哲學館　明治33年（1900）　1022頁
　　　　　　　　（哲學館漢學專修科漢學講義）

6140　根本通明　　　詩經講義
　　　　　　　　東京　博文館　明治44年（1911）　2冊（上510頁，下446頁）
6141　根本通明述、根本通德述　老子講義
　　　　　　　　東京　博文館　明治35年（1902）3月　388頁
6142　根本通明、井上圓了　文學博士根本通明、文學博士井上圓了先生講話
　　　　　　　　東京　學海指針社　明治33年（1900）7月　51頁

後人研究

6143　根本通德編　　羽獄根本先生年譜　卷上
　　　　　　　　東京　編者印本　明治34年（1900）8月　47丁
6144　笹木祖淳編　　羽獄高風
　　　　　　　　木內盛直刊本　大正4年（1915）
6145　渡邊正男　　　根本通明先生の三十年忌に當りて　斯文　第17編12號　昭
　　　　　　　　和10年（1935）
6146　中山久四郎　　根本通明先生
　　　　　　　　歷史教育　第2卷4號　昭和29年（1954）
6147　刈和野中學校編　根本通明先生
　　　　　　　　編者印本　昭和32年（1957）
6148　秋田圖書館　　根本通明先生遺書目錄
　　　　　　　　編者印本　昭和5年（1930）

3.內藤恥叟（1827—1903）
ない とう ち そう

著　作

6149　內藤恥叟　　　四書講義
　　　　　　　　東京　博文館　明治25年（1892）　2冊（支那文學全書
　　　　　　　　第1、2編）
　　　　　　　　上卷　大學、中庸、論語　428頁
　　　　　　　　下卷　孟子　438頁
6150　內藤恥叟　　　孟子講義
　　　　　　　　京都　貝葉書院　明治30年（1897）8月　367頁
6151　內藤恥叟　　　小學孝經忠經講義
　　　　　　　　東京　博文館　明治25年（1892）8月　470頁（支那文學全
　　　　　　　　書　第3編）

6152　內藤耻叟　　　　近思錄講義
　　　　　　　　　　東京　博文館　明治26年（1893）3月　429頁（支那文學全
　　　　　　　　　　書　第16編）
6153　內藤耻叟　　　　奉勅高等科修身鑑
　　　　　　　　　　東京　集英堂　明治25年（1892）3月　4冊
6154　內藤耻叟　　　　帝國童兒訓
　　　　　　　　　　東京　博文館　明治25年（1892）3月　3冊
6155　內藤耻叟　　　　修身講義
　　　　　　　　　　東京　明治講學會　65頁（明治師範學科講義錄）
6156　內藤耻叟　　　　敕語解釋
　　　　　　　　　　東京　青山清吉印本　明治23年（1890）11月　46頁
6157　內藤耻叟　　　　敕語俗訓
　　　　　　　　　　東京　青山堂　明治23年（1890）12月　36丁
6158　內藤耻叟　　　　教育敕語訓義
　　　　　　　　　　東京　金港堂　明治29年（1896）　2冊（上108頁，下120頁）
6159　內藤耻叟　　　　陸海軍敕諭衍義
　　　　　　　　　　東京　岡島支店　明治28年（1895）3月　86頁
6160　內藤耻叟　　　　無神論
　　　　　　　　　　日本哲學思想全書　第8卷　東京　平凡社　昭和31年
　　　　　　　　　　（1956）
6161　內藤耻叟　　　　破邪論集　初編
　　　　　　　　　　東京　哲學書院　明治26年（1893）8月　147頁
6162　內藤耻叟　　　　祝日祭典由來
　　　　　　　　　　東京　青山堂　明治24年（1891）6月　42頁
6163　內藤耻叟　　　　碧海學說
　　　　　　　　　　東京　博文館　明治24年（1891）8月　55頁
6164　內藤耻叟　　　　碧海學說
　　　　　　　　　　東京　作者印本　明治30年（1897）9月　17丁
6165　內藤耻叟　　　　帝王經世圖解
　　　　　　　　　　東京　加藤正七刊本　明治17年（1894）9月　3冊
6166　內藤耻叟　　　　國體發揮
　　　　　　　　　　①東京　博文館　明治22年（1889）10月　58頁
　　　　　　　　　　②水戶學全集　第5編　東京　日東書院　昭和9年（1934）
　　　　　　　　　　③水戶學大系　第7卷　東京　水戶學大系刊行會　昭和17
　　　　　　　　　　　年（1942）
6167　內藤耻叟　　　　開國起原安政記事

東京　東崖堂　明治21年（1888）6月　509頁

6168　內藤耻叟　　靖獻遺言講義
　　　　　　　　　東京　博文館　明治26年（1893）1月　489頁

6169　內藤耻叟　　日本兵士
　　　　　　　　　東京　岡島寶玉堂　明治28年（1895）2月　134頁

6170　內藤耻叟　　江戶文學志略
　　　　　　　　　日本文庫　第12編附錄　東京　博文館　明治25年（1892）

6171　內藤耻叟、三輪文次郎　一覽博識漢學速成
　　　　　　　　　名古屋　靜觀堂　明治26年（1893）6月　133, 834頁

6172　內藤耻叟　　碧海漫涉
　　　　　　　　　東京　介昭書院　明治14年（1881）　2冊

にし むら しげ き
4.西村茂樹（1828—1902）

著　作

6173　西村茂樹　　日本道德論
　　　　　　　　　①東京　西村金治印本　明治20年（1887）4月　100丁
　　　　　　　　　②東京　井上圓成印本　訂2版　明治21年（1888）3月　199頁
　　　　　　　　　③東京　作者印本　訂3版　明治25年（1892）1月　201頁
　　　　　　　　　④東京　日本弘道會　明治43年（1910）7月　184, 63頁
　　　　　　　　　　（附：日本弘道大意）
　　　　　　　　　⑤東京　岩波書店　昭和10年（1935）1月　122頁（岩波
　　　　　　　　　文庫）
　　　　　　　　　⑥日本哲學思想全書　第14卷　東京　平凡社　昭和31年
　　　　　　　　　（1956）

6174　西村茂樹　　讀書次第
　　　　　　　　　東京　博文館　明治26年（1893）7月　70頁

6175　西村茂樹　　小學修身訓（上）
　　　　　　　　　岐阜　三浦源助印本　明治13年（1880）9月　34丁

6176　西村茂樹　　小學修身訓
　　　　　　　　　①東京　文部省　明治13年（1880）　2冊
　　　　　　　　　②大阪　岡島眞七印本　明治13年（1880）11月

6177　西村茂樹　　小學修身訓　波號　第1、2卷
　　　　　　　　　東京　高橋平三郎印本　明治14年（1881）8月　39, 44頁

6178　西村茂樹　　　　求諸己諸義　修身學部2—4
　　　　　　　　　　　東京　稻田佐兵衛刊本　明治10年（1877）4月　3冊
6179　西村茂樹　　　　修身講話
　　　　　　　　　　　東京　大日本實業學會　21頁（大日本實業學會講義錄　2）
6180　西村茂樹　　　　德學講義
　　　　　　　　　　　東京　哲學書院　明治28—34年（1895—1901）　8冊
6181　西村茂樹　　　　國民訓
　　　　　　　　　　　東京　日本弘道會　明治30年（1897）2月
6182　西村茂樹　　　　心學講義
　　　　　　　　　　　①東京　丸善　明治18、19年（1885、1886）　5冊
　　　　　　　　　　　②東京　吉川半七印本　明治25年（1892）9月　2冊
6183　西村茂樹編、山西安榮校、加部嚴夫訂　婦女鑑
　　　　　　　　　　　①東京　宮內省　明治20年（1887）7月
　　　　　　　　　　　②東京　吉川弘文館　大正14年（1915）3月　3冊
6184　西村茂樹　　　　自識錄
　　　　　　　　　　　東京　富山房　明治33年（1900）8月　156頁
6185　西村茂樹　　　　續自識錄
　　　　　　　　　　　東京　廣文堂　明治35年（1902）3月　132頁
6186　西村茂樹述　　　日本弘道會大意
　　　　　　　　　　　東京　日本弘道會　明治22年（1885）12月　48頁
6187　西村茂樹　　　　日本弘道會相助法設立案
　　　　　　　　　　　東京　日本弘道會　明治25年（1892）3月　9頁
6188　西村茂樹　　　　泊翁先生警箴詩
　　　　　　　　　　　東京　修養會　明治44年（1911）8月　13丁
6189　西村茂樹著、松平直亮編　西村會長公德養成意見
　　　　　　　　　　　東京　編者印本　明治33年（1900）12月
6190　西村茂樹　　　　西村茂樹先生道德教育講話筆記第1、2回
　　　　　　　　　　　愛知縣新城町　愛知縣南北設樂八名三郡教員講習會　2冊
　　　　　　　　　　　合本（138、116頁）明治31—33年（1898—1900）
6191　松平直亮編　　　西村茂樹先生論說集　第1卷
　　　　　　　　　　　東京　編者印本　明治27年（1894）6月　272頁
6192　西村茂樹編、西阪成一解　新撰百人一首
　　　　　　　　　　　東京　中外堂、開求堂　明治16年（1883）9月　100丁
6193　西村茂樹編　　　校正萬國史略
　　　　　　　　　　　①東京　編者印本　明治6—8年（1873—1875）　11冊
　　　　　　　　　　　②京都　勝村治右衛門等印本　明治7年（1874）　4冊

6194　西村茂樹　　　西國事物起源
　　　　　　　　東京　作者印本　明治12年（1879）　4冊

6195　ウインスロー（殷斯婁）著、西村茂樹譯　道德學
　　　　　　　　東京　大井鎌吉印本　明治15年（1882）5月

6196　日本弘道會編　西村茂樹語錄
　　　　　　　　編者印行　昭和31年（1956）　102頁

6197　勝部眞長校訂解說　記憶餘——西村茂樹遺稿
　　　　　　　　日本弘道會　昭和36年（1961）

6198　ヒロビブリアス著、西村茂樹譯　教育史
　　　　　　　　①東京　文部省　明治8年（1875）2月　2冊（192、177頁）
　　　　　　　　②東京　內田老鶴圃印本　明治16年（1883）8月　2冊（129、
　　　　　　　　119頁）
　　　　　　　　③東京　小笠原書房　明治16年（1883）11月　2冊（129、
　　　　　　　　119頁）

6199　ヘンリー・ハルツホールン著、西村茂樹譯　家中經濟
　　　　　　　　京都　勝村治左衛門等印本　　明治6年（1873）

6200　西村茂樹譯　　經濟要旨
　　　　　　　　①東京　文部省　明治7年（1874）9月　48，64丁
　　　　　　　　②大阪　今井英三郎印本　明治12年（1879）4月　129頁

6201　ビンキホード著、西村茂樹譯　織絍工術初編
　　　　　　　　東京　永久社、日新堂　明治6年（1873）6月　31丁

6202　西村茂樹編譯　興地誌路　卷11
　　　　　　　　東京　修靜館　明治10年（1877）12月　2冊

6203　物的爾（ウェルテル）著、珀爾倔譯、西村重樹重譯　泰西史鑑
　　　　　　　　東京　稻田佐兵衛印本　明治8年—14年（1875—1881）　30
　　　　　　　　冊

6204　弗拉撤戴多拉著、西村鼎譯　西史年表
　　　　　　　　東京　日新堂　明治4年（1871）9月

6205　西村茂樹　　　泊翁全書
　　　　　　　　東京　西村家圖書部　2冊
　　　　　　　　　第1集　儒門精言　明治36年（1903）
　　　　　　　　　第2集　往事錄　明治38年（1905）

6206　西村茂樹著、日本弘道會編　泊翁叢書
　　　　　　　　東京　博文館　2輯
　　　　　　　　　第一輯　明治42年（1909）
　　　　　　　　　　日本道德論

國家道德論
續國家道德論
建言稿
泊翁卮言
自識錄
續自識錄
東奧記行
泊翁先生歌集
泊翁先生詩集
或問十五條
泊翁先生年譜略
泊翁先生著書目錄
泊翁先生論說目錄
第二輯　明治45年（1912）
言論叢

6207　日本弘道會編　西村茂村全集
　　　京都　思文閣　昭和51年（1976）　3卷

後人研究

6208　伏見釚之助編　西村泊翁先生年譜
　　　編者印行　明治40年（1907）
6209　高木八太郎　泊翁西村先生
　　　日本弘道會有志青年部　大正2年（1913）
6210　西村先生傳記編纂會編　泊翁西村茂樹傳
　　　東京　日本弘道會　昭和8年（1933）　2冊
6211　足立栗園　哲人西村泊翁
　　　東京　文陽社　昭和9年（1934）
6212　海後宗臣　西村茂樹、杉浦重剛
　　　東京　北海出版社　昭和11年（1936）　198頁（日本教育家
　　　文庫　第44卷）
6213　海後宗臣　杉浦重剛、西村茂樹
　　　東京　啓文社　昭和13年（1938）　198頁（日本教育家文庫
　　　第3卷）
6214　吉田熊次　西村茂樹
　　　東京文教書院　昭和17年（1942）　235頁（日本教育先哲叢

　　　　　　　　　書　第20卷）

6215　高橋昌郎　　　西村茂樹

　　　　　　　　　東京　吉川弘文館　昭和62年（1987）11月（人物叢書新裝
　　　　　　　　　版）

6216　古川哲史　　　泊翁西村茂樹——轉換期日本の大思想家

　　　　　　　　　東京　文化總合出版　昭和51年（1976）　206頁

6217　吉田熊次　　　日本道德學者としての西村茂樹翁

　　　　　　　　　日本精神文化　第1卷1期　昭和9年（1934）

6218　家永三郎　　　西村茂樹論

　　　　　　　　　開國百年記念明治文化史論集　東京　乾元社　昭和27年
　　　　　　　　　（1952）

6219　本山幸彦　　　明治前半期における西村茂樹の教育思想

　　　　　　　　　京都大學人文科學研究所紀要　第14號　昭和30年（1955）

6220　北村澤吉　　　西村泊翁の儒學

　　　　　　　　　作者印行　昭和7年（1932）

6221　二木　度　　　西村茂樹著作年表

　　　　　　　　　近代文學研究叢書　第6卷　頁83—98　昭和女子大學　昭
　　　　　　　　　和32年（1957）5月

6222　二木　度　　　西村茂樹資料年表

　　　　　　　　　近代文學研究叢書　第6卷　頁117—126　昭和女子大學
　　　　　　　　　昭和32年（1957）5月

5.楠本端山（1828—1883）
（くすもとたんざん）

著　作

6223　楠本端山著、楠本正翼編　端山先生遺書

　　　　　　　　　三重縣桑名町　佐治爲善印行　明治36年（1903）11月　4冊

6224　楠本端山　　　楠本端山書簡

　　　　　　　　　朱子學大系　第14卷　幕末維新朱子學者書簡集　東京　明
　　　　　　　　　德出版社　昭和50年（1975）12月

6225　岡田武彦、荒木見悟等編　楠本端山、碩水全集

　　　　　　　　　福岡　葦書房　昭和55年（1980）8月　821頁
　　　　　　　　　端山先生遺書（楠本端山著）
　　　　　　　　　端山自著年譜（楠本端山著）
　　　　　　　　　碩水先生遺書（楠本碩水著）

硯水詩草（楠本碩水著）
硯水先生餘稿（楠本碩水著）
硯水先生日記（楠本碩水著）
過庭餘聞（楠本碩水述、楠本正脩錄）
聖學要領（楠本碩水述、楠本正翼編錄）
朱王合編（楠本碩水述、岡直養校補）
崎門學派系譜（楠本碩水原輯、岡直養補訂）
日本道學淵源錄（大塚觀瀾編、千手旭山校補、楠本碩水
增補）
楠本端山と碩水（岡田武彦）
解題（荒木見悟）
略年譜（福田殖）
門人錄
家系圖

後人研究

6226 岡田武彦 楠本端山の思想
九州儒學思想の研究 別冊 福岡 九州大學中國哲學研究
室 昭和32年（1957）
6227 岡田武彦 楠本端山——生涯と思想
福岡 積文館書店 昭和34年（1959）10月 210頁
6228 岡田武彦 楠本端山
叢書日本の思想家 第42冊 東京 明德出版社 昭和53年
（1978）12月（與月田蒙齋合冊）
6229 岡田武彦 楠本端山、碩水兄弟の生涯と思想
江戶期の儒學 東京 木耳社 昭和58年（1983）
6230 國士館大學附屬圖書館編 楠本文庫漢籍目錄
編者印行 昭和48年（1973）
6231 九州大學中國哲學史研究室 楠本家舊藏書簡目錄
福岡 編者印行 昭和60年（1985）9月

6.副島種臣（1828—1905）

著 作

6232 副島種臣述、川崎又次郎編 精神教育

東京　國光社　明治31年（1898）6月　226頁

6233　副島種臣　　　　副島伯經歷偶談
　　　　　　　　　　東邦協會會報　第41—44號　明治30、31年（1897—1898）

6234　副島種臣述、片淵琢編　副島先生蒼海閑話　第1編
　　　　　　　　　　東京　研學會　明治31年（1898）3月　192頁

6235　副島種臣著、片淵琢編　副島伯閑話
　　　　　　　　　　東京　廣文堂　明治35年（1902）4月　192頁

6236　副島道正編　　　蒼海全集6卷
　　　　　　　　　　編者印行　大正6年（1917）2月　6冊

後人研究

6237　龜山聿三編　　　蒼海副島先生碑文集
　　　　　　　　　　近代先哲碑文集　第34集　東京　夢硯堂　昭和48年（1973）

6238　安岡正篤　　　　蒼海副島伯について
　　　　　　　　　　日本精神の研究　東京　玄黃社　大正13年（1924）

6239　中村　宏　　　　副島蒼海
　　　　　　　　　　叢書日本の思想家　第47冊　東京　明德出版社　昭和54年
　　　　　　　　　　（1979）6月（與元田東野合冊）

6240　丸山幹治　　　　副島種臣伯
　　　　　　　　　　東京　みすず書房　昭和62年（1987）4月　358頁

6241　大橋昭夫　　　　副島種臣
　　　　　　　　　　東京　新人物往來社　平成2年（1990）7月　373頁

7.三島中洲（1830—1919）

著　作

6242　三島中洲　　　　周易私錄（一名周易事證）8冊
　　　　　　　　　　稿本（二松學舍圖書館藏）

6243　三島中洲　　　　詩集傳私錄8冊
　　　　　　　　　　稿本（二松學舍圖書館藏）

6244　三島中洲　　　　尙書私錄10冊
　　　　　　　　　　稿本（二松學舍圖書館藏）

6245　三島中洲　　　　學庸私錄
　　　　　　　　　　寫本

6246　三島中洲　　　學庸講義
　　　　　　　　　　寫本
6247　三島中洲　　　論語私錄　4冊
　　　　　　　　　　稿本（二松學舍圖書館藏）
6248　三島中洲　　　論語講義
　　　　　　　　　　東京　明治出版社
6249　三島中洲　　　孟子私錄
　　　　　　　　　　稿本（二松學舍圖書館藏）
6250　三島中洲　　　老子私錄
　　　　　　　　　　稿本（二松學舍圖書館藏）
6251　三島中洲　　　老子講義
　　　　　　　　　　東京　中外出版社
6252　三島中洲　　　莊子釋義
　　　　　　　　　　東京　東京專門學校　出版年不詳　246頁
　　　　　　　　　　（東京專門學校文學科　第2回　1年級講義錄）
6253　三島中洲　　　莊子講義
6254　三島中洲　　　愚得錄3冊
　　　　　　　　　　稿本（二松學舍大學圖書館藏）
6255　三島中洲　　　中洲講話
　　　　　　　　　　東京　文華堂　明治42年（1909）11月　406頁
6256　三島中洲　　　中洲文稿
　　　　　　　　　　東京　三島毅印行　明治31年—大正6年（1898—1917）　12
　　　　　　　　　　冊
6257　三島中洲　　　中洲詩稿
　　　　　　　　　　稿本
6258　三島中洲　　　探海日記
　　　　　　　　　　稿本
6259　三島中洲　　　問津稿
　　　　　　　　　　稿本
6260　三島中洲　　　探邊日錄
　　　　　　　　　　二松學友會誌　附錄　明治43年（1910）8月
6261　三島中洲　　　虎溪存稿
　　　　　　　　　　東京　二松學舍　明治38年（1905）4月　86頁
6262　三島中洲　　　西國探錄錄
　　　　　　　　　　二松學友會誌　附錄　明治43年（1910）8月
6263　三島中洲　　　鎮西觀風錄

二松學友會誌　附錄　明治43年（1910）8月

6264　三島中洲　　瓊浦筆談
　　　　　　　　　稿本

6265　三島中洲　　霞浦遊藻
　　　　　　　　　東京　別所平七印本　明治9年（1876）6月　27丁

6266　三島中洲　　小圖南錄
　　　　　　　　　東京　村松要二郎印本　明治16年（1883）11月　9丁

6267　三島中洲　　南總應酬詩錄
　　　　　　　　　東京　齋藤次郎　明治19年（1886）6月　13丁

6268　三島中洲　　峽遊文詩
　　　　　　　　　明治21年（1888）3月印本　19丁

6269　三島中洲　　歸展日誌
　　　　　　　　　東京　二松學舍　明治26年（1893）12月　1冊

6270　三島中洲　　擬陸遊誌
　　　　　　　　　東京　二松學舍　明治27年（1894）12月　28, 12頁

6271　三島中洲　　青白百絕
　　　　　　　　　東京　二松學舍　明治28年（1895）12月　22, 8頁

6272　三島中洲　　陪鶴餘音
　　　　　　　　　明治32年（1899）5月刊本　1冊

6273　三島中洲　　天鏡餘影
　　　　　　　　　二松學友會誌　明治43年（1910）8月

6274　三島中洲　　鵝湖漫藻
　　　　　　　　　明治44年（1911）1月　1冊

6275　三島中洲　　繪原村莊集
　　　　　　　　　稿本

6276　三島中洲　　晃山離宮三十勝記
　　　　　　　　　東京　三島復　明治35年（1902）8月　4丁

6277　三島中洲　　論學三百絕
　　　　　　　　　出版時地不明　1冊

6278　三島中洲　　唐宋八大家文評釋
　　　　　　　　　漢文大系　第3、4卷　東京　富山房　明治42年（1909）

6279　三島中洲　　文章軌範評注
　　　　　　　　　明治44年（1911）5月序刊本　40頁

6280　三島中洲　　初學文章軌範
　　　　　　　　　東京　文學社　明治44年（1911）9月　3冊

6281　吉田暹編、三島中洲評閱　經世文鈔

名古屋　東壁堂　明治21年（1888）1月　33丁

6282　三島中洲　　　日本外史論文段解
　　　　　　　　　　東京　寶文館

後人研究

6283　本城蕡編　　　三島中洲先生年譜
　　　　　　　　　　山田準印行　明治32年（1899）
6284　國分三亥編　　二松學舍六十年史要
　　　　　　　　　　東京　二松學舍　昭和12年（1937）
6285　二松學舍大學編　二松學舍百年史
　　　　　　　　　　東京　二松學舍　昭和52年（1977）10月
6286　石川梅次郎　　三島中洲
　　　　　　　　　　叢書日本の思想家　第41冊　東京　明德出版社　昭和52年
　　　　　　　　　　（1977）10月（與山田方谷合冊）
6287　山口角鷹編　　三島中洲──二松學舍の創立者
　　　　　　　　　　東京　二松學舍　昭和52年（1977）10月　269頁
6288　中田　勝　　　三島中洲
　　　　　　　　　　東京　明德出版社　平成2年（1990）12月　190頁（シリー
　　　　　　　　　　ズ陽明學）
6289　陽明學編輯部　三島中洲特集
　　　　　　　　　　陽明學（二松學舍）　第4號　頁80─148　平成4年（1992）
　　　　　　　　　　3月
6290　一門生　　　　中洲三島先生著述略解
　　　　　　　　　　斯文　第2編第4號　頁47─52　大正9年（1920）8月

8.楠本碩水（1832─1916）
くすもとせきすい

著　作

6291　楠本碩水著、內田周平編　碩水先生語略
　　　　　　　　　　東京　谷門精舍　昭和10年（1935）　58丁
6292　楠本碩水　　　崎門學脈系譜
　　　　　　　　　　三重縣桑名町　佐治爲善印行　明治36年（1903）
6293　楠本碩水　　　過庭餘聞1卷
　　　　　　　　　　續日本隨筆集成　第3冊　東京　吉川弘文館　昭和54年

（1979）

6294　岡田康治編　　碩水先生古稀引翼集
　　　　　　　　熊本　藤田鍾次郎印行　明治35年（1902）10月　98頁
6295　楠本碩水　　　碩水詩文草
　　　　　　　　三重縣桑名町　佐治爲善印行　明治36年（1903）9月
6296　楠本碩水著、岡直養校　碩水先生日記1卷
　　　　　　　　昭和10年（1935）刊本
6297　楠本碩水　　　碩水先生餘稿2卷
　　　　　　　　谷門精舍　昭和4年（1929）
6298　楠本碩水　　　碩水先生遺書
　　　　　　　　漢口日報社　大正7年（1918）
6299　楠本碩水　　　楠本碩水書簡
　　　　　　　　朱子學大系　第14卷　幕末維新朱子學者書簡集　東京　明
　　　　　　　　德出版社　昭和50年（1975）12月
6300　楠本碩水、並木栗水　楠本碩水、並木栗水論學書
　　　　　　　　朱子學大系　第14卷　幕末維新朱子學者書簡集　東京　明
　　　　　　　　德出版社　昭和50年（1975）12月
6301　岡田武彥、荒木見悟等編　楠本端山、碩水全集
　　　　　　　　福岡　葦書房　昭和55年（1980）8月　821頁
　　　　　　　　端山先生遺書（楠本端山著）
　　　　　　　　端山自著年譜（楠本端山著）
　　　　　　　　碩水先生遺書（楠本碩水著）
　　　　　　　　碩水詩草（楠本碩水著）
　　　　　　　　碩水先生餘稿（楠本碩水著）
　　　　　　　　碩水先生日記（楠本碩水著）
　　　　　　　　過庭餘聞（楠本碩水述、楠本正脩錄）
　　　　　　　　聖學要領（楠本碩水述、楠本正翼編錄）
　　　　　　　　朱王合編（楠本碩水述、岡直養校補）
　　　　　　　　崎門學派系譜（楠本碩水原輯、岡直養補訂）
　　　　　　　　日本道學淵源錄（大塚觀瀾編、千手旭山校補、楠本碩水增
　　　　　　　　補）
　　　　　　　　楠本端山と碩水（岡田武彥）
　　　　　　　　解題（荒木見悟）
　　　　　　　　略年譜（福田　殖）
　　　　　　　　門人錄
　　　　　　　　家系圖

後人研究

6302　藤村　襌　　　楠本碩水傳
　　　　　　　　　　藝文社　昭和53年（1978）
6303　福田　殖　　　楠本碩水
　　　　　　　　　　叢書日本の思想家　第49冊　東京　明德出版社　印刷中
　　　　　　　　　　（與並木栗水合冊）
6304　九州帝國大學附屬圖書館　碩水文庫目錄
　　　　　　　　　　福岡　編者印行　昭和9年（1934）9月
6305　國士館大學附屬圖書館編　楠本文庫漢籍目錄
　　　　　　　　　　編者印行　昭和48年（1973）
6306　九州大學中國哲學史研究室　楠本家舊藏書總目錄
　　　　　　　　　　福岡　編者印行　昭和60年（1985）9月

　　　　　　　　なか むら まさ なお
　　　　9.中村正直（1832—1891）

著　作

6307　中村敬宇　　　自敍千字文
　　　　　　　　　　①東京　中村一吉印行　明治20年（1887）3月　6丁
　　　　　　　　　　②東京　大空社　昭和62年（1987）9月（與石井研堂《中
　　　　　　　　　　　村正直傳》合冊）
6308　中村正直　　　報償論
　　　　　　　　　　東京　作者印行　明治21年（1888）9月　48頁
6309　中村正直　　　西稗雜纂　第1、2集
　　　　　　　　　　東京　同人社　明治7年（1874）9月　2冊
6310　中村正直述、木平讓編　敬宇中村先生演說集
　　　　　　　　　　東京　松井忠兵衛印行　明治21年（1888）4月　152頁
6311　斯邁爾斯（Smiles, Samuel）著、中村正直譯　西洋品行論
　　　　　　　　　　①東京　珊瑚閣　明治11年—13年（1878—1880）　6冊（第
　　　　　　　　　　　1—12編合本）
　　　　　　　　　　②東京　八尾書店　明治21年（1888）3月　406頁
6312　斯邁爾斯（Smiles, Samuel）著、中村正直譯　西洋節用論
　　　　　　　　　　東京　同人社　明治19年（1886）2月　182頁
6313　斯邁爾斯（Smiles, Samuel）著、中村正直譯　西國立志編

（原名：自助論）

①東京　須原屋茂兵衛印行　明治3年（1870）　11冊

②東京　木平愛二等印行　明治9年（1876）10月　764頁
（第1—13編合本）

③東京　秋元房治郎印行　明治19年（1886）11月　1冊（第
1—13編合本）

④東京　自由閣　明治20年（1887）2月　1冊

⑤大阪　武田福藏印行　明治20年（1887）10月　1冊

⑥東京　文事堂　明治21年（1888）4月　1冊

⑦京都　川勝鴻寶堂　明治21年（1888）7月　1冊

⑧東京　博文館　明治27年（1894）7月　538頁

6314　斯邁爾斯（Smiles, Samuel）著、中村正直原譯　中村秋香和解
假名讀改正西國立志編
東京　有終堂　明治15年（1882）12月　3冊

6315　斯邁爾斯（Smiles, Samuel）著、中村正直譯　ポケット自助論
東京　共同出版　明治43年（1910）12月　429頁

6316　彌爾（Mill, John Stuart）著、中村正直譯　自由之理
①靜岡　木平謙一郎印本　明治5年（1872）2月　6冊
②東京　木平謙印行　明治10年（1877）3月　362頁

6317　ギルレット（Gillet, Ransom Hooker）著、中村正直譯　共和政治
東京　同人社　明治6年（1873）10月　2冊

6318　ゼー・ドブリウ著、中村正直等譯　英國律法要訣
東京　司法省　明治13、14年（1880、1881）　5冊

6319　中村正直編譯　西國童子鑑
東京　同人社　明治6年（1873）10月　2冊

6320　大闘士（ディーヴイス）著、中村正直編　英譯漢語
靜岡　木平謙一郎印本　不注出版年月　45丁

後人研究

6321　龜山聿三編　敬宇中村先生碑文集
近代先哲碑文集　第32集　東京　夢硯堂　昭和48年（1973）

6322　石井研堂　中村正直傳——自助的人物典型
①東京　成功雜誌社　明治40年（1907）2月　171頁
②東京　大空社　昭和62年（1987）9月（與中村正直著
《自敍千字文》合冊）

6323　高橋昌郎　　　中村敬宇
　　　　　　　　　①東京　吉川弘文館　昭和41年（1966）　293頁（人物叢書）
　　　　　　　　　②東京　吉川弘文館　昭和63年（1988）2月　293頁（人物
　　　　　　　　　　叢書新裝版）
6324　荻原　隆　　　中村敬宇と明治啓蒙思想
　　　　　　　　　東京　早稻田大學出版部　昭和59年（1984）3月　246, 3頁
6325　荻原　隆　　　明治啓蒙思想と理想主義
　　　　　　　　　東京　早稻田大學出版部　平成2年（1990）4月　316, 3頁
　　　　　　　　　（政治思想研究叢書）
6326　古川義雄　　　中村敬宇
　　　　　　　　　叢書日本の思想家　第45冊　東京　明德出版社　印刷中
　　　　　　　　　（與大橋訥庵合冊）
6327　町田三郎　　　鹽谷宕陰と中村正直
　　　　　　　　　九州大學柴田篤助教授科研報告書　平成5年（1993）3月

10.島田篁村（1838—1898）

著　作

6328　島田篁村著、島田鈞一編　篁村遺稿
　　　　　　　　　東京　編者印行　大正7年（1918）9月
6329　島田篁村　　　島田博士遺稿
　　　　　　　　　史學雜誌　第9卷11號　明治31年（1898）

後人研究

6330　未署名　　　　故島田教授の略歷
　　　　　　　　　哲學雜誌　第13編139號　明治31年（1898）
6331　未署名　　　　會員文學博士島田重禮の傳
　　　　　　　　　東京學士會院雜雜誌　第14卷2號　明治25年（1892）
6332　未署名　　　　島田重禮氏の「漢籍を讀む心得」
　　　　　　　　　國民之友　第250號　明治28年（1895）
6333　町田三郎　　　島田篁村學問の一斑
　　　　　　　　　明治の漢學者たち　頁100—105　東京　研文出版　平成10
　　　　　　　　　年（1998）1月
6334　町田三郎著、連清吉譯　島田篁村學問之一斑

日本幕末以來之漢學家及其著述　頁105—111　臺北　文史
哲出版社　平成4年（1992）3月

しぶ さわ えい いち
11.澁澤榮一（1840—1931）

著　作

6335　澁澤榮一　　　論語講義
　　　　　　　　　　東京　二松學舍　大正14年（1925）12月　1064頁
6336　澁澤榮一　　　論語講義
　　　　　　　　　　東京　講談社　昭和52年（1977）　7冊（講談社學術文庫）
　　　　　　　　　　第1冊　昭和52年（1977）9月　205頁
　　　　　　　　　　第2冊　昭和52年（1977）10月　211頁
　　　　　　　　　　第3冊　昭和52年（1977）10月　207頁
　　　　　　　　　　第4冊　昭和52年（1977）11月　222頁
　　　　　　　　　　第5冊　昭和52年（1977）11月　181頁
　　　　　　　　　　第6冊　昭和52年（1977）12月　196頁
　　　　　　　　　　第7冊　昭和52年（1977）12月　179頁
6337　澁澤榮一　　　論語と算盤
　　　　　　　　　　東京　國書刊行會　昭和60年（1985）10月　253頁
6338　澁澤榮一著，蔡哲茂、吳璧雍譯　論語與算盤
　　　　　　　　　　臺北　允晨文化公司　昭和62年（1987）10月
6339　澁澤榮一著、洪墩謨譯　論語與算盤
　　　　　　　　　　臺北　正中書局　昭和63年（1988）1月　285頁
6340　澁澤榮一著、草柳大藏解說　論語と算盤
　　　　　　　　　　東京　大和出版　平成4年（1992）4月　256頁
6341　澁澤榮一　　　孔子
　　　　　　　　　　東京　三笠書房　平成5年（1993）　236頁
6342　澁澤榮一　　　孔子人間、どこまで大きくなれるか
　　　　　　　　　　東京　三笠書房　平成4年（1992）4月　216頁
6343　澁澤榮一　　　孔子人間、一生の心得
　　　　　　　　　　東京　三笠書房　平成5年（1993）3月　236頁
6344　澁澤榮一　　　孔子——成功者の人間學
　　　　　　　　　　東京　三笠書房　平成6年（1994）1月　248頁
6345　大塚武松編　　澁澤榮一滯弘日記

		東京　日本史籍協會　昭和3年（1928）
6346	小貫修一郎編	青淵回顧錄2卷
		東京　青淵回顧錄刊行會　昭和2年（1927）　2冊
6347	澀澤榮一	青淵先生演說撰集
		東京　龍門社　昭和12年（1937）
6348	高橋重治編	澀澤榮一自傳
		澀澤翁頌德會　昭和12年（1937）
6349	小貫修一郎、高橋重治編　澀澤榮一自敍傳
		偉人烈士傳編纂所　昭和13年（1938）
6350	澀澤榮一述、長幸男校注　雨夜譚
		東京　岩波書店　昭和59年（1984）11月　338頁（岩波文庫）
6351	澀澤榮一述	青淵百話
		東京　同文館　明治45年（1912）6月　2冊
		東京　國書刊行會　昭和61年（1986）4月　2冊
6352	澀澤榮一述	青淵修養百話
		東京　同文館　大正4年（1915）
6353	澀澤榮一	經濟と道德
		東京　日本經濟道德協會　昭和28年（1953）
6354	井口正之編	澀澤男爵實業講演2卷
		東京　帝國圖書出版　大正2年（1913）　2冊
6355	澀澤榮一	私が關係した社會事業
		東京　中央社會事業協會　大正15年（1926）（社會事業講座3）
6356	高瀬魁介編	澀澤男爵最近實業談
		東京　國光社　明治36年（1903）6月　186，244頁
6357	澀澤榮一述、立石駒吉編　富源の開拓
		東京　文成社　明治43年（1910）12月　496頁
6358	澀澤榮一	實業訓
		東京　成功雜誌社　明治43年（1910）1月　208頁
6359	澀澤榮一述、浦田治平編　實業要訓
		東京　日吉丸書房　明治44年（1911）5月　152頁
6360	澀澤榮一述	立會略例
		東京　大藏省　明治4年（1871）9月　37丁
6361	山本勇夫編	澀澤榮一全集6卷
		東京　平凡社　昭和5年（1930）　6冊

後人研究

6362　野依秀市編　　青淵澀澤榮一翁小傳及び年譜
　　　　　　　　　　東京　實業之世界社　昭和35年（1960）

6363　山口律雄、清水惣之助合編　澀澤榮一碑文集
　　　　　　　　　　深谷　博字堂　昭和63年（1988）11月

6364　片山又一郎　　澀澤榮一翁の論語處世訓
　　　　　　　　　　東京　評言社　昭和48年（1973）　251頁

6365　岸信介　　　　論語と澀澤翁と私
　　　　　　　　　　東京　實業之世界社　昭和35年（1960）

6366　深澤賢治　　　澀澤論語をよむ
　　　　　　　　　　東京　明德出版社　平成8年（1996）　236頁

6367　龍門社編　　　青淵先生六十年史（一名近世實業發達史）
　　　　　　　　　　東京　龍門社　明治33年（1900）2月　2冊

6368　生駒粂造　　　澀澤榮一評傳
　　　　　　　　　　東京　有樂社　明治42年（1909）1月　214頁

6369　岩崎徂堂　　　澀澤男爵百話
　　　　　　　　　　東京　大學館　明治42年（1909）8月　419頁

6370　龍門社編　　　青淵先生七十壽祝賀紀念號
　　　　　　　　　　東京　龍門社　明治43年（1910）11月　126頁

6371　岩崎錦城　　　奮鬪成功錄
　　　　　　　　　　東京　廣文堂　大正4年（1915）

6372　大瀧鞍馬　　　子爵澀澤榮一
　　　　　　　　　　澀澤子爵傳記刊行會　大正14年（1925）

6373　子爵澀澤榮一翁頌德會　世界の驚異――國寶澀澤翁を語る
　　　　　　　　　　東京　實業之世界社　昭和4年（1929）

6374　廓然居主人　　澀澤青淵先生
　　　　　　　　　　朝鮮通俗文庫　昭和4年（1929）

6375　土屋喬雄　　　澀澤榮一傳
　　　　　　　　　　東京　改造社　昭和6年（1931）　347頁（世界偉人傳全集
　　　　　　　　　　第14卷）

6376　岡田純夫編　　澀澤翁は語る　其生立ち
　　　　　　　　　　東京　斯文書院　昭和7年（1932）

6377　協調會編　　　故子爵澀澤榮一翁追悼講演錄
　　　　　　　　　　編者印行　昭和7年（1932）

6378　渡邊得男　　　民衆文庫澀澤子爵

社會教育協會　昭和7年（1932）

6379　宇野木忠　　　伯樂澀澤翁
　　　　　　　　　東京　千倉書房　昭和7年（1932）

6380　小貫修一郎　　青淵論叢
　　　　　　　　　統計資料協會　昭和8年（1933）

6381　白石喜太郎　　澀澤榮一翁
　　　　　　　　　東京　刀江書院　昭和8年（1933）　990頁

6382　白石喜太郎　　澀澤翁の面影
　　　　　　　　　東京　四條書房　昭和9年（1934）

6383　澀澤秀雄　　　父の日記など
　　　　　　　　　東京　實業之日本社　昭和14年（1939）

6384　幸田露伴　　　澀澤榮一傳
　　　　　　　　　①東京　澀澤青淵翁記念會　昭和14年（1939）　369頁
　　　　　　　　　②露伴全集　第17卷　東京　岩波書店　昭和24年（1949）；
　　　　　　　　　　昭和54年（1979）1月

6385　幸田露伴著、余炳躍譯　澀澤榮一傳
　　　　　　　　　北京　學林出版社　平成4年（1992）10月　188頁

6386　白石喜太郎　　澀澤翁と青淵百話
　　　　　　　　　東京　日本放送出版協會　昭和15年（1940）（ラジオ新書
　　　　　　　　　33）

6387　澀澤秀雄　　　攘夷論者の渡歐——父澀澤榮一
　　　　　　　　　東京　双雅房　昭和16年（1941）2刷　268頁

6388　野依秀市　　　青淵澀澤榮一翁寫眞傳
　　　　　　　　　東京　實業之世界社　昭和16年（1941）

6389　望月芳郎　　　澀澤榮一
　　　　　　　　　東京　紙硯社　昭和18年（1943）

6390　澀澤秀雄　　　澀澤榮一
　　　　　　　　　東京　ポプラ社　昭和26年（1951）（偉人傳文庫）

6391　明石照男編　　青淵澀澤榮一——思想と言行
　　　　　　　　　東京　澀澤青淵記念財團龍門社　昭和26年（1951）10月
　　　　　　　　　164頁

6392　澀澤榮一翁頌德會編　國寶澀澤榮一翁
　　　　　　　　　東京　實業之世界社　昭和29年（1954）　330頁

6393　土屋喬雄　　　澀澤榮一傳
　　　　　　　　　東京　東洋書館　昭和30年（1955）　299頁（日本財界人物
　　　　　　　　　傳全集　第1卷）

6394	山口平八	澁澤榮一
		崎玉縣立文化會館　昭和30年（1955）
6395	澁澤秀雄	澁澤榮一
		東京　澁澤青淵記念財團龍門社　昭和31年（1956）　63頁
6396	澁澤秀雄	父　澁澤榮一
		東京　實業之日本社　昭和34年（1959）　2冊（上卷　272 頁；下卷　277頁）
6397	澁澤秀雄	父の映像　澁澤榮一
		東京　角川書店　昭和36年（1961）（世界の人間像　5）
6398	田村俊夫	澁澤榮一と擇善會
		東京　近代セールス社　昭和38年（1963）
6399	山口平八	澁澤榮一——日本民主自由經濟の先覺者
		東京　平凡社　昭和38年（1963）　186頁
6400	澁澤秀雄	澁澤榮一
		東京　時事通信社　昭和40年（1965）　246頁（一業一人傳）
6401	土屋喬雄	澁澤榮一
		東京　吉川弘文館　平成元年（1989）5月　259頁（人物叢書新裝版）
6402	澁澤雅英	太平洋にかける橋——澁澤榮一の生涯
		東京　讀賣新聞社　昭和45年（1970）　486頁
6403	澁澤秀雄	明治を耕した話——父澁澤榮一
		東京　青蛙房　昭和52年（1977）9月　310頁（青蛙選書53）
6404	井上宏生	巨いなる企業家　澁澤榮一の全研究——日本株式會社をつくった男
		京都　PHP研究所　昭和58年（1983）7月　222頁
6405	韭塚一三郎、金子吉衛	埼玉の先人澁澤榮一
		浦和　さきたま出版會　昭和58年（1983）12月　317, 3頁
6406	澁澤青淵記念財團龍門社編	澁澤榮一事業別年譜
		東京　國書刊行會　昭和60年（1985）9月　297, 49頁
6407	山本七平	近代の創造——澁澤榮一の思想と行動
		PHP研究所　昭和62年（1987）3月　510頁
6408	下山二郎	日日に新たなり——澁澤榮一の生涯
		東京　國書刊行會　昭和63年（1988）2月　381頁
6409	竹內良夫	巨星澁澤榮一、その高弟大川平三郎
		東京　教育企畫出版　昭和63年（1988）3月　97頁

6410　木村昌人　　　澁澤榮一――民間經濟外交の創始者
　　　　　　　　　　東京　中央公論社　平成3年（1991）4月　199頁（中公新書
　　　　　　　　　　1016）
6411　童門冬二　　　澁澤榮一人間の礎
　　　　　　　　　　東京　經濟界　平成3年（1991）12月　254頁
6412　藤井賢三郎　　評傳澁澤榮一
　　　　　　　　　　東京　水曜社　平成4年（1992）6月　192頁
6413　童門冬二　　　澁澤榮一男の選擇――人生には本筋というものがある
　　　　　　　　　　東京　經濟界　平成7年（1995）　278頁
6414　澁澤華子　　　澁澤榮一、パリ萬博へ
　　　　　　　　　　東京　國書刊行會　平成7年（1995）5月　244頁
6415　龍門社編　　　澁澤榮一傳記資料
　　　　　　　　　　東京　澁澤榮一傳記資料刊行會
　　　　　　　　　　　　第1卷　在鄉及ビ仕官時代(1)　昭和30年（1955）
　　　　　　　　　　　　第2卷　在鄉及ビ仕官時代(2)　昭和30年（1955）
　　　　　　　　　　　　第3卷　在鄉及ビ仕官時代(3)　昭和30年（1955）
　　　　　　　　　　　　第4卷　實業界指導並ニ社會公共事業盡力時代(1)　昭和
　　　　　　　　　　　　　　　　30年（1955）
　　　　　　　　　　　　第5卷　實業界指導並ニ社會公共事業盡力時代(2)　昭和
　　　　　　　　　　　　　　　　30年（1955）
　　　　　　　　　　　　第6卷　實業界指導並ニ社會公共事業盡力時代(3)　昭和
　　　　　　　　　　　　　　　　31年（1956）　684頁
　　　　　　　　　　　　第7卷　實業界指導並ニ社會公共事業盡力時代(4)　昭和
　　　　　　　　　　　　　　　　31年（1956）　777頁
　　　　　　　　　　　　第8卷　實業界指導並ニ社會公共事業盡力時代(5)　昭和
　　　　　　　　　　　　　　　　31年（1956）
　　　　　　　　　　　　第9卷　實業界指導並ニ社會公共事業盡力時代(6)　昭和
　　　　　　　　　　　　　　　　31年（1956）
　　　　　　　　　　　　第10卷　實業界指導並ニ社會公共事業盡力時代(7)　昭和
　　　　　　　　　　　　　　　　31年（1956）　800頁
　　　　　　　　　　　　第11卷　實業界指導並ニ社會公共事業盡力時代(8)　昭和
　　　　　　　　　　　　　　　　31年（1956）　665頁
　　　　　　　　　　　　第12卷　實業界指導並ニ社會公共事業盡力時代(9)　昭和
　　　　　　　　　　　　　　　　32年（1957）　738頁
　　　　　　　　　　　　第13卷　實業界指導並ニ社會公共事業盡力時代(10)　昭和
　　　　　　　　　　　　　　　　32年（1957）　689頁

第32卷　社會公共事業盡瘁並二實業界後援時代⑶　昭和
　　　　35年（1960）　615頁

第33卷　社會公共事業盡瘁並二實業界後援時代⑷　昭和
　　　　35年（1960）　640頁

第34卷　社會公共事業盡瘁並二實業界後援時代⑸　昭和
　　　　35年（1960）　686頁

第35卷　社會公共事業盡瘁並二實業界後援時代⑹　昭和
　　　　36年（1961）　629頁

第36卷　社會公共事業盡瘁並二實業界後援時代⑺　昭和
　　　　36年（1961）　682頁

第37卷　社會公共事業盡瘁並二實業界後援時代⑻　昭和
　　　　36年（1961）

第38卷　社會公共事業盡瘁並二實業界後援時代⑼　昭和
　　　　36年（1961）

第39卷　社會公共事業盡瘁並二實業界後援時代⑽　昭和
　　　　36年（1961）　763頁

第40卷　社會公共事業盡瘁並二實業界後援時代⑾　昭和
　　　　36年（1961）　695頁

第41卷　社會公共事業盡瘁並二實業界後援時代⑿　昭和
　　　　37年（1962）　686頁

第42卷　社會公共事業盡瘁並二實業界後援時代⒀　昭和
　　　　37年（1962）　690頁

第43卷　社會公共事業盡瘁並二實業界後援時代⒁　昭和
　　　　37年（1962）　699頁

第44卷　社會公共事業盡瘁並二實業界後援時代⒂　昭和
　　　　37年（1962）　744頁

第45卷　社會公共事業盡瘁並二實業界後援時代⒃　昭和
　　　　37年（1962）　640頁

第46卷　社會公共事業盡瘁並二實業界後援時代⒄　昭和
　　　　37年（1962）　730頁

第47卷　社會公共事業盡瘁並二實業界後援時代⒅　昭和
　　　　38年（1963）　720頁

第48卷　社會公共事業盡瘁並二實業界後援時代⒆　昭和
　　　　38年（1963）　699頁

第49卷　社會公共事業盡瘁並二實業界後援時代⒇　昭和
　　　　38年（1963）　669頁

12.竹添光鴻 (1842—1917)
たけ ぞえ こう こう

著 作

6418　竹添光鴻　　　左傳會箋30卷
　　　　　　　　　　①排印本　明治26年（1893）
　　　　　　　　　　②東京　井井書屋　明治36年（1903）　15冊
　　　　　　　　　　③東京　明治講學會　明治37年（1904）8月　15冊
　　　　　　　　　　④漢文大系　第10、11冊　東京　富山房　明治44年（1911）
　　　　　　　　　　　11月；昭和49年（1974）
　　　　　　　　　　⑤臺北　廣文書局　昭和36年（1961）　平裝4冊
　　　　　　　　　　⑥臺北　鳳凰出版社　昭和50年（1975）10月再版　精裝2冊
　　　　　　　　　　⑦漢文大系　第10、11冊　臺北　新文豐出版公司　昭和53
　　　　　　　　　　　年（1978）10月
　　　　　　　　　　⑧臺北　漢京文化事業公司　昭和59年（1984）1月　精裝2
　　　　　　　　　　　冊
　　　　　　　　　　⑨臺北　明達出版社　昭和61年（1986）1月　精裝2冊
　　　　　　　　　　⑩臺北　天工書局　昭和63年（1988）9月　精裝2冊
6419　竹添光鴻　　　毛詩會箋20卷
　　　　　　　　　　①東京　排印本　大正9年（1920）4月
　　　　　　　　　　②東京　松雲堂書店　昭和3年（1928）8月
　　　　　　　　　　③臺北　大通書局　昭和45年（1970）9月　5冊
6420　竹添光鴻　　　論語會箋
　　　　　　　　　　①崇文叢書　第2輯　東京　崇文院　昭和9年（1934）　線
　　　　　　　　　　　裝16冊
　　　　　　　　　　②臺北　廣文書局　昭和36年（1961）12月　2冊
6421　竹添光鴻　　　孟子論文
　　　　　　　　　　東京　奎文堂　明治15年（1882）11月　4冊（7卷合本）
6422　竹添光鴻　　　孟子講義
　　　　　　　　　　東京　修學堂書店　大正5年（1916）6月再版　663頁
6423　竹添光鴻　　　棧雲峽雨日記（附詩草）
　　　　　　　　　　①東京　中溝熊象印行　　明治12年（1879）3月　3冊
　　　　　　　　　　②東京　野口愛印行　明治12年（1879）　3冊
　　　　　　　　　　③東京　奎文堂　明治26年（1893）　168頁
6424　胡秉樞著、竹添光鴻譯　茶務僉載

　　　　　　　　　　　　東京　內務省勸農局　明治10年（1877）7月　52丁
6425　竹添進一郎編　歷代古文鈔評注
　　　　　　　　　　　　東京　奎文堂　明治17、18年（1884、1885）　16冊
　　　　　　　　　　　　　左傳鈔　4冊
　　　　　　　　　　　　　國語鈔　1冊
　　　　　　　　　　　　　國策鈔　2冊
　　　　　　　　　　　　　史記鈔　5冊
　　　　　　　　　　　　　漢書鈔　4冊
6426　元好問著、竹添進一郎編　元遺山文選
　　　　　　　　　　　　東京　奎文堂　明治16年（1883）4月　5冊
6427　竹添進一郎編　清大家詩選參評
　　　　　　　　　　　　東京　奎文堂　明治16年（1883）8月　2冊
6428　木下韡村著、竹添光鴻編　韡村遺稿
　　　　　　　　　　　　①東京　奎文堂　明治17年（1884）1月　42, 61丁
　　　　　　　　　　　　②東京　青山堂　明治17年（1884）1月　42, 61丁

後人研究

6429　上野賢知　　　左傳會箋三稿
　　　　　　　　　　斯文　復刊第14號　頁40—50　昭和31年（1956）1月
6430　李　維棻　　　評《左傳會箋》
　　　　　　　　　　大陸雜誌　第26卷10期　頁21—27　昭和38年（1963）5月
6431　田　宗堯　　　讀《左傳會箋》札記
　　　　　　　　　　①孔孟學報　第9期　頁235—243　昭和40年（1965）4月
　　　　　　　　　　②春秋三傳研究論集　頁153—164　臺北　黎明文化事業公
　　　　　　　　　　　司　昭和56年（1981）1月
6432　岡村　繁　　　竹添井井の《左傳會箋》が剽竊した一つの種本
　　　　　　　　　　漢語漢文の世界（Ⅱ）　廣島　溪水社　昭和57年（1982）
6433　柳本　實　　　左傳會箋と左傳續考について
　　　　　　　　　　東方　第58號　昭和61年（1986）
6434　町田三郎　　　明治初年の中國旅行記（その1）——竹添井井《棧雲峽雨
　　　　　　　　　　日記》
　　　　　　　　　　①第三屆中國域外漢籍國際會議論文集　臺北　聯合報文化
　　　　　　　　　　　基金會國學文獻館　平成2年（1990）12月
　　　　　　　　　　②明治の漢學者たち　頁29—46　東京　研文出版　平成10
　　　　　　　　　　　年（1998）1月

6435　町田三郎著、連清吉譯　竹添光鴻及其《棧雲峽雨日記》
　　　　　日本幕末以來之漢學家及其著述　頁59—77　臺北　文史哲
　　　　　出版社　平成4年（1992）3月

<small>はやし　　　たい　すけ</small>
13.林　泰　輔（1854—1922）

著　作

6436　林　泰輔　　四書現存書目
　　　　　　　　東京　文求堂　大正3年（1914）
6437　林　泰輔　　論語年譜
　　　　　　　　東京　大倉書店　大正5年（1916）11月　2冊
6438　林泰輔編、麓保孝修訂　修訂論語年譜
　　　　　　　　東京　國書刊行會　昭和51年（1976）　2冊
6439　林　泰輔　　論語源流
　　　　　　　　東京　汲古書院　昭和46年（1971）2月
6440　林　泰輔　　書經講義
　　　　　　　　東京　明德出版社　大正8年（1919）2月（漢文註釋全書
　　　　　　　　第5編）
6441　林　泰輔　　禮記
　　　　　　　　東京　有朋堂　大正10年（1921）（有朋堂漢文叢書）
6442　林　泰輔　　支那上代之研究
　　　　　　　　東京　光風館書店　昭和2年（1927）　522, 2頁
6443　林　泰輔　　龜甲獸骨文字　2卷
　　　　　　　　東京　商周遺文會　大正10年（1921）
6444　林　泰輔　　周公と其時代
　　　　　　　　①東京　大倉書店　大正4年（1915）
　　　　　　　　②東京　名著普及會　昭和63年（1988）9月　849, 8, 32頁
6445　林泰輔、錢穆譯　周公及其時代
　　　　　　　　上海　商務印書館　昭和6年（1931）　111頁（國學小叢書）
6446　林　泰輔　　朝鮮史
　　　　　　　　東京　吉川半七印行　明治25年（1892）12月　5冊
6447　林　泰輔　　近世朝鮮史
　　　　　　　　東京　早稻田大學出版部　明治年間　384頁
6448　林　泰輔　　朝鮮近世史要2卷

　　　　　　　　　　　東京　吉川半七印行　明治34年（1901）　2冊
6449　林　泰輔　　朝鮮通史
　　　　　　　　　　　大正元年（1912）

後人研究

6450　鎌田　正　　林泰輔
　　　　　　　　　　　東洋學の系譜　頁13─24　東京　大修館書店　平成4年
　　　　　　　　　　　（1992）11月
6451　鎌田正著、林慶彰譯　林泰輔
　　　　　　　　　　　國文天地　第11卷2期　頁33─39　平成7年（1995）7月
6452　町田三郎　　林泰輔と日本漢學
　　　　　　　　　　　①東洋の思想と宗教　第14號　平成9年（1997）
　　　　　　　　　　　②明治の漢學者たち　頁249─270　東京　研文出版　平成
　　　　　　　　　　　　10年（1998）1月
6453　松崎覺本　　我國近代儒家の古文尚書に關する見解についての評論
　　　　　　　　　　　①斯文　第25編11號　頁25─33　昭和18年（1943）11月
　　　　　　　　　　　②斯文　第25編12號　頁26─35　昭和18年（1943）12月

14.井上哲次郎（1855─1944）

いのうえてつじろう

著　作

6454　井上哲次郎　佛教
　　　　　　　　　　　開國五十年史　下卷　東京　開國五十年史刊行會　明治40
　　　　　　　　　　　年（1907）
6455　井上哲次郎　日本陽明學派之哲學
　　　　　　　　　　　東京　富山房　明治33年（1900）10月　631頁
6456　井上哲次郎　重訂日本陽明學派之哲學
　　　　　　　　　　　東京　富山房　大正13年（1924）11月　訂正13版　615頁
6457　井上哲次郎　日本古學派之哲學
　　　　　　　　　　　東京　富山房　明治35年（1902）9月　714頁
6458　井上哲次郎　日本朱子學派之哲學
　　　　　　　　　　　東京　富山房　明治38年（1905）12月　700頁
6459　井上哲次郎　菅公小傳
　　　　　　　　　　　東京　富山房　明治33年（1900）7月　152頁

6460　井上哲次郎述、田中昻編
　　　　　　　　　菅公事蹟
　　　　　　　　　東京　東京國文社　明治35年（1902）　78頁
6461　井上哲次郎　菅原道眞
　　　　　　　　　東京　北海出版社　昭和11年（1936）3版　232頁
　　　　　　　　　（日本教育家文庫　第6卷）
6462　井上哲次郎　山鹿素行先生
　　　　　　　　　東京　素行會　明治43年（1910）1月　47頁
6463　井上哲次郎　倫理新說
　　　　　　　　　東京　酒井清造等印行　明治16年（1883）4月　63，17頁
6464　井上哲次郎、高山林次郎　新編倫理教科書
　　　　　　　　　東京　金港堂　明治30年（1897）4月　5冊
6465　井上哲次郎　倫理と宗教との關係
　　　　　　　　　東京　富山房　明治35年（1902）10月　164頁
6466　井上哲次郎　倫理と教育
　　　　　　　　　東京　弘道館　明治41年（1908）5月　630頁
6467　井上哲次郎　國民道德
　　　　　　　　　大阪　隆文館　明治44年（1911）10月　211，35頁
6468　井上哲次郎　國民道德概論
　　　　　　　　　東京　三省堂　明治45年（1912）8月　374，118頁
6469　井上哲次郎　中學修身教科書
　　　　　　　　　東京　金港堂　明治35年（1902）12月　5冊
6470　井上哲次郎、大島義修　中學修身教科書　倫理篇
　　　　　　　　　東京　文學社　明治36年（1903）6月　140頁
6471　井上哲次郎、大島義修　中學修身教科書
　　　　　　　　　東京　文學社　明治36年（1903）　4冊（卷1—4）
6472　井上哲次郎　女子修身教科書
　　　　　　　　　東京　金港堂　明治36年（1903）2月　4冊
6473　井上哲次郎　勅語衍義
　　　　　　　　　①東京　井上蘇吉、井上弘大郎印行　明治24年（1891）9
　　　　　　　　　月　2冊
　　　　　　　　　②東京　文盛堂、文魁堂　明治32年（1899）3月增訂24版
　　　　　　　　　2冊
6474　井上哲次郎、藤井健治郎　教育勅語述義
　　　　　　　　　東京　晚成處　明治45年（1912）3月　90頁
6475　井上哲次郎、藤井健治郎　戊申詔書述義

　　　　　　　　　　東京　晚成處　明治45年（1912）4月　74頁
6476　井上哲次郎　　教育と宗教の衝突
　　　　　　　　　　東京　敬業社　明治26年（1893）4月　158頁
6477　井上哲次郎　　教育と修養
　　　　　　　　　　東京　弘道館　明治43年（1910）7月　756頁
6478　井上哲次郎　　日本學生寶鑑
　　　　　　　　　　東京　大倉書店　明治37年（1904）9月　693, 36頁
6479　井上哲次郎　　內地雜居論
　　　　　　　　　　東京　哲學書院　明治22、24年（1889、1891）　2冊
6480　井上哲次郎　　巽軒論文初集、二集
　　　　　　　　　　東京　富山房　明治32、34年（1899、1901）　2冊（255頁，
　　　　　　　　　　267頁）
6481　井上哲次郎著、佐村八郎編　井上博士講論集　第1、2編
　　　　　　　　　　東京　敬業社　明治27、28年（1894、1895）　1冊
6482　井上哲次郎、秋山語庵編　巽軒博士倫理的宗教
　　　　　　　　　　論批評集　第1輯
　　　　　　　　　　東京　金港堂　明治35年（1902）11月　356頁
6483　井上哲次郎　　巽軒講話集　初、二編
　　　　　　　　　　東京　博文館　明治35、36年（1902、1903）　2冊
6484　井上哲次郎　　懷舊錄
　　　　　　　　　　東京　春秋社　松柏館　昭和18年（1943）
6485　井上哲次郎　　井上哲次郎自傳
　　　　　　　　　　東京　富山房　昭和48年（1973）　93頁（井上哲次郎三十
　　　　　　　　　　年祭記念）
6486　井上哲次郎、蟹江義丸編　日本倫理彙編
　　　　　　　　　　東京　育成會　明治34—36年（1901—1903）　10冊
6487　井上哲次郎、有馬祐政編　武士道叢書
　　　　　　　　　　東京　博文館　明治38年（1905）　3冊
6488　井上哲次郎編　哲學叢書第1卷
　　　　　　　　　　東京　集文閣　明治33、34年（1900、1901）　3冊
6489　井上哲次郎等編　哲學字彙
　　　　　　　　　　東京　丸善　明治45年（1912）1月　209頁

後人研究

6490　巽軒會編　　　巽軒年譜略

　　　　　　　　　井上先生喜壽紀念文集　　東京　富山房　昭和6年（1931）

6491　井上哲次郎生誕百年記念會編　巽軒年譜
　　　　　　　　　編者印行　昭和29年（1954）

6492　峰島旭雄編　　井上哲次郎年譜
　　　　　　　　　明治文學全集　第80冊　明治哲學思想集　東京　築摩書房
　　　　　　　　　昭和49年（1974）

6493　櫻井吉松　　　井上博士
　　　　　　　　　東京　敬業社　明治26年（1893）12月　125頁

6494　關皋作編　　　井上博士と基督教徒（一名「教育と宗教の衝突」顛末及評
　　　　　　　　　論）
　　　　　　　　　①東京　哲學書院　明治26年（1893）　2冊
　　　　　　　　　②東京　みすず書房　昭和63年（1988）11月　305頁

6495　井上勝編　　　井上哲次郎傳
　　　　　　　　　東京　富山房　昭和48年（1973）

6496　巽軒會編　　　井上博士喜壽紀念文集
　　　　　　　　　東京　富山房　昭和6年（1931）

6497　今枝二郎　　　井上哲次郎のこと
　　　　　　　　　漢文學研究（早稻田大學）　第2號　昭和29年（1954）3月

6498　船山謙次　　　井上哲次郎の教育思想
　　　　　　　　　北海道學藝大學紀要　第8卷1號（教育學特集）　昭和32年
　　　　　　　　　（1957）

6499　町田三郎　　　井上哲次郎ノート——漢學三部作を中心として——
　　　　　　　　　①中村璋八博士古稀記念東洋學論集　東京　汲古書院　平
　　　　　　　　　　成8年（1996）
　　　　　　　　　②明治の漢學者たち　頁231—246　東京　研文出版　平成
　　　　　　　　　　10年（1998）1月

6500　大島　晃　　　井上哲次郎の東洋哲學史研究と《日本陽明學派之哲學》
　　　　　　　　　陽明學（二松學舍大學）　第9號　平成9年（1977）

　　　　　　　　やす　い　こ　た　ろう
　　　　　　　　15.安井小太郎（1858—1938）

　　　　　　　　　　　　著　作

6501　安井小太郎　　論語講義
　　　　　　　　　①東京　哲學館　明治28年（1895）（哲學館漢學專修科漢

　　　　　　　　　學講義）
　　　　　　　　　②東京　大東文化協會　昭和10年（1935）　897頁

6502　安井小太郎　大學
　　　　　　　　　東京　哲學館　明治28年（1895）　62頁（哲學館漢學專修
　　　　　　　　　科漢學講義）

6503　安井小太郎　中庸
　　　　　　　　　東京　哲學館　明治28年（1895）　92頁（哲學館漢學專修
　　　　　　　　　科漢學講義）

6504　安井小太郎　周易講義
　　　　　　　　　東洋文化（東洋文化學會）　第35—37、39、40、42號　昭
　　　　　　　　　和2年（1927）3—5、7、8、11月

6505　安井小太郎　國譯禮記
　　　　　　　　　①國譯漢文大成　第1卷　經子史部　第1輯　頁743—897
　　　　　　　　　　　東京　國民文庫刊行會　昭和14年（1939）6月
　　　　　　　　　②國譯漢文大成　經子史部　第4卷　解題11頁　譯文612頁
　　　　　　　　　　　　原文141頁　東京　東洋文化協會　昭和31年（1956）5
　　　　　　　　　　　月

6506　安井小太郎　禮記正義殘卷校勘記
　　　　　　　　　東京　東方文化學院　昭和11年（1936）（東方文化叢書
　　　　　　　　　2）

6507　安井小太郎　經學門徑
　　　　　　　　　①東京　大東文化學院研究部　昭和6年（1931）3月　120頁
　　　　　　　　　②東京　松雲堂書店　昭和8年（1933）4月　120頁；昭和46
　　　　　　　　　　　年（1971）4月再版

6508　安井小太郎　本邦儒學史
　　　　　　　　　東京　漢文書院　明治27年（1894）（支那學　第1冊）

6509　安井小太郎　日本儒學史
　　　　　　　　　東京　富山房　昭和14年（1939）　510頁

6510　安井小太郎　朱子學派學統表
　　　　　　　　　東京　斯文會　昭和6年（1931）

6511　安井小太郎　莊子
　　　　　　　　　東京　哲學館　明治33年（1900）　220頁（哲學館　第10學
　　　　　　　　　年度漢學專修科講義錄）

6512　安井小太郎　小村壽太郎侯略傳
　　　　　　　　　小村壽太郎侯生誕紀念碑建設會　昭和10年（1935）

6513　安井小太郎　曳尾集

安井家印行　昭和12年（1937）

6514　朴　童　　　血淚
　　　　　　　　　東京　法木書屋　明治32年（1899）4月　92頁

後人研究

6515　井上哲次郎等　安井樸堂先生追悼錄
　　　　　　　　　斯文　第20編7號　昭和13年（1938）7月
6516　連　清吉　　安井小太郎的日本儒學史研究
　　　　　　　　　經學研究論叢　第3輯　頁321—341　臺北　聖環圖書公司
　　　　　　　　　平成7年（1995）4月
6517　連　清吉　　安井小太郎及其《日本儒學史》
　　　　　　　　　東亞文化的探索：傳統文化的發展　頁525—541　臺北　正
　　　　　　　　　中書局　平成8年（1996）11月
6518　連　清吉　　安井小太郎覺書
　　　　　　　　　薩摩藩所藏の漢籍に關する總合的研究　鹿兒島　鹿兒島大
　　　　　　　　　學東英壽科研報告書　平成10年（1998）2月

まき　の　けん　じ　ろう
16.牧野謙次郎（1862—1937）

著　作

6519　牧野謙次郎　儒教時言講經新義
　　　　　　　　　東京　牧野巽印行　昭和4年（1929）　585頁
6520　牧野謙次郎　儒教時言續講經新義
　　　　　　　　　東京　早稻田大學出版部　昭和9年（1934）4月　584, 2頁
6521　牧野謙次郎　四書小學講義
　　　　　　　　　東京　早稻田大學　大正4年（1915）　223頁
6522　牧野謙次郎　墨子國字解（上、下）
　　　　　　　　　漢籍國字解全書　第20、21卷　東京　早稻田大學出版部
　　　　　　　　　明治42年（1909）
6523　牧野謙次郎　莊子國字解（上、下）
　　　　　　　　　漢籍國字解全書　第28、29卷　東京　早稻田大學出版部
　　　　　　　　　明治42年（1909）
6524　牧野謙次郎　戰國策國字解（上、中、下）
　　　　　　　　　漢籍國字解全書　第38—40卷　東京　早稻田大學出版部

　　　　　　　　　　明治42年（1909）

6525　牧野謙次郎　　日本漢學史

　　　　　　　　　　東京　世界堂書店　昭和13年（1938）

6526　牧野謙次郎　　各種中學漢文讀本字句精解　4、5年之部　東京　漢文普及

　　　　　　　　　　會　明治42年（1909）7月　306頁

6527　松本順吉述、牧野謙次郎漢譯　日本歐美教育制度及方法全書、日本現行教

　　　　　　　　　　育制度

　　　　　　　　　　東京　東亞公司、富山房　明治40年（1907）5月　206頁

6528　牧野謙次郎、齋藤坦藏編　詩評類纂

　　　　　　　　　　東京　桃華堂　明治29年（1896）5月　249頁

6529　松平康國、牧野謙次郎編　日華新辭典

　　　　　　　　　　東京　東京公司、三省堂　明治40年（1907）3月　1969,86

　　　　　　　　　　頁

17.德富蘇峰（1863—1957）

とくとみ そ ほう

著　作

6530　德富猪一郎　　蘇峰自傳

　　　　　　　　　　①東京　中央公論社　昭和10年（1935）　726頁

　　　　　　　　　　②日本人の自傳　第5冊　東京　平凡社　昭和57年（1982）

　　　　　　　　　　10月

6531　德富猪一郎　　讀書餘錄

　　　　　　　　　　東京　民友社　明治38年（1905）6月　334頁（國民叢書

　　　　　　　　　　第28冊）

6532　德富猪一郎　　讀書九十年

　　　　　　　　　　東京　講談社　昭和27年（1952）

6533　德富猪一郎　　誕生日

　　　　　　　　　　東京　民友社　明治24年（1891）12月　245頁

6534　德富猪一郎　　家庭小訓

　　　　　　　　　　東京　民友社　明治29年（1896）2月　179頁

6535　德富猪一郎　　生活と處世

　　　　　　　　　　東京　民友社　明治33年（1900）6月　170頁（國民叢書

　　　　　　　　　　第17冊）

6536　德富猪一郎　　處世小訓

　　　　　　　　　東京　民友社　明治34年（1901）4月　140頁（國民叢書
　　　　　　　　　第19冊）
6537　德富猪一郎等著、長井庄吉編　青年と處世
　　　　　　　　　東京　上田屋書店　明治34年（1901）4月　162頁
6538　德富猪一郎　　新日本之青年
　　　　　　　　　東京　集英社　明治20年（1887）4月　174頁
6539　德富猪一郎　　青年と教育
　　　　　　　　　東京　民友社　明治25年（1892）9月　235頁（國民叢書
　　　　　　　　　第3冊）
6540　德富猪一郎　　教育小言
　　　　　　　　　東京　民友社　明治35年（1902）2月　138頁（國民叢書
　　　　　　　　　第21冊）
6541　德富猪一郎　　近世日本國民史
　　　　　　　　　①東京　民友社　大正7年―昭和6年（1918―1931）
　　　　　　　　　②東京　明治書院　昭和9年―19年（1934―1944）
　　　　　　　　　③東京　近世日本國民史刊行會　昭和36年―40年（1961―
　　　　　　　　　　1965）100冊
6542　德富猪一郎　　要約近世日本國民史
　　　　　　　　　東京　時事通信社　昭和42、43年（1967、1968）10卷
6543　德富猪一郎　　大日本膨脹論
　　　　　　　　　東京　民友社　明治27年（1894）12月　166頁
6544　德富猪一郎、深井英五　歐洲大勢三論
　　　　　　　　　東京　民友社　明治28年（1895）4月　259頁
6545　德富猪一郎　　近時政局史論
　　　　　　　　　東京　民友社　明治36年（1903）6月　214頁（國民叢書
　　　　　　　　　第24冊）
6546　德富猪一郎　　將來之日本
　　　　　　　　　①東京　經濟雜誌社　明治19年（1886）10月　217頁
　　　　　　　　　②現代日本思想大系　第4冊　東京　筑摩書房　昭和39年
　　　　　　　　　　（1964）
　　　　　　　　　③日本の名著　第40冊　東京　中央公論社　昭和46年
　　　　　　　　　　（1971）8月
6547　德富猪一郎編　進步乎退步乎
　　　　　　　　　東京　民友社　明治24年（1891）6月　136頁（國民叢書
　　　　　　　　　第1冊）
6548　德富猪一郎　　社會と人物

　　　　　　　　　　東京　民友社　明治32年（1899）11月　359頁（國民叢書
　　　　　　　　　　第16冊）

6549　德富猪一郎　　世間と人間
　　　　　　　　　　東京　民友社　明治32年（1899）9月　268頁（國民叢書
　　　　　　　　　　第15冊）

6550　德富猪一郎　　風雲漫錄
　　　　　　　　　　東京　民友社　明治28年（1895）11月　279頁（國民叢書
　　　　　　　　　　第8冊）

6551　德富猪一郎　　人物管見
　　　　　　　　　　東京　民友社　明治25年（1892）5月　221頁（國民叢書
　　　　　　　　　　第2冊）

6552　德富猪一郎　　人物偶評
　　　　　　　　　　東京　民友社　明治34年（1901）9月（國民叢書　第20冊）

6553　德富猪一郎　　吉田松陰
　　　　　　　　　　①東京　民友社　明治21年（1888）12月　340頁
　　　　　　　　　　②日本の名著　第40冊　東京　中央公論社　昭和46年
　　　　　　　　　　　（1971）8月

6554　德富蘇峰執筆、志村文藏編　德富蘇峰と病床の婦人秘書
　　　　　　　　　　東京　野ばら社　昭和24年（1949）9月　185頁

6555　德富猪一郎　　西鄉南洲先生
　　　　　　　　　　東京　民友社　昭和元年（1926）3版　88頁

6556　德富猪一郎　　文學斷片
　　　　　　　　　　東京　民友社　明治27年（1894）　285頁（國民叢書　第5
　　　　　　　　　　冊）

6557　德富猪一郎　　文學漫筆
　　　　　　　　　　東京　民友社　明治31年（1898）10月　182頁（國民叢書
　　　　　　　　　　第13冊）

6558　德富猪一郎　　七十八日之遊記
　　　　　　　　　　東京　民友社　明治39年（1906）11月　348頁

6559　德富猪一郎　　支那漫遊記及附圖
　　　　　　　　　　大正7年（1918）

6560　德富猪一郎　　臺灣遊記
　　　　　　　　　　東京　民友社　昭和4年（1929）7月　244頁

6561　德富猪一郎　　靜思餘錄
　　　　　　　　　　東京　民友社　明治26、28年（1893、1895）　2冊（241頁，
　　　　　　　　　　124頁）（國民叢書　第4、7冊）

6562　德富猪一郎　　天然と人
　　　　　　　　　東京　民友社　明治27—43年（1894—1910）3冊（415頁，
　　　　　　　　　364頁，468頁）（國民叢書　第6、30、33冊）

6563　德富猪一郎　　單刀直入錄
　　　　　　　　　東京　民友社　明治31年（1898）6月　151頁（國民叢書
　　　　　　　　　第11冊）

6564　德富猪一郎　　寸鐵集
　　　　　　　　　東京　民友社　明治31年（1898）7月　161頁（國民叢書
　　　　　　　　　第12冊）

6565　德富猪一郎　　漫興雜記
　　　　　　　　　東京　民友社　明治31年（1898）11月　198頁（國民叢書
　　　　　　　　　第14冊）

6566　德富猪一郎　　日曜講壇
　　　　　　　　　東京　民友社
　　　　　　　　　　　第1冊　明治33年（1900）9月　155頁（國民叢書　第18冊）
　　　　　　　　　　　第2冊　明治35年（1902）6月　249頁（國民叢書　第22冊）
　　　　　　　　　　　第3冊　明治36年（1903）1月　274頁（國民叢書　第23冊）
　　　　　　　　　　　第4冊　明治37年（1904）5月　272頁（國民叢書　第25冊）
　　　　　　　　　　　第5冊　明治37年（1904）7月　268頁（國民叢書　第26冊）
　　　　　　　　　　　第6冊　明治38年（1905）2月　224頁（國民叢書　第27冊）
　　　　　　　　　　　第7冊　明治39年（1906）5月　254頁（國民叢書　第29冊）
　　　　　　　　　　　第8冊　明治40年（1907）9月　（國民叢書　第31冊）
　　　　　　　　　　　第9冊　明治42年（1909）9月　256頁（國民叢書　第32冊）
　　　　　　　　　　　第10冊　明治44年（1911）5月　260頁（國民叢書　第3冊）

6567　德富蘇峰著、蘇峰會水俁支部編　愛鄉望鄉
　　　　　　　　　水俁　蘇峰會水俁支部　昭和44年（1969）　144頁

6568　德富猪一郎　　蘇峰百絕
　　　　　　　　　草木屋出版部　昭和13年（1938）

6569　德富猪一郎　　蘇峰感銘錄
　　　　　　　　　東京　寶雲社　昭和19年（1944）

6570　德富一敬著、德富猪一郎編　淇水詩草
　　　　　　　　　東京　作者印行　明治24年（1891）9月　50頁

6571　Shaw, Albert著、德富猪一郎譯　英國都府政治一斑
　　　　　　　　　東京　後藤新平印行　明治31年（1898）2月　79頁

6572　草野茂松、並木編太郎編　蘇峰文選
　　　　　　　　　東京　民友社　大正4年（1915）

6573　德富猪一郎著　蘇峰叢書
　　　　　　　　　東京　民友社　昭和2年（1927）　12冊
6574　隅谷三喜男編　德富蘇峰
　　　　　　　　　日本の名著　第40冊　東京　中央公論社　昭和46年（1971）
　　　　　　　　　8月（與山路愛山合冊）
　　　　　　　　　明治ナショナリズムの軌跡（隅谷三喜男）
　　　　　　　　　將來の日本
　　　　　　　　　吉田松陰
6575　神島二郎編　德富蘇峰集
　　　　　　　　　近代日本思想大系　第8冊　東京　筑摩書房　昭和53年
　　　　　　　　　（1978）　600頁
　　　　　　　　　新日本之青年
　　　　　　　　　大正の青年と帝國の前途
　　　　　　　　　國民自覺論
　　　　　　　　　敗戰學校
　　　　　　　　　國史の鍵
　　　　　　　　　勝利者の悲哀
　　　　　　　　　若き蘇峰の思想形成と平民主義の特質（和田守）
　　　　　　　　　蘇峯の中國觀（杉井六郎）
　　　　　　　　　德富猪一郎氏（鳥谷部春汀）
　　　　　　　　　解說（神島二郎）
　　　　　　　　　年譜
　　　　　　　　　參考文獻

後人研究

6576　宮居康太郎　不世出の大記者——國民新聞社長德富猪一郎傳
　　　　　　　　　新聞界人物評傳　新聞與信所　昭和4年（1929）
6577　並木仙太郎　蘇峰先生の日常
　　　　　　　　　蘇峰會　昭和5年（1930）
6578　蘇峰先生古稀祝賀會記念刊行會編　蘇峰先生古稀祝賀知友新稿
　　　　　　　　　東京　民友社　昭和6年（1931）
6579　安藤德器　山陽と蘇峰
　　　　　　　　　東京　言海書房　昭和10年（1935）
6580　廣瀨喜太郎　蘇峰先生
　　　　　　　　　高岡　蘇峰會　高岡支部　昭和12年（1937）

6581 相澤　熙　　　最近の蘇峰先生
　　　　　　　　　蘇峰會　昭和17年（1942）

6582 川邊眞藏　　　報導の先驅者羯南と蘇峰
　　　　　　　　　東京　三省堂　昭和18年（1943）

6583 井上　靖　　　德富蘇峰翁
　　　　　　　　　現代先覺者傳　東京　堀書房　昭和18年（1943）

6584 鑓田研一　　　蘇峰と蘆花
　　　　　　　　　東京　潮文閣　昭和19年（1944）

6585 川田　順　　　德富蘇峰と八重鋪樫女史
　　　　　　　　　東京　ロマンス社　昭和25年（1950）

6586 日本談義社編　追想の德富蘇峰——德富蘇峰翁一周忌記念
　　　　　　　　　熊本　編者印行　昭和33年（1958）　156頁

6587 爪生田君子　　書簡に偲ぶ蘇峰先生
　　　　　　　　　香雲堂吟詠會本部　昭和33年（1958）

6588 藤谷みさを　　蘇峰先生の人間像
　　　　　　　　　東京　明玄書房　昭和33年（1958）　288頁

6589 荒　正人　　　近代日本の良心
　　　　　　　　　東京　光書房　昭和34年（1959）　244頁

6590 森中章光　　　新島先生と德富蘇峰——書簡を中心にした師弟の關係
　　　　　　　　　京都　同志社　昭和38年（1963）　460頁

6591 阿部賢一　　　德富蘇峰
　　　　　　　　　三代言論人集　第6卷　東京　時事通信社　昭和38年
　　　　　　　　　（1963）　346頁

6592 早川喜代次　　德富蘇峰
　　　　　　　　　會津　若松　德富蘇峰傳記編纂會　昭和43年(1968)　697頁

6593 蘇峰會　　　　想い出の蘇峰先生
　　　　　　　　　東京　該會　昭和44年（1969）　354頁

6594 齋藤俊三　　　巨人蘇峰先生傳
　　　　　　　　　水俣　作者印行　昭和49年（1974）　79頁

6595 杉井六郎　　　德富蘇峰の研究
　　　　　　　　　東京　法政大學出版局　昭和52年（1977）7月　432, 11頁
　　　　　　　　　（叢書歷史學研究）

6596 同志社大學人文科學研究所編　民友社の研究
　　　　　　　　　東京　雄山閣　昭和52年（1977）12月　399頁

6597 服部泰夫　　　德富蘇峰考
　　　　　　　　　京都　同志社公論社　昭和55年（1980）5月　60頁

6598　花立三郎　　　大江義塾——民權私塾の教育と思想
　　　　　　　　　　東京　ぺりかん社　昭和57年（1982）5月　345, 17頁
6599　花立三郎　　　德富蘇峰と大江義塾
　　　　　　　　　　東京　ぺりかん社　昭和57年（1982）10月　366, 20頁
6600　安藤英男　　　蘇峰德富猪一郎
　　　　　　　　　　東京　近藤出版社　昭和59年（1984）4月　499頁
6601　槇林滉二　　　北村透谷と德富蘇峰
　　　　　　　　　　東京　有精堂　昭和59年（1984）9月　156頁（新銳研究叢
　　　　　　　　　　書　1）
6602　高野靜子　　　蘇峰とその時代——よせられた書簡から
　　　　　　　　　　東京　中央公論社　昭和63年（1988）8月　378頁
6603　和田　守　　　近代日本と德富蘇峰
　　　　　　　　　　東京　御茶の水書房　平成2年（1990）2月　327頁
6604　藤井賢三　　　昔男ありけり——德富蘇峰・筆戰一代記
　　　　　　　　　　下關　作者印行　平成3年（1991）3月　514頁
6605　早川喜代次　　德富蘇峰
　　　　　　　　　　東京　大空社　平成3年（1991）11月　697, 6頁
6606　有山輝雄　　　德富蘇峰と國民新聞
　　　　　　　　　　東京　吉川弘文館　平成4年（1992）5月　367, 10頁
6607　シン・ビン著、杉原志啓譯　評傳德富蘇峰
　　　　　　　　　　東京　岩波書店　平成6年（1994）7月　227頁
6608　杉原志敬　　　蘇峰と近世日本國民史
　　　　　　　　　　東京　都市出版　平成7年（1995）　408頁
6609　淇水文庫　　　德富蘇峰參考文獻目錄
　　　　　　　　　　編者印行　昭和33年（1958）
6610　花立三郎等編　同志社大江義塾德富蘇峰資料集
　　　　　　　　　　東京　三一書房　昭和53年（1978）10月　912頁
6611　伊藤隆等編　　德富蘇峰關係文書
　　　　　　　　　　東京　山川出版社（近代日本史料選書）
　　　　　　　　　　　　第1卷　昭和57年（1982）10月　310頁
　　　　　　　　　　　　第2卷　昭和60年（1985）7月　407頁
　　　　　　　　　　　　第3卷　昭和62年（1987）12月　572頁

18.山路愛山（1864—1917）

著　作

6612	山路愛山	孔子論
		東京　民友社　明治38年（1905）2月　276頁
6613	山路愛山	漢學大意
		東京　今古堂　明治43年（1910）7月　338頁
6614	山路愛山	支那思想史、日漢文明異同論
		東京　金尾文淵堂　明治40年（1907）7月　320頁
6615	山路愛山	青年立志錄
		東京　民友社　明治34年（1901）8月　203頁
6616	山路愛山	戰時における青年訓
		東京　寶文館　明治37年（1904）4月　186頁
6617	山路愛山	講壇と論壇　第1篇
		東京　山陽堂　明治39年（1906）6月　194頁
6618	山路愛山	讀史論集
		東京　民友社　明治34年（1901）4月　386頁
6619	山路愛山	山路愛山史論集
		東京　みすず書房　昭和33年（1958）
6620	山路愛山	武家時代史論
		東京　有隣閣　明治43年（1910）10月　302頁
6621	山路愛山	源賴朝
		東京　玄黃社　明治42年（1909）　692頁
		（時代代表日本英雄傳）
6622	山路愛山	足利尊氏
		東京　玄黃社　明治42年（1909）1月　326頁
6623	山路愛山	加藤清正
		東京　民友社　明治42年（1909）3月　289頁
6624	山路愛山	豐太閤
		東京　文泉堂、服部書店　明治41、42年（1908、1909）　2冊（296頁，298頁）
6625	山路愛山	新井白石
		東京　民友社　明治27年（1894）12月　188頁
		（拾貳文豪　第8卷）

6626　山路愛山　　　　荻生徂徠
　　　　　　　　　　　東京　民友社　明治26年（1893）9月　164頁
　　　　　　　　　　　（拾貳文豪　第3卷）
6627　山路愛山　　　　高山彦九郎
　　　　　　　　　　　東京　文武堂　明治33年（1900）6月　260頁
6628　山路愛山　　　　佐久間象山
　　　　　　　　　　　東京　東亞堂書房　明治44年（1911）8月　274頁
6629　山路愛山　　　　勝海舟
　　　　　　　　　　　東京　東亞堂書房　明治44年（1911）5月　244，14頁
6630　山路愛山　　　　西鄉隆盛
　　　　　　　　　　　東京　玄黃社　明治43年（1910）　498頁
　　　　　　　　　　　（時代代表日本英雄傳）
6631　山路愛山　　　　愛山　小品文第1、2集
　　　　　　　　　　　東京　警醒社　明治40、41年（1907、1908）　2冊（190頁，
　　　　　　　　　　　172頁）
6632　山路愛山　　　　愛山文集
　　　　　　　　　　　東京　隆文館　明治41年（1908）10月　488頁
6633　山路愛山　　　　懺悔
　　　　　　　　　　　東京　民友社　明治36年（1903）2月　182頁
6634　山路愛山　　　　社會主義管見
　　　　　　　　　　　①東京　金尾文淵堂　明治39年（1906）6月　194，33頁
　　　　　　　　　　　②明治文學全集　第35冊　東京　筑摩書房　昭和40年
　　　　　　　　　　　　（1965）
6635　山路愛山　　　　現代金權史
　　　　　　　　　　　①東京　服部書店、文泉堂書房　明治41年（1908）5月
　　　　　　　　　　　　335頁
　　　　　　　　　　　②明治文學全集　第35冊　東京　筑摩書房　昭和40年
　　　　　　　　　　　　（1965）
6636　德川光國著、山路愛山譯　　　譯文大日本史
　　　　　　　　　　　東京　後樂書院　明治45年（1912）　5冊
6637　山路愛山著、石上良平、石上熙子編　人生・命耶罪耶
　　　　　　　　　　　東京　影書房　昭和60年（1985）3月　227頁
6638　山路愛山　　　　山路愛山講演集　第2編
　　　　　　　　　　　東京　大江書房　大正5年（1916）
6639　山路愛山　　　　山路愛山選集
　　　　　　　　　　　東京　萬里閣　昭和3年（1928）　10卷

第1卷
  現代金權史
  現代富豪論
  近世史、現代史に於ける澀澤翁の地位
  經濟雜論
第2卷
  豐太閣
第3卷
  孔子論
  支那思想史
  日漢文明異同論
  支那論
第4卷
  社會主義管見
  基督教評論
  世界の過去現在未來
第5卷
  德川家康
第6卷
  荻生徂徠
  新井白石
  勝海舟
第7卷
  西鄉隆盛
  高山彥九郎
第8卷
  源賴明
  平政子論
  足利尊氏
第9卷
  加藤清正
  石田三成論
  淀君論
第10卷
  日本國民史
  書齋獨語

　　　　　　　　　　　講演集
6640　大久保利謙編　　山路愛山集
　　　　　　　　　　　明治文學全集　第35冊　東京　筑摩書房　昭和40年（1965）
　　　　　　　　　　　　458頁
　　　　　　　　　　　現代金權史
　　　　　　　　　　　社會主義管見
　　　　　　　　　　　爲朝論
　　　　　　　　　　　明治文學史
　　　　　　　　　　　支那思想史
　　　　　　　　　　　新聞雜誌論說集
　　　　　　　　　　　《女學雜誌》、《護教》時代
　　　　　　　　　　　民友社時代
　　　　　　　　　　　《信濃每日新聞》時代
　　　　　　　　　　　《獨立評論》時代
　　　　　　　　　　　《國民雜誌》以後
　　　　　　　　　　　愛山山路彌吉君
　　　　　　　　　　　解題（大久保利謙）
　　　　　　　　　　　年譜（大久保利謙）
　　　　　　　　　　　參考文獻（大久保利謙）
6641　隅谷三喜男編　　山路愛山
　　　　　　　　　　　日本の名著　第40冊　東京　中央公論社　昭和46年（1971）
　　　　　　　　　　　8月（與德富蘇峰合冊）
　　　　　　　　　　　明治ナショナリズムの軌跡（隅谷三喜男）
　　　　　　　　　　　現代日本教會史論
　　　　　　　　　　　評論
　　　　　　　　　　　補注
　　　　　　　　　　　年譜

後人研究

6642　內田魯庵等　　　山路愛山論
　　　　　　　　　　　中央公論　第25卷9號　明治43年（1910）
6643　坂本多加雄　　　山路愛山
　　　　　　　　　　　東京　吉川弘文館　昭和63年（1988）9月　295頁（人物叢
　　　　　　　　　　　書新裝版）
6644　昭和女子大近代文學研究室編　山路愛山

近代文學研究叢書　第16冊　東京　編者印行　昭和36年
（1961）

6645　村山吉廣　　山路愛山の「孔子論」
漢文學研究（早稻田大學）　第10期　昭和37年（1962）

6646　內山俊彥　　ある中國思想史家——山路愛山について
中國文化と社會　第9號　昭和38年（1963）

6647　山岡桂二　　山路愛山の歷史思想について
大阪學藝大學紀要人文科學　第11號　昭和38年（1963）

<ruby>西<rt>にし</rt></ruby><ruby>村<rt>むら</rt></ruby><ruby>天<rt>てん</rt></ruby><ruby>囚<rt>しゅう</rt></ruby>

19.西村天囚（1865—1924）

著　作

6648　西村天囚　　日本宋學史
大阪　杉本梁江堂　明治42年（1909）　421頁

6649　西村天囚著、菰口治校注　九州の儒者たち
福岡　海島社　平成3年（1991）6月

6650　西村天囚　　老嫗物語（一名女子家訓）
大阪　圖書出版會社　明治24年（1891）11月　72頁

6651　西村天囚　　奴隸世界
東京　有文堂　明治21年（1888）4月　157頁

6652　西村天囚　　大衝突論
東京　博文堂　明治26年（1893）2月　74頁

6653　西村天囚　　活髑髏
東京　伊藤誠之堂　明治21年（1888）1月　56頁

6654　重野安繹述、西村天囚記　赤穗義士實話
東京　大成館　明治22年（1889）12月　259頁

6655　西村天囚　　懷德堂考
大阪　懷德堂紀念會　大正14年（1925）

6656　西村天囚　　維新豪傑談
東京　春陽堂　明治24年（1891）8月　175頁

6657　西村天囚　　南島偉功傳
東京　誠之堂書店　明治32年（1899）　92頁

6658　西村天囚　　學界乃偉人
東京　梁江堂書店　明治44年（1911）再版　366頁

6659　西村天囚　　　北白川之月影
　　　　　　　　　　大阪　大阪朝日新聞社　明治28年（1895）12月　21丁（朝
　　　　　　　　　　日叢書）
6660　西村天囚　　　尾張敬公
　　　　　　　　　　名古屋　名古屋開府三百年紀念會　明治43年（1910）　226
　　　　　　　　　　頁
6661　西村天囚　　　老女村岡
　　　　　　　　　　大阪　圖書出版會社　明治25年（1892）3月　84頁
6662　西村天囚　　　種子島家略譜
　　　　　　　　　　東京　作者印行　明治24年（1891）2月　25頁
6663　西村天囚　　　紀行八種
　　　　　　　　　　東京　誠之堂　明治32年（1899）5月　129頁
6664　西村天囚　　　單騎遠征錄
　　　　　　　　　　大阪　金川書店　明治27年（1894）6月　432頁
6665　西村天囚　　　都の春風
　　　　　　　　　　東京　誠之堂　明治32年（1899）7月　102, 24頁

後人研究

6666　小沼量平編　　碩園先生追悼錄
　　　　　　　　　　大阪　懷德堂堂友會　大正14年（1925）
6667　後醍院良正　　西村天囚傳
　　　　　　　　　　私家印本　出版年月待考　2卷
6668　武內義雄　　　碩園先生の遺訓
　　　　　　　　　　武內義雄全集　第10卷　雜著篇　東京　角川書店　昭和54
　　　　　　　　　　年（1979）10月
6669　町田三郎　　　天囚西村時彥覺書
　　　　　　　　　　①九州大學哲學年報　第42輯　昭和58年（1983）1月
　　　　　　　　　　②明治の漢學者たち　頁151—184　東京研文出版　平成10
　　　　　　　　　　　年（1998）1月
6670　町田三郎著、連清吉譯　西村天囚論
　　　　　　　　　　日本幕末以來之漢學家及其著述　頁137—176　臺北　文史
　　　　　　　　　　哲出版社　平成4年（1992）3月
6671　町田三郎　　　西村天囚のこど
　　　　　　　　　　九州の儒者たち　頁163—200　福岡　海鳥社　平成3年
　　　　　　　　　　（1991）6月

20.簡野道明（1865—1938）

著　作

6672　簡野道明補註　論語集註
　　　東京　明治書院　大正11年（1922）3月；昭和25年（1950）
　　　修正版　266頁

6673　簡野道明　　　論語解義
　　　東京　明治書院　大正5年（1916）4月　800頁

6674　簡野道明　　　論語新解
　　　東京　明治書院　昭和27年（1952）　350頁

6675　簡野道明　　　孟子通解
　　　東京　明治書院　大正14年（1925）8月　1096頁；昭和22年
　　　（1947）縮刷版　1096頁

6676　簡野道明　　　孟子新解
　　　東京　明治書院　昭和26年（1951）　330頁

6677　簡野道明　　　大學解義
　　　東京　明治書院　昭和3年（1928）

6678　簡野道明　　　中庸解義
　　　東京　明治書院　昭和5年（1930）　342頁

21.內藤湖南（1866—1934）

著　作

6679　內藤虎次郎　　近世文學史論
　　　東京　政教社　明治30年（1897）1月　146,32頁

6680　內藤湖南　　　先哲の學問
　　　①東京　弘文堂　昭和21年（1946）5月　334頁
　　　②東京　筑摩書房　昭和62年（1987）9月　254頁（筑摩叢
　　　書316）

6681　內藤虎次郎　　研幾小錄（一名支那學叢考）
　　　東京　弘文堂書房　昭和3年（1928）3月　342頁

6682　內藤虎次郎　　支那文學史
　　　東京　弘文堂　昭和24年（1949）　652頁

6683　內藤虎次郎　　　支那上古史

　　　　　　　　　　　東京　弘文堂書房　昭和19年（1944）　344頁

6684　內藤虎次郎　　　諸葛武侯

　　　　　　　　　　　東京　東華堂　明治30年（1897）　189,11頁

6685　內藤虎次郎　　　清朝衰亡論

　　　　　　　　　　　東京　弘道館　大正元年（1912）　123頁

6686　內藤虎次郎　　　燕山楚水——支那漫遊

　　　　　　　　　　　東京　博文館　明治33年（1900）　322頁

　　　　　　　　　　　禹域鴻爪記

　　　　　　　　　　　鴻爪記餘

　　　　　　　　　　　禹域論纂

6687　內藤虎次郎　　　日本文化史研究

　　　　　　　　　　　①京都　弘文堂書房　大正14年（1925）4版　265頁

　　　　　　　　　　　②東京　弘文堂書房　昭和11年（1936）補4版　421頁

　　　　　　　　　　　③東京　創元社　昭和27年（1952）　283頁（創元文庫D

　　　　　　　　　　　　第29）

　　　　　　　　　　　④東京　角川文庫　昭和30年（1955）　284頁（角川文庫）

6688　內藤虎次郎　　　淚珠唾珠

　　　　　　　　　　　東京　東華堂　明治30年（1897）7月　269頁

6689　小川環樹編　　　內藤湖南

　　　　　　　　　　　日本の名著　第41冊　東京　中央公論社　昭和59年

　　　　　　　　　　　（1984）9月

　　　　　　　　　　　內藤湖南の學問とその生涯（小川環樹）

　　　　　　　　　　　日本文化史研究（抄）

　　　　　　　　　　　先哲の學問（抄）

　　　　　　　　　　　近世文學史論（抄）

　　　　　　　　　　　東洋文化史研究（抄）

　　　　　　　　　　　シナ上古史（抄）

　　　　　　　　　　　補注

　　　　　　　　　　　年譜

　　　　　　　　　　　索引（《近世文學史論》）

6690　內藤湖南　　　　內藤湖南全集

　　　　　　　　　　　東京　筑摩書房

　　　　　　　　　　　第1卷　昭和45年（1970）　694頁

　　　　　　　　　　　　近世文學史論

　　　　　　　　　　　　諸葛武侯

淚珠唾珠

雜纂

第2卷　昭和46年（1971）　760頁

燕山楚水

續淚珠唾珠

「臺灣日報」、「萬朝報」、「日本人」所載文

高橋健三君傳

近想雜錄

第3卷　昭和46年（1971）　633頁

「大阪朝日新聞」所載論說（明治33年—明治36年）

第4卷　昭和46年（1971）　602頁

「大阪朝日新聞」所載論說（明治37年—明治39年）

「大阪朝新聞」所載雜文

時事論

第5卷　昭和47年（1972）　546頁

時事論（續）

清朝衰亡論

支那論

新支那論

第6卷　昭和47年（1972）　702頁

雜纂1

雜纂2

序文

旅行記

韓國東北疆界攷略

滿洲寫眞帖

第7卷　昭和45年（1970）　634頁

研幾小錄（一名支那學叢考）

讀史叢錄

第8卷　昭和44年（1969）　494頁

東洋文化史研究

清朝史通論

第9卷　昭和44年（1969）　528頁

日本文化史研究

先哲の學問

第10卷　昭和44年（1969）　531頁

後人研究

6691　永田英正編　　內藤湖南博士年譜
　　　　　　　　　　東方學　第47號　頁167—168　昭和49年（1974）1月
6692　羽田亨編　　　內藤博士還曆祝賀支那學論叢
　　　　　　　　　　京都　弘文堂書房　大正15年（1926）5月
6693　西田直二郎編　內藤博士頌壽紀念史學論叢
　　　　　　　　　　京都　弘文堂書房　昭和5年（1930）6月
6694　水木岳龍　　　有名な支那通內藤虎次郎君
　　　　　　　　　　明治大正脫線教育者のゆくへ　東京　啓文社　大正15年
　　　　　　　　　　（1926）
6695　周　一良　　　內藤湖南先生在中國史學上之貢獻
　　　　　　　　　　史學年報　第2卷1期　昭和9年（1934）9月
6696　安藤德器　　　西園寺公と湖南先生

東京　言海書房　昭和11年（1936）

6697　內藤湖南先生頌德碑建碑會編　東洋學の世界的權威　內藤湖南先生頌德碑
　　　　　　　　　編者　昭和32年（1957）

6698　高橋克三編　　湖南博士と伍一大人
　　　　　　　　　秋田縣十和田町　石川伍一大人內藤湖南博士生誕百年紀念
　　　　　　　　　祭實行委員會　昭和40年（1965）　142頁

6699　貝塚茂樹　　內藤湖南──開化した國民主義者
　　　　　　　　　日本と日本人　東京　文藝春秋新社　昭和40年（1965）

6700　青江舜二郎　龍の星座──內藤湖南のアジア的生涯
　　　　　　　　　①東京　朝日新聞社　昭和41年（1966）　456頁
　　　　　　　　　②東京　中央公論社　昭和55年（1980）9月　351頁（中公
　　　　　　　　　文庫）

6701　青江舜二郎　アジアびと・內藤湖南
　　　　　　　　　東京　時事通信社　昭和41年（1966）　454頁

6702　三田村泰助　內藤湖南
　　　　　　　　　東京　中央公論社　昭和47年（1972）　228頁（中公新書）

6703　神田喜一郎　先學を語る──內藤湖南博士
　　　　　　　　　東方學　第47輯　昭和49年（1974）1月

6704　神田喜一郎　內藤湖南
　　　　　　　　　東方學の創始者たち　頁71─118　昭和51年（1976）10月

6705　原　宗子　「亞細亞」の頃──政教社における內藤湖南を中心に
　　　　　　　　　東京　學習院大學東洋文化研究所　昭和55年（1980）3月59,4
　　　　　　　　　頁（調查研究報告　10）

6706　增淵龍夫　　日本の近代史學史における中國と日本──內藤湖南の場合
　　　　　　　　　歷史家の同時代史的考察について　東京　岩波書店　昭和
　　　　　　　　　58年（1983）12月

6707　小川環樹　　內藤湖南の學問とその生涯
　　　　　　　　　日本の名著　第41冊　東京　中央公論社　昭和59年（1984）
　　　　　　　　　9月

6708　佐藤愼一　　內藤湖南
　　　　　　　　　アジアを夢みる　東京　講談社　昭和61年（1986）
　　　　　　　　　4月（言論は日本を動かす　第3卷）

6709　千葉三郎　　內藤湖南とその時代
　　　　　　　　　東京　國書刊行會　昭和61年（1986）12月　348頁

6710　加賀榮治　　內藤湖南ノート
　　　　　　　　　東京　東方書店　昭和62年（1987）5月　258頁

6711　フォーゲル，ジョシュア・A著，井上裕正譯　內藤湖南——ポリティック
　　　　　スとシノロジ——
　　　　　東京　平凡社　平成元年（1989）6月　358頁（テオリア叢
　　　　　書）

6712　加賀榮治　　　內藤湖南の學問形成に關する一考察
　　　　　文教大學　教育學部紀要　第19號　頁1—13　昭和60（1985）
　　　　　年12月

6713　杉村邦彥著、翁佳音譯　內藤湖南先生的學問與書法
　　　　　大陸雜誌　第81卷1期　平成2年（1990）7月

6714　溝上　瑛　　　內藤湖南
　　　　　東洋學の系譜　頁49—59　東京　大修館書店　平成4年
　　　　　（1992）11月

6715　溝上瑛著、林慶彰譯　內藤湖南
　　　　　國文天地　第11卷5期　頁44—49　平成7年（1995）

6716　內藤戊申編　　內藤湖南研究文獻目錄
　　　　　書論　第13期　頁143—151　昭和53年（1978）11月

22.島田鈞一（1866—1937）
（しまだきんいち）

著　作

6717　島田鈞一　　　論語全解
　　　　　①東京　有精堂　昭和14年（1939）　456頁
　　　　　②東京　有精堂　昭和35年（1960）　414, 25頁

6718　島田鈞一　　　孟子新釋
　　　　　東京　有精堂　大正14年（1925）　316頁

6719　島田鈞一　　　孟子全解
　　　　　①東京　有精堂　大正15年（1926）　638頁
　　　　　②東京　有精堂　昭和22年（1947）　300頁

6720　島田鈞一　　　中庸講話
　　　　　東京　日本放送　昭和10年（1935）　326頁

6721　島田鈞一　　　左傳
　　　　　東京　哲學館　明治34年（1901）　369頁
　　　　　（哲學館漢學專修科講義錄）

6722　島田鈞一　　　春秋左氏傳新講

　　　　　　　　　東京　有精堂　昭和12年（1937）4月　520頁
6723　島田鈞一　　　周代諸子略
　　　　　　　　　東京　哲學館　昭和27年（1894）　162頁
　　　　　　　　　（哲學館第6年度講義錄）
6724　島田鈞一　　　老子
　　　　　　　　　東京　哲學館　明治33年（1900）　302頁
　　　　　　　　　（哲學館漢學專修科漢學講義）
6725　島田鈞一　　　韓非子
　　　　　　　　　東京　哲學館　明治34年（1901）　138頁
　　　　　　　　　（哲學館漢學專修科漢學講義）

後人研究

6726　斯文編輯部　　島田穆堂先生追悼錄
　　　　　　　　　斯文　第20編3號　頁38—53　昭和13年（1938）3月

23.服部宇之吉（1867—1939）
はっとり　う　の　きち

著　作

6727　服部宇之吉　　孔夫子の話
　　　　　　　　　東京　京文社　昭和2年（1927）　303頁
6728　服部宇之吉　　孔子及孔子教
　　　　　　　　　①東京　明治出版社　大正6年（1917）　432頁
　　　　　　　　　②東京　京文社　大正15年（1926）3月　434頁
6729　服部宇之吉　　孔子教大義
　　　　　　　　　東京　富山房　昭和14年（1939）　415頁
6730　服部宇之吉　　佛教と現代思潮
　　　　　　　　　東京　明治出版社　大正7年（1918）11月　145頁
6731　服部宇之吉著、鄭子雅譯　儒教と現代思潮
　　　　　　　　　①上海　商務印書館　大正8年（1919）（萬有文庫　第115
　　　　　　　　　冊）
　　　　　　　　　②臺北　文星書店　昭和40年（1965）1月　70頁（文星集刊
　　　　　　　　　21）
　　　　　　　　　③臺北　臺灣商務印書館　昭和45年（1970）　70頁（人人
　　　　　　　　　文庫　1453）

6732　服部宇之吉　儒教要典
　　　　東京　博文館　昭和12年（1937）　1120頁

6733　服部宇之吉　論語
　　　　東京　富山房　昭和12年（1937）　236頁

6734　服部宇之吉　國譯論語
　　　　①國譯漢文大成　第1卷　經子史部　第1輯　頁39—122
　　　　　東京　國民文庫刊行會　昭和14年（1939）6月
　　　　②國譯漢文大成　經子史部　第2卷　366頁　東京　東洋文
　　　　　化協會　昭和31年（1956）4月

6735　服部宇之吉　國譯孟子
　　　　①國譯漢文大成　第1卷　經子史部　第1輯　頁123—214
　　　　　東京　國民文庫刊行會　昭和14年（1939）6月
　　　　②國譯漢文大成　經子史部　第2卷　363頁　東京　東洋文
　　　　　化協會　昭和31年（1956）4月

6736　服部宇之吉　中庸講義
　　　　東京　富山房　昭和15年（1940）　439頁

6737　服部宇之吉、山口察常　國譯書經
　　　　①國譯漢文大成　第1卷　經子史部　第1輯　頁352—472
　　　　　東京　國民文庫刊行會　昭和14年（1939）6月
　　　　②國譯漢文大成　經子史部　第2卷　363頁　東京　東洋文
　　　　　化協會　昭和30年（1955）4月　題解7頁，正文242頁，釋
　　　　　義129頁，原文39頁

6738　服部宇之吉　禮記
　　　　①漢文大系　第17冊　東京　富山房　大正2年（1913）10月；昭
　　　　　和51年（1976）7月
　　　　②漢文大系　第17冊　臺北　新文豐出版公司　昭和53年
　　　　　（1978）10月

6739　服部宇之吉　支那研究
　　　　①東京　京文社　大正5年（1916）
　　　　②東京　京文社　昭和元年（1926）增訂版

6740　服部宇之吉　支那國民性及國民思想
　　　　①東京　海軍大學　大正7年（1918）　266頁
　　　　②東京　京文社　昭和元年（1926）4版　381頁

6741　服部宇之吉　東洋倫理綱要
　　　　①東京　京文社　大正5年（1916）

④臺北　文鏡文化事業公司　昭和58年（1983）8月　103頁

②東京　京文社　昭和元年（1926）改訂版

6742　服部宇之吉　　清國通考　第1編
　　　　　　　　　東京　三省堂　明治38年（1905）1月　166頁
6743　服部宇之吉　　倫理學
　　　　　　　　　東京　金港堂　明治32年（1899）10月　324頁
6744　服部宇之吉　　心理學講義
　　　　　　　　　東京　東亞公司　明治38年（1905）11月　239頁
6745　服部宇之吉　　中等倫理學
　　　　　　　　　東京　富山房　明治25年（1892）10月　528頁
6746　服部宇之吉　　倫理學教科書
　　　　　　　　　東京　富山房　明治32年（1899）11月　190頁
6747　服部宇之吉　　倫理學講義
　　　　　　　　　東京　富山房　明治37年（1904）8月　63丁
6748　服部宇之吉　　北京籠城日記
　　　　　　　　　東京　博文館　明治33年（1900）
6749　服部宇之吉、服部繁子著　北京籠城日記（附回顧錄、大崎日記）
　　　　　　　　　作者印行　大正15年（1926）
6750　服部宇之吉編　漢文大系
　　　　　　　　　①東京　富山房　明治42年—大正5年（1909—1916）　22卷
　　　　　　　　　②臺北　新文豐出版公司　昭和53年（1978）10月　22卷

後人研究

6751　未署名　　　　服部先生年譜
　　　　　　　　　服部先生古稀祝賀記念論文集　東京　富山房　昭和11年
　　　　　　　　　（1936）4月
6752　服部　武　　　服部宇之吉博士略年譜
　　　　　　　　　東方學　第46號　頁185—186　昭和48年（1973）7月
6753　服部先生紀念會　服部先生記念會誌
　　　　　　　　　編者印行　昭和3年（1928）
6754　阪谷芳郎等　　服部隨軒先生追悼錄
　　　　　　　　　斯文　第21編9號　頁14—81　昭和14年（1939）9月
6755　漢學會雜誌編輯部　服部先生追悼錄
　　　　　　　　　漢學會雜誌　第7卷3號　昭和14年（1939）11月
6756　藤塚明直　　　服部宇之吉先生と父藤塚鄰
　　　　　　　　　斯文　復刊第58號　頁27—33　昭和44年（1969）10月

6757　竹田復等　　　先學を語る――服部宇之吉博士
　　　　　　　　　　東方學　第46號　昭和48年（1973）7月

6758　竹田復等　　　服部宇之吉
　　　　　　　　　　東洋學の創始者たち　頁119―168　昭和51年（1976）

6759　山根幸夫　　　服部宇之吉と中國
　　　　　　　　　　社會科學研究　第34卷2期　頁31―54　昭和53年（1988）12
　　　　　　　　　　月

6760　町田三郎　　　《漢文大系》について
　　　　　　　　　　①九州大學文學部九州文化史研究紀要　第34號　平成元年
　　　　　　　　　　　（1989）
　　　　　　　　　　②明治の漢學者たち　頁185―208　東京　研文出版　平成
　　　　　　　　　　　10年（1998）1月

6761　町田三郎著、連清吉譯　服部宇之吉及其所編《漢文大系》
　　　　　　　　　　日本幕末以來之漢學家及其著述　頁177―199　臺北　文史
　　　　　　　　　　哲出版社　平成4年（1992）3月

6762　宇野精一　　　服部宇之吉
　　　　　　　　　　東洋學の系譜　頁85―95　東京　大修館書店　平成4年
　　　　　　　　　　（1992）11月

6763　宇野精一著、林慶彰譯　服部宇之吉
　　　　　　　　　　國文天地　第11卷8期　頁17―23　平成8年（1996）1月

6764　李　梁　　　　近代日本中國學におけるポリティックスとアカデミズム――
　　　　　　　　　　―服部宇之吉と近代日本中國學　東京　富士ゼロックス小
　　　　　　　　　　林節太郎記念基金　平成5年（1993）11月　116頁（富士ゼ
　　　　　　　　　　ロックス小林節太郎記念基金1992年度研究助成論文）

6765　服部先生古稀祝賀記念論文集刊行會編　服部先生古稀祝賀記念論文集
　　　　　　　　　　東京　富山房　昭和11年（1936）4月

6766　未署名　　　　服部宇之吉先生著述目錄
　　　　　　　　　　斯文　第20編5號　頁45―55　昭和13年（1938）5月

6767　未署名　　　　服部宇之吉學術上ノ業績
　　　　　　　　　　東方學報（東京）　第10冊之1　昭和14年（1939）10月

24.狩野直喜（1868―1947）

著　作

6768　狩野直喜　　　支那學文藪

① 東京　弘文堂書局　昭和2年（1927）3月　466頁

② 東京　みすず書房　昭和48年（1973）　506, 7頁

6769　狩野直喜　　讀書纂餘

① 東京　弘文堂書房　昭和22年（1947）7月

② 東京　みすず書房　昭和55年（1980）6月

6770　狩野直喜　　論語孟子研究

東京　みすず書房　昭和52年（1977）3月　321頁

6771　狩野直喜　　春秋研究

東京　みすず書房　平成6年（1994）11月　322, 15頁

6772　狩野直喜　　御進講錄

東京　みすず書房　昭和59年（1984）6月　199頁

尙書堯典首節講義

古昔支那に於ける儒學の政治に關する理想

我國に於ける儒學の變遷

儒學の政治原理

解說（宮崎市定）

6773　狩野直喜　　漢文研究法

東京　みすず書房　昭和54年（1979）12月　180, 22頁

6774　狩野直喜　　中國哲學史

東京　岩波書店　昭和28年（1953）

6775　狩野直喜　　兩漢學術考

東京　筑摩書房　昭和39年（1964）11月；昭和53年（1978）6
月重刊

6776　狩野直喜　　魏晉學術考

東京　筑摩書房　昭和43年（1968）1月；昭和53年（1978）
6月重刊

6777　狩野直喜　　支那文學史——上古より六朝まで

東京　みすず書房　昭和45年（1970）　474, 23頁

6778　狩野直喜　　支那小說戲曲史

東京　みすず書房　平成4年（1992）

6779　狩野直喜　　清朝の制度と文學

東京　みすず書房　昭和59年（1984）6月　447, 11頁

6780　狩野直喜　　君山詩艸

京都　吉川幸次郎印行　昭和35年（1960）8月　21, 1丁

後人研究

6781　狩野教授還暦記念會編　狩野教授還暦記念支那學論叢
　　　　　　　　　　東京　弘文堂　昭和3年（1928）2月

6782　狩野直禎　　　狩野直喜博士年譜
　　　　　　　　　　東方學　第42卷　昭和46年（1971）8月

6783　未署名　　　　狩野君山先生略譜
　　　　　　　　　　東方學報（京都）　第17冊　昭和25年（1950）

6784　小島祐馬等　　「狩野直喜先生永逝紀念」專刊
　　　　　　　　　　東光　第5號　昭和23年（1948）4月
　　　　　　　　　　追悼の辭
　　　　　　　　　　桃花源記序（狩野直喜）
　　　　　　　　　　追慕の記
　　　　　　　　　　　通儒としての狩野先生（小島祐馬）
　　　　　　　　　　　シノロジストの典型（倉石武四郎）
　　　　　　　　　　　君山先生と元曲と私（青木正兒）
　　　　　　　　　　　先師と中國文學（吉川幸次郎）
　　　　　　　　　　　君山先生との倡和（鈴木虎雄）
　　　　　　　　　　　故先生のことども（梅原末治）
　　　　　　　　　　　歴史家としての狩野博士（宮崎市定）
　　　　　　　　　　　君山先生思慕の記（新村　出）
　　　　　　　　　　　狩野先生と敦煌古書（神田喜一郎）
　　　　　　　　　　　東方文化研究所と狩野博士（羽田　亨）
　　　　　　　　　　　また一個を弱う・希の原理（橋川時雄）
　　　　　　　　　　　君山狩野直喜博士を追慕す（高瀬武次郎）
　　　　　　　　　　　狩野博士と私（古城貞吉）
　　　　　　　　　　　伯父の思い出（八木田政雄）
　　　　　　　　　　　狩野博士と謠曲（阪倉篤太郎）
　　　　　　　　　　　祖父の追憶（狩野直禎）
　　　　　　　　　　　父を偲びて（狩野宮子）
　　　　　　　　　　　父の追憶（狩野直方）
　　　　　　　　　　　君山先生（桑原武夫）

6785　宮崎市定　　　狩野君山博士を悼む
　　　　　　　　　　東洋史研究　第10卷4號　昭和24年（1949）

6786　吉川幸次郎　　狩野先生と中國文學
　　　　　　　　　　中國と私　細川書店　昭和25年（1950）

6787　小島祐馬　　　狩野先生の學風
　　　　　　　　　東方學報（京都）第17冊　昭和25年（1950）
6788　中島光男　　　君山狩野直喜博士を憶ふ
　　　　　　　　　東洋文化　第5號　昭和34年（1959）
6789　宇野哲人等　　先學を語る──狩野直喜博士
　　　　　　　　　東方學　第42號　昭和46年（1971）8月
6790　宇野哲人等　　狩野直喜
　　　　　　　　　東洋學の創始者たち　頁169─219　東京　講談社　昭和51
　　　　　　　　　年（1976）10月
6791　狩野直禎　　　狩野直喜
　　　　　　　　　東洋學の系譜　頁97─107　東京　大修館書店　平成4年
　　　　　　　　　（1992）11月
6792　狩野直禎著、林慶彰譯　　狩野直喜
　　　　　　　　　國文天地　第11卷9期　頁20─26　平成8年（1996）2月
6793　鄭　樑生　　　日本漢學家狩野直喜及其《中國文學史》
　　　　　　　　　中日關係史研究論集（三）　頁129─147　臺北　文史哲出版社
　　　　　　　　　平成5年（1993）2月
6794　張　寶三　　　狩野直喜之《春秋》研究略論
　　　　　　　　　東亞漢學國際會議論文　薩南中國學研究會主辦　平成8年
　　　　　　　　　（1996）12月27、28日
6795　張　寶三　　　狩野直喜與《續修四庫全書提要》之關係
　　　　　　　　　①唐代經學及日本近代京都學派中國學研究論集　頁83─
　　　　　　　　　　134　臺北　里仁書局　平成10年（1998）4月
　　　　　　　　　②臺大中文學報　第10期　頁241─272　平成10年（1998）5
　　　　　　　　　月

25.高瀬武次郎（1868─1950）

著　作

6796　高瀬武次郎　　易學研究
　　　　　　　　　東京　弘道館　大正15年（1926）8月　184頁
6797　高瀬武次郎　　支那哲學史
　　　　　　　　　東京　文盛堂　明治43年（1910）10月　931頁
6798　高瀬武次郎　　支那倫理珠塵

　　　　　　　　東京　參天閣　明治41年（1908）4月　55頁

6799　高瀨武次郎　　陽明學楷梯
　　　　　　　　東京　鐵華書院　明治32年（1899）10月　155頁

6800　高瀨武次郎　　王陽明評傳
　　　　　　　　東京　文明堂　明治37年（1904）5月　362頁（附錄：朱子
　　　　　　　　學と陽明學）

6801　高瀨武次郎　　陽明學新論
　　　　　　　　東京　榊原文盛堂　明治39年（1906）8月　424頁（附錄：
　　　　　　　　支那に於ける陽明學派諸子略傳）

6802　高瀨武次郎　　日本の陽明學
　　　　　　　　①東京　鐵華書院　明治31年（1898）12月　272頁
　　　　　　　　②東京　榊原文盛堂　明治40年（1907）4月改訂本　274頁

6803　高瀨武次郎　　老莊哲學
　　　　　　　　東京　榊原文盛堂　明治42年（1909）3月　311頁

6804　高瀨武次郎　　楊墨哲學
　　　　　　　　東京　金港堂　明治35年（1902）5月　432頁

6805　高瀨武次郎　　支那文學史
　　　　　　　　東京　哲學館　明治34年（1901）612頁（哲學館漢學專修科
　　　　　　　　漢學講義）

後人研究

6806　高瀨博士還曆記念會　高瀨博士還曆記念支那學論叢
　　　　　　　　京都　弘文堂　昭和3年（1928）

6807　九州大學中國哲學史研究室　高瀨文庫目錄
　　　　　　　　福岡　編者印行　昭和60年（1985）9月

26.蟹江義丸（1872—1904）
かに え よし まる

著　作

6808　蟹江義丸　　　孔子研究
　　　　　　　　東京　金港堂　明治37年（1904）7月　452,74頁

6809　蟹江義丸　　　倫理叢話
　　　　　　　　東京　瀨木博尚印行　明治36年（1903）　155, 27頁

6810　蟹江義丸　　　倫理學講義

靜岡縣今泉村　加藤秀壽印行　明治35年（1902）2月　92頁

6811　蟹江義丸　　西洋哲學史
　　　　　　　　　東京　博文館　明治32年（1899）8月　313頁（帝國百科全
　　　　　　　　　書　第32編）

6812　蟹江義丸　　ペウルゼン氏倫理學
　　　　　　　　　東京　育成會　明治33年（1900）8月　150頁（倫理學書解
　　　　　　　　　說　分冊第4）

6813　蟹江義丸　　カント氏倫理學
　　　　　　　　　東京　育成會　明治34年（1901）1月　172頁（倫理學書解
　　　　　　　　　說　分冊第8）

6814　蟹江義丸　　ヴント氏倫理學
　　　　　　　　　東京　育成會　明治34年（1901）6月　190頁（倫理學書解
　　　　　　　　　說　分冊第12）

6815　ペウルゼン著、蟹江義丸譯　倫理學
　　　　　　　　　東京　博文館　明治32年（1899）2月　303頁（帝國百科全
　　　　　　　　　書　第24編）

6816　ペウルゼン著、蟹江義丸等譯　倫理學大系
　　　　　　　　　東京　博文館　明治37年（1904）5月　892頁

後人研究

6817　未署名　　　蟹江文學博士の訃
　　　　　　　　　哲學雜誌　第19編210號　明治37年（1904）
6818　未署名　　　故蟹江義丸博士三十年追悼會に於ける追懷談
　　　　　　　　　倫理講演集　第371號　昭和8年（1933）

えん どう りゅう きち
27.遠藤隆吉（1874—1946）

著　作

6819　遠藤隆吉　　孔子傳
　　　　　　　　　東京　丙午出版社　昭和43年（1910）11月；大正10年
　　　　　　　　　（1921）
6820　遠藤隆吉　　易學大系
　　　　　　　　　東京　明誠館　大正10年（1921）12月
6821　曹庭棟編注、遠藤隆吉譯　經外遺傳逸語訓譯

		東京　博文館　明治44年（1911）7月　366頁
6822	遠藤隆吉	漢學の革命
		東京　育英舍　明治44年（1911）1月　300頁
6823	遠藤隆吉	支那哲學史
		東京　金港堂　明治33年（1900）5月　462頁
6824	遠藤隆吉	支那思想發達史
		東京　富山房　明治37年（1904）　684頁
6825	遠藤隆吉	東洋倫理學
		東京　弘道館　明治42年（1909）11月　660頁
6826	遠藤隆吉	東洋倫理研究
		東京　弘道館　明治44年（1911）3月　332頁
6827	遠藤隆吉	虛無恬淡主義
		東京　弘道館　明治39年（1906）6月　112頁
6828	遠藤隆吉	生活の趣味
		東京　富山房　明治44年（1911）7月　288頁
6829	遠藤隆吉	哲學入門
		東京　同文館　明治41年（1908）5月　133頁
6830	遠藤隆吉	社會心理と教育
		東京　成美堂　明治41年（1908）　293頁
6831	遠藤隆吉	社會情調と教育
		東京　社會學研究所　明治41年（1908）9月　62,13頁（日本社會學研究所論集　第2編）
6832	遠藤隆吉	教育學の國家的建設
		東京　日本社會學研究所　明治41年（1908）12月　49頁（日本社會學研究所論集　第5編）
6833	遠藤隆吉	軟教育と硬教育
		東京　日本社會學研究所　明治42年（1909）6月　74頁（日本社會學研究所論集　第7編）
6834	遠藤隆吉	硬教育
		東京　富山房　明治43年（1910）7月　322頁
6835	遠藤隆吉、市川源三	男女青年之心理及教育
		東京　敬文館　明治43年（1910）10月　288頁
6836	遠藤隆吉	學校の意味
		東京　博文館　明治45年（1912）5月　406頁
6837	遠藤隆吉	詔勅と日本人の精神
		東京　巢園學舍　明治45年（1912）7月　206頁

6838　遠藤隆吉　　　　日本我
　　　　　　　　　　東京　巢園學舍　明治45年（1912）5月　316,47頁
6839　遠藤隆吉　　　　國家論
　　　　　　　　　　東京　文明堂　明治38年（1905）7月　75頁
6840　遠藤隆吉　　　　日本社會の發達及思想の變遷
　　　　　　　　　　東京　同文館　明治37年（1904）1月　236頁
6841　遠藤隆吉　　　　現今之社會學
　　　　　　　　　　東京　金昌堂；大阪　集成堂　明治34年（1901）7月　68頁
6842　遠藤隆吉　　　　近世社會學
　　　　　　　　　　東京　成美堂　明治40年（1907）3月　506頁
6843　遠藤隆吉　　　　社會史論
　　　　　　　　　　東京　同文館　明治38年（1905）9月　53頁
6844　遠藤隆吉　　　　社會學
　　　　　　　　　　東京　哲學館　明治34年（1901）　160頁（哲學館　第14年
　　　　　　　　　　度高等學科講義錄）
6845　遠藤隆吉編　　　社會學術語稿本
　　　　　　　　　　東京　日本社會學研究所　明治42年（1909）3月　48頁（日
　　　　　　　　　　本社會學研究所論集　第6編）
6846　遠藤隆吉　　　　社會學及研究法
　　　　　　　　　　東京　同文館　明治36年（1903）10月　216頁（教育研究叢
　　　　　　　　　　書）
6847　遠藤隆吉　　　　社會學講話
　　　　　　　　　　東京　同文館　明治40年（1907）6月　250頁（教育叢書）
6848　ギッヂングス著、遠藤隆吉譯　社會學
　　　　　　　　　　東京　東京專門學校出版部　明治33年（1900）9月　538頁
　　　　　　　　　　（早稻田叢書）

後人研究

6849　蝦名賢造　　　　遠藤隆吉傳——巢園の父、その思想と生涯
　　　　　　　　　　東京　西田書店　平成元年（1989）11月　379頁
6850　町田三郎　　　　遠藤隆吉覺書
　　　　　　　　　　①九州大學哲學年報　第49號　平成2年（1990）
　　　　　　　　　　②明治の漢學者たち　頁271—316　東京　研文出版　平成
　　　　　　　　　　10年（1998）1月

28.北村澤吉（1874—1945）
きた むら さわ きち

著　作

6851　北村澤吉　　　　論語義注及集義
　　　　　　　　　　　東京　寶文館　昭和12—14年（1937—1939）　2冊
6852　北村澤吉　　　　周易十翼精義
　　　　　　　　　　　東京　富山房　昭和13年（1938）　339頁
6853　北村澤吉、歐陽瀚存譯　儒學概論
　　　　　　　　　　　上海　商務印書館　昭和3年（1928）11月　265頁
6854　北村澤吉　　　　儒學概論
　　　　　　　　　　　①東京　關書院　昭和5年（1930）　1冊
　　　　　　　　　　　②東京　森北書店　昭和17年（1942）　203頁
6855　北村澤吉　　　　儒學要義
　　　　　　　　　　　東京　寶文館　昭和7年（1932）　177, 23, 15頁
6856　北村澤吉　　　　儒教道德の特質と其の學說の變遷
　　　　　　　　　　　①東京　關書院　昭和8年（1933）3月　9, 383頁
　　　　　　　　　　　②東京　森北書店　昭和18年（1943）1月　9, 212, 194頁

29.中山久四郎（1874—1961）
なか やま きょう し ろう

著　作

6857　中山久四郎　　　經子解題
　　　　　　　　　　　東京　哲學館　明治34年（1901）　483頁（哲學館漢學專修
　　　　　　　　　　　科漢學講義）
6858　中山久四郎　　　清の經學史
　　　　　　　　　　　經學史　頁169—208　東京　松雲堂書店　昭和8年（1933）
　　　　　　　　　　　10月
6859　中山久四郎著、連清吉譯　清代的經學史
　　　　　　　　　　　經學史　頁197—237　臺北　萬卷樓圖書公司　平成8年
　　　　　　　　　　　（1996）10月
6860　中山久四郎　　　支那の人文思想
　　　　　　　　　　　東京　春秋社　昭和6年（1931）　256頁
6861　中山久四郎　　　新東洋史

　　　　　　　　東京　富士書店　昭和24年（1949）　198頁

6862　中山久四郎　　史學及東洋史の研究
　　　　　　　　東京　賢文館　昭和9年（1934）　344頁

6863　中山久四郎　　日本文化と儒教
　　　　　　　　東京　刀江書院　昭和10年（1935）

6864　中山久四郎　　聖堂略志
　　　　　　　　東京　斯文會　昭和10年（1935）

6865　中山久四郎　　日本現存文廟
　　　　　　　　東京　斯文會　昭和10年（1935）4月

6866　中山久四郎編　神武天皇と日本の歴史
　　　　　　　　東京　小川書店　昭和36年（1961）　295頁

6867　中山久四郎　　山鹿素行
　　　　　　　　東京　北海出版社　昭和12年（1937）　195頁（日本教育家
　　　　　　　　文庫　第19卷）

6868　山鹿素行著、中山久四郎校注　聖教要録
　　　　　　　　日本先哲叢書　第1冊　東京　廣文堂　昭和11年（1936）

6869　山鹿素行著、中山久四郎校注　配所残筆
　　　　　　　　日本先哲叢書　第1冊　東京　廣文堂　昭和11年（1936）

6870　山鹿素行著、中山久四郎校注　武教小學
　　　　　　　　日本先哲叢書　第1冊　東京　廣文堂　昭和11年（1936）

6871　山鹿素行著、中山久四郎校注　武教本論
　　　　　　　　日本先哲叢書　第1冊　東京　廣文堂　昭和11年（1936）

6872　中山久四郎　　賴山陽の尊王大義論
　　　　　　　　東京　刀江書院　昭和10年（1935）

6873　中山久四郎　　賴山陽史學の日本的體系
　　　　　　　　日本學術振興委員會研究報告㈣　東京　文部省教學局　昭
　　　　　　　　和13年（1938）

　　　　　　　　　　　　　く　ぼ　てん　ずい
　　　　　　　　　30.久 保 天 隨（1875—1934）

　　　　　　　　　　　　　　著　作

6874　久保天隨　　四書新譯
　　　　　　　　東京　博文館　明治34、35年（1901、1902）　6冊

6875　久保天隨　　日本儒學史

東京　博文館　明治37年（1904）　286頁（帝國百科全書
第117編）

6876　久保天隨　近世儒學史
東京　博文館　明治40年（1907）11月　346頁（帝國百科全
書　第172編）

6877　久保天隨　高等漢文講義
東京　金刺芳流堂　明治42年（1909）9月　596頁

6878　久保天隨　老子新釋
東京　博文館　明治43年（1910）10月　270頁

6879　久保天隨　莊子新釋
東京　博文館　明治43年（1910）　3冊（292頁，406頁，
308頁）

6880　久保天隨　荀子新釋
東京　博文館　明治43、44年（1910、1911）　3冊（352頁，
349頁，348頁）

6881　久保天隨　韓非子新釋
東京　博文館　明治43年（1910）9月　4冊

6882　久保天隨　列子新釋
東京　博文館　明治43年（1910）11月　2冊（248頁，274頁）

6883　久保天隨　韓退之
大阪　鍾美堂　明治34年（1901）7月　213頁

6884　久保天隨　菜根譚詳解講義
東京　金刺芳流堂　明治43年（1910）3月　402頁

6885　久保天隨　天才主義
東京　參文舍　明治40年（1907）4月　196頁（青年修養叢
書　第2編）

6886　久保天隨　古今武士道史譚
東京　育成會　明治38年（1905）3月　206頁

6887　久保天隨　武家時代少年士道の訓
東京　同文館　明治38年（1905）5月　285頁

6888　久保天隨等編　東洋歷史大辭典
明治38年（1905）　1141, 54, 77頁

6889　久保天隨　東洋通史
東京　博文館　明治36、37頁（1903、1904）　12冊

6890　久保天隨　東洋倫理史要
東京　育成會　明治37年（1904）1月　443頁

6891　久保天隨　　　日本歷史寶鑑
　　　　　　　　　　東京　博文館　明治39年（1906）7月　1472頁
6892　久保天隨　　　日本外史新釋
　　　　　　　　　　東京　博文館　明治40、41年（1907、1908）　12冊
6893　久保天隨　　　日本外史字解
　　　　　　　　　　東京　博文館　明治41年（1908）7月　172頁
6894　岡田僑著、久保天隨譯　日本外史補新譯
　　　　　　　　　　東京　新潮社　明治45年（1912）6月　370頁
6895　久保天隨　　　朝鮮史
　　　　　　　　　　東京　博文館　明治38年（1905）6月　328頁（帝國百科全
　　　　　　　　　　書　第129編）
6896　久保天隨著、中村不折畫　瑣克刺底
　　　　　　　　　　東京　博文館　明治33年（1900）6月　152頁（世界歷史譚
　　　　　　　　　　第15編）

後人研究

6897　諸　　家　　　久保天隨博士を悼む
　　　　　　　　　　漢學會雜誌　第2卷2號　昭和9年（1934）10月
6898　黃　得時　　　久保天隨小傳
　　　　　　　　　　廣島大學中國中世文學研究　第2冊　昭和37年（1962）12月
6899　町田三郎　　　久保天隨的學術成就——以漢學史研究爲探討重點
　　　　　　　　　　第一屆臺灣儒學研究國際學術研討會論文集　上冊　頁51—
　　　　　　　　　　68　臺南　國立成功大學中國文學系　平成9年（1997）6月

31.藤塚　鄰（1879—1948）
ふぢ つか　　ちかし

著　作

6900　藤塚　鄰　　　論語總說
　　　　　　　　　　①東京　弘文堂　昭和24年（1949）5月　364頁
　　　　　　　　　　②東京　國書刊行會　昭和63年（1988）11月　361頁
6901　藤塚　鄰　　　論語の味讀
　　　　　　　　　　東京　斯文會　昭和26年（1951）
6902　藤塚　鄰　　　論語の文獻的研究
　　　　　　　　　　東京　弘文堂　昭和24年（1949）　200頁

6903　藤塚　鄰　　　日鮮清の文化交流
　　　　　　　　　　東京　中文館書店　昭和22年（1947）

6904　藤塚鄰著、藤塚明直編　清朝文化東傳之研究——嘉慶、道光學壇と李朝の
　　　　　　　　　　金阮堂
　　　　　　　　　　東京　國書刊行會　昭和50年（1975）4月　537頁

6905　藤塚　鄰　　　物徂徠の論語徴と清朝の經師
　　　　　　　　　　支那學研究（斯文會）　第4編　頁65—129　昭和10年
　　　　　　　　　　（1935）2月

後人研究

6906　藤塚博士古稀紀念會　藤塚博士古稀紀念論文集
　　　　　　　　　　東京　玄同社　昭和24年（1949）

6907　麓　保孝　　　評《論語總説》
　　　　　　　　　　斯文　復刊第4號　頁89—91　昭和26年（1951）11月

6908　坂本太郎等　　先學を語る——藤塚鄰博士
　　　　　　　　　　東方學　第69輯　頁168—194　昭和60年（1985）1月

ほん だ しげ ゆき
32.本田成之（1882—1945）

著　作

6909　本田成之　　　支那經學史論
　　　　　　　　　　東京　弘文堂　昭和2年（1927）　411頁

6910　本田成之著、江俠庵譯　經學史論
　　　　　　　　　　上海　商務印書館　昭和9年（1934）5月（國學小叢書）

6911　本田成之著、孫俍工譯
　　　　　　　　　　①上海　中華書局　昭和10年（1935）6月　358頁
　　　　　　　　　　②臺北　古亭書屋　昭和50年（1975）4月　358頁
　　　　　　　　　　③臺北　廣文書局　昭和54年（1979）5月　358頁

6912　本田成之　　　支那近世哲學史考
　　　　　　　　　　京都　晃文社　昭和19年（1944）　246頁

6913　本田成之　　　陶淵明講義
　　　　　　　　　　京都　隆文館　大正10年（1921）10月

6914　本田成之　　　富岡鐵齋
　　　　　　　　　　東京　中央美術社　大正5年（1916）

6915　本田成之　　　富岡鐵齋與南畫
　　　　　　　　　　大阪　湯川弘文社　昭和18年（1943）5月

後人研究

6916　未署名　　　　本田成之博士著作目錄
　　　　　　　　　　支那學　第10號　特別號　昭和17年（1942）
6917　支那學編輯部　本田成之博士追憶錄
　　　　　　　　　　支那學　第12卷1、2合併號　昭和21年（1946）9月
6918　武內義雄　　　本田兄の想い出
　　　　　　　　　　武內義雄全集　第10卷　雜著篇　東京　角川書店　昭和54
　　　　　　　　　　年（1979）10月

第五編　現　代

壹、總　論

一、哲學、思想史

6919　山崎　謙　　日本現代哲學の基本性格
　　　　　　　　　東京　文昭社　昭和32年（1957）　283頁

6920　濱田義文　　現代思想入門──新しい生きかた
　　　　　　　　　東京　弘文堂　昭和37年（1962）　244頁

6921　中村雄二郎　日本の思想界──戰前・戰中・戰後
　　　　　　　　　東京　勁草書房　昭和42年（1967）　309頁

6922　野邊地東洋、長尾訓孝、堀內操　日本現代哲學入門
　　　　　　　　　東京　理想社　昭和42年（1967）　294頁

6923　竹內良知編　昭和思想史
　　　　　　　　　京都　ミネルヴァ書房　昭和33年（1958）　432頁（社會科
　　　　　　　　　學選書　13）．

6924　荒川畿男　　1930年代──昭和思想史
　　　　　　　　　現代日本思想史　第5冊　東京　青木書店　昭和46年
　　　　　　　　　（1971）　241頁

6925　山田宗睦　　昭和の精神史──京都學派の哲學
　　　　　　　　　京都　人文書院　昭和50年（1975）　286頁

6926　久野　牧　　30年代の思想家たち
　　　　　　　　　東京　岩波書店　昭和50年（1975）　396頁

6927　河原　宏　　昭和政治思想研究
　　　　　　　　　東京　早稲田大學出版部　昭和54年（1979）5月　336,10頁

6928　橋川文三　　昭和維新試論
　　　　　　　　　東京　朝日新聞社　昭和59年（1984）6月　269頁

6929　荒川幾男　　昭和思想史──暗く輝ける1930年代
　　　　　　　　　東京　朝日新聞社　平成元年（1989）8月　229,8頁（朝日
　　　　　　　　　選書　383）〔《現代日本思想史　5》，青木書店　昭和46
　　　　　　　　　年（1971）改名〕

6930　久野牧、鶴見俊輔、藤田省三　戰後日本の思想

          ①東京　中央公論社　昭和34年（1959）　243頁

          ②東京　勁草書房　昭和41年（1966）　246頁

6931　山田宗睦　　戰後思想史

          京都　三一書房　昭和34年（1959）　270頁（三一新書）

6932　山田宗睦　　戰後思想史——論爭形式による（續）

          東京　新讀書社出版部　　昭和35年（1960）　212頁

6933　山田宗睦　　現代思想史年表

          京都　三一書房　昭和36年（1961）　284頁（日本現代史年表）

6934　松田道雄編　昭和思想集Ⅰ

          近代日本思想大系　第35卷　東京　筑摩書房　昭和49年（1974）10月　500頁

6935　橋川文三編　昭和思想集Ⅱ

          近代日本思想大系　第36卷　東京　筑摩書房　昭和53年（1978）1月　464頁

6936　松本三之介等編　現代日本思想大系

          東京　筑摩書房　昭和38年（1963）6月—昭和43年（1968）2月　全35卷

6937　日高六郎等編　戰後日本思想大系

          東京　筑摩書房　昭和43年（1968）7月—昭和49年（1974）5月　全16卷

二、漢學、儒學史

6938　梁　容若　　現代日本漢學研究概觀

          ①東海學報　第8卷1期　昭和42年（1967）7月

          ②現代日本漢學研究概觀　臺北　藝文印書館　昭和47年（1972）9月

6939　黃　得時　　日本漢學研究之現狀

          孔孟月刊　第6卷8期—7卷6期　昭和43年（1968）4月—昭和44年（1969）2月

貳、儒學家各論

1.津田左右吉（1873—1961）
<ruby>津<rt>つ</rt></ruby><ruby>田<rt>だ</rt></ruby><ruby>左<rt>そ</rt></ruby><ruby>右<rt>う</rt></ruby><ruby>吉<rt>きち</rt></ruby>

著　作

6940　津田左右吉　論語と孔子の思想
東京　岩波書店　523,22頁　昭和21年（1946）12月

6941　津田左右吉　左傳の思想史的研究
東京　東洋文庫　昭和10年（1935）9月　737頁（東洋文庫論叢　第22輯）

6942　津田左右吉　儒教の實踐道德
①滿鮮地理歷史研究報告　第13號　頁499—706　東京　東京帝國大學文科大學　昭和7年（1932）6月
②東京　岩波書店　昭和14年（1939）　275頁

6943　津田左右吉　儒教の研究
東京　岩波書店　3冊
第1冊　昭和25年（1950）　488頁
第2冊　昭和26年（1951）　498頁
第3冊　昭和31年（1956）　535頁
（附錄：蕃山、益軒）

6944　津田左右吉　支那思想と日本
東京　岩波書店　昭和13年（1938）11月　216頁　200頁
（岩波新書）

6945　津田左右吉　道家の思想と其の展開
東京　岩波書店　昭和14年（1939）11月　732頁

6946　津田左右吉編　東洋思想研究　1949年　第4（早稻田大學東洋思想研究室年報）
東京　岩波書店　昭和25年（1950）　314頁

6947　津田左右吉編　東洋思想研究　1953年　第5（早稻田大學東洋思想研究室年報）
東京　岩波書店　昭和29年（1954）　235頁

6948　津田左右吉　　　新撰東洋史
　　　　　　　　　　　東京　寶永館　明治34年（1901）11月　152頁
6949　津田左右吉　　　歷史の矛盾性
　　　　　　　　　　　①東京　大洋出版社　昭和22年（1947）　132頁（史苑叢書
　　　　　　　　　　　　第2）
　　　　　　　　　　　②東京　東洋堂　昭和23年（1948）3版　132頁（史苑叢書
　　　　　　　　　　　　第2）
6950　津田左右吉　　　必然・偶然・自由
　　　　　　　　　　　東京　角川書店　昭和25年（1950）　168頁（角川新書　第
　　　　　　　　　　　1）
6951　津田左右吉　　　歷史と必然・偶然・自由
　　　　　　　　　　　東京　新學社教友館　昭和50年（1975）　367頁
6952　津田左右吉　　　歷史の扱ひ方——歷史教育と歷史學　東京　中央公論社
　　　　　　　　　　　昭和28年（1953）　183頁；昭和30年（1955）改版　229頁
6953　津田左右吉　　　歷史學と歷史教育
　　　　　　　　　　　東京　岩波書店　昭和34年（1959）　541頁
6954　津田左右吉　　　ニホン人の思想的態度
　　　　　　　　　　　東京　中央公論社　昭和23年（1948）　225頁
6955　津田左右吉　　　神代史の研究
　　　　　　　　　　　東京　岩波書店　大正13年（1924）2月　618頁
6956　津田左右吉　　　日本上代史の研究
　　　　　　　　　　　東京　岩波書店　昭和22年（1947）　502,26頁
6957　津田左右吉　　　日本古典の研究
　　　　　　　　　　　東京　岩波書店
　　　　　　　　　　　上冊　昭和23年（1948）　　688頁
　　　　　　　　　　　下冊　昭和25年（1950）　　798頁
6958　津田左右吉　　　上代日本の社會及び思想
　　　　　　　　　　　東京　岩波書店　昭和14年（1939）　626頁
6959　津田左右吉　　　古事記及び日本書紀の新研究
　　　　　　　　　　　東京　洛陽堂　大正8年（1919）　582,57頁
6960　津田左右吉　　　古事記及日本書紀の研究
　　　　　　　　　　　東京　洛陽堂　大正13年（1924）（前書改名）
6961　津田左右吉　　　日本の皇室
　　　　　　　　　　　東京　早稻田大學出版部　昭和27年（1952）
6962　津田左右吉　　　日本の神道
　　　　　　　　　　　東京　岩波書店　昭和2年（1949）　414頁

6963　津田左右吉　　蕃山・益軒
　　　　　　　　　　①東京　岩波書店　昭和13年（1938）　225頁
　　　　　　　　　　②儒教の研究　第3冊　附錄　東京　岩波書店　昭和31年
　　　　　　　　　　（1956）

6964　津田左右吉　　文學に現はれたる我が國民思想の研究
　　　　　　　　　　東京　洛陽堂　大正5―10年（1916―1921）　4冊
　　　　　　　　　　第1卷　貴族文學の時代
　　　　　　　　　　第2卷　武士文學の時代
　　　　　　　　　　第3卷　平民文學の時代（上）
　　　　　　　　　　第4卷　平民文學の時代（中）

6965　津田左右吉　　文學に現はれたる我が國民思想の研究
　　　　　　　　　　東京　岩波書店（岩波文庫）
　　　　　　　　　　第1卷　昭和52年（1977）9月　290頁
　　　　　　　　　　第2卷　昭和52年（1977）10月　274,11頁
　　　　　　　　　　第3卷　昭和52年（1977）11月　289頁
　　　　　　　　　　第4卷　昭和52年（1977）12月　295,13頁
　　　　　　　　　　第5卷　昭和53年（1978）1月　264頁
　　　　　　　　　　第6卷　昭和53年（1978）2月　384,15頁
　　　　　　　　　　第7卷　昭和53年（1978）3月　406頁
　　　　　　　　　　第8卷　昭和53年（1978）4月　370頁

6966　津田左右吉　　文學に現はれたる國民思想の研究
　　　　　　　　　　東京　岩波書店
　　　　　　　　　　第1卷　貴族文學の時代　昭和26年（1951）7月　660頁
　　　　　　　　　　第2卷　武士文學の時代　昭和28年（1953）1月　618頁
　　　　　　　　　　第3卷　平民文學の時代（上）　昭和28年（1953）10月
　　　　　　　　　　　　569頁
　　　　　　　　　　第4卷　平民文學の時代（中）　昭和30年（1955）1月
　　　　　　　　　　　　695,19頁
　　　　　　　　　　第5卷　平民文學の時代（下）　昭和35年（1965）4月
　　　　　　　　　　　　506頁
　　　　　　　　　　（《文學に現はれたる我が國民思想の研究》改名改訂版）

6967　Tuda, Sôkiti,（津田左右吉，1873―1961）　An inquiry into the Japanese
　　　　　　　　mind as mirrored in literature: the flowering period of
　　　　　　　　common people literature, by Sôkichi Tsuda；translated
　　　　　　　　by Fukumatsu Matsuda；compiled by Japanese National
　　　　　　　　Commission for Unesco.—Tokyo: Yushodo, 1988. c1970. 332

p, (Classics on Japanese thought and culture; v.7)

6968　津田左右吉　　日本文藝の研究
　　　　　　　　　　東京　岩波書店　昭和28年（1953）　423頁
6969　津田左右吉　　津田左右全集
　　　　　　　　　　東京　岩波書店
　　　　　　　　　　第1卷　日本古典研究（上）　昭和38年（1963）　696頁
　　　　　　　　　　第2卷　日本古典研究（下）　昭和38年（1963）　678頁
　　　　　　　　　　第3卷　日本上代史研究　昭和38年（1963）　529頁
　　　　　　　　　　第4卷　文學に現はれたる國民思想の研究1　昭和39年
　　　　　　　　　　　　　（1964）　656頁
　　　　　　　　　　第5卷　文學に現はれたる國民思想の研究2　昭和39年
　　　　　　　　　　　　　（1964）　627頁
　　　　　　　　　　第6卷　文學に現はれたる國民思想の研究3　昭和39年
　　　　　　　　　　　　　（1964）　594頁
　　　　　　　　　　第7卷　文學に現はれたる國民思想の研究4　昭和39年
　　　　　　　　　　　　　（1964）　726頁
　　　　　　　　　　第8卷　文學に現はれたる國民思想の研究5　昭和39年
　　　　　　　　　　　　　（1964）　524頁
　　　　　　　　　　第9卷　日本の神道　昭和39年（1964）　445頁
　　　　　　　　　　第10卷　日本文藝の研究　昭和39年（1964）　425頁
　　　　　　　　　　第11卷　滿鮮歷史地理研究1　昭和39年（1964）　515頁
　　　　　　　　　　第12卷　滿鮮歷史地理研究2　昭和39年（1964）　492頁
　　　　　　　　　　第13卷　道家の思想とその展開　昭和39年（1964）　591頁
　　　　　　　　　　第14卷　論語と孔子の思想　昭和39年（1964）　545頁
　　　　　　　　　　第15卷　左傳の思想史的研究　昭和39年（1964）　637頁
　　　　　　　　　　第16卷　儒教の研究1　昭和40年（1965）　504頁
　　　　　　　　　　第17卷　儒教の研究2　昭和40年（1965）　498頁
　　　　　　　　　　第18卷　儒教の研究3　昭和40年（1965）　611頁
　　　　　　　　　　第19卷　シナ佛教の研究　昭和40年（1965）　600頁
　　　　　　　　　　第20卷　歷史學と歷史教育　昭和40年（1965）　666頁
　　　　　　　　　　第21卷　思想・文藝・日本語　昭和40年（1965）　618頁
　　　　　　　　　　第22卷　論叢1　明治、大正期　昭和40年（1965）　533頁
　　　　　　　　　　第23卷　論叢2　昭和期　昭和40年（1965）　604頁
　　　　　　　　　　第24卷　自敍傳等　昭和40年（1965）　621頁
　　　　　　　　　　第25卷　日記1　明治29—32年　昭和40年（1965）　671頁
　　　　　　　　　　第26卷　日記2　明治33年、明治35—36年、明治39—41年、

後人研究

6970　川上清美　　津田博士の論語研究について
　　　　　　　　斯文　復刊第24號　昭和34年（1959）
6971　野　　原　　評《左傳の思想史的研究》
　　　　　　　　史學雜誌　第43號編第1號　頁145—148　昭和7年（1932）1
　　　　　　　　月
6972　杉本　　忠　　評《左傳の思想史的研究》
　　　　　　　　史學　第14卷3號　頁532—535　昭和10年（1935）12月
6973　貝塚茂樹　　評《左傳の思想史的研究》
　　　　　　　　①東洋史研究　第1卷4號　頁65—68　昭和11年（1936）4月
　　　　　　　　②貝塚茂樹著作集　第5卷　頁315—319　東京　中央公論
　　　　　　　　　社　昭和51年（1976）9月
6974　服部　　武　　評《左傳の思想史的研究》
　　　　　　　　漢學會雜誌　第4卷2號　頁277—286　昭和11年（1936）7月
6975　板野長八　　評《左傳の思想史的研究》
　　　　　　　　歷史學研究　第6卷4號　頁111—117　昭和11年（1936）4月
6976　家永三郎　　津田左右吉の學問と思想
　　　　　　　　思想　第452期　昭和37年（1962）

6977　杉山康彦　　　和辻哲郎と津田左右吉
　　　　　　　　　國語と國文學　第42編10號　昭和40年（1965）
6978　藤井貞文　　　津田左右吉
　　　　　　　　　神道宗教　第41號　昭和40年（1965）
6979　木村時夫　　　津田左右吉と批判史學
　　　　　　　　　中央公論　第80卷10號　昭和40年（1965）
6980　平野仁啓　　　津田左右吉の方法
　　　　　　　　　文學　第34卷10號　昭和41年（1966）
6981　家永三郎　　　津田左右吉の思想史的研究
　　　　　　　　　東京　岩波書店　昭和47年（1972）
6982　上田正昭編　　人と思想——津田左右吉
　　　　　　　　　東京　三一書房　昭和49年（1974）7月　418頁
6983　大室幹雄　　　アジアンタム頌——津田左右吉の生と情調
　　　　　　　　　東京　新曜社　昭和58年（1983）10月　288頁
6984　增淵龍夫　　　歴史家の同時代史的考察について
　　　　　　　　　東京　岩波書店　昭和58年（1983）
6985　山本七平　　　津田左右吉
　　　　　　　　　言論は日本を動かす　第3卷　アジアを夢みる　東京　講
　　　　　　　　　談社　昭和61年（1986）4月
6986　溝上　瑛　　　津田左右吉
　　　　　　　　　東洋學の系譜　頁157—167　東京　大修館書店　平成4年
　　　　　　　　　（1992）11月
6987　溝上瑛著、林慶彰譯　津田左右吉
　　　　　　　　　國文天地　第12卷3期　頁32—38　平成8年（1996）8月

2.宇野哲人（1875—1974）

うのてつと

著　作

6988　宇野哲人　　　論語新釋
　　　　　　　　　東京　弘道館　昭和4年（1930）　525頁
6989　宇野哲人　　　論語講話
　　　　　　　　　東京　立花書房　昭和24年（1949）　138頁
6990　宇野哲人　　　論語
　　　　　　　　　東京　明德出版社　昭和42年（1967）3月　上、下冊（298

　　　　　　　　　　　頁，288頁）（中國古典新書）

6991　宇野哲人　　　　論語新釋
　　　　　　　　　　　東京　講談社　昭和55年（1980）1月（講談社學術文庫）
6992　宇野哲人　　　　四書講義大學
　　　　　　　　　　　東京　大同館　大正5年（1916）
6993　宇野哲人　　　　四書講義中庸
　　　　　　　　　　　東京　大同館　大正7年（1918）　252頁
6994　宇野哲人　　　　四書講義大學、中庸
　　　　　　　　　　　東京　大同館　昭和23年（1948）　202,12頁
6995　宇野哲人、飯島忠夫　新觀大學中庸
　　　　　　　　　　　東京　三省堂　昭和6年（1931）（支那哲學思想叢書）
6996　宇野哲人　　　　大學
　　　　　　　　　　　東京　講談社　昭和58年（1983）1月　126頁（講談社學術
　　　　　　　　　　　文庫）
6997　宇野哲人　　　　中庸新譯
　　　　　　　　　　　東京　弘文堂書店　昭和4年（1929）（昭和漢文叢書）
6998　宇野哲人　　　　中庸
　　　　　　　　　　　東京　講談社　昭和58年（1983）2月　248頁（講談社學術
　　　　　　　　　　　文庫）
6999　宇野哲人　　　　國譯易經
　　　　　　　　　　　①國譯漢文大成　第1卷　經子史部　第1輯　頁225—351
　　　　　　　　　　　　東京　國民文庫刊行會　昭和14年（1939）6月
　　　　　　　　　　　②國譯漢文大成　經子史部　第2輯　題解17頁　正文484頁
　　　　　　　　　　　　東京　東洋文化協會　昭和31年（1956）4月
7000　宇野哲人譯　　　四書集註
　　　　　　　　　　　東京　世界聖典全集刊行會　大正8年（1919）（世界聖典
　　　　　　　　　　　全集　第2卷）
7001　宇野哲人　　　　孔子教
　　　　　　　　　　　東京　富山房　明治44年（1911）2月　252頁
7002　宇野哲人著、陳彬龢譯　孔子
　　　　　　　　　　　①上海　商務印書館　大正15年（1926）（國學小叢書）
　　　　　　　　　　　②上海　商務印書館　昭和4年（1929）（萬有文庫　第117
　　　　　　　　　　　　冊）
7003　宇野哲人　　　　儒學史（上卷）
　　　　　　　　　　　東京　寶文館　大正13年（1924）　687頁
7004　宇野哲人　　　　支那哲學史——近世儒學

		東京　寶文館　昭和29年（1954）　443頁
7005	宇野哲人著、馬福民譯　中國近世儒學史	
		臺北　中華文化出版事業委員會　昭和32年（1957）　2冊
		（現代國民基本知識叢書　4）
7006	宇野哲人	東洋哲學大綱
		東京　皇典講究所、國學院大學出版部　　明治44年（1911）
		4月　321頁
7007	宇野哲人	支那哲學史講話
		東京　大同館　大正3年（1914）；昭和5年（1930）增補版
7008	宇野哲人	支那哲學の研究
		東京　大同館　大正9年（1920）；昭和5年（1930）增補版
7009	宇野哲人	支那哲學概論
		東京　新光社　大正11年（1922）（支那哲學叢書　第1）
7010	宇野哲人	支那哲學概論
		東京　支那哲學叢書刊行會　昭和元年（1926）
7011	宇野哲人	支那哲學概論
		昭和4年（1929）（現代語譯支那哲學大系　第5卷）
7012	宇野哲人	中國思想
		東京　講談社　昭和55年（1980）5月　320頁（講談社學術文庫）
7013	宇野哲人	中國哲學
		東京　講談社　平成4年（1992）1月　275頁（講談社學術文庫）
7014	宇野哲人	二程子の哲學
		①哲學叢書　第1卷　東京　集文閣　明治33年（1900）
		②東京　大同館　大正9年（1920）
7015	宇野哲人	新支那の指導精神
		東京　啓明會事務所　昭和14年（1939）　48,25頁（啓明會第89回講演集）
7016	宇野哲人	支那文明記
		東京　大同館書店　大正7年（1918）改訂版　414頁
7017	宇野哲人等著	藩學史談
		東京　文松堂書店　昭和18年（1943）．509頁
7018	宇野哲人編	國民道德　先哲著作
		東京　學海指針社　明治44年（1911）11月　518頁
7019	宇野哲人	一筋の道百年

東京　集英社　昭和49年（1974）　316頁

後人研究

7020　東京大學中國哲學研究室編　中國の思想家（宇野哲人博士米壽記念論集）
　　　　東京　勁草書房　昭和38年（1963）　上、下卷
7021　記念會編　宇野哲人先生白壽祝賀記念東洋學論叢
　　　　東京　編者印行　昭和49年（1974）10月
7022　東方學編輯部　宇野哲人先生追悼錄
　　　　東方學　第48號　頁145—163　昭和49年（1974）7月
7023　斯文編輯部　宇野哲人先生追悼號
　　　　斯文　復刊第77號　昭和49年（1974）9月
7024　東洋文化編輯部　宇野哲人先生追悼號
　　　　東洋文化（東洋文化振興會）第19號　昭和49年（1974）7月
7025　赤塚　忠　宇野哲人先生を偲ぶ
　　　　中哲文學會報　第1號　頁1—4　昭和49年（1974）10月
7026　廣常人世　宇野哲人
　　　　東洋學の系譜　第2集　東京　大修館書店　平成6年（1994）
　　　　9月
7027　加藤常賢　宇野先生の學績と業績
　　　　東方學　第24輯　昭和37年（1962）
7028　未署名　宇野博士著作目錄
　　　　東方學　第24輯　昭和37年（1962）

3.諸橋轍次（1883—1982）

著　作

7029　諸橋轍次　孔子の生涯
　　　　①東京　京華社　昭和11年（1936）　188頁
　　　　②東京　桃山書林　昭和23年（1948）　188頁
7030　諸橋轍次　如是我聞孔子傳
　　　　①東京　大法輪閣　昭和44年（1969）7月　498頁
　　　　②東京　大修館　平成2年（1990）3月　上、下冊（312頁，
　　　　272頁）
7031　諸橋轍次　孔子と老子

東京　不昧堂書店　昭和27年（1952）　334頁

7032　諸橋轍次　孔子・老子・釋迦「三聖會談」

東京　講談社　昭和57年（1982）9月　265頁

7033　諸橋轍次　新論語講話

東京　章華社　昭和9年（1934）　274頁

7034　諸橋轍次　論語

東京　富士書店　昭和25年（1950）　220頁

7035　諸橋轍次　掌中論語講義

東京　大修館書店　昭和28年（1953）12月　536頁

7036　諸橋轍次　古典のかがみ——論語三十三章

柏　廣池學園出版部　昭和40年（1965）　190頁

7037　諸橋轍次校　論語集注

東京　富士書店　昭和25年（1950）5月　214頁

7038　諸橋轍次　論語人物考

論語講座　第3卷　東京　春陽堂　昭和12年（1937）

7039　諸橋轍次　孟子の話——王道の學を現代に生かす

①柏　廣池學園事業部　昭和50年（1975）3月

②柏　廣池學園出版部　昭和56年（1981）12月　新裝版
　303頁

7040　諸橋轍次　大學新釋

東京　弘道館　昭和4年（1929）4月

7041　諸橋轍次　現代に生きる《大學》すべては身を修めることから始まる

柏　廣池學園出版部　昭和56年（1981）　227頁

7042　諸橋轍次　大學中庸章句

東京　富士書店　昭和25年（1950）5月　80頁

7043　諸橋轍次　詩經研究

東京　目黑書店　大正1年（1912）11月　396頁

7044　諸橋轍次　春秋左氏傳人名索引

東京　汲古書院　昭和3年（1928）　61頁

7045　安井小太郎、諸橋轍次　總合春秋左氏傳索引

①東京　大東文化協會　昭和10年（1935）　938頁

②東京　汲古書院　昭和56年（1981）（影印大東文化協會
　本）

7046　諸橋轍次　經史八論

東京　關書院　昭和8年（1933）　353頁

7047　諸橋轍次　經學研究序說

東京　目黑書店　昭和11年（1936）10月　387頁；昭和16年
（1941）5月　372頁（刪去「經書解題略」）

7048 諸橋轍次編　經學史
東京　松雲堂書店　昭和8年（1933）10月　276頁

7049 諸橋轍次編，林慶彰、連清吉合譯　經學史
臺北　萬卷樓圖書公司　平成8年（1996）10月　310頁

7050 諸橋轍次　佛教講話
東京　目黑書店　昭和16年（1941）7月　290頁

7051 諸橋轍次　儒教の諸問題
東京　清水書店　昭和23年（1948）　301頁

7052 諸橋轍次　儒學の目的と宋儒（慶曆至慶元百六十年間）の活動
東京　大修館　昭和4年（1929）10月　950頁

7053 諸橋轍次著、唐卓郡譯　儒學之目的與宋儒（慶曆至慶元百六十年間）之活動
南京　首都女子學術研究會　昭和12年（1937）7月　720頁

7054 諸橋轍次、原田種成　宋名臣言行錄
東京　明德出版社　昭和47年（1972）

7055 諸橋轍次　亂世に生きる中國人の知惠
東京　講談社　昭和40年（1965）227頁（講談社現代新書）

7055 諸橋轍次　古典の叡知
東京　講談社　昭和56年（1981）6月　136頁

7057 諸橋轍次　老子の講義
東京　大修館書店　昭和29年（1954）　180頁

7058 諸橋轍次　莊子物語
東京　大法輪閣　昭和39年（1964）2版　438頁

7059 諸橋轍次　支那の文化と現代
東京　皇國青年教育協會　昭和17年（1942）　288頁

7060 諸橋轍次　支那の家族制
東京　大修館　昭和15年（1940）　506頁

7061 諸橋轍次　十二支物語
東京　大修館書店　昭和43年（1968）　236頁

7062 諸橋轍次　漢字漢語談義
東京　大修館書店　昭和36年（1961）　242頁

7063 諸橋轍次　續古典のかがみ
柏　廣池學園出版部　昭和44年（1969）　210頁

7064 諸橋轍次　中國古典名言事典

　　　　　　　　　　東京　講談社　昭和47年（1972）　1020頁
7065　諸橋轍次　　　　中國古典名言集
　　　　　　　　　　東京　講談社　昭和51年（1976）　9冊
7066　諸橋轍次　　　　遊支隨筆
　　　　　　　　　　東京　目黑書店　昭和13年（1938）　309頁
7067　諸橋轍次編　　　大漢和辭典
　　　　　　　　　　東京　大修館書店　昭和18—35年（1943—1960）　12卷
　　　　　　　　　　索引1卷
7068　諸橋轍次著，鎌田正、米山寅太郎修訂　大漢和辭典
　　　　　　　　　　東京　大修館書店　昭和59—平成2年（1984—1990）修訂版
　　　　　　　　　　12卷　索引1卷
7069　諸橋轍次等　　　新漢和辭典
　　　　　　　　　　東京　大修館書店　昭和38年（1963）　985,26,38頁
7070　諸橋轍次　　　　大修館新漢和辭典
　　　　　　　　　　東京　大修館書店　昭和55年（1980）4月　1133頁（付別冊
　　　　　　　　　　48頁）
7071　諸橋轍次　　　　廣漢和辭典
　　　　　　　　　　東京　大修館書店　昭和56、57年（1981、1982）　3卷
　　　　　　　　　　（1303頁，1411頁，1441頁）
7072　諸橋轍次　　　　廣漢和辭典索引
　　　　　　　　　　東京　大修館書店　昭和57年（1982）10月　987頁
7073　鎌田正、米山寅太郎編　諸橋轍次著作集
　　　　　　　　　　東京　大修館書店　昭和50—52年（1975—1977）　10卷
　　　　　　　　　　第1卷
　　　　　　　　　　　儒學の目的と宋儒（慶曆至慶元百六十年間）の活動
　　　　　　　　　　第2卷
　　　　　　　　　　　經學研究序說
　　　　　　　　　　　詩經研究
　　　　　　　　　　第3卷
　　　　　　　　　　　經史論考
　　　　　　　　　　　先秦諸子の非儒論
　　　　　　　　　　　國學者の非儒論
　　　　　　　　　　　寬政異學の禁
　　　　　　　　　　第4卷
　　　　　　　　　　　支那の家族制
　　　　　　　　　　　儒教講話

　　　　第5卷
　　　　　論語の講義
　　　　　現代に生きる「大學」
　　　　第6卷
　　　　　如是我聞孔子傳
　　　　　如是我聞孔子傳拾遺
　　　　第7卷
　　　　　論語人物考
　　　　　論語に關する故事逸話
　　　　　孔子と老子
　　　　第8卷
　　　　　老子の講義
　　　　　莊子物語
　　　　　孟子の話
　　　　第9卷
　　　　　遊支雜筆
　　　　　十二支物語
　　　　　漢字漢語談義
　　　　第10卷
　　　　　隨筆
　　　　　古典のかがみ
　　　　　漢學界の回顧等

後人研究

7074　諸橋博士古稀祝賀記念會編　諸橋博士古稀祝賀記念論文集
　　　　東京　編者印行　昭和28年（1953）　730頁
7075　鎌田正等　　諸橋轍次氏文化勳章受賞を紀念して
　　　　漢文教室　第75號　頁16—38　昭和41年（1966）3月
7076　漢文教室編輯部　諸橋轍次先生追悼記
　　　　漢文教室　第144號　昭和58年（1983）3月
7077　斯文編輯部　　諸橋轍次先生追悼號
　　　　斯文　復刊第87號　昭和58年（1983）6月
7078　紀田順一郎　30年の苦悶とその協力者たち——諸橋轍次《大漢和辭典》
　　　　名著の傳記　東京　東京堂出版　昭和63年（1988）7月
　　　　475頁

7079　原田種成　　　漢文のすすめ——諸橋《大漢和》編纂秘話
　　　　　　　　　　東京　新潮社　平成4年（1992）9月　269頁（新潮選書）
7080　諸橋轍次記念館編　諸橋轍次博士の生涯
　　　　　　　　　　新潟縣南蒲原郡下村田役場　平成4年（1992）11月　273頁
7081　原田種成　　　諸橋轍次
　　　　　　　　　　東洋學系譜　頁237—247　東京　大修館書店　平成4年
　　　　　　　　　　（1992）11月
7082　原田種成著、林慶彰譯　諸橋轍次
　　　　　　　　　　國文天地　第12卷10期　頁14—19　平成9年（1997）3月
7083　梁　容若　　　評諸橋轍次著大漢和辭典
　　　　　　　　　　現代日本漢學研究概觀　頁83—116　臺北　藝文印書館
　　　　　　　　　　昭和47年（1972）9月

たけ うち よし お
4.武內義雄（1886—1966）

著　作

7084　武內義雄　　　論語
　　　　　　　　　　東京　岩波書店　昭和8年（1933）　265頁（岩波文庫）
7085　武內義雄　　　論語
　　　　　　　　　　東京　筑摩書房　昭和38年（1963）　229頁
7086　武內義雄　　　論語の研究
　　　　　　　　　　東京　岩波書店　362頁　昭和14年（1939）12月　362頁；
　　　　　　　　　　昭和47年（1972）2月
7087　武內義雄　　　孟子要略纂註
　　　　　　　　　　東京　高陽書院　昭和9年（1934）4月
7088　武內義雄譯註　學記・大學
　　　　　　　　　　東京　岩波書店　昭和18年（1943）11月　106頁（岩波文庫）
7089　武內義雄　　　易と中庸の研究
　　　　　　　　　　東京　岩波書店　昭和18年（1943）　328頁
7090　武內義雄　　　孝經・曾子
　　　　　　　　　　東京　岩波書店　昭和15年（1940）6月
7091　武內義雄　　　朱子・陽明
　　　　　　　　　　東京　岩波書店　昭和11年（1936）　214頁（大教育家文庫

第3）

7092　武內義雄　　　　儒教思潮
　　　　　　　　　　　世界思潮　第4冊　東京　岩波書店　昭和4年（1929）

7093　武內義雄　　　　儒教の精神
　　　　　　　　　　　東京　岩波書店　昭和14年（1939）11月　213頁（岩波文庫
　　　　　　　　　　　54）

7094　武內義雄　　　　儒教の倫理
　　　　　　　　　　　倫理學　第9冊　東京　岩波書店　昭和15年（1940）

7095　武內義雄　　　　支那學研究法
　　　　　　　　　　　東京　岩波書店　昭和24年（1949）1月　218頁

7096　武內義雄　　　　支那思想史
　　　　　　　　　　　東京　岩波書店　昭和11年（1936）

7097　武內義雄　　　　中國思想史
　　　　　　　　　　　東京　岩波書店　昭和25年（1950）13版　346頁（《支那思
　　　　　　　　　　　想史》改名）

7098　武內義雄　　　　諸子概說
　　　　　　　　　　　東京　弘文堂書房　昭和10年（1935）　251頁

7099　武內義雄　　　　老子之研究
　　　　　　　　　　　東京　改造社　昭和2年（1927）　500頁

7100　武內義雄　　　　老子の研究
　　　　　　　　　　　東京　改造社　昭和15年（1940）　2冊（改選文庫）

7101　武內義雄　　　　老子原始
　　　　　　　　　　　京都　弘文堂書房　昭和元年（1926）　356頁

7102　武內義雄　　　　老子と莊子
　　　　　　　　　　　東京　岩波書店　昭和5年（1930）

7103　吉川幸次郎等編　武內義雄全集
　　　　　　　　　　　東京　角川書店　10卷
　　　　　　　　　　　第1卷　論語篇　昭和53年（1978）7月　513頁
　　　　　　　　　　　論語の研究
　　　　　　　　　　　論語義疏（校本）・校勘記
　　　　　　　　　　　諸論篇
　　　　　　　　　　　　校論語義疏雜識——梁皇侃倫語義疏について
　　　　　　　　　　　　論語皇疏校訂の一資料——國寶論語總略について
　　　　　　　　　　　　漢石經論語殘字考
　　　　　　　　　　　　解說（吉川幸次郎）
　　　　　　　　　　　　解題（金谷　治）

第2卷　儒教篇1　昭和53年（1978）6月　500頁
　儒教の倫理
　孝經の研究
　論語
　　孝經・曾子
　　正平版論語源流考——本邦舊鈔本論語の二系統
　　曾子考
　　孟子
　　孟子と春秋
　　解說（見塚茂樹）
　　解題（金谷　治）
第3卷　儒教篇2　昭和54年（1979）1月　508頁
　易と中庸の研究
　禮記の研究
　學記・大學
　讀易私言
　隸古定尙書に就いて
　九條公爵家本隸古定尙書に就いて
　古文尙書の二鈔本
　儒學史資料として見たる兩戴記
　禮の倫理思想
　曲禮考
　禮運考
　解說（赤塚　忠）
　解題（金谷　治）
第4卷　儒教篇3　昭和54年（1979）8月　453頁
　儒教の精神
　朱子・陽明
　宋學の由來及びその特殊性
　經學の起源
　經典釋文をよみて
　經典釋文周易敍錄の考察
　讀家語雜識
　支那哲學の人間觀
　東洋學の使命
　群書治要と清原教隆

　　　　山陰の怪
　　　　古寫經の話
　　　　解說（平岡弐夫）
　　　　解題（金谷　治）
　　　第8卷　思想史篇1　昭和53年（1978）11月　420頁
　　　　中國思想史
　　　　三教交涉史
　　　　中國經學史
　　　　解說（西順　藏）
　　　　解題（金谷　治）
　　　第9卷　思想史篇2　昭和54年（1979）4月　442頁
　　　　支那學研究法
　　　　中國思想史ノート
　　　　南北學術の異同に就きて
　　　　支那思想史上より見たる釋道安
　　　　魏書釋老志を讀みて
　　　　教行信證所引辨正論に就いて
　　　　解說、解題（金谷　治）
　　　第10卷　雜著篇　昭和54年（1979）10月　487頁
　　　　燕京讀書記──清朝學術史
　　　　江南汲古
　　　　訪古碑記
　　　　西塾偶談
　　　　鉛石堆讀書記
　　　　聾牙翁必須書目
　　　　四部叢刊
　　　　桐城派の圈識法
　　　　王引之
　　　　唐鈔本韻書と印本切韻との斷片
　　　　仁齋先生の經學
　　　　富永仲基に就いて
　　　　懷德堂と大阪の儒學
　　　　聖武天皇宸翰雜集　隋大業主淨土詩と往生禮讚
　　　　本邦儒學史上より見たる青柳文庫
　　　　西來寺訪書記
　　　　米澤訪書記

　　　　湖南先生の追憶
　　　　故會員狩野直善君略歷
　　　　碩園先生の遺訓
　　　　露伴先生と道教
　　　　本田見の想い出
　　　　學究生活の思い出
　　　　司馬溫公を慕う
　　　　Le Tchong Yong（中庸）
　　　　解說（小川環樹）
　　　　解題（金谷　治）
　　　　著作目錄・年譜

後人研究

7104　太宰友次郎　　武內先生の思い出
　　　　　　　　　　文化　第20卷6號　昭和31年（1956）

7105　金谷　治　　　武內義雄先生の學問
　　　　　　　　　　文化　第24卷4號　昭和36年（1961）

7106　金谷　治　　　誼卿武內義雄先生の學問
　　　　　　　　　　懷德　第37號　頁73—84　昭和41年（1966）10月

7107　小川環樹　　　先學を語る——武內義雄博士
　　　　　　　　　　東方學　第58輯　昭和54年（1979）7月

7108　金谷　治　　　武內義雄
　　　　　　　　　　東洋學の系譜　頁249—259　平成4年（1992）11月

7109　金谷治著、林慶彰譯　武內義雄
　　　　　　　　　　國文天地　第12卷11期　平成9年（1997）4月

7110　長澤規矩也　　評《論語之研究》
　　　　　　　　　　書誌學　第14卷2號　頁28　昭和15年（1940）2月

7111　豐田　穰　　　評《論語之研究》
　　　　　　　　　　漢學會雜誌　第8卷1號　頁124—126　昭和15年（1940）4月

7112　森三樹三郎　　評《論語之研究》
　　　　　　　　　　史林　第25卷2號　頁282—283　昭和15年（1940）4月

7113　町田三郎著、連淸吉譯　津田左右吉與武內義雄——關於大正期道家思想之
　　　　　　　　　　研究
　　　　　　　　　　日本幕末以來之漢學家及其著述　頁201—225　臺北　文史
　　　　　　　　　　哲出版社　平成4年（1992）3月

5.高田眞治（1893—1975）
<small>たか だ しん じ</small>

著　作

7114　高田眞治、山口察常　佛教の史的概觀
　　　　　論語講座　第1卷　東京　春陽堂　昭和12年（1937）

7115　高田眞治等　孔子の思想、傳記、年譜
　　　　　論語講座　第2卷　東京　春陽堂　昭和12年（1937）

7116　高田眞治　論語の文獻、註釋書
　　　　　論語講座　第4卷　東京　春陽堂　昭和12年（1937）

7117　高田眞治譯　易經
　　　　　東京　岩波書店　昭和12年（1937）6月　429頁（岩波文庫）

7118　高田眞治、後藤基巳譯　易經
　　　　　東京　岩波書店（岩波文庫）
　　　　　（上）　昭和44年（1969）6月　266頁
　　　　　（下）　昭和44年（1969）7月　326頁

7119　高田眞治　詩經
　　　　　東京　集英社
　　　　　（上）　昭和41年（1966）2月（漢詩大系1）
　　　　　（下）　昭和43年（1968）1月（漢詩大系2）

7120　高田眞治　儒教の倫理學
　　　　　教育科學　第9冊　東京　岩波書店　昭和6年（1931）

7121　高田眞治　儒教の精神
　　　　　東京　大日本圖書　昭和12年（1937）　308頁

7122　高田眞治　日本儒學史
　　　　　東京　地人書館　昭和16年（1941）　278頁（大觀日本文化
　　　　　史薦書）

7123　高田眞治　支那哲學概說
　　　　　東京　春秋社　昭和11年（1936）（春秋文庫　第1部）
　　　　　166頁

7124　高田眞治　支那思想の研究
　　　　　東京　春秋社松柏館　昭和14年（1939）　578頁

7125　高田眞治　東洋思潮の研究　第1卷
　　　　　東京　春秋社松柏館　昭和19年（1944）　423頁

7126　高田眞治　支那思想の展開　第1卷

東京　弘道館　昭和19年（1944）6月　380頁

7127　高田眞治　　　　支那思想と現代

東京　大日本圖書　昭和15年（1940）　350頁

7128　高田眞治、小田兼三編　社會福祉論——全體像とその基本知識

東京　川島書店　平成4年（1992）4月　205頁

後人研究

7129　紀念會編　　　　高田眞治博士古稀記念論集

東京　大東文化大學　昭和38年（1963）7月

7130　斯文編輯部　　　楷庵高田眞治先生追悼號

斯文　復刊第80號　昭和51年（1976）8月

6. 加藤常賢（1894—1978）

著　作

7131　加藤常賢　　　　眞古文尙書集釋

東京　明治書院　昭和39年（1964）　480頁

7132　加藤常賢　　　　書經（上）

東京　明治書院　昭和58年（1983）9月　362頁（新釋漢文
大系　25）

7133　加藤常賢　　　　中國古代文化の研究

東京　二松學舍大學出版部　昭和55年（1980）8月　1147頁

7134　加藤常賢　　　　中國古代倫理學の發達

東京　二松學舍大學出版部　昭和58年（1983）5月　327頁

7135　加藤常賢　　　　中國の修驗道——翻譯老子原義

東京　雄山閣　昭和57年（1982）11月　231頁

7136　加藤常賢　　　　老子原義の研究

東京　明德出版社　昭和41年（1966）　181頁

7137　加藤常賢　　　　漢字の起原

東京　角川書店　昭和45年（1970）　995頁（二松學舍大學
東洋學研究所別刊　第1）

7138　加藤常賢　　　　漢字の發掘

東京　角川書店　昭和46年（1971）　284頁（角川選書）

7139　加藤常賢編　　　中國教育寶典

東京　玉川大學出版部
上冊　昭和46年（1971）　576,7頁
下冊　昭和47年（1972）　512,5頁

後人研究

7140　深津胤房編　維軒加藤常賢──學問とその思い出
　　　川崎　加藤さだ　昭和55年（1980）8月　454頁
7141　深津胤房編　維軒加藤常賢──學問とその方法
　　　川崎　加藤さだ　昭和59年（1984）7月　422頁
7142　深津胤房編　維軒加藤常賢──學問とその講義
　　　川崎　加藤さだ　平成4年（1992）3月　331頁
7143　甲骨學編輯部編　加藤常賢博士著作目錄
　　　甲骨學　第12號　頁5─8　昭和55年（1980）8月

7.森　銑三（1895─1985）

著　作

7144　森　銑三　書物と江戶文化
　　　東京　大東出版社　昭和16年（1941）　320頁（大東名著選
　　　17）
7145　森　銑三　古書新說
　　　東京　七丈書院　昭和19年（1944）　378頁
7146　森　銑三　古い雜誌から
　　　東京　文藝春秋新社　昭和31年（1956）2版　288頁
7147　森　銑三　古本覺え書
　　　東京　日本古書通信社　昭和50年（1975）　103頁（古通豆
　　　本　21）
7148　森　銑三　人物くさぐさ
　　　東京　小澤書店　昭和63年（1988）12月　319頁
7149　森　銑三　傳記文學初雁
　　　東京　講談社　平成元年（1989）2月　423頁（講談社學術
　　　文庫）
7150　森　銑三　史傳閑步
　　　①東京　中央公論社　昭和60年（1985）9月　253頁

②東京　中央公論社　平成元年（1989）1月　308頁（中公
文庫）

7151　森　銑三　　學藝史上の人人
東京　二見書房　昭和18年（1943）　376頁

7152　森　銑三　　人物逸話辭典
東京　東京堂　昭和38年（1963）　上、下卷（484頁，482
頁）

7153　森　銑三　　近世人物傳記走馬燈
東京　青蛙房　昭和31年（1956）　335頁

7154　森　銑三　　近世人物夜話
①東京　東京美術　昭和43年（1968）　251頁
②東京　講談社　昭和48年（1973）　398頁
③東京　講談社　平成元年（1989）6月　436頁（講談社學
術文庫）

7155　森　銑三　　瓢簞から駒――近世人物百話
東京　彌生書房　昭和58年（1983）6月　213頁

7156　森　銑三　　おらんだ正月――日本の科學者たち
①東京　富山房　昭和13年（1938）　286,19頁（富山房百
科文庫）
②東京　角川書店　昭和28年（1953）　303頁（角川文庫
571）

7157　森　銑三　　近世日本の科學者達――おらんだ正月
東京　青雲書院　昭和23年（1948）　318頁

7158　森　銑三　　おらんだ正月――江戸時代の科學者達
東京　富山房　昭和53年（1978）10月　312,6頁（富山房百
科文庫）

7159　森　銑三　　明治人物夜話
①東京　東京美術　昭和44年（1969）　248頁
②東京　講談社　昭和48年（1973）　387頁（講談社文庫）

7160　森　銑三　　明治東京逸聞史（第1、2）
東京　平凡社　昭和44年（1969）
第1冊　373頁（東洋文庫　135）
第2冊　450頁（東洋文庫　142）

7161　森　銑三　　明治人物閒話
①東京　中央公論社　昭和57年（1982）9月　278頁
②東京　中央公論社　昭和63年（1988）1月　336頁（中公

文庫）

7162	森　銑三	明治寫眞鏡
		東京　日本古書通信社　昭和57年（1982）10月　306頁
7163	森　銑三	明治大正の新聞から
		東京　日本古書通信社　昭和57年（1982）9月　96頁
7164	森　銑三	明治人物逸話辭典
		東京　東京堂　昭和40年（1965）上、下冊（498頁，526頁）
7165	森　銑三	大正人物逸話辭典
		東京　東京堂　昭和41年（1965）　438頁
7166	森　銑三	德川家康
		千葉縣沼南町　森銑三紀念文庫　平成3年（1991）3月　87頁
7167	森　銑三	宮本武藏の生涯
		東京　三樹書房　平成元年（1989）1月　262頁（やまと文庫　11）
7168	森　銑三	井原西鶴
		①東京　吉川弘文館　昭和33年（1958）　304頁（人物叢書）
		②東京　吉川弘文館　昭和60年（1985）11月　304頁（人物叢書　新裝版）
7169	森　銑三	渡邊崋山
		①東京　創元社　昭和16年（1941）　320頁　（創元選書）
		②東京　中央公論社　昭和53年（1978）10月　232頁（中公文庫）
7170	森　銑三	松本奎堂
		①東京　電通出版部　昭和18年（1943）　411頁（鄉土偉人傳選書　第4）
		②東京　中央公論社　昭和52年（1977）5月　382頁
7171	森　銑三	黃表紙解題
		東京　中央公論社　昭和47年（1972）　418頁
7172	森　銑三	續黃表紙解題
		東京　中央公論社　昭和49年（1974）　419頁
7173	森　銑三	西鶴と西鶴本
		東京　元元社　昭和30年（1955）　210頁（民族教養新書）
7174	森　銑三	西鶴本叢考
		東京　東京美術　昭和46年（1971）　348頁
7175	森　銑三	西鶴一家言

```
                          東京　河出書房新社　昭和50年（1975）　319頁
7176　森　　銑三　　　一代男研究
                          藤澤　森銑三印行　5冊
                          第1冊　昭和54年（1979）2月　70頁
                          第2冊　昭和54年（1979）6月　75頁
                          第3冊　昭和54年（1979）11月　70頁
                          第4冊　昭和55年（1980）5月　78頁
                          第5冊　昭和55年（1980）12月　77頁
7177　森銑三、萩原恭平譯　十六櫻——小泉八雲怪談集
                          東京　研文社　平成2年（1990）9月　166頁
7178　森　　銑三　　　武玉川選釋
                          東京　彌生書房　昭和59年（1984）1月　201頁
7179　森　　銑三　　　齋藤月岑日記鈔
                          東京　汲古書院　昭和58年（1983）6月　316頁
7180　森銑三　　　　　新島ものがたり
                          千葉縣沼南町　個人社　昭和58年（1983）3月　39頁
7181　森銑三等　　　　日本人の笑
                          東京　講談社　平成2年（1990）10月　404頁（講談社學術
                          文庫）
7182　森　　銑三　　　星取棹——我が國の笑話
                          ①大阪　積善館　昭和21年（1946）　325頁
                          ②東京　筑摩書房　平成元年（1989）8月　247頁（筑摩叢
                          書　336）
7183　森　　銑三　　　讀書日記
                          東京　出版科學總合研究所　昭和56年（1981）2月　408頁
7184　森　　銑三　　　月夜車
                          東京　彌生書房　昭和59年（1984）11月　317頁
7185　森　　銑三　　　砧——隨筆集
                          東京　六興出版　昭和61年（1986）10月　301頁
7186　森　　銑三　　　木菟——隨筆集
                          東京　六興出版　昭和61年（1986）11月　333頁
7187　森　　銑三　　　びいどろ障子
                          東京　小澤書店　昭和63年（1988）8月　288頁
7188　森　　銑三　　　物いふ小箱
                          東京　筑摩書房　昭和63年（1988）11月　204頁
7189　森　　銑三　　　瑠璃の壺——森銑三童話集
```

東京　三樹書房　昭和57年（1982）6月　489頁

7190　森　銑三　　　思にだすことども
　　　　　　　　　　①東京　中央公論社　昭和50年（1975）　203頁
　　　　　　　　　　②東京　中央公論社　平成2年（1990）11月　248頁（中公
　　　　　　　　　　　文庫）

7191　森銑三等編　　隨筆百花苑
　　　　　　　　　　東京　中央公論社　昭和54―59年（1979―1984）　15冊

7192　森銑三等編　　近世文藝家資料綜覽
　　　　　　　　　　東京　東京堂　昭和48年（1973）　200頁

7193　森銑三、中島理壽編　近世人名錄集成
　　　　　　　　　　東京　勉誠社　昭和51―53年（1976―1978）5卷

7194　森銑三、中島理壽編　近世著述目錄集成
　　　　　　　　　　東京　勉誠社　昭和53年（1978）12月　1014頁

7195　野間光辰、中村幸彦、朝倉治彦編　森銑三著作集
　　　　　　　　　　東京　中央公論社　12卷　別卷1卷
　　　　　　　　　　第1卷　人物篇1　昭和45年（1970）　534頁
　　　　　　　　　　第2卷　人物篇2　昭和46年（1971）　505頁
　　　　　　　　　　第3卷　人物篇3　昭和46年（1971）　546頁
　　　　　　　　　　第4卷　人物篇4　昭和46年（1971）　499頁
　　　　　　　　　　第5卷　人物篇5　昭和46年（1971）　512頁
　　　　　　　　　　第6卷　人物篇6　昭和46年（1971）　523頁
　　　　　　　　　　第7卷　人物篇7　昭和46年（1971）　527頁
　　　　　　　　　　第8卷　人物篇8　昭和46年（1971）　532頁
　　　　　　　　　　第9卷　人物篇9　昭和46年（1971）　518頁
　　　　　　　　　　第10卷　典籍篇1　昭和46年（1971）　525頁
　　　　　　　　　　第11卷　典籍篇2　昭和46年（1971）　522頁
　　　　　　　　　　第12卷　雜纂　昭和46年（1971）　516頁
　　　　　　　　　　別卷　昭和47年（1972）　495頁
　　　　　　　　　　　索引
　　　　　　　　　　　近世人物研究資料綜覽
　　　　　　　　　　　素材錄
　　　　　　　　　　　森銑三著作目錄

7196　野間光辰、中村幸彦、朝倉治彦編　森銑三著作集
　　　　　　　　　　東京　中央公論社　昭和48、49年（1973、1974）　12卷
　　　　　　　　　　別卷1卷（普及版）
　　　　　　　　　　第1卷　人物篇1　昭和45年（1970）　534頁

偉人曆
歷史小品
人名・書名索引

後人研究

7198　勝尾金彌　　森銑三と兒童文學
東京　大日本圖書　昭和62年（1987）7月　266頁（叢書兒
童文學への招待）
7199　柳田　守　　森銑三――書を讀む「野武士」
東京リブロポート　平成6年（1994）10月　266,3頁（シリ
ーズ民間日本學者　38）

<ruby>くす<rt></rt></ruby>
8. 楠本正繼（1896―1964）

著　作

7200　楠本正繼　　宋明時代儒學の研究
柏　廣池學園出版部　昭和37年（1962）　505頁
7201　國士館大學附屬圖書館編　楠本正繼先生中國哲學研究
東京　編者印行　昭和50年（1975）　679,56頁
7202　楠本正繼等　　九州儒學思想の研究
福岡　楠本正繼印行　昭和32年（1957）　2冊
7203　未署名　　楠本正繼博士未刊資料――儒教――その本質と歷史（1―4）
中國古典研究　第1―4號　昭和54年（1979）9月―12月
7204　楠本正繼　　莊子天籟考
福岡　華琳舍　昭和63年（1988）12月　64頁

後人研究

7205　未署名　　楠本正繼教授略歷、著作目錄
九州大學哲學年報　第23號　昭和36年（1961）
7206　國士館大學附屬圖書館　楠本文庫漢籍目錄
東京　編者印行　昭和48年（1973）7月

9.倉石武四郎（1897—1975）

くら いし たけ し ろう

著　作

7207　倉石武四郎譯　論語
　　　　　東京　日光書院　昭和24年（1949）6月

7208　倉石武四郎譯　口語譯論語
　　　　　東京　筑摩書房　昭和45年（1970）1月（筑摩叢書）

7209　倉石武四郎譯　論語
　　　　　東京　筑摩書房　昭和47年（1972）11月（筑摩世界文學大
　　　　　系　5）

7210　倉石武四郎譯　儀禮疏考正
　　　　　①東京大學東洋文化研究所附屬東洋文獻センター　昭和54
　　　　　年（1979）3月（東洋文獻センター　叢刊31）
　　　　　②東京　汲古書院　昭和55年（1980）2月　588頁

7211　倉石武四郎　目錄學
　　　　　東京大學東洋文化研究所付屬東洋學文獻センター刊行會
　　　　　昭和48年（1973）　153,30頁（東洋學文獻センター叢刊
　　　　　20）

7212　倉石武四郎　中國語五十年
　　　　　東京　岩波書店　昭和48年（1973）　188頁（岩波新書）

7213　倉石武四郎　ローマ字中國語語法
　　　　　東京　岩波書店　昭和44年（1969）　180頁

7214　倉石武四郎　中國古典講話
　　　　　東京　大修館書店　昭和49年（1974）　262頁

7215　倉石武四郎　中國文學講話
　　　　　東京　岩波書店　昭和43年（1968）　224頁（岩波新書）

7216　倉石武四郎　中國語學・文學
　　　　　わが道　第2　東京　朝日新聞社　昭和45年（1970）

7217　倉石武四郎著、日中學院倉石武四郎先生遺稿集編集委員會編　中國へかけ
　　　　る橋
　　　　　東京　亞紀書房　昭和52年（1977）4月　443,28頁

7218　倉石武四郎　倉石武四郎著作集
　　　　　東京　くろしお出版社　昭和56年（1981）3、6月　2冊
　　　　　第1卷　ことばと思惟と社會

第2卷　漢字、日本語、中國語

後人研究

7219	小野忍等	學問の思い出——倉石武四郎博士を圍んで——
		東方學　第40集　昭和45年（1970）9月
7220	戶川芳郎	倉石武四郎
		東洋學の系譜　第2集　東京　大修館書店　平成6年（1994）9月

10.安岡正篤（1898—1983）

著　作

7221	安岡正篤	朝の論語
		東京　明德出版社　昭和37年（1962）11月　234頁；昭和56年（1981）2月
7222	安岡正篤	論語の活學——人間學講話
		東京　プレジデント社　昭和62年（1987）12月　270頁
7223	安岡正篤	人物を創る「大學」「小學」——人間學講話
		東京　プレジデント社　昭和63年（1988）12月　270頁
7224	安岡正篤	副論語——孔子家語十講
		東京　明德出版社　昭和31年（1956）　113頁（師友選書7）
7225	安岡正篤	易學入門
		東京　明德出版社　昭和35年（1960）11月　226頁
7226	安岡正篤	傳習錄
		東京　明德出版社　昭和48年（1973）　229頁（中國古典新書）
7227	安岡正篤	王陽明研究
		①東京　玄黃社　大正11年（1922）　270頁
		②東京　明德出版社　昭和35年（1960）　259頁（師友選書）
7228	安岡正篤	陽明學十講
		東京　二松學舍大學陽明學研究所　昭和56年（1981）10月　292頁
7229	安岡正篤	東洋的志學
		名古屋　黎明書房　昭和36年（1961）　351頁
7230	安岡正篤	東洋思想と人物

		東京　明德出版社　昭和34年（1959）　346頁
7231	安岡正篤	人物を修める——東洋思想十講
		①東京　全國師友協會　昭和52年（1977）
		②東京　竹井出版　昭和61年（1986）6月　255頁
7232	安岡正篤	東洋の心
		名古屋　黎明書房　昭和62年（1987）3月　351頁
7233	安岡正篤	東洋的學風
		①東京　全國師友協會　昭和45年（1970）　340頁
		②東京　島津書房　平成2年（1990）8月　347頁
7234	安岡正篤	東洋人物學——活學講話
		東京　致知出版社　平成5年（1993）4月　252頁
7235	安岡正篤	東洋學發掘
		東京　明德出版社　230頁（《老子と達摩》和《副論語》
		的合本）
7236	安岡正篤	老莊思想
		東京　明德出版社　昭和54年（1979）11月　173頁
7237	安岡正篤	老莊のこころ
		東京　福村出版　昭和62年（1988）12月　225頁
7238	安岡正篤	老子と達摩
		東京　明德出版社　昭和31年（1956）　127頁
7239	安岡正篤	東洋思想の一淵源——經世之書呂氏春秋
		大阪　關西師友協會；東京　全國師友協會　昭和42年
		（1967）129頁
7240	安岡正篤	男子志を志つべし——三國志
		東京　プレジデント社　昭和60年（1985）1月　364頁（人
		間學讀本）
7241	安岡正篤	三國志と人間學
		東京　福村出版　昭和62年（1987）9月　311頁
7242	張養浩著、安岡正篤譯註　爲政三部書	
		東京　明德出版社　昭和32年（1957）　147頁；昭和55年
		（1980）4月　147頁
7243	安岡正篤	呻吟語を讀む
		東京　竹井出版　平成元年（1989）6月　213頁
7244	安岡正篤	立命の書「陰騭錄」を讀む
		東京　竹井出版　平成2年（1990）2月　232頁
7245	安岡正篤	漢詩と人間學——昭心詩話

		東京　福村書店　昭和23年（1948）3月　202頁
7246	安岡正篤	新編漢詩讀本——人生詩話
		東京　福村書店　昭和39年（1964）　257頁
7247	安岡正篤	古典を讀む
		東京　明德出版社　平成元年（1989）8月　309頁
7248	安岡正篤	古典のことば
		東京　明德出版社　308頁
7249	安岡正篤	日本精神通義——日本の「こころ」を活學する
		①東京　日本青年館　昭和11年（1936）
		②東京　エモーチオ21　平成5年（1993）12月　284頁
7250	寺川泰郎編	龜井家學の眞髓——安岡正篤先生講義筆錄
		日田　寺川泰郎印行　平成2年（1990）7月　85頁
7251	安岡正篤	經世瑣言
		東京　旺文社　昭和19年（1944）　381頁
7252	安岡正篤	新編百朝集
		東京　福村書店　昭和27年（1952）　171頁；昭和38年
		（1963）新版　162頁
7253	安岡正篤	危機靜話——新編經世瑣言
		東京　福村書店　昭和28年（1953）　220頁
7254	安岡正篤	祖國と青年——祖國の精神的傳統を語る
		東京　明德出版社　昭和30年（1955）　124頁（師友選書
		2）
7255	安岡正篤	この國を思う
		東京　明德出版社　224頁
7256	安岡正篤	現代の道標——世界卓說名言抄
		東京　明德出版社　昭和31年（1956）　122頁
7257	安岡正篤	曉鍾
		東京　明德出版社　昭和33年（1958）　318頁（師友選書
		17）；昭和59年（1984）10月　301頁
7258	安岡正篤	大和——自然と人間の大則
		東京　日本通運　昭和36年（1961）　259頁
7259	安岡正篤	夏樂志——世の安危
		東京　明德出版社　昭和36年（1961）　344頁
7260	安岡正篤	醒睡記
		東京　明德出版社　昭和38年（1963）　252頁
7261	安岡正篤	活學——人になるために

大阪　關西師友協會；東京　全國師友協會　昭和40年
（1965）　547頁

7262　安岡正篤　　童心殘筆
①東京　全國師友協會　昭和57年（1982）11月　469頁
②東京　島津書房　平成4年（1992）6月　469頁

7263　安岡正篤　　活眼活學
京都　PHP研究所　昭和60年（1985）7月　220頁（PHP文庫）

7264　安岡正篤　　運命を創る――人間學講話
東京　プレジデント社　　昭和60年（1985）12月　246頁

7265　安岡正篤　　運命を開く――人間學講話
東京　プレジデント社　昭和61年（1986）12月　262頁

7266　安岡正篤　　偉大なる對話――水雲問答
東京　福村出版　昭和62年（1987）12月　235頁

7267　安岡正篤　　人間學のすすめ
東京　福村出版　昭和62年（1987）4月　238頁

7268　安岡正篤　　百朝集
東京　福村出版　昭和62年（1987）9月　189頁

7269　安岡正篤　　人間を磨く「師と友」卷頭言にみる
東京　日新報道　昭和63年（1988）4月　213頁

7270　安岡正篤　　新編經世瑣言
東京　明德出版社　昭和63年（1988）6月　251頁

7271　安岡正篤　　天地有情
名古屋　黎明書房　昭和63年（1988）8月　303頁

7272　安岡正篤　　新憂樂志
東京　明德出版社　昭和63年（1988）11月　244頁

7273　安岡正篤　　身心の學
名古屋　黎明書房　平成2年（1990）12月　287頁

7274　安岡正篤　　先哲講座
東京　竹井出版　平成3年（1991）3月　264頁

7275　安岡正篤　　知命と立命――人間學講話
東京　プレジデント社　平成3年（1991）5月　286頁

7276　安岡正篤　　光明藏
東京　明德出版社　平成4年（1992）4月　286頁

7277　安岡正篤　　人間の生き方
名古屋　黎明書房　平成5年（1993）9月　283頁

7278　安岡正篤　　經世瑣言總編

		東京　致知出版社　平成6年（1994）12月　410頁
7279	安岡正篤	人生の大則——人間學講話
		東京　プレジデント社　平成7年（1995）1月　318頁
7280	安岡正篤	日本の運命——日本を救ふ道
		東京　明德出版社　昭和30年（1955）　123頁（師友選書 1）
7281	安岡正篤	東洋政治哲學——王道の研究
		東京　玄黃社　昭和18年（1943）　297頁
7282	安岡正篤	政治家と實踐哲學
		①東京　福村書店　昭和23年（1948）　347頁
		②東京　全國師友協會　昭和58年（1983）11月　356頁
7283	安岡正篤	東洋宰相學
		東京　福村出版　昭和63年（1988）7月　261頁
		（《政治家と實踐哲學》改名）
7284	安岡正篤	政治と改革
		東京　明德出版社　平成5年（1993）9月　245頁
7285	安岡正篤	日本の父母に
		東京　福村書店　昭和27年（1952）　166頁
7286	安岡正篤等	現代に生きる古典活學と經營
		東京　にっかん書房　昭和56年（1981）7月　205頁
7287	安岡正篤	干支の活學——人間學講話
		東京　プレジデント社　平成元年（1989）11月　268頁
7288	安岡正篤	興亡秘話
		東京　明德出版社　昭和32年（1957）　244頁（師友選書 15）
7289	安岡正篤	人物・學問
		東京　明德出版社　平成2年（1990）6月　新版　260頁
7290	安岡正篤	英雄と學問——河井繼之助とその學風
		東京　明德出版社　昭和32年（1957）　150頁（師友選書 12）
7291	安岡正篤	世界之旅
		東京　第一書房　昭和18年（1943）2刷改訂版　372頁
7292	安岡正篤	世界の運命——世界之旅より
		東京　明德出版社　昭和30年（1955）　122頁（師友選書）

後人研究

7293	安岡正篤等	安岡正篤とその弟子
		東京　竹井出版　昭和60年（1985）2月　305頁
7294	林　繁之	安岡正篤先生随行録
		東京　竹井出版　昭和62年（1987）6月　298頁（致知選書）
7295	安岡定子	素顔の安岡正篤──わが祖父の想い出
		東京　PHP研究所　昭和63年（1988）3月　256頁
7296	林　繁之	安岡正篤先生動情記
		東京　プレジデント社　昭和63年（1988）12月　254頁
7297	神渡良平	安岡正篤の世界──先賢の風を慕う
		東京　同信社、同文館發賣　平成3年（1991）2月　378頁
7298	下村　澄	人間の品格──安岡正篤先生から學んだこと
		東京　大和出版社　平成3年（1991）7月　220頁
7299	鹽田　潮	昭和の教祖安岡正篤
		①東京　文藝春秋　平成3年（1991）7月　267頁
		②東京　文藝春秋　平成6年（1994）11月　278頁（文春文庫）
7300	神渡良平	安岡正篤──人生の師父
		東京　同信社　平成3年（1991）11月　356頁
7301	奥田哲郎	安岡正篤物語──鄉土偉人傳
		八尾　河內新聞社　平成4年（1992）4月　219頁
7302	神渡良平	安岡正篤人間學
		東京　同信社　平成4年（1992）11月　250頁
7303	須田耕史	財政界の指南番──安岡正篤
		東京　新人物往來社　平成5年（1993）3月　234頁
7304	新井正明等	安岡正篤に學ぶ人物學
		東京　致知出版社　平成6年（1994）3月　254頁
7305	神渡良平	安岡正篤にみる指導者の條件──人をひきつける「人德」の養い方
		東京　大和出版　平成6年（1994）10月　300頁
7306	林　繁之	安岡正篤先生人間像──随緣逍遙の記
		東京　エモーチオ21　平成6年（1994）12月　267頁
7307	王　新衡	悼念安岡正篤先生──三十四年來的莫逆之交
		傳記文學　第45卷第5期　頁30—34　昭和59年（1984）11月

<ruby>宮<rt>みや</rt></ruby><ruby>崎<rt>ざき</rt></ruby><ruby>市<rt>いち</rt></ruby><ruby>定<rt>さだ</rt></ruby>

11.宮崎市定（1901—1995）

著　作

7308	宮崎市定	論語の新研究
		東京　岩波書店　昭和49年（1974）6月　388頁
7309	宮崎市定	アジア史概説
		東京　人文書林
		正編　昭和22年（1947）　189頁
		續編　昭和23年（1948）　388頁
7310	宮崎市定	アジア史概説（新版）
		①東京　學生社　昭和48年（1973）　395頁
		②東京　中央公論社　昭和62年（1987）2月　562頁
7311	宮崎市定	アジア史論考
		東京　朝日新聞社　昭和51年（1976）　3卷
		上卷　概説論　607,18頁
		中卷　古代中世編　567,20頁
		下卷　近世編　607,20頁
7312	宮崎市定	アジア史研究
		京都　同朋舍　昭和50—53年（1975—1978）　5卷
7313	宮崎市定	東洋に於ける素樸主義の民族と文明主義の社會
		①東京　富山房　昭和15年（1940）　197頁
		②東京　平凡社　平成元年（1989）9月　329頁
7314	宮崎市定	東洋的近世
		東京　教育タイムス社　昭和25年（1950）　208頁
7315	宮崎市定	中國に學ぶ
		①東京　朝日新聞社　昭和46年（1971）12月　313頁
		②東京　中央公論社　昭和61年（1986）10月
7316	宮崎市定	中國史
		東京　岩波書店
		（上）昭和52年（1977）6月　302頁
		（下）昭和53年（1978）6月　606,32頁
7317	宮崎市定	中國古代史概論
		京都　ハーバード・燕京・同志社東方文化
		講座委員會　昭和30年（1955）　35頁

7318　宮崎市定　　　　　中國古代史論

　　　　　　　　　　　東京　平凡社　昭和63年（1988）10月　331頁

7319　宮崎市定　　　　　史記を語る

　　　　　　　　　　　東京　岩波書店　昭和54年（1979）5月　227頁

7320　宮崎市定　　　　　隋の煬帝

　　　　　　　　　　　①東京　人物往來社　昭和40年（1965）　249頁（中國人物
　　　　　　　　　　　　叢書　4）

　　　　　　　　　　　②東京　中央公論社　昭和62年（1987）9月　270頁

7321　宮崎市定　　　　　大唐帝國

　　　　　　　　　　　世界の歷史　第7冊　東京　河出書房新社　昭和49年
　　　　　　　　　　　（1974）　422,8頁；平成元年（1989）9月　425,14頁

7322　宮崎市定　　　　　大唐帝國――中國の中世

　　　　　　　　　　　東京　中央公論社　昭和63年（1988）9月　444頁

7323　宮崎市定　　　　　五代宋初の通貨問題

　　　　　　　　　　　京都　星野書店　昭和18年（1943）　364頁

7324　藍鼎元著、宮崎市定譯　鹿州公案――清朝地方裁判官の記錄

　　　　　　　　　　　東京　平凡社　昭和42年（1967）　218頁（東洋文庫）

7325　宮崎市定　　　　　雍正帝――中國の獨裁君主

　　　　　　　　　　　東京　岩波書店　昭和25年（1950）　168頁（岩波新書　29）

7326　宮崎市定　　　　　九品官人法の研究――科舉前史

　　　　　　　　　　　京都　同朋舍出版部　昭和49年（1974）　581,28頁

7327　宮崎市定　　　　　科舉

　　　　　　　　　　　大阪　秋田屋　昭和21年（1946）　288頁

7328　宮崎市定　　　　　科舉――中國の試驗地獄

　　　　　　　　　　　東京　中央公論社　昭和38年（1963）　219頁（中公新書）；昭
　　　　　　　　　　　和59年（1984）2月　252頁

7329　宮崎市定　　　　　科舉史

　　　　　　　　　　　東京　平凡社　昭和62年（1987）6月　348頁

7330　宮崎市定　　　　　政治論集

　　　　　　　　　　　中國文明選　第11冊　東京　朝日新聞社　昭和46年（1971）
　　　　　　　　　　　　449,4頁

7331　宮崎市定　　　　　中國政治論集――王安石から毛澤東まで

　　　　　　　　　　　東京　中央公論社　平成2年（1990）1月　584頁

7332　宮崎市定　　　　　水滸傳――虛構のなかの史實

　　　　　　　　　　　①東京　中央公論社　昭和47年（1972）　222頁

　　　　　　　　　　　②東京　中央公論社　平成5年（1993）12月　247頁（中公

文庫）

7333　宮崎市定　　古代大和朝廷
　　　　　　　　東京　筑摩書房　昭和63年（1988）9月　310頁

7334　宮崎市定　　日出づる國と日暮るる處
　　　　　　　　京都　星野書店　昭和18年（1943）　222頁

7335　宮崎市定　　謎の七支刀――五世紀の東アジアと日本
　　　　　　　　①東京　中央公論社　昭和58年（1983）9月　230頁
　　　　　　　　②東京　中央公論社　平成4年（1992）1月　274頁（中公文
　　　　　　　　庫）

7336　宮崎市定　　隨筆木米と永翁
　　　　　　　　東京　朝日新聞社　昭和50年（1975）　306頁

7337　宮崎市定　　木米と永翁
　　　　　　　　東京　中央公論社　昭和63年（1988）2月　367頁

7338　宮崎市定　　學問の山なみ(1)
　　　　　　　　東京　日本學術振興會　平成5年（1993）3月　201頁（學術
　　　　　　　　新書　11）

7339　宮崎市定　　獨步吟
　　　　　　　　東京　岩波書店　昭和61年（1986）4月　389頁

7340　宮崎市定　　遊心譜
　　　　　　　　東京　中央公論社　平成7年（1995）3月　295頁

7341　宮崎市定　　東風西雅
　　　　　　　　東京　岩波書店　昭和53年（1978）5月　442頁

7342　宮崎市定　　西アジア遊記
　　　　　　　　東京　中央公論社　昭和61年（1986）2月　258頁

7343　宮崎市定　　私の中國古代史研究歷
　　　　　　　　古代文化　第37卷4、5號　昭和60年（1985）4、5月

7344　宮崎市定　　自跋集――東洋史學七十年
　　　　　　　　東京　岩波書店　平成8年（1996）5月

7345　佐伯富等編　宮崎市定全集
　　　　　　　　東京　岩波書店　平成3―6年（1991―1994）　24卷，別卷1
　　　　　　　　卷
　　　　　　　　第1卷　中國史　平成5年（1993）3月　499,29頁
　　　　　　　　第2卷　東洋史　平成4年（1992）3月　355頁
　　　　　　　　第3卷　古代　平成3年（1991）12月　398頁
　　　　　　　　第4卷　論語　平成5年（1993）8月　443頁
　　　　　　　　第5卷　史記　平成3年（1991）11月　408頁

第6卷　九品官人法　平成4年（1992）6月　485,24頁
第7卷　六朝　平成4年（1992）10月　456頁
第8卷　唐　平成5年（1993）7月　413頁
第9卷　五代宋初　平成4年（1992）11月　466頁
第10卷　宋　平成4年（1992）7月　428頁
第11卷　宋元　平成4年（1992）4月　410頁
第12卷　水滸傳　平成4年（1992）2月　425頁
第13卷　明清　平成4年（1992）1月　433頁
第14卷　雍正帝　平成3年（1991）10月　414頁
第15卷　科舉　平成5年（1993）1月　491頁
第16卷　近代　平成5年（1993）9月　405頁
第17卷　中國文明　平成5年（1993）6月　448頁
第18卷　アジア史概說　平成5年（1993）4月　443,52頁
第19卷　東西交涉　平成4年（1992）8月　435頁
第20卷　菩薩蠻記　平成4年（1992）12月　450頁
第21卷　日本古代　平成5年（1993）2月　440頁
第22卷　日中交涉　平成4年（1992）9月　464頁
第23卷　隨筆（上）　平成5年（1993）10月　762頁
第24卷　隨筆（下）　平成6年（1994）2月　759,80頁
別　卷　政治論集　平成5年（1993）12月　701頁

後人研究

7346　小倉芳彦　　評《論語の新研究》
　　　　東洋史研究　第33卷4號　頁133—138　昭和50年（1975）3
　　　　月
7347　信濃毎日新聞社　宮崎市定
　　　　來し方の記　第8冊　長野　信濃毎日新聞社　昭和59年
　　　　（1984）2月（信毎選書　15）

12.鈴木由次郎（1901—1976）
すず　き　ゆう　じ　ろう

著　作

7348　鈴木由次郎　　周易
　　　　東京　弘文堂　昭和32年（1957）1月（アテネ新書）

7349　鈴木由次郎譯　易經
　　　東京　明德出版社　昭和39年（1964）4月
7350　鈴木由次郎　易經
　　　東京　集英社
　　　（上）昭和49年（1974）1月　　（下）昭和49年（1974）5月
　　　（全釋漢文大系　9、10）
7351　鈴木由次郎　漢易研究
　　　東京　明德出版社　昭和38年（1963）3月　673頁

13.林　秀一（1902—1980）

著　作

7352　林　秀一　孝經
　　　東京　明德出版社　昭和54年（1979）10月（中國古典新書）
7353　林　秀一　孝經述義復原に關する研究
　　　岡山　林先生學位論文出版記念會　昭和28年（1953）　344
　　　頁
7354　林　秀一　孝經學論考
　　　岡山　第六高等學校中國文化研究室　昭和24年（1949）3
　　　月
7355　林　秀一　孝經學論集
　　　東京　明治書院　昭和51年（1976）11月　472頁
7356　林　秀一　十八史略・史記・漢書
　　　東京　學燈社　昭和29年（1954）　295頁
7357　林　秀一　牧民心鑑
　　　東京　明德出版社　昭和48年（1973）　226頁（中國古典新
　　　書）
7358　林　秀一　林秀一博士存稿
　　　岡山　林秀一先生古稀記念出版會　昭和49年（1974）　238
　　　頁

後人研究

7359　林秀一先生顯彰會　林秀一先生追悼集
　　　岡山　編者印行　昭和57年（1982）3月　17,182頁

14.目加田 誠（1904—1994）

めかだまこと

著　作

7360	目加田誠	詩經譯註篇(1)
		東京　丁字屋書店　昭和24年（1949）11月　567頁
7361	目加田誠	新釋詩經
		東京　岩波書店　昭和29年（1954）1月　234頁（岩波新書 155）
7362	目加田誠	詩經
		東京　平凡社　昭和44年（1969）12月　510頁（中國古典文學大系　15，與楚辭合冊）
7363	目加田誠	詩經
		東京　講談社　平成3年（1991）1月　265頁（講談社學術文庫）
7364	目加田誠	中國の文藝思想
		東京　講談社　平成3年（1991）10月　267頁（講談社學術文庫）
7365	目加田誠	洛神の賦——中國文學論文と隨筆
		①東京　武藏野書院　昭和41年（1966）　284頁
		②東京　講談社　平成元年（1989）8月　347頁（講談社學術文庫）
7366	目加田誠	中國詩選(1)　周詩——漢詩
		東京　社會思想社　昭和46年（1971）　335頁（現代教養文庫）
7367	目加田誠	漢詩日曆
		東京　時事通信社　昭和63年（1988）1月　418頁
7368	目加田誠	屈原
		東京　岩波書店　昭和42年（1967）210頁（岩波新書）
7369	目加田誠	唐詩選
		東京　明治書院　昭和39年（1964）3月　23, 811頁（新釋漢文大系 19）
7370	目加田誠	唐詩散策
		東京　時事通信社　昭和54年（1979）4月　357頁
7371	目加田誠	杜甫

                ①東京　集英社　昭和41年（1966）　200頁（コンパクト・
                ブックス　中國詩人選　3）
                ②東京　集英社　昭和47年（1972）　200頁（中國詩人選
                4）

7372　目加田誠　　　　杜甫物語——詩の生涯
                東京　社會思想社　昭和44年（1969）　286頁（現代教養文
                庫）

7373　目加田誠　　　　夕陽限りなく好し
                東京　時事通信社　昭和61年（1986）4月　281頁

7374　目加田誠　　　　春花秋月
                東京　時事通信社　平成4年（1992）8月　226頁

7375　目加田誠　　　　殘燈
                福岡　石風社　平成5年（1993）12月　96頁

7376　目加田誠　　　　目加田誠著作集
                東京　龍溪書舍　昭和58—61年（1983—1986）　8卷
                第1卷　詩經研究　昭和60年（1985）11月　356頁
                第2卷　定本詩經譯註（上）　昭和58年（1983）9月　526頁
                第3卷　定本詩經譯註（下）定本楚辭譯註　昭和58年（1983）
                9月　478頁
                第4卷　中國文學論考　昭和60年（1985）7月　538頁
                第5卷　文心雕龍　昭和61年（1986）6月　485頁
                第6卷　唐代詩史　昭和56年（1981）6月　374,5頁
                第7卷　杜甫の詩と生涯　昭和59年（1984）6月　368,4頁
                第8卷　中國文學隨想集　昭和61年（1986）9月　418頁

後人研究

7377　編委會　　　　目加田誠博士還曆記念中國學論集
                東京　大安　昭和39年（1964）　485頁

7378　編委會　　　　目加田誠博士古稀記念中國文學論集
                東京　龍溪書舍　昭和49年（1974）　522,22頁

15.貝塚茂樹（1904—1987）

著　作

7379　貝塚茂樹譯　　論語・孟子
　　　　　　　　　東京　中央公論社　昭和41年（1966）3月　558頁（世界の
　　　　　　　　　名著　3）

7380　貝塚茂樹譯注　論語
　　　　　　　　　東京　中央公論社　昭和48年（1973）　571頁（中公文庫）

7381　貝塚茂樹　　　孟子
　　　　　　　　　東京　講談社　昭和60年（1985）8月　324頁

7382　貝塚茂樹　　　孟子
　　　　　　　　　人類の知的遺產　9　東京　講談社　昭和60年（1985）8月
　　　　　　　　　303,11頁

7383　貝塚茂樹編　　春秋左氏傳
　　　　　　　　　東京　筑摩書房　昭和45年（1970）11月（世界古典文學全
　　　　　　　　　集　13）

7384　貝塚茂樹　　　孔子
　　　　　　　　　東京　岩波書店　昭和26年（1951）5月　212頁（岩波新書
　　　　　　　　　65）

7385　貝塚茂樹著、李君奭譯　孔子
　　　　　　　　　臺灣彰化　專心企業公司　昭和52年（1977）10月　156頁

7386　貝塚茂樹編　　思想の歷史(2)
　　　　　　　　　東京　平凡社　昭和40年（1965）5月　404頁

7387　貝塚茂樹　　　中國とは何か
　　　　　　　　　東京　朝日新聞社　昭和42年（1967）6月　278頁

7388　貝塚茂樹　　　中國の歷史
　　　　　　　　　東京　岩波書店
　　　　　　　　　（上）昭和39年（1964）　220頁（岩波新書）
　　　　　　　　　（中）昭和44年（1969）　209頁（岩波新書）
　　　　　　　　　（下）昭和45年（1970）　188,49頁（岩波新書）

7389　貝塚茂樹、伊藤道治　原始から春秋戰國
　　　　　　　　　中國の歷史　第1冊　東京　講談社　昭和49年（1974）
　　　　　　　　　445,11頁

7390　貝塚茂樹　　　古代の精神

大阪　秋田屋　昭和22年（1947）　186頁（新學藝叢書）

7391　貝塚茂樹　古代中國の精神
東京　筑摩書房　昭和42年（1967）9月　190頁（筑摩叢書）

7392　貝塚茂樹　古代の復活
東京　講談社　昭和42年（1967）10月　414頁

7393　貝塚茂樹　中國神話の起源
東京　角川書店　昭和48年（1973）　238頁（角川文庫）

7394　貝塚茂樹　中國の神話
東京　筑摩書房　昭和46年（1971）　216頁（筑摩教養選10）

7395　貝塚茂樹　諸子百家――中國古代の思想家たち
東京　岩波書店　昭和36年（1961）　182頁（岩波新書）

7396　貝塚茂樹　司馬遷
世界の名著　第11冊　東京　中央公論社　昭和43年（1968）5月　554頁

7397　貝塚茂樹　中國の傳統と現代
東京　中央公論社　昭和48年（1973）　212頁（中公新書）

7398　貝塚茂樹　中國古代史學の發展
東京　中央公論社　昭和61年（1986）7月　381頁

7399　貝塚茂樹　日本と日本人
東京　角川書店　昭和49年（1974）　298頁（角川文庫）

7400　貝塚茂樹、大島利一　中國のあけぼの
世界の歴史　第3冊　東京　河出書房新社　昭和49年（1974）　406,8頁；平成元年（1989）7月　409,12頁

7401　貝塚茂樹　貝塚茂樹著作集
東京　中央公論社
第1卷　中國の古代國家　昭和51年（1976）　390頁
第2卷　中國古代の社會制度　昭和52年（1977）5月　454頁
第3卷　殷周古代史の再構成　昭和52年（1977）7月　378頁
第4卷　中國古代史學の發展　昭和52年（1977）10月　377頁
第5卷　中國古代の傳承　昭和51年（1976）　405頁
第6卷　中國古代の精神　昭和52年（1977）1月　414頁
第7卷　中國の史學　昭和52年（1977）3月　429頁
第8卷　中國の歷史　昭和51年（1976）　465,45頁
第9卷　中國思想と日本　昭和51年（1976）　397頁
第10卷　孫文と毛澤東　昭和53年（1978）1月　486頁

後人研究

7402　未署名　　　　貝塚茂樹教授著作目錄

東方學報（京都）　第40期　頁421—430　昭和44年（1969）3月

7403　永田英正　　　貝塚茂樹

東洋學の系譜　頁281—291　東京　大修館書店　平成6年（1994）9月

7404　伊藤道治等　　先學を語る——貝塚茂樹博士

東方學　第91輯　平成8年（1996）1月

よし かわ こう じ ろう
16.吉川幸次郎（1904—1980）

著　作

7405　吉川幸次郎　　中國の知惠——孔子について

①東京　新潮社　昭和28年（1953）1月　130頁（一時間文庫）

②東京　新潮社　昭和31年（1956）9月　130頁（新潮叢書）

③東京　新潮社　昭和33年（1958）6月　130頁（新潮文庫）

7406　吉川幸次郎著、吳錦囊譯　中國之智慧——孔子學術思想——

臺北　協志工業叢書出版公司　昭和40年（1965）5月　119頁

7407　吉川幸次郎　　論語

東京　朝日新聞社（中國古典選）

上冊　昭和34年（1959）3月　338頁

下冊　昭和38年（1963）　463頁

7408　吉川幸次郎　　論語

東京　朝日新聞社（中國古典選）

上冊　昭和53年（1978）2月　357頁（中國古典選　3）

中冊　昭和53年（1978）3月　226頁（中國古典選　4）

下冊　昭和53年（1978）4月　136,120頁（中國古典選　5）

7409　吉川幸次郎譯　論語

世界古典文學全集　第4冊　東京　筑摩書房　昭和46年（1971）1月　313,81頁；昭和56年（1981）7月

7410　吉川幸次郎譯　《論語》のために

　　　　　　　　　東京　筑摩書房　昭和46年（1971）　226頁
7411　吉川幸次郎譯　論語について
　　　　　　　　　東京　講談社　昭和51年（1976）9月（講談社學術文庫）
7412　吉川幸次郎　　鳳鳥不至、論語雜記、新井白石逸事
　　　　　　　　　東京　新潮社　昭和46年（1971）　237頁
7413　吉川幸次郎譯　尚書正義
　　　　　　　　　東京　筑摩書房　4冊
　　　　　　　　　第1冊　虞の書　昭和15年（1940）2月　494頁
　　　　　　　　　第2冊　夏の書、商の書　昭和15年（1940）10月　470頁
　　　　　　　　　第3冊　周の書（上）　昭和16年（1941）11月　527頁
　　　　　　　　　第4冊　周の書（下）　昭和18年（1943）2月　477頁
7414　吉川幸次郎註　詩經國風
　　　　　　　　　東京　岩波書店　上、下冊
　　　　　　　　　上冊　昭和33年（1958）3月　238頁（中國詩人選集　1）
　　　　　　　　　下冊　昭和33年（1958）12月　305頁（中國詩人選集　2）
7415　吉川幸次郎編、洪順隆譯　詩經國風
　　　　　　　　　臺北　林白出版社　上、下冊
　　　　　　　　　上冊　昭和54年（1979）1月　236頁
　　　　　　　　　下冊　昭和54年（1979）7月　356頁
7416　吉川幸次郎　　支那學の問題
　　　　　　　　　東京　筑摩書房　昭和19年（1944）　111頁
7417　吉川幸次郎　　支那について
　　　　　　　　　大阪　秋田屋　昭和21年（1946）　265頁
7418　吉川幸次郎　　中國と私
　　　　　　　　　東京　細川書店　昭和25年（1950）　176頁
7419　吉川幸次郎　　支那人の古典とその生活
　　　　　　　　　東京　岩波書店　昭和20年（1945）2刷　215頁；昭和39年
　　　　　　　　　（1964）改版　171頁
7420　吉川幸次郎　　古典への道——吉川幸次郎對談集
　　　　　　　　　東京　朝日新聞社　昭和44年（1969）　409頁（新訂中國古
　　　　　　　　　典選　別卷）
7421　吉川幸次郎　　吉川幸次郎講演集
　　　　　　　　　東京　朝日新聞社　昭和49年（1974）　252頁（朝日選書
　　　　　　　　　1）
7422　吉川幸次郎　　文明のかたち
　　　　　　　　　東京　講談社　昭和43年（1968）　395頁（思想との對話

10）

7423　吉川幸次郎　中華六十名家言行錄
東京　弘文堂書房　昭和23年（1948）　311頁（麗澤叢書
7）

7424　吉川幸次郎　漢文の話——獨學者のための文體論
東京　筑摩書房　昭和37年（1962）　229頁；昭和46年
（1971）　233頁

7425　吉川幸次郎　東洋におけるヒューマニズム
東京　講談社　昭和52年（1977）6月　120頁（講談社學術
文庫）

7426　吉川幸次郎　中國文學入門
①東京　弘文堂　昭和26年（1951）（アテネ文庫　176）
②東京　清水弘文堂書房　昭和42年（1967）新版　88頁
③東京　講談社　昭和51年（1976）　175頁

7427　吉川幸次郎　中國文學論集
東京　新潮社　昭和41年（1966）　328頁

7428　吉川幸次郎　詩と月光——中國文學論集
東京　筑摩書房　昭和39年（1964）　299頁

7429　吉川幸次郎　中國文學雜談——吉川幸次郎對談集
東京　朝日新聞社　昭和52年（1977）3月　249頁（朝日選
書　83）

7430　吉川幸次郎　中國散文論
①東京　弘文堂　昭和24年（1949）　252頁
②東京　筑摩書房　昭和41年（1966）　267頁（筑摩叢書）

7431　吉川幸次郎、小川環樹　中國の散文
東京　筑摩書房　昭和59年（1984）10月　241頁

7432　吉川幸次郎　詩文選
東京　講談社　平成3年（1991）10月　365頁
（講談社文庫　現代日本のエッセイ）

7433　吉川幸次郎　漢の武帝
東京　岩波書店　昭和24年（1949）　228頁（岩波新書　24）

7434　吉川幸次郎　三國志實錄
東京　筑摩書房　昭和37年（1962）　244頁

7435　吉川幸次郎　阮籍の「詠懷詩」について
東京　岩波書店　昭和56年（1981）4月　132頁

7436　吉川幸次郎　陶淵明傳

　　　　　　　　　東京　新潮社　昭和31年（1956）　187頁（新潮叢書）
7437　吉川幸次郎　唐代文學抄
　　　　　　　　　東京　弘文堂　昭和32年（1957）　148頁（アテネ新書）
7438　吉川幸次郎　唐代の詩と散文
　　　　　　　　　①東京　清水弘文堂書房　昭和42年（1967）　126頁
　　　　　　　　　②東京　講談社　昭和51年（1976）　139頁
7439　吉川幸次郎、小川環樹編，今鷹眞譯　　唐詩選
　　　　　　　　　東京　筑摩書房　平成6年（1994）5月　上、下冊（487頁，
　　　　　　　　　570頁）（ちくま學藝文庫）
7440　吉川幸次郎　杜甫詩註
　　　　　　　　　東京　筑摩書房　昭和52—58年（1977—1983）　5冊
　　　　　　　　　第1冊　昭和52年（1977）8月　558頁
　　　　　　　　　第2冊　昭和54年（1979）1月　596頁
　　　　　　　　　第3冊　昭和54年（1979）7月　340頁
　　　　　　　　　第4冊　昭和55年（1980）7月　393頁
　　　　　　　　　第5冊　昭和58年（1983）6月　309頁
7441　吉川幸次郎　華音杜詩鈔
　　　　　　　　　東京　筑摩書房　昭和56年（1981）4月　304頁
7442　吉川幸次郎　杜甫私記
　　　　　　　　　東京　筑摩書房　昭和55年（1980）2月　351頁（筑摩叢書
　　　　　　　　　261）
7443　吉川幸次郎　杜詩講義
　　　　　　　　　東京　筑摩書房　昭和38年（1963）　20頁
7444　吉川幸次郎　杜甫私記第1卷
　　　　　　　　　東京　筑摩書房　昭和25年（1950）　306頁
7445　吉川幸次郎　杜詩論集
　　　　　　　　　東京　筑摩書房　昭和55年（1980）12月　431頁（筑摩叢書
　　　　　　　　　271）
7446　吉川幸次郎　杜甫ノート
　　　　　　　　　①東京　創元社　昭和27年（1952）　209頁
　　　　　　　　　②東京　新潮社　昭和29年（1954）　172頁
7447　吉川幸次郎　宋詩概說
　　　　　　　　　東京　岩波書店　昭和37年（1962）10月　248頁（中國詩人
　　　　　　　　　選集第2集第1卷）
7448　吉川幸次郎著、鄭清茂譯　宋詩概說
　　　　　　　　　臺北　聯經出版事業公司　昭和52年（1977）4月　288頁

7449　吉川幸次郎、三浦國雄　朱子集

　　　　　　　　中國文明選　第3冊　東京　朝日新聞社　昭和51年（1976）

　　　　　　　　12月　478,40頁

7450　吉川幸次郎　　　元雜劇研究

　　　　　　　　東京　岩波書店　昭和23年（1948）3月　514頁

7451　吉川幸次郎、鄭清茂譯　元雜劇研究

　　　　　　　　臺北　藝文印書館　昭和35年（1960）　310頁

7452　吉川幸次郎　　　元曲酷寒序

　　　　　　　　東京　筑摩書房　昭和23年（1948）　270頁

7453　吉川幸次郎　　　元明詩概說

　　　　　　　　東京　岩波書店　昭和38年（1963）6月　246頁（中國詩人

　　　　　　　　選集第2集第2卷）

7454　吉川幸次郎著、鄭清茂譯　元明詩概說

　　　　　　　　臺北　幼獅文化事業公司　昭和61年（1986）6月　321頁

7455　吉川幸次郎譯　水滸傳

　　　　　　　　東京　岩波書店　7冊

　　　　　　　　第1冊　昭和22年（1947）6月　254頁（岩波文庫）

　　　　　　　　第2冊　昭和23年（1948）7月　239頁（岩波文庫）

　　　　　　　　第3冊　昭和23年（1948）10月　191頁（岩波文庫）

　　　　　　　　第4冊　昭和24年（1949）11月　219頁（岩波文庫）

　　　　　　　　第5冊　昭和25年（1950）9月　224頁（岩波文庫）

　　　　　　　　第6冊　昭和32年（1957）1月　258頁（岩波文庫）

　　　　　　　　第7冊　昭和37年（1962）2月　287頁（岩波文庫）（與清水

　　　　　　　　茂合譯）

　　　　　　　　（按：8—12冊爲清水茂譯）

7456　吉川幸次郎　　　西山一窟鬼——京本通俗小說

　　　　　　　　東京　筑摩書房　昭和31年（1956）　272頁

7457　吉川幸次郎　　　人間詩話

　　　　　　　　東京　岩波書店　昭和32年（1957）　202頁（岩波新書）

7458　吉川幸次郎　　　續人間詩話

　　　　　　　　東京　岩波書店　昭和36年（1961）　198頁（岩波新書）

7459　吉川幸次郎　　　日本の心情

　　　　　　　　東京　新潮社　昭和35年（1960）　178頁

7460　吉川幸次郎著、侯靜遠譯　日本漢學小史

　　　　　　　　臺北　臺灣書店　昭和45年（1970）8月　112頁

7461　吉川幸次郎　　　古典について

東京　筑摩書房　昭和41年（1966）7月　237頁（筑摩叢書）

7462　吉川幸次郎　　　仁齋・徂徠・宣長
　　　　　　　　　　　　東京　岩波書店　昭和50年（1975）6月

7463　伊藤東涯著、吉川幸次郎校訂　制度通
　　　　　　　　　　　　東京　岩波書店　昭和19、23年（1944、1948）　上、下卷

7464　吉川幸次郎校註　本居宣長
　　　　　　　　　　　　日本思想大系　第40冊　東京　岩波書店　昭和53年（1978）
　　　　　　　　　　　　1月　630頁

7465　福原麟太郎、吉川幸次郎　二都詩問──往復書簡
　　　　　　　　　　　　東京　新潮社　昭和46年（1971）　107頁

7466　大山定一、吉川幸次郎　洛中書問
　　　　　　　　　　　　東京　筑摩書房　昭和49年（1974）　233頁

7467　吉川幸次郎　　　漱石詩註
　　　　　　　　　　　　東京　岩波書店　昭和42年（1967）　207頁（岩波新書）；
　　　　　　　　　　　　平成4年（1992）5月

7468　吉川幸次郎編　　東洋學の創始者たち
　　　　　　　　　　　　東京　講談社　昭和51年（1976）10月　320頁

7469　吉川幸次郎　　　學問のかたち
　　　　　　　　　　　　奈良縣丹波市町　養德社　昭和23年（1948）2版　162頁

7470　吉川幸次郎　　　中國への鄉愁
　　　　　　　　　　　　東京　河出書房　昭和26年（1951）　235頁（市民文庫　70）

7471　吉川幸次郎　　　閑情の賦──隨筆集
　　　　　　　　　　　　東京　筑摩書房　昭和32年（1957）　216頁

7472　吉川幸次郎　　　儒者の言葉──隨筆集
　　　　　　　　　　　　東京　筑摩書房　昭和32年（1957）　311頁

7473　吉川幸次郎　　　箋杜室集
　　　　　　　　　　　　東京　研文出版　昭和56年（1981）9月　2冊附別冊（332頁）

7474　吉川幸次郎　　　知非集
　　　　　　　　　　　　東京　中央公論社　昭和35年（1960）　2冊

7475　吉川幸次郎　　　學事詩事──隨筆集
　　　　　　　　　　　　東京　筑摩書房　昭和35年（1960）　292頁

7476　吉川幸次郎　　　短長亭集──隨筆集
　　　　　　　　　　　　東京　筑摩書房　昭和39年（1964）　326頁

7477　吉川幸次郎　　　清虛の事
　　　　　　　　　　　　東京　朝日新聞社　昭和42年（1967）　397頁

7478　吉川幸次郎　　　歸林鳥語

東京　岩波書店　昭和45年（1970）　193頁

7479　吉川幸次郎　　西東間記
　　　　　　　　　東京　岩波書店　昭和47年（1972）　225頁

7480　吉川幸次郎　　他山石語
　　　　　　　　　東京　毎日新聞社　昭和48年（1973）　324頁

7481　吉川幸次郎　　讀書の學
　　　　　　　　　東京　筑摩書房　昭和50年（1975）　310頁；昭和3年
　　　　　　　　　（1988）5月　320頁（筑摩叢書　323）

7482　吉川幸次郎　　文明の三極
　　　　　　　　　東京　筑摩書房　昭和53年（1978）4月　362頁

7483　吉川幸次郎　　音容日に遠し
　　　　　　　　　東京　筑摩書房　昭和55年（1980）8月　254頁

7484　吉川幸次郎　　文弱の價値
　　　　　　　　　東京　筑摩書房　昭和57年（1982）8月　296頁

7485　吉川幸次郎　　遊華記錄──わが留學記
　　　　　　　　　東京　筑摩書房　昭和54年（1979）4月　256頁

7486　吉川幸次郎　　西洋のなかの東洋
　　　　　　　　　東京　文藝春秋社　昭和30年（1955）　190頁

7487　吉川幸次郎　　西方からの關心
　　　　　　　　　東京　新潮社　昭和36年（1961）　149頁

7488　吉川幸次郎等編　漢語文典叢書
　　　　　　　　　東京　汲古書院　昭和54—56年（1979—1981）　6卷，別卷
　　　　　　　　　1卷

7489　吉川幸次郎　　吉川幸次郎全集
　　　　　　　　　東京　筑摩書房　20卷　昭和43年（1968）4月—昭和45年
　　　　　　　　　（1970）11月
　　　　　　　　　第1卷　中國通說篇（上）　昭和43年（1968）11月　715頁
　　　　　　　　　第2卷　中國通說篇（下）　昭和43年（1968）12月　606頁
　　　　　　　　　第3卷　先秦篇　昭和44年（1969）9月　563頁
　　　　　　　　　第4卷　論語・孔子篇（上）　昭和44年（1969）12月　740
　　　　　　　　　頁
　　　　　　　　　第5卷　論語・孔子篇（下）　昭和45年（1970）5月　328頁
　　　　　　　　　第6卷　漢篇　昭和43年（1968）4月　432頁
　　　　　　　　　第7卷　三國六朝篇　昭和43年（1968）5月　605頁
　　　　　　　　　第8卷　唐篇(1)　昭和45年（1970）3月　511頁
　　　　　　　　　第9卷　唐篇(2)　昭和45年（1970）8月　484頁

第10卷　唐篇(3)　昭和45年（1970）10月　480頁
第11卷　唐篇(4)　昭和43年（1968）8月　567頁
第12卷　杜甫篇　昭和43年（1968）6月　736頁
第13卷　宋篇　昭和44年（1969）2月　634頁
第14卷　元篇（上）　昭和43年（1968）9月　611頁
第15卷　元篇（下）、明篇　昭和44年（1969）11月　641頁
第16卷　明、清、現代篇　昭和45年（1970）7月　659頁
第17卷　日本篇　昭和44年（1969）3月　660頁
第18卷　雜篇上　昭和45年（1970）1月　551頁
第19卷　雜篇下　昭和44年（1969）6月　472頁
第20卷　索引　昭和45年（1970）11月　674頁

7490　吉川幸次郎　吉川幸次郎全集（增補版）
　　　　　　　　東京　筑摩書房　24卷
第1卷　中國通說篇（上）　昭和48年（1973）9月　728頁
第2卷　中國通說篇（下）　昭和48年（1973）10月　606頁
第3卷　先秦篇　昭和48年（1973）11月　563頁
第4卷　論語、孔子篇（上）　昭和48年（1973）12月　740
　　　　頁
第5卷　論語、孔子篇（下）　昭和49年（1974）1月　328頁
第6卷　漢篇　昭和49年（1974）2月　432頁
第7卷　三國六朝篇　昭和49年（1974）3月　605頁
第8卷　唐篇(1)　昭和49年（1974）4月　511頁
第9卷　唐篇(2)　昭和49年（1974）5月　484頁
第10卷　唐篇(3)　昭和49年（1974）6月　480頁
第11卷　唐篇(4)　昭和49年（1974）7月　567頁
第12卷　杜甫篇　昭和49年（1974）8月　736頁
第13卷　宋篇　昭和49年（1974）9月　634頁
第14卷　元篇（上）　昭和49年（1974）10月　611頁
第15卷　元篇（下）、明篇　昭和49年（1974）11月　641頁
第16卷　清、現代篇　昭和49年（1974）12月　659頁
第17卷　日本篇（上）　昭和50年（1975）1月　660頁
第18卷　日本篇（下）　昭和50年（1975）2月　551頁
第19卷　外國篇　昭和50年（1975）3月　472頁
第20卷　雜篇、詩篇　昭和50年（1975）4月　660頁
第21卷　補篇(1)　昭和50年（1975）5月　671頁
第22卷　補篇(2)　昭和50年（1975）9月　557頁

第23卷　補篇(3)　昭和51年（1976）4月　710頁
第24卷　補篇(4)　昭和51年（1976）12月　495頁
　　　　吉川幸次郎編年著作目錄

7491　吉川幸次郎　吉川幸次郎全集（決定版）
　　　　東京　筑摩書房　27卷
　　　　第1卷　中國通說篇（上）　昭和59年（1984）3月　715頁
　　　　第2卷　中國通說篇（下）　昭和59年（1984）4月　606頁
　　　　第3卷　先秦篇　昭和59年（1984）5月　563頁
　　　　第4卷　論語、孔子篇（上）　昭和59年（1984）6月　740頁
　　　　第5卷　論語、孔子篇（下）　昭和59年（1984）7月　328頁
　　　　第6卷　漢篇　昭和59年（1984）8月　432頁
　　　　第7卷　三國六朝篇　昭和59年（1984）9月　605頁
　　　　第8卷　唐篇(1)　昭和59年（1984）10月　511頁
　　　　第9卷　唐篇(2)　昭和59年（1984）1月　484頁
　　　　第10卷　唐篇(3)　昭和59年（1984）12月　480頁
　　　　第11卷　唐篇(4)　昭和60年（1985）1月　567頁
　　　　第12卷　杜甫篇　昭和60年（1985）2月　736頁
　　　　第13卷　宋篇　昭和60年（1985）3月　634頁
　　　　第14卷　元篇（上）　昭和60年（1985）4月　611頁
　　　　第15卷　元篇（下）、明篇　昭和60年（1985）5月　641頁
　　　　第16卷　清、現代篇　昭和60年（1985）6月　659頁
　　　　第17卷　日本篇（上）　昭和60年（1985）7月　660頁
　　　　第18卷　日本篇（下）　昭和60年（1985）8月　551頁
　　　　第19卷　外國篇　昭和60年（1985）9月　472頁
　　　　第20卷　雜篇、詩篇　昭和60年（1985）10月　660頁
　　　　第21卷　補篇(1)　昭和60年（1985）11月　671頁
　　　　第22卷　補篇(2)　昭和60年（1985）12月　557頁
　　　　第23卷　補篇(3)　昭和61年（1986）1月　710頁
　　　　第24卷　補篇(4)　昭和61年（1986）2月　401頁
　　　　第25卷　續補(1)　昭和61年（1986）6月　518頁
　　　　第26卷　續補(2)　昭和61年（1986）8月　524頁
　　　　第27卷　續補(3)　昭和62年（1987）8月　578頁
　　　　　解說（清水　茂）
　　　　　吉川幸次郎編年著作目錄

7492　吉川幸次郎　吉川幸次郎遺稿集
　　　　東京　筑摩書房　3卷

第1集　平成7年（1995）10月　509頁
第2集　平成8年（1996）2月　582頁
第3集　平成7年（1995）12月　573頁

後人研究

7493　吉川教授退官記念事業會編　吉川博士退休記念中國文學論集
　　　東京　筑摩書房　昭和43年（1968）3月
7494　東方學編輯部　吉川幸次郎博士追悼錄
　　　東方學　第61號　頁196—209　昭和56年（1981）1月
7495　富永牧太　追悼吉川幸次郎先生
　　　ビブリア　第74號　頁94—95　昭和55年（1980）4月
7496　嚴　紹璗　吉川幸次郎與「吉川中國學」
　　　學林漫錄　第4期　頁164—172　昭和56年（1981）10月
7497　桑原武夫等編　吉川幸次郎
　　　東京　筑摩書房　昭和57年（1982）3月　293頁
7498　溝上　瑛　吉川幸次郎
　　　東洋學の系譜　第2集　頁269—279　平成6年（1994）9月
7499　興膳　宏　吉川幸次郎の人と學問
　　　異域の眼——中國文化散策　頁192—203　東京　筑摩書房
　　　　　　　　　　平成7年（1995）7月

17.內野熊一郎（1904—　　）
うち　の　くまいちろう

著　作

7500　內野熊一郎　　孔子
　　　東京　清水書院　昭和44年（1969）9月　201頁（人と思想2）
7501　內野熊一郎　　論語解釋
　　　論語講座　第5、6卷　東京　春陽堂　昭和11年（1936）
7502　內野熊一郎　　論語評解
　　　東京　有精堂　昭和27年（1952）7月
7503　內野熊一郎　　孟子
　　　東京　明治書院　昭和37年（1962）6月（新釋漢文大系　4）
7504　內野熊一郎　　秦代における經書經說の研究
　　　東京　東方文化學院　昭和14年（1939）3月　376頁

7505　內野熊一郎　　秦代における經書經說の研究別編
　　　　　　　　　東京　東方文化學院　昭和14年（1939）　484頁（別編：引經考）

7506　內野熊一郎　　漢初經書學の研究
　　　　　　　　　東京　清水書店　昭和17年（1942）　726頁

7507　內野熊一郎　　今文古文源流型の研究
　　　　　　　　　東京　東京教育大學東洋文學研究室內內野博士著書刊行會
　　　　　　　　　昭和29年（1954）3月　388頁

7508　內野熊一郎　　日本漢文學研究──內野熊一郎博士米壽記念論文集
　　　　　　　　　東京　名著普及會　平成3年（1991）6月　320頁
　　　　　　　　　刊行の辭
　　　　　　　　　前篇　日本古代平安初中期經書經句說學研究
　　　　　　　　　後篇　弘決外典抄の經書學的研究(1)
　　　　　　　　　　　　弘決外典抄の經書學的研究(2)
　　　　　　　　　あとがき
　　　　　　　　　解說（川口久雄）

7509　內野熊一郎　　中國思想文學史
　　　　　　　　　東京　敬文社　昭和35年（1960）10版　139頁

7510　內野熊一郎　　墨子
　　　　　　　　　東京　日本評論社　昭和17年（1942）　245頁（東洋思想叢書　5）

7511　內野熊一郎、中村璋八　呂氏春秋
　　　　　　　　　東京　明德出版社　昭和51年（1976）　218頁（中國古典新書）

7512　內野熊一郎　　支那古代生活史
　　　　　　　　　東京　清水書店　昭和16年（1941）　172頁

7513　內野熊一郎　　漢文漢字の教育
　　　　　　　　　東京　新思潮社　昭和29年（1954）　346頁（實踐國語選書）

7514　內野熊一郎編　漢魏碑文金文鏡銘索引　隸釋編
　　　　　　　　　①東京　極東書店　昭和41年（1966）　2冊
　　　　　　　　　②東京　高文堂出版　昭和53年（1978）1月　補訂版　2冊

7515　內野熊一郎編　漢魏碑文金文鏡銘索引　隸續篇
　　　　　　　　　東京　極東書店　昭和44年（1969）　2冊

7516　內野熊一郎編　漢魏碑文金文鏡銘索引　金文・鏡銘・墓誌銘・碑文篇
　　　　　　　　　東京　極東書店　昭和47年（1972）　535,11頁

7517　內野熊一郎　　中國古代金石文における經書讖緯神仙說考

東京　內野熊一郎博士頌壽記念論文刊行會　昭和52年
（1987）6月　313頁

後人研究

7518　漢魏文化研究會　內野博士還曆記念東洋學論集
　　　　　　東京　編者印行　昭和39年（1964）12月　487頁
7519　漢學研究編輯部　內野熊一郎先生退任紀念號
　　　　　　漢學研究　第13、14號合併號　昭和50年（1975）11月

18.和島芳男（1905—1983）

わ　じま　よし　お

著　作

7520　和島芳男　　中世の儒學
　　　　　　①東京　吉川弘文館　昭和40年（1965）　292頁（日本歷史
　　　　　　叢書　11）
　　　　　　②東京　吉川弘文館　平成8年（1996）　292,7頁（日本歷
　　　　　　史叢書新裝版）
7521　和島芳男　　日本宋學史の研究
　　　　　　①東京　吉川弘文館　昭和37年（1962）　365頁
　　　　　　②東京　吉川弘文館　昭和63年（1988）5月增補版　514,17
　　　　　　頁
7522　和島芳男　　新講東洋史
　　　　　　東京　同文館　昭和24年（1949）　352頁
7523　和島芳男　　叡尊・忍性
　　　　　　①東京　吉川弘文館　昭和34年（1959）　215頁（人物叢書）
　　　　　　②東京　吉川弘文館　昭和63年（1988）　215頁（人物叢書
　　　　　　新裝版）
7524　和島芳男　　昌平校と藩學
　　　　　　東京　至文堂　昭和41年（1966）增補版

<ruby>木<rt>き</rt></ruby><ruby>村<rt>むら</rt></ruby><ruby>英<rt>えい</rt></ruby><ruby>一<rt>いち</rt></ruby>

19.木村英一（1906—1981）

著　作

7525　木村英一解說　孔子・孟子・老子・莊子
　　　　　　　　　　世界の大思想　第2期　第1冊　東京　河出書房新社　昭和
　　　　　　　　　　43年（1968）　509頁

7526　木村英一　　　孔子と論語
　　　　　　　　　　東京　創文社　昭和46年（1971）1月　506頁

7527　木村英一等譯　論語、孟子、荀子、禮記
　　　　　　　　　　中國古典文學大系　第3冊　東京　平凡社　昭和45年
　　　　　　　　　　（1970）1月　547頁

7528　木村英一　　　中國哲學の探究
　　　　　　　　　　東京　創文社　昭和56年（1981）2月　591,18頁（東洋學叢
　　　　　　　　　　書）

7529　木村英一　　　中國實在觀の研究――その學問的立場の反省――
　　　　　　　　　　東京　弘文堂書房　昭和23年（1948）　382頁

7530　木村英一　　　中國民衆の思想と文化
　　　　　　　　　　東京　弘文堂書房　昭和22年（1947）　164頁（教養文庫
　　　　　　　　　　142）

7531　木村英一　　　老子の新研究
　　　　　　　　　　東京　創文社　昭和34年（1959）　633,25頁

7532　木村英一譯、野村茂夫補注　老子
　　　　　　　　　　東京　講談社　昭和59年（1984）10月　246頁（講談社文庫）

7533　木村英一　　　法家思想研究
　　　　　　　　　　東京　弘文堂書房　昭和19年（1944）　251頁

7534　木村英一博士頌壽記念事業會編　中國哲學史の展望と摸索
　　　　　　　　　　東京　創文社　昭和51年（1976）11月　1006,5頁

後人研究

7535　未署名　　　　木村英一博士略年譜、業績目錄
　　　　　　　　　　中國哲學史の展望と摸索附錄
　　　　　　　　　　東京　創文社　昭和51年（1976）11月

しげ ざわ とし お
20.重澤俊郎（1906—1990）

著　作

| 7536 | 重澤俊郎 | 論語の散歩道 |

東京　日中出版　昭和54年（1979）5月　238頁；平成3年（1991）8月

7537　重澤俊郎　　　孟子——聖人君子の笑いが目に浮ぶ
東京　日中出版　昭和58年（1983）6月

7538　重澤俊郎、佐藤匡玄編　左傳人名地名索引
東京　弘文堂書房　昭和10年（1935）12月

7539　重澤俊郎　　　左傳賈服注擽逸12卷坿篇1卷
京都　東方文化學院京都研究所　昭和11年（1936）7月　2冊（東方文化學院京都研究所研究報告　第8）

7540　重澤俊郎　　　原始儒家思想と經學
東京　岩波書店　昭和24年（1949）9月　285頁

7541　重澤俊郎　　　中國四大思想
東京　日本科學社　昭和22年（1947）10月　192頁（學生叢書　文化科學篇　第27）

7542　重澤俊郎　　　中國哲學史研究——唯心主義と唯物主義の抗爭史
東京　法律文化社　昭和39年（1964）9月　333頁（學術選書）

7543　重澤俊郎　　　古代諸思潮の成立と展開
東京　日本評論社　昭和24年（1949）9月

7544　重澤俊郎　　　支那古代における合理的思惟の展開
京都　ハーバード・燕京・同志社　東方文化講座委員會　昭和31年（1956）6月　40頁（東方文化講座　4）

7545　重澤俊郎　　　中國歷史に生きる思想
東京　日中出版　昭和48年（1973）　270頁

7546　梁啓超著、重澤俊郎譯　先秦政治思想史
東京　創元社　昭和15年（1940）1月（創元支那叢書　1）

7547　重澤俊郎　　　孫子の兵法——科學は謀略に勝てるか——
東京　日中出版　昭和56年（1981）9月　164頁

7548　重澤俊郎　　　周漢思想研究
東京　弘文堂書房　昭和18年（1943）8月　402頁

7549　重澤俊郎　　　　漢代における批判哲學の成立
　　　　　　　　　　東京　大東文化研究所　昭和32年（1957）9月（大東文化
　　　　　　　　　　研究所東洋學術論叢　1）
7550　重澤俊郎、高橋勇治編　中國社會主義の問題點
　　　　　　　　　　東京　日中出版　昭和52年（1977）5月　350頁
7551　重澤俊郎　　　　中國の傳統と現代
　　　　　　　　　　東京　日中出版　昭和52年（1977）11月　247頁（現代中國
　　　　　　　　　　叢書　14）

後人研究

7552　未署名　　　　　重澤俊郎博士著作目錄
　　　　　　　　　　中國思想史研究　第13號　頁97—108　平成2年（1990）12
　　　　　　　　　　月

21.久須本文雄（1908—　　　）

著　作

7553　久須本文雄　　　宋代儒學の禪思想研究
　　　　　　　　　　名古屋　日進堂書店　昭和55年（1980）5月　472,9頁
7554　久須本文雄　　　王陽明の禪的思想研究
　　　　　　　　　　名古屋　日進堂書店　昭和33年（1958）　256頁
7555　久須本文雄　　　日本中世禪林の儒學
　　　　　　　　　　東京　山喜房佛書林　平成4年（1992）6月　287,9頁
7556　久須本文雄　　　貝原益軒處世訓——《愼思錄》88のおしえ
　　　　　　　　　　東京　講談社　平成元年（1989）3月　197,6頁
7557　久須本文雄　　　江戶學のすすめ——貝原益軒の《愼思錄》を讀む
　　　　　　　　　　東京　俊成出版社　平成4年（1992）11月　297頁
7558　久須本文雄譯注、言志四錄
　　　　　　　　　　①東京　講談社　上、下冊
　　　　　　　　　　　上冊　昭和62年（1987）2月　434,10頁
　　　　　　　　　　　下冊　昭和62年（1987）5月　479,10頁
　　　　　　　　　　②東京　講談社　平成6年（1994）12月　913,17頁（座右版）
7559　久須本文雄　　　哲學方法論
　　　　　　　　　　東京　明玄書房　昭和43年（1968）　275頁

7560	久須本文雄	道德教育の原理と方法
		東京　大明堂　昭和52年（1977）9月　198頁
7561	久須本文雄	禪語入門
		東京　大法輪閣　昭和57年（1982）9月　290,16頁
7562	久須本文雄	寒山拾得
		①東京　講談社　昭和60年（1985）11月　2冊
		②東京　講談社　平成7年（1995）2月　547,19頁（座右版）
7563	久須本文雄	菜根譚
		①東京　講談社　昭和59年(1984)6月　336,11頁（もんじゅ
		選書　15）
		②東京　講談社　平成6年（1994）10月　336,11頁（座右版）

22.岡田武彦（おかだたけひこ）(1908─　　)

著　作

7564	岡田武彦、熊谷八川男編　現代に生きる論語
	東京　文言社　平成元年（1989）5月　302頁
7565	岡田武彦	東洋の道
		東京　明德出版社　昭和44年（1969）　222頁
7566	岡田武彦	續東洋の道
		東京　明德出版社　昭和51年（1976）　188頁
7567	岡田武彦	中國思想における理想と現實
		東京　木耳社　昭和58年（1983）9月　714頁
7568	岡田武彦	東洋のアイデンティティ──中國古代の思想家に學ぶ
		東京　批評社　平成6年（1994）4月　245頁
7569	岡田武彦	孫子新解
		東京　日經BP社　平成4年（1992）12月　2冊（別冊とも）
7570	岡田武彦	宋明哲學の本質
		東京　木耳社　昭和59年（1984）11月　260頁
7571	岡田武彦編	朱子の先驅（下）
		朱子學大系　第3卷　東京　明德出版社　昭和51年（1976）
		11月
7572	岡田武彦編	朱子語類
		朱子學大系　第6卷　東京　明德出版社　昭和56年（1981）

　　　　　　　　　　　　　　10月

7573　岡田武彦　　　　王陽明文集
　　　　　　　　　　　　東京　明德出版社　昭和45年（1970）　224頁（中國古典新
　　　　　　　　　　　　書）

7574　岡田武彦　　　　王陽明
　　　　　　　　　　　　東京　明德出版社　上、下冊
　　　　　　　　　　　　（上）平成元年（1989）5月　212頁（シリーズ陽明學　2）
　　　　　　　　　　　　（下）平成3年（1991）5月　234頁（シリーズ陽明學　3）

7575　岡田武彦　　　　王陽明と明末の儒學
　　　　　　　　　　　　東京　明德出版社　昭和45年（1970）　462頁

7576　岡田武彦編　　　陽明學の世界
　　　　　　　　　　　　東京　明德出版社　昭和61年（1986）11月　507頁

7577　岡田武彦　　　　劉念台文集
　　　　　　　　　　　　東京　明德出版社　昭和55年（1980）4月　232頁（中國古
　　　　　　　　　　　　典新書）

7578　岡田武彦　　　　現代の陽明學
　　　　　　　　　　　　東京　明德出版社　平成4年（1992）12月　280頁

7579　岡田武彦　　　　儒教精神と現代
　　　　　　　　　　　　東京　明德出版社　平成6年（1994）3月　318頁

7580　岡田武彦　　　　江戶期の儒學──朱王學の日本的展開
　　　　　　　　　　　　東京　木耳社　昭和57年（1982）　440頁

7581　岡田武彦　　　　山崎闇齋
　　　　　　　　　　　　叢書日本の思想家　第6冊　東京　明德出版社　昭和60年
　　　　　　　　　　　　（1985）10月

7582　岡田武彦　　　　山崎闇齋
　　　　　　　　　　　　臺北　東大圖書公司　昭和62年（1987）10月　183頁

7583　岡田武彦　　　　貝原益軒
　　　　　　　　　　　　叢書日本の思想家　第9冊　東京　明德出版社　昭和60年
　　　　　　　　　　　　（1985）12月（與安東省庵合冊）

7584　岡田武彦　　　　貝原益軒
　　　　　　　　　　　　臺北　東大圖書公司　昭和62年（1987）3月　225頁

7585　岡田武彦　　　　林良齋
　　　　　　　　　　　　叢書日本の思想家　第29冊　東京　明德出版社　昭和63年
　　　　　　　　　　　　（1988）4月　（與近藤篤山合冊）

7586　岡田武彦、佐藤仁編　　幕末維新朱王學者書翰集卷1
　　　　　　　　　　　　福岡　　岡田武彦印行　昭和37年（1962）跋　234頁

7587　岡田武彦編　　幕末維新朱子學者書簡集
　　　　　　　　　朱子學大系　第14卷　東京　明德出版社　昭和50年（1975）
　　　　　　　　　12月
7588　岡田武彦　　　楠本端山——生涯と思想
　　　　　　　　　福岡　積文館書店　昭和34年（1959）10月　210頁
7589　岡田武彦　　　楠本端山
　　　　　　　　　叢書日本の思想家　第42冊　東京　明德出版社　昭和53年
　　　　　　　　　（1978）12月　（與月田蒙齋合冊）
7590　岡田武彦、荒木見悟等編　楠本端山、碩水全集
　　　　　　　　　福岡　葦書房　昭和55年（1980）8月　821頁
7591　岡田武彦　　　中國と中國人
　　　　　　　　　東京　啓學出版　昭和48年（1973）　440頁
7592　岡田武彦　　　坐禪と靜坐
　　　　　　　　　東京　大學教育社　昭和52年（1977）6月　164頁（大教選
　　　　　　　　　書）
7593　岡田武彦、荒木見悟主編　近世漢籍叢刊思想初—四編
　　　　　　　　　京都　中文出版社　昭和48—59年（1973—1984）
7594　岡田武彦編　　シリーズ陽明學
　　　　　　　　　東京　明德出版社　平成元年（1989）　50卷

後人研究

7595　テオリヤ編輯部　岡田武彦教授退官記念號
　　　　　　　　　テオリヤ（哲學科紀要）第16號　昭和48年（1973）3月
7596　李　今山　　　岡田武彦
　　　　　　　　　當代日本哲學家　頁59—71　北京　社會科學文獻出版社
　　　　　　　　　平成4年（1992）8月

23.平岡武夫（1909—1995）

著　作

7597　平岡武夫　　　論語
　　　　　　　　　東京　集英社　昭和55年（1980）5月　595頁（全釋漢文大
　　　　　　　　　系　1）
7598　平岡武夫　　　經書の傳統

　　　　　　　　東京　岩波書店　昭和26年（1951）1月　447頁
7599　平岡武夫　　　　經書の成立——天下的世界觀
　　　　　　　　東京　創文社　昭和58年（1983）12月　326,10頁（東洋學
　　　　　　　　叢書）
7600　平岡武夫　　　　白居易
　　　　　　　　東京　筑摩書房　昭和52年（1977）12月　328頁（中國詩文
　　　　　　　　選　7）
7601　郭沫若作、平岡武夫譯　歷史小品
　　　　　　　　東京　岩波書店　昭和56年（1981）6月　174頁（岩波文庫）
7602　宇野精一、平岡武夫編　全釋漢文大系
　　　　　　　　東京　集英社　昭和48—55年（1973—1980）　33卷

後人研究

7603　未署名　　　　　平岡武夫教授著作目錄
　　　　　　　　東方學報（京都）　第46期　頁357—359　昭和49年（1974）3
　　　　　　　　月
7604　未署名　　　　　平岡武夫先生年譜、著作目錄
　　　　　　　　漢學研究　第20號　（平岡武夫退任記念號）　頁1—14
　　　　　　　　昭和58年（1983）2月
7605　本田　濟　　　　對平岡先生的回憶
　　　　　　　　東方學　第19輯　平成8年（1996）1月

う　の　せい　いち
24.宇野精一（1910—　　）

著　作

7606　宇野精一　　　　新釋孟子全講
　　　　　　　　東京　學燈社　昭和34年（1959）5月　530頁
7607　宇野精一　　　　明解孟子
　　　　　　　　東京　明治書院　昭和47年（1972）4月　281頁
7608　宇野精一　　　　孟子
　　　　　　　　東京　集英社　昭和48年（1973）10月（全釋漢文大系　2）
7609　宇野精一　　　　孟子のことば——性善的人生觀
　　　　　　　　名古屋　黎明書房　昭和41年（1966）　233頁（中國の知惠
　　　　　　　　4）

7610　宇野精一　　　　中國古典學の展開
　　　　　　　　　　　東京　北隆館　　昭和24年（1949）　419頁
7611　宇野精一　　　　佛教概説
　　　　　　　　　　　東京　日月社　昭和23年（1948）　194頁
7612　宇野精一　　　　相互主義と儒教
　　　　　　　　　　　東京　矢野恒太記念會　昭和50年（1975）　86頁
7613　宇野精一　　　　儒教思想
　　　　　　　　　　　東京　講談社　昭和59年（1984）10月　171頁
　　　　　　　　　　　（講談社學術文庫）（《儒教概説》改名）
7614　宇野精一等編　　講座東洋思想
　　　　　　　　　　　東京　東京大學出版會　昭和42年（1967）10冊
7615　宇野精一、鹽田良平編　國語の傳統——正しい國語國字を知るために
　　　　　　　　　　　東京　雪華社　昭和40年（1965）　232頁
7616　宇野精一編　　　歷史教育と教科書論爭——亡國の論理を衝く
　　　　　　　　　　　東京　日本教文社　昭和43年（1968）　356頁
7617　宇野精一編　　　戰後教育太平記——偏向の教科書
　　　　　　　　　　　裁判・日教組・教育現場の實證　東京　日本教文社　昭和
　　　　　　　　　　　46年（1971）　406頁
7618　宇野精一、平岡武夫編　全釋漢文大系
　　　　　　　　　　　東京　集英社　昭和48—55年（1973—1980）33卷
7619　宇野精一　　　　宇野精一著作集
　　　　　　　　　　　東京　明治書院　昭和61年—平成2年（1986—1990）　6卷
　　　　　　　　　　　第1卷　昭和61年（1986）4月　519頁
　　　　　　　　　　　　儒教概説
　　　　　　　　　　　　東洋哲學史
　　　　　　　　　　　　相互主義と儒教
　　　　　　　　　　　　東洋哲學の神髓
　　　　　　　　　　　　先秦儒教の倫理思想
　　　　　　　　　　　　儒教の本質
　　　　　　　　　　　　宇野精一年譜、著作目錄
　　　　　　　　　　　第2卷　昭和61年（1986）8月　456頁
　　　　　　　　　　　　中國古典學の展開
　　　　　　　　　　　　支那古刑私見
　　　　　　　　　　　　禮記檀弓篇の性格
　　　　　　　　　　　　禮記成立に關する二三の問題
　　　　　　　　　　　　南北朝禮學の一斑

《周禮》に見える禮に就いて

《儀禮》についての二三の問題

第3卷　昭和63年（1988）1月　588頁

　　解說

　　梁惠王章句

　　公孫丑章句

　　滕文公章句

　　離婁章句

　　萬章章句

　　告子章句

　　盡心章句

第4卷　昭和62年（1987）1月　480頁

　　支那哲學研究方法論等　29篇

第5卷　平成元年（1989）6月　601頁

　　解說

　　講話其他

　　隨筆

　　序文・解說

　　書評・紹介

　　漢文教育

　　回想・紀行

第6卷　平成2年（1990）8月　626頁

　　國語國字

　　教育問題

　　時評・隨想

後人研究

7620　未署名　　宇野精一教授略年譜、著書論文目錄、講義題目
　　　　　　　　東京支那學報　第16號　頁16—30　昭和46年（1971）6月

　　　　　　　　　　しらかわ　　しずか
　　　　　　　25.白川　靜（1910—　　）

著　作

7621　白川　靜　　孔子傳

①東京　中央公論社　昭和47年（1972）11月　283頁

②東京　中央公論社　平成3年（1991）2月　317頁（中公文庫）

7622　白川　靜　　稿本詩經研究

京都　作者印行　昭和35年（1960）6月

通論篇　625頁

解釋篇　436頁，索引36頁

7623　白川　靜　　詩經研究——通論篇

京都　朋友書店　昭和56年（1981）10月　665頁（朋友學術叢書）

7624　白川　靜　　詩經——中國の古代歌謠

東京　中央公論社　昭和45年（1970）6月　266頁（中公新書）

7625　白川靜、杜正勝譯　詩經研究——中國古代歌謠

臺北　幼獅文化事業公司　昭和49年（1974）　300頁

7626　白川靜譯註　詩經國風

東京　平凡社　平成2年（1990）5月　486頁（東洋文庫518）

7627　白川靜譯註　詩經雅頌(1)

東京　平凡社　平成10年（1998）6月　338頁

7628　白川　靜　　中國古代の文化

東京　講談社　昭和54年（1979）10月　311頁（講談社學術文庫）

7629　白川　靜　　中國の神話

①東京　中央公論社　昭和50年（1975）　308頁

②東京　中央公論社　昭和55年（1980）2月　310頁（中公文庫）

7630　白川　靜　　中國古代の民俗

東京　講談社　昭和55年（1980）5月　301頁（講談社學術文庫）

7631　白川　靜　　中國の古代文學(1)——神話から楚辭へ

①東京　中央公論社　昭和51年（1976）4月　351頁

②東京　中央公論社　昭和55年（1980）5月　353頁（中公文庫）

7632　白川　靜　　中國の古代文學(2)——史記から陶淵明へ

①東京　中央公論社　昭和51年（1976）10月　395頁

②東京　中央公論社　昭和56年（1981）2月　397頁（中公
　文庫）

7633　白川　靜　　漢字生い立ちとその背景
　　　　　　　　　東京　岩波書店　昭和45年（1970）　194頁

7634　白川　靜　　漢字の世界　中國文化の原點(1)
　　　　　　　　　東京　平凡社　昭和51年（1976）　288頁（東洋文庫　281）

7635　白川　靜　　漢字の世界　中國文化の原點(2)
　　　　　　　　　東京　平凡社　昭和51年（1976）　300,27頁（東洋文庫
　　　　　　　　　286）

7636　白川　靜　　漢字百話
　　　　　　　　　東京　中央公論社　昭和53年（1978）4月　258頁

7637　白川　靜　　文字消遙
　　　　　　　　　①東京　平凡社　昭和62年（1987）4月　322頁
　　　　　　　　　②東京　平凡社　平成6年（1994）4月　443頁（平凡社ライ
　　　　　　　　　ブラリー）

7638　白川　靜　　文字遊心
　　　　　　　　　東京　平凡社　平成2年（1990）4月　347頁

7639　白川　靜　　甲骨金文學論叢
　　　　　　　　　京都　朋友書店　昭和49年（1974）　693頁

7640　白川　靜　　甲骨文の世界——古代殷王朝の構造
　　　　　　　　　東京　平凡社　昭和47年（1972）　272頁（東洋文庫　204）

7641　白川　靜　　金文の世界——殷周社會史
　　　　　　　　　東京　平凡社　昭和46年（1971）　301頁（東洋文庫　184）

7642　白川靜編　　金文集　第4
　　　　　　　　　東京　二玄社　昭和41年（1966）　39頁（書跡名品叢刊
　　　　　　　　　第3集）

7643　白川　靜　　金文通釋
　　　　　　　　　神戸　白鶴美術館
　　　　　　　　　卷1—5　昭和50年（1975）　5卷7冊
　　　　　　　　　卷6　昭和55年（1980）　609頁
　　　　　　　　　卷7　昭和59年（1984）　196, 316頁

7644　白川　靜　　說文新義
　　　　　　　　　神戸　白鶴美術館　昭和44—49年（1969—1974）　16卷

7645　白川　靜　　字統
　　　　　　　　　①東京　平凡社　昭和59年（1984）8月　1013頁
　　　　　　　　　②東京　平凡社　平成6年（1994）3月　1013頁（普及版）

7646　白川　靜　　字訓
　　　　　　　　　　①東京　平凡社　昭和62年（1987）5月　826,136頁
　　　　　　　　　　②東京　平凡社　平成7年（1995）2月　826,136頁（普及版）
7647　白川　靜　　字通
　　　　　　　　　　東京　平凡社　平成8年（1996）10月　2094頁
7648　白川　靜　　初期萬葉論
　　　　　　　　　　東京　中央公論社　昭和54年（1979）4月　263頁
7649　白川　靜　　後期萬葉論
　　　　　　　　　　東京　中央公論社　平成7年（1995）3月　366頁

後人研究

7650　立命館文學編輯部　白川靜博士略歷、著作目錄
　　　　　　　　　　立命館文學　第430、431、432合併號　頁1—10　昭和56年
　　　　　　　　　　（1981）6月
7651　立命館大學人文學會　白川靜博士古稀記念中國文史論叢
　　　　　　　　　　京都　立命館大學人文學會　昭和56年（1981）7月　407頁
7652　學林編輯部　白川靜博士傘壽記念論集
　　　　　　　　　　學林　第14、15合併號　頁1—12　平成2年（1990）7月
7653　溝上　瑛　　中國文學者白川靜——學問の威嚴を體現する市井の碩學
　　　　　　　　　　AERA　第4號　平成3年（1991）
7654　未署名　　《字統》、《字訓》で菊池寬賞を受賞した現代の碩學
　　　　　　　　　　正論　第233號　平成4年（1992）

26.池田末利（いけ だ すえ とし）（1910—　　）

著　作

7655　池田末利　　尚書
　　　　　　　　　　東京　集英社　昭和51年（1976）4月（全釋漢文大系　11）
7656　池田末利　　儀禮
　　　　　　　　　　東京　東海大學出版會（東海大學古典叢書）
　　　　　　　　　　第1卷　昭和48年（1973）3月　2冊（別冊圖共）
　　　　　　　　　　第2卷　昭和49年（1974）3月　2冊（別冊圖共）
　　　　　　　　　　第3卷　昭和50年（1975）3月　431頁
　　　　　　　　　　第4卷　昭和51年（1976）3月　2冊（別冊圖共）

第5卷　昭和52年（1977）3月　2冊（別冊圖共）

7657　池田末利等譯注　既夕禮・士虞禮──葬禮集錄⑵──
　　　　　　　　　廣島　廣島大學文學部中國哲學史研究室　油印本　昭和34
　　　　　　　　　年（1959）4月　115頁

7658　池田末利等譯注　祖先の祭祀儀禮──儀禮特牲禮・少牢禮・有司徹の國譯
　　　　　　　　　廣島　廣島大學文學部　中國哲學研究室　油印本　昭和35
　　　　　　　　　年（1960）10月　192頁

7659　池田末利　　　中國古代宗教史研究──制度と思想
　　　　　　　　　東京　東海大學出版會　平成元年（1989）8月　1073頁

7660　池田末利　　　殷虛書契後編釋文稿
　　　　　　　　　廣島　廣島大學文學部　中國哲學研究室　昭和39年（1964）
　　　　　　　　　175,23頁

<h2 style="text-align:center">後人研究</h2>

7661　池田末利博士古稀紀念事業會　池田末利博士古稀紀念東洋學論集
　　　　　　　　　廣島　編者印行　昭和55年（1980）9月

<h1 style="text-align:center">は ら だ た ね しげ
27.原田種成（1911─1995）</h1>

<h2 style="text-align:center">著　作</h2>

7662　原田種成　　　尙書國譯──據今古文注疏──
　　　　　　　　　東洋文化（東洋文化學會）　第192─196號　昭和16年
　　　　　　　　　（1941）1─6月

7663　原田種成　　　貞觀政要の研究
　　　　　　　　　東京　吉川弘文館　昭和40年（1965）　510頁；昭和44年
　　　　　　　　　（1969）3月　500頁

7664　原田種成　　　貞觀政要
　　　　　　　　　東京　明德出版社　昭和42年（1967）　276頁（中國古典新
　　　　　　　　　書）

7665　諸橋轍次、原田種成　宋名臣言行錄
　　　　　　　　　東京　明德出版社　昭和47年（1972）　210頁（中國古典新
　　　　　　　　　書）

7666　原田種成編　　訓點本宋史本紀
　　　　　　　　　東京　汲古書院　昭和54年（1979）12月　948頁

7667　原田種成編　　訓點本宋史文苑傳
　　　　　　　　　　東京　汲古書院　昭和61年（1986）10月　244頁
7668　原田種成　　　會澤正志齋、藤田東湖
　　　　　　　　　　叢書日本の思想家　第36冊　東京　明德出版社　昭和56年
　　　　　　　　　　（1981）10月
7669　原田種成　　　漢字の常識
　　　　　　　　　　東京　三省堂　昭和57年（1982）6月　197頁
7670　原田種成　　　先生と母親の漢字教室──漢字早おぼえ、書取りの基準
　　　　　　　　　　東京　愛育出版　昭和40年（1965）　230頁
7671　原田種成　　　廣韻反切索引
　　　　　　　　　　東京　無窮會　東洋文化研究所　昭和41年（1966）　85頁
7672　原田種成　　　漢文のすすめ──諸橋《大漢和》編纂秘話
　　　　　　　　　　東京　新潮社　平成4年（1992）9月　269頁（新潮選書）
7673　原田種成編　　訓點本四庫提要
　　　　　　　　　　東京　汲古書院　昭和56年7月─平成6年4月（1981─1992）
　　　　　　　　　　經部
　　　　　　　　　　　第1冊　易類　昭和56年（1981）7月　545頁
　　　　　　　　　　　第2冊　書、詩類　昭和57年（1982）1月　320頁
　　　　　　　　　　　第3冊　禮類　昭和57年（1982）3月　296頁
　　　　　　　　　　　第4冊　春秋類　昭和56年（1981）7月　310頁
　　　　　　　　　　　第5冊　孝經、五經類　昭和57年（1982）9月　154頁
　　　　　　　　　　　第6冊　四書、樂類　昭和58年（1983）9月　258頁
　　　　　　　　　　　第7冊　小學類　昭和58年（1983）9月　284頁
　　　　　　　　　　史部
　　　　　　　　　　　第1冊　正史、編年類　昭和62年（1987）10月　306頁
　　　　　　　　　　　第2冊　紀事本末、別史、雜史、詔令奏議類　昭和62年
　　　　　　　　　　　　　　（1987）10月　320頁
　　　　　　　　　　　第3冊　傳記、史鈔、載記、時令類　平成元年（1989）9
　　　　　　　　　　　　　　月　248頁
　　　　　　　　　　　第4冊　地理、職官類　平成2年（1990）10月　430頁
　　　　　　　　　　　第5冊　政書、目錄、史評類　平成5年（1993）6月　383頁
　　　　　　　　　　子部
　　　　　　　　　　　第1冊　儒家類　昭和58年（1983）4月　282頁
　　　　　　　　　　　第2冊　兵家、法家、農家、醫家類　昭和59年（1984）6
　　　　　　　　　　　　　　月　332頁
　　　　　　　　　　　第3冊　天文算法、術數類　昭和62年（1987）12月　336頁

第4冊　藝術、譜錄類　昭和62年（1987）12月　316頁
第5冊　雜家類1　平成元年（1989）10月　376頁
第6冊　雜家類2、類書類　平成5年（1993）5月　314頁
第7冊　小說家、釋家、道家類　平成6年（1994）5月
　　　　458頁
集部
第1冊　楚辭類、別集類1　昭和59年（1984）9月　324頁
第2冊　別集類2　昭和63年（1988）2月　350頁
第3冊　別集類3　平成2年（1990）4月　362頁
第4冊　別集類4　平成3年（1991）4月　322頁
第5冊　別集類5　平成5年（1993）6月　396頁
第6冊　別集類6　平成6年（1994）6月　594頁
第7冊　總集類　平成6年（1994）6月　438頁
第8冊　詩文評、詞曲類　平成6年（1996）7月　360頁

28.竹內照夫（1910—1982）

たけ　うち　てる　お

7674　竹內照夫　　四書五經——中國思想の形成と展開
　　　　　　　　　東京　平凡社　昭和40年（1965）　260頁（東洋文庫）
7675　竹內照夫　　四書
　　　　　　　　　東京　大成出版社　昭和52年（1977）6月　122頁（與《漢
　　　　　　　　　書抄》合冊）
7676　竹內照夫　　仁の古義の研究
　　　　　　　　　東京　明治書院　昭和39年（1964）2月　306頁
7677　竹內照夫　　易
　　　　　　　　　東京　至文堂　昭和44年（1969）3月　261頁（解釋と鑑賞
　　　　　　　　　別冊，現代のエスプリ　第36號）
7678　竹內照夫　　禮記
　　　　　　　　　東京　明治書院
　　　　　　　　　（上）昭和46年（1971）4月　384頁（新釋漢文大系　27）
　　　　　　　　　（中）昭和52年（1977）8月　371頁（新釋漢文大系　28）
　　　　　　　　　（下）昭和54年（1979）3月　278頁（新釋漢文大系　29）
7679　竹內照夫　　春秋
　　　　　　　　　東京　日本評論社　昭和17年（1942）4月　264頁（東洋思
　　　　　　　　　想叢書）

7680　竹內照夫　　　春秋左氏傳
　　　　　　　　　　中國古典文學全集　第3冊　東京　平凡社　昭和33年
　　　　　　　　　　（1958）5月
7681　竹內照夫　　　春秋左氏傳
　　　　　　　　　　東京　平凡社　昭和47年　昭和47年（1972）12月（中國の
　　　　　　　　　　古典シリーズ　2）
7682　竹內照夫　　　春秋左氏傳
　　　　　　　　　　東京　集英社
　　　　　　　　　　（上）昭和49年（1974）2月　536頁（全釋漢文大系　4）
　　　　　　　　　　（中）昭和49年（1974）11月　529頁（全釋漢文大系　5）
　　　　　　　　　　（下）昭和50年（1975）12月　716頁（全釋漢文大系　6）
7683　竹內照夫　　　文字の話
　　　　　　　　　　東京　角川書店　昭和35年（1960）
7684　竹內照夫　　　干支物語
　　　　　　　　　　東京　社會思想社　昭和46年（1971）

29.鎌田　正（1911―　　）

著　作

7685　鎌田　正　　　春秋左氏傳
　　　　　　　　　　東京　明德出版社　昭和43年（1968）9月　278頁（中國古
　　　　　　　　　　典新書）
7686　鎌田　正　　　春秋左氏傳
　　　　　　　　　　東京　明治書院　4冊（新釋漢文大系）
　　　　　　　　　　第1冊　昭和46年（1971）10月　453頁（新釋漢文大系　30）
　　　　　　　　　　第2冊　昭和49年（1974）9月　893頁（新釋漢文大系　31）
　　　　　　　　　　第3冊　昭和52年（1977）12月　494頁（新釋漢文大系　32）
　　　　　　　　　　第4冊　昭和56年（1981）10月　573頁（新釋漢文大系　33）
7687　鎌田　正　　　左傳の成立と其の展開
　　　　　　　　　　①東京　大修館書店　昭和38年（1963）3月　766頁
　　　　　　　　　　②東京　大修館書店　平成4平（1992）10月　再版
　　　　　　　　　　766,6,19頁
7688　鎌田　正　　　漢代公羊學研究
　　　　　　　　　　東京　東京文理科大學漢文學科卒業論文　昭和12年（1937）

3月

7689　鎌田　正　　　漢文教育の理論と指導
　　　　　　　　東京　大修館書店　昭和47年（1972）2月　460頁

7690　鎌田正、米山寅太郎　漢詩名句辭典
　　　　　　　　東京　大修館書店　昭和55年（1980）6月　731,71頁

7691　鎌田正、米山寅太郎　故事成語名言大辭典
　　　　　　　　東京　大修館書店　昭和63年（1988）10月　1335,116頁

7692　諸橋轍次、鎌田正、米山寅太郎　廣漢和辭典
　　　　　　　　東京　大修館書店　3卷，索引1卷
　　　　　　　　第1卷　昭和56年（1981）11月
　　　　　　　　第2卷　昭和57年（1982）2月
　　　　　　　　第3卷　昭和57年（1982）5月
　　　　　　　　索　引　昭和57年（1982）10月

7693　鎌田正、米山寅太郎　漢語林
　　　　　　　　東京　大修館書店　昭和62年（1987）3月　1冊

7694　鎌田正、米山寅太郎　大漢語林
　　　　　　　　東京　大修館書店　平成4年（1992）6月　94,1805頁

7695　鎌田正、米山寅太郎　大漢語林語彙總覽
　　　　　　　　東京　大修館書店　平成5年（1993）2月　390頁

7696　鎌田正、米山寅太郎修訂　大漢和辭典
　　　　　　　　①東京　大修館書店　昭和59年（1984）4月—昭和61年
　　　　　　　　（1986）4月修訂版　12卷　索引1卷
　　　　　　　　②東京　大修館書店　平成元年（1989）4月—平成2年
　　　　　　　　（1990）3月　修訂2版　12卷　索引1卷

7697　鎌田正、米山寅太郎編　諸橋轍次著作集
　　　　　　　　東京　大修館書店　昭和50—52年（1975—1977）　10卷

後人研究

7698　編委會編　　　鎌田正博士八十壽記念漢文學論文集
　　　　　　　　東京　大修館書店　平成3年（1991）1月　730頁

30.松本雅明（1912—1993）
まつ もと まさ あき

著　作

7699　松本雅明　　　春秋戰國における尙書の展開──歷史意識の發展を中心に
　　　　　　　　　　東京　風間書房　昭和41年（1966）　707頁

7700　松本雅明　　　詩經諸篇の成立に關する研究
　　　　　　　　　　東京　東洋文庫　昭和33年（1958）1月　正文　952頁，索
　　　　　　　　　　引24頁，英文20頁（東洋文庫論叢　41）

7701　松本雅明　　　中國古代における自然思想の展開
　　　　　　　　　　熊本　松本雅明博士還曆記念出版會　昭和58年（1973）
　　　　　　　　　　410頁

7702　松本雅明等　　東洋の古典文明
　　　　　　　　　　東京　社會思想社　昭和49年（1974）　323頁

7703　松本雅明　　　中國と古代日本
　　　　　　　　　　東京　大和書房　昭和51年（1976）

7704　松本雅明　　　沖繩の歷史と文化──國家の成立を中心として
　　　　　　　　　　東京　近藤出版社　昭和46年（1971）　279,11頁（世界史
　　　　　　　　　　研究叢書　5）

7705　松本雅明　　　熊本の裝飾古墳
　　　　　　　　　　熊本　熊本日日新聞社　昭和51年（1976）3月　223頁（熊
　　　　　　　　　　本の風土とこころ　7）

7706　松本雅明　　　熊本の美術工藝
　　　　　　　　　　熊本　熊本日日新聞社　昭和53年（1978）6月　223頁（熊
　　　　　　　　　　本の風土とこころ　13）

7707　松本雅明著作集編輯委員會編　松本雅明著作集
　　　　　　　　　　東京　弘生書林　昭和61─68年（1986─1988）　13冊
　　　　　　　　　　第1冊　詩經國風篇の研究　昭和62年（1987）1月
　　　　　　　　　　第2冊　琉球弧における國家の形成　昭和61年（1986）12月
　　　　　　　　　　第3冊　肥後の國府と古代寺院址の研究　昭和62年（1987）
　　　　　　　　　　　　　2月
　　　　　　　　　　第4冊　肥後における集落の展開と祭祀　昭和62年（1987）
　　　　　　　　　　　　　3月
　　　　　　　　　　第5冊　諸經諸篇の成立に關する研究（上）　昭和61年
　　　　　　　　　　　　　（1986）12月

第6冊　諸經諸篇の成立に關する研究（下）　昭和61年
　　　（1986）12月

第7冊　原始尙書の成立　昭和63年（1988）5月

第8冊　火ノ國の考古、古代史論集　昭和63年（1988）3月

第9冊　東アジアにおける文化の交流　昭和63年（1988）
　　　6月

第10冊　中國古代史研究　昭和63年（1988）6月

第11冊　美術史論集　昭和63年（1988）6月

第12冊　春秋戰國における尙書の展開　昭和63年（1988）
　　　5月

第13冊　中國古代における自然思想の展開　昭和63年
　　　（1988）3月

31.赤塚　忠（1913—1983）
<small>あか つか　きよし</small>

著　作

7708　赤塚　忠　　大學・中庸
　　　　　　　　　東京　明治書院　昭和42年（1967）4月　（新釋漢文大系）

7709　赤塚　忠　　書經・易經（抄）
　　　　　　　　　東京　平凡社　昭和47年（1972）　647頁（中國古典文學大
　　　　　　　　　系　1）

7710　赤塚　忠　　易經
　　　　　　　　　東京　明德出版社　昭和49年（1974）3月　（中國古典新
　　　　　　　　　書）

7711　赤塚　忠　　詩經
　　　　　　　　　東京　明治書院　昭和52年（1977）　上、下冊（新釋漢文
　　　　　　　　　大系62、63）

7712　赤塚　忠　　中國古代の宗教と文化——殷王朝の祭祀
　　　　　　　　　①東京　角川書店　昭和52年（1977）3月　869頁
　　　　　　　　　②東京　研文社　平成2年（1990）1月　869頁

7713　赤塚　忠　　石鼓文
　　　　　　　　　東京　明德出版社　昭和61年（1986）6月　163頁（中國古
　　　　　　　　　典新書　續編3）

7714　小川環樹、西田太一郎、赤塚忠編　新字源

東京　角川書店　昭和48年（1973）　40,1279,79頁

7715　赤塚忠、阿部吉雄編　旺文社漢和中辭典
　　　　　　　　東京　旺文社　昭和52年（1977）10月　178,1421頁

7716　赤塚忠、阿部吉雄編　旺文社漢和辭典
　　　　　　　　①東京　旺文社　昭和55年（1980）11月　1279頁
　　　　　　　　②東京　旺文社　昭和61年（1986）10月改訂新版　1343頁

7717　赤塚忠著作集刊行會編　赤塚忠著作集
　　　　　　　　東京　研文社　昭和61年—平成元年（1986—1989）7卷
　　　　　　　　第1卷　中國古代文化史　昭和63年（1988）7月　533頁
　　　　　　　　第2卷　中國古代思想史研究　昭和62年（1987）4月　585頁
　　　　　　　　第3卷　儒家思想研究　昭和61年（1986）11月　666頁
　　　　　　　　第4卷　諸子思想研究　昭和62年（1987）6月　674頁
　　　　　　　　第5卷　詩經研究　昭和61年（1987）3月　794頁
　　　　　　　　第6卷　楚辭研究　昭和61年（1986）8月　469頁
　　　　　　　　第7卷　甲骨、金文研究　平成元年（1989）1月　958頁

7718　赤塚忠等編　思想概論
　　　　　　　　中國文化叢書　第2卷　東京　大修館書店　昭和43年
　　　　　　　　（1968）4月

7719　赤塚忠等編　思想史
　　　　　　　　中國文化叢書　第3卷　東京　大修館書店　昭和42年
　　　　　　　　（1967）10月

32.栗原圭介（1913—　　）
くり はら けい すけ

著　作

7720　栗原圭介　大戴禮記
　　　　　　　　東京　明治書院　平成3年（1991）7月　555頁（新釋漢文大
　　　　　　　　系　113）

7721　栗原圭介　禮記宗教思想研究
　　　　　　　　國分寺　作者印行　昭和44年（1969）　297頁

7722　栗原圭介　中國古代樂論の研究
　　　　　　　　東京　大東文化大學東洋研究所　昭和53年（1978）3月
　　　　　　　　624頁

7723　栗原圭介　古代中國婚姻制の禮理念と形態

東京　東方書店　昭和57年（1982）2月　816頁

7724　栗原圭介、新垣淑明編　精解國語辭典
　　　　　　　　東京　金園社　昭和41年（1966）　960頁

7725　栗原圭介、新垣淑明編　國語辭典
　　　　　　　　東京　金園社　昭和44年（1969）　960頁

7726　栗原圭介、新垣淑明編　プリンス國語辭典
　　　　　　　　東京　金園社　昭和45年（1970）　960頁

後人研究

7727　大東文化大學漢學會誌編　栗原圭介教授退休記念、年譜、研究活動
　　　　　　　　大東文化大學漢學會誌　第27號（栗原圭介教授退休記念號）
　　　　　　　　昭和63年（1988）3月

7728　栗原圭介博士頌壽記念事業會編　栗原圭介博士頌壽記念東洋學論集
　　　　　　　　東京　汲古書院　平成7年（1995）3月　32,572,189頁

33.阿部隆一（1917—1983）

（あ　べりゅういち）

著　作

7729　阿部隆一　　　室町以前邦人撰述論語孟子注釋書考
　　　　　　　　（上）斯道文庫論集　第2輯　頁31—98　昭和38年（1963）
　　　　　　　　3月
　　　　　　　　（下）斯道文庫論集　第3輯　頁1—90　昭和39年（1964）
　　　　　　　　3月

7730　阿部隆一　　　本邦中世に於ける大學中庸の講誦傳流について——學庸の
　　　　　　　　古鈔本並びに邦人撰述注釋書より見たる
　　　　　　　　斯道文庫論集　第1輯　頁3—84　昭和37年（1962）3月

7731　阿部隆一　　　室町時代以前に於ける御注孝經の講誦傳流について——清
　　　　　　　　原家舊藏鎌倉鈔本開元始注本を中心として——
　　　　　　　　斯道文庫論集　第4輯　頁1—85　昭和40年（1965）3月

7732　阿部隆一　　　室町時代邦人撰述孝經注釋書考
　　　　　　　　大倉山論集　第8輯（大倉精神文化研究所創立三十周年記
　　　　　　　　念號）　頁211—254　昭和35年（1960）7月

7733　阿部隆一　　　古文孝經舊鈔本の研究（資料篇）
　　　　　　　　斯道文庫論集　第6輯　昭和43年（1968）3月　1060頁

7734　阿部隆一　　　大倉山文化科學研究所所藏崎門學派著作文獻解題
　　　　　　　　　　橫浜　大倉山文化科學研究所　昭和32年（1957）　89頁
7735　阿部隆一　　　三浦梅園自筆稿本並舊藏書解題
　　　　　　　　　　大分縣安崎町　三浦梅園文化財保存會　昭和54年（1979）
　　　　　　　　　　5月　271頁
7736　阿部隆一　　　中國訪書志
　　　　　　　　　　①東京　汲古書院　昭和51年（1976）1冊
　　　　　　　　　　②東京　汲古書院　昭和58年（1983）3月　增訂版　741頁
7737　長澤規矩也、阿部隆一編　日本書目大成
　　　　　　　　　　東京　汲古書院　昭和54年（1979）4卷
7738　阿部隆一　　　六地藏寺法寶藏典籍について
　　　　　　　　　　茨城縣東茨城郡　常澄村　六地藏寺　昭和42年（1967）
　　　　　　　　　　35頁
7739　應義塾大學附屬研究所斯道文庫編　阿部隆一遺稿集
　　　　　　　　　　東京　汲古書院　昭和60年—平成5年（1985—1993）4冊
　　　　　　　　　　第1卷　宋元版篇　平成5年（-1993）1月　587,123,23頁
　　　　　　　　　　　　　　年譜・著作目錄
　　　　　　　　　　第2卷　解題篇　昭和60年（1985）1月　570頁
　　　　　　　　　　第3卷　解題篇　昭和60年（1985）11月　541,17頁
　　　　　　　　　　第4卷　人物篇　昭和63年（1988）7月　576頁

あら　き　けん　ご
34.荒 木 見 悟（1917—　　　）

著　作

7740　荒木見悟　　　中國思想史の諸相
　　　　　　　　　　福岡　中國書店　平成元年（1989）5月　392,11頁
7741　荒木見悟　　　佛教と儒教——中國思想を形成するもの
　　　　　　　　　　①京都　平樂寺書店　昭和38年（1963）　453頁
　　　　　　　　　　②東京　研文出版　平成5年（1993）11月　435,21頁
7742　荒木見悟編　　朱子・王陽明
　　　　　　　　　　東京　中央公論社　昭和49年（1974）6月　598頁（世界の
　　　　　　　　　　名著續　4）
7743　荒木見悟　　　明代思想研究——明代における儒教と佛教の交流
　　　　　　　　　　東京　創文社　371,13頁　昭和47年（1972）

7744　荒木見悟　　　　明清思想論考
　　　　　　　　　　　東京　研文出版　平成4年（1992）12月　193,15頁

7745　容肇祖著，荒木見悟、秋吉久紀夫譯　明代思想史
　　　　　　　　　　　北九州　中國書店　平成8年（1996）

7746　荒木見悟　　　　陽明學の位相
　　　　　　　　　　　東京　研文出版　平成4年（1992）3月　379,14頁

7747　荒木見悟　　　　佛教と陽明學
　　　　　　　　　　　東京　第三文明社　昭和54年（1979）8月　184頁（レグル
　　　　　　　　　　　ス文庫）

7748　荒木見悟　　　　陽明學の開展と佛教
　　　　　　　　　　　東京　研文出版　昭和59年（1984）7月　340,16頁

7749　荒木見悟　　　　中國心學の鼓動と佛教
　　　　　　　　　　　福岡　中國書店　平成7年（1995）9月　382, 8頁

7750　荒木見悟等譯注　陽明門下
　　　　　　　　　　　陽明學大系　第5—7卷　東京　明德出版社　昭和48年
　　　　　　　　　　　（1973）

7751　荒木見悟　　　　明末宗教思想研究——管東溟の生涯とその思想
　　　　　　　　　　　東京　創文社　昭和54年（1979）10月　471,10頁（東洋學
　　　　　　　　　　　叢書）

7752　呂坤著、荒木見悟編譯　呻吟語
　　　　　　　　　　　東京　講談社　昭和61年（1986）5月　349頁（中國の古典）

7753　呂坤著、荒木見悟譯註　呻吟語
　　　　　　　　　　　東京　講談社　平成3年（1991）3月　372頁（講談社學術文
　　　　　　　　　　　庫）

7754　荒木見悟編譯　　竹窗隨筆
　　　　　　　　　　　東京　明德出版社　昭和44年（1969）10月　230頁（中國古
　　　　　　　　　　　典新書）

7755　荒木見悟　　　　雲棲袾宏の研究
　　　　　　　　　　　東京　大藏出版　昭和60年（1985）7月　222頁

7756　荒木見悟　　　　李二曲
　　　　　　　　　　　東京　明德出版社　平成元年（1989）9月　201頁（シリー
　　　　　　　　　　　ズ陽明學　18）

7757　荒木見悟、井上忠校注　貝原益軒、室鳩巢
　　　　　　　　　　　東京　岩波書店　昭和45年（1970）（日本思想大系　34）

7758　荒木見悟　　　　龜井南冥と役藍泉
　　　　　　　　　　　德山市立圖書館　昭和38年（1963）1月（德山市立圖書館

叢書　第10集）
7759　荒木見悟　　　龜井南冥、龜井昭陽
　　　　　　　　　　叢書日本の思想家　第27冊　東京　明德出版社　昭和63年
　　　　　　　　　　（1988）10月　206頁
7760　荒木見悟、井上忠等編　龜井南冥、昭陽全集
　　　　　　　　　　福岡　葦書房　昭和53—55年（1978—1980）8冊
7761　荒木見悟　　　東澤瀉
　　　　　　　　　　叢書日本の思想家　第46冊　東京　明德出版社　昭和57年
　　　　　　　　　　（1982）6月（與吉村秋陽合冊）
7762　荒木見悟、岡田武彥等編　楠本端山、碩水全集
　　　　　　　　　　福岡　葦書房　昭和55年（1980）8月　1冊
7763　荒木見悟　　　大慧書
　　　　　　　　　　東京　筑摩書房　昭和44年（1969）5月（禪の悟錄　第17卷）
7764　荒木見悟　　　大應語錄
　　　　　　　　　　東京　講談社　平成6年（1994）11月　309頁（禪入門　3）
7765　荒木見悟　　　釋迦堂への道
　　　　　　　　　　福岡　葦書房　昭和58年（1983）9月　191頁
7766　荒木見悟著、張文朝譯　我的學問觀
　　　　　　　　　　中國文哲研究通訊　第3卷1期　頁35—48　1993年3月
7767　荒木見悟、岡田武彥編　近世漢籍叢刊思想編
　　　　　　　　　　京都　中文出版社
　　　　　　　　　　初編　昭和48年（1973）　12冊
　　　　　　　　　　續編　昭和50年（1975）　14冊
　　　　　　　　　　三編　昭和52年（1977）　16冊
　　　　　　　　　　四編　昭和59年（1984）　14冊

後人研究

7768　荒木教授退休記念會編　荒木教授記念中國哲學史研究論集
　　　　　　　　　　福岡　葦書房　昭和56年（1981）12月　705頁
7769　未署名　　　　荒木見悟教授略歷、業績目錄一覽
　　　　　　　　　　九州大學哲學年報　第41號　頁1—6　昭和57年（1982）3月

35.島田虔次（1917—　　）

<small>しま　た　けん　じ</small>

著　作

| 7770 | 島田虔次 | 大學・中庸 |

東京　朝日新聞社　昭和42年（1967）1月（新訂中國古典
選）

| 7771 | 島田虔次 | 大學・中庸 |

東京　朝日新聞社　上、下冊
（上）昭和53年（1978）7月　164,29頁（中國古典選　6）
（下）昭和53年（1978）8月　212,38頁（中國古典選　7）

| 7772 | 島田虔次 | 朱子學と陽明學 |

東京　岩波書店　昭和42年（1967）　204頁（岩波新書）

| 7773 | 島田虔次 | 中國に於ける近代思惟の挫折 |

東京　筑摩書房　昭和24年（1949）　311頁

| 7774 | 島田虔次編 | アジア歴史研究入門 |

京都　同朋舍　5卷　別卷1卷　昭和58年（1983）11月―昭
和62年（1987）6月
第1卷　中國(1)　昭和58年（1983）11月　409頁
第2卷　中國(2)　朝鮮　昭和58年（1983）11月　417頁
第3卷　中國(3)　昭和58年（1983）11月　420頁
第4卷　內陸アジア、西アジア　昭和59年（1984）9月　703
頁
第5卷　南アジア、東南アジア　世界史とアジア　昭和59
年（1984）12月　622頁
別卷　昭和62年（1987）6月　268頁

| 7775 | 西順藏、島田虔次編　清末民國初政治評論集 |

中國古典文學大系　第58卷　東京　平凡社　昭和46年
（1971）8月　533,10頁

| 7776 | 島田虔次 | 中國革命の先驅者たち |

東京　筑摩書房　昭和40年（1965）　278,20頁（筑摩叢書）

| 7777 | 島田虔次、小野川秀美編　辛亥革命の研究 |

東京　筑摩書房　昭和53年（1978）1月　450,27頁

| 7778 | 中江兆民著，島田虔次、桑原武夫譯校注　三醉人經綸問答 |

東京　岩波書店　昭和58年（1983）2月　268頁

7779　宮崎滔天著，島田虔次、近藤秀樹校注　三十三年の夢
　　　　　　　　　東京　岩波書店　平成5年（1993）5月　500,7頁（岩波文庫）

後人研究

7780　東洋史研究編輯部　島田虔次教授著作目錄
　　　　　　　　　東洋史研究　第39卷4號　頁1—13　昭和56年（1981）3月

36.宮崎道生（1917—　　　）

著　作

7781　宮崎道生　　　近世・近代の思想と文化——日本文の確立と連續性
　　　　　　　　　東京　ぺりかん社　昭和60年（1985）5月　286頁
7782　熊澤蕃山著、宮崎道生編　自筆本三輪物語
　　　　　　　　　櫻井　三輪明神大神神社　思文閣發賣　平成3年（1991）8
　　　　　　　　　月　675頁
7783　宮崎道生　　　熊澤蕃山の研究
　　　　　　　　　京都　思文閣　平成2年（1990）
7784　宮崎道生　　　熊澤蕃山——人物・事蹟・思想
　　　　　　　　　東京　新人物往來社　平成7年（1995）5月　251頁
7785　谷口澄夫、宮崎道生編　增訂蕃山全集　第7冊
　　　　　　　　　東京　名著出版　昭和55年（1980）5月　549頁
7786　宮崎道生　　　定本折たく柴の記釋義
　　　　　　　　　①東京　至文堂　昭和39年（1964）　628,23頁
　　　　　　　　　②東京　近藤出版社　昭和60年（1985）1月增訂版　630,24
　　　　　　　　　頁
7787　新井白石著、宮崎道生校訂　新訂西洋紀聞
　　　　　　　　　東京　平凡社　昭和43年（1968）　476頁（東洋文庫）
7788　宮崎道生　　　新井白石の研究
　　　　　　　　　①東京　吉川弘文館　昭和33年（1958）　844頁
　　　　　　　　　②東京　吉川弘文館　昭和59年（1984）6月增訂版　867,20
　　　　　　　　　頁
7789　宮崎道生　　　新井白石序論
　　　　　　　　　①京都　藝文會　昭和29年（1954）　194頁
　　　　　　　　　②東京　吉川弘文館　昭和51年（1976）增訂版　251頁

7790　宮崎道生　　新井白石
　　　　　　　　　東京　至文堂　昭和32年（1957）　192頁（日本歷史新書）
7791　宮崎道生　　新井白石の洋學と海外知識
　　　　　　　　　東京　吉川弘文館　昭和48年（1973）　458,10頁
7792　宮崎道生　　新井白石の時代と世界
　　　　　　　　　東京　吉川弘文館　昭和50年（1975）　224頁
7793　宮崎道生　　新井白石の人物と政治
　　　　　　　　　東京　吉川弘文館　昭和52年（1977）11月　255頁
7794　宮崎道生　　新井白石と思想家文人
　　　　　　　　　東京　吉川弘文館　昭和60年（1985）3月　335頁
7795　宮崎道生　　新井白石の現代的考察
　　　　　　　　　東京　吉川弘文館　昭和60年（1985）6月　292頁
7796　宮崎道生　　新井白石斷想
　　　　　　　　　東京　近藤出版社　昭和62年（1987）10月　188頁
7797　宮崎道生　　新井白石の史學と地理學
　　　　　　　　　東京　吉川弘文館　昭和63年（1988）3月　384,6頁
7798　宮崎道生　　新井白石
　　　　　　　　　東京　吉川弘文館　平成元年（1989）10月　326頁（人物叢
　　　　　　　　　書新裝版）
7799　宮崎道生　　歷史と人生
　　　　　　　　　①京都　都出版社　昭和29年（1954）　207頁
　　　　　　　　　②東京　刀水書院　昭和63年（1988）3月　增補版　248頁
7800　宮崎道生　　世界史と日本の進運
　　　　　　　　　①東京　福村書店　昭和37年（1962）　270頁
　　　　　　　　　②東京　刀水書院　昭和54年（1979）4月　2訂版　355頁
7801　宮崎道生　　青森縣の歷史
　　　　　　　　　東京　山川出版社　昭和45年（1970）　264,58頁
7802　宮崎道生　　青森縣の歷史と文化
　　　　　　　　　弘前　津輕書房　昭和52年（1977）10月　301頁
7803　宮崎道生　　青森縣近代史年表
　　　　　　　　　青森縣　昭和48年（1973）　556,84頁

37. 源　　了　圓（1920—　　）
　　　　　　　みなもと　りょう　うえん

著　作

7804　源了圓編　　　　日本思想史の基礎知識
　　　　　　　　　　　東京　有斐閣　昭和48年（1973）

7805　源了圓、玉懸博之編　國家と宗教——日本思想史論集
　　　　　　　　　　　京都　思文閣　平成4年（1992）3月　537頁

7806　源　了圓　　　　義理と人情——日本的心情の一考察
　　　　　　　　　　　東京　中央公論社　昭和44年（1969）　218頁（中公新書）

7807　田村芳朗、源了圓編　日本における生と死の思想——日本人の精神史入門
　　　　　　　　　　　東京　有斐閣　昭和52年（1977）2月　309頁（有斐閣選書）

7808　源　了圓　　　　型
　　　　　　　　　　　東京　創文社　平成元年（1989）9月　314頁（叢書・身體
　　　　　　　　　　　の思想　2）

7809　源　了圓　　　　文化と人間形成
　　　　　　　　　　　東京　第一法規　昭和58年（1983）

7810　源　了圓　　　　實學と虛學
　　　　　　　　　　　富山　富山縣教育委員會　昭和46年（1971）　117頁

7811　源了圓、末中哲夫編　日中實學史研究
　　　　　　　　　　　京都　思文閣　平成3年（1991）3月　461,14頁

7812　源　了圓　　　　實學思想の系譜
　　　　　　　　　　　東京　講談社　昭和61年（1986）6月　349頁（講談社學術
　　　　　　　　　　　文庫）

7813　源　了圓　　　　近世初期實學思想研究
　　　　　　　　　　　東京　創文社　昭和55年（1980）2月　598,32頁

7814　源　了圓　　　　德川合理思想の系譜
　　　　　　　　　　　東京　中央公論社　昭和47年（1972）　382頁（中公叢書）

7815　源　了圓　　　　德川思想小史
　　　　　　　　　　　東京　中央公論社　昭和48年（1973）　259頁（中公新書）

7816　原念齋著，源了圓、前田勉譯注　先哲叢談
　　　　　　　　　　　東京　平凡社　平成6年（1994）2月　472頁（東洋文庫
　　　　　　　　　　　574）

7817　源了圓等　　　　江戶の思想家たち
　　　　　　　　　　　東京　研究社出版　昭和54年（1979）　上、下冊

7818　源　了圓　　　　江戶の儒學——大學受容の歷史
　　　　　　　　　　　京都　思文閣　昭和63年（1988）9月　240,8頁

7819　源　了圓　　　　江戶後期の比較文化研究
　　　　　　　　　　　東京　ぺりかん社　平成2年（1990）1月　534頁

7820　源　了圓　　　　佐久間象山

幕末維新の群像　第8卷　東京　ＰＨＰ研究所　平成2年
（1990）3月　218頁（歴史人物シリーズ）

7821　源　了圓　　　明治の原動力
　　　　　　　　　　東京　全日本社會教育連合會　昭和40年（1965）

7822　源　了圓　　　蓮如
　　　　　　　　　　淨土佛教の思想　第12卷　東京　講談社　平成5年（1993）3
　　　　　　　　　　月　404頁

7823　源　了圓　　　鐵眼　假字法語・化緣之疏
　　　　　　　　　　東京　講談社　平成6年（1994）10月　166頁（禪入門　10）

後人研究

7824　南卿繼正　　　武道の科學
　　　　　　　　　　東京　三一書房　平成3年（1991）

38.金谷　治（1920―　　）

（かなや　おさむ）

著　作

7825　金谷　治　　　孔子
　　　　　　　　　　東京　講談社　昭和55年（1980）8月　358,11頁

7826　金谷　治　　　孔子
　　　　　　　　　　東京　講談社　平成2年（1990）8月　428頁（講談社學術文
　　　　　　　　　　庫）

7827　金谷治譯注　　論語
　　　　　　　　　　東京　岩波書店　昭和38年（1963）7月（岩波文庫，與荀
　　　　　　　　　　子、孫子合冊）

7828　金谷治譯注　　論語
　　　　　　　　　　東京　岩波書店　昭和57年（1982）10月　304頁（岩波クラ
　　　　　　　　　　シックス　13）

7829　金谷治譯注　　論語
　　　　　　　　　　東京　岩波書店　平成3年（1991）1月　280,22頁（ワイド
　　　　　　　　　　版岩波文庫）

7830　金谷　治　　　論語の世界
　　　　　　　　　　東京　日本放送出版協會　昭和45年（1970）8月（ＮＨＫブッ
　　　　　　　　　　クス）

7831 金谷治編　　　唐抄本鄭氏注論語集成
　　　　　　　　　東京　平凡社　昭和53年（1978）5月　408頁
7832 金谷　治　　　孟子
　　　　　　　　　東京　朝日新聞社
　　　　　　　　　（上）昭和30年（1955）8月　272頁（中國古典選）
　　　　　　　　　（下）昭和31年（1956）2月　346頁（中國古典選　9）
7833 金谷治編　　　孟子
　　　　　　　　　東京　朝日新聞社　昭和41年（1966）6月　506,32頁（新訂
　　　　　　　　　中國古典選　5）
7834 金谷治編　　　孟子
　　　　　　　　　東京　岩波書店　昭和41年（1966）6月（岩波新書）
7835 金谷治等譯　　孟子
　　　　　　　　　世界古典文學全集　　第18冊　東京　筑摩書房　昭和46年
　　　　　　　　　（1971）3月（與大學、中庸合冊）
7836 金谷治著、李君奭譯　孟子
　　　　　　　　　臺灣彰化　專心企業公司　昭和49年（1974）10月
7837 金谷治譯　　　大學・中庸
　　　　　　　　　世界古典文學全集　第18冊　東京　筑摩書房　昭和46年
　　　　　　　　　（1971）3月（與孟子合冊）
7838 金谷治譯　　　大學・中庸
　　　　　　　　　筑摩世界文系大系　第5冊　東京　筑摩書房　昭和47年
　　　　　　　　　（1972）11月（與論語、孟子合冊）
7839 金谷　治　　　易の話
　　　　　　　　　東京　講談社　昭和47年（1972）12月（講談社現代新書）
7840 金谷治編　　　中國における人間性の探究
　　　　　　　　　東京　創文社　昭和58年（1963）2月　730,52,5頁
7841 金谷　治　　　中國思想を考える——未來を開く傳統
　　　　　　　　　東京　中央公論社　平成5年（1993）3月　241頁（中公新書）
7842 金谷　治　　　死と運命——中國古代の思索
　　　　　　　　　京都　法藏館　昭和61年（1986）6月　219頁（法藏選書
　　　　　　　　　37）
7843 金谷　治　　　秦漢思想史研究
　　　　　　　　　①東京　日本學術振興會　昭和35年（1960）　600頁
　　　　　　　　　②京都　平樂寺書店　昭和56年（1981）8月　619,18頁
7844 金谷治編　　　諸子百家
　　　　　　　　　世界の名著　第10冊　東京　中央公論社　昭和41年（1966）

　　　　　　　　　　7月　574頁
7845　金谷　治　　　管子の研究——中國古代思想史の一面
　　　　　　　　　　東京　岩波書店　昭和62年（1987）7月　367,22頁
7846　金谷治譯　　　墨子
　　　　　　　　　　世界の名著　第10冊　諸子百家　東京　中央公論社　昭和
　　　　　　　　　　41年（1966）7月
7847　金谷治編　　　老莊を讀む
　　　　　　　　　　大阪　大阪書籍　昭和63年（1988）3月　259頁（朝日カル
　　　　　　　　　　チャーブックス　79）
7848　金谷治編譯　　老子——「無知無欲」のすすめ
　　　　　　　　　　東京　講談社　昭和63年（1988）2月　249,12頁（中國の古
　　　　　　　　　　典）
7849　金谷　治　　　莊子
　　　　　　　　　　東京　岩波書店　4冊（岩波文庫）
　　　　　　　　　　　第1冊　內篇　昭和46年（1971）　236,32頁
　　　　　　　　　　　第2冊　外篇　昭和50年（1975）　283頁
　　　　　　　　　　　第3冊　外篇、雜篇　昭和57年（1982）11月　334頁
　　　　　　　　　　　第4冊　雜篇　昭和58年（1983）2月　246,61頁
7850　金谷　治　　　莊子
　　　　　　　　　　東京　岩波文庫　4冊（ワイド版岩波文庫）
　　　　　　　　　　　第1冊　內篇　平成6年（1994）1月
　　　　　　　　　　　第2冊　外篇　平成6年（1994）1月
　　　　　　　　　　　第3冊　外篇、雜篇　平成6年（1994）2月
　　　　　　　　　　　第4冊　雜篇　平成6年（1994）2月
7851　金谷治譯註　　孫子
　　　　　　　　　　①東京　岩波書店　昭和38年（1963）　164頁（岩波文庫）
　　　　　　　　　　②東京　岩波書店　昭和58年（1983）　164,8頁（岩波クラ
　　　　　　　　　　シックス　34）
　　　　　　　　　　③東京　岩波書店　平成3年（1991）6月　164,8頁（ワイド
　　　　　　　　　　版岩波文庫）
7852　金谷治譯注　　孫臏兵法——銀雀山漢墓竹簡
　　　　　　　　　　東京　東方書店　昭和51年（1976）　377頁
7853　金谷　治　　　荀子
　　　　　　　　　　東京　岩波書店（岩波文庫）
　　　　　　　　　　上冊　昭和36年（1961）　402頁
　　　　　　　　　　下冊　昭和37年（1962）　437頁

7854　金谷治、町田三郎譯　韓非子
　　　　　　　　世界の名著　第10冊　諸子百家　東京　中央公論社　昭和
　　　　　　　　41年（1966）7月
7855　金谷治譯注　　韓非子
　　　　　　　　東京　岩波書店　（岩波文庫）
　　　　　　　　　第1冊　平成6年（1994）4月　358頁
　　　　　　　　　第2冊
　　　　　　　　　第3冊　平成6年（1994）6月　372頁
　　　　　　　　　第4冊　平成6年（1994）9月　287,33頁
7856　金谷　治　　　淮南子の思想——老莊の世界
　　　　　　　　①京都　平樂寺書店　昭和34年（1959）　259頁（サーラ叢
　　　　　　　　　書　11）
　　　　　　　　②東京　講談社　平成4年（1992）2月　260頁（講談社學術
　　　　　　　　　文庫）
7857　金谷　治　　　金谷治中國思想論集
　　　　　　　　東京　平成出版社　平成9年（1997）　3卷
　　　　　　　　　上卷　中國古代的自然觀と人間觀
　　　　　　　　　　　　平成9年（1997）5月　627頁
　　　　　　　　　中卷　儒家思想と道家思想
　　　　　　　　　　　　平成9年（1997）7月　534頁
　　　　　　　　　下卷　批判主義的學問觀の形成
　　　　　　　　　　　　平成9年（1997）9月　620頁

後人研究

7858　中嶋隆藏　　　金谷治先生の業績と學風
　　　　　　　　文化　第46卷3號　頁80—83　昭和58年（1983）2月

39.安居香山（1921—1989）
やす　い　こうざん

著　作

7859　安居香山、中村璋八編　　緯書集成
　　　　　　　　東京　東京教育大學文學部內內野研究室漢魏文化研究會油
　　　　　　　　印本
　　　　　　　　卷一（上）　易（上）　昭和35年（1960）11月　135頁

　　　　　　　卷一（下）　易（下）　昭和36年（1961）8月　127頁
　　　　　　　卷二　書、中候　昭和34年（1959）9月　書50頁，中候
　　　　　　　　　47頁
　　　　　　　卷三　詩、禮、樂　1959年（昭和34）3月　詩30頁，禮44
　　　　　　　　　頁，樂36頁
　　　　　　　卷四（上）　春秋（上）　昭和38年（1963）4月　263頁
　　　　　　　卷四（下）　春秋（下）　昭和39年（1964）5月　212頁
　　　　　　　卷五　孝經、論語　昭和35年（1960）3月　孝經118頁，
　　　　　　　　　論語21頁
　　　　　　　卷六　河圖・洛書　昭和34年（1959）3月　河圖164頁，
　　　　　　　　　洛書50頁
7860　安居香山、中村璋八編　　重修緯書集成
　　　　　　　東京　明德出版社
　　　　　　　卷一（上）　易（上）　昭和56年（1981）3月　正文169
　　　　　　　　　頁，索引45頁
　　　　　　　卷一（下）　易（下）　昭和60年（1985）2月　正文144
　　　　　　　　　頁，索引41頁
　　　　　　　卷二　書、中候　昭和45年（1970）3月　正文119頁，索
　　　　　　　　　引50頁
　　　　　　　卷三　詩・禮・樂　昭和48年（1973）3月　正文134頁，
　　　　　　　　　索引56頁
　　　　　　　卷四（上）　春秋（上）　昭和63年（1988）2月　正文
　　　　　　　　　214頁，索引68頁
　　　　　　　卷四（下）　春秋（下）
　　　　　　　卷五　孝經・論語　昭和48年（1973）3月　正文134頁，
　　　　　　　　　索引56頁
　　　　　　　卷六　河圖・洛書　昭和53年（1978）3月　正文210頁，
　　　　　　　　　索引84頁
7861　安居香山　　緯書
　　　　　　　東京　明德出版社　昭和44年（1969）　218頁（中國古典新
　　　　　　　書）
7862　安居香山、中村璋八　緯書の基礎的研究
　　　　　　　①東京　漢魏文化研究會　昭和41年（1966）6月　480,9頁
　　　　　　　②東京　國書刊行會　昭和51年（1976）　489,9頁
7863　安居香山　　緯書の成立とその展開
　　　　　　　東京　國書刊行會　昭和59年（1984）2月　508,26頁

7864　安居香山編　　讖緯思想の綜合的研究
　　　　　　　　　　東京　國書刊行會　昭和59年（1984）2月　444頁

7865　安居香山　　　緯書と中國の神秘思想
　　　　　　　　　　東京　平河出版社　昭和63年（1988）9月　291,8頁

7866　安居香山　　　中國神秘思想の日本への展開
　　　　　　　　　　東京　大正大學出版部　昭和58年（1983）　257頁（大正大
　　　　　　　　　　學選書　5）

7867　安居香山　　　予言と革命──ここにも大變革の危機がある
　　　　　　　　　　京都　探究社　昭和51年（1976）9月　250頁

7868　安居香山等　　生と死──迷いと人生
　　　　　　　　　　東京　大正大學出版部　昭和62年（1987）3月　312頁

7869　安居香山　　　み佛とともに──父母に捧ぐ浮生の記
　　　　　　　　　　東京　山喜房佛書林　昭和62年（1987）9月　199頁

7870　安居香山　　　正坐の文化──煎茶道の文化とその思想
　　　　　　　　　　東京　五月書房　昭和62年（1987）4月　191頁

7871　安居香山　　　煎茶道──文化とその歴史
　　　　　　　　　　東京　高文堂出版社　昭和55年（1980）　171頁

後人研究

7872　中村璋八編　　緯學研究論叢──安居香山博士追悼
　　　　　　　　　　東京　平河出版社　平成5年（1993）2月　417頁

40.相良　亨（1921─　　）

著　作

7873　相良　亨　　　東洋倫理思想史
　　　　　　　　　　①東京　學文社　昭和52年（1977）4月　298,8頁（現代
　　　　　　　　　　　哲學選書　7）
　　　　　　　　　　②東京　北樹出版　昭和54年（1979）12月改裝版　298,8
　　　　　　　　　　　頁（現代哲學選書　7）

7874　相良亨編　　　日本思想史入門
　　　　　　　　　　東京　ぺりかん社　昭和59年（1984）4月　379頁

7875　相良　亨　　　日本の思想
　　　　　　　　　　東京　ぺりかん社　平成元年（1989）　256頁

7876　相良　亨　　日本人の傳統的倫理觀
　　　　　　　　　東京　理想社　昭和39年（1964）　250頁
7877　相良亨編　　超越の思想——日本倫理思想史研究
　　　　　　　　　東京　東京大學出版會　平成5年（1993）2月　306頁
7878　相良　亨　　日本人の心
　　　　　　　　　東京　東京大學出版會　昭和59年（1984）11月　254,5頁
　　　　　　　　　（UP選書　233）
7879　相良　亨　　日本人の死生觀
　　　　　　　　　①東京　ぺりかん社　昭和59年（1984）　192頁
　　　　　　　　　②東京　ぺりかん社　平成2年（1990）6月新裝版　183頁
7880　相良　亨　　誠實と日本人
　　　　　　　　　東京　ぺりかん社　昭和55年（1980）　190頁
7881　相良　亨　　近世日本儒教運動の系譜
　　　　　　　　　東京　弘文堂　昭和30年（1955）　205頁（アテネ新書）
7882　相良　亨　　近世日本における儒教運動の系譜
　　　　　　　　　東京　理想社　昭和40年（1965）　255頁
7883　相良亨等編　江戸の思想家たち
　　　　　　　　　東京　研究社出版　昭和54年（1979）11月　2冊
7884　相良　亨　　近世の儒教思想
　　　　　　　　　東京　塙書房　昭和41年（1966）　235頁
7885　相良　亨　　伊藤仁齋
　　　　　　　　　東京　ぺりかん社　平成10年（1998）1月　282頁
7886　相良　亨　　佐藤一齋、大鹽中齋
　　　　　　　　　日本思想大系　第46冊　東京　岩波書店　昭和55年（1980）
7887　相良　亨　　本居宣長
　　　　　　　　　東京　東京大學出版會　昭和53年（1978）9月　274頁
7888　相良　亨　　武士の思想
　　　　　　　　　東京　ぺりかん社　昭和59年（1984）9月　215頁
7889　相良　亨　　武士道
　　　　　　　　　東京　塙書房　昭和43年（1968）　175頁
7890　相良　亨　　世阿彌の宇宙
　　　　　　　　　東京　ぺりかん社　平成2年（1990）5月
7891　相良亨等編　近世儒家文集集成
　　　　　　　　　東京　ぺりかん社　昭和60年（1985）9月續刊中
7892　相良　亨　　相良亨著作集
　　　　　　　　　東京　ぺりかん社　平成4年（1992）—平成8年（1996）　6冊

第1冊　日本の儒教(1)　平成4年（1992）1月　373,9頁
　　　　近世日本における儒教運動の系譜
　　　　近世の儒教思想
　　　　解題
第2冊　日本の儒教(2)　平成8年（1996）6月　588,30頁
　　　　日本儒教の概觀
　　　　德川時代の儒教
　　　　儒教の基本的概念
　　　　儒者の個別研究
第3冊　武士の儒理、近世から近代へ　平成5年（1993）6
　　　　月　548,18頁
　　　　武士道
　　　　武士の思想・近世から近代へ
　　　　解題
第4冊　死生觀・國學　平成6年（1994）4月　475,21頁
第5冊　日本人論　平成4年（1992）6月　557,25頁
第6冊　超越・自然　平成7年（1995）5月　509,22頁
　　　　付：相良亨著作年譜

41.日原利國（1927—1984）

（ひ はら とし くに）

著　作

7893　日原利國等譯　孟子
　　　　世界古典文學全集　第18冊　東京　筑摩書房　昭和46年
　　　　（1971）
7894　日原利國　　　春秋公羊傳
　　　　筑摩世界文學全集　第3冊　五經・論語　昭和45年（1970）9
　　　　月
7895　日原利國　　　春秋公羊傳の研究
　　　　東京　創文社　昭和51年（1976）3月（東洋學叢書）
7896　日原利國　　　春秋繁露
　　　　東京　明德出版社　昭和52年（1977）12月　193頁（中國古
　　　　典新書）
7897　日原利國編　　中國思想史

　　　　　　　　　東京　ぺりかん社　2冊
　　　　　　　　　上冊　昭和62年（1987）3月　442,9頁
　　　　　　　　　下冊　昭和62年（1987）7月　473,8頁
7898　竹岡八雄、日原利國譯　荀子
　　　　　　　　　中國古典文學大系　第3冊　東京　平凡社　昭和45年
　　　　　　　　　（1970）1月（與論語、孟子、禮記合冊）
7899　日原利國　　　漢代思想の研究
　　　　　　　　　東京　研文出版　441頁　昭和61年（1986）2月
7900　日原利國編　　中國思想辭典
　　　　　　　　　東京　研文出版　昭和59年（1984）4月　452頁

後人研究

7901　未署名　　　　故日原利國教授略歷、著作目錄
　　　　　　　　　中國思想史研究　第7號　頁115—123　昭和60年（1985）3
　　　　　　　　　月

きぬ　がさ　やす　き
42.衣笠安喜（1930—　　）

著　作

7902　衣笠安喜　　　江戶時代の思想
　　　　　　　　　東京　德間書店　昭和41年（1966）
7903　衣笠安喜　　　近世儒學思想史の研究
　　　　　　　　　東京　法政大學出版局　昭和51年（1976）　303,5頁（叢書
　　　　　　　　　歷史學研究）
7904　衣笠安喜　　　近世日本の儒教と文化
　　　　　　　　　京都　思文閣　平成2年（1990）12月　413,14頁（思文閣史
　　　　　　　　　學叢書）
7905　衣笠安喜　　　儒學における化政
　　　　　　　　　化政文化の研究　東京　岩波書店　昭和51年（1976）
7906　衣笠安喜　　　幕藩制下の天皇と幕府
　　　　　　　　　天皇制と民衆　東京　東京大學出版會　昭和51年（1976）
7907　衣笠安喜　　　幕藩體制と政治思想
　　　　　　　　　日本思想史講座　近世の思想1　東京　雄山閣　昭和51年
　　　　　　　　　（1976）

7908　衣笠安喜編　　近世思想史研究の現在
　　　　　　　　　京都　思文閣　平成7年（1995）4月　509,21頁
7909　衣笠安喜　　　黒田庄町史
　　　　　　　　　兵庫縣多可郡里田庄町　昭和47年（1972）
7910　衣笠安喜　　　京都府の教育史
　　　　　　　　　京都　思文閣　昭和58年（1983）7月　368,12頁（都道府縣
　　　　　　　　　教育史）

みぞ　くち　ゆう　ぞう
43.溝口雄三（1932—　　　）

著　作

7911　溝口雄三等　　儒教史
　　　　　　　　　東京　山川出版社　昭和62年（1987）
7912　溝口雄三、中嶋嶺雄　儒教ルネッサンスを考える
　　　　　　　　　東京　大修館書店　平成3年（1991）10月　221頁
7913　溝口雄三譯　　傳習錄
　　　　　　　　　世界の名著　續第4冊　朱子・王陽明　東京　中央公論社
　　　　　　　　　昭和49年（1974）6月　598頁
7914　溝口雄三　　　中國の思想
　　　　　　　　　東京　放送大學教育振興會　平成3年（1991）3月　170頁
　　　　　　　　　（放送大學教材　1991）
7915　溝口雄三　　　中國の公と私
　　　　　　　　　東京　研文出版　平成7年（1995）4月　249頁（研文選書
　　　　　　　　　62）
7916　溝口雄三等　　中國という視座
　　　　　　　　　東京　平凡社　平成7年（1995）6月　303頁（これからの世
　　　　　　　　　界史　4）
7917　溝口雄三　　　李卓吾——正道を歩む異端
　　　　　　　　　中國人の人と思想　第10冊　東京　集英社　昭和60年
　　　　　　　　　（1985）262頁
7918　溝口雄三等譯注　碧巖錄（上）
　　　　　　　　　東京　岩波書店　平成4年（1992）（岩波文庫）
7919　溝口雄三　　　中國前近代思想の屈折と展開
　　　　　　　　　東京　東京大學出版會　昭和55年（1980）6月　370,3頁

7920　溝口雄三著、林右崇譯　中國前近代思想之演變
　　　　　　　　臺北　國立編譯館　平成6（1994）12月　468頁
7921　溝口雄三著、陳耀文譯　中國前近代思想的曲折與展開
　　　　　　　　上海　上海人民出版社　平成9年（1997）　349頁
7922　溝口雄三著，索介然、龔穎譯　中國前近代思想的演變
　　　　　　　　北京　中華書局　平成9年（1997）　488頁
7923　溝口雄三　　漢字文化圈の歷史と未來
　　　　　　　　東京　大修館書店　平成4年（1992）11月　529頁
7924　溝口雄三　　方法としての中國
　　　　　　　　東京　東京大學出版會　平成元年（1989）6月　312頁
7925　溝口雄三等編　アジアから考える
　　　　　　　　東京　東京大學出版　7冊
　　　　　　　　第1冊　交錯するアジア　平成5年（1993）9月　298頁
　　　　　　　　第2冊　地域システム　平成5年（1993）11月　302頁
　　　　　　　　第3冊　周緣からの歷史　平成6年（1994）1月　304頁
　　　　　　　　第4冊　社會と國家　平成6年（1994）3月　304頁
　　　　　　　　第5冊　近代化像　平成6年（1994）6月　293頁
　　　　　　　　第6冊　長期社會變動　平成6年（1994）10月　308頁
　　　　　　　　第7冊　世界像の形成　平成6年（1994）12月　291,32頁

後人研究

7926　未署名　　いまこそ新たな中國觀の形成を溝口雄三さん——「天」に
　　　　　　　　屬する「生民」西歐と違う「個」への意識
　　　　　　　　西日本新聞　平成元年（1989）12月2日（夕刊）
7927　伊東貴之撰、張啓雄譯　溝口雄三
　　　　　　　　近代中國史研究通訊　第11期　頁101—114　平成3年（1991）
　　　　　　　　3月
7928　葉　擔　　日本中國學家溝口雄三
　　　　　　　　國外社會科學　6期　平成4年（1992）

44.町田三郎（1932—　　）

著　作

7929　町田三郎譯　孫子

世界の名著　第10冊　諸子百家　東京　中央公論社　昭和
41年（1966）7月

7930　金谷治、町田三郎譯　韓非子
世界の名著　第10冊　諸子百家　東京　中央公論社　昭和
41年（1966）7月

7931　町田三郎譯注　韓非子
東京　中央公論社　上、下冊（中公文庫）
上卷　平成4年（1992）7月　441頁
下卷　平成4年（1992）10月　623頁

7932　町田三郎編譯　呂氏春秋
東京　講談社　昭和62年（1987）7月　290頁

7933　町田三郎　秦漢思想史の研究
東京　創文社　昭和60年（1985）1月　407,23,4頁（東洋學
叢書）

7934　町田三郎著、連清吉譯　日本幕末以來之漢學家及其著述
臺北　文史哲出版社　平成4年（1992）3月　272頁

7935　町田三郎　明治の漢學者たち
東京　研文出版　平成10年（1998）1月　320頁

7936　町田三郎　江戶の漢學者たち
東京　研文出版　平成10年（1998）6月　242頁

後人研究

7937　連　清吉　優遊於中國古代思想史與日本漢學二領域的町田三郎先生
中國文哲研究通訊　第3卷4期　頁51—62　1993年12月

45.加地伸行（かじ のぶゆき）（1936—　　）

著　作

7938　加地伸行　孔子——時を越えて新しく——
東京　集英社　昭和60年（1985）7月　278頁；平成3年
（1991）7月　303頁

7939　加地伸行　孔子畫傳——聖蹟圖にみる孔子流浪の生涯と教え
東京　集英社　平成3年（1991）3月　175頁

7940　加地伸行等　論語

　　　　　　　　　東京　角川書店　昭和62年（1987）11月　558頁（鑑賞中國
　　　　　　　　　の古典　2）

7941　加地伸行　　論語を讀む
　　　　　　　　　東京　講談社　昭和59年（1984）12月　203頁（講談社現代
　　　　　　　　　新書）

7942　加地伸行　　論語の世界
　　　　　　　　　①東京　新人物往來社　昭和60年（1985）9月　223頁
　　　　　　　　　②東京　中央公論社　平成4年（1992）4月　277頁（中公文
　　　　　　　　　庫）

7943　加地伸行編　易の世界
　　　　　　　　　①東京　新人物往來社　昭和61年（1986）12月　235頁
　　　　　　　　　②東京　中央公論社　平成6年（1994）4月　294頁（中公文
　　　　　　　　　庫）

7944　加地伸行　　儒教とは何か
　　　　　　　　　東京　中央公論社　平成2年（1990）10月（中公文庫　989）

7945　加地伸行著、于時化譯　論儒教
　　　　　　　　　濟南　齊魯書社　1993年12月　165頁

7946　加地伸行　　沈默の宗教——儒教
　　　　　　　　　東京　筑摩書房　平成6年（1994）7月　299,7頁

7947　加地伸行　　中國論語學史研究——經學の基礎的探究
　　　　　　　　　東京　研文出版　昭和58年（1983）7月　433頁

7948　加地伸行　　中國人の論語學——諸子百家から毛澤東まで
　　　　　　　　　東京　中央公論社　昭和52年（1977）9月　198頁（中公新
　　　　　　　　　書）

7949　加地伸行　　老子の世界
　　　　　　　　　東京　新人物往來社　昭和63年（1988）2月　219頁

7950　加地伸行編　孫子の世界
　　　　　　　　　①東京　新人物往來社　昭和59年（1984）11月　253頁
　　　　　　　　　②東京　中央公論社　平成5年（1993）4月　299頁（中公文
　　　　　　　　　庫）

7951　加地伸行等譯　韓非子——「惡」の論理
　　　　　　　　　東京　講談社　平成元年（1989）4月　237頁（中國の古典）

7952　加地伸行　　史記——司馬遷の世界
　　　　　　　　　東京　講談社　昭和53年（1978）12月　211頁（講談社現代
　　　　　　　　　新書）

7953　加地伸行編　三國志の世界

		東京　新人物往來社　昭和62年（1987）12月　217頁
7954	加地伸行	諸葛孔明の世界
		東京　新人物往來社　昭和58年（1983）11月　238頁
7955	加地伸行	現代中國學
		東京　中央公論社　平成9年（1997）8月（中公新書）
7956	加地伸行	中國思想からみた日本思想史研究
		東京　吉川弘文館　昭和60年（1985）11月　380,19頁
7957	加地伸行等	中井竹山・中井履軒
		叢書日本の思想家　第24冊　東京　明德出版社　昭和55年（1980）7月

後人研究

7958	未署名	大阪大學教授加地伸行さん――私たちの內にある儒教の人生觀
		產經新聞　平成2年（1990）11月8日（朝刊）
7959	未署名	儒教の宗教性が經濟を動かす――今週のスピーカー加地伸行氏
		日本經濟新聞　平成3年（1991）6月1日（朝刊）

第六編　叢　書

7960　內藤耻叟校訂　日本文庫
東京　博文館　明治24、25年（1891、1892）　12冊
第1編
　　正學指掌（尾藤二洲）
　　閑散餘錄（南川金溪）
　　熊澤先生事蹟考（清水臥遊）
　　常山樓筆餘（湯淺常山）
　　東潛夫論（帆足杏雨）
　　年成錄（中井履軒）
第2編
　　太平策(物　徂徠)
　　救急或問(安井息軒)
　　戊戌夢物語(高野長英)
　　夢夢物語(佐藤元海)
　　愼機論(渡邊崋山)
　　鴃舌或問(渡邊崋山)
　　鴃舌小記(渡邊崋山)
　　初學課業次第(佐藤一齋)
　　實用館讀例(平山子龍)
　　文會雜記(湯淺常山)
第3編
　　詩文國字牘(物徂徠)
　　形影夜話(杉田鵞齋)
　　經世秘策（本多利明）
　　仁義略說（朝川善庵）
　　夜舟物語（殿村常久）
　　千代のためし（作者不詳）
　　授業編（江村北海）
第4編
　　幼學問答（伊勢貞丈）
　　間合早學問（大江玄圃）

聲文私言（吉田令世）

齋庭之穗（著者不詳）

燃犀錄（服部天遊）

本與錄（岡　白駒）

雲室隨筆（雲室上人）

護園談餘（物徂徠）

四言教講義（三輪執齋）

新蘆面命（著者不詳）

第5編

松平豆州言行錄(著者不詳)

白河樂翁公傳(廣瀨典撰)

大學或問（熊澤蕃山）

徂徠先生答問書（物徂徠）

詩學逢原（祇園南海）

魯西亞志（桂川甫周）

鎖國論（ケンプル）

第6編

學問源流（那波魯堂）

葬祭辨論（熊澤蕃山）

漁村文話（海保漁村）

漁村文話續（海保漁村）

講習餘筆（中村蘭林）

正享問答（三輪執齋）

湯土問答（土肥經平）

第7編

知止小解（中江藤樹）

文會雜記附錄（湯淺常山）

貝原益軒家訓（貝原益軒）

伊勢貞丈家訓（伊勢貞丈）

作文志彀（山本北山）

作詩志彀（山本北山）

樂言錄（中山　精）

北地危言（大原小金吾）

名家年表（川喜多眞彥）

第8編

白鹿洞學規集註講義(淺見絅齋)

　　　　　　　　秋齋閑語（多田義俊）
　　　　　　　　秋齋閑語評（伊勢貞丈）
　　　　　　　　田園地方紀原（朝川善菴）
　　　　　　　　附錄江戶文學志略（內藤耻叟）
7961　大日本文庫刊行會編　大日本文庫
　　　　　　　大日本文庫刊行會　昭和9—17年（1934—1942）　52冊
　　　　　　　第1冊　儒教篇第1
　　　　　　　　先哲叢談（小柳司氣太校訂）
　　　　　　　　　先哲叢談8卷（原　善）
　　　　　　　　　先哲叢談後篇8卷（東條　耕）
　　　　　　　第2冊　儒教篇第2
　　　　　　　　陽明學派上卷（小柳司氣太校訂）
　　　　　　　　　集義和書16卷（熊澤蕃山）
　　　　　　　　　集義和書顯非2卷（西川季格）
　　　　　　　第3冊　儒教篇第3
　　　　　　　　陽明學派中卷（小柳司氣太校訂）
　　　　　　　　　翁問答2卷　（中江藤樹）
　　　　　　　　　四言教講義（三輪希賢）
　　　　　　　　　集義外書16卷（熊澤蕃山）
　　　　　　　第4冊　儒教篇第4
　　　　　　　　陽明學派下卷（小柳司氣太校訂）
　　　　　　　　　洗心洞箚記2卷　附錄1卷（大鹽中齋）
　　　　　　　　　言志錄、言志後錄、言志晚錄（佐藤一齋）
　　　　　　　　　師門問辨錄（山田才谷）
　　　　　　　第5冊　儒教篇第5
　　　　　　　　古學派上卷（中野哲人校訂）
　　　　　　　　　語孟字義2卷（伊藤仁齋）
　　　　　　　　　童子問3卷（伊藤維禎）
　　　　　　　　　古今學變3卷（伊藤長胤）
　　　　　　　第6冊　儒教篇第6
　　　　　　　　古學派下卷（宇野哲人校訂）
　　　　　　　　　聖教要錄3卷（山鹿素行）
　　　　　　　　　士道（山鹿素行）
　　　　　　　　　辨道（荻生徂徠）
　　　　　　　　　辨名2卷（物　茂卿）
　　　　　　　　　辨道書（太宰　純）

　　　　　愚管抄6卷　附錄1卷（慈　圓）
　　　　第32冊　國史篇第5
　　　　　大日本史1（平泉澄校訂）
　　　　　　大日本史卷之1—27（德川光圀修）
　　　　第33冊　國史篇第6
　　　　　日本外史上卷（平泉澄校訂）
　　　　　　日本外史卷1—11（賴　山陽）
　　　　第34冊　國史篇第7
　　　　　日本外史下卷（平泉澄校訂）
　　　　　　日本外史卷12—22（賴　山陽）
　　　　第35冊以下（略）
7962　雄山閣編　　日本學叢書
　　　　東京　雄山閣　昭和13—15年（1938—1940）　13冊
　　　　第1卷
　　　　　中朝事實上（山鹿素行著、松本純郎校）
　　　　第2卷
　　　　　保健大記上（栗山潛鋒著、關敦校註）
　　　　　保健大記一、二（谷秦山著、關敦校註）
　　　　第3卷
　　　　　靖獻遺言並講義上（淺見絅齋著、佐佐木望校）
　　　　第4卷
　　　　　武教本論（山鹿素行）
　　　　　武教小學（山鹿素行）
　　　　　武教全書講錄（吉田松陰）
　　　　第5卷
　　　　　神儒問答（遊佐木齋著、小野壽人校）
　　　　第6卷
　　　　　奉公心得書（竹內式部著、鳥巢通明註）
　　　　　柳子新論（山縣大貳著、鳥巢通明註）
　　　　第7卷
　　　　　創學校啓（荷田春滿著、三木正太郎校）
　　　　　歌意考（賀茂眞淵著、三木正太郎校）
　　　　　直毘靈（本居宣長著、三木正太郎校）
　　　　　講本氣吹颱（平田篤胤著、三木正太郎校）
　　　　第8卷
　　　　　正名論（藤田幽谷著、高木成助校）

及門遺範（會澤正志齋著、高木成助校）

弘道館記述義上（藤田東湖著、高木成助校）

第9卷

靖獻遺言並講義中（淺見絅齋著、佐佐木望校）

第10卷

志士遺文集（寺田剛校註）

　送桑原毅卿之京師序(藤田東湖)

　油彝篇序（藤田東湖）

　孟軻論（藤田東湖）

　送赤川淡水遊學常陸序（吉田松陰）

　評天下非一人天下說（吉田松陰）

　參政中根靭負に送りたる照會書（橋本左內）

　遺書（佐久良東雄）

　繼述舍說（大橋訥菴）

　送肝付毅卿序（大橋訥菴）

　再過平安城記（有馬正義）

　征寇說（平野國臣）

　道辨（眞木保臣）

　楠子論（眞木保臣）

　幽室記（高杉春風）

第11卷

中朝事實下（山鹿素行著、松本純郎校註）

第12卷

弘道館記述義下（藤田東湖著、關淳校）

保建大記下（栗山潛鋒著、高木成助校）

保建大記打聞下（谷秦山著、高木成助校）

第13卷

靖獻遺言並講義下（淺見絅齋著、佐佐木望校註）

報德外記（二宮尊德著、松本純郎校註）

7963　伊藤整、井上光貞等編　日本の名著

東京　中央公論社　昭和44年（1969）　50冊（錄與儒學相
關部分）

第11冊　中江藤樹　熊澤蕃山（伊東多三郎編）

藤樹、蕃山の學問と思想（伊東多三郎）

中江藤樹

　翁問答（山本武夫譯）

六諭衍義大意（室　鳩巢）

家道訓（貝原益軒）

齊家論（石田梅巖）

ありべかかり（手島堵庵）

町家式目分限玉の礎（大隱壯翁）

家寶往來

民家分量記（百姓分量記）（常盤貞尙）

民家童蒙解（常盤貞尙）

四民用心集（寂照軒笑月）

童子教故事要覽（振鷺亭貞居）

第3冊　士道篇

士道（山鹿素行）

士道要論（齋藤拙堂）

武士訓（井澤長秀）

武家小學（高林政明）

士道家訓

平重時家訓（北條重時）

菊池武茂起請文

竹馬抄（斯波義將）

今川了俊制詞

朝倉敏景十七箇條

武田信玄家法

加藤清正掟書

忠孝通義（本田正親）

士規七則（吉田松陰）

士道美談

赤穗義人錄（室　鳩巢）

正氣歌訓釋（藤田東湖）

第4冊　國体篇中

十七條憲法（聖德太子）

神皇正統記（北畠親房）

中朝事實（山鹿素行）

國基（紀　維貞）

第5冊　儒教篇

千代もと草（藤原惺窩）

三德抄（林　羅山）

理氣辨（林　羅山）

童觀抄（林　羅山）

孝經小解（熊澤蕃山）

大學小解（熊澤蕃山）

五常訓（貝原益軒）

四言教講義（三輪執齋）

聖賢證語國字解（上河正楊）

忠經和訓

第6冊　聖德篇

歷代詔勅集

歷代聖德集

歷代御製集

聖誠三章

第7冊　佛教篇上（略）

第8冊　神道篇

祈年祭祝詞

大祓祝詞

神道大意（卜部兼直）

神道大意註（吉川惟足）

三社託宣

陽復記（度會延佳）

神道獨語（伊勢貞丈）

神道問答（齋藤彥磨）

本朝神社考（林　羅山）

第9冊　文藝篇

明倫歌集（德川齊昭）

玉鉾百首（本居宣長）

大統歌（鹽谷世弘）

靖獻詩歌集

臨終遺響

骸骨（一休）

勸農詞（小林一茶）

商人一枚起請文（手島堵庵）

忠烈文選

日新公伊呂波歌（島津忠良）

教訓俚謠集

教訓句選

第10冊　國体篇下

國意考（賀茂眞淵）

讀賀茂眞淵國意考（淡海野公台）

辨讀國意考（橋本稻彥）

國意考辨妄（沼田順義）

直毘靈（本居宣長）

玉くしげ（本居宣長）

葛花（本居宣長）

古道大意（平田篤胤）

弘道館記（德川齊昭）

中興鑑言（三宅觀瀾）

第11冊　心要篇

和論語抄（勝田　充）

五輪書（宮本武藏）

不動智神妙錄（澤　庵）

天狗藝術論（佚齋樗山）

茶話指月集（久須見鶴巢）

夜船閑話（白　隱）

配所殘筆（山鹿素行）

古池眞傳

俳諧十論（各務支考）

目なし用心抄（手島堵庵）

自警箴

第12冊　佛教篇下（略）

7965　鷲尾順敬編　日本思想鬪諍史料

①東方書院　昭和5—6年（1930—1931）

②東京　名著刊行會　昭和44—45年（1969—1970）　10冊

第1卷

闢異1卷（山崎闇齋）

儒佛合論9卷（隱溪智脫）

排釋錄1卷（佐藤直方）

儒佛或問1卷（心安軒）

辨正錄1卷

本朝神社考6卷（林　道春）

第2卷

護法資治論10卷（森　尙謙）

護法漫筆1卷（松本定常）

都鄙問答4卷（石田梅巖）

第3卷

鬼神論2卷（新井白石）

辯道書1卷（太宰　純）

呵妄書1卷（平田篤胤）

辨辯道書1卷（佐佐木高成）

出定後語2卷（富永仲基）

非出定後語1卷（了蓮寺文雄）

摑裂邪網編2卷（西教寺潮音）

赤倮1卷（服部天遊）

金剛索1卷（西教寺潮音）

中子乃比禮2卷（曾根孝直）

新論2卷（會澤正志）

夜舟物語1卷（殿村常久）

論佛1卷（谷　眞潮）

第4卷

神國決疑編3卷（龍　熙近）

神道異說辨1卷（密成僧敏）

神國佛道雪窗夜話1卷（東光寺桑梁）

無何里問對2卷（散樗道人）

神儒辯義1卷（松本三菴）

神儒辨疑1卷（立石垂穎）

衝口發1卷（藤井貞幹）

鉗狂人1卷（本居宣長）

古野の若荣2卷（夏目甕麿）

澤能根世利1卷（長野義言）

神武權衡錄5卷（松下郡高）

第5卷

三教論衡1卷（慧　訓）

百八町記5卷（武心士峯）

二教合璧論5卷（存道日勇）

鼎足論4卷（大　我）

三賢一致書1卷（大　龍）

むさしぶり1卷（海　量）

第6卷
　集義和書（抄文）（熊澤蕃山）
　集義外書（抄文）（熊澤蕃山）
　大學或問（抄文）（熊澤蕃山）
　韞藏錄（抄文）（佐藤直方）
　政談（抄文）（荻生徂徠）
　國學辨解序文、本文、跋文（荻生徂徠）
　經濟錄（抄文）（太宰春臺）
　經濟纂要（抄文）（青木昆陽）
　夢之代（抄文）（山片蟠桃）
　經濟問答秘錄（抄文）（正司考槙）
　草茅危言（抄文）（中井積善）
　銷暑漫筆（抄文）（松原　基）
　續銷暑漫筆（抄文）（松原　基）
第7卷
　國意考1卷（加茂眞淵）
　讀國意考1卷（野村公臺）
　國意考辨妄1卷（三芳野城長）
　直毘靈1卷（本居宣長）
　神道蔀障辨1卷（山田維則）
　讀直毘靈1卷（會澤正志）
　末賀能比連1卷（市川　匡）
　くず花2卷（本居宣長）
　級長戶風3卷（沼田順義）
　花能志賀良美1卷（菅原定理）
第8卷
　出定笑語4卷（平田篤胤）
　出定笑語附錄3卷（平田篤胤）
　追蠅拂3卷（治鳥子）
　神敵二宗論辯妄2卷（佚　名）
第9卷
　答問錄1卷（本居宣長）
　古今妖魅考7卷（平田篤胤）
　悟道辨1卷（平田篤胤）
　大道或問1卷（平田篤胤）
第10卷

　　　　破提宇子1卷（ハビアン）

　　　　破吉利支丹1卷（鈴木正三）

　　　　妙貞問答2卷（ハビアン）

　　　　排耶蘇1卷（林　道春）

　　　　閑愁錄1卷（長岡謙吉）

　　　　釋教正謬初破2卷（鵜飼徹定）

　　　　釋教正謬天唾1卷

　　　　南蠻寺興廢記1卷

　　　　南蠻寺物語1卷

　　　　吉利支丹物語1卷

　　　　對治邪執論1卷（雪窗宗崔）

　　　　屬文階梯1卷

　　　　三眼餘考1卷

　　　　五月雨抄2卷（三浦安貞）

7966　大日本思想全集刊行會編　大日本思想全集

　　　　東京　大日本思想全集刊行會　昭和6年—9年（1931—1934）

　　　　18冊

　　　　第1卷

　　　　藤原惺窩集

　　　　　惺窩文集

　　　　　仮名性理

　　　　　寸鐵錄

　　　　林羅山集

　　　　　本朝神社考

　　　　　神道秘訣

　　　　　羅山文集抄

　　　　　道統小傳

　　　　　儒門思問錄

　　　　　排耶蘇

　　　　第2卷

　　　　中江藤樹集

　　　　　翁問答3卷

　　　　　鑑草卷之1

　　　　熊澤蕃山集

　　　　　集義和書抄2卷

　　　　　大學或問抄

獄中より妹に與ふるの書
訣別書
幽囚錄
佐久間象山集
　省諐錄
　象山淨稿
　象山文稿
　時事を通論したる幕府への上書稿
　日本の危機に臨んで國防を論ずるの書
　雜說
會澤正志集
　新論
淺見絅齋集
　靖獻遺言
第18卷
藤田東湖集
　回天詩史
　常陸帶
　弘道館記述義
　東湖遺稿
德川光圀集
　西山公隨筆
松平定信集
　花月草紙
藤田幽谷集
　勸農或問
橋本左內集
　啓發錄

7967　三枝博音編　日本哲學全書
東京　第一書房　昭和11、12年（1936、1937）12冊

第一部　一般哲學

第1卷　佛教篇第1
憲法十七條（聖德太子）
願文（最　澄）

第三部　人生哲學

第10卷　歷史論　經濟論
神皇正統記4卷（北畠親房）
大勢三轉考（伊達千廣）
日本文明の由來（文明論の概略卷之5）（福澤諭
　　吉）
日本開化の性質（田口鼎軒）
價原（三浦梅園）
稽古談5卷（海保青陵）
均田茅議（中井積德）
第11卷　藝術論
歌經標式（藤原浜成）
古今和歌集（紀　貫之）
每月抄（藤原定家）
國歌八論（荷田在滿）
國歌八論餘言（天安宗武）
國歌八論餘言拾遺（賀茂眞淵）
歌意考（賀茂眞淵）
石上私淑言（本居宣長）
眞言辨（富士谷御杖）
新學異見（香川景樹）
ひとりごち（大隈言道）
こぞのちり（大隈言道）
山中問答（立花北枝）
俳諧十論（各務支考）
文鏡秘府論（空　海）
詩論（太宰春臺）
詩學逢言（祇　阮瑜）
詩學（江村北海）
山中人饒舌（田能村竹田）
西洋畫談（司馬江漢）
遊樂習道見風書（世　阿彌）
至花道書（世　阿彌）
能作書（世　阿彌）
六輪一露（禪　竹）

至道要抄（禪　　竹）

覺習條條（世　阿彌）

南方錄（南坊宗啓）

入門記（井伊直弼）

茶道の政道の助となるべるを論へる文（井伊直弼）

茶湯一會集（井伊直弼）

禪茶錄（寂庵宗澤）

第12卷　宗教論　兵法武術論

鬼神論（新井白石）

聖學問答·（太宰春臺）

無鬼2卷（山片蟠桃）

翁の文（富永仲基）

兵法奧義講錄5卷（山鹿素行）

不動智神妙錄（澤　　庵）

太阿記（澤　　庵）

7968　三枝博音、清水幾太郎編　日本哲學思想全書

東京　平凡社　昭和31、32年（1956、1957）　20冊

第1卷　思想　哲學篇

玄語（三浦梅園）

良演哲論（安藤昌益）

「學」と「哲」（皆川淇園）

尚白箚記（西　　周）

批判法の哲學（三宅雄二郎）

規範と規範學（桑木嚴翼）

形而上學序論（西田幾多郎）

第2卷　思想　思索篇

唯佛與佛（道　　元）

歎異鈔（如　信（仮））

多賀墨鄕君にこたふる書（三浦梅園）

神人辨（富士谷御杖）

前識談（海保青陵）

生性發蘊第1編（西　　周）

自省錄附廣心錄（綱島梁川）

哲學上より見たる進化論（井上哲次郎）

純粹經驗（西田幾多郎）

約百記の研究第1—3講（內村鑑三）

私法盜亂の世に在ながら自然活眞の世に契ふ
　　論（安藤昌益）
眞政大意（加藤弘之）
通俗無上法政論（板垣退助・植木枝盛）
法典に就て（梅謙次郎）
憲政の本義を說いて其有終の美を濟すの途を
論ず（吉野作造）
國家機關概說（美濃部逢吉）
第18卷　政治・經濟　經濟篇
經濟錄抄（太宰春臺）
價原（三浦梅園）
升小談（海保青陵）
均田茅議（中井積德）
物價餘論（佐藤信淵）
農商辨（神田孝平）
自由交易日本經濟論（田口卯吉）
通貨論（福澤諭吉）
第19卷　歷史・社會　歷史論篇・社會篇
道德（三浦梅園）
日本開化之性質（田口卯吉）
歷史の理論及歷史の哲學（內田銀藏）
人國記（作者未詳）
稽古談（海保青陵）
第20卷　傳記資料・索引
先哲叢談（原善公道）
日本諸家人物志（池水　豹）
索引
7969　渡邊照宏等編　日本の思想
東京　筑摩書房　昭和43年─47年（1968─1972）　20卷
第1冊　最澄・空海集（渡邊照宏編）
最澄・空海の思想（渡邊照宏）
願文（最　澄）
山家學生式（最　澄）
傳教大師消息抄（最　澄）
三教指歸（空　海）
祕藏寶鑰（空　海）

高島秋帆天保上書

切支丹・蘭學關係略年表

參考文獻

第17冊　藤原惺窩・中江藤樹・熊澤蕃山・山崎闇齋・山鹿
素行・山縣大貳集（西田太一郎編）

近世儒學と受容の歷史（西田太一郎）

假名性理（藤原惺窩）

翁問答抄（中江藤樹）

大學或問（熊澤蕃山）

闢異（山崎闇齋）

聖教要錄（山鹿素行）

配所殘筆（山鹿素行）

柳子新論（山縣大貳）

近世儒學關係略年表

參考文獻

大學或問・聖教要錄・柳子新論細目

第18冊　安藤昌益・富永仲基・三浦梅園・石田梅岩・二
宮尊德・海保青陵集（中村幸彦編）

近世的思惟の構造（中村幸彦等）

自然眞營道（安藤昌益）

翁の文（富永仲基）

玄語（三浦梅園）

約儉齊家論（石田梅岩）

二宮翁夜話抄（二宮尊德）

稽古談より（海保青陵）

善中談より（海保青陵）

萬屋談より（海保青陵）

論民談より（海保青陵）

近世後期思想關係略年表

參考文獻

二宮翁夜話細目

第19冊　吉田松陰集（奈良本辰也編）

松陰の人と思想（奈良本辰也）

留魂錄

要駕策主意

幽囚錄

對策一道愚論

續愚論

回顧錄

急務四條

講夢餘話抄

書簡

吉田松陰關係略年表

參考文獻

書簡細目

第20冊　幕末思想集（鹿野政直編）

維新への序曲（鹿野政直）

新論（會澤正志齋）

啓發錄（橋本左內）

省　録（佐久間象山）

國是三論（橫井小楠）

政權恢復秘策（大橋訥庵）

廻爛條議（久坂玄瑞）

書簡（坂本龍馬）

船中八策（坂本龍馬）

英將秘訣（坂本龍馬）

長州再征に關する建白書（福澤諭吉）

日記抄（勝海舟）

遺書抄（川路聖謨）

幕末思想關係略年表

參考文獻

7970　家永三郎、中村幸彦、吉川幸次郎編　日本思想大系

東京　岩波書店　昭和45年（1970）5月　67冊

第27冊　近世武家思想（石井紫郎校注）

家訓

黑田長政遺言

板倉重矩遺書

內藤義泰家訓

酒井家教令

島津綱貴教訓

明君家訓

貞丈家訓

讀史餘論公武治亂考
白石先生手翰一名新室手簡
解說
　新井白石の世界（加藤周一）
　新井白石の歷史思想（尾藤正英）
　解題
第36冊　荻生徂徠（吉川幸次郎等校注）
辨道
辨名
學則
政談
太平策
徂徠集
荻生徂徠年譜
解題
解說
　徂徠學案（吉川幸次郎）
　「政談」の社會的背景（辻　達也）
　「太平策」考（丸山眞男）
第37冊　徂徠學派（賴惟勤校注）
經濟錄抄（太宰春臺）
經濟錄拾遺（太宰春臺）
聖學問答（太宰春臺）
斥非（太宰春臺）
斥非附錄（太宰春臺）
南郭先生文集抄（服部南郭）
素餐錄（尾藤二洲）
正學指掌（尾藤二洲）
崇孟（藪　孤山）
讀辨道（龜井昭陽）
解說
　太宰春臺の人と思想（尾藤正英）
　服部南郭の生涯と思想（日野龍夫）
　尾藤二洲について（賴　惟勤）
　藪孤山と龜井昭陽父子（賴　惟勤）
　徂徠門弟以後の經學說の性格（賴　惟勤）

について（田原嗣郎）

伴信友の學問と「長等の山風」（佐伯有清
・關晃）

大國隆正の學問と思想（芳賀　登）

文獻解題

年譜

第52冊　二宮尊德　大原幽學（奈良本辰也・中井信
彦校注）

二宮尊德

三才報德金毛錄

仕法四種

解題

宇津釩之助樣御知行所村村へ申渡書

青木村無利五ヶ年賦貸付準繩帳の跋

細川長門守殿領邑興復の趣法仕上げ取纏め
方御內話書

日光御神領仕法に付き見辻上申書

二宮翁夜話

大原幽學

微味幽玄考

義論集

解說

二宮尊德の人と思想（奈良本辰也）

「微味幽玄考」と大原幽學の思想（中井信
彦）

年譜

第53冊　水戶學（今井三郎等校注）

正名論（藤田幽谷）

校正局諸學士に與ふるの書（藤田幽谷）

丁巳封事（藤田幽谷）

新論（會澤正志齋）

壬辰封事（藤田東湖）

中興新書（豐田天功）

告志篇（德川齊昭）

弘道館記（德川齊昭）

退食閒話（會澤正志齋）

蠻社遭厄小記
西洋學師ノ説
西説醫原樞要抄
佐久間象山
省𠎝錄
上書
　海防に關する藩主宛上書天保13年11月24日
　ハルマ出版する藩主宛上書嘉永2年2月
　和蘭語彙出版に關する老中阿部正弘宛上書
　　　嘉永3年3月
　ハルスとの折衝案に關する幕府宛上書稿安
　　政5年4月
　時政に關する幕府宛上書稿文久2年9月
　攘夷の策略に關する藩主宛答申書文久2年1
　　2月
　象山書簡
　雜纂
　　象山書院學約天保12年5月
　　象山の説
　　邵康節先生文集序天保11年9月
　　永山生に贈る
　　小林炳文に贈る
　　增訂荷蘭語彙序嘉永2年8月
　　孔夫子の畫像に題す安政4年春
　　仁齋・東涯を駁す天保元年
　　古事記伝に跋す安政4年3月
　　無題
　　楠公の像に題す
　　久保平甫に贈る
　　島津文三郎宛免許狀嘉永6年
横井小楠
　意見書
　　學校問答書嘉永5年3月
　　夷虜應接大意推定嘉永6年
　　國是三論萬延元年
　　新政に付て春岳に建言慶應3年1月3日

小楠書簡
談話筆記
　沼山對話_{元治元年秋}
　沼山閑話_{慶應元年晚秋}
橋本左內
　啓發錄
　意見書
　爲政大要_{安政3—4年頃}
　制産に關する建議手書_{安政4年5月頃}
　學制に關する意見箚子_{安政4年5月15日}
　三條實萬宛呈書控　_{安政5年2月中旬}
左內書簡
雜纂
　評定所にての取調應答_{安政6年7月3日}
　西洋事情書_{安政2—3年頃}
解說
　渡邊華山と高野長英（佐藤昌介）
　佐久間象山における儒學・武士精神・洋學
　　（植手通有）
　橋本左內・橫井小楠（山口宗之）
年表

7971　宇野精一、岡田武彥監修　叢書日本の思想家
　　　東京　明德出版社　50卷
　　　1.藤原惺窩（猪口篤志）　昭和57年（1982）10月
　　　　松永尺五（俣野太郎）
　　　2.林羅山（宇野茂彥）　平成4年（1992）5月
　　　　（附）林鵝峰
　　　3.谷時中（山根三芳）
　　　　谷　秦山（山根三芳）
　　　4.中江藤樹（木村光德）　昭和53年（1978）5月
　　　　熊澤蕃山（牛尾春夫）
　　　5.淵岡山（木村光德）
　　　　三輪執齋（木村光德）
　　　6.山崎闇齋（岡田武彥）　昭和60年（1985）10月
　　　7.木下順庵（竹內弘行）　平成3年（1991）11月
　　　　雨森芳州（上野日出刀）

8.山鹿素行（佐佐木杜太郎）　昭和53年（1978）9月

9.安東省庵（菰口　治）　昭和60年（1985）12月
　貝原益軒（岡田武彦）

10.伊藤仁齋（伊東倫厚）　昭和58年（1983）3月
　（附）伊藤東涯

11.中村惕齋（柴田　篤）　昭和58年（1983）12月
　室鳩巢（邊土名朝邦）

12.佐藤直方（吉田健舟）　平成2年（1990）10月
　三宅尙齋（海老田輝巳）

13.淺見絅齋（石田和夫）　平成2年（1990）2月
　若林強齋（牛尾弘孝）

14.三宅觀瀾（近藤英幸）　昭和59年（1984）10月
　新井白石（近藤英幸）

15.荻生徂徠（源　了圓）

16.大塚退野（林田　剛）
　藪愼庵（宇野精一）

17.太宰春臺（田尻祐一郎）　平成7年（1995）12月
　服部南郭（疋田啓佑）

18.山井崑崙（藤井　明）　昭和63年（1988）10月
　山縣周南（久富木成大）

19.久米訂齋（近藤正則）
　稻葉默齋（山崎道夫）

20.蟹養齋（庄司莊一）
　細野要齋（庄司莊一）

21.細井平洲（鬼頭有一）　昭和52年（1977）12月
　（附）中西淡淵

22.西山拙齋（廣常人世）
　柴野栗山（福島中郎）

23.三浦梅園（高橋正和）　平成3年（1991）9月

24.中井竹山（小堀一正、山中浩之）　昭和55年（1980）7月
　中井履軒（加地伸行、井上明大）

25.井上金峨（倉田信靖）　昭和59年（1984）3月
　龜田鵬齋（橋本榮治）

26.皆川淇園（中村春作、櫻井進）　昭和61年（1986）10月
　大田錦城（岸田知子、瀧野邦雄、鹽出雅）

27.龜井南冥（荒木見悟）
　　龜井昭陽（荒木見悟）
28.尾藤二洲（川久保廣衛）
　　古賀精里（川久保廣衛）
29.近藤篤山（近藤則之）　　昭和63年（1988）4月
　　林良齋（岡田武彦）
30.松崎慊堂（小宮　厚）
　　安井息軒（町田三郎）
31.佐藤一齋（中村安宏）
　　安積艮齋（荻生茂博）
32.藤田幽谷（澤井啓一）
　　青山拙齋（今西理朗）
33.帆足萬里（帆足圖南次）　　昭和53年（1978）2月
　　脇　愚山（帆足圖南次）
34.賴　山陽（加地伸行）
　　藤井竹外（加地伸行）
35.廣瀨淡窗（工藤豐彦）　　昭和56年（1981）4月
　　廣瀨旭莊（工藤豐彦）
36.會澤正志齋（原田種成）　　昭和56年（1981）10月
　　藤田東湖（原田種成）
37.梁川星巖（上野日出刀）
　　藤森弘庵（上野日出刀）
38.大鹽中齋（高畑常信）　　昭和56年（1981）12月
　　佐久間象山（小尾郊一）
39.齋藤拙堂（橋木榮治）　　平成5年（1993）6月
　　土井聱牙（橋木榮治）
40.木下韡村（海老谷尙典）
　　橫井小楠（海老谷尙典）
41.山田方谷（山田　琢）　　昭和52年（1977）10月
　　三島中洲（石田梅次郎）
42.月田蒙齋（難波征男）　　昭和53年（1978）12月
　　楠本端山（岡田武彦）
43.鹽谷岩陰（原田親貞）
　　森田節齋（原田親貞）
44.春日潛庵（大西晴隆）　　昭和62年（1987）12月
　　池田草庵（疋田啓佑）

45.大橋訥庵（山崎道夫）
　　　中村敬宇（古川義雄）
46.吉村秋陽（荒木龍太郎）　　昭和57年（1982）6月
　　　中澤瀉（荒木見悟）
47.元田東野（巨勢　進）　　昭和54年（1979）6月
　　　副島蒼海（中村　宏）
48.吉田松陰（山崎道夫）　　昭和54年（1979）4月
　　　西鄉南洲（和田正俊）
49.並木栗水（望月高明）
　　　楠本碩水（福田　殖）
50.高杉晉作（林田愼之助）
　　　久坂玄端（林田愼之助）

7972　玉川大學出版部　日本教育寶典
　　　東京　玉川大學出版部　昭和40年（1965）　8冊（又名：
　　　世界教育寶典・日本教育編）
　　　第1冊　本居宣長、平田篤胤集
　　　　本居宣長集
　　　　　直毘靈
　　　　　うひ山ふみ
　　　　　玉勝間抄
　　　　　講後談抄
　　　　　書簡
　　　　　入門誓詞
　　　　　鈴屋翁略年譜・鈴屋翁略年譜補正
　　　　平田篤胤集
　　　　　古道大意
　　　　　大道或問
　　　　　入學問答
　　　　　童蒙入學門
　　　　　入門誓詞
　　　　　氣吹舍塾則
　　　　　大壑君御一代略記
　　　第2冊　山鹿素行、吉田松陰集
　　　　山鹿素行集
　　　　　修身受用抄
　　　　　武教小學

明德和贊
朝倉新話
書束
手島堵庵先生事蹟
手島堵庵略年譜
第5冊　中江藤樹、熊澤蕃山集
中江藤樹集
翁問答抄
林氏剃髮受位辨
持敬圖說抄
藤樹規
大上天尊大乙神經序
靈符疑解抄
春風
大學蒙註書簡‧雜著抄
中江氏系譜
熊澤蕃山集
集義和書抄
集義外書抄
大學或問抄
孝經外傳或問抄
源語外傳抄
三輪物語抄
熊澤蕃山略年譜
第6冊　藤田東湖‧山崎闇齋集
藤田東湖集
弘道館記述義上、下
常陸帶
參考弘道館學則
附錄正氣歌
參考正氣歌序並本文（文天祥）
回天詩史抄
藤田東湖略年譜
山崎闇齋集
儒學
大和小學抄

　　　　　　規約及び告諭
　　　　　　遠思樓詩鈔
　　　　　　淡窓小品
　　　　　　廣瀨淡窓略年譜
7973　日本圖書センター　日本教育思想大系　日本圖書センター　昭和51—55年
　　　（1976—1980）　32冊
　　　第1冊　中江藤樹上卷
　　　　翁問答
　　　　翁問答（改正編）
　　　　鑑草
　　　　藤樹先生精言（橘明編）
　　　　文武問答
　　　　書簡
　　　　雜著
　　　第2冊　中江藤樹下卷
　　　　大學考
　　　　大學蒙註
　　　　大學解
　　　　中庸解
　　　　論語解
　　　　中庸續解
　　　　知止歌小解
　　　　經解
　　　　雜著（68件）
　　　　孝經啓蒙
　　　　論語鄉黨啓蒙翼傳
　　　　古本大學全解
　　　　四書合一圖說
　　　　大學朱子序圖說
　　　　大學序宗旨圖
　　　　五性圖說
　　　　明德圖說
　　　　持敬圖說
　　　　藤樹先生年譜（岡田氏本）
　　　　藤樹先生年譜（川田氏本）
　　　　藤樹先生年譜（會津本）

贅語

敢語

寓意

價原

歸山錄

梅園叢書

梅園拾葉

梅園後拾葉

梅園拾英

養生訓

塾制

附錄

　梅園先生年譜(藤井專隨)

　梅園先生著述年表(藤井專隨)

　先府君孿山先生事狀

　孿山先生墓表

第6冊　熊澤蕃山上卷

　集義和書（初版、2版）

　集義和書顯非（西川季格）

　三輪物語

第7冊　熊澤蕃山下卷

　集義外書

　二十四孝小解

　詩經周南之解（女子訓）

　召南之解（女子訓第二）

　女子訓（上、下）

　女子訓異同篇

　孝經小解

　大學小解

　大學和解

　大學或問

　中庸小解

第8冊　山鹿素行上卷

　素行先生年譜（筒井清彥）

　中朝事實

　聖教要錄

手島堵庵社約（手島堵庵）

賣卜先生糠俵（虛白齋）

賣卜先生糠俵後編（虛白齋）

賣卜先生安樂傳授（脇坂義堂）

孝行になるの傳授（脇坂義堂）

開運出世傳授（脇坂義堂）

世わたり草（菊屋彦太郎）

道二先生御高札道話（中澤道二）

道二翁道話（中澤道二）

心學壽草（大口子容）

心學道の話初篇（奧田賴杖）

子守歌（知眞庵）

心學和合歌（大島有隣）

賤が歌（久世順矣）

石田先生事蹟

手島堵庵先生事蹟

手島和庵先生事蹟

心學根本草

　私案なしの說（手島堵庵）

　私案なしの說細釋（上河正揚）

　三聖一理無私案の圖解（上河正揚）

　知性の辨（石田梅岩）

　養心の辨（手島堵庵）

心學初入手引草（大島有隣）

會友大旨（手島堵庵）

前訓（手島堵庵）

爲學玉箒（手島堵庵）

知心辨疑（手島堵庵）

坐談隨筆（手島堵庵）

朝倉新話（手島堵庵）

安樂問辨（手島堵庵）

子弟訓（手島宗義）

教訓我が守（高田重充）

第14冊　近世庶民教育思想(3)　處世、教訓上

商人生業鑑（岩垣光定）

商人夜話草（上河某氏）

　　　　國鸞）
　　復讐論（林　信篤）
　　義士行（伊藤東涯）
　　赤穗四十六士論（荻生徂來）
　　赤穗四十六士論（太宰春臺）
　　讀春台四十六士論（松宮俊仍）
　　駁太宰純四十六士論（五井純禎）
　　大石良雄復君讐論（野　公台）
　　四十七子論（河口光遠）
　　四十七子論說（藤沼仁內）
　　四十六士論（伊奈忠賢）
　　復讐論（佐藤直方）
　　三宅重固問目佐藤直方朱批
　　三宅重固問目稻葉正義朱批
　　再論四十六士（三宅重固）
　　一武人四十六士論
　　四十六士批判
　　奧氏問目佐藤直方朱批
　　淺野吉良非喧嘩論
　　或人論淺野之臣討吉良
　　赤穗四十六士論（淺見絅齋）
　　大石論七章（牧野直友）
　　義士雪冤（山本北山）
　　斷復讐論（佐久間大華）
　　四十六士論（伊良子大洲）
　　赤穗義士論（澤　熊山）
　　柳橋詩話抄錄（加藤善庵）
　　五美談
　　野夫談（橫井也有）
　　赤穗四十七義士碑（龜田鵬齋）
　　大石氏寓邸碑（龍　公美）
　　村松三太夫高直事蹟（苗村春暢）
　　萱野三平傳（伊藤東涯）
　　天野屋利兵衛傳（賴　惟寬）
　　記小島喜兵衛（加藤善庵）
　　鳩巢小說評論抄錄（平山兵原）

前田利家書置

鳥居元忠遺書

加藤清正掟書

東照宮御遺訓

東照宮御遺訓附錄

御遺狀御寶藏入百箇條

黑田長政遺言及定則

土井利勝遺訓

立花立齋家中掟書

藤堂高虎遺書

戶田氏鐵家訓

板倉重矩遺書

伊井直孝遺狀

保科正之家訓

小笠原長勝家法

內藤義泰家訓

德川光圀卿教訓

島津綱貴教訓

酒井隼人家法并家訓

酒井忠舉家訓

文昭公御遺書

和田政勝家訓

尾張亞相宗春卿家訓

澀谷隱岐守筆記

酒井忠恭家訓

伊勢貞丈家訓

讓封之詞

松平定信示諭

酒井忠進家訓

白川侯家訓

世子誥文

本佐錄

幼君輔佐之心得

輔儲訓

いしづゑ

明君一斑抄

黑田如水教諭

本多忠勝家訓

武家諸法度

紀南龍公訓諭

島津家久訓誡

阿部忠秋教訓

石川丈山家訓

池田光政訓誡

同儉約辨

同學校揭示

紀伊宗直御觸—名戒石銘

細川家訓—名熊本家訓

細川重賢教令

田安宗武童家訓—名誨蒙近言

林摩詰家訓

中井竹山教訓

立教館童蒙訓

本多忠籌壁書

酒井忠進家訓

島津齊彬家訓

德川烈公壁書

桃岡家訓

鍋島閑叟訓示

東照宮御消息

千代もとぐさ

德川家光公御消息

處女賦

女家訓

あしの下根

女式目

女仁義物語

女五常訓

難波江

女訓（佐久間象山）

女訓（吉田松陰）

第18冊　近世武家教育思想(3)　武士道

武道初心集（大道寺友山）
武治提要（津輕耕道）
武士訓（井澤幡龍）
明君家訓（井澤幡龍）
和俗男人訓抄錄（井澤幡龍）
學論抄錄（松宮觀山）
武家須知（蟹　養齋）
匡正論（本多忠籌）
尙武論（中村中倧）
武人訓抄錄（村井昌弘）
武藝訓抄錄（片島武矩）
士道要論（齋藤拙堂）
告志篇（德川景山）
武備和訓（片島武矩）
士道心得書（北條竹鳳）
劍徵（平山兵原）
及門遺範（會澤正志）
退食閒話（會澤正志）
弘道館記述義（藤田東湖）
回天詩史（藤田東湖）
おもひで草（伴林光平）
士規（吉田松陰）
啓發錄（橋本景岳）
兵法三十五箇條
五輪の書
第19冊　藤原惺窩
惺窩先生文集
惺窩文集
倭文二篇
寸鐵錄
寸鐵錄（寫本）
逐鹿評
文章達德綱領
明國講和使に對する質疑草稿
姜沆筆談
朝鮮役捕虜との筆談

第23冊　佐藤一齋
　濟廢略記
　言志錄4卷
　言志錄（譯註）
　師門問辨錄
　愛日樓文抄
　大學一家私言
　初學課業次第
　學問所創置心得書
　僑居日記
　俗簡焚餘
　論語欄外書
　中庸欄外書
　大學欄外書
　孟子欄外書
第24冊　林羅山、室鳩巢
　林羅山
　　排耶蘇
　　神道傳授
　　三德抄
　　理氣辨
　　童觀抄
　　敵戒說
　　春鑑抄
　　羅山生先行狀
　　尺五先生全集
　　儒門思問錄
　室鳩巢
　　不亡鈔
　　獻可錄
　　駿台雜話
　　士說
　　室鳩巢自警條目
　　五常名義
　　五倫名義
　　六諭衍義大意

山縣周南
　爲學初問
服部南郭
　燈下書
尾藤二洲
　擇言
　素餐錄
　正學指掌
　靜寄餘筆
　冬讀書餘
　冬讀書餘拾遺
藪孤山
　崇孟
龜井昭陽
　家學小言
　讀辨道
第27冊　近世女子教育思想第1
　庭の訓抄（阿佛尼作、伴蒿蹊釋）
　乳母の草紙
　鑑草（中江藤樹）
　老が心（上杉鷹山）
　與妻書（屋代弘賢）
　與新婦書（江川太郎左衛門）
　與妹書（吉田松陰）
　女訓（佐久間象山）
　女學範（大江玄圃）
　女諸禮集
　門田の早苗（伴　蒿蹊）
　烈女百人一首（綠亭川柳）
　女庭訓往來
　女中道しるべ（冷泉爲兼卿息女）
　樂亭かんな筆記（白河樂翁）
　清風瑣言（上田秋成）
第28冊　近世女子教育思想第2
　比賣鑑前編12卷（中村惕齋）
　本朝女鑑抄2卷

　　　　本朝女二十四孝
　　　　比賣鑑後篇　19卷（中村惕齋）
　　　　大東婦女貞烈記抄　3卷（源　鸞岳）
　　第29冊　近世女子教育思想第3
　　　　唐錦（成瀨維佐子）
　　　　節用
　　　　女學範2卷（大江資衡）
　　　　和漢筆道手習指南（浪花隱士）
　　　　教訓歌繪
　　　　都風俗化粧傳3卷（浪花隱士）附錄3卷（佐山半七丸）
　　　　當流節用料理大全（高島某編）
　　　　四季漬物早指南（小田原屋主人）
　　　　菓子話船橋（船橋屋織江）
　　第30冊—32冊　佛教教育思想
　　　　（子目略）
7974　近世社會經濟學說大系刊行會　近世社會經濟學說大系
　　　　東京　誠文堂新光社　昭和10—12年（1935—1937）
　　第1冊　本多利明集（本庄榮治郎解題）
　　　　經世秘策
　　　　經濟放言
　　　　西域物語3卷
　　　　長器論
　　　　河道
　　　　自然治道之辨
　　　　四大急務に關する上書抄
　　　　船長の教訓
　　　　渡海新法抄
　　　　渡海日記
　　　　本多氏策論蝦夷拾遺
　　　　蝦夷土地開發愚存の大概抄
　　　　蝦夷開發に關する上書抄
　　　　蝦夷道知邊
　　　　西薇事情
　　　　本多利明手簡
　　　　本多利明先生行狀記（宇野保定）
　　第2冊　海保青陵集（石濱知行解題）

稽古談5卷

變理談

善中談

萬屋談

諭民談

海保儀平書

富貴談

第3冊　佐藤信淵集（大川周明解題）

農政學解嘲辨

經濟要錄抄

經濟提要2卷

經濟要略

物價餘論

物價餘論籤書2卷

復古法

垂統秘錄

混同秘策2卷

第4冊　山鹿素行集（內田繁隆解題）

謫居童問抄

聖教要錄

山鹿語類抄

中朝事實抄

配所殘筆

第5冊　二宮尊德集（八木澤善次解題）

萬物發言集

大圓鏡抄

報德訓（原始篇）

三才報德金毛錄

天錄增減鏡抄

吉凶助成哀悅下案

盛衰存亡天命自然取調帳

農家大道鏡抄

未定稿

報德訓

貧富訓

讓奪辨

坂本龍馬海援隊始末1—3
由利公正集
　愛國卑言
　財政意見
　實業談話
　迂拙草
　維新財政の困難
　日本興業銀行の贊成に就て
　懷舊談
　時局談
　隨筆
　貴美滿佐雜詠
第8冊　中井竹山集（菅野和太郎解題）
　草茅危言
　社倉私議
　經濟要語
　公田說
　逸史附錄草茅危言摘議（神　惟孝）
第9冊　福澤諭吉、神田孝平集（加田哲二解題）
　福澤諭吉集
　舊藩情
　唐人往來
　丸屋商社之記
　學問のすすめ
　民情一新
　外國人の內地雜居許す可らざるの論
　農に告ぐるの文
　力のない有力者の說
　新橋橫濱間の鐵道を切賣す可きを論ず
　因果應報の妨げらるる由緣を論ず
　雇者と被雇者は利益を一にするの說
　三種人民の長短を論ず
　通貨論
　貧富論
　神田孝平集
　經濟小學上、下編

荻生徂徠集（黑正嚴解題）
　　政談卷第1—4
　　太平策
三浦梅園集（堀江保藏解題）
　　價原
第18冊　淺見絅齋集（田崎仁義解題）
靖獻遺言
靖獻遺言講義
拘幽操師說
氏族辨證
絅翁答跡部良賢問書
社倉法師說
箚錄

7975　板倉節山編　　甘雨亭叢書
江戶　北畠茂兵衛等活字本　弘化2年—安政3年（1845—1856）
初編
　　第1卷　文公家禮通考（室　鳩巢）
　　第2卷　仁齋日記（伊藤仁齋）
　　第3卷　格物餘話（貝原益軒）
　　第4卷　韞藏錄（佐藤直方）
　　第5、6卷　白石遺文（新井白石）
　　第7、8卷　白石拾遺（新井白石）
第2編
　　第1卷　西銘參考（淺見絅齋）
　　第2、3卷　倭史後編（栗山潛峰）
　　第4、5、6卷　澹泊史考（安積澹泊）
　　第7、8卷　湘雲瓚語（祇園南海）
第3編
　　第1、2、3卷　狼疐錄（三宅尚齋）
　　第4、5卷　赤穗義人錄（室鳩巢）
　　第6卷　烈士報讎錄（三宅觀瀾）
　　　　　　天野屋利兵衛傳（賴　惟寬）
　　　　　　萱野三平傳（伊藤東涯）
　　　　　　大石良雄自畫像記（赤松滄洲）
　　　　　　大高忠雄寄母書（赤松滄洲）

第7卷　奧羽海運記、畿內治河記（新井白石）
第8卷　芳洲口授（雨森芳洲）
第4編
第1卷　尙書學、孝經識、孟子識（荻生徂徠）
第2卷　帝王譜圖國朝略記（伊藤東涯）
第3、4卷　東涯漫筆（伊藤東涯）
第5卷　奧州五十四郡考（新井白石）
第6卷　南島志（新井白石）
第7卷　赤穗義人錄後語（太宰春臺）
第8卷　修刪阿彌陀經（太宰春臺）
　　　　助字雜（三宅觀瀾）
第5編
第1卷　孝經啓蒙（中江藤樹）
第2卷　足利將軍傳（佐佐宗淳）
第3卷　東韓事略、琉球事略（桂山義樹）
第4、5卷　弊帚集（栗山　愿）
第6、7、8卷　木門十四家詩集
別集
第1卷　病中須佐美（室　鳩巢）
　　　　上近衛公書（柴野邦彦）
　　　　子姪禁俳諧業書（成島鳳明）
第2卷　日本養子說（跡部光海）
　　　　非火葬論（安井眞祐）
第3卷　父兄訓（林　子平）
第4卷　古學先生和歌集
第5卷　蕃山先生和歌集（熊澤蕃山）
　　　　飛驒山（荻生徂徠）
　　　　觀放生會記（太宰春臺）
　　　　檜垣寺古瓦記（服部南郭）
第6卷　人名考、准后准三后考（新井白石）
第7卷　櫻の辨（山崎敬義）
　　　　櫻品（松岡玄達）
第8卷　論土屋主稅所置（室　鳩巢）
　　　　湘雲瓚語附錄（祇園南海）

7976　崇文書院　　崇文叢書
　　　　　　東京　崇文院　大正14年—昭和10年（1925—1935）　活字

本
第1輯
　篆隸萬象名義、附名義目次解題16冊（釋　空海）
　紫芝園漫筆5冊（太宰春臺）
　蕉窗文草3冊（林　述齋）
　蕉窗永言2冊（林　述齋）
　慊堂全集17冊（松崎慊堂）
　侗庵非詩話4冊（古賀侗庵）
　書說摘要4冊（安井息軒）
　夏小正校註2冊（增島蘭園）
　讀左筆記5冊（增島蘭園）
　傳經廬文鈔1冊（海保漁村）
第2輯
　天民遺言2冊（並河天民）
　讀呂氏春秋2冊（荻生徂徠）
　萬庵集4冊（釋　萬庵）
　崇孟1冊（藪　孤山）
　論語徵廢疾3冊（片山兼山）
　諧韻瑚璉1冊（中井履軒）
　東遊負劍錄1冊（賴　春水）
　崇程4冊（古賀侗庵）
　樂我室遺稿4冊（朝川善庵）
　韓非子纂聞10冊（蒲坂青莊）
　讀朱筆記3冊（海保漁村）
　毛詩輯疏11冊（安井息軒）
　論語會箋15冊（竹添井井）
7977　井上哲次郎、蟹江義丸編　日本倫理彙編
　①東京　育成會　明治34—36年（1901—1903）
　②京都　臨川書店　昭和45年（1970）3冊
　第1冊　陽明學派の部（上）
　　翁問答（中江藤樹）
　　藤樹遺稿（中江藤樹）
　　藤樹先生書翰雜著（三宅石庵校訂本）
　　藤樹先生學術定論（石川某述）
　　集義和書（熊澤蕃山）
　第2冊　陽明學派の部（中）

集義外書（熊澤蕃山）
王學名義（三重松菴）
日用心法（三輪執齋）
四言教講義（三輪執齋）
雜著（三輪執齋）
東里遺稿（中根東里）
東里外集（中根東里）
第3冊　陽明學派の部（下）
言志錄（佐藤一齋）
古本大學刮目（大鹽中齋）
儒門空虛聚語（大鹽中齋）
增補孝經彙注（大鹽中齋）
第4冊　古學派の部（上）
聖教要錄（山鹿素行）
山鹿語類（山鹿素行）
武教小學（山鹿素行）
配所殘筆（山鹿素行）
第5冊　古學派の部（中）
語孟字義（伊藤仁齋）
童子問（伊藤仁齋）
仁齋日札（伊藤仁齋）
學問關鍵（伊藤東涯）
天命或問（伊藤東涯）
復性辨（伊藤東涯）
古今學變（伊藤東涯）
訓幼字義（伊藤東涯）
第6冊　古學派の部（下）
辨道（荻生徂徠）
辨名（荻生徂徠）
學制（荻生徂徠）
答問書（太宰春臺）
聖學問答（太宰春臺）
六經略說（太宰春臺）
爲學初問（山縣周南）
第7冊　朱子學派の部（上）
惺窩文集抄錄（藤原惺窩）

　　　　　　　　　道學正要（有本雲山）
　　　　　　　　　鷹起子（阿部漏齋）
　　　　　　　　　折玄（廣瀨淡窗）
　　　　　　　　　義府（廣瀨淡窗）
7978　關儀一郎編　日本名家四書註釋全書
　　　　　　　東京　東洋圖書刊行會
　　　　　　　正編　大正11年（1922）4月—大正14年（1925）11月
　　　　　　　續編　昭和2年（1927）6月—昭和5年（1930）3月
　　　　　　　第1卷　學庸部
　　　　　　　　大學定本1卷（伊藤仁齋）
　　　　　　　　大學解1卷（荻生徂徠）
　　　　　　　　大學古義1卷（井上金峨）
　　　　　　　　大學雜議1卷（中井履軒）
　　　　　　　　大學章句纂釋1卷（古賀精里）
　　　　　　　　大學諸說辨誤1卷（古賀精里）
　　　　　　　　大學原本釋義1卷（朝川善庵）
　　　　　　　　中庸發揮1卷（伊藤仁齋）
　　　　　　　　中庸解1卷（荻生徂徠）
　　　　　　　　中庸逢原1卷（中井履軒）
　　　　　　　第2卷　學庸部
　　　　　　　　大學原解3卷（大田錦城）
　　　　　　　　大學欄外書1卷（佐藤一齋）
　　　　　　　　中庸原解3卷（大田錦城）
　　　　　　　　中庸欄外書3卷（佐藤一齋）
　　　　　　　第3卷　論語部1
　　　　　　　　論語古義10卷（伊藤仁齋）
　　　　　　　　論語欄外書2卷（佐藤一齋）
　　　　　　　第4卷　論語部2
　　　　　　　　論語語由10卷（龜井南冥）
　　　　　　　　論語考文1卷（猪飼敬所）
　　　　　　　　正本論語札記1卷（市野迷庵）
　　　　　　　第5卷　論語部3
　　　　　　　　論語繹解1卷（皆川淇園）
　　　　　　　　論語集解考異1卷（吉田篁墩）
　　　　　　　第6卷　論語部4
　　　　　　　　論語逢言4卷（中井履軒）

讀論語1卷（廣瀨淡窗）

第7卷　論語部5

論語徵10卷（荻生徂徠）

論語新註4卷（豐島豐洲）

第8卷　論語部6

論語知言10卷（東條一堂）

第9卷　孟子部1

孟子古義7卷（伊藤仁齋）

孟子欄外書2卷（佐藤一齋）

孟子考文1卷（猪飼敬所）

讀孟子1卷（廣瀨淡窗）

第10卷　孟子部2

孟子逢原7卷（中井履軒）

孟子斷2卷（冢田大峰）

第11卷·續編1

大學章句參辨3卷（增島蘭園）

大學知言1卷（東條一堂）

大學鄭氏義4卷（海保漁村）

中庸章句諸說參辨2卷（增島蘭園）

中庸知言1卷（東條一堂）

中庸鄭氏義8卷（海保漁村）

第12卷　續編2

論語解10卷他3卷（照井全都）

第13卷　續編3

讀孟叢鈔14卷（西島蘭溪）

7979　服部宇之吉編　漢文大系

東京　富山房　明治42年—大正5年（1909—1916）　22冊

第1卷

大學說（安井　衡）

中庸說（安井　衡）

論語集說（安井　衡）

孟子定本（安井　衡）

第3卷

唐宋八大家文（上）　（三島中洲評釋）

第4卷

唐宋八大家文（下）　（三島中洲評釋）

第10卷

　　左傳會箋（上）（竹添光鴻）

第11卷

　　左傳會箋（下）（竹添光鴻）

第14卷

　　墨子閒詁（孫詒讓撰，戶崎允明考）

第15卷

　　荀子（王先謙集解，久保愛增註）

第16卷

　　周易（王弼註，伊藤長胤通解）

　　傳習錄（三輪希賢標註）

第18卷

　　文章軌範（海保元輔補註）

第21卷

　　管子纂詁(安井　衡)

第22卷

　　楚辭（王逸章句，朱子集註，岡松甕谷考）

7980　早稻田大學出版部　漢籍國字解全書

　　　東京　早稻田大學出版部　明治42—大正6年（1909—1917）

　　　45冊

　　　第1卷

　　　　孝經小解（熊澤蕃山）

　　　　大學示蒙句解（中村惕齋）

　　　　中庸示蒙句解（中村惕齋）

　　　　論語示蒙句解（中村惕齋）

　　　第2卷

　　　　孟子示蒙句解（中村惕齋）

　　　　帝範國字解（市川鶴鳴）

　　　　臣軌國字解（市川鶴鳴）

　　　　朱子家訓私抄

　　　第3卷

　　　　周易釋故（上）(眞勢達富)

　　　　易學啓蒙諺解大成（榊原玄輔)

　　　　易學階梯附言（谷川順祐）

　　　第4卷

　　　　周易釋故（下）（眞勢中洲著，松井羅州補）

周易本筮指南（谷川順祐）
第5卷
　詩經示蒙句解（中村惕齋）
　詩疏圖解（淵　景山）
第6卷
　尚書紀聞（大田錦城）
第7卷
　小學示蒙句解（中村之欽）
　童子通（山本無逸）
第8卷
　近思錄示蒙句解（中村之欽）
　訓蒙用字格（伊藤長胤）
第9卷
　老子諺解（山本洞雲）
　莊子俚諺鈔（毛利貞齋）
　張注列子國字解（太田玄九）
第10卷
　孫子國字解（荻生徂徠）
　唐詩選國字解（服部南郭）
第11卷
　古文眞寶前集諺解大成（榊原篁洲）
第12卷
　古文眞寶後集諺解大成（林羅山著，鵜飼石齋補）
第13－15卷
　春秋左氏傳圖字辨（上、中、下）〔加藤正庵〕
第16卷
　傳習錄筆記（三輪執齋）
第17卷
　楚辭師說（淺見絅齋）
第18、19卷
　管子國字解（上、下）（菊池三九郎）
第20、21卷
　墨子國字解（上、下）（牧野謙次郎）
第22、23卷
　荀子國字解（上、下）（桂五十郎）
第24、25卷

　　　韓非子國字解（上、下）（松平康國）
第26、27卷
　　　禮記國字解（上、下）（桂五十郎）
第28、29卷
　　　莊子國字解（上、下）（牧野謙次郎）
第30—33卷
　　　唐宋八大家文讀本（1—4）（松平康國）
第34卷
　　　文章軌範國字解（松平康國）
第35卷
　　　續文章軌範國字解（松平康國）
第36、37卷
　　　十八史略國字解（上、下）（桂五十郎）
第38—40卷
　　　戰國策國字解（上、中、下）（牧野謙次郎）
第41、42卷
　　　國語國字解（上、下）（桂五十郎）
第43、44卷
　　　淮南子國字解（上、下）（菊池三九郎）
第45卷
　　　蒙求國字解（桂五十郎）

7981　關儀一郎編　　日本儒林叢書
①東京　鳳出版　昭和2年（1927）12月
②東京　鳳出版　昭和46年（1971）12月重印本
第1卷　隨筆部第1
　　　間居筆錄4卷（伊藤東涯）
　　　瑣語2卷（五井蘭洲）
　　　擇言1卷（尾藤二洲）
　　　隨意錄8卷（冢田大峰）
　　　解慍1卷（冢田大峰）
　　　娛語4卷（摩島松南）
　　　清暑閒談4卷（西島蘭溪）
　　　藝苑談1卷（清田儋叟）
　　　閑窗自適1卷（三浦瓶山）
　　　追思錄1卷（廣瀨旭莊）
　　　卜夜快語1卷（田能村竹田）

第2卷　隨筆部第2
　間窗雜錄4卷（中村蘭林）
　晚年謾錄1卷（久未訂齋）
　間窗瑣言1卷（西山拙齋）
　靜寄餘筆2卷（尾藤二洲）
　冬讀書餘3卷（尾藤二洲）
　秋堂閒語3卷（西島蘭溪）
　續秋堂閒語2卷（西島蘭溪）
　鶺燕偶記1卷（增島蘭園）
　南柯餘編3卷（安積艮齋）
　九桂草堂隨筆10卷（廣瀨旭莊）
　塗說2卷（廣瀨旭莊）
　睡餘漫筆3卷（安井息軒）
第3卷　史傳書簡部
　南學傳2卷（大高坂芝山）
　南學遺訓1卷（大高坂芝山）
　先達遺事1卷（稻葉默齋）
　墨水一滴1卷（稻葉默齋）
　吾學源流1卷（渡邊予齋）
　史館茗話1卷（林　海洞）
　日本詩史5卷（江村北海）
　文苑遺談3卷（青山拙齋）
　文苑遺談續集1卷（青山拙齋）
　尾張名家誌初編2卷（細野忠陳）
　石川文山年譜1卷（人見竹洞）
　文山遺墨由來記1卷（豐藤熟之）
　山崎闇齋年譜1卷（山田思叔）
　紀平洲年譜1卷（神野世猷）
　及門遺範1卷（會澤正志齋）
　我昔詩集1卷（龜井南冥）
　師友志1卷（賴　春水）
　在津記事2卷（賴　春水）
　先儒三子評4卷（服部栗齋）
　儒林評1卷（廣瀨淡窗）
　當世名家評判記前編1卷（著者未詳）
　秋雨談1卷（著者未詳）

都下名流品題辨1卷（著者未詳）

攝西六家詩評1卷（廣瀨青邨）

近世名家文評1卷（川田甕江）

學寮了簡1卷（荻生徂徠）

寬政異學禁意見書（諸家）

村雨夕1卷（赤崎海門）

申聞書1卷（廣瀨淡窗）

上明山公書1卷（安井息軒）

榮觀錄1卷（藤澤東畡）

丙辰紀行1卷（林　羅山）

東奧紀行1卷（長久保赤水）

遊松山記1卷（西山拙齋）

僑居日記1卷（佐藤一齋）

紫芝園國字書1卷（太宰春臺）

燈下書1卷（服部南郭）

拙齋遺文鈔1卷（西山拙齋）

俗簡焚餘2卷（佐藤一齋）

猪飼敬所書柬集8卷（猪飼敬所）

慊堂遺墨1卷（松崎慊堂）

第4卷　論辨部

適從錄2卷（大高坂芝山）

辨大學非孔子之遺書辨1卷（淺見絅齋）

辨送浮屠道香師序1卷（佐藤直方）

辨伊藤維楨號仁齋1卷（鈴木貞齋）

辨道1卷（荻生徂徠）

非徂徠學1卷（蟹　養齋）

辨道解蔽1卷（石川麟洲）

燃犀錄1卷（服部蘇門）

非物氏1卷（平　瑜）

閑距餘筆1卷（中井竹山）

讀辨道1卷（龜井昭陽）

徂徠學則1卷（荻生徂徠）

徂徠學則問答1卷（谷口大雅）

徂徠學則辨1卷（上月專庵）

讀學則3卷（井上金峨）

梧窗客談2卷（山內退齋）

時學鍼炳2卷（高志泉溟）

讀書正誤1卷（石川番山）

集義和書顯非2卷（西川季格）

理氣辨論2卷（中江岷山）

非聖學問答2卷（高瀬學山）

斥非2卷（太宰春臺）

駁斥非1卷（深谷公幹）

崇孟1卷（藪　孤山）

思問錄1卷（藤澤東畡）

湯武論1卷（伊藤藍田）

和漢明辨1卷（佐久間太華）

王學辨集1卷（豐田信貞）

王傳駁議1卷（山口菅山）

洗心洞學名學則1卷（大鹽中齋）

豈好辨1卷（會澤正志齋）

辨妄1卷（安井息軒）

隔靴論1卷（鹽谷宕陰）

養子辨證1卷（淺見絧齋）

同姓爲後稱呼說1卷（三宅尙齋）

養子辨辨1卷（三輪執齋）

朱學辨1卷（鎌田柳泓）

俗儒辨1卷（蟹　養齋）

逸史糾繆1卷（猪飼敬所）

抱腹談1卷（高松芳孫）

抱腹談ノ抱腹1卷（海保漁村）

讀直毘靈1卷（會澤正志齋）

讀葛花1卷（會澤正志齋）

讀末賀能比連1卷（會澤正志齋）

讀級長戶風1卷（會澤正志齋）

第5卷　解說部第1

易經古義1卷（伊藤仁齋）

大象解1卷（伊藤仁齋）

易道撥亂1卷（太宰春臺）

易道撥亂辨1卷（森　東郭）

繫辭答問1卷（東條一堂）

讀詩要領 1 卷（伊籐東涯）

讀詩要領1卷(中村蘭林)

經義捫說1卷(山本北山)

孝經餘論1卷（豐島豐洲）

孝經兩造簡孚1卷（東條一堂）

古文孝經私記1卷（朝川善庵）

三經小傳3卷（大田晴軒）

極論1卷（伊藤仁齋）

讀近思錄鈔1卷（伊藤仁齋）

太極圖說管見1卷（伊藤東涯）

太極圖說十論1卷（伊藤東涯）

通書管見1卷（伊藤東涯）

性命答問2卷（東條一堂）

一齋先生雅言4卷（村士玉水）

理學秘訣1卷（鎌田柳泓）

理氣鄙言1卷（櫻田虎門）

性理鄙說1卷（大橋訥庵）

天民遺言2卷（並河天民）

學論2卷（松宮觀山）

學論二編2卷（松宮觀山）

學脈辨解1卷（松宮觀山）

管仲非仁者辨1卷（日尾荊山）

古學指要2卷（伊藤東涯）

古學辨疑2卷（富永滄浪）

第6卷　解說部第2

語孟字義2卷（伊藤仁齋）

語孟字義辨1卷（木山楓谿）

大疑錄2卷（貝原益軒）

聖語述1卷（伊藤東涯）

三才辨義3卷（田中麗山）

豐子仁說1卷（豐島豐洲）

豐子筆談1卷（豐島豐洲）

聖道辨物2卷（冢田大峰）

新論1卷（村田庫山）

敬義內外說1卷（淺見絅齋）

敬義內外考1卷（友部安崇）

敬義內外考論1卷（佐藤直方）

問學舉要1卷（皆川淇園）
三教要論1卷（松宮觀山）
師門問辨錄1卷（山田方谷）
愚聞漫鈔1卷（富春山人）
約言1卷（廣瀨淡窗）
約言或問1卷（廣瀨淡窗）
聖學私言1卷（岡田煌亭）
聖學或問1卷（森　省齋）
性論1卷（森　省齋）
老子雕題1卷（中井履軒）
冬の日影2卷（菅　茶山）
莊子解1卷（照井一宅）
九經談10卷（大田錦城）
家學小言1卷（龜井昭陽）
朱學管窺1卷（安積艮齋）
經學字義古訓1卷（海保漁村）
翁の文1卷（富永仲基）
第7卷　（續編）隨筆部第1
護園隨筆5卷（荻生徂徠）
護園十筆10卷（荻生徂徠）
桂館野乘及漫筆10卷（原　雙桂）
讀書會意3卷（澀井太室）
水哉子3卷（中井履軒）
近聞寓筆4卷（吉田篁墩）
代奕雜抄2卷（石川番山）
坤齋日鈔3卷（西島蘭溪）
侗庵筆記2卷（古賀侗庵）
學資談1卷（田中　頤）
國字示蒙附錄1卷（村上　勤）
鋤雨亭隨筆3卷（東　夢亭）
第8卷　（續編）解說部第1及雜部
儒門思問錄4卷（林　羅山）
太極圖述2卷（室　鳩巢）
經義緒言1卷（井上金峨）
霞城講義1卷（井上金峨）
聖教類語和解1卷（宇佐美灊水）

古文尙書總辨2卷（宮田五溪）

七經剳記8卷（崗田煌亭）

聖道合語2卷（冢田大峰）

聖道得門1卷（冢田大峰）

讀學筆記3卷（中村惕齋）

學半樓十幹集4卷（伊藤鳳山）

教學辯2卷（堤　它山）

名義錄1卷（佐藤敬庵）

正學指要2卷（高松貝陵）

鞭妄1卷（日尾荊山）

第12卷　（續續篇）隨筆部及雜部

湖亭涉筆4卷（安積澹泊齋）

霞亭涉筆1卷（北條霞亭）

抱關休暇漫筆1卷（矢部騰谷）

鳩居語1卷（尾崎稱齋）

知非編1卷（三浦清陰）

蟻亭摭言2卷（大井雪軒）

學範後編1卷（東條一堂）

一堂讀書法1卷（東條一堂）

視志緖言2卷（鹽谷岩陰）

續三教要論1卷（松宮觀山）

三之逕1卷（瀧　鶴台）

管仲孟子論1卷（松村九山）

朱王學解1卷（二山時習堂）

啓蒙辨1卷（源　敏通）

封建論1卷（伊藤鳳山）

士大夫節儉論1卷（龍　草盧）

貧政1卷（勝田半齋）

傳疑小史1卷（中井履軒）

寤眠錄1卷（中村栗園）

東征稿1卷（中井竹山）

西上記1卷（中井竹山）

報桑錄2卷（齋藤竹堂）

俟采擇錄1卷（久坂江月齋）

文論詩論1卷（太宰春臺）

夜航餘話2卷（津阪東陽）

　　　　　詩史顰1卷（市野迷庵）
　　　　　律詩天眼1卷（熊坂台洲）
　　　　　學問所創置心得書1卷（佐藤一齋）
　　　第13卷　（續續篇）詩文部
　　　　　金峨先生焦餘稿7卷（井上金峨）
　　　　　樂古堂文集10卷（仁井田南陽）
　　　　　采蘋詩集1卷（原　采蘋）
　　　　　鼓缶子文草4卷（櫻田虎門）
　　　第14卷　（續續篇）儒林雜纂
　　　　　周易校勘記舉正1卷（海保漁村）
　　　　　漁村海保府君年譜1卷（海保竹逕）
　　　　　論語駁異1卷（海保漁村）
　　　　　論語徵批1卷（岡龍洲）
　　　　　論語説抄1卷（豬飼敬所）
　　　　　論語一貫章講義1卷（豬飼敬所）
　　　　　難徠學1卷（高半）
　　　　　字義辨解2卷（渡邊弘堂）
　　　　　原學篇1卷（三浦瓶山）
　　　　　藝海蠡1卷（原　狂齋）
　　　　　先游傳1卷（伊藤東涯）
　　　　　泣血録1卷（古賀侗庵）
　　　　　松陰快談4卷（長野豐山）
　7982　關儀一郎編　　儒林雜纂
　　　東京　東洋圖書刊行會　昭和13年（1938）　2冊
　　　　　周易校勘記舉正1卷（海保漁村）
　　　　　漁村海保府君年譜1卷（海保竹逕）
　　　　　論語駁異1卷（海保漁村）
　　　　　論語微批1卷（岡　龍洲）
　　　　　論語説抄1卷（豬飼敬所）
　　　　　論語一貫章講議（豬飼敬所）
　　　　　難徠學1卷（高　半）
　　　　　字義辨解2卷（渡邊弘堂）
　　　　　原學篇1卷（三浦瓶山）
　　　　　藝海蠡附狂齋銘1卷（原　狂齋）
　　　　　先游傳1卷（伊藤東涯）
　　　　　泣血録1卷（古賀侗庵）

　　　　　　　　　　　松陰快談4卷（長野豐山）

7983　關儀一郎編　　近世儒家史料

　　　　　　　　　　東京　井田書店　昭和17、18年（1942、1943）　2冊
　　　　　　　　　　上冊
　　　　　　　　　　俗簡焚餘2卷（佐藤一齋）
　　　　　　　　　　猪飼敬所書柬集8卷（猪飼敬所）
　　　　　　　　　　先儒三子評（服部栗齋）
　　　　　　　　　　儒林評（廣瀨淡窗）
　　　　　　　　　　當世名家評判記前編上卷
　　　　　　　　　　秋雨談
　　　　　　　　　　都下名流品題辨
　　　　　　　　　　攝西六家詩評（廣瀨青邨）
　　　　　　　　　　近世名家文評（川田甕江）
　　　　　　　　　　學寮了簡（荻生徂徠）
　　　　　　　　　　寬政異學禁關係文書（栗山春水等）
　　　　　　　　　　中冊
　　　　　　　　　　南學傳2卷（大高坂芝山）
　　　　　　　　　　南學遺訓（大高坂芝山）
　　　　　　　　　　先達遺事（稻葉默齋）
　　　　　　　　　　墨水一滴（稻葉默齋）
　　　　　　　　　　吾學源流（渡邊予齋）
　　　　　　　　　　史館茗話（林　梅洞）
　　　　　　　　　　日本詩史5卷（江村北海）
　　　　　　　　　　文苑談3卷（青山拙齋）
　　　　　　　　　　文苑遺談續集（青山拙齋）
　　　　　　　　　　尾張名家誌初編2卷（細野要齋）
　　　　　　　　　　及門遺範（會澤正志齋）
　　　　　　　　　　師友志春水遺稿別錄（賴　春水）
　　　　　　　　　　在津紀事春水遺稿別錄　1卷（賴　春水）
　　　　　　　　　　下冊（未出版）

7984　相良亨等編　　近世儒家文集集成

　　　　　　　　　　東京　ぺりかん社
　　　　　　　　　　第1卷　古學先生詩文集　伊藤仁齋著　昭和60年（1985）9
　　　　　　　　　　月　189頁
　　　　　　　　　　解說、解題（三宅正彥）
　　　　　　　　　　古學先生文集6卷

　　古學先生詩集2卷

第2卷　絅齋先生文集　淺見絅齋著、相良亨編　昭和62年

　　（1987）11月　231頁

　　解說（相良　亨）

　　絅齋先生文集

第3卷　徂徠集　荻生徂徠著、平石直昭編　昭和60年

　　（1985）1月　22，452頁

　　解題（平石直昭）

　　徂徠集30卷補遺1卷

　　徂徠集拾遺2卷

第4卷　紹述先生文集　伊藤東涯著、三宅正彥編　昭和63

　　年（1988）11月　768頁

　　解說（三宅正彥）

第5卷　蛻巖集　梁田蛻巖著、德田武編　昭和60年（1985）7

　　月　256頁

　　解說（德田　武）

　　蛻巖集

第6卷　春臺先生紫芝園稿　太宰春臺著、小島康敬編　昭

　　和61（1986）1月　307頁

　　解題（小島康敬）

　　春臺先生紫芝園稿前稿5卷後稿15卷序目1卷、附錄1卷

第7卷　南郭先生文集　服部南郭著、日野龍夫編　昭和60

　　年（1985）3月　432頁

　　解題（日野龍夫）

　　南郭先生文集40卷、補遺1卷

第8卷　奠陰集　中井竹山著、水田紀久編　昭和62年

　　（1987）3月　405頁

　　解題（水田紀久）

　　詩集

　　文集

第9卷　淇園詩文集　皆川淇園著、高橋博巳編　昭和61年

　　（1986）4月　444頁

　　解題（高橋博巳）

　　淇園文集初篇

　　淇園詩集初篇

　　淇園文集2編（木活本）

淇園文集抄錄（寫本）

第10卷　靜寄軒集　尾藤二洲著　賴　惟勤編　平成3年
　（1991）1月338頁

第11卷　尺五先生全書　松永尺五著、柴田純編

第12卷　鵝峰林學士文集　林鵝峰著、日野龍夫編　2冊

第13卷　鳩巢先生文集　室鳩巢著、杉下元明編　平成3年
　（1991）10月　36, 534頁

解說（杉下元明）

鳩巢先生文集

前編鳩巢先生文集

補遺鳩巢先生文集

後編鳩巢先生文集

附錄：鳩巢逸稿

第14卷　灊水叢書　宇佐美灊水著、澤井啓一編　平成7年
　（1995）1月　43, 243頁

解說（澤井啓一）

灊水叢書

第15卷　精里全書　古賀精里著、梅澤秀夫編　平成8年
　（1996）2月　572頁

解說（梅澤秀夫）

精里全書

第16卷　愛日櫻全集　佐藤一齋著、荻生茂博編

7985　高橋正和等編　近世儒家資料集成

東京　ぺりかん社

第1卷　三浦梅園資料集（上）　三浦梅園著，高橋正和、五
郎丸延編　平成元年（1989）2月

安永本玄語

　例旨

　本宗

　天冊活部

　天冊立部

　地冊沒部

　地冊露部

第2卷　三浦梅園資料集（下）　三浦梅園著，高橋正和、五
郎丸延編　平成元年（1989）2月

安永本玄語

　　　　小冊人部
　　　　小冊物部
　　　　安永本附箋集
　　　淨書本玄語
　　　　本宗
　　　　地冊沒部
　　　　地冊露部
　　　　淨書本附箋集
　　　　解說：梅園研究と《玄語》原文（五郎丸延著）
　　第3卷　中井竹山資料集（上）　中井竹山著，高橋章則編
　　　　平成元年（1989）7月
　　　　進逸史牋
　　　　逸史首卷，子—巳
　　第4卷　中井竹山資料集（下）　中井竹山著，高橋章則編
　　　　平成元年（1989）7月
　　　　逸史（續）午—亥
　　　　逸史問答
　　　　解說：《逸史》の獻上と歷史敍述の方法について（高橋
　　　　章則）
　　第5卷　貝原益軒資料集（上）　貝原益軒著、井上忠等編
　　　　平成元年（1989）12月
　　　　愼思錄　卷7—12
　　　　愼思餘錄
　　　　損軒先生年譜
　　第6卷　貝原益軒資料集（下）　貝原益軒著、井上忠等編
　　　　平成元年（1989）12月
　　　　大疑錄（初稿）卷之1
　　　　愼思外錄
　　　　附：易說反證
　　　　　　徂徠古學辨
　　　　　　辨辨道
　　　　解說：貝原益軒と竹田春庵（井上忠等著）
　　第7卷　七經孟子考文　山井鼎著、荻生觀訂補、戶川芳郎
　　　　編
7986　龜山聿三編　近代先哲碑文集
　　東京　夢硯堂　50卷

第1集　昭和38年（1963）　1冊
　　菅茶山先生碑文集
　　賴杏坪先生碑文集
第2集　昭和38年（1963）　1冊
　　春水賴先生碑文集
　　聿庵賴先生碑文集
　　賴氏碑文集
第3集　昭和39年（1964）　1冊
　　山陽賴先生碑文集
　　支峰賴先生碑文集
第4集　昭和40年（1965）　1冊
　　林氏碑文集
第5集　昭和41年（1966）　55丁
　　佐藤氏碑文集
第6集　昭和41年（1966）　61,24丁
　　佐藤先生碑文集後篇
第7集　昭和41年（1966）　74丁
　　慊堂松崎先生碑文集
第8集　昭和42年（1967）　50丁
　　稻川山梨先生碑文集
　　慊堂松崎先生碑文集補遺
　　迪齋河田先生碑文集補遺
第9集　昭和42年（1967）　18.32丁
　　徂徠物先生碑文集
　　附：郡山故記室荻生先生墓誌銘
　　　　徂徠物先生之墓碑
　　　　彥卿先生之墓碑
第10集　昭和42年（1967）　66丁
　　正志會澤先生碑文集
第11集　昭和42年（1967）　54丁
　　翠軒立原先生碑文集
第12集　昭和43年（1968）　37,5丁
　　徂徠先生社中碑文集補遺
第13集　昭和43年（1968）　11,31丁
　　古義堂伊藤氏碑文集
　　古義堂社中碑文集

第14集　昭和43年（1968）　　37,15丁
　古義堂社中碑文集續篇
第15集　昭和43年（1968）　　50丁
　甕江川田先生碑文集
第16集　昭和43年（1968）　　1冊
　天山藤森先生碑文集
　甕江川田先生碑文集續篇
　古義堂社中碑文拾遺
第17集　昭和44年（1969）　　1冊
　錦城大田先生碑文集
第18集　昭和44年（1969）　　57丁
　艮齋安積先生碑文集
第19集　昭和44年（1969）　　1冊
　拙堂齋藤先生碑文集
第20集　昭和45年（1970）　　1冊
　磐溪槻先生碑文集
第21集　昭和45年（1970）　　1冊
　小竹篠崎先生碑文集
第22集　昭和45年（1970）　　46丁
　宕陰鹽谷先生碑文集
第23集　昭和45年（1970）　　43丁
　東湖藤田先生碑文集
第24集　昭和46年（1971）　　51丁
　栗山柴野先生碑文集
第25集　昭和46年（1971）　　36,3丁
　精里古賀先生碑文集
第26集　昭和46年（1971）　　35丁
　平洲細井先生碑文集
第27集　昭和46年（1971）　　34,2丁
　竹山中井先生碑文集
第28集　昭和47年（1972）　　40丁
　述齋林先生碑文集
第29集　昭和47年（1972）　　1冊
　二洲尾藤先生碑文集
第30集　昭和47年（1972）　　1冊
　金陵芳野先生碑文集

第31集　昭和47年（1972）　　1冊
　　象山佐久間先生碑文集
第32集　昭和48年（1973）　　1冊
　　敬宇中村先生碑文集
第33集　昭和48年（1973）　　1冊
　　幽谷藤田先生碑文集
第34集　昭和48年（1973）　　1冊
　　蒼海副嶋先生碑文集
第35集　昭和48年（1973）　　33丁
　　十洲細川先生碑文集
第36集　昭和49年（1974）　　37丁
　　息軒安井先生碑文集
第37集　昭和49年（1974）　　1冊
　　善菴朝川先生碑文集
第38集　昭和49年（1974）　　34丁
　　鵬齋龜田先生碑文集
第39集　昭和49年（1974）　　15丁
　　鵬齋龜田先生碑文集續編
第40集　昭和50年（1975）　　30丁
　　鶴梁林先生碑文集
第41集　昭和50年（1975）　　28丁
　　梅屋貫名先生碑文集
第42集　昭和50年（1975）　　27丁
　　節齋森田先生碑文集
第43集　昭和50年（1975）　　31丁
　　鹿門岡先生碑文集
第44集　昭和51年（1976）　　1冊
　　大典禪師顯常碑文集
第45集　昭和51年（1976）　　26丁
　　澹泊齋安積先生碑文集
第46集　昭和51年（1976）　　30丁
　　闇齋山崎先生碑文集
第47集　昭和51年（1976）　　30丁
　　崎門社中名家碑文集
第48集　昭和52年（1977）　　27丁
　　崎門社中名家碑文集續編

第49集　昭和52年（1977）　1冊
　　修靜蒲生先生碑文集
　　赤城清水先生碑文集
　　訥庵大橋先生碑文集
第50集　昭和52年(1977)　30丁
　　大橋訥庵及社中名家碑文集

7987　原念齋等著　　近世文藝者傳記叢書
　　東京　ゆまに書房　昭和63年（1988）　9卷　別卷1卷
　　第1卷　昭和63年（1988）8月
　　　先哲叢談前編　卷1—6（原念齋著）
　　　訓み下しノ部
　　第2卷　昭和63年（1988）8月
　　　先哲叢談前編　卷7—8（原念齋著）
　　　先哲叢談後編　卷1—4（東條琴台著）
　　　訓み下しノ部
　　第3卷　昭和63年（1988）8月
　　　先哲叢談後編　卷5—8（東條琴台著）
　　　訓み下しノ部
　　第4卷　昭和63年（1988）8月
　　　先哲叢談續編　卷1—6（東條琴台著）
　　　訓み下しノ部
　　第5卷　昭和63年（1988）8月
　　　先哲叢談續編　卷7—12（東條琴台著）
　　　先哲叢談序目年表（東條琴台編）
　　　訓み下しノ部
　　第6卷　昭和63年（1988）8月
　　　近世先哲叢談正編（松村操著）
　　　續近世先哲叢談（松村操著）
　　第7卷　昭和63年（1988）12月
　　　先哲像傳(原得齋著)
　　　訓み下しノ部
　　第8卷　昭和63年（1988）12月
　　　近世叢語（角田九華著）
　　第9卷　昭和63年（1988）12月
　　　續近世叢語（角田九華著）
　　第10卷　昭和63年（1988）12月

人名索引

7988　池田四郎次郎編　日本詩話叢書

東京　文會堂書店　大正9—11年（1920—1922）　10冊
東京　鳳出版　昭和47年（1972）影印本　10冊
第1卷
　　詩訣1卷（祇園南海）
　　白石先生詩範1卷（鳥山輔堯校）
　　南郭先生燈下書1卷（服部南郭）
　　唐詩平側考3卷（鈴木松江）
　　詩語考附錄（鈴木松江）
　　日本詩史5卷（江邨北海）
　　史館茗話1卷（林　梅洞）
　　作詩質的1卷（冢田大峯）
　　詩格刊誤2卷（日尾省齋）

第2卷
　　詩學逢原2卷（祇園南海）
　　孝經樓詩話2卷（山本北山）
　　談唐詩選1卷（市川寬齋）
　　詩學還丹2卷（川合春川）
　　夜航詩話6卷（津阪東陽）
　　丹丘詩話3卷（芥川丹丘）

第3卷
　　夜航餘話2卷（津阪東陽）
　　詩律初學抄1卷（梅室雲洞）
　　斥非1卷（太宰春臺）
　　初學詩法1卷（貝原益軒）
　　詩學新論3卷（原田東岳）
　　詩格集成（長山樗園）
　　詩聖堂詩話1卷（大窪天民）
　　詩山堂詩話1卷（小畑詩山）

第4卷
　　葛原詩話4卷（慈　周）
　　葛原詩話標記1卷（猪飼敬所）
　　淡窗詩話2卷（廣瀨淡窗）
　　綵嚴詩則1卷（奧　綵嚴）
　　詩論幷附錄2卷（太宰春臺）

松陰快談4卷（長野豐山）

詩律1卷（赤澤一堂）

幣帚詩話并附錄3卷（西島蘭溪）

第5卷

葛原詩話後篇4卷（慈　周）

葛原詩話糾謬1、2卷（津阪東陽）

淇園詩話1卷（皆川淇園）

鉏雨亭隨筆3卷（東　夢亭）

東人詩話2卷（徐　居正）

竹田莊詩話1卷（田能村竹田）

第6卷

藝苑譜1卷（清田儋叟）

詩轍1—3卷（三浦梅園）

滄溟近體聲律考1卷（瀧川南谷）

幼學詩話1卷（東條琴台）

濟北詩話1卷（師　鍊）

柳橋詩話2卷（加藤良白）

全唐詩逸3卷（市川寬齋）

第7卷

詩轍4—6卷（三浦梅園）

文鏡秘府論6卷（空　海）

老圃詩膡1卷（安積澹泊）

詩史蠶1卷（市野迷庵）

木石園詩話1卷（久保甫學）

第8卷

作詩志彀1卷（山本北山）

詞壇骨鯁1卷（松邨九山）

詩訟蒲鞭1卷（雨森牛山）

藝園鉏莠2卷（松邨九山）

辨藝園鉏莠2卷（系井榕齋）

錦天山房詩話上卷（友野霞舟）

第9卷

藝苑談1卷（清田儋叟）

太冲詩規1卷（滕荷澤）

詩窗閑話1卷（中根香亭）

詩則2卷（林　東溟）

　　　　　　　錦天山房詩話下卷（友野霞舟）
　　　　　　　五山堂詩話卷1、2（菊池五山）
　　　　　第10卷
　　　　　　　葛原詩話糾謬3・4卷（津阪東陽）
　　　　　　　詩律兆11卷（中井竹山）
　　　　　　　詩法正義1卷（石川丈山）
　　　　　　　梧窗詩話2卷（林　蓀坡）
　　　　　　　社友詩律論1卷（小野泉藏）
　　　　　　　五山堂詩話卷3—6（菊池五山）
7989　池田四郎次郎等編　日本藝林叢書
　　　　　東京　六合館　昭和2—4年（1927—1929）　12冊
　　　　　第1卷
　　　　　　　驪睡錄（猪飼彦博）
　　　　　　　薈蕢錄（津阪孝綽）
　　　　　　　北山先生作詩志彀（山本信有）
　　　　　　　討作詩志彀（佐久間欽）
　　　　　　　討作詩志彀附錄（杉友子孝）
　　　　　　　睡作詩志彀
　　　　　　　詩訟蒲鞭（首相亭主人）
　　　　　　　駁詩訟蒲鞭（何　忠順）
　　　　　　　詞壇骨鯁（松詩良獻）
　　　　　第2卷
　　　　　　　蛻巖先生答問書（梁田邦美）
　　　　　　　歲在歲次龍集考（大橋正順）
　　　　　　　孟子養氣章解（山田　球）
　　　　　　　鹿門隨筆（望月三英）
　　　　　　　辨譯文要訣（城山道人）
　　　　　　　文章薰蕕辨（旭　道一）
　　　　　　　竄正名家叙事（猪飼彦博）
　　　　　　　時文刊誤（松本　慎）
　　　　　　　刪潤梅溪游記（賴　襄）
　　　　　　　春山倚杖（森田　益）
　　　　　　　葛原詩話糾謬（津阪孝綽）
　　　　　第3卷
　　　　　　　好古小錄（藤原貞幹著、狩谷掖齋頭注）
　　　　　　　好古日錄（藤原貞幹著、狩谷掖齋頭注）

迷庵雜記（市野光彦）
靜齋隨筆（河口光遠）
詩經名物辨解正誤（小野職博）
說文新附字考攷正合編（岡井愼吾編）
轉注說（狩谷掖齋著、岡本保孝補注）
周尺說（森　約之）
丈山夜譚
第4卷
泰山遺說（小川信成）
彼此合符（岡田挺之）
和漢駢事（虞淵編）
大和行日記（菅　晉師）
拙堂文話評（齋藤正謙著、山木積善評）
殘叢小話（松崎　復）
猪飼敬所先生書柬集（猪飼彦博）
日尾子（日尾　瑜）
書經蔡傳渾天儀圖攷（日尾　瑜）
五倫名義辨證（曾我景章）
第5卷
雅遊漫錄（大枝流芳著、清田儋叟標記）
聖藩羝觸（山梨玄度）
蟄居紀談（河崎延貞）
伊勢の家つと（足代弘訓）
春宵談
秋夜譚
相識人物志（岡本保孝）
昌平茗談
廉齋間話
杏柳傳語（大田　覃）
細推物理（大田　覃）
第6卷
嬉遊笑覽（喜多村信節）
　　居處　容儀　服飾　器用　書畫　詩歌　武事　雜伎
　　宴會　歌舞
第7卷
嬉遊笑覽（喜多村信節）

音曲　翫弄　行遊　祭祀　慶賀　方術　娼妓　言語
飲食　火燭　商賈　禽虫　草木　附錄
第8卷
　見聞談叢（伊藤長英）
　後𦙾軒小錄（新庄道雄）
　栢園獨語（新庄道雄）
　さし出の磯（新見正路）
　異本名家略傳（山崎美成）
　鈴屋消息（本居宣長）
　歟の下露（青木茂房）
　披齋華牋（狩谷望之）
　後素手簡（大鹽平八郎）
　一枝餘芳（村田了阿）
　錢譜（藤原貞幹）
　錢貨譚叢（酒井忠衞）
　新校正珍貨圖鑑凡例（狩谷懷之）
第9卷
　曲亭書簡集（瀧澤　解）
　曲亭書簡集拾遺（瀧澤　解）
　曲亭書狀寫（瀧澤　解）
　曲亭馬琴家系
　寄曲亭書簡
　無佛齋手簡（藤原貞幹）
　藤垣內消息（本居大平）
　全齋墨叢（太田經方）
第10卷
　耳囊（根岸鎭衞）
　羽澤隨筆（岡田助方）
第11、12卷
　慊堂日歷（松崎慊堂）
7990　國民圖書刊行會編　日本隨筆全集
　　　東京　國民圖書刊行會　昭和2—5年（1927—1930）　20冊
　　　第1卷
　　　寸錦雜綴
　　　南留別志5卷（荻生徂徠）
　　　東牖子5卷（田宮仲宣）

善庵隨筆2巻（朝川　鼎）

思齊漫錄2巻（中村弘毅）

秋苑日渉12巻

第2巻

睡餘小錄併附錄計3巻（藤原吉迪）

圓珠庵雜記2巻（契　沖）

河社5巻（契　沖）

著作堂一夕話一名蓑笠雨談3巻（瀧澤馬琴）

文會雜記3巻（湯淺元禎）

松屋叢話2巻（小山田與清）

第3巻

三養雜記（山崎美成）

駿台雜話（室　鳩巣）

烹雜の記（瀧澤馬琴）

孝經樓漫筆（山本北山）

猿著聞集（八島定岡）

第4巻

花街漫錄2巻（西村藐庵）

嚶嚶筆語2巻（野之口隆正）

北窗瑣談8巻（橘　南谿）

擁書漫筆4巻（高田（小山田）與清）

南屏燕語3巻（南山）

湖亭渉筆4巻（安積澹泊）

第5巻

燕石雜志5巻（瀧澤馬琴）

たはれぐさ3巻（雨森芳州）

漫畫隨筆1名撈海一得2巻（鈴木煥卿）

蒹葭堂雜錄5巻（木村孔恭）

常山樓筆餘3巻（湯淺元禎）

第6巻

好古小錄2巻（藤井貞幹）

年山紀聞6巻（安藤爲章）

秉燭譚5巻（伊藤東涯）

閑田耕筆4巻（伴　蒿蹊）

提醒紀談5巻（山崎美成）

第7巻

　　　好古日錄2卷（藤井貞幹）
　　　閑田次筆4卷（伴　蒿蹊）
　　　南嶺子4卷（多田義俊）
　　　柳莽隨筆1卷（栗原信允）
　　　茅窗漫錄3卷（茅原　定）
　　　坤齋日抄3卷（西島長孫）
　第8卷
　　　南嶺遺稿4卷（多田義俊）
　　　雅遊漫錄7卷（大枝流芳）
　　　玄同放言3卷6冊（瀧澤馬琴）
　　　聖學隨筆2卷（石川香山）
　　　柳莽雜筆4卷（栗原信允）
　　　松亭漫筆2卷（中村經年）
　第9卷
　　　還魂紙料1卷（柳亭種彦）
　　　橘牕茶話3卷（雨森芳洲）
　　　北邊隨筆4卷（富士谷御杖）
　　　閑窗瑣談4卷（佐佐木貞高）
　　　雲錦隨筆4卷（曉鐘　成）
　第10卷
　　　用捨箱3卷（柳亭種彦）
　　　閑際筆記3卷〈漢和太平廣記〉（藤井懶齋）
　　　梅園日記5卷（北　梅園）
　　　赤穗義士隨筆4卷（山崎美成）
　　　宮川舍漫筆5卷（宮川政運）
　第11卷
　　　近世奇跡考5卷（山東京傳）
　　　比古婆衣11卷（伴　信友）
　　　愚雜俎5卷（田宮仲宣）
　第12卷
　　　年年隨筆6卷（石原正明）
　　　理齋隨筆6卷（志賀　忍）
　　　難波江7卷（岡本保孝）
　第13卷
　　　骨董集4卷（山東京傳）
　　　雲萍雜志4卷（柳澤淇園）

索引

7991　日本隨筆大成編輯部編　日本隨筆大成

東京　吉川弘文館　昭和2—6年（1927—1931）　41冊

東京　吉川弘文館　昭和48年—54年（1973—1979）　81冊

第1期

第1冊

梅村載筆3巻（林　羅山）

筆のすさび4巻（菅　茶山）

羈旅漫錄3巻（瀧澤馬琴）

仙台間語4巻續3巻（林　笠翁）

第2冊

春波樓筆記1巻（司馬江漢）

瓦礫雜考2巻（喜多村信節）

紙魚室雜記2巻（城戶千楯）

桂林漫錄2巻（桂川中良）

柳亭記2巻（柳亭種彥）

尙古造紙插2巻（曉鐘　成）

第3冊

雲錦隨筆4巻（曉鐘　成）

松屋棟梁集1巻（高田（小山田）與清）

橿園隨筆2巻（中島廣足）

近世女風俗考2巻（生川春明）

第4冊

蘿月庵國書漫抄7巻（尾崎雅嘉）

畫譚雞肋3巻（中山高陽）

煙霞綺談4巻（西村白鳥）

柳亭筆記6巻（柳亭種彥）

磯山千鳥1巻（堀秀成）

橘窗自語9巻（橋本經亮）

第5冊

玄同放言3巻（瀧澤馬琴）

都の手ぶり1巻（石川雅望）

織錦舍隨筆2巻（村田春海）

第6冊

睡餘小錄2巻附錄1巻（藤原吉迪）

八水隨筆1巻

西洋畫談1卷（司馬江漢）

第13冊

　思ひの儘の記4卷（勢多章甫）

　用捨箱3卷（柳亭種彥）

　向岡閑話3卷（大田南畝）

　撈海一得2卷（鈴木煥卿）

　松陰隨筆1卷（鈴木基之）

　槻の落葉信濃漫錄1卷（荒木田久老）

第14冊

　兼葭堂雜錄五卷（木村孔恭稿、曉鐘成撰）

　文會雜記3卷附錄2卷（湯淺元禎）

　閑窗瑣談後編2卷（佐佐木貞高）

　畏庵隨筆2卷（若槻　敬）

第15冊

　北邊隨筆4卷（富士谷御杖）

　燕居雜話6卷（日尾荊山）

　骨董集3卷4冊（山東京傳）

第16冊

　かしのしづ枝2卷（中島廣足）

　幽遠隨筆2卷（入江昌喜）

　松屋叢考3卷（高田（小山田）與清）

　宮川舍漫筆5卷（宮川政運）

　駒谷剗言1卷（松村梅岡）

第17冊

　古今沿革考1卷（柏崎永以）

　異說まちまち4卷（和田烏江）

　閑際筆記和漢太平廣記3卷7冊（藤井懶齋）

　獨語1卷（太宰春臺）

　又樂庵示蒙話2卷（栗原信充）

　南嶺子4卷（多田義俊）

　南嶺子評1卷（伊勢貞丈）

第18冊

　世事百談4卷（山崎美成）

　閑田耕筆4卷（伴　蒿蹊）

　閑田次筆4卷（伴　蒿蹊）

　天神祭十二時1卷（山含亭意雅栗三）

第19冊
　　筆の御靈3巻（田沼善一）
　　東牖子5巻（田宮仲宣）
　　嗚呼矣草5巻（田宮仲宣）
　　齊諧俗談5巻（大朏東華）
　　一宵話3巻（秦鼎著、牧墨僊編）
第20冊
　　昆陽漫錄6巻（青木昆陽）
　　續昆陽漫錄1巻（青木昆陽）
　　續昆陽漫錄補1巻（青木昆陽）
　　南嶺遺稿4巻（多田義俊）
　　南嶺遺稿評1巻（伊勢貞丈）
　　秉穗錄4巻（岡田挺之）
第21冊
　　年年隨筆6巻（石原正明）
　　嘉良喜隨筆5巻（山口幸充）
　　烹雜の記2巻（瀧澤馬琴）
第22冊
　　三のしるべ3巻（藤井高尙）
　　好古日錄2巻（藤貞　幹）
　　好古小錄2巻（藤貞　幹）
　　茅窗漫錄2巻（茅原　定）
第23冊
　　遊藝園隨筆5巻（川路聖謨）
　　奇遊談3巻4冊（川口好和）
　　庖丁書錄1巻（林　羅山）
　　こがね草（石川雅望）
　　花街漫錄正誤1巻（喜多村信節）
第2期
第1冊
　　兎園小説12巻（瀧澤馬琴）
　　草廬漫筆5巻（武田信英）
第2冊
　　松屋叢話2巻（小山田與清）
　　提醒紀談5巻（山崎美成）
　　圓珠庵雜記1巻（契　沖）

　　　　一時隨筆1巻（岡西惟中）
　　　　假名世說2巻（大田南畝）
　　　　梅の塵1巻（梅の舍主人）
　　　　當代江都百化物1巻（馬場文耕）
　　第3冊
　　　　筱舍漫筆15巻（西田直養）
　　　　萍花漫筆2巻（桃　華園）
　　　　兎園小說外集2巻（瀧澤馬琴）
　　第4冊
　　　　兎園小說別集3巻（瀧澤馬琴）
　　　　八十翁疇昔話1巻（財津種莢）
　　　　牟藝古雅志2巻（瀨川如皐輯）
　　　　雲萍雜志4巻
　　　　閑なるあまり1巻（松平定信）
　　　　畫證錄1巻（喜多村信節）
　　第5冊
　　　　兎園小說餘錄2巻（瀧澤馬琴）
　　　　兎園小說拾遺2巻（瀧澤馬琴）
　　　　保敬隨筆1巻（小泉保敬）
　　　　梅園拾葉3巻（三浦梅園）
　　　　新著聞集18巻6冊（神谷養勇軒）
　　第6冊
　　　　雉岡隨筆2巻（五十嵐篤好）
　　　　三養雜記4巻（山崎美成）
　　　　清風瑣言2巻（上田秋成）
　　　　尤の草紙2巻（齋藤德元）
　　　　近世奇跡考5巻（山東京傳）
　　第7冊
　　　　它山石初編4巻（松井羅州）
　　　　筠庭雜錄2巻（喜多村信節）
　　　　勇魚鳥3巻（北山久備）
　　　　蜘蛛の絲卷1巻（山東京山）
　　　　橘窗茶話3巻（雨森芳洲）
　　第8冊
　　　　一舉博覽4巻（鈴木忠侯）
　　　　筠庭雜考4巻（喜多村信節）

萍の跡1巻（釋 立綱）

目さまし草1巻（清中亭叔親）

反古籠1巻（森島中良）

閑窗自語3巻2冊（柳原紀光）

雜說囊話2巻（林 自見）

第9冊

先進繡像玉石雜誌正編10冊（栗原信充）

二川隨筆三巻（山川素石、細川宗春）

第10冊

飛鳥川1巻（柴村盛方）

續飛鳥川1巻

江戶雀12巻12冊（菱川師宣撰）

積翠閑話4巻（中村經年）

尾崎雅嘉隨筆1巻（尾崎雅嘉）

閑窗筆記5巻（西村遠里）

第11冊

梅翁隨筆8巻

櫻の林2巻（千家尊澄、岩政信比古）

新增補浮世繪類考（龍田舍秋錦編）

第12冊

笈埃隨筆12巻（百井塘雨）

玲瓏隨筆4巻（澤 庵）

十八大通1巻（三升屋二三治）

本朝世事談綺5巻3冊（菊岡沾涼）

第13冊

河社5巻（契 沖）

多波禮草3巻（雨森芳洲）

本朝世事談綺正誤1巻（山崎美成）

桑楊庵一夕話3巻（岸 誠之）

鄰女晤言2巻（慈 延）

第14冊

蓴菜草紙3巻（多田義寬）

足薪翁記3巻（柳亭種彥）

奴師勞之1巻（大田南畝）

比古婆衣刊本4巻（伴 信友）

西山公隨筆1巻（德川光圀）

第15冊
　　南留別志5卷（荻生徂徠）
　　可成三註3卷（篠崎東海等）
　　非なるべし2卷（富士谷成章）
　　南留別志の辨
　　あるまじ1卷（伊勢貞丈）
　　ざるべし1卷（谷　眞潮）
　　北窗瑣談8卷（橘　春暉）
　　酣中清話2卷（小島成齋）
第16冊
　　三省錄5卷（志賀　忍）
　　三省錄後編5卷（原　義胤）
　　火浣布略說1卷（平賀鳩溪）
　　年山紀聞6卷（安藤爲章）
第17冊
　　遊京漫錄5卷（清水濱臣）
　　胡蝶庵隨筆1卷（聖　應）
　　柳庵隨筆初編1卷（栗原信充）
　　柳庵隨筆10卷11冊（栗原信充）
第18冊
　　柳庵隨筆餘編1卷（栗原信充）
　　曲肱漫筆4卷
　　薰風雜話2卷（澀川時英）
　　立路隨筆2卷（林　百助）
　　北國奇談巡杖記5卷（鳥翠台北堊）
　　南屏燕語3卷（釋　南山）
　　答問雜稿3卷（清水濱臣）
第19冊
　　楓軒偶記6卷（小宮山昌秀）
　　諼草小言4卷（小宮山昌秀）
　　燕石雜志5卷6冊（瀧澤馬琴）
第20冊
　　靜軒痴談2卷（寺門靜軒）
　　閑散餘錄2卷（南川維遷）
　　於路加於比3卷（笠亭仙果）
　　只今御笑草1卷（瀨川如皋）

夏山雜談5巻（平　直方）

銀鷄一睡南柯乃夢2巻（畑　銀鷄）

猿著聞集5巻（八島定岡）

第21冊

折折草4巻（建部綾足）

難波江7巻（岡本保孝）

第22冊

下馬のおとなひ1巻（堀　秀成）

松の落葉4巻、目錄1巻（藤井高尚）

蜑の燒藻の記2巻（森山孝盛）

闇の曙2巻（新井白峨）

第23冊

卯花園漫錄5巻（石上宣續）

雅遊漫錄7巻（大枝流芳）

第24冊

赤穗義士隨筆4巻（山崎美成）

思齊漫錄2巻（中村弘毅）

南畝莠言2巻（大田南畝）

晤語2巻（名嶋政方）

輶軒小錄1巻（伊藤東涯）

莘野茗談1巻（平秩東作）

な.るの日並1巻（笠亭仙果）

諸國里人談5巻（菊岡沾涼）

第3期

第1冊

傍廂2篇（齋藤彦麻呂）

傍廂糾繆1巻（岡本保孝）

ねざめのすさび3巻（石川雅望）

理齋隨筆6巻（志賀理齋）

花月草紙6巻（松平定信）

第2冊

浪華百事談9巻

異本洞房語園3巻（庄司勝富）

洞房語園後集1巻（庄司勝富）

洞房語園異本考異（石原徒流）

筆のすさび3巻（橘　泰）

おほうみのはら1巻（富士谷成章）
第3冊
　中陵漫錄15巻（佐藤成裕）
　柳庵雜筆4巻（栗原信充）
第4冊
　古今雜談思出草紙10巻（東　隨舍）
　俗耳鼓吹1巻（大田南畝）
　消閑雜記1巻（岡西惟中）
　賤のをだ卷1巻（森山孝盛）
　醒睡笑8巻（安樂庵策傳）
　近世商賣盡狂歌合2巻（石塚豐芥子）
第5冊
　天朝墨談5巻（五十嵐篤好）
　蒼梧隨筆8巻（大塚嘉樹）
　梅窗筆記2巻（橋本經亮）
　關の秋風1巻（松平定信）
　浪華の風1巻（久須美祐雋）
　癇癖談2巻（上田秋成）
第6冊
　三餘叢談3巻（長谷川宣昭）
　とはずかたり1巻（中井甃庵）
　近来見聞噺の苗6巻（曉鐘　成）
　駿台雜話5巻（室　鳩巢）
　むさしあぶみ2巻（淺井了意）
　南向茶話附追考2巻（酒井忠昌）
第7冊
　後松日記21巻（松岡行義）
第8冊
　見た京物語1巻（木室卯雲）
　天野政德隨筆3巻（天野政德）
　凌雨漫錄1巻
　莚響錄2巻（高橋宗直）
　訓蒙淺語（大田晴軒）
　榊巷談苑1巻附錄1巻（榊原篁洲）
第9冊
　百草6巻

鹽尻6
鹽尻拾遺卷51—120（天野信景）
第19冊
　翁草1　卷1—35（神澤杜口）
第20冊
　翁草2　卷36—63（神澤杜口）
第21冊
　翁草3　卷64—102（神澤杜口）
第22冊
　翁草4　卷103—132（神澤杜口）
第23冊
　翁草5　卷133—166（神澤杜口）
第24冊
　翁草6　卷167—200（神澤杜口）
　（備）各卷に解題あり
別卷
第1冊
　一話一言1　卷1—8（大田南畝）
第2冊
　一話一言2　卷9—16（大田南畝）
第3冊
　一話一言3　卷17—24（大田南畝）
第4冊
　一話一言4　卷25—32（大田南畝）
第5冊
　一話一言5　卷33—39（大田南畝）
第6冊
　一話一言6　卷40—48（大田南畝）
　一話一言補遺　卷1—9（大田南畝）
　一話一言追加（大田南畝）
第7冊
　嬉遊笑覽1　卷1—2（喜多村筠庭）
第8冊
　嬉遊笑覽2　卷3—5（喜多村筠庭）
第9冊
　嬉遊笑覽3　卷6—9（喜多村筠庭）

第10冊
　　嬉遊笑覧4　巻10—12、附録（喜多村筠庭）
7992　森銑三、北川博邦編　續日本隨筆大成
　　東京　吉川弘文館　昭和54—昭和58年(1979—1983)　24冊
　　第1冊
　　　講習餘筆4巻（仲村蘭林）
　　　雲室隨筆1巻（釋　雲室）
　　　坐臥記（桃　西河）
　　　しがらみ1巻（廣瀬蒙齋）
　　　消夏雜識2巻拾遺1巻（松本愚山）
　　第2冊
　　　常山樓筆餘3巻（湯淺常山）
　　　寝ざめの友1巻（近藤萬丈）
　　　九桂草堂隨筆10巻（廣瀬旭莊）
　　第3冊
　　　見し世の人の記1巻（脇　蘭室）
　　　拙古先生筆記1冊（奥田尙齋）
　　　撇舷（河野鐵兜）
　　　寒檠璅綴6巻附錄1巻（淺野梅堂）
　　　過庭餘聞1巻（楠本碩水）
　　第4冊
　　　一字訓2巻（雨森芳洲）
　　　蘐園雜話1巻
　　　醉迷餘錄3巻（中根香亭）
　　　零碎雜筆4巻（中根香亭）
　　　塵塚1巻（中根香亭）
　　第5冊
　　　間思隨筆1巻（加藤景範）
　　　對鷗樓閑話4巻（倉成龍渚）
　　　自覺談2巻（村山太白）
　　　氣吹舍筆叢2巻（平田篤胤）
　　　宿直物語2巻（澤田名垂）
　　　待問雜記2巻後編1巻（橘　守部）
　　第6冊
　　　仙語記1巻（村田春海）
　　　退閑雜記13巻後編4巻（松平定信）

閑度雜談3巻（仲村新齋）
第7冊
　一昔話1巻（加藤艮齋）
　碩鼠漫筆15巻（黑川春村）
第8冊
　寓意草2巻（岡村良通）
　紫のゆかり1巻（山岡浚明）
　所以者何1巻（大田南畝・田宮橘庵）
　松の下草1巻（黑川盛隆）
　春夢獨談2巻（澤　近嶺）
　ありやなしや1巻（清水礫洲）
第9冊
　古今物忘れの記1巻（建部綾足）
　屠龍工隨筆1冊（小栗百萬）
　松樓私語1巻（大田南畝）
　落葉の下草1巻（藤井高尙、中村歌右衛門）
　歌舞妓雜談1巻（中村芝翫）
　かしのくち葉3巻（中島廣足）
　石亭畫談初編2巻（竹本石亭）
　口嗜小史2巻（西田春耕）
　市川栢莚舍事錄5巻（池須賀散人）
　太平樂皇國性質2巻（松亭金水）
第10冊
　醍醐隨筆2巻（中山三柳）
　杏林內省錄5巻（緒方惟勝）
　黃華堂醫話1巻（橘　南谿）
　老牛餘喘3巻（小寺清之）
　貧政1巻（勝田半齋）
第11冊
　寐まのがたり1巻（鼠　溪）
　久保之取蛇尾3巻後編2巻（入江昌喜）
　犬鷄隨筆5巻（間宮永好）
第12冊
　強齋先生雜話筆記6巻（山口春水）
　しづのおだまき1巻（小冥野夫）
　別　卷

豊芥子日記三卷（石塚豊芥子）

第11冊

民間風俗年中行事上

諸國年中行事4卷（操巵子）

增補江戶年中行事1卷

石井士彭東都歲時記1卷（石井　蟲）

山城四季物語6卷（坂田直賴）

案內者6卷（中川喜雲）

閭里歲時記2卷（川野邊寬）

正月揃6卷（白眼居士）

第12冊

民間風俗年中行事下

北里年中行事1卷（花樂散人）

芝居年中行事1卷（はじゆう）

おとしばなし年中行事2卷（林屋正藏）

民間時令4卷（山崎美成）

年中故事10卷（玉田永教）

7993　長澤規矩也編　日本隨筆集成

東京　古典研究會出版　汲古書院發行　昭和53、54年

（1978、1979）　12冊

第1輯

羅浮筆記

北山記聞6卷（石川　凹）

北溪含毫6卷　續北溪含毫2卷（野間成大）

斷璧殘圭（熊澤伯繼）

適從錄2卷

群籍一覽3卷

喬松子2卷（大高坂秀明撰）

大疑錄2卷（貝原篤信撰）

聽雪記譚2卷　續集2卷（釋　空也）

第2輯

六經編考（淺見安正）

諸說辨斷3卷（馬場信武）

和漢故事文選8卷（蔀　遊燕）

好青館漫筆3卷（木下元高撰）

雅遊漫錄7卷（大枝流芳）

松戶隨筆（釋　性均）

兒戲笑談4卷（中村蒼一）

東武往來談叢

橘窗茶話3卷（雨森俊良）

第3輯

蕉窗漫筆3卷（釋　義海）

學山錄6卷（仲村明遠）

雞肋2卷（足代弘道）

說鈴2卷（足代弘道）

娛語4卷

高士辨疑（松平賴寬）

時學鍼炳2卷（高志利貞）

燕石錄4卷、續燕石錄1卷、燕石錄補遺1卷（山本格安）

道齋先生隨筆3卷（道　齋）

通俗談

稱呼辨正2卷（留守友信撰）

第4輯

古學辨疑2卷（富永　瀾撰）

過庭紀談5卷（原　瑜）

櫻邑閒語3卷（塚田行宜）

蘇門文鈔1卷、放言1卷（服部天游撰）

燃犀錄（服部天游）

良論（野藝之撰）

道學正要（有木　吉）

經史考1卷　附1卷（井口文炳）

撈海一得2卷（鈴木吉明）

講餘獨覽（南宮岳撰）

學論2卷（松宮俊仍撰）

學脉辨解（松宮俊仍撰）

常山樓筆餘2卷（湯淺元禎撰）

第5輯

常山樓筆餘（湯淺元禎）

閑散餘錄2卷（南川維遷）

常山先生閑散餘錄書入2卷（湯淺元禎）

仁說（安藤章）

經說拾遺前編2卷（原田　直）

山子垂統後編3卷（片山世璠撰）
和漢明辨1卷　附1卷（佐久間立僩）
金峨先生經義折衷（井上立元撰）
金峨先生匡正錄（井上立元撰）
金峨山人考槃堂漫錄（井上立元撰）
讀書會意3卷（澁井孝德撰）
好古小錄2卷　附1卷（藤井貞幹）

第6輯
泰山遺說（小川信成撰）
好古日錄（藤井貞幹）
名詮、典詮（龍公美撰）
翼醉談2卷　附1卷（墨貫述）
閑窗自適（三浦衛興）
近聞寓筆2卷、近聞雜錄1卷（吉田漢宦）
物數稱謂（岡田挺之編）
秉穗錄2卷（岡田挺之）
味無味子（方山撰）
小語（細井德民）
技癢錄2卷（南部彝）
邇言解（小田煥章）
梅窗筆記2卷（橋本經亮）

第7輯
桂林漫錄2卷（桂川中良）
藍田先生湯武論1卷　附1卷
藍田先生講義（伊東龜年撰）
代奕雜抄2卷（石川安貞）
讀書正誤（石川安貞）
時文摘紕1卷　附和學大概（村田春海）
三餘漫錄1名孝經樓漫錄2卷（山本信有）
稱謂私言（尾藤孝肇）
正學指掌（尾藤孝肇）
祖山筆記（東方望撰）
霞關掌錄扉（賴　惟完）
詠歸先生仁說1卷　附1卷（河田孝成）
字義或問（高橋　閎）
好學牘話2卷（高橋閎撰）

善庵隨筆（朝川鼎撰、泉澤充等校）

坤齋日抄（西島長孫）

愼夏漫筆（西島長孫）

入學新論（帆足萬里撰、元田彝校）

聖學（和氣行藏）

柳齋筆記（和氣行藏）

正順考（澤田師厚撰、宮田敏校）

夜雨寮筆記（廣瀨建著、劉昇編）

文教溫故（山崎美成）

眠雲札記（朝川震著、小楊貞正等校）

第11輯

霞關掌錄

藤蔭叢話（鈴木　讓）

四書談2卷　附老易大數、經學文章論各1卷

和漢文明記、道德仁義說合刻（慄齋小南）

艮齋閒話2卷　續2卷（安積　信）

蠡測編2卷（羽倉用九）

養小錄1卷　補1卷（羽倉用九）

泊園家言（藤澤甫撰、藤澤恒編）

柳荓隨筆初編（栗原信充）

學半樓十幹集3篇（伊藤馨撰、大橋貞裕等校）

四時遊人必得書3卷（山田敬直編、直部尙式等校）

肆業餘稿（池田　緝）

快說續續紀（鈴木元邦撰）

黃梁一夢10卷（木村　毅）

第12輯

菊蔥偶筆3卷（木村毅撰）

見聞餘錄（山本正夫）

碧海漫涉2篇（內藤恥叟編）

香亭雅談2卷（中根　淑）

學庭辨疑問答存1卷（村山義行、荒野文雄編）

葬禮考（荻生雙松）

儒法棺椁式（蟹　維安）

泣血餘滴1卷　附先妣順淑孺人事實、先妣順淑孺人哀辭

正鵠之圖說1卷　附昭穆圖說（三宅正堅）

雜圖3卷（澁井孝德圖、丸山蔚明編）

古圖類從（高嶋千春編）

千歲例（水野忠央編）

7994　長澤規矩也編　江戶時代支那學入門書解題集成

東京　汲古書院　1975年　4冊

第1集　昭和50年（1975）7月　513頁

四部要辨2卷

經傳發端講義2卷附1卷

物子書示木公達書目（荻生雙松）

經子史要覽2卷（荻生雙松著、平義質編）

答或問（梁田蛻巖）

讀書路徑（布施維安（蟹養齋））

婆心代言（宇佐美惠（灊水））

漢土大略外題學問

第2集　昭和50年（1975）8月　521頁

實用館讀例（平山潛兵原）

白邇齋學話（清水宜稻）

讀書矩（古賀煌（侗庵））

初學課業次第（中村元桓手抄本）（林衡撰、佐藤一齋編）

初學課業次第（天保七年寫本）（林衡撰、佐藤一齋編）

初學課業次第（江戶末期木活字印本）（林衡撰、佐藤坦補訂）

初學課業次第（嘉永5年村田機手寫本）（林衡撰、佐藤坦補訂）

讀書指南（市野光彥（迷庵））

經籍類考續（中村元恒）

道學讀書要覽（芳賀高重編）

學問自在2卷（茹蘆山人）

第3集　昭和50年（1975）9月　566頁

幼學階前編（村士宗章）

日新堂學範3卷（平賀晉民撰，赤井通校）

授業編10卷首1卷（江村　綏）

第4集　昭和50年（1975）10月　535頁

間合早學問2卷（大江資衡）

經世學論2卷（鈴木善教）

荃蹄集2卷

點例2卷（貝原篤信）

童子通（山本庄一）

引用工具書目錄

一、書目類

1. 國書總目錄
   東京　岩波書店　全8卷　著者別索引1冊　昭和47年（1972）2月；平成2年
   （1990）11月補訂版
2. 古典籍總合目錄──國書總目錄續編
   國文學研究資料館編
   東京　岩波書店　平成2年（1990）2─3月
3. 國書讀み方辭典　植月博編
   東京　株式會社おうふう　平成8年（1996）4月
4. 國立國會圖書館藏書目錄　明治期　國立國會圖書館圖書部編　東京　國立國會
   圖書館發行、紀伊國屋書店發賣
   第1編　總記・哲學・宗教　平成6年（1994）11月
   第2編　歷史・地理　平成6年（1994）6月
5. 國立國會圖書館藏書目錄　昭和23─43年（1948─1968）　國立國會圖書館圖書
   部編　東京　國立國會圖書館發行、紀伊國屋書店發賣
   第1編　總記・哲學・宗教　平成6年（1994）8月
   第2編　歷史・地理　平成6年（1994）2月
6. 國立國會圖書館藏書目錄　昭和44─51年（1969─1976）　國立國會圖書館圖書
   部編　東京　國立國會圖書館發行、紀伊國屋書店發賣
   第1編　第1冊　政治・法律・行政・議會・法政資料　昭和62年（1987）1月
   第1編　第3冊　社會・勞働・教育　昭和61年（1986）6月
   第2編　第1冊　歷史・地理　昭和62年（1987）10月
   第2編　第2冊　學術一般・哲學・宗教　昭和63年（1988）2月
7. 國立國會圖書館藏書目錄　昭和52─60年（1977─1985）　國立國會圖書館圖書
   部編　東京　國立國會圖書館發行、紀伊國屋書店發賣
   第1編　第1冊　政治・法律・行政・議會・法政資料　昭和62年（1987）3月
   第1編　第3冊　社會・勞働・教育(2)　昭和61年（1986）12月
   第2編　第1冊　歷史・地理　昭和62年（1987）4月
   第2編　第2冊　學術一般・哲學・宗教　昭和62年（1987）6月

8.國立國會圖書館藏書目錄　昭和63年—平成2年（1988—1990）　國立國會圖書
館圖書部編　東京　國立國會圖書館發行、紀伊國屋書店發賣
　第1編　政治・法律・行政・議會・法政資料　平成3年（1991）12月
　第2編　社會・勞働・教育(2)　平成4年（1992）2月
　第4編　歷史・地理(1)　平成4年（1992）2月
　第5編　學術一般・哲學・宗教　平成4年（1992）2月

9.國立國會圖書館藏書目錄　平成3年—平成7年（1991—1995）　國立國會圖書館
圖書部編　東京　國立國會圖書館發行、紀伊國屋書店發賣
　第4編　歷史・地理　平成8年（1996）12月
　第5編　學術一般・哲學・宗教　平成8年（1996）12月

10.國立國會圖書館藏書目錄　洋書編　昭和23年—昭和61年（1948—1986）8月　第
7卷　歷史・地理・哲學・宗教・藝術・言語・文學・學術一般　國立國會圖書
館圖書部編　東京　紀伊國屋書店　平成3年（1991）10月

11.國立國會圖書館所藏洋圖書目錄　昭和61年（1986）9月—平成2年（1990）12月
　　第3卷　歷史・地理・哲學・宗教・藝術・言語・文學　國立國會圖書館收集
部編　東京　國立國會圖書館發行、紀伊國屋書店發賣　平成3年（1991）12月

12.國立國會圖書館所藏洋書目錄　平成3—6年（1991—1994）　國立國會圖書館收
集部編　東京　國立國會圖書館發行、紀伊國屋書店發賣　平成4年（1992）6月
—平成7年（1995）3月

13.出版年鑑（1990—1997）　出版年鑑編輯部編　東京　出版ニュース社　平成2
年（1990）5月—

14.全集叢書總覽（新訂版）　書誌研究懇話會編　東京　八木書店　昭和58年
（1982）5月

15.全集叢書細目總覽（古典編）　國立國會圖書館參考書誌部　東京　紀伊國屋書
店　昭和48年（1973）8月

16.全集・叢書細目總覽（古典編續）　國立國會圖書館專門資料部編　東京　紀伊
國屋書店　平成1年（1989）11月

17.全集・叢書總目錄（45—90）II　人文　日外アソシエーッ株式會社編　東京
日外アソシエーッ株式會社發行、紀伊國屋書店發賣　平成4年（1992）9月

18.個人著作集內容總覽II　哲學・宗教　日外アソシエーッ株式會社編　東京　日
外アソシエーッ株式會社發行、行、紀伊國屋書店發賣　平成9年（1997）7月

19.日本書誌の書誌　總載篇　天野敬太郎編　東京　巖南堂書店　昭和48年（1973）
11月

20.日本書誌の書誌　主題篇I　天野敬太郎編　東京　巖南堂書店　昭和56年
（1981）2月

21.日本書誌の書誌　人物篇I　藝術・語學・文學　天野敬太郎編　日外アソシエ

一ツ株式會社　昭和59年（1984）5月

22.岩波書店八十年　岩波書店編　東京　岩波書店　平成8年（1996）12月

23.筑摩書房圖書總目錄　筑摩書房編　東京　筑摩書房　平成3年（1991）2月

24.日本思想史關係研究文獻要目（昭和40年—平成7年（1965—1995））　東北大
　學文學部日本思想史學研究室編　日本思想史研究第1號—30號　仙台　東北大
　學文學部　昭和42年—平成10年（1967—1998）

25.日本史研究書總覽　遠藤元男編　東京　名著出版　昭和50年（1965）12月

26.日本古代史研究事典　阿部猛等編　東京　東京堂出版　平成7年（1995）8月

27.日本中國學會報（學界展望）　第1—47集　日本中國學會編　昭和25年（1950）3
　月—

28.日本漢文學大事典　近藤春雄編　東京　明治書院　昭和60年（1985）3月

29.日本研究經學論著目錄　林慶彰主編　台北　中央研究院中國文哲研究所　1993
　年10月

30.東洋學文獻類目　京都大學人文科學研究所附屬東洋學文獻中心編　京都　該中
　心　昭和10年（1935）—

31.東洋學著作目錄類總覽　川越泰博編　東京　沖積舍　昭和55年（1980）6月

32.文學・哲學・史學文獻目錄Ⅹ——中國哲學・思想篇　日本學術會議編　東京都
　日本學術會議　昭和35年（1960）3月

33.詩經研究文獻目錄　村山吉廣、江口尚純編　東京　汲古書院　平成4年（1992）
　10月

34.禮學關係文獻目錄　齋木哲郎編　東京　東方書店　昭和60年（1985）10月

35.日本左傳研究著述年表並分類目錄　上野賢知編　東京　財團法人無窮會東洋文
　化研究所　昭和32年（1957）

36.孔子、孟子に關する文獻目錄　瀬尾邦雄編　東京　白帝社　平成2年（1992）4
　月

37.朱子學研究書目　林慶彰主編　臺北　文津出版社　平成2年（1992）5月

38.漢文研究の手びき（增訂新版）　中國詩文研究會編　東京　該會　平成2年
　（1990）4月增訂新版2刷

二、傳記資料類

1.人名よみかた辭典　姓の部　日外アソシエーツ株式會社編　東京　同編者　昭
　和58年（1983）6月

2.人名よみかた辭典　名の部　日外アソシエーツ株式會社編　東京　同編者　昭
　和58年（1983）8月

3.最新著者名よみかた辭典（上、下） 土肥耕三編　日外アソシエーツ株式會社
　昭和6年（1985）3月

4.國書人名辭典　市古貞次等編　東京　岩波書店　平成5年（1993）11月—平成8
　年（1996）11月

5.日本人物文獻目錄　法政大學文學部史學研究室編　東京　平凡社　昭和49年
　（1974）6月

6.現代日本人名錄（上、中、下）　日外アソシエーツ株式會社編　東京　同編者
　　昭和62年（1987）11月

7.現代日本執筆者大事典（1—4卷）　佃實夫等編　東京　日外アソシエーツ株式
　會社　昭和53年（1978）5月

8.新現代日本執筆者大事典　紀田順一郎等編　東京　日外アソシエーツ株式會社
　　平成5年（1993）6月

9.傳記・評傳全情報（1945—1989）　日本・東洋篇（上、下）　東京　日外アソ
　シエーツ株式會社　平成3年（1991）8月

10.傳記・評傳全情報（1990—1994）　日本・東洋編　東京　日外アソシエーツ株
　式會社　平成7年（1995）5月

11.江戸文人辭典（國學者・漢學者・洋學者）　石山　洋編　東京　東京堂出版
　平成8年（1996）9月

12.近代日本哲學思想家辭典　伊藤友信等編　東京　東京書籍　昭和57年（1982）
　9月

13.中國文學專門家事典　日外アソシエーツ編輯部編　東京　該社　昭和5年
　（1980）10月

作 者 索 引

編 輯 說 明

一、本索引按作者姓名筆劃之多寡排列。

二、凡作者名以平假名或片假名打印者，排在〇劃。

三、西方作者以英文打印者，排在最後。

四、同一作者的專著和論文，有以本名或字號發表者，一律將編號繫於通用之姓
　　名之下，並於其他字號下注明見×××，如：

　　物茂卿　　　見荻生徂徠

　　物徂徠　　　見荻生徂徠

五、各專著和論文有作者不詳者，繫於五劃「未署名」及七劃「佚名」下。

六、本索引由吳若蘭小姐編輯完成，謹誌謝忱。

作 者 索 引

○ 劃

一 劃

〔一〕

二 劃

〔一〕

〔卜〕

卜部和義　　5244

〔ノ〕

九州大學中國哲學史研究室　　6231
　　　　　6306　6807
九州史料刊行會　　1762
九州帝國大學附屬圖書館　　6304
九洲大學中國哲學研究室　　1508
九鬼盛隆　　6137
人見傳藏　　1312
入江隆則　　1213
入澤宗壽　　1784　1785　1788
八木繁樹　　5593　5611　5612　5757
　　　　　5760　5768　5956　5957
　　　　　6006　6007
八尋舜右　　5348

三　劃

〔一〕

三ケ尻浩　　0608
三上一夫　　5827
三木正太郎　　3050
三木利英　　4946
三田村泰助　　6702
三田谷啓　　1782
三田葆光　　1177
三矢藤太郎　　4744
三吉　希　　1599
三好　寬　　3454
三宅正名　　3026
三宅正彦　　2338　2338　2367　2391
　　　　　2468
三宅米吉　　1776

三宅尚齋　　1658　1659　1660　1661
　　　　　1662　1663
三宅虎太　　4736　4773
三宅萬年　　3027
三宅緯明　　1304
三宅觀瀾　　1303　1305　1306　1307
　　　　　1308　1309　1310　1311
三尾重定　　3212
三村清三郎　　4606
三枝博音　　0007　2237　3168　3772
　　　　　5443　5448　5454　5455
　　　　　5540　5843　7967　7968
三島　復　　4667
三島中洲　　4664　6242　6243　6244
　　　　　6245　6246　6247　6248
　　　　　6249　6250　6251　6252
　　　　　6253　6254　6255　6256
　　　　　6257　6258　6259　6260
　　　　　6261　6262　6263　6264
　　　　　6265　6266　6267　6268
　　　　　6269　6270　6271　6272
　　　　　6273　6274　6275　6276
　　　　　6277　6278　6279　6280
　　　　　6281　6282
三島吉太郎　　3635
三浦　叶　　0708　0818　4001　4002
　　　　　4003　5926　5927　5928
　　　　　5929　5934　5935
三浦　晉　　5444
三浦幸一郎　　5470
三浦國雄　　7449
三浦梅園　　5378　5379　5380　5381
　　　　　5382　5383　5384　5385
　　　　　5386　5387　5388　5389
　　　　　5390　5391　5392　5393
　　　　　5394　5395　5396　5397

大塚武松	6345			
大塚退野	1814	1815	1816	1817
	1818	1819	1820	1821
	1822	1823	1824	1825
大塚博久	4685			
大塚富吉	3951			
大塚道廣	2003	2006	5776	
大塚觀瀾	0802	1497	1498	
大嶋 仁	0042	0052		
大橋正義	3623	3624		
大橋長一郎	1566			
大橋昭夫	6241			
大橋健二	1842			
大橋訥庵	2708	2709	3620	3621
	3622	3623	3624	3625
	3626			
大澤彥一	5620			
大館則貞	5736			
大嶺豐彥	5167			
大瀧鞍馬	6372			
大關士（デイーヴーイス）	6320			
大鹽中齋	4578	4579	4580	4581
	4582	4583	4584	4585
	4586	4587	4588	4589
	4590	4591	4592	4593
	4594	4595	4596	4597
	4598	4599	4600	4601
	4602	4603	4604	4605
大鹽平八郎	見大鹽中齋			
大鹽後素	見大鹽中齋			
子安宣邦	0051	0679	2355	2385
	2651	2839	3020	
子爵澀澤榮一翁頌德會	6373			
工藤重義	3461			
工藤豐彥	3954	3963	3991	
干河岸貫一	0785	5123		

干河岸櫻所	5124			
弓野國之介	1436			

〔 | 〕

上井龜之進	5947			
上月專庵	2665			
上田 滋	4935	4974	4994	
上田正昭	0222	1144	1145	6982
上田庄三郎	3285	5177	5181	5203
	5811			
上田良一	1766			
上田景二	3208			
上田萬年	1184	1853	3774	
上村觀光	0473	0479	0492	0493
	0494			
上垣外憲一	1300			
上原七右衛門	1954			
上野日出刀	1301			
上野賢知	0194	4218	6429	
小久保喜七	1427			
小山一郎	5118			
小山仁示	3162			
小川 涉	0856			
小川貫道	0173	0736		
小川喜代藏	1950			
小川晴久	5466			
小川環樹	0609	0631	2511	6689
	6707	7107	7431	7439
	7714			
小出一郎	2234			
小出昌洋	0791	0792	7197	
小田夕月	3286			
小田和武紀	1767			
小田兼三	7128			
小田原市立圖書館	6011			
小田寅二郎	0183	0184		

山內洋一郎	0633			
山木　育	3710			
山片蟠桃	3145	3146	3147	3148
	3149	3150	3151	3152
	3153	3154		
山本　命	2000			
山本　巖	2721			
山本七平	0376	0657	3707	6407
	6985			
山本北山	4095	4096	4097	4098
	4099	4100	4101	4103
	4104			
山本和義	2820			
山本武夫	1905			
山本信有	4102			
山本信哉	2247			
山本勇夫	6361			
山本秋廣	1460			
山本修之助	4121			
山本健吉	4892			
山本登朗	0349			
山本園衛	4732	4768	4770	
山本嘉太郎	0256			
山本櫟峰	3650			
山田　洸	2881	5868		
山田　琢	0526	4323	4672	
山田　準	0524	4510	4560	4561
	4572	4573	4593	4625
	4665	4666	4671	4679
山田三川	0791	0792		
山田方谷	2052	4652	4653	4654
	4655	4656	4657	4658
	4659	4660	4661	4662
	4663	4664		
山田孝雄	4883	5869		
山田宗睦	6925	6931	6932	6933

山田思叔	1565			
山田英雄	0613			
山田喜之助	6047			
山田德明	3453			
山田慶兒	5392	5442	5464	
山田慶晴	4856	4948		
山田惣兵衛	3758			
山田猪太郎	5619	5677	5978	
山西安榮	6183			
山住正己	2001			
山形東根	6111			
山岡桂二	6647			
山岡莊八	5351			
山岸德平	0132	0240	0267	0324
	0816			
山室三良	1482	1486	1487	
山根三芳	1326	1351		
山根幸夫	6759			
山根楊治郎	4668			
山崎　謙	6919			
山崎正一	5833	5882		
山崎正董	5799	5800	5806	5808
	5812	5813		
山崎忠和	4792	4796		
山崎美成	0924			
山崎益吉	5823			
山崎道夫	1594	4574	5254	
山崎闇齋	1501	1509	1510	1511
	1512	1513	1514	1515
	1516	1517	1518	1519
	1520	1521	1522	1523
	1524	1525	1526	1527
	1528	1529	1530	1531
	1532	1533	1534	1535
	1536	1537	1538	1539
	1540	1541	1542	1543

木本好信	0354			
木村 毅	4868	4874	4886	4901
木村卯之	2252	2259	2277	
木村光德	1849	1986	1988	1993
	1998	2002		
木村昌人	6410			
木村英一	2341	7525	7526	7527
	7528	7529	7530	7531
	7532	7533		
木村英一博士頌壽記念事業會			7534	
木村時夫	6979			
木南卓一	2360	3706	4683	4714
	4716	4720	4722	
木俁秋水	4922	4926	4929	5237
	5255			
木原七郎	0872			
木崎好尙	3255	3262	3263	3267
	3272	3276	3284	3289
	3303			
木崎愛吉	3229	3249	3253	3261
木澤成肅	3505			
犬塚又太郎	4897			
王 中田	0717			
王 守仁	4494	4578		
王 家驊	0159	0160	0319	5944
王 新衡	7307			
王 曉平	2396			

〔 | 〕

中 扇夫	0219			
中上喜三郎	5979			
中山久四郎	0147	0310	1399	1403
	1438	2180	2194	2200
	2211	2267	2841	2842
	3269	3274	3278	3282
	3395	4191	4192	4193

	4395	6093	6146	6857
	6858	6859	6860	6861
	6862	6863	6864	6865
	6866	6867	6868	6869
	6870	6871	6872	6873
中山武二	5685			
中山廣司	2289	2293		
中川太郎	1046			
中川克一	3252			
中井天生	3028			
中井竹山	2680	2681	2682	2683
	2684	3082	3083	3084
	3085	3086	3088	3089
	3090	3091	3092	3093
	3094	3095	3096	3097
	3098	3099	3100	
中井信彦	5601			
中井修二	3085			
中井誠之	見中井甃庵			
中井甃庵	3030	3031	3032	3033
	3034	3035	3036	3037
	3038	3039	3040	
中井履軒	3030	3031	3032	3109
	3110	3111	3112	3113
	3114	3115	3116	3117
	3118	3119	3120	3121
	3122	3123	3124	3125
	3126	3127	3128	3129
	3130	3131	3132	3133
	3134	3135	3136	3137
	3138	3139		
中井積善	3030	3031	3032	3087
中井積德	見中井履軒			
中內蝶二	0922			
中出 惇	0629			
中央義士會	0946			

中央義士會素行會	2261			
中田　勝	6288			
中田勇次郎	2859			
中田祝夫	0410			
中田視夫	0610			
中江兆民	7778			
中江藤樹	1856	1857	1858	1859
	1860	1861	1862	1863
	1864	1865	1866	1867
	1868	1869	1870	1871
	1872	1873	1874	1875
	1876	1877	1878	1879
	1880	1881	1882	1883
	1884	1885	1887	1888
	1889	1892	1893	1894
	1895	1896	1897	1898
	1899	1900	1901	1902
	1903	1904	1905	1907
	1909	1910	1911	1912
	1913	1914	1915	1916
	1917	1918	1919	1920
	1921	1922	1923	1924
	1925	1926	1927	1928
	1929	1931	2043	
中西　進	0228	0333		
中西金次郎	3222			
中尾彌三郎	5465			
中村　元	0040			
中村　光	0619			
中村　宏	0360	6239		
中村不折	6896			
中村正直	6307	6308	6309	6310
	6311	6312	6313	6314
	6315	6316	6317	6318
	6319	6320		
中村吾郎	5369			

中村孝也	1191	1195	2116	2640
	2797	2801	2850	3466
	3479			
中村幸彦	0655	0789	0815	2331
	2359	2556	2821	2843
	2847	3052	3071	3880
	7195	7196	7197	7970
中村春作	4219			
中村眞一郎	3293			
中村惕齋	1797	1798	1799	1800
	1801	1802	1803	1804
	1805	1806	1807	1808
	1809	1810	1811	1812
中村雄二郎	5840	6921		
中村敬宇	見中村正直			
中村新三郎	6040			
中村德五郎	4845			
中村德助	5651	5652		
中村璋八	7511	7859	7860	7862
	7872			
中里介山	1945	5151	5590	
中泉哲俊	0826			
中原氏	0562	0563		
中島力造	3637			
中島市三郎	0885	0890	3944	3976
中島光男	6788			
中島理壽	7193	7194		
中島鹿吉	1319			
中島董畝	0937			
中島喜久平	5659			
中根東里	4474	4475	4476	4477
中根肅治	0734			
中根鳳河	2606			
中國古典研究會	4125			
中野　範	0888	0889	3974	3975
中野三敏	2557			

中野光活	5153			
中野高行	0285			
中野敬次郎	5732			
中園繁若	2227			
中澤道二	3750	3751	3752	3753
中澤寬一郎	1419	3455	4777	5119
中澤護人	2117	2880		
中巖圓月	0507	0508		
中嶋隆藏	7858			
中嶋嶺雄	7912			
丹 潔	5218			
內山 稔	5762			
內山俊彥	6646			
內山善一	1212			
內山精也	4130			
內外書房	5959			
內田 正	6065			
內田 政	6059			
內田周平	1672	6291		
內田道夫	4444			
內田遠湖	4459			
內田魯庵	6642			
內田繁隆	2222			
內村鑑三	2377			
內野台嶺	0721			
內野皎亭	0807			
內野熊一郎	0258	0259	0265	0350
	0569	0570	7500	7501
	7502	7503	7504	7505
	7506	7507	7508	7509
	7510	7511	7512	7513
	7514	7515	7516	7517
內閣文庫	1060			
內藤 晃	2278			
內藤 酬	0049			
內藤世永	5299			

內藤戊申	6716			
內藤虎次郎	見內藤湖南			
內藤湖南	0054	0433	0694	0695
	3074	3142	3158	6679
	6680	6681	6682	6683
	6684	6685	6686	6687
	6688	6690		
內藤湖南先生頌德碑建碑會				6697
內藤燦聚	0784			
內藤耻叟	1103	2372	3453	6025
	6026	6149	6150	6151
	6152	6153	6154	6155
	6156	6157	6158	6159
	6160	6161	6162	6163
	6164	6165	6166	6167
	6168	6169	6170	6171
	6172	7960		
日下藤吾	4977			
日中學院倉石武四郎先生遺稿集編集委員會				7217
日本文化研究會	0067	0145		
日本古典學會	1561	1562	1563	1595
	1596			
日本史籍協會	3490	5011	5317	
日本史籍會	5374			
日本弘道會	6196	6206	6207	
日本思想史學會	0200			
日本思想史懇話會	0201			
日本思想百年史編纂委員會				5848
日本教育史資料研究會			0835	
日本圖書センター	0943	0990	1049	
	1173	1275	1560	1760
	1937	2088	2225	2343
	2471	2504	3668	4553
	4609	5441	7973	
日本談義社	6586			

日本儒教宣揚會　0146
日本隨筆大成編輯部7991
日本總合教育研究會1913
日本シェル出版　0944
日田郡教育會3939　3940
日原利國　7893　7894　7895　7896
　　　　　7897　7898　7899　7900
日高六郎　6937
日野龍夫　1081　2502　2819　2824
日置昌一　0805

〔ノ〕

仁井田好古　4154　4155　4156　4157
　　　　　4158
仁木笑波　4840
今中寬司　0627　0996　1054　1056
　　　　　2601　2644　2655　5911
今井宇三郎　3312
今井　淳　0033　3703
今井清一　5924
今井貫一　0429
今村孝三　1826
今枝二郎　6497
今泉定介　6017
今泉雄作　0838
今堀文一郎　1994
今鷹　眞　7439
刈和野中學校6147
友枝龍太郎　2087
及川大溪　3663
及川儀右衛門3658
心學參前舍　3744　3755
戶川芳郎　2714　5939　7220
戶田浩曉　0136
手島堵庵　3712　3713　3714　3715
　　　　　3716　3717　3718　3719

3720　3721　3722　3723
3724　3725　3726　3727
3728　3729　3730　3731
3732　3733　3734　3735
3736　3737　3738　3739
3740
月　性　5048
月田　強　3001　3002　3003
月田蒙齋　3000　3004
欠端　實　0191
毛利敏彥　4980
爪生田君子　6587
片山又一郎　6364
片山重範　2092
片山兼山　2685　2686　2687　2688
　　　　　2689　2690　2691　2692
　　　　　2693　2694　4046　4047
　　　　　4048　4049　4050　4051
　　　　　4052
片岡　琢　4741
片岡啓治　2868
片淵　琢　4740　6234　6235
牛尾弘孝　1675
牛尾春夫　2118

五　劃

〔、〕

市川本太郎　0155　0321
市川任三　1274
市川浩史　0504
市川源三　6835
市川鶴吉　0002
市川鶴鳴　3834　3835　3836
市井三郎　0660　5910
市古貞次　0181

石川　謙　　0114　0821　0823　0840
　　　　　　　0841　0857　1278　1715
　　　　　　　2851　3638　3639　3653
　　　　　　　3655　3657　3661　3689
　　　　　　　3698　3745　3746　3756
　　　　　　　3757　3759　3775　3779
　　　　　　　5183　5714
石川正一　　0102
石川正雄　　0873
石川岩吉　　0088　0094
石川松太郎　0118　0854
石川香山　　2700
石川恒太郎　4443
石川梅次郎　6286
石川總弘　　5528
石川鴻齋　　4414
石川麟洲　　2674
石井直明　　4241
石井研堂　　3514　3515　6322
石井紫郎　　0942
石田　雄　　5874　5888　5916
石田一良　　0022　0030　0032　0035
　　　　　　　0082　0989　1048　2364
　　　　　　　2382　2383
石田公道　　4317　4318
石田和夫　　1657
石田梅岩　　3669　3670　3671　3673
　　　　　　　3675　3676　3677　3678
　　　　　　　3679　3680　3681　3682
　　　　　　　3683　3684
石田傳吉　　5692
石田傳言　　5952
石田瑞磨　　3068
石村天囚　　3051
石岡久夫　　2286
石附　實　　5880

石原重俊　　4842
石原貫一郎　4964
石原道博　　0897　1404
石島　績　　3398
石崎酉之允　0204　0205
石崎東國　　4613　4622
石塚無佛　　3646　3647　3648
石橋臥波　　6015
石濱知行　　3879
石濱純太郎　0794　3021　3058　3076
　　　　　　　3077

〔ㄐ〕

比較思想史研究會　5899
水戶市教育會 3440
水戶烈公　　　見德川齊昭
水月哲英　　3694
水木岳龍　　6694
水木ひろかず 1705
水田紀久　　0137　3018　3058　3072
　　　　　　　3079　3100　3156
水野平次　　4025
水野嘉之一郎 5125
出田　新　　5539
出雲朝子　　0635
出雲路通次郎 1568
北山政雄　　1939
北川博邦　　7992
北村佳逸　　6086　6088　6089　6090
　　　　　　　6092　6094
北村澤吉　　0474　1330　3270　6076
　　　　　　　6077　6083　6084　6220
　　　　　　　6851　6852　6853　6854
　　　　　　　6855　6856
北京大學哲學系東方哲學教研組　0687
北海道報德社 6008

〔ノ〕

白井孝昌	4630	4631		
白井淳三郎	5384	5410	5420	5423
	5475			
白井喬二	4870			
白木　豐	2939	2942	3280	
白石　重	0291			
白石正邦	3697			
白石喜太郎	6381	6382	6386	
白河鯉洋	6061			
矢田　勇	1433			
矢次最輔	5147			
矢吹邦彦	4678			
矢島玄亮	0739			
矢崎亥八	5980			
矢野義卿	5463			

六　劃

〔、〕

光本鳳伏	3264			
光吉元次郎	3236			
宇田　尙	0158			
宇佐美惠	2523			
宇佐美灊水	2604	2625	2627	2629
	2630	3810	3811	3812
	3813	3814		
宇都宮喜六	3943			
宇野木好雄	5548			
宇野木忠	6379			
宇野田哉	3143			
宇野茂彥	1057	1086		
宇野哲人	1854	2238	2378	4473
	6064	6789	6790	6988
	6989	6990	6991	6992
	6993	6994	6995	6996
	6997	6998	6999	7000

	7001	7002	7003	7004
	7005	7006	7007	7008
	7009	7010	7011	7012
	7013	7014	7015	7016
	7017	7018	7019.	
宇野精一	6762	6763	7602	7606
	7607	7608	7609	7610
	7611	7612	7613	7614
	7615	7616	7617	7618
	7619	7971		
守本惠觀	3643			
守本順一郎	0027	0028	0681	2161
	2224			
守田志郎	5754			
守繁　藏	5054			
安井　衡	見安井息軒			
安井小太郎	0134	0142	0148	0955
	2370	4334	6501	6502
	6503	6504	6505	6506
	6507	6508	6509	6510
	6511	6512	6513	6514
	7045			
安井息軒	3523	4397	4398	4399
	4400	4401	4402	4403
	4404	4405	4406	4407
	4408	4409	4410	4411
	4412	4413	4414	4415
	4416	4417	4418	4419
	4420	4421	4422	4423
	4424	4425	4426	4427
	4428	4429	4432	4433
	4434	4435		
安永壽延	0666			
安田　篤	6035			
安田直孝	4778			
安西安周	0788			

池邊義象	3206			
米山寅太郎	0363	0630	7068	7073
	7690	7691	7692	7693
	7694	7695	7696	7697
米田貞一	3962			
米澤藤良	4912			
衣笠安喜	0677	0706	0713	2856
	2861	2862	5867	7902
	7903	7904	7905	7906
	7907	7908	7909	7910
庄司吉之助	0654			
庄野壽人	3847	3854	3908	

〔一〕

吉川幸次郎	0140	0141	0152	1206
	2342·	2354	2384	2440
	2470	2476	2598	2600
	2612	2647	4445	5933
	6786	7103	7405	7406
	7407	7408	7409	7410
	7411	7412	7413	7414
	7415	7416	7417	7418
	7419	7420	7421	7422
	7423	7424	7425	7426
	7427	7428	7429	7430
	7431	7432	7433	7434
	7435	7436	7437	7438
	7439	7440	7441	7442
	7443	7444	7445	7446
	7447	7448	7450	7451
	7452	7453	7454	7455
	7456	7457	7458	7459
	7460	7461	7462	7463
	7464	7465	7466	7467
	7468	7469	7470	7471
	7472	7473	7474	7475

	7476	7477	7478	7479
	7480	7481	7482	7483
	7484	7485	7486	7487
	7488	7489	7490	7491
	7492	7970	7449.	
吉川延太郎	4592			
吉川寅二郎	5265			
吉川教授退官記念事業會	7493			
吉本 襄	0203	6124		
吉田 究	0375			
吉田 忠	5406	5418		
吉田 理	5292			
吉田 暹	6281			
吉田宇之助	5973	5974		
吉田松陰	5021	5022	5023	5024
	5025	5026	5027	5028
	5029	5031	5032	5033
	5034	5035	5036	5037
	5039	5040	5041	5042
	5043	5044	5045	5046
	5047	5048	5049	5050
	5051	5052	5053	5055
	5056	5057	5058	5059
	5060	5061	5062	5063
	5064	5065	5066	5067
	5068	5069	5070	5071
	5072	5073	5074	5077
	5078	5079	5081	
吉田俊純	3310			
吉田庫三	5101	5066		
吉田健舟	1600			
吉田常吉	5099			
吉田喜市郎	1338			
吉田義次	3480			
吉田熊次	6214	6217		
吉田精一	0326			

	6194	6195	6198	6199
	6200	6201	6202	6205
	6206			
西村英一	4705	4724		
西村重樹	6203			
西村時彦	見西村天囚			
西村隆夫	1775			
西村道一	0036			
西阪成一	6192			
西岡天津	2607			
西島 醇	0804			
西晉一郎	1864	1883	1964	2106
	2376	5706		
西森武城	3644			
西鄉南洲	4725	4739		

西鄉南洲先生墨香、遺訓刊行會 4748

西鄉從宏	4998			
西鄉隆盛	4727	4733	4735	4750
	4751	4758		

西鄉隆盛全集集委員會　4767

西澤信滋	2807
西脇玉峰	6057
辻 重忠	1333
辻 達也	2567
辻本雅史	0831 2863
辻善之助	0297

〔｜〕

同志社大學人文科學研究所	6596
帆足亮吉	5517
帆足紀念文庫	5535
帆足紀念圖書館	5532 5533

帆足萬里	5478	5479	5485	5486
	5487	5488	5489	5490
	5491	5492	5493	5494
	5495	5496	5497	5498
	5499	5500	5501	5502
	5503	5504	5505	5506
	5507	5508	5509	5510
	5511	5512	5513	5514
	5515	5516	5517	5518
	5519	5520	5521	5522
	5523	5524	5525	5526
	5529	5530	5531	

帆足萬里先生刊行會	5538			
帆足圖南次	5483	5504	5542	5543
	5545	5547		
早乙女貢	2887			
早川光藏	1731			
早川喜代次	6592	6605		
早稻田大學出版部	7980			

〔ノ〕

伊地知季安	0801			
伊吹岩五郎	4670			
伊豆公夫	1189			
伊奈忠賢	0916			
伊東多三郎	0680	1938	2062	2075
	2089			
伊東尾四郎	1780			
伊東倫厚	1557	2386	2480	
伊東貴之	7927			
伊知地季安	0130			
伊勢貞丈	0915			
伊福吉部隆	4848			
伊藤 益	0238			
伊藤 裕	0072			
伊藤 隆	6611			
伊藤 整	7963			
伊藤千眞三	0073	3468		
伊藤仁齋	2294	2295	2296	2297
	2298	2299	2300	2301

竹內良知	6923			
竹內松治	2374			
竹內照夫	7674	7675	7676	7677
	7678	7679	7680	7681
	7682	7683	7684	
竹內義光	3570			
竹內整一	0036	2151		
竹田眞砂子	5357			
竹田復	6757	6758		
竹岡八雄	7898			
竹林貫一	0172	0735		
竹治貞夫	0819			
竹崎武泰	4869			
竹崎櫻岳	4864			
竹添光鴻	6418	6419	6420	6421
	6422	6423	6424	6425
	6426	6427	6428	
竹添進一郎	見竹添光鴻			
竹鼻仙右衛門	3641			
糸賀國次郎	1318			
臼田石楠	4558	4727	4753	
舟越石治	5960			
色川大吉	5902	5903		
色部城南	3549			
行元自忍	0302			

七 劃

〔、〕

宋晞	5937	
宋彙七	4642	
沖田行司	5879	
沖野辰之助	1777	
辛基秀	1004	1005

〔一〕

坂口三郎	5740			
坂井健一	0572			
坂井喚三	1654			
坂元盛秋	4896	4908	4923	
坂出祥伸	5946			
坂本太郎	6908			
坂本多加雄	6643			
坂本良太郎	0420			
坂本辰之助	1426	1429		
坂本忠一郎	4799			
坂本箕山	3256	3257		
坂田大	5814	5816	5820	
坂田新	6044			
坂田筑母	0843			
坂東一平	4734			
坂詰力治	0411	0578	0623	0624
	0625			
尾形利雄	0829			
尾形裕康	0115	0124		
尾崎康	0351			
尾崎亘	3288			
尾崎秀樹	2888	4931	4936	4937
尾崎憲三	1196			
尾藤二洲	2701	2702	2918	2919
	2920	2921	2922	2923
	2924	2925	2926	2927
	2928	2929	2930	2931
	2932	2933	2934	2935
	2936	2937	2938	
尾藤正英	0949	2566	2597	2643
	3312			
尾關富太郎	0247	2641		
志村武	3705			
志村巳之助	1939	1940		

私立上房郡教育會	4669			
角田九華	0782	0783		
角田達朗	4643			
角光嘯堂	3948			
谷 千城	1567			
谷 時中	1325			
谷 秦山	1343	1344	1345	
谷口大雅	2660			
谷口 武	4763			
谷口純義	5001			
谷口澄夫	2091	7785		
谷口ナヲ	4629			
谷中信一	5881			
谷元 淡	2633			
谷田迴瀾	0793			
谷村一太郎	3862	3883		
邦光史郎	4961			

八 劃

〔、〕

並木仙太郎	6577			
並木栗水	0696	6300		
並木專二	1772			
並木編太郎	6572			
並河天民	2484	2485		
京都大學文學部國語學國文學研究				
	0530	0415		
京都史蹟會	1050			
京都府教育會	3265			
宗政五十緒	0756			
官地正人	2869			
河上徹太郎	5113	5234	5241	
河口子深	0798			
河本一夫	2111			
河村 禎	3244			

河村一郎	2652	2835		
河村北溟	1953	4801	5662	
河村義昌	0726			
河村與一郎	4615			
河原 宏	0110	0674	4909	5839
	5854	5875	6927	
河野亮	4984			
河野省三	0063	0069	4312	
河野通毅	5206			
河野勝行	0317			
河野颿評	3122			
沼口信一	4431			
沼本克明	0564			
沼田 哲	6132			
波戶岡旭	0276			
法本義弘	1648			
法貫慶次郎	1505			

〔一〕

來栖守衛	5176	5272		
協調會	6377			
坡本多加雄	5873			
奈良本辰也	0055	0644	0647	0651
	0851	0878	0892	1053
	2601	2642	2883	3609
	3770	4928	5097	5112
	5222	5239	5259	5281
	5284	5296	5332	5343
	5350	5365	5457	5584
	5601	5748	5862	
妻木 忠	2943			
妻木忠太	4159	5197	5323	5324
幸田成友	0880	4619	4626	4636
幸田成文	3010			
幸田露伴	6384	6385		
東 一夫	3885			

東　正堂	2126	4496			
東　尙胤	3251				
東　英壽	0875				
東　敬治	0206	0207	5304	5305	
	5306	5307	5309		
東中野修道	5267				
東方學編輯部	7022	7494			
東木武市	4995				
東北大學文學部日本思想史學研究室					
	0198				
東北大學日本思想史研究室			0199		
東北大學カメラ會	5633				
東行先生五十年祭記念會		5329			
東行庵だより編輯部	5353				
東西文化調查會	5013				
東京大學中國哲學研究室		7020			
東京大學史料編纂所	1166				
東京市立日比谷圖書館		1225	6417		
東洋文化編輯部	7024				
東洋史研究編輯部	7780				
東晉一郎	2144				
東晉太郎	0683	2282	2802		
東海市立平洲紀念館	4039				
東條　耕	見東條琴台				
東條一堂	4354	4355	4356	4357	
	4358	4359	4360	4361	
	4362	4363	4364	4365	
	4366	4367	4368	4369	
	4370				
東條琴台	0757	0758	0759	0768	
	0769	0770	0771	0772	
	0773	0774	0806		
東野治之	0348				
東鄉中介	4798				
東鄉實晴	4942	4959			
東溪隱士鎧鎧子		0929			

東　澤瀉	見東　敬治				
東澤瀉先生遺蹟保存會			5310		
林　右崇	7920				
林　吉彥	0874				
林　秀一	0197	0634	2803	7352	
	7353	7354	7355	7356	
	7357	7358			
林秀一先生顯彰會		7359			
林　秀直	0800				
林　良齋	4680	4681			
林　房雄	4749				
林　政文	3576				
林　春齋	1079				
林　述齋	2960	2961	2962	2963	
	2964	2965			
林　泰輔	0164	0242	6436	6437	
	6438	6439	6440	6441	
	6442	6443	6444	6445	
	6446	6447	6448	6449	
林　道春	1019	1023			
林　鳳岡	0904	1096	1097	1098	
	1099	1100			
林　繁之	7294	7296	7306		
林　甕臣	1105				
林　鵝峰	1077	1078	1080	1081	
林　羅山	1009	1010	1011	1012	
	1013	1014	1015	1016	
	1017	1018	1020	1021	
	1022	1024	1025	1026	
	1027	1028	1029	1030	
	1031	1032	1033	1034	
	1035	1036	1037	1038	
	1039	1040	1041	1042	
	1043	1044	1045		
林　語堂	6102				
林　慶彰	0188	6451	6715	6763	

	6792	6987	7049	7082
	7109			
板倉節山	7975			
板野 哲	0387	0557		
板野長八	6975			
板澤武雄	1200			
松下 忠	0813	0866	1075	1076
	1089	1093	2952	2978
	2979	2980	3180	3185
松下見林	0797			
松山 敏	4881			
松山悅三	4852			
松井康秀	5821			
松井廣吉	4784	5122	5802	
松平定光	2855	2968		
松平直亮	6189	6191		
松平康國	6529			
松平黃龍	2605			
松本 仁	5709			
松本三之介	0108	5025	5031	5035
	5039	5053	5100	5866
	5890	5901	5906	5920
	5921	6936		
松本行夫	0313			
松本浩記	5159			
松本純郎	1379	1479	2168	2264
	5564			
松本乾知	4589			
松本雅明	0314	0315	0338	0343
	7699	7700	7701	7702
	7703	7704	7705	7706
松本雅明著作集編輯委員會		7707		
松本順吉	6527			
松本義懿	1965			
松本謙堂	6014			
松永尺五	1062	1064		

松永貞德	1063			
松田 甲	1001	1002		
松田道雄	1710	1714	1718	1720
	1730	1761	6934	
松尾清明	0295			
松村 明	1110	1172		
松村 操	0775	0776	0777	3233
	3565			
松村正一	6051			
松村春輔	3192			
松居弘道	0825			
松岡梁太郎	1357			
松波節齋	2260	2263	5699	
松風會	5260	5264		
松原 晃	3334			
松原致遠	1983	4754		
松宮觀山	0912	1828	1829	1830
	1831	1832	1833	1834
	1835	1836	2661	2662
	2663			
松浦 厚	2245			
松浦 玲	0892	3534	3535	3536
	3537	3561	4598	5296
	5786	5788	5789	5790
	5819			
松浦魁造	3271			
松崎慊堂	4322	4323	4324	4325
	4326	4327	4328	4330
松崎覺本	4319	6453		
松野一郎	1485			
松野尾儀行	1329			
松陰先生百年祭下關記念會		5228		
松澤卓郎	1321	1336		
武井 義	6034			
武內義雄	0153	0167	0195	0408
	0428	2366	6079	6103

	6105	6668	6918	7084
	7085	7086	7087	7088
	7089	7090	7091	7092
	7093	7094	7095	7096
	7097	7098	7099	7100
	7101	7102		
武田八州滿	5238			
武田勘治	0824	1755	1933	2220
	2268	2339	2594	3602
	3685	4013	5091	5092
	5093	5183	5190	5211
	5327	5599		
武田清子	5855			
武田鶯塘	5117			
武岡善次郎	2724			
武者小路實篤	5742			
武部善人	2806	2809		
武藤長之	0537			
武藤長平	0525	3942	3986	5450
	5537			
武藤貞一	5214			
長　幸男	6350			
長　壽吉	3936	3947	3982	3987
長久保片雲	1385			
長久保赤水	1385			
長井庄吉	6537			
長田泰彥	4430			
長田偶得	2240			
長田富作	0427			
長尾訓孝	6922			
長尾龍一	0109			
長谷川鑛平	3754			
長谷部善作	4020			
長谷場純孝	4807			
長岡高人	0861			
長沼依山	5730			

長根襌提	1597			
長部和雄	4718			
長野多美子	0443			
長澤孝三	0740			
長澤規矩也	0454	0455	0456	7110
	7737	7993	7994	
長澤源夫	5779			
阿武郡教育會	5083			
阿河埠三	2908			
阿部吉雄	0154	0898	0899	0953
	1003	1059	1573	1575
	1665	7715	7716	
阿部隆一	0196	0252	0266	0312
	0403	0404	0406	0407
	0413	0417	0467	0556
	0573	1507	4723	5472
	7729	7730	7731	7732
	7733	7734	7735	7736
	7738	6591		
雨谷　毅	1402			
雨谷幹一	3456			
雨森芳洲	1280	1281	1282	1283
	1284	1286	1287	1288
	1289	1290	1291	1292
	1293	1294	1295	1298
雨森俊良	1285			
青山　明	0932			
青山佩弦	0919			
青山拙齋	4161	4162	4163	4164
	4165	4166	4167	4168
	4169	4170	4171	4172
	4173	4174	4175	4176
青山會館	4762			
青木　要	0409			
青木晦藏	2373			
青木惠一郎	6009			

昇　曙夢	4823	4923		
芳　即正	4971	4980		
芳野幹一	2878			
芳賀　登	1389	4904	4905	
芳賀八千穂	4837			
芳賀矢一	0131			
芳賀幸四郎	0481			
芝　烝	0231			
花山信勝	0301			
花田一重	2899	2900	2901	
花立三郎	5787	6598	6599	6610
花崎隆一郎	2764			
虎關師鍊	0498			
門眞市市民部廣報公聽課	4644			

〔ノ〕

兒玉庄太郎	5678			
兒玉幸多	5556	5583	5602	
和田　守	6603			
和田　傳	2114	5739		
和田　豊	6031			
和田正俊	4696	4927		
和田政雄	5188			
和田耕作	5471			
和田健爾	2276	3481	4873	5196
	5198	5326	5342	
和卷耿介	5775			
和島芳男	0361	0382	0390	0396
	0398	0399	0419	0448
	0482	0567	0575	0614
	0615	0842	0901	0950
	1058	2849	7520	7521
	7522	7523	7524	
和辻哲郎	0060	0097		
周　一良	6695			
季刊日本思想史編集部		1223	2124	

	2152	2390	2838	2870
	2876	3019	3971	5826
	5945			
服部　武	6752	6974		
服部北溟	1739	5716	5950	5984
服部辨之助	5704	5733		
服部先生古稀祝賀記念論文集刊行會				
	6765			
服部先生紀念會	6753			
服部宇之吉	6066	6067	6068	6074
	6104	6107	6727	6728
	6729	6730	6732	6733
	6734	6735	6736	6737
	6738	6739	6740	6741
	6742	6743	6744	6745
	6746	6747	6748	6749
	6750	7979	6731	
服部南郭	2810	2811	2812	2813
	2814	2815	2816	2817
	2818	2819		
服部栗齋	0691			
服部泰夫	6597			
服部富三郎	3258			
服部繁子	6749			
服部蘇門	2677			
牧　軘	3219	3220		
牧田諦亮	0535			
牧野謙次郎	0133	6519	6520	6521
	6522	6523	6524	6525
	6526	6527	6528	6529
物　徂徠	見荻生徂徠			
物　茂卿	見荻生徂徠			
物的爾（ウェルテル）		6203		
知識人研究會	5191			
竺　賢誠	1970			
肥後和男	0642	3309	3483	

九 劃

〔、〕

7544	7545	7546	7547
7548	7549	7550	7551

風卷絃一	5367			
香川政一	5146	5158	5160	5339
香川蓬洲	4620			
香西瓶太	4831			
香春建一	4841	4885	4906	

十　劃

〔、〕

唐　卓郡	7053			
唐崎廣陵	2675	2676		
唐澤富太郎	0119			
家永三郎	0016	0023	0047	0098
	0217	0288	3078	3163
	5829	5838	6218	6976
	6981	7970		
宮川　透	0079	5830	5837	5840
	5841	5853	5870	5871
宮川康子	2623	3081		
宮井義雄	0374			
宮內德雄	3166	3169		
宮本　仲	3593	3613		
宮本　璋	3605			
宮本又次	0883	3014		
宮本盛太郎	5876			
宮本謙吾	4313			
宮永　孝	5370			
宮西一積	0062	5618	5836	
宮居康太郎	6576			
宮城公子	4515	4554	4581	4587
	4602	4610	4635	
宮原　信	4673	4674		
宮崎市定	6785	7308	7309	7310
	7311	7312	7313	7314

7315	7316	7317	7318
7319	7320	7321	7322
7323	7324	7325	7326
7327	7328	7329	7330
7331	7332	7333	7334
7335	7336	7337	7338
7339	7340	7341	7342
7343	7344		

宮崎孫右衛門	6023			
宮崎滔天	7779			
宮崎道生	0667	1082	1116	1203
	1204	1205	1208	1210
	1211	1217	1218	1220
	1221	1222	1226	2078
	2091	2121	2123	2125
	7781	7782	7783	7784
	7785	7786	7787	7788
	7789	7790	7791	7792
	7793	7794	7795	7796
	7797	7798	7799	7800
	7801	7802	7803	
宮崎賢一	2235			
宮澤俊義	5887			
宮脇仲次郎	2907			
容　肇祖	7745			
浦田治平	6359			
海老田輝巳	1666			
海保元輔	4384			
海保竹逕	4390			
海保青陵	3855	3856	3857	3858
	3859	3860	3861	3862
	3863	3864	3865	3866
	3867	3868	3869	3870
	3871	3872	3873	3874
	3875	3876	3877	
海保漁村	4375	4376	4377	4378

	4379	4380	4381	4382
	4383	4385	4386	4387
	4388	4389		
海保漁村先生誕生地保存會				4392
海後宗臣	0120	6125	6130	6212
	6213			
海音寺潮五郎	4898	4962		
海原　徹	0827	0879	0893	0894
	5297			
海邊忠治	5859			
浩然齋主人	1778			
益軒會	1764			
神田喜一郎	6703	6704		
神谷正男	2762	2804		
神谷成三	0539			
神谷初之助	6039			
神谷慶治	5778			
神奈川縣教育委員會	5782			
神奈川縣教育會	5694			
神林裕子	3144			
神長丈夫	4985			
神島二郎	6575			
神渡良平	4566	7297	7300	7302
	7305			
衷　爾鉅	2387			
記念會	7021			
逆瀨川濟	4846			
酒井豐	0116			
高　半	2710			
高　永清	0010			
高明士	0281			
高千穗隼人	2800			
高山林次郎	6464			
高木八太郎	6209			
高木成助	1345	3315	3346	3414
高田　稔	5756			
高田眞治	0150	5437	5453	6080
	6099	7114	7115	7116
	7117	7118	7119	7120
	7121	7122	7123	7124
	7125	7126	7127	7128
高田盛穗	5139			
高田博成	1347			
高成田忠風	0877			
高志泉溟	2698			
高杉東行先生百年祭奉贊會				5345
高杉晉作	5329	5330		
高取悅堂	3984			
高居昌一	0500			
高知縣	0870			
高知縣文教協會	1341			
高垣　晬	4867			
高柳　清	5751			
高津才次郎	4092			
高畑常信	4638			
高倉芳男	0887	3973		
高倉嘉夫	3666			
高島元洋	1581			
高島忠雄	3283			
高桑駒吉	1183			
高馬三良	0609			
高崎哲學堂設立の會	0666	0669		
高梨光司	5111			
高野　澄	4990	4991	4928	
高野白哀	4333			
高野江基太郎	3843			
高野靜子	6602			
高森良人	1846	6129		
高賀詵三郎	0091			
高階順治	0074			
高須芳次郎	0076	0700	1359	1364
	1366	1369	1371	1373

桂樹亮仙	4731		
栗山 愿	1491	1495	
栗山春水	2846		
栗山潛鋒	1490	1492	1493 1494
	1496		
栗田 勤	1378		
栗田元次	1201		
栗原圭介	7720	7721	7722 7723
	7724	7725	7726
栗原圭介博士頌壽記念事業會			7728
栗原隆一	4913	4960	5245
栗栖安一	5090		
桑木嚴翼	5893		
桑原伸一	5243		
桑原武夫	1112	1115	1150 1171
	1174	7497	7778
桐谷岩太郎	2241		
桐隱散史	6033		
桃 裕行	0217	0280	
桝井壽郎	4632		
泰東散士	4781		
眞野政太郎	4018		
素行會	2236		
索 介然	7922		
郡山協贊會	3516		
馬 安東	5274		
馬 福民	7005		
馬 導源	4150		
馬場六郎	4728		
馬場誠二	5777		

〔 | 〕

冢田大峰	4071	4072	4073 4074
	4075	4076	4077 4078
	4079	4080	4081 4082
	4083	4084	4085 4086
	4087	4088	4089 4090
峽北隱士	1422	1946	3245 3392
	5623		
峰島旭雄	6492		
柴田 武	3773		
柴田 純	1064	0673	
柴田 實	3667	3688	3700 3701
	3742	3743	3777
柴田 篤	1813		
柴田伸吉	4321		
柴田京子	5002		
柴田甚五郎	1963	1968	1971 1975
	2021	2109	
柴田鳩翁	3773	3774	3775 3776
	3777	3778	
柴竹屛山	1779		
柴野邦彥	2905		
柴野栗山	2904	2906	
荒 正人	6589		
荒川久壽男	1219	1386	2866 5907
荒川幾男	5853	6929	6924
荒井 健	1693		
荒井堯民	4280	4281	
荒木 彪	3888		
荒木 繁	0034		
荒木久壽男	5852		
荒木見悟	1273	1759	3844 3845
	3846	3848	3902 5313
	6225	6301	7590 7593
	7740	7741	7742 7743
	7744	7745	7746 7747
	7748	7749	7750 7751
	7752	7753	7754 7755
	7756	7757	7758 7759
	7760	7761	7762 7763
	7764	7765	7766 7767

清水正健	1378	1390		
清水安三	1985	1995	1996	
清水松濤	3596			
清水臥遊	2095	2107		
清水幾太郎	7968			
清水義壽	3572			
清水廣次	6042			
清水惣之助	6363			
清永唯夫	5282	5361		
清原氏	0565	0566		
清原宣賢	0579	0580	0581	0582
	0583	0584	0585	0586
	0587	0588	0589	0590
	0591	0592	0593	0594
	0595	0596	0597	0598
	0599	0600	0601	0602
	0603	0604	0605	0606
	0607	0609	0610	0611
清原貞雄	0005	0015	0065	0215
	2251	2283	5891	
清原業忠	0576			
清野賢	2250			
淇水文庫	6609			
淇園會	4217			
淵岡山	2018	2019		
淵良藪識	1929			
深井英五	6544			
深作安文	1370			
深谷公幹	2667			
深谷克己	0663			
深津胤房	7140	7141	7142	
深澤賢治	6366			
許政雄	0154			
郭沫若	7601			
鹿子木員信	0064			
鹿兒島市婦人會		4857		

鹿兒島市觀光課		4882		
鹿兒島教育會	4855			
鹿兒島縣立圖書館		5014	5015	5017
鹿兒島縣教育會		4816		
鹿兒島縣勞務課		4821		
鹿野政直	2871	5226	5846	5925
鹿野政道	5856			
麻生津村役場	0612			
麻生義輝	0641			

〔一〕

乾克己	0462			
副田義也	6045			
副島道正	6236			
副島種臣	6232	6233	6234	6235
帶刀次六	5536			
埴科郡教育會	3583	3584		
堀勇雄	1055	2269		
堀內信水	3595			
堀內新泉	5665			
堀內操	6922			
堀田兼成	4851			
堀和久	4966			
堀哲三郎	5332			
堀部壽雄	2648			
埼玉縣教育會	4730			
張文朝	7766			
張君勱	1850			
張啓雄	7927			
張養浩	7242			
張寶三	6117	6118	6119	6794
	6795			
教育思潮研究會		0122		
教育研究會	5656			
曹庭棟	6821			
桶谷秀昭	0379			

〔ノ〕

十二劃

〔、〕

森　純大	4968			
森　鹿三	4338			
森　滄浪	3590			
森　銑三	0176	0741	0742	0749
	0808	0995	1254	1299
	1576	1656	1673	2380
	2720	2805	2912	2984
	2999	4045	4152	4190
	7144	7145	7146	7147
	7148	7149	7150	7151
	7152	7153	7154	7155
	7156	7157	7158	7159
	7160	7161	7162	7163
	7164	7165	7166	7167
	7168	7169	7170	7171
	7172	7173	7174	7175
	7176	7177	7178	7179
	7180	7181	7182	7183
	7184	7185	7186	7187
	7188	7189	7190	7191
	7192	7193	7194	7992
森　繁大	2143			
森　數男	2117			
森　露華	5129			
森三樹三郎	7112			
森中章光	6590			
森友幸照	5266	5285		
森本樵作	3632			
森本覺円	5341			
森田市三	3250			
森田芳雄	3708	3709		
森田思軒	3243			
森田康之助	0025	0039	0046	0081
森野雪江	5647			
植手通用	5851			
植手通有	3228			
植田　均	0936			
植田　彰	0357	0358		
植村道次郎	6037			
棚橋慶次	1992			
越川春樹	4564			
越智宏倫	5780			
陽明學編輯部	2005	2122	4575	4676
	5008	5287	6289	
隅谷三喜男	6574	6641		
雄山閣	0068	7962		
雲　照	6032			
黃　得時	0245	2719	6898	6939
黃　錦鋐	0166	0723		

〔丩〕

景徐周麟	0534			
菅　孝行	5858			
菅　茶山	2897			
菅谷秋水	3248			
菅原　琴	4105			
菅原兵治	5693	5741		
菅野和太郎	3102			
菅野禮行	0275			
菅野覺明	0254			
菰口　治	0795	1484	3851	6649
菊地謙二郎	1432	1439	1445	1447
	3326	3327	3396	3408
	3444	3445	3460	1374
	3458			
韮塚一三郎	6405			
貴司山治	3482			
黑木盛幸	4437			
黑木彌千代	4899			
黑田俊輝	0656			
黑江一郎	3988	4435	4436	4438
	4441	4446	4447	

| 黑政 巖 | 2599 |
| 黑野吉金 | 3311 |

〔ノ〕

勝又胞吉	1461
勝水瓊泉	4617
勝田孫彌	4780	4787	4847	4916
勝田勝年	1192	1209
勝尾金彌	7198
勝俁忠幸	0006
勝部眞長	0725	4982	5007	6197
筒井清彦	5482	5484
結城陸郎	0117	0435	0442	0447
	0451	0459	0460	0461
結城隆郎	0445
絕海中津	0518
象山先生遺跡表彰會	3585
象山神社社務所	3598
進藤英幸	1216	1314
須永 弘	0440
須田耕史	7303
須貝美香	0257
飯田傳一	4511
飯島忠夫	3530	3597	6995

十三劃

〔、〕

新 恆藏	3630
新人物往來社	0945	4970
新川哲雄	0378
新井正明	7304
新井白石	1102	1103	1104	1106
	1107	1108	1109	1110
	1111	1112	1113	1114
	1115	1116	1117	1118
	1119	1120	1121	1122
	1123	1124	1125	1126
	1127	1128	1129	1130
	1131	1132	1133	1134
	1135	1136	1137	1138
	1139	1140	1141	1142
	1143	1144	1145	1146
	1147	1148	1149	1150
	1151	1152	1153	1154
	1155	1156	1157	1158
	1159	1160	1161	1162
	1163	1164	1165	1167
	1168	7787
新村 出	0289	2475	3607
新妻三男	5698
新保 哲	0043
新垣淑明	7724	7725	7726
新美保秀	0261	0263	0400	0430
	0561	0568
新海正行	1947
新野哲也	4983
新樂 定	0452
新薩藩叢書刊行會	0876
源 了圓	0050	0080	0649	0650
	0662	0672	0730	0767
	2837	3150	3157	3617
	3871	3876	3882	7804
	7805	7806	7807	7808
	7809	7810	7811	7812
	7813	7814	7815	7816
	7817	7818	7819	7820
	7821	7822	7823
溝上 瑛	6714	6715	6986	6987
	7498	7653
溝口雄三	4555	4611	7911	7912
	7913	7914	7915	7916

6821	6822	6823	6824
6825	6826	6827	6828
6829	6830	6831	6832
6833	6834	6835	6836
6837	6838	6839	6840
6841	6842	6843	6844
6845	6846	6847	6848

遠藤鎮雄　5028

槇不二夫　2349

槇林滉二　6601

〔丨〕

幕末・維新史研究會　4976

蒲池歡一　0340

蜷川龍夫　6056

嶋崎一郎　4130

〔丿〕

熊本縣教育會上益城郡支會沼山津分會
　　　　5805

熊谷八川男　7564

熊原政男　0465

熊澤蕃山

2022	2023	2024	2025
2026	2027	2028	2029
2030	2031	2032	2033
2034	2035	2036	2037
2038	2039	2040	2041
2042	2043	2044	2045
2046	2047	2048	2049
2050	2051	2052	2053
2054	2055	2056	2057
2058	2059	2060	2061
2062	2063	2064	2065
2066	2067	2068	2069
2070	2071	2072	2073
2074	2075	2076	2077

2078	2079	2080	2081
2082	2083	4662	7782

熊坂圭三　3654

綠蔭書房　6012

網代長利　0345

維新研究會　4963

緒方惟精

0139	0244	0269	0332
0559	0620	0622	

緒方無元　3937

緒形　康　2618

十五劃

〔、〕

廣常人世　2898　7026

廣論社出版局　2886

廣瀨　豐

2231	2233	2292	5023
5024	5076	5142	5148
5154	5155	5156	5162
5163	5164	5170	5173
5180	5193	5194	5208
5210	5295		

廣瀨八賢顯彰會　3955

廣瀨正雄　0891　3958　3961　3977

廣瀨旭莊　0437　3978　3979　3980
　　　　3981

廣瀨旭莊全集編集委員會　3983

廣瀨宗家　0887　3973

廣瀨敏子　5735

廣瀨淡窗

0692	3910	3911	3912
3913	3914	3915	3916
3917	3918	3919	3920
3921	3922	3923	3924
3925	3926	3927	3928
3929	3930	3931	3932
3933	3934	3972	0886

	6551	6552	6553	6554
	6555	6556	6557	6558
	6559	6560	6561	6562
	6563	6564	6565	6566
	6567	6568	6569	6570
	6571	6573		
樂鷹眞人	5631			
稷田雪崖	5172			
稻毛　實	1346			
稻生輝雄	6019			
稻垣國三郎	1442	1451	3106	3662
	3768			
稻垣常三郎	5087			
稻葉岩吉	1396			
稻葉誠一	4357	4358	4359	4363
稻葉默齋	2992	2993	2994	2995
	2996	2997		
編委會	7377	7378	7698	
鴇田惠吉	4371	4372	4373	5600

十六劃

〔、〕

澤井常四郎	3833	
澤井啓一	3814	
澤本孟虎	3308	
澤田延音	4887	
澤田總清	1091	1190
澤柳政太郎	4093	
澤島正治	0014	
澤瀉會	5308	
龍　肅	0356	

龍門社編	6367	6370	6415	6416
龍野咲人	3610			
龍鄉村教育委員會	4893			

〔一〕

樺島石梁先生顯彰會	4131			
橫山　弘	2820			
橫山俊夫	1795			
橫山貞亮	6134			
橫山健堂	3329	3463	4808	4836
	4879	5336		
橫山達三	0820			
橫山德門	5971			
橫川末吉	1340			
橫川景三	0531			
橫井　清	1150			
橫井也有	0914			
橫井小楠	5784	5785	5786	5787
	5788	5789	5790	5791
	5792	5793	5794	5795
	5797			
橫井小楠傳頒布會	5809			
橫井時雄	5798			
橘　明志	1906	1907		
橋川丈三	4930			
橋川文三	3420	3421	3427	3431
	3438	5246	5846	6928
	6935			
橋木榮治	4577			
橋爪兼太郎	3985			
橋本芳和	0450			
橋本昭彥	0834			
橋本榮治	2013	4126	4472	
橋尾四郎	5462			
賴　成一	3179	3229	3304	3305
賴　杏坪	3182			
賴　春水	3170	3171	3172	3173
	3174	3175	3176	
賴　惟勤	0137	2503	2938	3211

二十劃

〔｜〕

國家圖書館出版品預行編目資料

日本儒學研究書目

林慶彰・連清吉・金培懿編
-- 初版. -- 臺北市：學生書局，1998[民87]
　　面：　公分.

　　ISBN 957-15-0887-X（精裝）
　　ISBN 957-15-0888-8（平裝）

1.儒學 - 日本 - 目錄

016.131　　　　　　　　　　　　　　87007630

日本儒學研究書目（全二冊）

編　　　者：林慶彰・連清吉・金培懿
出　版　者：臺　灣　學　生　書　局
發　行　人：孫　　善　　治
發　行　所：臺　灣　學　生　書　局
　　　　　　臺北市和平東路一段一九八號
　　　　　　郵政劃撥帳號〇〇〇二四六六八號
　　　　　　電話：二　三　六　三　四　一　五　六
　　　　　　傳眞：三　三　六　三　六　三　三　四
本書局登
記證字號：行政院新聞局局版北市業字第玖捌壹號
印　刷　所：宏　輝　彩　色　印　刷　公　司
　　　　　　地址：中和市永和路三六三巷42號
　　　　　　電話：二　二　二　六　八　八　五　三
定價：精裝新臺幣一四〇〇元
　　　平裝新臺幣一二〇〇元
西　元　一　九　九　八　年　七　月　初　版

01606　　　版權所有・翻印必究
　　　ISBN 957-15-0887-X（精裝）
　　　ISBN 957-15-0888-8（平裝）

臺灣學生書局出版

中國目錄學叢刊

① 湯顯祖研究文獻目錄　　　　　　　　　　　陳美雪　編

② 日本儒學研究書目　　　　　　　　　　　　林慶彰主編